Unentbehrlich . . .

Zuverlässig!

Das vorliegende Buch — neu bearbeitet von bekannten Fachleuten deutschsprachiger Nachschlagewerke — gehört zu den besten deutsch-englischen, englisch-deutschen Wörterbüchern, die in dieser niedrigen Preislage je erschienen sind. Mehr als 30 000 Stichwörter, alphabetisch angeordnet und mit Angabe der deutschen und englischen Aussprache, machen es zu einem unentbehrlichen Helfer für jeden, der in seinem Beruf oder seiner Ausbildung mit diesen beiden Sprachen zu tun hat. Besonders wertvoll für den Benutzer ist die Aufnahme der gebräuchlichsten Redensarten und idiomatischen Redewendungen. Vervollständigt wird das Wörterbuch durch eine Zusammenstellung der deutschen und englischen unregelmäßigen Verben, durch die Verzeichnisse von Eigennamen und Abkürzungen, Maßen und Gewichten. Ein weiterer Vorzug ist seine Handlichkeit. Es läßt sich daher auf Reisen leicht mitnehmen.

Inhalt, Umfang und Handlichkeit machen es für jeden — unentbehrlich!

Langenscheidts

DEUTSCH≠ENGLISCHES
ENGLISCH≠DEUTSCHES

Wörterbuch

Beide Teile in einem Band

Von

PROF. E. KLATT und G. GOLZE

WASHINGTON SQUARE PRESS, INC. • NEW YORK

Langenscheidt's
GERMAN⊘ENGLISH
ENGLISH⊘GERMAN
Dictionary

Two Volumes in One

By

PROF. E. KLATT and G. GOLZE

WASHINGTON SQUARE PRESS, INC. • NEW YORK

LANGENSCHEIDT'S GERMAN-ENGLISH
ENGLISH-GERMAN DICTIONARY

A Washington Square Press edition
1st printing.....................January, 1953
35th printing.........................June, 1968

This WASHINGTON SQUARE PRESS edition is published by arrangement with Langenscheidt KG, Publishing House, Berlin and Munich, Germany (Langenscheidt Edition published December, 1952) and is printed from brand-new plates made from newly set, clear, easy-to-read type. The original title of this Langenscheidt dictionary is

METOULA-WÖRTERBUCH ENGLISCH-DEUTSCH
DEUTSCH-ENGLISCH

L

Published by
Washington Square Press, Inc., 630 Fifth Avenue, New York, N.Y.

WASHINGTON SQUARE PRESS editions are distributed in the U.S. by Simon & Schuster, Inc., 630 Fifth Avenue, New York, N.Y. 10020 and in Canada by Simon & Schuster of Canada, Ltd., Richmond Hill, Ontario, Canada.

PREFACE

To SATISFY the ever-growing need for communication between peoples speaking different languages, it is with special pride and satisfaction that we issue this new dictionary. For many years the "word-books" published by Langenscheidt have been accepted standards for the German and English languages. In preparing this new, inexpensive dictionary, the editors have revised and shortened the famous two-volume LANGENSCHEIDT TASCHEN-WOERTERBUCH. The vocabulary contains about 30,000 vocabulary entries in both parts. Colloquialisms and Americanisms have been given special consideration. Many phrases and English irregular verb forms have been included. English Pronunciation follows that laid down by David Jones in his English Pronouncing Dictionary (1948). For the German pronunciation in the German-English part Siebs, Deutsche Bühnenaussprache, was taken as a basis. The phonetic transcription is the system employed in the Method of TOUSSAINT-LANGENSCHEIDT with additional use of stress marks and auxiliary signs.

In addition the book contains lists of proper names, abbreviations, weights and measures.

This new and amazingly low-priced bilingual dictionary will be an instrument for better understanding between peoples.

*

DIRECTIONS FOR THE USE
OF THE DICTIONARY

1. Arrangement. The alphabetical order has been maintained throughout the dictionary; also the irregular grammatical forms of the parts of speech will be found in the alphabetical order. Examples: *bore*, *born*, *borne* from *bear*; *men* from *man*; *besser*, *best* from *gut*.

2. Phonetic transcription. To save space it has been usually omitted when the constituents of a compound are recorded as entry words with their pronunciations.

Also the pronunciations of the German derivative affixes, occurring in an endless number of words, have generally been omitted in the vocabulary and are given here. Suffixes: -al (-ăhl), -är (-ăr), -bar (-băhr), -ei (ī-), -en (-ᵉn), -end (-ᵉnt), -er (-ᵉr), -haft (-hăhft), -heit (-hīt), -ieren (-eerᵉn), -ig (-Iç), -isch (-Ish), -keit (-kīt), -lich (liç), -nis (-nis), -sam (-zăhm), -schaft (-shăhft), -tät (-tāt), -tion (-ts'ōn), -tiv (-teef), -tum (-tōōm), -wärts (-vĕrts), zer- (tsĕr-).

3. Stress. The main accent is shown by the mark (′) after the vowel of the stressed syllable, as, for instance, **natü′rlich** in the German-English part. In the English-German part the accent will be found in the phonetic transcription, e.g. **onion** (α′nlᵉn). The placing of two accents means that the two marked syllables are equally stressed, e.g. **unsound** (α′nᵷăū′nⁿd). In long words the main stress is indicated by double accent(″), e.g. **conglomeration** (ĸŏnglŏ′mᵉreⁱ″tʃʰᵉn).

4. Additions printed in *italics* are merely meant to illustrate the various senses of a catchword: examples: abate *Mißstand* abstellen; abgeben (*abliefern*) deliver, *Meinung usw.*: give.

Further explanations are given by symbols and abbreviated definitions (see list pp. 8—9).

5. The semicolon separates a given meaning from another essentially different meaning.

6. (~ally) after an English adjective means that from it an adverb may be formed by affixing ~ally to the catchword; e.g. dramatic (~ally = dramatically).

7. Hyphen. When a word is broken at the end of a line and the hyphen is repeated on the next line, it means that the word is normally hyphened; e.g. air--conditioned = air-conditioned.

8. The auxiliary sign (-) in German words indicates that the letters between which it stands are to be sounded separately; e.g. Bläs-chen.

9. Chief characteristics of the American spelling. (Brackets show British spelling.) **-or** (-our): hon*or*. — **-er** (-re): cent*er*, meag*er*; exceptions: ogr*e* and words ending in -cr*e*, as massacr*e*. — **-se** (-ce): defen*se*. — **Single consonants** (for duplicate consonants) in: trave*l*ed, trave*l*ing, trave*l*er; worshi*p*ed, worshi*p*ing, worshi*p*er; counci*l*or, wago*n*, woo*l*en, etc. (travelled, etc.). — **Omission of mute e** in words like judg(*e*)ment, ax(*e*), good-by(*e*). — **im-, in-** often preferred to Brt. em-, en-: *im*panel, *in*snare. — **e** usually preferred to Brt. æ, œ: an*e*mia, diarrh*e*a. — **Omission of unaccented foreign terminations**: catalog(*ue*), program(*me*). — **Omission of u when combined with a or o**: sta*n*ch (staunch), m*o*ld (mould), m*o*lt (moult). — **Special cases**: g*ra*y (grey); pl*o*w (plough); s*i*rup (syrup); t*i*re (tyre); enro*l*lment (enrolment), insta*l*lment (instalment), ski*l*lful (skilful).

CONTENTS

SYMBOLS AND ABBREVIATIONS
USED IN THE DICTIONARY

1. SYMBOLS

The swung dash or tilde (~ ⸰, ~ ⸰) serves as a mark of repetition within a group of words. The bold-faced tilde (~) represents either the complete word at the beginning of the article or the part of that word preceding the vertical line (|). The simple tilde (~) replaces: a) the preceding catchword, which itself may have been formed with the aid of the tilde; b) in the phonetic transcription, the full pronunciation of the preceding catchword or as much of it as remains unaltered.

When the initial letter changes from a capital letter to a small letter, or vice versa, the tilde is replaced by the sign ⸰.

Examples: *abendon* (ᵉbā'ndᵉn), *~ment* (*~*mᵉnt = ᵉbā'ndᵉnmᵉnt); *certi|ficate, ~fication, ~fy, ~tude*;

Drama, ~tiker, ⸰tisch; fassen: sich kurz ~~

☐ after an English adjective means that from it an adverb may be formed regularly by adding ...ly, or by changing ...le into ...ly or ...y into ...ily; as: *rich* ☐ = *richly; acceptable* ☐ = *acceptably; happy* ☐ = *happily*.

F *familiar, familiär; colloquial language*, Umgangssprache.

↖ *rare, little used*, selten.

Ⓤ *scientific term*, wissenschaftlich.

⚘ *botany*, Pflanzenkunde.

⊕ *handicraft; engineering*, Handwerk; Technik.

⚒ *mining*, Bergbau.

⚔ *military term*, militärisch.

⚓ *nautical (or watermen's) term*, Schiffahrt.

✝ *commercial term*, Handelswesen.

🚂 *railway*, Eisenbahn.

✈ *aviation*, Flugwesen.

✉ *postal affairs*, Postwesen.

♪ *musical term*, Musik.

🏛 *architecture*, Baukunst.

⚡ *electrical engineering*, Elektrotechnik.

⚖ *jurisprudence*, Rechtswissenschaft.

🅰 *mathematics*, Mathematik.

🌾 *farming*, Landwirtschaft.

⚗ *chemistry*, Chemie.

⚕ *medicine*, Heilkunde, Medizin.

2. ABBREVIATIONS

a.	*also*, auch.
adj.	*adjective*, Eigenschaftswort.
acc.	*accusative (case)*, Akkusativ, 4. Fall.
adv.	*adverb*, Umstandswort.
allg.	*commonly*, allgemein.
Am.	*Americanism*, in U.S.A. gebräuchlicher Ausdruck.
anat.	*anatomy*, Anatomie.
art.	*article*, Artikel, Geschlechtswort.
ast.	*astronomy*, Astronomie.
attr.	*attributively*, als Attribut od. Beifügung.
biol.	*biology*, Biologie.
Brt.	*British usage*, britischer Sprachgebrauch.

b. s.	*bad sense,* in schlechtem Sinne.
bsd.	*particular(ly),* besonder(s).
cj.	*conjunction,* Bindewort.
contp.	*contemptuously,* verächtlich.
dat.	*dative (case),* Dativ, 3. Fall.
dem.	*demonstrative,* hinweisend.
ea.	*one another, each other,* einander.
eccl.	*ecclesiastical,* kirchlich, geistlich.
e-e	*a (an),* eine.
e-m, e-m	*to a (an),* einem.
e-n, e-n	*a (an),* einen.
eng S.	*more strictly taken,* in engerem Sinne.
e-r, e-r	*of a (an), to u (an),* einer.
e-s, e-s	*of a (an),* eines.
et., et.	*something,* etwas.
etc.	*et cetera, and so on,* und so weiter.
f	*feminine,* weiblich.
fig.	*figuratively,* figürlich, bildlich, übertragen.
fr.	*French,* französisch.
gen.	*genitive (case),* Genitiv, 2. Fall.
geogr.	*geography,* Erdkunde.
ger.	*gerund,* Gerundium.
Ggs.	*antonym,* Gegensatz.
gr.	*grammar,* Grammatik.
h.	*to have,* haben.
hunt.	*hunting,* Jagdwesen.
inf.	*infinitive (mood),* Infinitiv.
int.	*interjection,* Ausrufewort.
interr.	*interrogative,* fragend.
iro.	*ironically,* ironisch.
irr.	*irregular,* unregelmäßig.
j., j-s,	*somebody,* jemand(es *of;* -em
j-m, j-n	*to;* -en).
konkr.	*concretely,* konkret.
l.	*to let,* lassen.
lit.	*literary,* nur in der Schriftsprache vorkommend.
m	*masculine,* männlich.
m.	*to make,* machen.
metall.	*metallurgy,* Hüttenwesen.
min.	*mineralogy,* Mineralogie.
mot.	*motoring,* Kraftfahrwesen.
mst	*mostly, usually,* meistens.
n	*neuter,* sächlich.
od.	*or,* oder.
opt.	*optics,* Optik.
o. s.	*oneself,* sich.
P., Pers.	*person,* Person.
p.	*person,* Person.
paint.	*painting,* Malerei.
parl.	*parliamentary term,* parlamentarischer Ausdruck.
pharm.	*pharmacy,* Apothekerkunst.
phot.	*photography,* Photographie.
phys.	*physics,* Physik.
pl.	*plural,* Mehrzahl.
pol.	*politics,* Politik.
p. p.	*past participle,* Partizip der Vergangenheit.
pred.	*predicative,* prädikativ.
pron.	*pronoun,* Fürwort.
prp.	*preposition,* Verhältniswort.
refl.	*reflexive,* rückbezüglich.
rel.	*relative,* bezüglich.
rhet.	*rhetoric,* Redekunst.
S., S.	*thing,* Sache.
s.	*see, refer to,* siehe, man sehe.
s-e	*his, one's,* seine.
sg.	*singular,* Einzahl.
sl.	*slang,* Slang.
s-m	*to his, to one's,* seinem.
sn	*to be,* sein (Verb).
s-n	*his, one's,* seinen.
s-r	*of his* } seiner,
s-s	*of one's* } seines.
su.	*substantive,* Hauptwort.
surv.	*surveying,* Landvermessung.
tel.	*telegraphy,* Telegraphie.
teleph.	*telephony,* Fernsprechwesen.
th.	*thing,* Ding, Sache.
thea.	*theatre,* Theater.
typ.	*typography,* Buchdruck.
u., u.	*and,* und.
univ.	*university,* Hochschulwesen, Studentensprache.
usw.	*and so on,* und so weiter.
v.	*of, by, from,* von, vom.
v/aux.	*auxiliary verb,* Hilfszeitwort.
vb.	*verb,* Verb(um), Zeitwort.
vet.	*veterinary art,* Tierheilkunde.
v/i.	*verb intransitive,* intransitives Zeitwort.
v/t.	*verb transitive,* transitives Zeitwort.
w.	*to be, to become,* werden.
weit S.	*more widely taken,* in weiterem Sinne.
z. B.	*for instance,* zum Beispiel.
zo.	*zoology,* Zoologie.
zs.	*together,* zusammen.
Zssg(n)	*compound word(s),* Zusammensetzung(en).

THE PHONETIC SYMBOLS OF GERMAN PRONUNCIATION

USED IN THE GERMAN-ENGLISH PART
(METHODE TOUSSAINT-LANGENSCHEIDT)

A. Vowels

äh long, as in "ah!""or" father": ha′ben (hä*h*be*n), Wahl (vä*h*l), Aal (ä*h*l).

äh same sound, but short as in French "carte": alt (ä*h*lt).

é long, close as in French "née", "fiancée" resp. Engl. "mail" without diphthongal glide: Le′ben (lébe*n), se′hnen (zéne*n), See′le (zéle*).

è short, more open than in English: Nest (nèst), Bä′cker (bèk′r).

ᵉ weak, unstressed: bede′cken (be*dèk*e*n).

ä long, open as in Am. "ask" resp. Engl. "hare" but undiphthongized: Bär (bär), gä′hnen (gän′n).

ee long, close as in "meet": dir (deer), ihr (eer), Dieb (deep), sieht (zeet).

ĭ short, open as in "it": ist (ĭst); unstressed: Zyli′nder (tsilĭnd′r).

ⁱ non-syllabic (semivowel) as in "onion": Li′lie (leel¹e*).

ō long, close as in French "beau" resp. Engl. "no", but without diphthongal glide: rot (rōt), Bo′hne (bōne*), Boot (bōt).

ŏ short, open as in Engl. "not": Roß (rŏs).

ȫ unknown in English; long, close, with pursed lips, as in French "jeu": hö′ren (hȫre*n), Sö′hne (zȫne*).

ö unknown in English; short, open as in French "neuf"; somewhat as in Engl. "her", but with pursed lips: kö′nnen (kö′ne*n).

ōō long, close as in "boot": Flut (flōōt), Huhn (hōōn).

ŏŏ short, open as in "book": Fluß (flŏŏs).

ü unknown in English; long, close, as in French "menu"; somewhat as in Engl. "feel", but with pursed lips: mü′de (müd*e*), kühn (kün), Typ (tüp).

ŭ unknown in English; short, open, with pursed lips, as in French "plume": fü′llen (fül*e*n), My′stik (müstĭk).

B. Diphthongs

ow short a + short, close u, as in Engl. "mouse", but staccato, not drawled: Maus (mows).

ī short a + short i, as in Engl. "like", staccato, not drawled: mein (mīn), Mai (mī) in some names: Mey′er (mīᵉr), Bay′ern (bīᵉrn).

ŏi short, open o + short, open i as in "toil", "boy", with slightly rounded lips: heu′te (hŏite*), Häu′te (hŏite*).

C. Consonants

f as in Engl. "find": fi′nden (fĭnd*e*n), Va′ter (fäht′r), Vers (fêrs), Moti′v (mōteef), Philoso′ph (fīlōzôf).

g pronounced like g in "gold": Gold (gôlt).

gʰ the same as g, before e and i: Geld (gʰèlt), Gift (gʰĭft).

G in foreign words, pronounced like voiced sh in "measure": Genie′ (Génee), Giro (Geerō), Journali′st (Gōōrnählĭst).

ç palatal as in Scotch "licht" after
e, i, ä, ö, ü, ei (ai), eu (äu) and
consonants: Licht (liçt), Mönch
(mönç); in the ending -ig: lu'stig
(lōōstiç).

x guttural as in Scotch "loch" after
a, o, u, au: Loch (lóx).

y pronounced like y in "year": ja
(yäh).

k as in Engl. "kick": keck (kĕk),
Tag (tähk), fra'glich (frähklíç),
er fragt (frähkt), chro'nisch (krō-
nish), Café (kähfé).

ng if combined with g or k, n is
pronounced as in "sing" and
"drink": si'ngen (ziŋgⁿn), tri'n-
ken (triŋkᵉn).

p as in English "pass": Paß (pähs),
Weib (vip), O'bhut (ôphōōt),
Abt (ähpt).

kv k + v; no English example:
Qual (kvähl).

r there are two pronunciations: the
lingual r, as in England, but
distinctly trilled, and the uvular
r, unknown in England: rot (rōt).

s unvoiced as in "mis" when final,
doubled, or next a voiceless con-
sonant: Glas (glähs), Ma'sse
(mähsᵉ), Mast (mähst), naß
(nähs).

z voiced as in "zero" when initial
in a word or a syllable: Sohn
(zōn), Ro'se (rōzᵉ).

sh pronounced like English sh in
"shop" with lips slightly more
protruded: Schiff (shif), Char-
lo'tte (shärlötᵉ).

shp sh + p: Spiel (shpeel).

sht sh + t: Stein (shtin).

t pronounced as t in Engl. "tea":
Tee (té), Thron (trōn), Stadt
(shtäht), Bad (bäht), Fi'ndling
(fíntliŋ), Hu'ndstage (hōōnts-
tähgₕᵉ).

v pronounced like v in "vast":
Wi'nter (víntᵉr), Va'se (vähzᵉ).

ks pronounced k + s as in Engl.
((six": Axt (ähkst), sechs (zĕks).

ts pronounced t + s, as in "tsetse",
"rats": Zi'mmer (tsimᵉr), Ka'tze
(kähtsᵉ), Cä'sar (tsäzähr).

D. French nasals

ã
ẽ In germanized words they are
õ, ö̃ mostly replaced by ähŋ, ĕŋ,
öŋ: Ense'mble (äsäbl).

ĝ Terrai'n (tĕräĝ), Bonbo'n (bₒbₒ),
Parfu'm (pährfĝ).

E. Glottal stop

' The glottal stop is equivalent to
a short interval between two
words or two syllables (not to be
confounded with the hyphen):
be-a'rbeiten (bᵉ-ährbitᵉn), Po'st-
amt (pōst-ähmt), Ver-ein (fᵉr-in).

THE GERMAN ALPHABET

a (äh), b (bé), c (tsí), d (dé), e (é), f (ĕf), g (ghé), h (häh), i (ee),
j (yŏt), k (käh), l (ĕl), m (ĕm), n (ĕn), o (ō), p (pé), q (kōō), r (ĕr),
s (ĕs), t (té), u (ōō), v (fow), w (vé), x (íks), y (üpsïlŏn), z (tsĕt).

DIE PHONETISCHEN ZEICHEN
DER ENGLISCHEN AUSSPRACHE

ANGEWENDET IM ENGLISCH-DEUTSCHEN TEIL
(METHODE TOUSSAINT-LANGENSCHEIDT)

Deutsche Schrift: für englische Laute, die den betreffenden deutschen Schriftzeichen entsprechen: b, ð, ꝛ usw.

Lateinische Schrift: für englische Laute, die sich nicht genau durch deutsche Buchstaben wiedergeben lassen: ŏ, ⲱ, ꝗ usw.

Kleinere, hochstehende Schrift: für schwache, unbetonte, dumpfe Vokale und für wenig hervortretende Konsonanten: ᵉ, ⁱ, ᵢ, ᵒ, ᵘ.

A. Vokale und Diphthonge

ā reines langes a, wie in Vater, kam, Schwan: far (fā), father (fā'ᵈʰᵉ).

α kommt im Deutschen nicht vor. Kurzes dunkles a, bei dem die Zunge zurückgezogen und gegen den weichen Gaumen gehoben wird: butter (bɑ'tᵉ), come (ⲕαm), colour (ⲕα'lᵉ), blood (blαd), flourish (flα'rⁱſ⳽), twopence (tα'p³nꝗ).

ä̃ᵉ offenes halblanges ä; im Englischen nur vor r, das als ein dem ä nachhallendes ᵉ erscheint: bare (bä̃ᵉ), pair (pä̃ᵉ), there (ẟä̃ᵉ).

ӑ ganz offener kurzer Laut, zwischen a und ä. Raum zwischen Zunge und Gaumen noch größer als bei ä in Ähre; fat (fӑt), man (mӑn).

aⁱ Bestandteile, helles, zwischen ā und ä liegendes a und schwächeres offenes i. Die Zunge hebt sich halbwegs zur i-Stellung: I (aⁱ), lie (laⁱ), dry (draⁱ).

aᵘ Bestandteile: helles, zwischen ā und ä liegendes a und schwächeres offenes u: house (haᵘꝗ), now (naᵘ).

eⁱ halboffenes e, nach i auslautend, indem die Zunge sich halbwegs zur i-Stellung hebt: date (deⁱt), play (pleⁱ), obey (ᵒbeⁱ).

ĕ halboffenes kurzes e, etwas geschlossener als das e in Bett: bed (bĕd), less (lĕꝗ).

ᵉ flüchtiger Murmel- oder Gleitlaut, ähnlich dem deutschen, flüchtig gesprochenen e in Gelage; wird durch seine Lautnachbarn etwas in seiner Klangfarbe beeinflußt (vgl. auch ⁱ u. ᵒ): about (ᵉbaᵘ't), butter (bα't⸱ᵉ), nation (neⁱ'ſ⳽ᵉn), connect (tᵉ-nĕ't).

ĩ langes i, wie in lieb, Bibel, aber etwas offener einsetzend als im Deutschen; hat in Südengland diphthongischen Charakter, indem sich die Zunge allmählich zur i-Stellung hebt: scene (ſ⳽ĩn), sea (ſ⳽ĩ), feet (fĩt), ceiling (ſ⳽ĩ'lⁱng).

ĭ kurzes offenes i wie in bin, mit: big (bĭg), city (ſ⳽ĭ'tĭ).

ĭᵉ halboffenes i mit nachhallendem ᵉ: here (hĭᵉ), hear (hĭᵉ).

ⁱ flüchtiges ĭ, oft in ᵉ übergehend: direct (dⁱrĕ't), ticket (tĭ'ⁱt), easily (ⁱ'ꝝⁱⁱ).

oᵘ halboffenes langes o, in schwaches u auslautend; keine Rundung der Lippen, kein Heben der Zunge: note (noᵘt), boat (boᵘt), know (noᵘ).

ŏ offener langer, zwischen a und o schwebender Laut: fall (fŏl), nought (nŏt), or (ŏ), pour (pŏ).

ŏ offener kurzer, zwischen a und o schwebender Laut, offener als das o in Motte: god (gŏd), not (nŏt), wash (wŏſ⳽).

ᵒ flüchtiges geschlossenes o, oft in ᵉ übergehend: o*bey* (ᵒbeⁱ'), conn*ect* (tᵉnē'tt).

ᵟ im Deutschen fehlender Laut; offenes langes ö, etwa wie gedehnt gesprochenes ö in öffnen, Mörder; kein Vorstülpen oder Runden der Lippen, kein Heben der Zunge: *word* (ᴡᵟd), g*irl* (gᵟl), h*er* (hᵟ), p*urse* (pᵟß), l*ear*n (lᵟn).

ᵟi Bestandteile: offenes o und schwächeres offenes i. Die Zunge hebt sich halbwegs zur i-Stellung: v*oice* (ᴡᵟiß), b*oy* (bᵟi).

ū langes u wie in Buch, doch ohne Lippenrundung; vielfach diphthongisch als halboffenes langes u mit nachhallendem geschlossenem u (ähnlich dem ω): f*oo*l (fūl), sh*oe* (ſᴚū), y*ou* (jū), r*u*le (rūl).

ŭ kurzes u, wie in Bucht, doch ohne Lippenrundung: f*ull* (fŭl), b*oo*k (bŭk).

uᵉ halboffenes halblanges u mit nachhallendem ᵉ: p*oor* (puᵉ), s*ure* (ſᴚuᵉ).

ᵘ flüchtiges u: car*e*f*u*l (kāᵉ'fᵘl).

B. Konsonanten

r nur vor Vokalen gesprochen. Völlig verschieden von jedem deutschen r. Die Vorderzunge wird zum Kessel geformt, die Zungenspitze bildet mit der oberen Zahnwulst eine Enge, durch die der Ausatmungsstrom mit Stimmton hindurchgetrieben wird, ohne den Laut zu rollen. r am Ende eines Wortes wird nur bei Bindung mit dem Anfangsvokal des folgenden Wortes voll ausgesprochen: r*ose* (roᵘß), pr*ide* (präid), th*ere is* (ᴛᴚāᵉrⁱ'ſ).

Ꮐ stimmhaftes sch, wie g in Genie, j in Journal: a*z*ure (ā'Ꮐᵉ), *j*azz (ᴅꞬäß), *j*eep (ᴅꞬip), lar*g*ᵉ (lāᴅꞬ).

ᴛᴚ im Deutschen nicht vorhandener stimmloser, gelispelter Zahnlaut; durch Anlegen der Zunge an die oberen Schneidezähne hervorgebracht: *th*in (ᴛᴚĭn), pa*th* (pāᴛᴚ).

ᴅᴚ derselbe Laut stimmhaft, d. h. mit Stimmton: *th*ere (ᴅᴚāᵉ), brea*the* (brĭᴅᴚ).

ᵑg wird wie der deutsche Nasenᵑgt laut in fangen, singen, senken gebildet: si*ng*er (ſĭ'ᵑgᵉ), fi*ng*er (fĭ'ᵑgᵉ), dru*n*k (drᵃᵑgt).

ω flüchtiges, mit Lippe an Lippe gesprochenes w, aus der Mundstellung für ū gebildet: *w*ill (ωⁱl), *sw*ear (ßωäᵉ), q*u*een (tωĭn).

ⁱ schwacher, flüchtiger, zwischen j und i schwebender Laut: on*i*on (α'nⁱᵉn), fil*i*al (fĭ'lⁱᵉ¹).

DAS ENGLISCHE ALPHABET

a (eⁱ), b (bī), c (ßī), d (dī), e (ī), f (ĕf), g (ᴅꞬī), h (eⁱtſᴚ), i (āi),
j (ᴅꞬeⁱ), k (ᵗeⁱ), l (ĕl), m (ĕm), n (ĕn), o (oᵘ), p (pī), q (ᵗᴚū), r (ā),
s (ĕß), t (tī), u (jū), v (ωī), w (dα'blĵū), x (ĕᵗß), y (ωāi), z (ſĕd).

NUMERALS — ZAHLWÖRTER

CARDINAL NUMBERS
GRUNDZAHLEN

0 null naught, zero
1 eins one
2 zwei two
3 drei three
4 vier four
5 fünf five
6 sechs six
7 sieben seven
8 acht eight
9 neun nine
10 zehn ten
11 elf eleven
12 zwölf twelve
13 dreizehn thirteen
14 vierzehn fourteen
15 fünfzehn fifteen
16 sechzehn sixteen
17 siebzehn seventeen
18 achtzehn eighteen
19 neunzehn nineteen
20 zwanzig twenty
21 einundzwanzig twenty-one
22 zweiundzwanzig twenty-two
23 dreiundzwanzig twenty-three
30 dreißig thirty
40 vierzig forty
50 fünfzig fifty
60 sechzig sixty
70 siebzig seventy
80 achtzig eighty
90 neunzig ninety
95 fünfundneunzig ninety-five
100 hundert a od. one hundred
200 zweihundert two hundred
560 fünfhundertsechzig five hundred and sixty
1000 tausend a od. one thousand
60140 sechzigtausendeinhundertvierzig sixty thousand one hundred and forty
500000 fünfhunderttausend five hundred thousand.
1000000 eine Million a od. one million

ORDINAL NUMBERS
ORDNUNGSZAHLEN

1st erste first
2nd zweite second
3rd dritte third
4th vierte fourth
5th fünfte fifth
6th sechste sixth
7th siebente seventh
8th achte eighth
9th neunte ninth
10th zehnte tenth
11th elfte eleventh
12th zwölfte twelfth
13th dreizehnte thirteenth
14th vierzehnte fourteenth
15th fünfzehnte fifteenth
16th sechzehnte sixteenth
17th siebzehnte seventeenth
18th achtzehnte eighteenth
19th neunzehnte nineteenth
20th zwanzigste twentieth
21st einundzwanzigste twenty-first
22nd zweiundzwanzigste twenty-second
23rd dreiundzwanzigste twenty-third
30th dreißigste thirtieth
40th vierzigste fortieth
50th fünfzigste fiftieth
60th sechzigste sixtieth
70th siebzigste seventieth
80th achtzigste eightieth
90th neunzigste ninetieth
95th fünfundneunzigste ninety-fifth
100th hundertste (one) hundredth
200th zweihundertste two hundredth
560th fünfhundertsechzigste five hundred and sixtieth
1000th tausendste (one) thousandth
60140th sechzigtausendeinhundertvierzigste sixty thousand one hundred and fortieth
500000th fünfhunderttausendste five hundred thousandth
1000000th millionste millionth

PART I
GERMAN-ENGLISH
DICTIONARY

A

Aal (āhl) *m* eel; 2' **glatt** (-glä*h*t) (as) slippery as an eel.

Aas (āhs) *n*, *a.* Ä'ser (äz*e*r) *pl.* carrion; P *Schimpfwort*: beast.

ab (ä*h*p) *adv.* off; down; away from; from; *thea.* exit, *pl.* exeunt; ~ und zu off and on; ✝ ~ *Fabrik, Lager usw.* ex factory, store, *etc.*; ab *Brüssel* from Brussels; ~ *dort* (to be) delivered at yours; ~ *Unkosten* less charges; *von gestern* ~ from yesterday (forward).

a'b-änder|n (-ĕnd*e*rn) alter, modify; *parl.* amend; 2ung *f* alteration, modification; 2ungsantrag (-ĕnd*e*rōoŋsä*hntr*ähk) *m parl.* amendment.

a'b-arbeiten (-ä*h*rbīt*e*n) *Schuld:* work off; (*ermüden*) overwork; *sich* ~ toil hard. [variation.]

A'b-art (-ä*h*rt) *f* variety; ~ung *f*)

a'bbalgen (-bä*h*lg*he*n) skin.

A'bbau (-bow) *m* 🗙 working, exploitation; reduction (*Verringerung*); 2en *v/t. Gebäude usw.*: remove; 🗙 work, exploit; reduce (*verringern*); *v/i.* 🗙 withdraw secretly.

a'bbeißen (-bīs*e*n) bite off.

a'bbekommen (-b*e*kŏm*e*n) get off; (*s-n Teil* od. *etwas*) ~ get (one's share); *etwas* ~ (*verletzt s.*) get hurt.

a'bberuf|en (-b*e*rōōf*e*n) recall; 2ung *f* recall.

a'bbestell|en (-b*e*shtĕl*e*n) countermand; *Zeitung*: discontinue; 2ung *f* countermand.

a'bbiegen (-beeg*he*n) *v/t.* bend off; *fig. e-e Sache*: give another turn to; *v/i.* (sn) turn off od. aside; *Seitenweg*: branch off.

A'bbild (-bīlt) *n* likeness; image; 2en (-bīld*e*n) figure; portray *a p.*; ~ung *f* picture; illustration. [(up).]

a'bbinden (-bind*e*n) unbind; 🗙 tie)

A'bbitte (-bīt*e*) *f* apology; 2n *v/t.* u. *v/i.* apologize (et. for a th.).

a'bblasen (-blä*h*z*e*n) *v/t. Dampf:* blow off.

a'bblättern (-blĕt*e*rn) *v/refl.* u. *v/i.* (sn) lose the leaves; 🗙, *Gestein:* peel off.

a'bblenden (-blĕnd*e*n) *Licht:* screen, dim; *phot.* stop down.

a'bblitzen (-blits*e*n) (sn) F meet with a rebuff. [blooming.]

a'bblühen (-blü*e*n) (sn, h.) cease) (sn) break off; *Haus usw.*: pull down; *Zelt*: strike.

a'bbrechen (-brĕç*e*n) *v/t.* u. *v/i.*

a'bbrennen (-brĕn*e*n) *v/t.* burn away; *Haus*: burn down; *Feuerwerk*: let off; *v/i.* (sn) burn away *od.* down (*s. v/t.*).

a'bbringen (-briŋ*e*n) ~ *von* divert from; (*abraten*) dissuade from.

a'bbröckeln (-brŏk*e*ln) (sn) crumble away.

A'bbruch (-brōōx) *m* breaking off; *e-s Hauses*: demolition; *der Beziehungen*: rupture; (*Schaden*) damage, injury; ~ *tun* (*dat.*) damage; ~unternehmer (-ōont*e*rné*he*r) *m* housebreaker.

a'bbürsten (-bürst*e*n) brush (off).

a'bbüßen (-büs*e*n) expiate; *Strafe*: serve. [off; 2ung *f* slope.]

a'bdach|en (-dä*h*x*e*n): *sich* ~ slope)

a'bdank|en (-dä*h*ŋk*e*n) *v/i.* resign; *Herrscher*: abdicate; 2ung *f* abdication. [clear.]

a'bdecken (-dĕk*e*n) uncover; *Tisch*:)

A'bdecker *m* knacker, flayer; ~ei (-ī) *f* knackery, *Am.* boneyard.

a'bdichten (-dīçt*e*n) seal (up), pack.

a'bdienen (-deen*e*n) serve (one's time).

a'bdrehen (-dré[*e*]n) twist off; *Gas*: turn off; ⚡ switch off; 🗙, ⚓ change one's course.

a'bdrosseln (-drŏs*e*ln) ⊕ throttle.

A'bdruck (-drōŏk) *m* impression; (*Abzug*) copy; *phot.* print; 2en print (off).

a'bdrücken (-drük*e*n) (*abformen*) mould; *Gewehr*: fire off; *j-m das Herz* ~ distress a p.

A'bend (ā*h*b*e*nt) *m* evening; *heute* 2 to-night; *gestern* 2 last night; *morgen* 2 to-morrow night; *des* ~s, 2s in the evening; ~anzug (-ä*h*ntsōōk) *m* evening dress; ~blatt (-blä*h*t) *n* evening paper; ~brot

(-brŏt), ~essen (-ĕs⁴n) n supper;
~dämmerung (-dĕm⁴rŏŏng) f
(evening) twilight; ~kasse (-kähs⁴)f
box-office; ~kleid (-klīt) n evening
dress od. -gown; ~land (-lähnt) n
occident; 2ländisch (-lĕndĭsh)
western, occidental; ~mahl (-mähl)
n the (Lord's) Supper; ~rot (-rōt)
n evening glow; ~schule (-shōōl⁴) f
evening-school; ~sonne (-zŏn⁴) f
setting sun; ~tisch (-tish) m supper
(-table); ~toilette (-tŏăhlĕt⁴) f
evening dress; ~wind (-vĭnt) m
evening breeze; ~zeitung (-tsi-
tŏŏng) f = ~blatt.

A'benteuer (ähb⁴ntŏi⁴r) n ad-
venture; 2lich (-lĭç) adventurous.

A'benteurer m adventurer; ~in f
adventuress.

a'ber (ähb⁴r) 1. adv. again; tausend
und ~ tausend thousands and
thousands; 2. cj. but; nun ~ but
now; nein ~! I I say!; oder ~ (or)
else.

A'ber|glaube (-glowb⁴) m super-
stition; 2gläubisch (-glŏibĭsh) su-
perstitious.

a'b-erkennen (-ĕrkĕn⁴n): j-m et. ~
deny a p. a th.; ţ deprive a p. of
a th.; 2ung f denial; ţ deprivation.

a'ber|malig (-mählĭç) repeated;
~mals (-s) again, once more.

a'b-ernten (-ĕrnt⁴n) reap, harvest.

a'berwitzig (-vĭtsĭç) crazy.

a'b-essen (-ĕs⁴n) v/i. finish eating.

a'bfahren (-fähr⁴n) v/i. (sn) depart,
leave; v/t. carry (od. cart) away.

A'bfahrt (-fährt) f departure; Schi:
descent; ~slauf (-fährtslowf) m
Schi: downrun; ~signal (-fährts-
zĭgnähl) n starting-signal.

A'bfall (-fähl) m fall(ing-off); (Bö-
schung) slope; (Trennung) defection,
secession; eccl. apostasy; (Un-
brauchbares) (oft pl.) waste, refuse;
⊕ clippings pl.; bsd. beim Schlachten: offal; 2en (sn) fall off; (schräg
sn) slope; (sich trennen) desert, secede; eccl. apostatize; (erfolglos sn)
fail; es fällt sehr ab gegen it is far
inferior to.

a'bfällig (-fĕlĭç) disapproving.

a'bfangen (-fähng⁴n) intercept; △,
⚔ prop; ⚔⁻ flatten out. [colour.]

a'bfärben (-fĕrb⁴n) v/i. stain; lose]

a'bfass|en (-fähs⁴n) Werk: com-
pose, pen; j-n ~ catch; 2ung f
composition.

a'bfaulen (-fowl⁴n) (sn) rot off.

a'bfegen (-fég²⁴n) sweep off.

a'bfeilen (-fil⁴n) file off.

a'bfertig|en (-fĕrtĭgʰ⁴n) dispatch,
forward; (abweisen) snub; 2ung f
dispatch(ing); snub(bing).

a'bfeuern (-fŏi⁴rn) fire (off), discharge.

a'bfinden (-fĭnd⁴n) satisfy; pay off;
(entschädigen) compensate; sich ~
mit resign to one's fate; put up with.

A'bfindung (-fĭndŏŏrⁿ̃) f satisfaction; ~(ssumme) (-fĭndŏŏrⁿ̃s-
zŏŏm⁴) f indemnity.

a'bflachen (-flähk⁴n): sich ~ flatten.

a'bflauen (-flow⁴n) abate; ✝ Kurse:
sag. [⚔⁻ start.]

a'bfliegen (-fleegʰ⁴n) (sn) fly off;]

A'bflug (-flŏŏk) ⚔⁻ m start.

A'bfluß (-flŏŏs) m flowing off; (Ent-
leerung) discharge; (~stelle) outlet.

a'bfordern (-fŏrd⁴rn) demand (dat.
from).

a'bfressen (-frĕs⁴n) eat off.

A'bfuhr (-fŏŏr) f removal, carrying off.

a'bführen (-fūr⁴n) v/t. j-n: lead off;
ins Gefängnis: walk (od. march) off;
Geld: pay off; (abweisen) snub; v/i.
⚔⁻ purge od. loosen the bowels; ~d
(-t) ⚔⁻ purgative, aperient.

A'bführmittel (-fürmĭt⁴l) ⚔⁻ n
aperient. [draw off.]

a'bfüllen (-fül⁴n) fill out; Wein:]

a'bfüttern (-füt⁴rn) feed; ⊕ line.

A'bgabe (-gähb⁴) f delivery; (Steuer)
duty, tribute; 2nfrei (-frī) duty-
-free; 2npflichtig (-pflĭçtĭç) dutiable.

A'bgang (-gähng) m departure; thea.
exit; aus e-r Stellung: retirement;
von der Schule: leaving (school);
(Verlust) loss, wastage; (Fehlen)
deficiency; ⚔⁻ discharge; (Abfall)
refuse, offal; ~szeugnis (-gähng-
tsŏiknĭs) n leaving certificate.

A'bgas (-gähs) n exhaust gas.

a'bgeben (-gʰĕb⁴n) (abliefern) deliver (an acc., bei to); Meinung usw.:
give; von et.: give some of; e-n
Gelehrten usw.: make; sich ~: mit
et. occupy o.s. with; mit j-m
associate with.

a'bgebrüht (-gʰ⁴brüt) fig. hardened.

a'bgedroschen (-gʰ⁴drŏsh⁴n) trite.

a'bgefeimt (-gʰ⁴fīmt) cunning.

a'bgegriffen (-gʰ⁴grĭf⁴n) (well-)
thumbed.

a'bgehärtet (-gʰᵉhȁrt⁴t) hardened.

a'bgeh(e)n (-gʰᵉ[ᵉ]n) (sn) go off; depart, *Post*: go, 🌍 leave; *vom Amt*: retire; resign; *Schule*: leave (school), (*mit Erfolg*) graduate; (*sich lösen*) come off; *Seitenweg*: branch off; (*fehlen*) be missing; ♂ be discharged; *Ware*: sell; (*abschweifen*) digress; ~ *von e-m Entschluß*: relinquish; *vom (rechten) Wege* ~ go astray; *hiervon geht ... ab ...* must be deducted; *gut* ~ pass off well.

a'bgelebt (-gʰᵉlépt) decrepit.

a'bgelegen (-gʰᵉlégᵃᵉn) remote.

a'bgelten (-gʰȅltᵃn) *Forderung*: meet.

a'bgeneigt (-gʰᵉnïkt) disinclined, averse; *j-m* ~ ill-disposed towards a p.

a'bgenutzt (-gʰᵉnȯȯtst) worn (out).

A'bgeordnete(r) (-gʰᵉ-ȯrdnᵉt⁴r) *m* delegate, deputy; *parl.* member of Parliament, *Am.* representative.

a'bgerissen (-gʰᵉrïs⁴n) (*zerlumpt*) ragged; *Stil, Sprache*: abrupt.

A'bgesandte(r) (-gʰᵉzȁhnt⁴r) *m* delegate; (*geheimer*) emissary.

A'bgeschiedenheit (-gʰᵉsheed⁴n-hït) *f* seclusion. [hit] *f* seclusion.|

A'bgeschlossenheit (-gʰᵉshlȯs⁴n-|

A'bgeschmackt (-gʰᵉshmȁkt) absurd; 2heit (-hït) *f* absurdity.

a'bgesehen (-gʰᵉzé⁴n): ~ *von* apart from.

a'bgespannt (-gʰᵉshpȁhnt) *fig.* exhausted, tired.

a'bgestanden (-gʰᵉshtȁhnd⁴n) stale.

a'bgestorben (-gʰᵉshtȯrb⁴n) numb.

a'bgestumpft (-gʰᵉshtȯȯmpft) blunt (-ed); *fig.* dull.

a'bgewöhnen (-gʰᵉvȫn⁴n): *j-m et.* ~ disaccustom a p. to a th.; *sich et.* ~ leave off. [*Gips*: cast.]

a'bgießen (-gʰees⁴n) pour off; *in|*

A'bglanz (-glȁnts) *m* reflection.

a'bgleiten (-glït⁴n) (sn) slip off, glide off.

A'bgott (-gȯt) *m* idol.

A'bgötterei (-gȯt⁴rï) *f* idolatry.

a'bgöttisch (-ïsh): ~ *lieben* idolize.

a'bgrasen (-grȁhz⁴n) graze; *fig.* scour. [*fig.* delimit.]

a'bgrenzen (-grȅnts⁴n) mark off; |

A'bgrund (-grȯȯnt) *m* abyss; precipice. [copy.]

A'bguß (-gȯȯs) *m in Gips usw.*: cast, |

a'bhacken (-hȁhk⁴n) chop (*od.* cut) off.

a'bhaken (-hȁhk⁴n) unhook; *Liste*: tick (*od.* check) off.

a'bhalten (-hȁhlt⁴n) hold (*od.* keep) off; *fig.* detain; (*hindern*) restrain; *Fest usw.*: hold; *Lehrstunden*: give; *Regen usw.*: keep off; *Kind*: hold out.

a'bhand|eln (-hȁhnd⁴ln) *vom Preise*: beat down; (*erörtern*) treat (of); 2lung *f* treatise, essay, dissertation.

abha'nden (-hȁhnd⁴n): ~ *kommen* get lost.

A'bhang (-hȁhrg) *m* slope.

a'bhängen (-hȅŋ⁴n) unhang, take off; 🌍, 🔗 uncouple; ~ *von* depend on.

a'bhängig (-hȅŋïç): ~ *von* dependent on; 2keit (-kït) *f* dependence.

a'bhärmen (-hȅrm⁴n): (*sich*) ~ pine away; *abgehärmt* care-worn.

a'bhärten (-hȅrt⁴n) harden.

a'bhauen (-how⁴n) *v/t.* cut off *od.* down; *v/i.* (sn) F decamp.

a'bhäuten (-hȯit⁴n) skin, flay.

a'bheben (-héb⁴n) lift (off); *Geld*: (with)draw; *Karten*: cut; *sich* ~ (*von*) contrast (with), stand out (against).

a'bheilen (-hïl⁴n) (h. *u.* sn) heal.

a'bhelfen (-hȅlf⁴n) help, remedy.

a'bhetzen (-hȅts⁴n) fatigue; overdrive; *sich* ~ overtire o.s. [relief.]

A'bhilfe (-hïlf⁴) *f* remedy; redress;|

a'bhobeln (-hȯb⁴ln) plane (off).

a'bhold (-hȯlt) averse to.

a'bholen (-hȯl⁴n) call for; *j-n von der Bahn* ~ go to meet a p.

a'bholzen (-hȯlts⁴n) cut down.

a'bhorchen (-hȯrç⁴n) ♂ auscultate; *Geheimnis*: overhear.

a'bhören (-hȫr⁴n) (*Schule*) hear; *teleph.* intercept, tap.

a'b-irr|en (-ir⁴n) (sn) deviate; 2ung *f* deviation.

a'bjagen (-yȁhgʰᵉn) overdrive; *j-m et.* ~ recover a th. from a p.

a'bkanzeln (-kȁhnts⁴ln) lecture.

a'bkarten (-kȁhrt⁴n) plot; *abgekartet* preconcerted.

a'bkaufen (-kowf⁴n) *j-m*: buy from.

A'bkehr (-kér) *f* turning away; 2en *s. abfegen*; (*abwenden*) turn away (*a. sich* ~).

a'bketten (-kȅt⁴n) unchain.

a'bklären (-klȁr⁴n) clear, clarify; ♂ filter; *abgeklärt fig.* detached, mellow.

a'bklingen (-klïŋ⁴n) fade away.

2*

a'bklopfen (-klŏpfᵉn) knock off; ⚔
percuss; (abstäuben) dust (off).
a'bknapsen (-knäᵈpsᵉn) stint; sich
et. ~ stint o.s. in a th.   [off.]
a'bkneifen (-knifᵉn) pinch (od. nip)]
a'bkochen (-kŏkᵉn) v/t. boil; v/i.
do one's cooking.
a'bkommandieren (-kŏmäⁿndee-
rᵉn) detach, detail.
A'bkomme (-kŏmᵉ) m descendant.
a'bkommen 1. (sn) vom Wege ~
lose one's way; ~ von e-r Ansicht
alter; ~ von e-m Thema: digress
from; Brauch: fall into disuse;
Sport: gut ~ get a good start; er
kann nicht ~ he cannot be spared;
2. 2 n (Vertrag) agreement.
A'bkömmling (-kŏmliⁿg) m descendant; (Sprößling) slip.
a'bkoppeln (-kŏpᵉln) uncouple.
a'bkratzen (-krähtsᵉn) scratch (od.
scrape) off.
a'bkühlen (-külᵉn) cool; sich ~ cool
down.
A'bkunft (-kŏŏnft) f descent, origin,
extraction; birth.
a'bkürz|en (-kürtsᵉn) shorten;
abridge; abbreviate; ⚔ reduce;
2ung f abridgment; abbreviation;
des Weges: short-cut; ⚔ reduction.
a'bladen (-lähdᵉn) unload; Schutt:
dump.
a'blagern (-lähgᵉrn) v/i. (sn) settle;
Wein usw.: mature, season.
a'blassen (-lähsᵉn) v/t. let off;
Teich: drain; vom Preise: abate;
(überlassen) let a p. have a th.; v/i.
leave off (von et. doing a th.).
A'blauf (-lowf) m e-r Frist: expira-
tion, end; Sport: start; nach ~ von
at the end of; 2en v/i. (sn) run off
od. down; Zeit usw.: come to an
end; ✝ become due; Sport: start
(a. ~ l.); Uhr: run down; gut ~
end well; v/t. Schuhe: wear out;
sich die Beine ~ run o.s. off one's
legs; s. Rang.
a'blecken (-lĕkᵉn) lick off.
a'blegen (-léghᵉn) lay down, off od.
aside; Kleid (ausziehen): put off;
Gewohnheit, altes Kleid: leave off;
Brief usw.: file; Bekenntnis usw.:
make; Eid: take; Prüfung: pass;
s. Rechenschaft; Zeugnis ~ bear
witness (für to; von of).
a'blehn|en (-lénᵉn) v/t. u. v/i. de-
cline, refuse; reject; 2ung f refusal;
rejection.

a'bleit|en (-litᵉn) divert, gr., ⚔
derive; 2ung f diversion; gr., ⚔
derivation.
a'blenken (-lĕⁿgkᵉn) v/t. turn off
od. aside, divert; phys. deflect.
a'blesen (-lézᵉn) Obst usw.: gather,
pick off; Rede usw.: read off; Skala:
read.
a'bleugn|en (-lŏignᵉn) deny, dis-
avow, disown; 2ung f denial, dis-
avowal.
a'bliefer|n (-leefᵉrn) deliver; 2ung
f delivery; bei ~ on delivery.
a'blocken (-lŏkᵉn): j-m et. ~ coax
a p. out of a th.
a'blohnen (-lŏnᵉn) pay off.
a'blöschen (-lŏshᵉn) (Schreibtafel)
clean; Schrift: wipe off; mit Lösch-
blatt: blot; Kalk: slake.
a'blös|en (-lŏzᵉn) loosen, detach;
take off; ⚔ relieve; Amtsvorgänger:
supersede; Verbindlichkeit: discharge; durch Geld: redeem; sich ~
come off; (abwechseln) alternate;
2ung f ⚔ relief; supersession; discharge; redemption.
a'bmach|en (-mähçᵉn) undo; fig.
settle, arrange; abgemacht! agreed!,
Am. o.k.!; 2ung f arrangement.
a'bmager|n (-mähghᵉrn) (sn) grow
lean; 2ung f emaciation.
a'bmähen (-mäᵉn) mow off od.
down.   [copy.]
a'bmalen (-mählᵉn) paint, portray;]
a'bmarschieren (-mährsheerᵉn)
(sn) march off.   [out, exhaust.]
a'bmatten (-mähtᵉn) fatigue, tire]
a'bmeld|en (-mĕldᵉn) give notice
of a p.'s leaving; 2ung f notice of
departure. [2ung f measurement.]
a'bmess|en (-mĕsᵉn) measure (off);]
a'bmontieren (-mǫnteerᵉn) strip,
dismantle.   [o.s., toil.]
a'bmühen (-müᵉn): sich ~ exert]
a'bnagen (-nähghᵉn) gnaw (off),
nibble.
A'bnahme (-nähmᵉ) f taking off;
diminution, decrease; ⚔ amputa-
tion; ✝ ~ finden sell.
a'bnehmen (-némᵉn) v/t. take off;
Glied: amputate; (wegnehmen) take
a th. from a p.; Ware: take (dat.
from); Obst: gather; ✝ j-m zuviel ~
overcharge a p.; v/i. decrease;
Mond: wane; Tage: shorten.
A'bnehmer(in f) (-némᵉr) m buyer.
A'bneigung (-nigŏŏⁿg) f aversion,
disinclination, dislike; antipathy.

abno'rm (-nŏrm) abnormal; Qitä't (-ität) f abnormality. [(from).]

a'bnötigen (-nötlgʰᵉn) extort (dat.)

a'bnutz|en (-nŏŏtsᵉn) (a. sich ~) wear out (by use); Qung f wear and tear.

Abonn|eme'nt (ăhbŏnᵉmg) n subscription; ~e'nt(in f) (ăhbŏnĕnt) m subscriber; Qie'rea (-eerᵉn) subscribe (auf acc. to).

a'b-ordn|en (-ŏrdnᵉn) depute, delegate; Am. deputize; Qung f delegation.

A'b-ort (-ŏrt) m lavatory; Am. toilet.

a'bpassen (-păhsᵉn) measure; j-n: watch for.

a'bpflücken (-pflŭkᵉn) pluck off.

a'bplagen (-plähgʰᵉn): sich ~ drudge. [(crack) off.]

a'bplatzen (-plähtsᵉn) burst (od.)

a'bprallen (-prăhlᵉn) (sn) rebound; ricochet.

a'brahmen (-răhmᵉn) Milch: skim.

a'braten (-răhtᵉn) dissuade a p. (from a th.).

a'bräumen (-röimᵉn) clear, remove.

a'brechn|en (-rĕçnᵉn) v/i. settle accounts; v/t. deduct; Qung f settlement (of accounts); Qen n deduction, discount.

A'brede (-rédᵉ) f agreement; in ~ stellen deny; Qn v/i. dissuade a p. (from a th.).

a'breib|en (-rībᵉn) rub (off); Körper: rub down; Qung f rubbing down.

A'breise (-rizᵉ) f departure; Qn (sn) depart, start, set out (nach for).

a'breiß|en (-risᵉn) v/t. tear (od. pull) off; Kleid: wear out; Haus: pull down; v/i. (sn) break off, tear; Qkalender m sheet (od. block) calendar. [break in.]

a'brichten (-rĭktᵉn) Tier: train,)

a'briegeln (-reegʰᵉln) bolt; Straße: block.

A'briß (-rĭs) m summary, abstract.

a'brollen (-rŏlᵉn) v/t. u. v/i. (sn) unroll; (wegrollen) roll off.

a'brücken (-rŭkᵉn) v/t. move off, remove; v/i. (sn) ⚔ march off.

A'bruf (-rŏŏf) m: ⚓ auf ~ on call; Qen call off (a. ✝); ☏ call out.

a'brunden (-rŏŏndᵉn) round (off).

a'brupfen (-rŏŏpfᵉn) pluck off.

a'brüst|en (-rŭstᵉn) v/i. ⚔ disarm; Qung f disarmament. [off.]

a'brutschen (-rŏŏtshᵉn) (sn) slip)

A'bsage (-zähgʰᵉ) f cancellation; (Ablehnung) refusal; Qn cancel; refuse; Einladung usw. (wieder) ~ recall.

a'bsägen (-zägʰᵉn) saw off.

A'bsatz (-zähts) m stop, pause; ✝ sale; typ. paragraph; (Stiefel2) heel; (Treppen2) landing; Qfähig (-fäiç) marketable; ~gebiet (-gʰᵉbeet) n market, outlet.

a'bschaben (-shähbᵉn) scrape off.

a'bschaff|en (-shăhfᵉn) abolish; Diener: dismiss; Qung f abolition.

a'bschälen (-shälᵉn) peel (off), pare.

a'bschalten (-shählⁱtᵉn) switch off, disconnect.

a'bschätz|en (-shĕtsᵉn) estimate, value; Steuer: assess; Qung f valuation, estimate; assessment.

A'bschaum (-showm) m scum; fig. a. dregs pl. [(vor of).]

A'bscheu (-shŏi) m abhorrence)

a'bscheuern (-shŏiᵉrn) scour; (abnutzen) wear out; Haut: abrade.

abscheu'lich (-shŏiliç) abominable, detestable; Qkeit (-kit) f atrocity.

a'bschicken (-shĭkᵉn) send off, dispatch. [off.]

a'bschieben (-sheebᵉn) v/t. shove)

A'bschied (-sheet) m (Abreise) departure; (~nehmen) farewell; (Entlassung) dismissal; ~ nehmen take leave (von of); bid farewell (to); j-m den ~ geben discharge a p.

A'bschieds|feier (-fiᵉr) f farewell party; ~gesuch (-gʰᵉzōōk) n resignation.

a'bschießen (-sheesᵉn) Glied: shoot off; Schußwaffe: shoot, discharge; Wild: kill; Flugzeug: (shoot od. bring) down; s. Vogel. [and moil.]

a'bschinden (-shĭndᵉn): sich ~ toil)

a'bschirmen (-shirmᵉn) screen.

a'bschlachten (-shlăhktᵉn) slaughter, butcher. [account.]

A'bschlag (-shlăhk) m: auf ~ on)

a'bschlagen (-shlähgʰᵉn) v/t. strike off; Kopf: cut off; Bitte: refuse; Angriff: repel.

a'bschlägig (-shlägʰⁱç) negative; ~e Antwort refusal, denial.

A'bschlagszahlung (-shlähkstsählŏŏŋ) f instalment. [fig. refine.]

a'bschleifen (-shlifᵉn) grind off;)

a'bschleppen (-shlĕpᵉn) drag off.

a'bschließen (-shleesᵉn) v/t. lock (up); fig. conclude, settle; Rechnung: balance; Versicherung: effect;

Anleihe: contract; *e-n Handel* ~ strike a bargain; *v/i.* conclude; *sich* ~ seclude o.s.; ~**d** (-t) definitive.
A'bschluß (-shlōōs) *m* settlement, conclusion. [out of *a p.*]
a'bschmeicheln (-shmĭç⁵ln) coax∫
a'bschmelzen (-shmĕlts⁵n) melt off. [lubricate.]
a'bschmieren (-shmeer⁵n) *mot.*∫
a'bschnallen (-shnä*h*l⁵n) unbuckle.
a'bschneiden (-shnīd⁵n) *v/t.* cut (off); *j-m das Wort* ~ cut one short; *v/i. gut* ~ come off well.
A'bschnitt (-shnĭt) *m* ⚓ coupon; *typ.* section, paragraph; *fig.* period.
a'bschöpfen (-shŏpf⁵n) skim (off), scum. [screw.]
a'bschrauben (-shrowb⁵n) un-∫
Ꝺung *f* (*Erschöpfung*) fatigue, exhaustion.
a'bschrecken (-shrĕk⁵n) deter (*von* from); ~**d** (-t) deterrent.
a'bschreib|en (-shrīb⁵n) *v/t.* copy; *Schuld usw.*: write off; *Literaturwerk*: *b. s.* plagiarize; *Schule*: *b. s.* crib; *v/i.* (*absagen*) send a refusal; Ꝺer *m* copyist; *b. s.* plagiarist; Ꝺung ⚓ *f* depreciation.
a'bschreiten (-shrīt⁵n) pace; *Front*: pace down.
A'bschrift (-shrĭft) *f* copy.
a'bschuppen (-shōōp⁵n) (*a. sich*) scale (off).
a'bschürf|en (-shûrf⁵n) *Haut*: graze; Ꝺung *f* abrasion.
A'bschuß (-shōōs) *m* discharge; *hunt.* killing (off); 🗲 downing.
a'bschüssig (-shûsĭç) sloping.
a'bschütteln (-shût⁵ln) shake off.
a'bschwächen (-shvĕç⁵n) weaken.
a'bschweif|en (-shvīf⁵n) (sn) deviate; *fig.* digress; Ꝺung *f* digression. [wheel.]
a'bschwenken (-shvĕ*n*gk⁵n) (sn)∫
a'bschwören (-shvör⁵n) abjure.
a'bsegeln (-zég*h*⁵ln) (sn) set sail, sail away.
a'bsehbar (-zébā*h*r): *in* ~*er Zeit* within a foreseeable space of time.
a'bsehen (-zé[ᵉ]n) *v/t. Schule*: crib; *j-m et.* ~ learn a th. by observing a p.; *es abgesehen h. auf* (*acc.*) aim at; *abgesehen sn auf* (*acc.*) be aimed at; *v/i.* ~ *von* disregard; *abgesehen von* apart from.
a'bseits (-zīts) aside, apart.
a'bsend|en (-zĕnd⁵n) send (off), dispatch; Ꝺer(in *f*) *m* sender.
a'bsengen (-zĕn₉⁵n) singe off.
a'bsetz|en (-zĕts⁵n) *v/t.* set down,

deposit; *Hut*: put off; *Beamte*: remove; *König*: depose; *Reisende*: drop; *Am.* discharge; *Termin*: mark off; *Ware*: sell; *typ.* set up; *v/i.* stop, pause; Ꝺung *f* deposition; removal.
A'bsicht (-zĭçt) *f* intention, design; Ꝺlich (-lĭç) intentional.
a'bsitzen (-zĭts⁵n) *v/i.* (sn) *Reiter*: dismount; *v/t. Strafzeit*: do, serve.
absolvie'ren (-zŏlveer⁵n) absolve; *Studien*: finish; *Schule*: get through.
a'bsonder|n (-zŏnd⁵rn) separate; ⚓ secrete; Ꝺung *f* separation; ⚓ secretion.
a'bspann|en (-shpä*h*n⁵n) unbend; *Pferd*: unharness; s. *abgespannt*;
a'bspeisen (-shpīz⁵n) *v/t. fig.* put∫
a'bspenstig (-shpĕnstĭç): ~ *m.* alienate, estrange (*dat.* from).
a'bsperr|en (-shpĕr⁵n) shut up *od.* off; *Straße*: block; *Gas usw.*: turn off; Ꝺhahn (-hä*h*n) *m* stop-cock.
a'bspielen (-shpeel⁵n): *sich* ~ take place.
a'bsprechen (-shprĕç⁵n) deny; ~**d** adverse.
a'bspringen (-shprĭn₉⁵n) (sn) jump off; 🗲 bale out; (*abprallen*) rebound; *vom Pferd*: alight; (*abschweifen*) digress. [take-off.]
A'bsprung (-shprōōn₉) *m* jump;∫
a'bspülen (-shpûl⁵n) rinse.
a'bstamm|en (-shtä*h*m⁵n) (sn): ~ *von* descend from; *gr.* be derived from; Ꝺung *f* descent; derivation.
A'bstand (-shtä*h*nt) *m* distance; interval; ~ *nehmen von* desist from; ~**sgeld** (-shtä*h*ntsg*h*ĕlt) *n* indemnification.
a'bstauben (-shtowb⁵n) *v/t.* dust.
a'bstech|en (-shtĕk⁵n) *v/t.* (*töten*) stab; *v/i.* contrast (*von* with); Ꝺer *m* excursion, trip. [mark off.]
a'bstecken (-shtĕk⁵n) unpin; *suro.*∫
a'bsteh(e)n (-shté[ᵉ]n) stand off; (sn) desist (*von* from); s. *abgestanden.*
a'bsteigen (-shtīg*h*⁵n) (sn) descend; *vom Wagen*: alight; *vom Pferd*: dismount; *in einem Wirtshaus*: put up at.
a'bstellen (-shtĕl⁵n) *Gas usw.*: turn off; (*parken*) park; *fig.* redress.
a'bstempeln (-shtĕmp⁵ln) stamp.
A'bstieg (-shteek) *m* descent.

a'bstimm|en (-shtĭm'n) v/i. vote; v/t. ♪, Radio: tune; ✝ Bücher: balance; ₂ung f voting; vote; tuning. [teetotaller.]
Abstine'nzler(in f) (-stinĕntsl'r) m|
a'bstoßen (-shtōs'n) v/t. knock off; fig. repel; Ware: clear off; v/i. (sn) push off; ∼d (-t) repulsive.
a'bstreichen (-shtriç'n) strike off.
a'bstreifen (-shtrīf'n) strip off, slip off. [pute.]
a'bstreiten (-shtrīt'n) contest, dis-|
A'bstrich (-shtriç) m (Abzug) cut; ⚕ swab.
a'bstufen (-shtōōf'n) grad(u)ate.
a'bstumpfen (-shtōōmpf'n) blunt.
A'bsturz (-shtōͦrts) m fall; ✈ crash.
a'bstürzen (-shtŭrts'n) (sn) fall down; ✈ crash. [pen: pick.]
a'bsuchen (-zōōk'n) search; Rau-|
Abt (ăhpt) m abbot. [mantle.]
a'btakeln (-tăhk'ln) unrig, dis-|
Abtei' (ăhpti) f abbey. [ment.]
A'bteil (-tīl) ⚙ n, a. m compart-|
a'bteil|en divide; ⚠ partition off; ₂ung f division; e-r Behörde usw.: department; e-s Krankenhauses: ward; ⚔ detachment; (Fach) compartment. [r'n) wire refusal.]
a'btelegraphieren (-tĕlĕgrähfee-|
Abti'ssin (ĕptĭs'n) f abbess.
a'btöten (-tȫt'n) Bakterien: destroy.
a'btragen (-trăhg'n) carry off; Gebäude: pull down; Kleid: wear out; Schuld: pay.
a'btreib|en (-trīb'n) v/t. Pferd: overdrive; die Leibesfrucht ∼ procure abortion; v/i. (sn) drift off; ₂ung f abortion. [(off.)]
a'btrennen (-trĕn'n) separate; rip|
a'btret|en (-trĕt'n) v/t. Schuhe: wear down; Stufen usw.: wear out; fig. cede, transfer; v/i. (sn) retire, withdraw; ₂ung f cession.
A'btritt (-trĭt) m ≈ Abort. [dry.]
a'btrocknen (-trōkn'n) wipe dry,|
a'btropfen (-trŏpf'n) (sn) drop off.
a'btrotzen (-trŏts'n): j-m et. ∼ bully out of a p.
a'btrünnig (-trŭnĭç) faithless; eccl. apostate; ₂e(r) (-trŭnĭg'[r]) deserter; apostate.
a'btun (-tōōn) (ablegen) take od. put off; (töten, erledigen) dispatch.
a'b-urteilen (-ōōrtīl'n) v/t. judge.
a'bverlangen (-fĕrlähng'n) s. abfordern.
a'bvermieten (-fĕrmeet'n) sublet.

a'bwägen (-vâg'ʰ'n) weigh.
a'bwälzen (-vĕlts'n) fig. shift off.
a'bwandeln (-vähnd'ln) gr. Hauptwort: decline; Zeitwort: conjugate.
A'bwandlung f gr. Hauptwort: declension; Zeitwort: conjugation.
a'bwarten (-vährt'n) wait for.
a'bwärts (-vĕrts) down (wards).
a'bwaschen (-văhsh'n) wash (off); Geschirr usw.: wash up.
a'bwechseln (-vĕks'ln) v/t. u. v/i. vary; alternate; ∼d (-t) alternate.
A'bwechs(e)lung f change; alternation; variation.
A'bweg (-vék) m wrong way; auf ∼e geraten go astray.
A'bwehr (-vér) f defence; e-s Stoßes usw.: warding off; ₂en ward off.
a'bweich|en (-vīç'n) v/i. (sn) deviate; swerve (from); (verschieden sn) differ; Magnetnadel: decline; ₂ung f deviation; difference.
a'bweiden (-vīd'n) graze, feed off, browse.
a'bweis|en (-vīz'n) reject, refuse; Angriff: repel; ₂ung f refusal, rejection.
a'bwenden (-vĕnd'n) turn off; Unglück: avert; sich ∼ turn away (from).
a'bwerfen (-vĕrf'n) throw off; Blätter usw.: shed, cast; Gewinn: yield.
a'bwesend (-véz'nt) absent.
A'bwesenheit (-hīt) f absence.
a'bwickeln (-vĭk'ln) unwind, wind off; Geschäft: wind up. [out.]
a'bwiegen (-veeg'ʰ'n) Ware: weigh|
a'bwischen (-vĭsh'n) wipe off.
a'bwürgen (-vürg'ʰ'n) strangle; mot. choke.
a'bzahl|en (-tsähl'n) pay off; pay by instalments; ₂ung f payment on account. [off.]
a'bzählen (-tsäl'n) count (out od.)|
A'bzahlungsgeschäft (-tsählōōngs-gʰ'shĕft) n shop on the instalment system.
a'bzapfen (-tsähpf'n) tap; draw.
A'bzehrung (-tsérōōrg) f consumption.
a'bzeichen (-tsīç'n) n badge.
a'bzeichnen (-tsīç'n) v/t. copy, draw; sich ∼ stand out (against).
a'bziehen (-tsee'n) v/t. Mütze: take off; ⚓ subtract; Bett: strip; Bier: draw; phot. print; e-m Tier das Fell ∼ skin; Rasiermesser: strop; Schlüssel: take out; v/i. (sn) ⚔ march off; Rauch: escape.

A′bzug (-tsōok) *m* departure; drain, outlet; *vom Lohn*: deduction; *phot.* print; *typ.* proof-sheet.

A′bzugsrohr (-tsōōksrōr) *n* drain-pipe.

a′bzweigen (-tsvig^hᵉn) (*a. sich*) branch off; *Gelder*: allow.

ach! (äʜк) ah!, alas!; ∼ *so!* oh, I see!

A′chse (äʜksᵉ) *f* axis; ⊕ shaft; *am Wagen*: axle(-tree).

A′chsel (äʜksᵉl) *f* shoulder; *die* ∼*n* zucken shrug one's shoulders; ∼höhle (-hōlᵉ) *f* armpit.

acht¹ (äʜкт) eight; *heute über* ∼ *Tage* this day week; *vor* ∼ *Tagen* a week ago.

Acht² *f* **1.** *außer* Ջ *l.* disregard; *in* Ջ *nehmen* take care of; *sich in* Ջ *nehmen* take care (*vor dat.* of); **2.** (*Bann*) ban, outlawry.

a′chtbar (-bähr) respectable.

a′chte eighth; Ջl *n* eighth (part).

a′chten (-t) esteem, regard; *v/i.* ∼ *auf* (*acc.*) = *achtgeben auf.*

ä′chten (ëçtᵉn) outlaw.

A′chter *m Rudern*: eight.

a′chtfach (-fäʜк) eightfold.

a′chtgeben (-g^hébᵉn) pay attention (*auf* to), mark (*auf acc.*); (*sorgen*) take care (*auf* of; *daß* that).

a′chtlos (-lōs) careless, unmindful.

a′chtsam (-zähm) careful, mindful.

A′chtstu′ndentag (-shtōōnd^ᵉntäʜк) *m* eight-hour day.

A′chtung (äʜктōōŋ) *f* esteem, respect; (*Aufmerksamkeit*) attention; ∼! look out!, ⚔ attention!; Ջsvoll (-fōl) respectful.

a′chtzehn (-tsén) eighteen; ∼te eighteenth. [eightieth.]

a′chtzig (-tsĭç) eighty; ∼stel

ä′chten (ëçtsᵉn) groan.

A′cker (äʜkᵉr) *m* field; ∼bau (-bow) *m* agriculture, farming; ∼bauer *m* farmer; Ջbautreibend (-bowtri-bᵉnt) agricultural; ∼land (-lähnt) *n* arable land; (*bestelltes*) tilled land; Ջn *v/t.* plough (*a. v/i.*), till.

addie′ren (ähdeerᵉn) add, sum up.

Additio′n (-ts'ōn) *f* addition.

A′del (ähd^ᵉl) *m* nobility.

a′d(e)lig (ähd[ᵉ]lĭç) noble; Ջe(r) (-lig^hᵉ[r]) nobleman; noblewoman.

a′deln *in England*: raise to the peerage; *allg. u. fig.* ennoble.

A′delsstand (-shtähnt) *m* nobility; *in England*: peerage

A′der (ähdᵉr) *f* vein (*a.* ⚔ *u. im*

**Holz usw.*); (*Schlag*Ջ) artery; ∼laß (-lähs) *m* bloodletting.

A′dler (ähdlᵉr) *m* eagle; ∼nase (-nähzᵉ) *f* aquiline nose.

Admira′l (ähtmeerähl) *m* admiral.

adoptie′ren (ähdópteerᵉn) adopt.

Adopti′v... (-teef) adoptive; ∼kind (-kĭnt) *n* adopted child.

Adressa′t (ähdrĕsäʜt) *m* addressee; *Waren*: consignee. [tory.]

Adreß′buch (ähdrĕsbōōк) *n* direk-

Adre′sse (ähdrĕsᵉ) *f* address, direction; *per* ∼ care of, c/o.

adressie′ren (-eerᵉn) address, direct; † consign; *falsch* ∼ misdirect.

A′ffe (ähfᵉ) *m* ape, monkey; F e-*n* ∼ *n h.* be tipsy.

Affe′kt (ähfĕkt) *m* affection; passion; Ջie′rt (-eert) affected.

ä′ffen (ëf^ᵉn) *v/t.* hoax, mock.

a′ffig (ähfĭç) apish, foolish.

A′fter (ähftᵉr) *m* anus.

Age′nt (äh^gʰënt) *m* agent; (*Makler*) broker; *pol.* intelligence agent; ∼u′r (-ōōr) *f* agency.

A′gio (ähG'ō) *n* agio, premium.

agitie′ren (-teerᵉn) agitate.

Agra′ffe (ähgrähfᵉ) *f* clasp.

Agra′rier (ähgrähri^ᵉr) *m* landed proprietor; *agra′risch* (ähgrährĭsh) agrarian. [Ջisch (-ĭsh) Egyptian.]

Agy′pt|er (ëg^hĭptᵉr) *m* ∼erin *f*

ah! ah!; aha! aha!, I see!

A′hle (ählᵉ) *f* awl, pricker.

Ahn (ähn) *m* ancestor; ∼'e *f* ancestress.

ä′hneln (än^ᵉln) be like, resemble.

a′hnen (äh-) have a presentiment of (*od.* that ...); divine.

ä′hnlich (änlĭç) like, resembling; similar (to); Ջkeit *f* likeness, resemblance; similarity.

A′hnung (ähnōōŋ) *f* presentiment; foreboding; (*Vorstellung*) notion, idea; Ջslos (-lōs) unsuspecting; Ջsvoll (-fōl) full of misgivings.

A′horn (ähōrn) *m* maple.

A′hre (ärᵉ) *f* ear, ∼n *lesen* glean.

Akademie′ (ähkähdémee) *f* academy.

Akade′m|iker (-ĭkᵉr) *m* graduate; Ջisch (-ĭsh) academic (ally)

Aka′zie (ähkähts'ᵉ) *f* acacia.

Akko′rd (ähkórt) *m* ♪ chord; † contract, composition; *auf* ∼ by the job; ∼arbeit (-ährbīt) *f* piece-work; ∼arbeiter(in *f*) *m* piece-worker.

akkordie′ren (-deer⁴n) v/t. arrange; v/i. † compound (mit with).

Akko′rdlohn (-lōn) m piece wages.

akkreditie′ren (ăⁿkrédīteer⁴n) accredit (bei to). [paint. nude.\

Akt (ăⁿkt) m act(ion); thea. act;\

A′kte (ăⁿktᵉ) f s. Aktenstück; ⁓n pl. records, documents; abgelegte: files; zu den ⁓ to be filed; ⁓ndeckel (-dĕkᵉl) m folder; ⁓nmappe (-măhpᵉ), ⁓ntasche (-tăⁿshᵉ) f dispatch-case, portfolio; bsd. Am. brief-case; ⁓nstück (-shtŭk) n (official) document, deed.

A′ktie (ăⁿktsⁱᵉ) f share; Am. a. stock; ⁓nbesitz (-bᵉzĭts) m holdings; ⁓ngesellschaft (-gʰᵉzĕl-shăⁿft) f joint-stock company; Am. (stock-)corporation; ⁓n-inhaber(in f) (-ĭnhăⁿbᵉr) m shareholder, bsd. Am. stockholder, ⁓nkapital (-kăⁿpĭtăⁿl) n share- (od. joint-stock) capital; ⁓n-unternehmen (-ŏŏn-tᵉrnémᵉn) n joint-stock undertaking.

Aktio′n (ăⁿktsⁱōn) f action; pol., wirtschaftl. drive; ⁓ä′r(in f) m — Aktieninhaber.

akti′v (ăⁿkteef) active.

Akti′v|a (-tee′văⁿ) n/pl. assets; ⁓posten (-pŏstᵉn) m asset (a. fig.).

aktue′ll (ăⁿktŏŏĕl) topical.

Aku′st|ik (ăⁿkŏŏstĭk) f acoustics; ‖isch (-ĭsh) acoustic.

aku′t (ăⁿkŏŏt) acute.

Akze′nt (-tsĕnt) m accent; stress.

akzentuie′ren (-tŏŏeer⁴n) accent (-uate); stress.

Akze′pt (-tsĕpt) n acceptance; ⁓a′nt (-ăⁿnt) m acceptor; Qie′ren (-eer⁴n) accept.

Ala′rm (ăⁿlăⁿrm) m alarm; ✗ u. fig. ⁓ blasen, schlagen sound the alarm; ⁓bereitschaft (-bᵉrĭtshăⁿft) f: in ⁓ on the alert; Qie′ren (-eer⁴n) alarm.

Alau′n (ăⁿlown) m alum.

a′lbern (ăⁿlbᵉrn) silly, foolish.

A′lbum (ăⁿlbŏŏm) n album.

A′lge (ăⁿlgʰᵉ) f seaweed.

A′lkohol (ăⁿlkŏhōl) m alcohol; Q′frei (-frī) non-alcoholic; ⁓es Gasthaus temperance hotel; ⁓′iker (-īk⁴r) m hard drinker; Q′isch (-ĭsh) alcoholic; ⁓schmuggler (-shmŏŏglᵉr) m spiritsmuggler, Am. bootlegger; ⁓verbot (-fĕrbōt) n prohibition; ⁓vergiftung (-fĕrgʰⁱftŏŏⁿg) f alcoholic poisoning.

all (ăⁿl) 1. adj. all; (jeder) every; (jeder beliebige) any; ⁓e beide both of them; auf ⁓e Fälle in any case; ⁓e Tage every day; vor ⁓em first of all; ⁓e zwei Minuten every two minutes; 2. adv. ⁓′e all gone; 3. su⁓ das All the universe.

Allee′ (ăⁿlḗ) f avenue.

allei′n (ăⁿlīn) 1. adj. alone, single; (ohne Hilfe) unaided; 2. adv. only; 3. cj. only, but; Qberechtigung (-b⁴rĕçtīgŏŏⁿg) f exclusive right; Qherrscher(in f) (-hĕrsh⁴r) m absolute monarch, autocrat; ⁓ig (-ĭç) only; exclusive; sole; Q-inhaber (-ĭnhăⁿb⁴r) m sole owner; ⁓stehend (-shtḗⁿnt) alone in the world; (unverheiratet) single; Gebäude: detached; Qverkauf (-fĕrkowf) m monopoly; Qvertreter (-fĕrtrét⁴r) m sole agent; Qvertrieb (-fĕrtreep) m sole distributor(ship).

a′llema′l (-măⁿl): ein für ⁓ once for all.

a′llenfa′lls (-făⁿls) (zur Not) if need be; (vielleicht) possibly, perhaps.

a′llentha′lben (ăⁿlᵉnthăⁿlb⁴n) everywhere.

a′ller...: of all; ⁓best best of all, very best; ⁓di′ngs (-dĭⁿgs) indeed; to be sure; ⁓erst (a. zu ⁓) first of all; ⁓ha′nd, ⁓lei′ (-lī) of all kinds od. sorts; ⁓le′tzt last of all (a. zu ⁓) very last; ⁓mei′st (-mīst) most; am ⁓en mostly; ⁓nä′chst (-nǟçst) very next; ⁓neu′(e)st (-nŏi[⁴]st) the very latest; ⁓sei′ts (-zīts) everywhere.

a′ll|gemei′n (ăⁿlgʰᵉmīn) general; stärker: universal; Qgemei′nheit f generality, universality; Qhei′lmittel (-hīlmĭt⁴l) n panacea.

Allia′nz (ăⁿl′ăⁿnts) f alliance.

alliie′r|en (-eer⁴n) (a. sich) ally; Qte(r) m ally.

a′ll|jä′hrlich (-yǟrlĭç) annual; Q⁓macht (-măⁿχt) f omnipotence; ⁓mä′chtig (-mĕçtĭç) omnipotent, almighty; ⁓mä′hlich (-mǟlĭç) gradual.

Allopa′th (ăⁿlōpăⁿt) m allopathist.

a′ll|seitig (-zītĭç) universal; all-round; Qstrom... (-shtröm) ✗ AC-DC...; ⁓tä′glich (-tăⁿklĭç) daily; fig. common, trivial; Qtags... (-tăⁿks) common(place), every-day; ⁓wi′ssend (-vĭs⁴nt) omniscient; Qwi′ssenheit (-hīt) f omniscience;

~wö'chentlich (-vŏçᵉntlĭç) weekly; ~zu (-tsōō) (much) too; ~zuviel (-tsōōfeel) too much.

A'lmosen (ä/lmŏzᵉn) n alms.

Alp (ä/lp) m, ~'drücken (-drŭkᵉn) n nightmare.

A'lpen (ä/lp⁴n) pl. Alps.

Alphabe't (ä/lfä/hbét) n alphabet; 2isch (-Ish) alphabetical.

als (ä/ls) (nach comp.) than; (ganz so wie) as, like; (in der Eigenschaft ~) (in one's capacity) as; nach Negation: but, except; temporal: when, as; ~ba'ld immediately; ~da'nn then.

a'lso (ä/lzŏ) adv. thus, so; cj. therefore, consequently; na ~l well then!

alt¹ (ä/lt) old; (Ggs. modern) ancient, antique; (Ggs. frisch) stale; (schon gebraucht) second-hand.

Alt² ſ m alto.

Alta'r (ä/ltä/hr) m altar.

A'lt|besitz (-bᵉzĭts) m old holding; ~eisen (-īzᵉn) n scrap iron.

A'lte, ~r¹ m old man; ~ ſ old woman; die ~n pl. the ancients.

A'lter² (ä/ltᵉr) n age; (Greisen2) old age; (Dienst2) seniority; er ist in meinem ~ he is my age.

ä'lter (ĕltᵉr) older; der ~e Bruder the elder brother.

a'ltern (h. u. sn) grow old, age.

A'lters|genosse (-gᵉᵉnŏsᵉ) m contemporary; ~rente ſ old-age pension; 2schwach (-shvä/hk) decrepit; ~schwäche (-shvĕçᵉ) ſ decrepitude. [antique; archaic.]

a'ltertümlich (-tümlĭç) ancient,]

A'ltertum (-tōōm) n antiquity; ~skunde (-kōōndᵉ) ſ archæology.

ä'ltest (ĕltᵉst) oldest; my eldest sister; 2e(r) m elder; senior; mein 2er my eldest son.

Alti'stin ſ (ä/ltĭstĭn) alto-singer.

a'ltklug (-klōōk) precocious, forward.

ä'ltlich (ĕltlĭç) elderly, oldish.

a'lt|modisch old-fashioned, Am. F old-timy; 2stadt ſ city.

Amateu'r (ä/mä/tŏr) m amateur; ~photograph m amateur photographer.

A'mboß (ä/mbŏs) m anvil.

ambula'nt (ä/mbōōlä/nt): ~ Behandelter outpatient.

A'meise (ä/mīzᵉ) ſ ant; ~haufen (-howfᵉn) m ant-hill.

Amerika'n|er (ä/hmĕrĭkä/hnᵉr) m, ~erin ſ, 2isch American.

A'mme (ä/hmᵉ) ſ (wet-)nurse.

Amnestie' (ä/hmnĕstee) ſ amnesty.

A'mor (ä/hmŏr) m Cupid.

Amortis|atio'n (ä/hmŏrtĭzä/hts'ŏn) ſ amortization; 2ie'ren (-zeerᵉn) amortize, pay off.

A'mpel (ä/hmpᵉl) ſ hanging lamp.

Amphi'bie (ä/hmfeeb¹ᵉ) ſ amphibian.

Ampu'lle (ä/hmpŏŏlᵉ) ⚶ ſ ampoule.

Amput|atio'n (ä/hmpŏŏtä/hts'ŏn) ſ amputation; 2ie'ren (-eerᵉn) amputate; ~ie'rter m amputee.

A'msel (ä/hmzᵉl) blackbird.

Amt (ä/hmt) n office; post; (Rang) charge; (Behörde) office, board; (Pflicht) official duty; 2ie'ren (-eerᵉn) hold office; eccl. officiate; 2lich official; ~mann m bailiff.

A'mts... official, of office; ~arzt m public health officer; ~befugnis ſ competence; ~bezirk m jurisdiction; ~blatt n official gazette; ~eid (-it) m oath of office; ~führung ſ administration; ~geheimnis (-gᵉʰhimnĭs) n official secret; ~gericht n etwa: local court; ~geschäfte n/pl. official duty; ~gewalt ſ official authority; ~handlung ſ official action; ~niederlegung (-needᵉrlég'ōōrg) ſ resignation; ~richter m etwa: local judge; ~vorsteher (-fŏrshtéᵉr) m sheriff.

amüs|a'nt (ä/hmüzä/hnt) amusing; ~ie'ren (-eerᵉn) amuse; sich ~ enjoy o.s.

an (ä/hn) 1. prp. at; on, upon; by; against; to; (bis ~) as far as, up to; (etwa) near(ly); ~ der Themse on the Thames; am Morgen in the morning; ~ der Wand on (od. against) the wall; am Leben alive; es ist ~ dir, zu ... it is up to you to ...; 2. adv. on; up; von heute ~ from this day forth.

analo'g (ä/hnä/lŏk) analogous.

Analphabe't (ä/hnä/lfä/hbét) m illiterate.

Analy'se (ä/hnä/lüzᵉ) ſ analysis.

analysie'ren (-eerᵉn) analyse.

A'nanas (ä/hnä/hnä/s) pine-apple.

Anarchie' (ä/hnä/rçee) ſ anarchy.

Anatomie' (-ee) ſ anatomy.

anato'misch anatomical.

a'nbahnen initiate.

Anbau — 27 — **Anführer**

A'nbau (-bow) *m* ⚒ cultivation; ⚠ outbuilding, annex; ℒen cultivate, grow; ⚠ add (*an* [*acc.*] to).

a'nbehalten (-b⁶hählt⁶n) *Kleid usw.*: keep on.

anbei' (-bī) *im Brief*: enclosed.

a'nbeißen bite.

a'nbellen bark at. [point, fix.]

a'nberaumen (-b⁶rowm⁶n) ap-

a'nbeten adore, worship.

A'nbetracht (-ähnb⁶träḥt): *in* ~ considering.

a'nbetteln solicit alms of.

A'nbetung (-bétōőŋ) *f* adoration.

a'nbieten (-beet⁶n) *v/t.* offer.

a'nbinden *v/t.* tie up; ~ *an* (*acc.*) tie to; *kurz angebunden sn* be short (*gegen* with). [upon.]

a'nblasen (-blä₂z⁶n) blow (at *od.*)

A'nblick *m* view, sight, aspect; ℒen look at, view.

a'nborgen borrow (money) of.

a'nbrechen *v/i.* (sn) begin; break.

a'nbrennen *v/i.* (sn) kindle, catch fire; *Speise*: burn.

a'nbringen bring in, on; (*befestigen*) fix (*an dat.* to), *weitS.* make; *Sohn usw.*: settle; *Beschwerde*: lodge; *s. angebracht.*

A'nbruch (-brōők) *m* beginning; *des Tages*: break.

a'nbrüllen roar at, bawl at.

A'ndacht (-däḥt) *f* devotion; (*Handlung*) prayers *pl.*

a'ndächtig (-déḥtiç) devout.

a'ndauern (-dow⁶rn) last; continue.

A'ndenken *n* memory; remembrance; (*Gegenstand*) keepsake, souvenir; *zum* ~ *an* (*acc.*) in memory of.

a'nder (ähnd⁶r) other; different; *einen Tag um den* ~*n* every other day; *ein* ~*er Freund* another friend.

ä'ndern (ĕ-) (*a. sich*) alter; change.

a'ndernfalls otherwise, else.

a'nders (-s) otherwise; differently; *ich kann nicht* ~, *ich muß weinen* I cannot help crying; ~ *w.* change.

a'nderseits (-zīts) on the other hand.

a'nderswo elsewhere. [half.]

a'nderthalb (-thä/lp) one and a

A'nderung (ĕnd⁶rŏőŋ) *f* change, alteration.

a'nder|wärts (-vĕrts) elsewhere; ~weitig (-vītiç) *adj.* other; *adv.* in another way.

a'ndeut|en (-dóit⁶n) signify; hint;

imply; intimate, suggest; ℒung *f* intimation, hint, suggestion.

A'ndrang *m* rush; 𝔰 congestion.

a'ndrehen (-dré⁶n) *Gas usw.*: turn on. [with; ℒung *f* threat.]

a'ndroh|en *j-m et.* ~ threaten a p.

a'n-eignen (-ign⁶n) (*sich*) appropriate; acquire; adopt.

an-eina'nder (-inä/hnd⁶r) together

a'n-ekeln (-ék⁴ln) disgust, sicken.

A'n-erbieten (-ĕrbeet⁶n) *n* offer.

a'n-erkenn|en acknowledge (*als as*) *Wechsel*: honour; ℒung *f* acknowledgment.

a'nfahren *v/i.* (sn) start; 𝔰 descend; *v/t.* run into; (*bringen*) carry, convey; *fig. j-n* ~ F blow up.

A'nfahrt *f* (-*platz*) approach.

A'nfall 𝔰 *m* fit, attack; ℒen *v/t.* attack; (*a. fig.*) assail.

A'nfang (-fähŋ) *m* beginning; start; ~ *Mai* early in May; ℒen begin, start.

A'nfänger (-fĕŋ₂⁶r) *m* beginner.

a'nfänglich (-fĕŋ₂liç) *adj.* initial; *adv.* in the beginning.

A'nfangs|buchstabe (-fähŋ₂s-) *m* initial (letter); ~gründe *m/pl.* elements.

a'nfassen *v/t.* seize; (*berühren*) touch; (*behandeln*) handle; *v/i.* lend a hand.

a'nfecht|bar (-fĕçtbähr) contestable; ℒen *Klage*: avoid; *Richtigkeit*: contest; ℒung *f* 𝔰 avoidance; *eccl.* temptation. [nufacture.]

a'nfertig|en (-fĕrtigʰ⁶n) make, ma-

a'nfeuchten (-fóiçt⁶n) moisten, wet.

a'nfeuern *fig.* inflame.

a'nflehen implore. [approach.]

a'nfliegen (-fleegʰ⁶n) *v/t. Ziel*: 𝔰

A'nflug (-flōők) *m* 𝔰 approach (flight); *fig.* touch, tinge.

a'nfordern demand.

A'nforderung *f* claim, demand.

A'nfrage *f* inquiry; ℒn *v/i.* ask (*bei j-m* a p.); inquire (*nach* for).

a'nfressen gnaw; *Metall*: corrode.

a'nfreunden (-fróind⁶n): *sich* ~ *mit* make friends with. [(*an* to).]

a'nfrieren (-freer⁶n) (sn) freeze on

a'nfügen join, attach (*an acc.* to).

a'nfühlen feel, touch; *sich* ~ feel.

A'nfuhr (-fōőr) *f* supply.

a'nführen lead; allege; *Worte*, *Grund*: quote; (*täuschen*) dupe, fool, trick.

A'nführer(in *f*) *m* leader.

A'nführungszeichen (-fűrŏͱͱstsīç⁶n) *n* quotation mark.
A'ngabe *f* declaration; (*Darlegung*) statement; (*Anweisung*) instruction.
a'ngeben *v/t.* declare; (*bestimmt*) state; (*anzeigen*) denounce, inform against; (*vorgeben*) pretend; *Namen*: give; *v/i. Karten*: deal first; F (*prahlen*) talk big, *Am.* blow.
A'ngeber(in *f*) *m* informer; (*Prahlhans*) braggart, *Am.* blowhard.
a'ngeblich (-g⁶éplĭç) pretended.
a'ngeboren innate, inborn.
A'ngebot *n* offer; *bei e-r Auktion*: bid; ✝ (*Ggs. Nachfrage*) supply.
a'ngebracht (-g⁶ébrăhͱt): *gut* ~ appropriate; *schlecht* ~ inappropriate.
a'ngeh(e)n *v/i.* (sn) begin; (*leidlich sn*) be tolerable; (*zulässig sn*) be admissible; *angegangen Fleisch*: tainted; *das geht* (*nicht*) *an* that will (not) do. [long to.|
a'ngehören (-g⁶éhŏr⁶n) (*dat.*) be-|
a'ngehörig (*dat.*) belonging to; *seine Len* (-g⁶éhŏrĭg⁶n) *m/pl.* his people. [cused; defendant.|
A'ngeklagte(r) (-g⁶éklăhͱt⁶|r) *m* ac-|
A'ngel (ăhͱₑ⁶l) *f* (*TürՑ*) hinge; fishing-tackle.
a'ngelegen (-g⁶élég⁶n): *sich et.* ~ *sn l.* make a th. one's business; Ցheit *f* concern, affair, matter.
a'ngeln angle, fish (*nach* for).
A'ngel|punkt *m* cardinal point; **~sachse** *m*, Lsächsisch Anglo--Saxon; **~schnur** (-shnōŏr) *f* fishing-line. [adequate.|
a'ngemessen (-g⁶émĕs⁶n) suitable;|
a'ngenehm (-g⁶éném) agreeable, pleasing.
a'ngesehen (-g⁶ésé⁶n) respected.
A'ngesicht *n* face; *von* ~ *by sight*; Ցs (*gen.*) *fig.* considering.
a'ngestammt (-g⁶éshtăhmt) hereditary, innate. [ployee.|
A'ngestellte(r) (-g⁶éshtĕlt⁶|r) em-|
a'ngetrunken (-g⁶étrōōͱₑk⁶n) tipsy.
a'ngewandt (-g⁶évăhnt) applied.
a'ngewiesen (-g⁶éveez⁶n): ~ *sein auf* ... be thrown on.
a'ngewöhnen accustom *a p.* (to).
A'ngewohnheit (-g⁶évŏnhĭt) *f* custom, habit. [just.|
a'ngleichen (-glĭç⁶n) assimilate, ad-|
A'ngler (-ăhͱₑl⁶r) *m* angler.
a'ngliedern (-gleed⁶rn) annex; affiliate.
a'ngreifen (-grĭf⁶n) *Kapital, Vor-*

räte: draw upon; attack; *Gesundheit, Stoff*: affect; ✝ⁿ corrode; (*anstrengen*) try. [sor, assailant.|
A'ngreifer(in *f*) (-grĭf⁶r) *m* aggres-|
a'ngrenzend (-t) adjoining.
A'ngriff *m* attack; *in* ~ *nehmen* set about; **~skrieg** *m* offensive war.
Angst (ăhͱₑst) *f* fear; anxiety; anguish; *mir ist Ց* I am afraid.
ä'ngstigen (ĕͱₑstĭg⁶n) alarm; *sich* ~ *be afraid* (*vor dat.* of); be alarmed (*um* about).
ä'ngstlich (ĕͱₑstlĭç) anxious; (*sorgfältig*) scrupulous; (*schüchtern*) timid; Ցkeit *f* anxiety; scrupulousness; timidity.
a'nhaben *Kleid*: have on.
a'nhaften stick, adhere (*dat.* to).
a'nhaken (-hăhk⁶n) hook on.
a'nhalten *v/t.* stop; *j-n* ~ *zu et.* keep a p. to a th.; *v/i.* (h.) continue, last; (*stillstehen*) stop; ~ *um e. Mädchen* ask *a p.* in marriage; **~d** (-t) continuous. [clue.|
A'nhaltspunkt (-hăhltspŏŏͱₑkt) *m*|
A'nhang *m* (*Buch usw.*) appendix, supplement; (*Gefolgschaft*) adherents *pl.*
a'nhängen (-hĕͱₑ⁶n) *v/t.* hang on, affix; add, join; *v/i.* (*dat.*) adhere to; *teleph.* touch off.
A'nhänger *m* adherent, follower; (*Schmuck*) pendant; *Straßenbahn usw.*: trailer.
a'nhänglich (-hĕͱₑlĭç) attached (*an acc.* to); Ցkeit *f* attachment.
A'nhängsel (-hĕͱₑz⁶l) *n* appendage.
a'nhäuf|en (-hŏĭf⁶n) heap up; (*a. sich*) accumulate; Ցung *f* accumulation. [*nähen*] baste (*an* to).|
a'nheften fasten; (*an acc.* to); (*an-*|
a'nheilen (-hĭl⁶n) (sn) heal on.
a'nheimeln (-hĭm⁶ln) remind *a p.* of home.
anhei'm|fallen (sn): *j-m* ~ fall to; **~stellen**: *j-m et.* ~ leave to a p.
A'nhöhe (-hŏ́⁶) *f* rise, hill.
a'nhören listen to; *sich* ~ sound.
Anili'n (ăhnĭleen) *n* aniline
a'nkämpfen *gegen* struggle against.
A'nkauf (-kowf) *m* purchase.
A'nker (ăhͱₑk⁶r) *m* anchor; *vor* ~ *gehen* cast anchor; Ցn anchor; **~tau** (-tow) *n* cable; **~uhr** *f* lever--watch.
a'nketten (-kĕt⁶n) chain (*an acc.* to).
A'nklage *f* accusation, charge; Ցn accuse (of), charge (with).

A'nkläger(in f) m accuser.
a'nklammern mit Büroklammer: clip; sich ~ cling (an acc. to).
A'nklang m: ~ an (acc.) suggestion of; ~ finden catch on.
a'nkleben (-klében) v/t. paste (on); stick (an acc. to).
a'nkleiden (-klíden) (a. sich) dress.
a'nklingeln teleph. ring up, call.
a'nklopfen knock (an acc. at).
a'nknüpfen v/t. tie (an acc. to); fig. begin; v/i. (an acc.) refer to.
a'nkommen v/i. (sn) arrive; ~ auf (acc.) depend (up)on; es darauf ~ lassen run the risk; es kommt nicht darauf an it does not matter.
A'nkömmling (-köm-) m new-comer, arrival.
a'nkündig|en announce; in der Zeitung: advertise; 2ung f announcement; advertisement.
A'nkunft (-köönft) f arrival.
a'nkurbeln (-köörbeln) mot. crank (up); die Wirtschaft ~ boost business.
a'nlächeln, a'nlachen smile at.
A'nlage f (Anordnung) plan, arrangement, Am. layout; ⊕ plant; (Einbau) installation; (Garten2) grounds pl., park; (Fähigkeit) talent; (Neigung) tendency; (Kapital2) investment; im Brief: enclosure; ~kapital n invested capital.
a'nlangen v/i. (sn) arrive; v/t. was ... anlangt as to od. for ...
A'nlaß (-lähs) m occasion.
a'nlassen ⊕ start, set going; Dampf usw.: turn on.
A'nlasser (-lähser) ⊕ m starter.
a'nläßlich (-lёsliç) (gen.) on the occasion of.
A'nlauf (-lowf) m start, run; 2en v/i. (sn): ~ gegen run against; (sich trüben) tarnish (auf); dim; v/t. Hafen: call (od. touch) at.
a'nlegen (-légen) v/t. (an acc.) put against; Feuer ~ make a fire; Garten: lay out; Geld: invest; Gewehr: level; Hund: tie up; Kleid: put on; Stadt: found; Verband: apply; v/i. ⊕ land; es ~ auf (acc.) aim at.
a'nlehnen (-lénen) (a. sich) lean (an acc. against); Tür: leave ajar.
A'nleihe (-líe) f loan.
a'nleit|en (-liten) guide (zu to); instruct (in); 2ung f guidance; instruction.
A'nliegen (-leegen) n desire, re-[quest.]
a'nlocken allure, entice. [quest.]

a'nmachen (-mähken) fasten, fix (an acc. to); Feuer: light.
a'nmalen paint.
A'nmarsch m approach.
a'nmaß|en (-mähsen): sich et. ~ presume; ~end (-t) arrogant; 2ung f arrogance.
a'nmeld|en announce, notify; 2ung f announcement, notification.
a'nmerk|en note down; j-m et. ~ notice in a p.; 2ung f note, annotation. [[a p. for; s. angemessen.]
a'nmessen: j-m e-n Rock ~ measure]
A'nmut (-mōōt) f grace, charm, sweetness; 2ig charming, graceful,
a'nnageln nail on (an acc. to).
a'nnähen (-näen) sew on (an acc. to).
a'nnäher|nd (-näernt) approximate; 2ung (-näerōōng) f approach.
A'nnahme (-nähme) f acceptance; (~stelle) receiving-office; (Vermutung) assumption.
a'nnehm|bar (-némbähr) acceptable; ~en accept, take; (vermuten) suppose, Am. guess; Gestalt: assume; Kind: adopt; parl. Gesetz: pass; sich ... (gen.) ~ attend to a th.; befriend a p.; 2lichkeit (-ném-liçkit) f amenity, agreeableness.
Annexio'n (ähnёks'ōn) f annexation.
anony'm (ähnönüm) anonymous.
a'n-ordn|en order, arrange; direct; 2ung f arrangement; direction.
a'npacken seize, grasp; fig. tackle.
a'npass|en fit; adapt; (anprobieren) try on; 2ung f adaptation; ~ungs-fähig (-ōöngsfäiç) adaptable.
a'npflanz|en (-pflähntsen) plant; 2ung f plantation.
A'nprall (-prähl) m impact; 2en (sn) bound (an acc. against).
a'npreisen (-prízen) praise; Reklame: puff (od. cry) up, Am.]
A'nprobe f try-on, fitting. [push.]
a'nprobieren try (od. fit) on.
a'nraten advise. [value greatly.]
a'nrechnen charge; fig. hoch ~]
A'nrecht n right, claim (auf to).
A'nrede f address; 2n address.
a'nreg|en (-régen) stimulate; (vorschlagen) suggest; ~end (-t) stimulative; ꝰ stimulating; Buch usw.: suggestive; 2ung f stimulation, suggestion. [join.]
a'nreihen (-ríen) join; sich ~ (dat.)]
A'nreiz (-ríts) m incentive; 2en incite.

a'nrennen run (od. knock) against.
a'nrichten prepare; Mahl: dish;
Unheil: cause, do.
a'nrücken (sn) approach.
A'nruf (-rööf) m call (a. teleph.);
2en call (zum Zeugen to witness);
teleph. call up; Schiff: hail; Gott
usw.: invoke; j-s Hilfe: appeal to.
a'nrühren touch; (mischen) mix.
A'nsag|e (-zåhgʰᵉ) f announcement;
2en announce; ~er(in f) m an-
nouncer; (Conferencier) compere.
a'nsammeln (a. sich) gather; (anhäufen) accumulate, amass.
a'nsässig (-zèsiç) resident.
A'nsatz m (Anfang, Anlauf) start.
a'nschaffen provide; buy; sich et.
~ supply o.s. with.
a'nschau|en (-show'n) view; ~lich
intuitive; (deutlich) graphic.
A'nschauung f view; (Auffassung)
conception; (Erkenntnis) intuition;
~s-unterricht (-öönt'riçt) m ob-
ject-lessons pl.; ~svermögen n
intuitive power.
A'nschein (-shīn) m appearance;
2end (-t) apparent, seeming.
a'nschicken: sich ~ prepare (for).
a'nschirren (-shīr'n) harness.
A'nschlag (-shlåhk) m (Schätzung)
estimate; (Berechnung) calculation;
(Komplott) plot; (~ auf das Leben)
attempt (on); (~ touch; ⊕ stop,
catch; ~ ~zettel; in ~ bringen take
into; ✝ account; ~brett n notice-
-board, Am. billboard.
a'nschlagen (-shlåhgʰᵉn) v/t. strike
(an acc. against); (befestigen) fasten
(an on); Zettel: post up; (schätzen)
estimate (hoch highly); ♪ touch;
Gewehr: level; v/i. (bellen) give
tongue; (wirken) take (effect).
A'nschlag|säule (-zöil') f advertise-
ment, Am. advertising-pillar; ~zet-
tel m poster, placard, bill.
a'nschließen (-shlees'n) v/t. fix
with a lock; (anfügen) join, add,
annex; (verbinden) connect; sich
j-m ~ join a p.; e-r Meinung:
follow.
A'nschluß (-shlōōs) m joining; ⌖,
⌀, teleph. connexion; (Gas- usw. 2)
supply; ~ an e-n Zug h. meet a
train; im ~ an (acc.) referring to;
fig. ~ finden meet company; ~dose
⌀ f junction box; ~zug ⌖ m corresponding train. [nestle (to).]
a'nschmiegen (-shmeegʰᵉn): sich ~

a'nschmieren (be)smear, grease.
a'nschnallen buckle on.
a'nschnauzen (-shnowts'n) F blow
up; Am. bawl (out). [ma: broach.]
a'nschneiden (-shnīd'n) cut; The-)
A'nschnitt m first cut.
a'nschrauben (-shrowb'n) screw
on (an acc. to).
a'nschreiben (-shrīb'n) write down;
Sport: score (a. v/i.; h.); Schuld:
charge; et. ~ l. buy on credit.
a'nschreien shout at.
A'nschrift f address.
a'nschuldigen (-shōōldigʰᵉn) accuse (of), incriminate. [nigrate.]
a'nschwärzen (-shvêrts'n) fig. de-)
a'nschwell|en v/i. (sn) u. v/t. swell;
2ung f swelling.
a'nschwemm|en wash ashore;
Land: deposit; 2ung f alluvion.
a'nsehen (-zé['n) 1. (take a) look
at; (besichtigen) view; (auffassen)
regard, consider (als as); ~ für
take for; 2. 2 n (Anschein) appearance, aspect; (Geltung, Achtung) authority; respect.
a'nsehnlich (-zénliç) considerable;
(hübsch) good-looking.
a'nsetzen v/t. (an acc.) put (to);
Frist: fix, appoint; (abschätzen)
rate; Preis: fix; (berechnen) charge;
Blätter usw.: put forth; Fleisch,
Speise: put on; Rost: gather; v/i.
(versuchen) try.
A'nsicht f sight, view; fig. view,
opinion; meiner ~ nach in my
opinion; ✝ zur ~ on approval;
~s(post)karte f picture postcard.
a'nsied|eln (-zeed'ln) (a. sich)
settle; 2lung f settlement; 2ler m
settler.
A'nsinnen n request, demand.
a'nspann|en stretch; Pferd: put to;
fig. strain, exert; 2ung f fig. strain,
exertion. [at.]
a'nspeien (-shpī'n) spit up (on od.)
a'nspiel|en (-shpeel'n) v/i. lead;
Sport: lead off; ~ auf (acc.) allude
to; 2ung f allusion, hint.
a'nspitzen point, sharpen.
A'nsporn m, 2en spur.
A'nsprache (-shprähk') f address,
harangue.
a'nsprechen (-shprêç'n) address;
(gefallen) appeal to: ~d (-t) appeal-
ing.
a'nspringen v/i. (sn) Motor: start.
a'nspritzen besprinkle.

A'nspruch (-shproŏk) m claim, pretension, title *(alle: auf acc.* to); ~ h. auf *(acc.)* be entitled to; in ~ nehmen lay claim to; *Zeit in* ~ *nehmen* take (up); 2slos unpretentious; 2svoll pretentious.

a'nspülen wash ashore; deposit.

a'nstacheln (-shtähx⁴ln) goad (on).

A'nstalt (-shtählt) f establishment, institution; ~en treffen make arrangements (för).

A'nstand m *hunt.* stand; *(Schicklichkeit)* decorum, decency; *(Einwendung)* objection; ~ nehmen hesitate.

a'nständig (-shtëndíç) decent; *(achtbar)* respectable; 2keit f decency.   [unhesitating.]

A'nstands|gefühl n tact; 2los|

a'nstarren stare *(od.* gaze) at.

ansta'tt *(gen.)* instead of.

a'nstaunen (-shtown⁴n) gaze at.

a'nsteck|en v/t. stick on; *mit Nadeln:* pin; *Ring:* put on; ⚕ infect; *(anzünden)* set on fire; *Kerze usw.:* light; ~end (-t) infectious; 2ung f infection.

a'nsteh(e)n (-shté[⁹]n) queue up; *Am.* stand *(od.* wait) in line *(nach* for).   [rise.]

a'nsteigen (-shtígʰⁿn) (sn) *Boden:*|

a'nstell|en *Person:* place, appoint; *Versuch:* make; *Heizung usw.:* turn on; *sich* ~ queue on *(nach* for); *fig. sich zu et.* ~ behave; *(fertigbringen)* manage; *angestellt bei* in the employ of; ~ig handy, skilful; 2ung f place.

A'nstieg (-shteek) m ascent.

a'nstift|en instigate; 2er(in *f)* m instigator; 2ung f instigation.

A'nstoß m *fig.* impulse; *(Ärgernis)* offence; *Fußball:* kick-off; ~ erregen give offence (bei to); ~ nehmen an *(dat.)* take offence at; ~ geben zu et. start a th.

a'nstoßen v/t. push, knock (against); *heimlich:* nudge; v/i. ~ angrenzen; *mit der Zunge* ~ lisp; ~ *bei* shock; *auf j-s Gesundheit* ~ drink a p.'s health; ~d (-t) adjoining.

a'nstößig (-shtösíç) shocking.

a'nstreich|en (-shtríç⁴n) paint; *im Text:* mark; *Fehler:* underline; *tünchen:* whitewash; 2er (-shtríç⁴r) m house-painter.

a'nstreng|en exert; *(~d sn für)* die

Augen usw.: try; *Klage* ~ bring an action; ~end (-t) strenuous; trying *(für* to); 2ung f exertion, strain, effort.

A'nstrich m paint, colour; *(Überzug)* coat(ing); *fig.* tinge, touch.

A'nsturm m : ~ *auf e-e Bank*; run on.

a'nstürmen (sn) storm, rush.

A'nteil (-til) m share, portion; *fig.* interest; ~ *nehmen an (dat.)* sympathize with; ~schein (-shin) m share.

a'ntelephonieren ring up, phone.

Ante'nne (ähntën⁶) f *Radio:* aerial.

anti'k (ähnteek) antique.

Antilo'pe (-lōp⁶) f antelope.

Antipathie' (-pähtee) f antipathy.

a'ntippen tap.

Antiqua'r (-kvähr) m second-hand bookseller; 2isch second-hand.

A'ntrag (-trähk) m offer, proposal; *(Gesuch)* application, request; *parl.* motion; ~ stellen auf *(acc.)* make an application for; *parl.* put a motion för; 2en (-trähgʰⁿn) offer; propose; ~steller(in *f)* (-shtël⁶r) m applicant; *parl.* mover.

a'ntreffen meet with.

a'ntreiben (-tríb⁶n) v/i. (sn) drift ashore; v/t. drive on; *fig.* incite.

a'ntreten v/t. *Amt:* enter (up)on; *Reise:* set out on; *Erbschaft:* take possession of; v/i. (sn) take one's place; ✕ fall in.

A'ntrieb (-treep) m motive, impulse; ⊕ drive, propulsion.

A'ntritt m *e-s Amtes:* entrance on.

a'ntun (-toōn) j–m *et.* ~ do ... to a p.; *danach angetan zu* likely to.

A'ntwort (ähntvört) f answer, reply *(auf acc.* to); 2en answer, reply (j–m a p.; *auf acc.* to).   [entrust.]

a'nvertrauen (-fërtrow⁶n) confide;|

a'nwachsen (-vähks⁶n) (sn) take root; *fig.* increase; ~ an *(acc.)* grow to.

A'nwalt (-vählt) m lawyer; counsel; *bsd. Am.* attorney; *beratender:* solicitor; *plädierender:* barrister; *fig.* advocate.

A'nwandlung f fit; impulse.

A'nwärter(in *f)* (-vërt⁶r) m expectant.

A'nwartschaft (-vährtshähft) f prospect *(auf acc.* of); expectancy.

a'nweis|en (-víz⁶n) *(zuteilen)* assign; *(belehren)* instruct, direct; s. *ange-*

wiesen; ℒung *f* assignment; instruction; direction; † cheque,
draft.

a'nwend|en employ, use; apply
(to); s. *angewandt*; ℒung *f* application.

a'nwerben ✕ enlist; engage.

A'nwesen *n* estate. [presence.]

a'nwesen|d (-t) present; ℒheit *f|*

A'nzahl *f* number; quantity.

a'nzahl|en pay on account; ℒung *f*
(first) instalment; *Pfand*: deposit.

a'nzapfen tap. [sign.]

A'nzeichen (-tsīçᵉn) *n* symptom,|

A'nzeig|e (-tsigʰᵉ) *f* notice; an-
nouncement; (*Reklame*ℒ) advertise-
ment; ⚖ information; ℒen announce, notify; advertise; (*deuten
auf*) indicate; *j-n*: denounce,
inform against.

a'nziehen (-tseeᵉn) *v/t.* draw, pull;
Zügel: draw in; *Schraube*: tighten;
Kleid: put on; *j-n*: dress; *fig.* attract; *v/i.* draw; *Preise*: rise; ℒd
(-t) attractive, interesting.

A'nziehung *f* attraction; ℒskraft *f*
attractive power.   [suit.]

A'nzug (-tsōōk) *m* dress; (*Männer*ℒ)|

a'nzüglich (-tsüklíç) personal; ℒ-
keit *f* personality.

a'nzünden light, kindle; *Streich-
holz*: strike; *Haus*: set on fire.

apa'thisch (ăhpătĭsh) apathetic.

A'pfel (ăhpfᵉl) *m* apple; ℒmus
(-mōōs) *n* apple-sauce; ℒsi'ne
(-zeenᵉ) *f* orange; ℒwein (-vĭn) *m*
cider.

Apo'stel (ăhpŏstᵉl) *m* apostle.

Apostro'ph (ăhpŏstrŏf) *m* apo-
strophe.

Apothe'ke (-tékᵉ) *f* chemist's shop,
Am. drugstore; ℒr *m* (pharma-
ceutical) chemist, *Am.* druggist.

Appara't (ăhpăhrăht) *m* apparatus;
teleph. am ℒl speaking!; *am* ℒ
bleiben hold the line.

Appe'll (ăhpĕl) *m* ✕ roll-call; *fig.*
appeal (*an acc.* to); ℒie'ren (-eerᵉn)
appeal (to).

Appeti't (ăhpéteet) *m* appetite;
ℒlich appetizing, delicate, dainty.

Applau's (ăhplows) *m* applause.

Apriko'se (ăhprĭkŏzᵉ) *f* apricot.

Apri'l (ăhprĭl) *m* April.

Aquare'll (ăhkvăhrĕl) *n* aquarelle.

Aqua'tor (ăkvăhtŏr) *m* equator.

A'ra (ărăh) *f* era. [Arabian, Arab(ic).]

A'rab|er (ăhrăhbᵉr) *m* Arab; ℒisch|

A'rbeit (ăhrbĭt) *f* work; (*mühevolle*)
labour, toil; (*aufgegebene*) task;
(*Ausführungsart*) workmanship; *bei
der* ⁓ at work; *an die* ⁓ *gehen* set
to work; (*keine*) ⁓ *h.* in (out of)
work; *die* ⁓ *niederlegen* down tools;
ℒen *v/i.* work (*a. v/t.*); (*schwer*)
labour, toil.

A'rbeiter *m* worker; (*Hand*ℒ) workman, working man, labourer, hand;
⁓in *f* worker; (*Hand*ℒ) working
woman, workwoman; ⁓partei
(-părtĭ) *f* Labour Party; ⁓schaft *f*
working class(es *pl.*), labour.

A'rbeit|geber(in *f*) *m* employer,
Am. boss; ⁓nehmer(in *f*) *m*
employee.

a'rbeitsam (-zăhm) industrious.

A'rbeits... *mst* working-...; ⁓amt *n*
Labour Office; ⁓bescheinigung
(-bᵉshĭnĭgōōᵣ) *f* certificate of employment; ⁓buch *n* workman's
passport; ⁓einkommen (-ĭnkŏ-
mᵉn) *n* earned income; ℒfähig able
to work; ⁓gericht *n* industrial (*od.*
labour) court; ⁓lohn *m* wages *pl.*,
pay; ℒlos out of work, unemployed;
die ⁓*losen m/pl.* the unemployed;
⁓losen-unterstützung (-lŏzᵉn-
ōōntᵉrshtützōōᵣ) *f* unemployment
benefit; ⁓ *beziehen* be on the dole;
⁓losigkeit (-lŏzĭçkĭt) *f* unemployment; ⁓mann *m* workman; ⁓-
markt *m* labour market; ⁓mini-
ster *m* Minister of Labour; ⁓-
nachweis(stelle *f*) (-năhkvĭs
[-shtĕlᵉ]) *m* labour exchange, *Am.*
labor registry office; ⁓platz *m*
working place; ⁓raum (-rowm) *m*
workroom; ℒscheu (-shŏĭ) work-
-shy; ⁓scheu *f* aversion to work;
⁓schutzgesetzgebung (-shōōts-
gʰᵉzĕtsgʰᵉbōōᵣ) *f* protective labour
legislation; ⁓tag *m* working day,
Am. workday; ℒ-unfähig (-ōōn-
fäĭç) incapable of working; ⁓weise
(-vĭzᵉ) *f* practice, working method;
⁓willige(r) *m* non-striker; ⁓zeit
(-tsĭt) *f* working time; ⁓zeug
(-tsŏĭk) *n* tools *pl.*; ⁓zimmer *n*
study. [⁓u'r (-ōōr) *f* architecture.|

Archite'kt (ăhrçĭtĕkt) *m* architect;|

Archi'v (ăhrçeef) *n* archives *pl.*

Area'l (ăhréăhl) *n* area.

arg (ăhrk) bad; *Versehen*: gross.

A'rger (ĕrgʰᵉr) *m* vexation, an-
noyance, fret; (*Zorn*) anger; ℒlich
angry (*auf, über acc. et.* at, *j-n*

with); (*reizbar*) fretful, *Am.* mad; *Sache:* annoying, vexatious; **~n** annoy, vex, fret; (*belästigen*) bother; sich **~** über (*acc.*) feel angry *od.* vexed; **~nis** *n* scandal, offence.

A'rg|list *f* craft(iness); **2listig** crafty, cunning; **2los** artless; (*nichtsahnend*) unsuspecting; **2~wohn** (-vōn) *m* suspicion; **2~wöhnen** (-vōn⁶n) suspect; **2wöhnisch** (-īsh) suspicious.

A'rie (ährī⁶) *f f* aria, air, song.

Aristokra't (ährĭstōkräht) *m*, **~in** *f* aristocrat; **~ie'** (-ee) *f* aristocracy.

arm¹ (ährm) poor.

Arm² *m* arm; *Fluß usw.*: branch; **~band** *n* bracelet; **~band-uhr** *f* wrist(let) watch; **~bruch** *m* fracture of the arm.

Armee' (ährmé) *f* army.

A'rmel (ĕrm⁶l) *m* sleeve.

A'rmen|haus *n* workhouse, public assistance institution; **~pflege** *f* poor-relief; **~pfleger(in** *f)* *m* guardian of the poor; **~unterstützung** (-ōōnt⁶rshtützōōng) *f* relief; **a'rmselig** poor; wretched; [lief.]

A'rmut (ährmōōt) poverty.

Arre'st (ährĕst) *m* arrest; *e-r S.*: seizure; *Schule:* detention; **beim ~** be kept in.

Art (ährt) *f* kind, sort; **𝔏** species; (*Weise*) manner, way; (*Natur*) nature; (*Benehmen*) manners *pl.*; *auf die ~* in this way; **2en** (sn): **~** nach take after.

Arte'rie (ährtér⁶) *f* artery.

a'rtig (ährtĭç) *Benehmen:* good, well-behaved; polite; **2keit** *f* good behaviour; politeness (*a. pl.*).

Arti'kel (ährteek⁶l) *m* article.

Artiller|ie (ährtĭl⁶ree) *f* artillery; **~i'st** (-īst) *m* artilleryman.

Arti'st (ährtĭst) *m*, **~in** *f* artiste.

Arz(e)nei' (ährts[⁶]nī) *f* medicine, physic; **~kunde** *f* pharmaceutics *pl.*; **~mittel** *n* drug. [physician.]

Arzt (ährtst) *m* doctor, medical man;*f*

A'rztin (ärtstĭn) *f* lady doctor.

ä'rztlich medical.

As (ähs) *n* ace.

A'sche (ähsh⁶) *f* ashes *pl.*

A'schen|bahn *f* cinder-path, *Am.* cinder oval; **~becher** (-bĕç⁶r) *m* ash-tray.

a'schgrau (-grow) ashy(-pale).

Asia't (ähz'äht) *m*, **~in** *f*, **2isch|** **A'sien** (ähz'⁶n) *n* Asia. [Asiatic.]

Aske't(in *f)* (ähskét) *m* ascetic.

Aspha'lt (ähsfählt) *m* asphalt; **2ie'ren** (-eer⁶n) asphalt.

Assiste'nt (ähsĭstĕnt) *m* assistant.

Ast (ähst) *m* branch, bough; *im Holz:* knot.

A'stloch (-lŏk) *n* knot-hole.

Astrono'm (ährstrōnōm) *m* astronomer; **2isch** astronomical.

Asy'l (ähzül) *n* asylum.

Atelie'r (äht⁶l'é) *n* studio.

A'tem (äht⁶m) *m* breath; *außer ~* out of breath; **2los** breathless; **~not** *f* shortness of breath; **~pause** (-powz⁶) *f* breathing-space; **~zug** (-tsōōk) *m* breath, respiration.

A'ther (ät⁶r) *m* ether.

äthe'risch (ätérĭsh) ethereal; *phys., Radio:* etheric.

Athle't (ähtlét) *m*, **~in** *f* athlete; **~ik** *f* athletics; **2isch** athletic.

atla'ntisch (ähtlählntĭsh) Atlantic.

A'tlas (ähtlähs) *m geogr.* atlas; *Stoff:* satin. [breathing, respiration.]

a'tm|en (ähtm⁶n) breathe; **2ung** *f*

Atmosphä'r|e (ähtmósfär⁶) *f* atmosphere; **2isch** atmospheric.

Ato'm (ähtōm) *n* atom; **~bombe** *f* atom(ic) bomb; **~kern** *m* nucleus; **~versuche** (-fĕrzōōk⁶) *m|pl.* atomic energy researches *pl.*; **~zertrümmerung** (-tsĕrtrüm⁶rōōng) *f* atom smashing.

Attenta't (ähtĕntäht) *n* attempt upon a p.'s life; *fig.* outrage.

Attentä'ter (-tät⁶r) *m* assailant.

Atte'st (ähtĕst) *n* certificate; **2ie'ren** (-eer⁶n) attest, certify.

Attra'ppe (ähträhp⁶) *f* dummy.

ä'tz|en (ĕts⁶n) corrode; **⚕** cauterize; *Kunst:* etch; **~end** (-t) corrosive; (*a. fig.*) caustic; **2ung** *f Kunst:* au! (ow) oh! [etching.]

auch (owk) also, too, likewise; (*selbst*, *sogar*) even; **~** nicht neither, nor; *wo* **~** (*immer*) wheresoever.

Audie'nz (owd'ĕnts) *f* audience.

auf (owf) **1.** *prp. a.) mit dat.:* on, upon; in; at; of; by; **~** dem Markte in; **~** der Universität, **~** e-m Ball at; b) *mit acc.:* in; at; to; towards (*a. ... zu*); up; **~** deutsch in German; **~** e-e Entfernung von at a range of; **~** ein Pfund gehen 20 Schilling ... go to a pound; es geht **~** neun it is getting on to nine; **~** ... hin on the strength of; **2.** *adv.* up, upwards; **~** und ab gehen walk

up and down *od.* to and fro; 3. *cj.*
~ *daß* (in order) that; ~ *daß nicht*
that not, lest; 4. *int.* ~! up!
au'f-arbeiten (-ăhrbit^en) *Rückstand:*
work off; *(auffrischen)* furbish up;
Kleid: do up.
au'f-atmen (-ăhtm^en) breathe again.
Au'fbau (-bow) *m* building; *e-s
Dramas usw.:* construction; *mot.*
body; 2en erect, build up; construct.
au'fbauschen (-bowsh^en) puff up.
au'fbeißen (-bis^en) crack.
au'fbekommen (-b^eköm^en) *Tür:*
get open; *Arbeit:* have a task set.
au'fbessern (-běs^ern) *Gehalt:* raise.
au'fbewahren (-b^evăhr^en) keep;
preserve.   [✗ raise.]
au'fbieten (-beet^en) *Kräfte:* exert;
au'fbinden untie.
au'fblähen (-blă^en) puff up, inflate.
au'fbleiben (-blib^en) (sn) sit up;
Tür usw.: remain open.
au'fblenden *mot.* turn (the head-
lights) on; *Film:* fade in.
au'fblitzen (sn) flash (up).
au'fblühen (-blü^en) (sn) bloom;
flourish.
au'fbrausen (-browz^en) (h. u. sn)
fig. fly into a passion; ~d (-t) hot-
-tempered.
au'fbrechen (-brěç^en) *v/t.* break
open; force open; *v/i.* (sn) burst
open; *(weggehen)* set out *(nach* for).
au'fbringen bring up; *Geld, Truppen:* raise; *Schiff:* capture; *j-n:*
rouse, irritate.
Au'fbruch (-brŏŏk) *m* departure,
au'fbügeln (-bŭg^he ln) iron. [start.]
au'fbürden (-bŭrd^en): *j-m et.* ~
impose a th. (up)on a p.
au'fdecken uncover; *fig.* disclose;
Tischtuch: spread.
au'fdrängen obtrude *(j-m* [up]on).
au'fdrehen (-dré[^e]n) *Gas usw.:*
turn on.
au'fdringlich (-drĭŋ lĭç) obtrusive.
Au'fdruck (-drŏŏk) *m* stamp, print.
au'fdrücken impress.
auf-eina'nder (-ĭnăhnd^er) one after
(od. upon) another; 2folge (-fōlg^{he})
f succession; ~folgend (-t) succes-
sive.
Au'fenthalt (owf^enthăhlt) *m* stay;
(Verzögerung) delay; ᔕ stoppage;
~sgenehmigung (-g^henémigŏŏŋ) *f*
residence *(od.* stay) permit.
au'f-erlegen (-ěrlég^{he}n) impose
(j-m on a p.).

au'f-erstehI(e)n (-ěrshté[^e]n) (sn)
rise (from the dead); 2ung *f* re-|
au'f-essen eat up. [surrection.]
au'ffahren *v/i.* (sn) *in Erregung:*
fly out; ⚓ run aground, *(auf acc.)*
run upon *od.* against; *im Schlaf:*
start (up).   [drive.]
Au'ffahrt *f* driving up; *(Rampe)*
au'ffallen *v/i. j-m* ~ strike; ~d (-t)
striking; flashy.
au'ffang|en catch (up); *Hieb:* parry;
2lager (-lăhg^he r) *n* reception camp.
au'ffass|en *v/t.* conceive; *(begrei-
fen)* comprehend; *(deuten)* interpret; 2ung *f* conception; interpretation; *(Fassungskraft)* grasp.
au'ffinden find out.
au'fforder|n ask, invite; call upon;
ᔦᔦ summon; 2ung *f* invitation; ᔦᔦ
summons *sg.*
au'ffrischen freshen up, touch up;
Kenntnisse: brush up.
au'fführ|en *Bau:* erect; *thea.* re-
present, perform, act; *in e-r Liste:*
list; *einzeln* ~ specify, *Am.* itemize;
sich ~ behave; 2ung *f* performance;
(Benehmen) conduct.
Au'fgabe (-găhb^e) *f (Arbeit)* task;
(Denk2) problem; *(Schul2)* lesson;
e-s Briefes: posting; *von Gepäck:*
booking; *e-s Amtes:* resignation;
(Preisgabe) abandonment. *(Ge-
schäfts2)* giving up (business).
Au'fgang *m ast.* rising; *(Treppe)*
staircase.
au'fgeben (-g^héb^en) give up, abandon; *Amt:* resign; *Brief:* post, *Am.*
mail; *Gepäck:* book, *Am.* check;
Telegramm: hand in, *Am.* file; ᔦᔦ
Bestellung: give; *Rätsel:* propose;
j-m et. ~ set a p. a task.
Au'fgebot (-g^hebōt) *n* public notice;
✗ levy; *fig.* array; *(Ehe2)* banns *pl.*
au'fgeh(e)n (-g^hé[^e]n) (sn) *(sich
öffnen)* open; ᔢ leave no remainder;
Teig, Gestirn, Vorhang: rise; *Pflanze:* come up; ~ *in et. Größerem*
be merged in; ~ *in e-r Arbeit* be
absorbed in.
au'fgeklärt (-g^heklărt) enlightened;
2heit *f* enlightenment.
Au'fgeld *n* agio, premium.
au'fgelegt (-g^helĕkt) disposed (for).
au'fgeweckt (-g^hevĕkt) *fig.* bright.
au'fgießen (-g^hees^en) pour (upon);
Tee: make.
au'fgreifen (-grīf^en) snatch up,
take up; *(verhaften)* apprehend.

Au'fguß (-gōŏs) *m* infusion.
au'fhaben *Aufgabe*: have to do.
au'fhaken unhook.
au'fhalten *Tür*: keep open; *j-n, et.*: stop, detain, delay; *Verkehr*: hold up; *sich ~* stay; *sich ~ über (acc.)* find fault with. [suspend.]
au'fhängen (-hĕⁿₓᵉn) hang (up); ⊕|
au'fhäufen (-hóĭfᵉn) s. *anhäufen*.
au'fheb|en lift up; *vom Boden*: pick up; *Belagerung*: raise; *(bewahren)* keep, preserve; *(ungültig m.)* annul, abolish; *Versammlung*: break up; *sich ~* compensate; *die Tafel ~* rise from the table; *viel 2s machen (von)* make a fuss (about); 2ung *f* raising; abolition; annulment; breaking up.
au'fheitern (-hĭᵗᵉrn) cheer (up); *sich ~ Wetter, Gesicht*: clear up.
au'fhellen *(a. sich)* brighten.
au'fhetz|en *j-n*: incite, instigate; 2ung *f* instigation.
au'fhören cease, stop; *Am.* quit; *(alle: zu tun doing).*
au'fkaufen (-kowfᵉn) buy up.
au'fklär|en (-klärᵉn) clear up *(a. sich ~)*; *j-n*: enlighten *(über acc. on)*; ✕ reconnoitre; 2ung *f* enlightenment; ✕ reconnaissance.
au'fkleben paste; affix.
au'fklinken (-klĭⁿₖᵏᵉn) unlatch.
au'fknöpfen unbutton.
au'fkommen (sn) come up; *Mode usw.*: come into fashion; *für et. ~* answer for; *gegen j-n ~* prevail against; 2 *n (Genesung)* recovery.
au'fkrempe(l)n (-krĕmpᵉ[l]n) turn up.
au'fkündigen (-kündĭgᵉn) s. *kündigen; Freundschaft*: renounce.
au'fflachen (-lāₕₖᵉn) burst out|
au'ffladen load. [laughing.)
Au'fflage (-lāₕgᵉ) *f e-s Buches*: edition; *e-r Zeitung*: circulation; ⊕ support.
au'fflassen leave open; *ᵗᵢₖ* cede.
au'fflauern (-lowᵉrn) lie in wait for.
Au'fflauf (-lowf) *m* concourse; riot.
au'fflaufen *v/i.* (sn) rise; *Zinsen*: accrue; ⚓ run aground.
au'fflegen (-légᵉn) put on, lay on; *Buch*: print, publish; *Last*: impose *(on a p.); Strafe*: inflict *(on a p.); sich ~* lean (on).
au'fflehn|en *(a. sich)* lean (on); *fig. sich ~ (gegen)* rebel (against); 2ung *f* rebellion.

au'fflesen gather, pick up.
au'ffliegen (-leegₕᵉn) lie *od.* lean *(auf dat. on).*
au'fflös|bar (-lösbāhr) (dis)soluble; *~en* (-lözᵉn) *Knoten*: undo; *Versammlung*: break up; *Salz, Ehe, Verein*: dissolve; *Rätsel,* ⅋ solve; 2ung *f* (dis)solution.
au'ffmach|en (-māhₖᵉn) open; *Kleid, Paket*: make up; *(zurechtmachen)* make up, get up; *sich ~* set out *(nach for); Dampf ~* get up steam; 2ung *f* make-up; get-up.
au'ffmarschieren (-māhrsheerᵉn) (sn) march up; *zur Gefechtslinie*: deploy *(a. ~ l.).*
au'ffmerken attend *(auf acc.* to).
au'ffmerksam (-mĕrkzāhm) attentive *(auf acc.* to); 2keit *f* attention.
au'ffmuntern (-mŏŏntᵉrn) rouse; *(aufheitern)* cheer up.
Au'ffnahme (-nāhmᵉ) *f der Arbeit*: taking up; *(Empfang)* reception; *(Zulassung)* admission; *phot.* taking; *Bild*: photo(graph); *Film*: shot; *~prüfung* (-prüfŏŏrₓ) *f* entrance examination.
au'ffnehmen (-némᵉn) take up; *j-n*: take in; *Diktat usw.*: take down; *geistig*: take in; *Gäste*: receive; *in e-n Verein*: admit; *Film*: shoot; *Geld*: raise, borrow; *Verzeichnis usw.*: draw up; *phot.* take; *gut (übel) ~* take well (ill); *es ~ mit* be a match for.
au'ffopfer|n, 2ung *f* sacrifice.
au'ffpassen *v/i.* attend *(auf acc.* to); *(beobachten)* watch; *Schule*: be attentive; *(sich vorsehen)* look)
au'ffplatzen (sn) burst open. [out.)
au'ffpolieren (-pŏleerᵉn) polish up.
au'ffpolstern (-pŏlstᵉrn) upholster.
au'ffpumpen (-pŏŏmpᵉn) pump up.
Au'ffputz (-pŏŏts) *m* finery; 2en dress up.
au'ffraffen (-rāhfᵉn) snatch up; *sich ~* rouse o.s. (zu for).
au'ffräumen (-rŏĭmᵉn) put in order; *Zimmer*: tidy; *(wegräumen)* clear (away).
au'ffrecht (-rĕçt) upright *(a. fig.),* erect; *~halten* maintain; 2(er)haltung *f* maintenance.
au'ffreg|en (-régᵉn) stir up, excite; 2ung *f* excitement, agitation.
au'ffreiben *(vernichten)* destroy; *(erschöpfen)* exhaust, wear (o.s.) out.

au'freißen (-ris⁵n) v/t. rip (od. tear)
open; Tür: fling open; Straße: take
up; Augen: open (wide); v/i. (sn)
burst.

au'freiz|en (-rīts⁵n) stir up; ~end
(-t) irritant; ℒung f instigation.

au'frichten (-rict⁵n) set up, erect;
sich ~ erect o.s.; im Bett: sit up.

au'frichtig sincere, candid; ℒkeit f
sincerity.

au'friegeln (-reeg⁵⁵ln) unbolt.

au'frollen roll up.

Au'fruf (-rōōf) m call, summons;
ℒen call up; Schüler: call (up)on
a p.   [riot, rebellion.]

Au'fruhr (-rōōr) m uproar, tumult;)

au'frühren (-rür⁵n) stir (up).

Au'frührer m, ~in f rebel; ℒisch
rebellious.   [armament.]

Au'früstung (-rüstōōⁿg) ℀ f (re-)

au'früttteln rouse.

au'fsagen (-zāhg⁵⁵n) say, repeat.

au'fsammeln pick up.

au'fsässig (-zēsic) refractory.

Au'fsatz m essay, (Schulℒ) composition; ⊕ top.   [absorb.]

au'fsaugen (-zowg⁵⁵n) suck up; /₳)

au'fscheuchen (-shòic⁵n) scare.

au'fscheuern scour; ℀ chafe.

au'fschichten (-shict⁵n) pile up.

au'fschieben (-sheeb⁵n) push open;
fig. put off; defer, postpone.

Au'fschlag (-shlāhk) m impact;
(Preisℒ) additional (od. extra)
charge; (Rockℒ) facing; (Ärmelℒ)
cuff; Tennis: service; ℒen (-shläh-
g⁵⁵n) v/t. (öffnen) open; Ärmel usw.:
turn up; Wohnung: set up; Zelt:
pitch; Preis: raise; cut one's knee;
v/i. (sn) (auf acc.) strike (up)on;
✝ rise in price; Tennis: serve.

Au'fschläger (-shläg⁵⁵r) m Tennis:
server.   [open.]

au'fschließen (-shlees⁵n) unlock,)

au'fschlitzen slit, rip up. [mation.]

Au'fschluß (-shlōōs) m fig. infor-)

au'fschnallen unbuckle; (anschnal-
len) buckle on (auf acc. to).

au'fschnappen fig. pick up.

au'fschneiden (-shnid⁵n) v/t. cut
open; Braten: cut up; v/i. fig. brag,
boast.   [Am. cold ceets pl.]

Au'fschnitt m: kalter ~ cold meat,)

au'fschnüren untie.   [screw.]

au'fschrauben (-shrowb⁵n) un-)

au'fschrecken v/t. startle; v/i. (sn)
start.   [outcry.]

Au'fschrei (-shri) m shriek; fig.)

au'fschreiben (-shrib⁵n) write
down.   [scream.]

au'fschreien (-shri⁵n) cry out,)

Au'fschrift f inscription; eines
Briefes: address, direction. [pite.]

Au'fschub (-shōōp) m delay; res-)

au'fschwellen (-shvěl⁵n) (sn) swell.

au'fschwingen: sich ~ rise.

Au'fschwung m rise; ✝ boom.

au'fsehen (-zé[⁵]n) 1. look up; 2. ℒ
n sensation.

Au'fseher(in f) m inspector.

au'fsetzen (aufrichten) set up; Hut,
Miene: put on; schriftlich: draw
up; sich ~ sit up; v/i. ℀ hit the
ground.

Au'fsicht f inspection, supervision;
~sdame f, ~sherr m shop- (Am.
floor-)walker; ~srat m board of
directors.

au'fsitzen sit, rest (auf dat. on);
nachts: sit up; Reiter: (sn) mount.

au'fspannen (-shpǎn⁵n) stretch;
Schirm: put up; Saite: put on;
Segel: spread.   [reserve.]

au'fsparen (-shpǎhr⁵n) save; fig.)

au'fspeichern (-shpic⁵rn) store up.

au'fsperren open wide.

au'fspielen (-shpeel⁵n) ♪ strike up;
sich ~ show off; (als) set up for.

au'fspießen (-shpees⁵n) pierce.

au'fspringen (sn) jump up; Tür:
fly open; Haut: chap.   [od. out.]

au'fspüren hunt up; track down)

au'fstacheln (-shtǎhκ⁵ln) goad.

au'fstampfen stamp (one's foot).

Au'fstand insurrection; rebellion.

au'fständisch (-shtěndish) rebellious; ein ℒer an insurgent, a rebel.

au'fstapeln (-shtǎhp⁵ln) pile up;
✝ store (up).   [℀ lance.]

au'fstechen (-shtěc⁵n) prick open;)

au'fstecken pin up; Haar: do up.

au'fsteh(e)n (-shté[⁵]n) (sn) stand
up; rise, get up; (mst h.) stand open.

au'fsteigen (-shtig⁵⁵n) (sn) rise,
ascend; ℀ take off; Reiter: mount.

au'fstell|en set up, put up; ℀
draw up; Behauptung: make;
Beispiel: set; Falle: set; Kandidaten: nominate; Rechnung: draw
up; Regel: state; Rekord: set,
establish; ℒung f putting up;
drawing up; nomination; ✝ statement; (Liste) list.   [rise.]

Au'fstieg (-shteek) m ascent; fig.)

au'fstöbern (-shtöb⁵rn) hunt up.

au'fstören rouse.

auf'stoßen (-shtōsᵉn) v/t. push open; knock (against); v/i. Speise: rise up. [spread.]
auf'streichen (-shtriçᵉn) Butter:]
auf'streifen (-shtrifᵉn) tuck up.
Auf'strich m auf Brot: spread.
auf'suchen (-zōōkᵉn) j-n ~ go to see a p., look a p. up; Ort: visit; im Buch: look up; (aufsammeln) pick up. [turn up.]
auf'tauchen (-towkᵉn) (sn) emerge,]
auf'tauen (-towᵉn) (sn) (a. fig.) thaw.
auf'teilen (-tīlᵉn) divide up.
Auf'trag (-trähk) m commission; (Weisung) instruction; ⚕ mandate; ♱ order; ⸱en (-trähgʰᵉn) Speisen: serve (up); Farbe: lay on; Kleid usw.: wear out; ⸱geber (-gʰébᵉr) m employer; (Kunde) customer.
auf'treiben (-trībᵉn) (auffinden) hunt up; Geld: raise.
auf'trennen rip; Naht: undo.
auf'treten (-trétᵉn) 1. (v/i. sn) leise usw.: tread; (sich zeigen) od. thea., als Zeuge: appear; (sich benehmen) behave; Schwierigkeiten: arise; 2. ♀ n appearance; behaviour. [buoyancy.]
Auf'trieb (-treep) m phys. u. fig.]
Auf'tritt m thea. u. fig. scene.
auf'trumpfen (-trōōmpfᵉn) put one's foot down.
auf'wachen (-vähkᵉn) (sn) awake, wake up. [up.]
auf'wachsen (-vähksᵉn) (sn) grow]
auf'wall|en (sn) boil up; ⸱ung f emotion, upsurge.
Auf'wand (-vähnt) m expense; pomp; von Worten usw.: display.
auf'wärmen (-vĕrmᵉn) warm up.
Auf'wartefrau (-vährtᵉfrow) f charwoman. [on; bei Tische: wait.]
auf'warten j-m: wait upon, attend]
Auf'wärter(in f) (-vĕrtᵉr) m attendant; ⚓ steward(ess f).
auf'wärts (-vĕrts) upward(s).
Auf'wartung f attendance; (Besuch) visit; j-m s-e ~ m. call upon a p.
auf'waschen (-vähshᵉn) wash (up).
auf'wecken awake, waken.
auf'weichen (viçᵉn) v/t. u. v/i. (sn)]
auf'wenden spend. [soak.]
auf'werfen Frage: raise.
auf'wert|en (-vértᵉn) revalorize; ⸱ung f revalorization.
auf'wickeln wind (up).

auf'wiegel|n (-veegʰᵉln) stir up, incite; ⸱ung f instigation.
auf'wiegen (-veegʰᵉn) fig. make up for.
Auf'wiegler (-veeglᵉr) m, ⸱in f agitator; (Anstifter) instigator.
auf'winden hoist; Anker: weigh.
auf'wirbeln Staub: raise.
auf'wischen (-vishᵉn) wipe up.
auf'wühlen turn up; fig. stir.
auf'zähl|en (-tsälᵉn) count down; fig. enumerate; ⸱ung f enumeration.
auf'zäumen (-tsöimᵉn) bridle.
auf'zehren consume.
auf'zeichn|en (-tsiçnᵉn) draw; (notieren) note down; geschichtlich: record; ⸱ung f note; record.
auf'ziehen (-tseeᵉn) v/t. draw up; open; Anker: weigh; Flagge: hoist; Kind: bring up; Bild: mount; Saite: put on; Uhr: wind up; v/i. (sn) ⸱ draw up; Gewitter: approach.
Auf'zug (-tsōōk) m procession; thea. act; ⊕ hoist; lift, elevator; (Anzug) attire.
Au'g-apfel (owgähpfᵉl) m eyeball.
Au'ge (owgʰᵉ) n eye; (Sehkraft) sight; ♀ bud; fig. in meinen ⸱n in my view; im ⸱ behalten keep in view; aus den ⸱n verlieren lose sight of; ins ⸱ fallen strike the eye; große ⸱n m. open one's eyes.
Au'gen|arzt m oculist; ⸱blick m moment, instant; 2blicklich instantaneous; (vorübergehend) momentary; (gegenwärtig) present; adv. instantly; at present; ⸱braue (-browᵉ) f eyebrow; ⸱entzündung (-ĕnttsūndōōrɔ) f inflammation of the eye; ⸱glas (-glähs) n eye-glass; ⸱klinik f ophthalmic hospital; ⸱licht n eyesight; ⸱lid (-leet) n eyelid; ⸱maß (-mähs) n: ein gutes ⸱ a sure eye; nach dem ⸱ by eye; ⸱merk (-mĕrk) n: sein ⸱ richten auf (acc.) have a th. in view; ⸱schein (-shīn) m appearance; in ⸱ nehmen take a view of; 2schein-lich evident; ⸱täuschung (-töi-shōōrɔ) f optical illusion; ⸱wasser (-vähsᵉr) n eye-water; ⸱wimper (-vimpᵉr) f eyelash; ⸱zeuge (-tsöi-gʰᵉ) m eye-witness.
Augu'st (owgōōst) m August.
Auktio'n (owkts'ön) f auction; ⸱a'tor (-ähtör) m auctioneer.
Au'la (owläh) f hall.

aus (ows) 1. *prp.* out of; from; of; by; for; on, upon; in; ~ *diesem Grunde* for this reason; ~ *Ihrem Briefe ersehe ich* I see by your letter; 2. *adv.* out; over; *die Kirche ist* ~ church is over; *auf et.* ~ *sn* be all in for; *es ist* ~ *mit ihm* it is all with him.

aus'-arbeit|en (-ährbīt⁴n) work out; **2ung** *f* working-out; *schriftlich*: composition.

aus'-arten (sn) degenerate.

aus'-atmen (-ähtm⁴n) *v/t.* breathe out; (*aushauchen*) exhale.

aus'baggern (-bähg⁴rn) dredge.

Aus'bau (-bow) *m* completion; **2en** finish, complete; dismount.

aus'bedingen (-b⁴dīn₂⁴n) stipulate.

aus'besser|n mend, repair; **2ung** *f* repair, mending.

Aus'beute (-böit⁴) *f* gain, profit; yield. [sweat; 2ung *f* exploitation.]

aus'beut|en exploit; *Arbeiter*:

aus'bild|en form; develop; (*schulen*) train; (*lehren*) instruct; **2ung** *f* development; training; instruction, education.

aus'bitten: *sich et.* ~ request.

aus'bleiben (-blīb⁴n) 1. (sn) stay away, not arrive; 2. **2** *n* non-arrival.

Aus'blick *m* (*a. fig.*) outlook (*a. fig.*), view, prospect.

aus'bohren (-bōr⁴n) bore.

aus'braten (-brāht⁴n) *Schmalz*: melt (down).

aus'brechen *v/t.* break out (*a. v/i.*); (*erbrechen*) vomit; *v/i.* (sn) *fig.* burst out laughing *etc.*

aus'breit|en (-brīt⁴n) spread (out); *Arme, Flügel*: stretch; *sich* ~ spread; **2ung** *f* spreading.

aus'brennen *v/i.* (sn) cease burning; *ausgebrannt* (*Haus*) fire-gutted.

Aus'bruch (-brōōk) *m* outbreak.

aus'brüten (-brüt⁴n) hatch (*a. fig.*).

aus'bürgern (-bürg⁴rn) denationalize, expatriate.

Aus'dauer (-dow⁴r) *f* perseverance; **2nd** (-t) persevering; **$** perennial.

aus'dehn|en (-dén⁴n) (*a. sich*) extend (*auf acc.* to), expand; **2ung** *f* expansion; extension; (*Umfang*) extent. [contrive, devise.]

aus'denken think out (*Am.* up);

aus'dienen (-deen⁴n) serve one's time; *ausgedient h.* (*Sache*) be worn out; *ausgedienter Soldat* ex-serviceman.

au'sdörren (-dör⁴n) *v/t.* dry up; parch.

au'sdrehen (-dré⁴n) *Lampe, Gas*: turn off; *elektr. Licht*: switch off.

Au'sdruck (-drōōk) *m* expression; term.

au'sdrück|en press (*od.* squeeze) out; *Zigarette*: stub(out); *fig.* express; **~lich** express, explicit.

au'sdrucks|los inexpressive, blank; **~voll** expressive.

au'sdünst|en (-dünst⁴n) *v/i.* (sn) u. *v/t.* evaporate; exhale; **2ung** *f* evaporation; exhalation.

aus-eina'nder (-inäh/nd⁴r) asunder, apart; separately; **~gehen** (-g⁴é⁴n) (sn) *Versammlung*: break up; *Meinungen*: differ; *Freunde*: part; *Menge*: disperse; **~nehmen** (-né-m⁴n) take to pieces; **⊕** strip, dismantle; **~setzen** *fig.* explain; *sich mit j-m* ~ have an explanation with; *sich mit e-m Problem* ~ get down to a problem; **2setzung** *f* explanation; (*Erörterung*) discussion. [choice.]

au's-erlesen (-érléz⁴n) exquisite,

au's-erwählen (-érväl⁴n) select, choose (out).

Au'sfahrt *f* drive; (*Tor*) doorway; (*Abfahrt*) departure.

Au'sfall *m* falling out; (*Ergebnis*) result; (*Fehlendes*) deficit.

au'sfallen *v/i.* (sn) fall out; (*nicht stattbaben*) not to take place; *gut usw.*: turn out; *Schule*: there is no school; **~d** (-t) aggressive.

Au'sfallstraße (owsfählshträhs⁴) *f* arterial road. [out.]

au'sfasern (-fähz⁴rn) *v/i.* (sn) ravel

au'sfegen (-fég⁴⁴n) sweep out.

au'sfertigen (-fértīg⁴⁴n) draw up, execute. [doppelter ~ in duplicate.]

Au'sfertigung *f* execution; *in*

au'sfindig: ~ *machen* find out.

Au'sflucht (-flōōxt) *f* evasion, shift, subterfuge. [outing.]

Au'sflug (-flōōk) *m* trip, excursion,

Au'sflügler (-flügl⁴r) *m* excursionist.

Au'sfluß (-flōōs) *m* flowing out; *$* discharge; (*Mündung*) outfall.

au'sforschen inquire into; *j-n*: sound. [*Am.* quiz.]

au'sfragen (-frähg⁴⁴n) interrogate,

Au'sfuhr (-fōōr) *f* export (-ation); **~artikel** (-ährteek⁴l) *m* article of export.

au'sführbar (-fürbähr) practicable.

Au'sfuhrbewilligung(-b^evĭlĭgōōn̪g) *f* export permit.

au'sführen (-für^en) *j~n*: take out; (*vollbringen*) execute, carry out, *Am.* fill; ✝ export; (*darlegen*) explain.

Au'sfuhrhandel *m* export trade.

au'sführlich full-length, detailed; *adv.* in full; ♀keit *f* fullness; copiousness.

Au'sführung *f* execution, performance; (*Darlegung*) statement; ⌞sbestimmung (-b^eshtĭmōōn̪g) *f* implementing regulation.

Au'sfuhr|verbot (-fĕrbōt) *n* prohibition of exportation; ⌞waren (-vähr^en) *f/pl.* exports *pl.*; ⌞zoll *m* export duty.

au'sfüllen fill up (*Formular* in).

Au'sgabe (-gähb^e) *f* (*Verteilung*) distribution; *Buch*: edition; (*Geld*♀) expense; *v. Aktien usw.*: issue; (⌞stelle) issuing office.

Au'sgang *m* exit; way out: (*Auslaß*) outlet; (*Ende*) end; (*Ergebnis*) result; ⌞spunkt (-pōōn̪kt) *m* starting-point.

au'sgeben (-g^héb^en) give out; *Geld*: spend; *Aktien usw.*: issue; sich ~ für pass o.s. off for. [out.]

au'sgebombt (-g^hebômpt) bombed)

au'sgeh(e)n (-g^hé[^e]n) (sn) go out; (*enden*) end; *gut usw.* ~ turn out; *Farbe*: fade; *Haar*: fall out; *von et.* ~ start from; *auf et.* (*acc.*) ~ aim at.

au'sgelassen (-g^helähs^en) frolicsome.

au'sgenommen except.

Au'sgesiedelte (-g^hezeed^elt^e) *f*, ⌞r *m* evacuee. [*Feier*: arrange.]

au'sgestalten (-g^heshtählt^en) shape;)

au'sgesucht (-g^hezōōkt) exquisite, choice. [cellent.]

au'sgezeichnet (-g^hetsĭçn^et) ex-)

au'sgiebig (-g^heebĭç) abundant.

au'sgießen (-g^hees^en) pour out.

Au'sgleich (-glĭç) *m* compromise; compensation; *Tennis*: deuce; ♀en equalize; *Verlust*: compensate; ✝ balance; ⌞ung *f* equalization.

au'sgleiten (-glīt^en) *v/i.* (sn) slide, slip. [*Leiche*: exhume.]

au'sgraben (-grähb^en) dig out;)

Au'sguck ⚓ (-gŏōk) *m* look-out.

Au'sguß (-gŏōs) *m* sink; ⌞eimer (-im^er) *m* slop-pail.

au'shaken (-hähk^en) unhook.

au'shalten *v/t.* endure, bear; stand; *v/i.* hold out; last.

au'shändigen (-hĕndĭg^he^en) deliver, hand over. [card.]

Au'shang (-hähn̪g) *m* notice, pla-)

au'shänge|n (-hĕn̪g^en) *v/t.* hang out (*a. v/i.*); *Tür*: unhinge; ♀schild (-shĭlt) *n* signboard.

au'sharren persevere.

au'shauchen (-howk^en) breathe out, exhale.

au'sheben (-héb^en) lift out; *Tür*: unhinge; *Truppen*: levy; *Erde*: ex-)

au'shelfen help out. [cavate.]

Au'shilf|e *f* help, assistance; ♀s-weise by way of a makeshift.

au'shöhl|en (-höl^en) hollow out; ♀ung *f* hollow.

au'sholen (-hōl^en) *v/i. zum Schlag*: lift one's arm; *Erzählung*: weit ~ begin far back.

au'shorchen (-hôrç^en) *j~n*: sound, pump. [(out).]

au'shungern (-hŏōn̪g^ern) starve)

au'shusten (-hōōst^en) cough up.

au'skleiden (-klīd^en) (*a. sich*) undress; ⊕ line, coat.

au'sklopfen beat (out); *Kleid*: dust.

au'sklügeln (-klüg^he^eln) puzzle out.

au'skommen 1. *v/i.* (sn) come out; *Feuer*: break out; *mit et.* ~ have enough of; *mit j~m* ~ get along with; ~ *ohne* do without; 2. ♀ *n* competency.

au'skundschaften (-kōōntshähft^en) explore; ✕ reconnoitre.

Au'skunft (-kōōnft) *f* information; ⌞ei' (-ī) *f* inquiry-office; ⌞smittel *n* expedient; ⌞sstelle *f* inquiry-office, *Am.* bureau of information.

au'slachen (-lähx^en) laugh at.

au'sladen (-lähd^en) *v/t.* unload, discharge; *Gast*: put off.

Au'slage (-lähg^he) *f* (*Geld*) outlay; expenses *pl.*; (*Waren*♀) display, show. [*im* ~ abroad.]

Au'sland *n* foreign country; *ins* ~)

Au'sländ|er (-lĕnd^er) *m*, ⌞erin *f* foreigner; ♀isch foreign; ⚔, *zo.*

Au'slands... *mst* foreign. [exotic.]

au'slass|en (-lähs^en) let out; *Wort*: leave out, omit; *Wut*: (*an dat.*) vent ... on; *sich* ~ express o.s. (*über acc.* upon); ♀ung *f* omission; (*Äußerung*) utterance.

au'slaufen (-lowf^en) (sn) run out; *Gefäß*: leak; ⚓ put to sea. [cuate.]

au'sleeren (-lér^en) empty; ✕ eva-)

au'sleg|en (-lég^he^en) lay out; (*zur Schau stellen*) display; (*erklären*) explain; interpret; (vorstrecken) advance; 2ung f explanation, interpretation.

Au'sleih|bücherei (-lībŭçᵉrī) f lending library; 2en (-liᵉn) lend (out), Am. loan.

au'slernen v/i. finish one's apprenticeship od. time.

Au'slese (-lézᵉ) f choice, selection; pick; 2n pick out, select; Buch: finish.

au'sliefer|n (-leefᵉrn) deliver up; Verbrecher: extradite; 2ung f delivery; extradition.

au'sliegen (-leegˣᵉn) be exhibited.

au'slöschen (-lŏshᵉn) v/t. put out; extinguish; Schrift: efface.

au'slosen (-lŏzᵉn) draw (lots) for.

au'slösen loosen; ⊕ release; fig. cause; Gefangene: redeem; Pfand: au'slüften air, ventilate. [recover.]

au'smachen (-mähkᵉn) (feststellen) make out; (betragen) come to; (bilden) make up; Feuer: put out; Fleck: take out; (vereinbaren) agree upon; es macht nichts aus it does not matter.

au'smalen (-mählᵉn) paint; sich et. ~ picture a th. to o.s.

au'smarschieren (-mährsheerᵉn) (sn) march out.

au'smergeln (-mĕrgˣᵉln) emaciate.

au'smerzen (-mĕrtsᵉn) reject.

au'smessen measure.

Au'snahm|e (-nähmᵉ) f exception; 2sweise exceptionally.

au'snehmen (-némᵉn) take out; fig. except, exempt; Gans usw.: draw; ~d (-t) adv. exceedingly.

au'snutzen (-nŏŏtsᵉn) utilize.

au'spacken unpack.

au'spfeifen (-pfīfᵉn) thea. hiss.

au'splaudern (-plowdᵉrn) blab (od.)

au'spolstern stuff, pad. [let) out.]

au'sprägen: ausgeprägt marked.

au'sprob(ier)en (-prŏb[eer]ᵉn) try.

Au'spuff (-pŏŏf) m exhaust; ~gas (-gähs) n burnt gas; ~klappe f cut-out; ~rohr n exhaust pipe; ~topf m silencer, Am. muffler.

au'sputzen (-pŏŏtsᵉn) (schmücken) adorn. [lodge.]

au'squartieren (-kvährteerᵉn) dis-)

au'sradieren (-rähdeerᵉn) erase.

au'srangieren (-rᴣGeerᵉn) discard.

au'sräumen (-röimᵉn) clear.

au'srechnen calculate, compute.

Au'srede (-rédᵉ) f evasion, subterfuge.

au'sreden v/i. finish speaking; v/t. j-m et. ~ dissuade a p. from.

au'sreichen (-rīçᵉn) suffice; ~d sufficient. [tear) out.]

au'sreißen (-rīsᵉn) v/t. pull (od.)

Au'sreißer m runaway.

au'srenken (-rĕnˣkᵉn) dislocate.

au'srichten ⋊ dress; Botschaft: deliver; (bewirken) do, effect; (erlangen) obtain; Gastmahl usw.: give.

au'sroden (-rŏdᵉn) root out.

au'srotten (-rŏtᵉn) root out; extirpate.

Au'sruf (-rŏŏf) m exclamation; 2en v/i. exclaim; v/t. proclaim.

Au'srufung f proclamation; ~szeichen (-tsīçᵉn) n note of exclamation (Am. e.-mark).

au'sruhen (-rŏŏᵉn) v/t. u. v/i. (a. sich) rest.

au'srüst|en fit out; equip; 2ung f outfit, equipment, Am. fixings pl.

au'ssäen (-zäᵉn) sow; fig. disseminate.

Au'ssage (-zähgᵉ) f statement; declaration; ᵗᵗᵣ deposition; gr. predicate; 2n state, declare; ᵗᵗᵣ depose.

au'ssaugen (-zowgˣᵉn) suck out; exhaust.

au'sschalte|n (-shähltᵉn) eliminate; ⨍ cut out, Licht: switch off; 2r ⨍ m cut-out. [-license.]

Au'sschank (-shäŋk) m retail-)

au'sscheid|en (-shīdᵉn) v/t. separate; ♏ eliminate; ⭑ secrete; v/i. (sn) withdraw; Sport: drop out; 2ung f separation; (a. Sport) elimination; ⭑ secretion. [embark.]

au'sschiffen (-shīfᵉn) v/t. dis-)

au'sschimpfen call a p. names.

au'sschirren (-shīrᵉn) unharness.

au'sschlachten (-shlähktᵉn) cut up; Auto usw.: gut.

au'sschlafen (-shlähfᵉn) v/i. sleep one's fill; v/t. Rausch: sleep off.

Au'sschlag (-shlähk) m ⭑ rash; Zeiger: deflexion; 2en (-shlähgˣᵉn) v/t. beat (od. knock) out; mit Tuch usw.: line; (ablehnen) refuse, decline; v/i. (h. u. sn) ⭙ bud; gut usw.: turn out; Pferd: kick; Waage: turn; 2gebend (-gˣébᵉnt) decisive.

au'sschließ|en (-shleesᵉn) lock out; fig. exclude; Sport: disqualify; ~lich exclusive(ly); 2ung f, Au'sschluß (-shlŏŏs) m exclusion; disqualification. [bellish.]

au'sschmücken adorn; fig. em-)

Au'sschnitt *m* cut; *Kleid*: low neck; (*Zeitungs*♀) cutting.

au'sschreib|en (-shríb^en) **1.** write out *od.* in full; (*abschreiben*) copy; *Rechnung*: make out; (*ankündigen*) announce; *Stelle usw.*: advertise; ♀ung *f* announcement; advertisement. [out; ♀ung *f* excess.]

au'sschreit|en (-shrít^en) (sn) step]

Au'sschuß (-shŏŏs) *m* refuse; (*Vertretung*) committee; board.

au'sschütten (-shüt^en) pour out; *Dividende*: distribute; (*j-m*) *sein Herz* ~ unbosom o.s.

au'sschwärmen (-shvĕrm^en) (sn) swarm (out).

au'sschweif|en (-shvíf^en) (sn *u.* h.) lead a dissolute life; ~end (-t) dissolute; ♀ung *f* debauch, excess.

au'sschwitz|en (-shvíts^en) exude; ♀ung *f* exudation.

au'ssehen (-zé[^e]n) **1.** *v/i.* look; ~ nach *j-m* look out for a p.; *wie sieht er aus?* what does he look (*od.* is he) like?; *es sieht nach Regen aus* it looks like rain; **2.** ♀ *n* appearance, look.

au'ßen (ows^en) out; (on the) outside; *von* ~ *her* from (the) outside; *nach* ~ (*hin*) outwards; ♀-aufnahme (-owfnáhm^e) *f Film*: outdoor shot; ♀bordmotor (-bórtmōtōr) *m* outboard motor.

au'ssenden (-zĕnd^en) send out.

Au'ßen|handel *m* foreign trade; ~minister *m* Foreign Secretary, *Am.* Secretary of State; ~ministerium (-minístér'ŏŏm) *n* Foreign Office, *Am.* Department of State; ♀politisch (-pōleetísh) of (*od.* referring to) foreign policy; ~seite (-zīt^e) *f* outside; ~seiter *m* outsider; ~stände (-shtĕnd^e) *m/pl.* outstanding debts.

au'ßer (ows^er) **1.** *prp.* out of; (*neben*) besides, *Am.* aside from; (*ausgenommen*) except; ~ *sich* beside o.s.; **2.** *cj.* ~ *daß* except that; ~ *wenn* unless; ~dem besides, moreover.

äu'ßere (ŏis^er^e) **1.** *adj.* exterior, outer; **2.** ♀ *n* exterior. [out of.]

au'ßerhalb (-háhlp) *prp.* outside;]

äu'ßerlich external, outward.

äu'ßern utter; express.

au'ßer-o'rdentlich (-ŏrd^entlíç) extraordinary.

äu'ßerst (ŏis^erst) outermost; *fig.*

utmost, extreme; *mein* ♀es my very best.

außersta'nde (-shtáhnd^e) unable.

Äu'ßerung (ŏis^erŏŏn̥₂) *f* utterance.

au'ssetzen (-zĕts^en) *v/t.* set (*od.* put) out; *Boot*: lower; *Belohnung*: promise; *Pension*: settle; (*vermachen*) bequeath; *Tätigkeit*: stop; suspend; *Kind*: expose; *dem Wetter usw.*: expose to; *et.* ~ (*an*) (*dat.*) find fault with; *v/i.* intermit; *Motor*: misfire.

Au'ssicht (-zíçt) *f* view (*auf acc.* of); prospect; *in* ~ *h.* have in prospect; ♀slos without prospects; ♀svoll rich in prospects.

au'ssöhnen (-zŏn^en) reconcile (to).

au'ssondern (*auswählen*) single out.

au'sspann|en (-shpáhn^en) *v/t.* stretch, extend; *Zugtier*: unharness; *v/i.fig.* take a rest; ♀ung *f* relaxation.

au'sspeien (-shpí^en) spit out.

au'ssperren lock out.

au'sspielen (-shpeel^en) *v/t. Karte*♀ lead; *Preis*: play for. [out.]

au'sspionieren (-shpiōneer^en) spy]

Au'ssprache (-shpráhk^e) *f* pronunciation, accent; (*Erörterung*) discussion.

au'ssprechen (-shprĕç^en) pronounce; express; *sich* ~ *für, gegen* declare o.s. for, against; *ausgesprochen fig.* pronounced.

Au'sspruch(-shprŏŏk) *m* utterance,]

au'sspülen rinse. saying.]

au'sspüren track out, trace.

Au'sstand (-shtáhnt) *m* strike, walkout; *in den* ~ *treten* go on strike.

au'sständig (-shtĕndíç) striking, on strike.

au'sstatt|en (-shtáht^en) fit out, equip; (*möblieren*) furnish; *Tochter*: portion (off); *fig.* endow; ♀ung *f* outfit, equipment; *Buch*: get-up; *s. Aussteuer.* [*fig.*); *Auge*: put out.]

au'sstechen (-shtĕç^en) cut out (*a.*]

au'ssteh(e)n (-shté[^e]n) *v/i.* stand out; ~d outstanding; *v/t.* endure, bear.

au'ssteigen (-shtíg^he</sup>n) (sn) get out.

au'sstell|en exhibit; *Quittung usw.*: make out, issue; *Wechsel*: draw; ♀er(in *f*) *m* exhibitor; drawer; ♀ung *f* exhibition, show; ♀ungs-raum (owsshtĕlŏŏn̥₂srowm) *m* show-room.

au'ssterben (sn) die out.

Au'ssteuer (-shtŏi^er) *f* dowry, [trousseau.]

au'sstopfen stuff.

au'sstoß|en (-shtōsᵉn) thrust out; (*vertreiben*) expel; *Schrei*: utter; Lung *f* expulsion. [*u. v/t.* radiate.\
au'sstrahlen (-shtrāhlᵉn) *v/i.* (sn)\
au'sstrecken stretch (out).
au'sstreichen (-shtriçᵉn) obliterate, strike out. [spread.\
au'sstreuen (-shtröiᵉn) scatter;\
au'sströmen *v/i.* (sn) stream forth; *Licht*: emanate; *Gas usw.*: escape.
au'ssuchen (-zōōkᵉn) choose, select.
Au'stausch (-towsh) *m* exchange; Len exchange. [*f* distribution.\
au'steil|en (-tīlᵉn) distribute; Lung\
Au'ster (owstᵉr) *f* oyster.
au'stilgen (-tĭlgᵉn) exterminate.
au'stragen (-trāhgᵉn) carry out; deliver; *Streit, Wettspiel*: decide.
au'streib|en (-trībᵉn) drive out; expel; Lung *f* expulsion.
au'streten (-trétᵉn) *v/t.* tread out; *Schuh*: wear out; *v/i. Fluß*: overflow; (*ausscheiden*) retire (*aus* from); *Abort*: ease o.s.; ~ *aus* leave.
au'strinken drink up.
Au'stritt *m* leaving; retirement.
au'strocknen dry up (*a. v/i.*, sn).
au'süb|en (-übᵉn) exercise; *Beruf*: practise; *Einfluß*: exert; Lung *f* practice; exercise.
Au'sverkauf (-fĕrkowf) *m* selling off, clearance sale; Len sell off, clear out (stock).
Au'swahl (-vāhl) *f* choice; selection.
au'swählen (-vālᵉn) choose, select.
Au'swander|er(in *f*) *m* emigrant; Ln (sn) emigrate; ~ung *f* emigration.
au'swärtig (-vĕrtiç) non-resident; foreign; *das* Le *Amt* Foreign Office; *Am.* State Department.
au'swärts (-vĕrts) outward(s); (*außer dem Hause*) out of doors; abroad. [Lung *f* exchange.\
au'swechsel|n (-vĕksᵉln) exchange;\
Au'sweg (-vék) *m* way out; outlet; *fig.* shift, expedient.
au'sweichen (-viçᵉn) (sn; *dat.*) make way (for); *fig.* evade, avoid; ~d evasive.
Au'sweis (-vīs) *m* (*Bank*L) return; (*Personal*L) identity card, *Am.* identification (card); Len (-vīzᵉn) turn out, expel; (*zeigen*) show, prove; *sich* ~ prove one's identity; ~ung *f* expulsion; ~ungsbefehl (-bᵉfél) *m* deportee warrant.
au'sweiten (-vītᵉn) widen, stretch.

au'swendig (-vĕndiç) outward; *fig.* by heart.
au'swerfen throw out; ₅ˢ expectorate; *Summe*: allow, grant.
au'swickeln unwrap.
au'swiegen (-veegʰᵉn) weigh out.
au'swirken *v/t. sich* ~ operate.
au'swischen wipe out, efface.
au'swringen *Wäsche*: wring out.
Au'swuchs (-vōōks) *m* excrescence.
Au'swurf (-vōᵒrf) *m* expectoration; *fig.* refuse, dregs *pl.*
au'szahl|en pay out; *j-n:* pay off; Lung *f* payment.
au'szählen count out. [sumption.\
Au'szehrung (-tsérōōrᵲ) *f* con-\
au'szeichn|en (-tsiçnᵉn) mark out; *Waren*: price; *fig.* distinguish (*sich* o.s.); Lung *f* distinction; (*Orden*) decoration.
au'sziehen (-tseeᵉn) *v/t.* draw out, extract; *Kleid*: take off; *sich* ~ undress; *v/i.* (sn) *Mieter*: (re)move (from).
Au'szug (-tsōōk) *m* departure; ⋈ marching out; *e-s Werkes*: extract; summary; (*Konto*L) statement (of account); *aus e-r Wohnung*: removal.
authe'ntisch (owtĕntish) authentic.
Au'to (owtō) *n* (motor-)car, *Am.* automobile; ~ *fahren* drive, motor, *Am.* auto; ~bahn *f* autobahn; ~bus (-bōōs) *m* (motor-)bus; ~dida'kt (-dĭdáʰkt) *m* self-taught person; ~droschke (-dröshkᵉ) *f* (motor-)cab, *mst* taxi(-cab); ~fahrer *m* motorist; ~haltestelle (-hāhltᵉshtĕlᵉ) *f* taxi-stand; ~kra't (-krāht) *m* autocrat; ~kratie' (-krāʰtee) *f* autocracy; ~ma't (-māht) *m* automaton; (*Waren*L) slot-machine; ~ma'tenrestaurant (-māhtᵉnrĕstōrᵲ) *n* self-service restaurant; Lma'tisch automatic; ~mobi'l (-mōbeel) *n* s. *Auto*; Lno'm (-nōm) autonomous; ~nomie' (-ee) *f* autonomy.
Au'tor (owtŏr) *m*, ~in (-ŏrĭn) *f* author; Lisie'ren (-īzeerᵉn) authorize; Litä'r (-ĭtär) authoritarian; ~itä't (-ĭtät) *f* authority.
Au'to|schlosser (-shlōsᵉr) *m* car--mechanic; ~schuppen (-shōōpᵉn) *m* motor-shed, garage; ~straße (-shtrāhsᵉ) *f* motor(ing) road.
avisie'ren (-zeerᵉn) ✝ advise.
Axt (äʰkst) *f* axe, *Am.* ax.
Azetyle'n (äʰtsétülĕn) *n* acetylene.

B

Bach (băhк) *m* brook, *Am.* creek.
Ba'ckbord (bǎhкbòrt) *n* port.
Ba'cke (bǎhkᵉ) *f* cheek.
ba'cken (bǎhkᵉn) bake; *in der Pfanne:* fry; *Schnee usw.:* cake.
Ba'cken|bart *m* whiskers *pl.*; ~zahn *m* molar (tooth), grinder.
Bä'cker (bĕkʳᵉ) *m* baker; ~ei *f*, ~laden (-lǎhdᵉn) *m* baker's shop, *Am.* backery.
Ba'ck|fisch (bǎhkfĭsh) *m* girl in her teens, flapper; ~obst (-ōpst) *n* dried fruit; ~ofen (-ōfᵉn) *m* baking-oven; ~pfeife (-pfîfᵉ) *f* box on the ear; ~pflaume (-pflowmᵉ) *f* prune; ~pulver (-pŏŏlfᵉr) *n* baking-powder; ~stein (-shtīn) *m* brick; ~ware (-vāhrᵉ) *f* baker's ware.
Bad (bāht) *n* bath; *im Freien:* bathe; s. *Badeort*.
Ba'de|-anstalt (-ǎhnshtǎhlt) *f* baths *pl.*, bathing-establishment; ~anzug (-ǎhntsōōk) *m* bathing-costume, *bsd. Am.* bathing-suit; ~hose (-hōzᵉ) *f* bathing-drawers *pl.*, *Am.* swim trunks *pl.*; ~kappe *f* bathing-cap; ~kur (-kōōr) *f* course of mineral waters; ~laken (-lǎhkᵉn) *n* bath-sheet; ~mantel *m* bathing-gown, *Am.* bathrobe; ~meister (-mîstʳᵉ) *m* bath-attendant.
ba'den (bǎhdᵉn) bathe; *Wanne:* take a bath.
Ba'de|-ofen (-ōfᵉn) *m* geyser, *Am.* water heater; ~ort *m* watering-place; spa; ~reise (-rīzᵉ) *f* journey to a watering-place; ~wanne *f* bath(ing)-tub; ~zimmer *n* bath-room.
Ba'gger (bǎhgʰᵉr) *m*, ~maschine (-mǎhsheenᵉ) *f* dredger; 2n dredge.
Bahn (bǎhn) *f* path, road; *Sport:* course, track; *ast.* orbit; *fig.* career; railway, *bsd. Am.* railroad; *mit der* ~ *by train;* 2'brechend (-brĕçʰnt) pioneer; ~'brecher (-brĕçʳᵉ) *m* pioneer; ~'damm *m* railroad embankment; 2'en *Weg:* open, *fig.* pave; force one's way; ~hof *m* railway-station; ~linie (-leenĭᵉ) *f* railway-line; ~steig (-shtīk) *m* plat-form; ~steigkarte *f* platform-ticket; ~übergang (-ŭbᵉrgǎhнɡ) *m* railway-crossing.
Ba'hre (bǎhrᵉ) *f* barrow; (*Kranken-* 2) stretcher; (*Toten*2) bier.
Bai (bī) *f* bay.
Bai'sse (bāsᵉ) ✝ *f* fall (in prices), slump; *auf* ~ *spekulieren* bear.
Bajone'tt (bǎhyŏnĕt) *n* bayonet.
Ba'ke (bǎhkᵉ) ♒ *f* beacon.
Bakte'rie (bǎhktérĭᵉ) *f* bacterium (*pl.* -ia), microbe.
bald (bǎhlt) soon, shortly; (*beinahe*) almost, nearly; ~ *so,* ~ *so* now one way, now another; ~'ig (bǎhldĭç) speedy; ✝ ~e *Antwort* early reply.
Ba'ldrian (bǎhldrĭǎhn) *m* valerian.
Balg (bǎhlk) *m* skin; *e-r Orgel, phot.* (*mst* ~'en [bǎhlgʰᵉn] *m*) bellows *pl.* [*Kinder:* romp.]
ba'lgen (bǎhlgʰᵉn) (*sich*) scuffle;]
Ba'lken (bǎhlkᵉn) *m* beam, rafter.
Balko'n (bǎhlkōнɡ, -kōn) *m* balcony; ~tür *f* French window.
Ball¹ (bǎhl) *m* ball; *geogr., ast.* globe; ~² *m* ball, dance.
Ba'llast (bǎhlǎhst) *m* ballast.
ba'llen¹ (bǎhlᵉn) (*a. sich*) ball; *Faust:* clench; 2² *m* bale, pack; *anat.* ball; ♒ bunion.
Balle'tt (bǎhlĕt) *n* ballet.
Ballo'n (bǎhlg, -ōнɡ) *m* balloon.
Ba'llsaal (bǎhlzǎhl) *m* dancing-room.
Ba'lsam (bǎhlzǎhm) *m* balm, balsam; 2ie'ren (-eerᵉn) embalm.
Ba'mbus (bǎhmbōōs) *m*, ~rohr (-rōr) *n* bamboo.
bana'l (bǎhnǎhl) commonplace.
Bana'ne (bǎhnǎhnᵉ) *f* banana.
Band (bǎhnt) 1. *m* volume; (*Einband*) binding; 2. *n* band; *bsd. zum Putz:* ribbon; *zum Binden:* tape; *anat.* ligament; 3. *n fig.* tie, bond.
Banda'g|e (bǎhndǎhɢᵉ) *f*, 2ie'ren (-eerᵉn) bandage.
Ba'nde (bǎhndᵉ) *f Billard:* cushion; *fig.* band; gang.
bä'ndigen (bĕndĭgʰᵉn) tame, (*a. fig.*) subdue; *fig.* restrain, master.
Bandi't (bǎhndeet) *m* bandit.

Ba'nd|maß (-māhs) n tape-measure; ~wurm (-vōorm) m tapeworm.

bang (bāhŋ) anxious, uneasy (um about); mir ist ~ I am afraid (vor dat. of); Qemacher (-māhkᵉr) m alarmist; ~en (bāhŋᵉn) be afraid (vor dat. of); ~ nach long for; Qigkeit (-içkit) f anxiety.

Bank (bāhŋk) f 1. bench; Schule: form; 2. † bank; ~anweisung (-āhnvizōoŋ) f cheque; ~be-amte(r) (-bᵉāhmtᵉ[r]) m bank-clerk; ~diskont (-diskŏnt) m bank-rate.

bank(e)ro'tt (bāhŋk[ᵉ]rŏt) 1. bankrupt; 2 m. go b., fail; 2. 2 m bankruptcy, failure.

Banke'tt (bāhŋkĕt) n banquet.

Ba'nk|geschäft (-gᵉshéft) ~haus (-hows) n banking-house.

Bankie'r (-'é) m banker.

Ba'nk|konto (-kŏntŏ) n bank(ing)-account; ~note (-nŏtᵉ) f bank-note; Am. bank-bill; ~wesen (-vézᵉn) n banking.

Bann (bāhn) m ban; fig. spell; eccl. excommunication; Qᵉen banish; Teufel: exorcize.

Ba'nner (bāhnᵉr) n banner.

Ba'nnmeile (-milᵉ) f boundary.

bar (bāhr) bare; ~es Geld ready money, cash; ~ bezahlen pay cash; Bär (bār) m bear. [(down).]

Bara'cke (bāhräkᵉ) f barrack; ~nlager (-lāhgʰᵉr) n hut-camp.

Barba'r (bāhrbāhr) m, ~in f barbarian; ~ei' (-i) f barbarity; Qisch barbarous. [in cash.]

Ba'rbetrag (-bᵉtrāhk) m amount}

Barbie'r (bāhrbeer) m barber; Qen shave; fig. cheat.

Ba'rchent (bāhrçᵉnt) m fustian.

Bä'renzwinger (bārᵉntsviŋᵉr) m bear-garden.

Bare'tt (bāhrĕt) n cap.

ba'r|fuß (-fōos) bare-footed; Qgeld (-gʰĕlt) n cash; ~geldlos cashless; ~häuptig (-hŏiptiç) bare-headed.

Ba'riton (bāhritŏn) m baritone.

Barka'sse (bāhrkāhsᵉ) f launch.

Bä'rme (bĕrmᵉ) f barm, yeast.

barmhe'rzig (bāhrmhĕrtsiç) merciful; ~e Schwester sister of charity; Qkeit f charity, mercy.

Baro'n (bāhrŏn) m baron; ~in f baroness.

Ba'rre (bāhrᵉ) f bar; ⊕ ingot; ~n m Turnen: parallel bars pl.

Barrie're (bāhr'érᵉ) f barrier.

harsch (bāhrsh) harsh, rude.

Ba'rschaft (bāhrshāhft) f cash.

Ba'rscheck (-shĕk) m cash-cheque.

Bart (bāhrt) m beard; (Schlüssel2) bit, wards pl.

bä'rtig (bārtiç) bearded.

ba'rtlos beardless.

Ba'rzahlung (-tsāhlōoŋ) f cash payment; gegen ~ cash down.

Ba'sis (bāhzis) f base, basis.

Baß (bāhs) m bass; ~'geige (-gʰīgʰᵉ) f bass-viol.

Bassi'st (bāhsist) m bass(-singer).

Bast (bāhst) m bast. [♀ hybrid.]

Ba'stard (bāhstāhrt) m bastard; zo.}

Bastei' (bāhsti) f bastion.

ba'steln (bāhstᵉln) tinker.

Bataillo'n (bāhtāhl'ŏn) n battalion.

Bati'st (bāhtīst) m cambric.

Batterie' (bāhtᵉree) f battery.

Bau (bow) m building; construction; ⚲ cultivation; (Körper2) build, frame; (Tier2) burrow, den (a. fig.); earth; ~'-amt n Board of Works; ~'-art f build; ⚠ style of architecture.

Bauch (bowk) m belly; e-s Schiff·s: bottom; Qᵉig bellied; ~'landung (-lāhndōoŋ) f belly-landing; ~'red-ner (-rédnᵉr) m ventriloquist; ~'weh (-vé) n stomach-ache.

bau'en (bow'n) v/t. build, construct; ⚲ cultivate, grow; v/i. ~ auf j-n rely on.

Bau'er (bowᵉr) 1. m (n) cage; 2. m farmer; Ggs. Städter: peasant; fig. boor; Schach: pawn; Karten: knave.

Bäu'erin (bŏiᵉrin) f country-woman; engS. farmer's wife.

bäu'(e)risch rustic.

Bau'-erlaubnis (-ĕrlowpnis) f building permit.

Bau'ern|fänger (-fĕŋᵉr) m sharper, rook; ~gut (-gōot) n farm; ~haus (-hows) n farm-house.

bau'|fällig (-fĕliç) out of repair, dilapidated; Qgerüst (-gʰᵉrüst) n scaffold(ing); Qhandwerker (-vĕrkᵉr) m building craftsman; Qherr m builder; Qholz n timber, Am. lumber; Qkasten m box of bricks; Qkunst (-kŏonst) f architecture.

bau'lich architectural; in gutem ~em Zustand in good repair.

Baum (bowm) m tree.

Bau'meister (-mistᵉr) m architect.

bau'meln (bowmᵉln) dangle, bob.

bäu'men (bŏimᵉn) v/refl. prance.

Bau'm|schere (-shér^e) *f* (*eine a pair of*) pruning-shears *pl.*; **~schule** (-shōōl^e) *f* tree-nursery; **~stamm** (-shtä*h*m) *m* trunk; **~wolle** (-völ^e) *f* cotton; 2wollen (made of) cotton.

Bau'|plan (-plä*h*n) *m* ground-plan; **~platz** *m* (building) plot, *Am.* lot; **~polizei** (-pōlītsi) *f* building department.

Bausch (bowsh) *m* pad, bolster; ℰ compress; *in ~ und Bogen* in the lump; 2'en swell (*a. sich*), puff; 2'ig puffy.

Bau'|stein (-shtīn) *m* building-stone; **~stelle** *f* building-site; **~stoff** *m* building material; **~unternehmer** (-ŏŏnt^ernám^er) *m* contracter; **~zaun** (-tsown) *m* hoarding.

bay'(e)risch (bī[^e]rish) Bavarian.

Bazi'llus (bä*h*tsilŏŏs) *m* bacillus, germ. [intend.|

be-a'bsichtigen (b^e-ä*h*pzī*ç*tig^he*n*)|

be-a'cht|en (b^e-á*h*t^en) pay attention to, notice; *Vorschrift usw.*: observe; **~enswert** (-vért) note-worthy; 2ung *f* consideration, notice.

Be-a'mt|e(r) (b^eä*h*mt^er) *m*, **~in** *f* official, *Am. a.* office-holder; (*Regierungs*2) Civil Servant.

be-ä'ngstigen (b^e-ĕ*ng*stig^he*n*) make anxious, alarm.

be-a'nspruch|en (b^e-ä*h*nshprŏŏk^en) claim; 2ung *f* claim; ⊕ stress, strain.

be-a'nstand|en (b^e-ä*h*nshtä*h*nd^en) object to; 2ung *f* objection.

be-a'ntragen (b^e-ä*h*nträg^he*n*) apply for; propose; *parl.* move.

be-a'ntwort|en (b^e-ä*h*ntvórt^en) answer, reply to; 2ung *f* answer, reply.

be-a'rbeit|en (b^e-ä*h*rbīt^en) work; ℰ till; (*zurechtmachen*) adapt; *Thema*: treat; *Buch*: revise; *j-n ~* work on; 2ung *f* working; adaption, treatment; revision.

be-au'fsichtigen (b^e-owfzī*ç*tig^he*n*) inspect, superintend, control.

be-au'ftragen(b^e-owfträg^he*n*)commission (to do), charge (with).

bebau'en (b^e-bow^en) build on; ℰ cultivate.

be'ben (báb^en) tremble; shiver; *Erde*: quake (*alle*: *vor dat.* with).

Be'cher (bĕ*ç*^er) *m* cup.

Be'cken (bĕk^en) *n* basin, *Am.* bowl; ♪ cymbal; *anat.* pelvis.

Beda'cht¹ (b^edä*h*kt) *m* consideration; *mit ~* deliberately.

beda'cht²: *~ auf* (*acc.*) intent on.

bedä'chtig (b^edĕ*ç*tī*ç*) wary.

beda'nken: *sich ~* (*bei j-m*; *für et.*) thank (a p.; for a th.).

Beda'rf (b^edä*h*rf) *m* need, want, requirement (*an dat.*); **~s-artikel** (-ä*h*rteek^el) *m* requisite.

bedau'er|lich (b^edow^erlī*ç*) deplorable; **~n** 1. *j-n*: pity; *et.*: regret, deplore; 2. 2 *n* regret; pity; **~nswert** (-vért) pitiable.

bede'ck|en cover; 2ung *f* covering; ✕ escort; ⊕ convoy.

bede'nken 1. consider; mind; *im Testament*: provide for; *sich ~* deliberate; *sich anders ~* change one's mind; 2. 2 *n* hesitation; (*Zweifel*) scruple; **~los** unscrupulous. [delicate; critical.|

bede'nklich doubtful; *Sache*: risky;|

Bede'nkzeit (b^edĕnktsit) *f* time for reflection.

bedeu'|ten (b^edŏit^en) mean, signify; **~d** (-t) important; (*beträchtlich*) considerable.

bedeu'tsam (-zä*h*m) significant; 2keit *f* significance.

Bedeu'tung *f* meaning, signification; (*Wichtigkeit*) importance; 2slos insignificant; 2svoll significant.

bedie'n|en (b^edeen^en) *v/t.* serve; wait on; *Maschine usw.*: work, *bsd. Am.* operate; *sich ~ bei Tisch*: help o.s.; *sich e-r S. ~* make use of; *v/i.* wait (at table); *Karten*: follow suit; 2te(r) *m* servant; 2ung *f* service, attendance; (*Dienerschaft*) servants *pl.*

bedi'ng|en (b^edī*ng*^en) stipulate; (*in sich schließen*) involve; **~t** conditional.

Bedi'ngung *f* condition; stipulation; *günstige* **~en** easy terms; 2slos unconditional.

bedrä'ng|en (b^edrĕ*ng*^en) press hard; *fig.* oppress; 2nis *f* oppression; distress.

bedro'h|en (b^edrŏ^en) threaten; 2ung *f* threat(ening). [pression.|

bedrü'ck|en oppress; 2ung *f* op-|

bedü'rfen need, want.

Bedü'rfnis need, want; (*s*)*ein ~ verrichten* relieve nature; **~anstalt** (-ä*h*nshtä*h*lt) *f* (public) lavatory.

bedü'rftig needy, indigent.

be-e'hren (b^eér^en) honour; ✝ favour; *sich ~ zu ...* have the honour to ...

be-ci'fern (bᵉif'rn): *sich ~* exert o.s.

be-ei'len (bᵉil'n) (*sich*) hasten, hurry up. [impress.]

be-ei'ndrucken (bᵉ-ĭndrŏŏk'n) *v/t.*)

be-ei'nfluss|en (bᵉ-ĭnflŏŏs'n) influence; Ωung *f* (exertion of) influence.

be-ei'nträchtig|en (bᵉ-ĭntrĕçtĭghᵉn) impair, injure; Ωung *f* injury.

be-e'nd|(ig)|en (bᵉĕnd[ĭg]hᵉn) finish, terminate; Ωung *f* termination, close.

be-e'ngen (bᵉ-ĕ̆ŋᵉn) narrow.

be-e'rben *j-n:* be a p.'s heir.

be-e'rdigen (bᵉ-érdĭghᵉn) bury.

Be-e'rdigung *f* burial.

Bee're (bérᵉ) *f* berry.

Beet (bét) *n* bed.

befä'hig|en (bᵉfǟghᵉn) qualify; Ωung *f* qualification; capacity.

befa'hr|bar (bᵉfährbāhr) *Weg:* practicable; *Wasser:* navigable; ~en pass over.

befa'llen befall, attack.

befa'ngen (bᵉfähŋhᵉn) self-conscious; (*voreingenommen*) prejudiced; Ωheit *f* self-consciousness; prejudice. [o.s. with, engage in.]

befa'ssen touch; *sich ~ mit* occupy)

Befe'hl (bᵉfél) *m* command, order; Ωen order, command; Ωigen (-ĭghᵉn) command.

Befe'hls|haber (-hähbᵉr) *m* commander; Ωhaberisch imperious.

befe'stig|en (bᵉfĕstĭghᵉn) fasten; ✕, *fig.* fortify; *sich ~ Preise:* stiffen; Ωung *f* ✕ fortification. [wet.]

befeu'chten (bᵉfóiçtᵉn) moisten;)

befi'nd|en 1. *sich ~* be; 2. Ω *n* (state of) health; ~lich being.

befle'cken spot, stain, taint.

befle'ißigen (bᵉflīsighᵉn): *sich e-r S. ~* apply oneself to. [*f* assiduity.]

befli'ssen (bᵉflïs'n) studious; Ωheit)

befo'lg|en obey; follow; Ωung *f* observance (of), adherence (to).

befö'rder|n carry, transport, forward; *fig.* further; *j-n:* promote (*zu* to); Ωung *f* forwarding; promotion; Ωungsmittel *n* means of transport(ation *Am.*). [terrogate.]

befra'gen (bᵉfrähghᵉn) question, in-)

befrei'e|n (bᵉfrïᵉn) free, deliver; liberate; *von Verpflichtung ~* exempt from; Ωr(in *f*) *m* liberator.

Befrei'ung *f* liberation, deliverance; exemption.

befre'mden (bᵉfrĕmdᵉn) **1.** surprise; **2.** Ω *n* surprise.

befreu'nden (bᵉfröindᵉn): *sich ~ mit* make friends with; *fig.* reconcile o.s. to; *befreundet* friendly.

befrie'd|en (bᵉfreedᵉn) pacify; Ωung *f* pacification.

befrie'dig|en (bᵉfreedĭghᵉn) satisfy; ~end satisfactory; Ωung *f* satisfaction.

befru'cht|en (bᵉfrŏŏktᵉn) fructify, fecundate; fertilize; Ωung *f* fructification *usw.*

Befu'g|nis (bᵉfŏŏknĭs) *f* authority, warrant; competence; Ωt authorized; competent.

befü'hlen feel; touch; handle.

befür'cht|en fear, apprehend; Ωung *f* fear, apprehension. [cate.]

befür'worten (bᵉfürvörtᵉn) advo-)

bega'b|t (bᵉgähpt) gifted, talented; Ωung (bᵉgähbŏŏrg) *f* talents *pl.*

bege'ben *Wechsel:* negotiate; *sich ~ P.:* go to; *S.:* happen, occur; Ωheit *f* event, occurence.

bege'gn|en (bᵉghégnᵉn) (sn) (*dat.*) meet (*acc. od.* with); (*widerfahren*) happen (*to*); (*vorbeugen*) prevent; *fig.* treat *a p.* well *etc.*; Ωung *f* meeting.

bege'h|e|n (-ghél[ᵉ]n) *Fehler usw.:* commit; *Fest:* celebrate; *Unrecht:* do.

bege'hr|en (bᵉghérᵉn) desire; (*fordern*) demand; † *sehr begehrt in great demand;* ~enswert (-vért) desirable; ~lich covetous.

begei'ster|n (bᵉgĭstᵉrn) inspire; *sich ~ für* feel inspired by; ~t enthusiastic; Ωung *f* inspiration; enthusiasm.

Begie'r, ~de (bᵉghéer[dᵉ]) desire, eagerness, appetite; Ωig eager (*nach* for; to do), desirous (of; to do).

begie'ßen (bᵉghéesᵉn) water; *Braten:* baste.

Begi'nn (bᵉghïn) *m* beginning; origin; Ωen *v/t. u. v/i.* begin.

beglau'big|en (bᵉglowbĭghᵉn) attest, authenticate; *j-n:* accredit (*bei* to); Ωung *f* attestation; Ωungsschreiben (-shrïbᵉn) *n* credentials *pl.*

beglei'chen (bᵉglïçᵉn) pay, settle.

beglei't|en (bᵉglïtᵉn) accompany; see *a p.* home *etc.*; Ωer(in *f*) *m* companion, attendant; Ω-erscheinung (-érshinŏŏrg) *f* symptom; Ωschreiben (-shrïbᵉn) *n* covering letter; Ωung *f* attendants *pl.*, (*Gefolge*) retinue; ♪ accompaniment.

beglü'ckwünsch|en (bᵉglükvün-shᵉn) congratulate (zu on); Qung f congratulation.

begna'dig|en (bᵉgnähdĭgʰᵉn) pardon, Am. favor; Qung f pardon, Am. grace.

begnü'gen (bᵉgnügʰᵉn): sich ~ content o.s. (mit with).

begra'ben (bᵉgrähbᵉn) bury, inter. Begrä'bnis (bᵉgräpnĭs) n burial.

begrei'f|en (bᵉgrifᵉn) (enthalten) comprise; (verstehen) comprehend, understand; ~lich comprehensible.

begre'nz|en bound; fig. limit; Qung, Qtheit f limitation.

Begri'ff m comprehension (~svermögen); idea, notion; im ~ sn zu ... be about to.

begrü'nd|en establish, found; fig. prove, substantiate; Qung f establishment; fig. argument, proof.

begrü'ß|en (bᵉgrüsᵉn) greet, salute; fig. welcome; Qung f greeting.

begü'nstigen (bᵉgünstĭgʰᵉn) favour; encourage; patronize.

begu't-achten (bᵉgōōtăhĸtᵉn) give an opinion on.

begü'tigen (bᵉgütĭgʰᵉn) appease.

behaa'rt (bᵉhährt) hairy.

beha'ftet (bᵉhähft'ᵉt) affected with.

beha'g|en (bᵉhähgʰᵉn) 1. (dat.) please, suit; 2. Q n ease, comfort; ~lich comfortable.

beha'lten retain, keep (to o.s. für).

Behä'lter (bᵉhĕlt'ᵉr) m receptacle, container; reservoir; box; tank.

beha'nd|eln treat; ⊕ a. process; Qlung f treatment.

behä'ngen (bᵉhĕngᵉn) hang.

beha'rren persevere, persist (in).

beha'rrlich persevering; Qkeit f perseverance.

behau'en (bᵉhowᵉn) hew.

behau'pt|en (bᵉhowpt'ᵉn) assert; (aufrecht halten) maintain; sich ~ Preise: keep up; Qung f assertion, maintaining.

Behe'lf (bᵉhĕlf) m expedient, shift; Qen: sich ~ make shift; ~ ohne do without; ~s... emergency; ~sheim (-him) n emergency house.

behe'nd, ~e (bᵉhĕndᵉ) nimble, agile; Qigkeit (-ĭçkĭt) f agility.

behe'rbergen (bᵉhĕrbĕrgʰᵉn) lodge, shelter.

behe'rrsch|en (bᵉhĕrshᵉn) rule, govern; Gegend: command; Sprache: master; sich ~ control o.s.;

Qer(in f) m ruler; Qung f command, control.   [heart, mind.]

behe'rzigen (bᵉhĕrtsĭgʰᵉn) take to

behe'xen (bᵉhĕksᵉn) bewitch. [a p.]

behi'lflich (bᵉhĭlflĭç): ~ sn help

Behö'rde (bᵉhördᵉ) f authority (mst pl.); engS. board.

behü'ten (bᵉhütᵉn) guard, preserve.

behu'tsam (bᵉhōōtzähm) cautious.

bei (bi) at; with; by; about; among(st); during; near, by; in; on; of; to; (wohnhaft bei) c/o.; ~m Buchhändler at the bookseller's; ~ uns with us; ~ der Hand nehmen take by the hand; ich habe kein Geld ~ mir I have no money about me; ~ der Kirche near the church; ~ guter Gesundheit in good health; ich lese ~ Horaz ... in Horace; die Schlacht ~ Waterloo the battle of Waterloo; ~ e-m Glase Wein over a glass of wine; ~ alledem for all that; Stunden nehmen ~ take lessons from od. of; ~ günstigem Wetter weather permitting.   [tain.]

bei'behalten (-bᵉhählt'ᵉn) keep, re-

Bei'blatt n supplement.

bei'bringen Zeugen usw.: produce; j-m et. ~ impart a th. to a p.; Niederlage usw.: inflict on a p.

Bei'chte (bĭçtᵉ) f confession.

bei'chten v/t. u. v/i. confess.

bei'de (bidᵉ) both; the two.

bei'der|lei (-li) of both sorts; ~seitig (-zitĭç) mutual; ~seits on both sides.

Bei'fahrer m assistant driver.

Bei'fall (-fähl) m approbation; applause.   [able.]

bei'fällig (-fĕlĭç) approving; favour-

Bei'fallsruf (-rōōf) m cheer.

bei'folgend (-t) enclosed.

bei'fügen (-fügʰᵉn) add; e-m Brief: enclose.   [(a. fig.) smack.]

Bei'geschmack (-gʰᵉshmähk) m

Bei'hilfe f aid; (GeldQ) subsidy.

bei'kommen (sn) (dat.) get at.

Beil (bil) n hatchet.

Bei'lage (-lähgʰᵉ) f Brief: enclosure; Zeitung: supplement.

bei'läufig (-lŏifĭç) incidental; (da ich davon spreche) by the way.

bei'leg|en (-légʰᵉn) add; e-m Brief: enclose; (zuschreiben) attribute; Streit: settle; Qung f settlement.

Bei'leid (-lit) n condolence.

bei'liegen (-leegʰᵉn) e-m Brief: be enclosed.

bei'messen attribute, impute.

bei'misch|en: e-r S. et. ~ mix a th. with a th.; 2ung f admixture.

Bein (bīn) n leg; (Knochen) bone.

beina'h(e) (-näh[ᵉ]) almost, nearly.

Bei'name (-nähmᵉ) m surname.

Bei'n|bruch (-brōŏk) m fracture of the leg; ~kleid(er pl.) (-klīt, -klīdᵉr) n (ein a pair of) trousers; Am. pants; für Damen: (a pair of) knickers pl.

bei'-ordnen adjoin; coordinate.

bei'pflichten j-m: agree with; e-r S.: assent to. [board.]

Bei'rat (-räht) m adviser; advisory.

be-i'rren (bᵉ-ĭrᵉn) confuse.

beisa'mmen (-zähmᵉn) together.

bei'schließen (-shleesᵉn) enclose.

Bei'sein (-zīn) n presence.

beisei'te (-zītᵉ) aside, apart.

bei'setzen inter, bury.

Bei'sitzer (-zĭtsᵉr) m assessor.

Bei'spiel (-shpeel) n example, instance (zum for); 2los unexampled.

bei'ßen (bīsᵉn) bite (auf, in et. a th.; nach at); Pfeffer usw.: burn; ~d (-t) pungent, poignant; mordant.

Bei'stand (-shtähnt) m assistance.

bei'stehen (-shté[ᵉ]n) j-m: assist a p.

Bei'steuer (-stŏi̇ᵉr) f contribution; 2n contribute (zu to).

bei'stimm|en (-shtĭmᵉn) j-m: agree with; e-r S.: assent (to); 2ung f assent.

Bei'trag (-trähk) m contribution; Geld: share; 2en (-trähgʰᵉn) v/t. u. v/i. contribute.

bei'treten (-trétᵉn) (sn) e-r Meinung: accede to; e-r Partei: join.

Bei'tritt m accession; joining.

Bei'wagen (-vähgʰᵉn) m mot. side-).

Bei'werk n accessories pl. [-car.]

beizei'ten (-tsītᵉn) in (good) time.

bei'zen (bĭtsᵉn) corrode; Holz: stain; Wunde: cauterize.

beja'h|en (bᵉyähᵉn) answer in the affirmative; affirm; ~end (-t) affirmative; 2ung f affirmation.

beja'hrt (bᵉyährt) aged. [klagen.]

beja'mmern (bᵉyähmᵉrn) s. be-)

bekä'mpfen combat; fig. oppose.

beka'nnt (bᵉkähnt) known; j-n mit j-m ~ m. introduce a p. to a p.; 2e(r) acquaintance, mst friend; ~lich as is well known; ~machen (-mähkᵉn) make known; 2machung f publication; Anschlag:

public notice; 2schaft f acquaintance. [2ung f conversion.]

beke'hr|en convert; 2te(r) convert;)

beke'nn|en confess; (zugeben) admit; sich ~ zu confess to, own to; eccl. profess; sich schuldig ~ plead guilty; 2tnis n confession; (Glaubens~) creed.

bekla'gen (bᵉklähgʰᵉn) lament, deplore; sich ~ complain (über acc. of); ~swert (-vért) deplorable, pitiable.

Bekla'gte(r) defendant. [clap.]

bekla'tschen(bᵉklähtshᵉn)applaud,)

bekle'ben (bᵉklébᵉn) paste; mit Zettel: label.

bekle'cksen (bᵉklĕksᵉn) bespatter.

beklei'd|en (bᵉklīdᵉn) clothe, dress; Amt usw.: hold, fill; fig. ~ mit invest with; 2ung f clothing; clothes pl.; investiture.

bekle'mm|en fig. oppress; 2ung f oppression; fig. anguish.

beklo'mmen (bᵉklŏmᵉn) anxious.

beko'mmen v/t. get, receive; (erlangen) obtain; Zähne: cut; Krankheit, e-n Zug usw.: catch; v/i. (sn) j-m: agree with; Ggs. disagree.

bekö'mmlich (bᵉkŏmlĭç) wholesome. [2ung f board.]

bekö'stig|en (bᵉkŏstigʰᵉn) board;)

bekrä'ftig|en (bᵉkrĕftigʰᵉn) confirm; 2ung f confirmation.

bekrä'nzen (bᵉkrĕntsᵉn) wreathe.

bekri'tteln carp at.

bekü'mmern afflict, grieve; sich ~ um concern o.s. with.

beku'nden (bᵉkŏondᵉn) depose; state; (dartun) manifest. [den.]

bela'den (bᵉlähdᵉn) load; fig. bur-)

Bela'g (bᵉlähk) m covering; (Brot-2) relish; (Zungen2) fur.

Bela'ger|er (bᵉlähgʰᵉrᵉr) m besieger; 2n besiege, beleaguer; ~ung f siege.

Bela'ng (bᵉlähŋ) m importance; pl. ~e interests pl.; 2en concern; z̃z sue; was mich belangt as for me; 2los unimportant; 2reich (-rĭç) important.

bela'sten (bᵉlähstᵉn) load; fig. burden; † charge, debit; z̃z incriminate.

belä'stig|en (bᵉlĕstigʰᵉn) trouble, bother; 2ung f molestation.

Bela'stung (bᵉlähstōŏŋ) f load (a. fig.); † debit; (hereditary) taint; (political) incrimination; ~szeuge (-tsŏigʰᵉ) m witness for the prosecution.

belau'fen (bᵉlowfᵊn): *sich ~ auf* amount to.

belau'schen (bᵉlowshᵊn) overhear.

bele'b|en (bᵉlébᵊn) enliven, animate; **~t** (bᵉlépt) *Straße:* crowded.

bele'cken lick (at).

Bele'g (bᵉlék) *m* proof; document, voucher; **₂en** (bᵉlégʰᵊn) lay over, cover; *Platz:* reserve; *(beweisen)* prove, verify; *univ.* enter for; **~schaft** *f* personnel, staff; **~stelle** (-shtĕlᵉ) *f* quotation; **₂t**; **~es Brot** sandwich; *Stimme:* husky; *Zunge:* furred.

bele'hr|en (bᵉlérᵊn) inform, instruct; *sich ~ l.* take advice; **~end** (-t) instructive; **₂ung** *f* instruction.

belei'bt (bᵉlipt) corpulent, stout.

belei'dig|en (bᵉlidigʰᵊn) offend; insult; **~end** (-t) offensive; **₂ung** *f* offence; insult.

bele'l'hen (bᵉliᵉn) (grant a) loan on.

beleu'chten (bᵉlŏiçtᵊn) light (up); *fig.* illustrate. [*m* light fixture.]

Beleu'chtung *f* lighting; **~skörper**]

beli'cht|en (bᵉliçtᵊn) *phot.* expose; **₂ung** *f* exposure.

belie'ben (bᵉleebᵊn) 1. *v/t.* like; *v/i.* please; 2. **₂** *n* will, pleasure; *nach (ihrem)* **~** at will, as you like.

belie'big: *ein ~er usw.* any.

belie'bt (bᵉleept) favourite; popular; **₂heit** *f* popularity. [*f* supply.]

belie'fer|n (bᵉleefᵊrn) supply; **₂ung**]

be'llen (bĕlᵉn) bark. [mend.]

belo'ben (bᵉlŏbᵉn) praise, com-]

belo'hn|en (bᵉlŏnᵊn), **₂ung** *f* reward, recompense. [a lie.]

belü'gen (bᵉlügʰᵊn): *j-n ~* tell a p.]

belu'stig|en (bᵉlŏostigʰᵊn) amuse; **₂ung** *f* amusement.

bemä'chtigen (bᵉmĕçtigʰᵊn): *sich ~ (gen.)* seize, take possession of.

bema'len (bᵉmählᵊn) paint (over).

bemä'ngeln (bᵉmĕnᵊln) find fault with.

bema'nnen (bᵉmähnᵊn) man.

Bema'nnung ⊕ *f* crew.

bemä'nteln (bᵉmĕntᵊln) palliate.

beme'rk|bar (bᵉmĕrkbähr) perceptible; **~en** perceive; *(sagen)* remark, observe; **~enswert** (bᵉmĕrkᵉnsvért) remarkable; **₂ung** *f* remark, observation.

bemi'tleiden (bᵉmitlidᵊn) pity, commiserate; **~swert** (-vért) pitiable.

bemü'h|en (bᵉmüᵉn) trouble; *sich ~* endeavour; *sich um e-e Stelle ~*

apply for; **₂ung** *f* trouble, endeavour; effort. [bouring.]

bena'chbart (bᵉnähkbährt) neigh-]

bena'chrichtig|en (bᵉnähkriçtig-ᵊn) inform (of); notify; ✝ advise (of); **₂ung** *f* information.

bena'chteilig|en (bᵉnähktiligʰᵊn) prejudice; **₂ung** *f* prejudice.

bene'hmen (bᵉnémᵊn): 1. *j-m et. ~* take a th. away from a p.; *sich ~* behave o.s.; 2. **₂** *n* behaviour, conduct. [(-vért) enviable.]

benei'den (bᵉnidᵊn) envy; **~swert**]

bene'nnen name, term.

Be'ngel (bĕngᵉl) *m* rude fellow.

beno'mmen (bᵉnŏmᵉn) benumbed.

benö'tigen (bᵉnötigʰᵊn) want, need. [use of; **₂ung** *f* use.]

benu'tz|en (bᵉnŏotsᵊn) use, make]

Ben'zin (bĕntseen) *n* benzine; *mot.* petrol, *Am.* gasoline; **~behälter** *m* petrol tank; **~motor** (-mŏtŏr) *m* petrol engine.

be-o'bacht|en (bᵉ-ŏbähktᵊn) observe (*a. fig.*); *genau:* watch; *polizeilich:* shadow; **₂ung** *f* observation; *fig.* observance.

be-o'rdern (bᵉ-ŏrdᵊrn) order.

bepa'cken load.

bepfla'nzen plant.

beque'm (bᵉkvém) convenient; *(behaglich)* comfortable; *P.:* easy-going; **~en:** *sich ~ zu et.* comply with, submit to; **₂lichkeit** (-liçkit) *f* convenience; comfort, ease; *b.s.* indolence.

bera't|en (bᵉrähtᵊn) *j-n:* advise; *(sich)* **~ bera'tschlagen** (bᵉräht-shlähgʰᵊn) deliberate (*über acc.* on); **₂ung** *f* deliberation; ✍ consultation; conference; **₂ungsstelle** (bᵉrähtŏōngsshtĕlᵉ) *f* advisory board.

berau'b|en (bᵉrowbᵊn) rob, deprive (*gen.* of); **₂ung** *f* robbing, deprivation. [cate.]

berau'schen (bᵉrowshᵊn) intoxi-]

bere'chn|en (bᵉrĕçnᵊn) calculate; ✝ charge (*zu* at); **₂ung** *f* calculation.

bere'chtig|en (bᵉrĕçtigʰᵊn) authorize; *j-n zu:* entitle to; **₂ung** *f* title (*zu* to).

bere'd|en (bᵉrédᵊn) persuade (to); **₂samkeit** (bᵉrétzähmkit) *f* eloquence; **~t** (-t) eloquent.

Berei'ch (bᵉriç) *m (n)* reach; *fig.* scope; *e-r Wissenschaft usw.:* field, sphere; **₂ern** enrich; enlarge; **~erung** *f* enrichment; enlargement.

berei'f|en (bᵉrīfᵉn) *Rad*: tyre; 2ung *f mot.* tyres *pl.* [✝ visit.]
berei'sen (bᵉrīzᵉn) travel over; *bsd.*
berei't (bᵉrīt) ready, prepared; ~en prepare; *Freude usw.*: give; ~s already; 2schaft *f* readiness; (*Polizei~*) squad; ~stellen (-shtĕlᵉn) keep ready; 2ung *f* preparation; ~willig (-vilïç) ready, willing; 2willigkeit *f* willingness.
bereu'en (bᵉröiᵉn) repent; (*bedauern*) regret.
Berg (bĕrk) *m* mountain, hill; *zu* ~e stehen stood on end; *über den* ~ sn be out of the wood; 2-a'b (-ăhp) downhill; 2-a'n, 2-au'f (-owf) uphill; ~'arbeiter (-ăhr-bitᵉr) *m* miner; ~'arbeiterverband (-ăhrbit'rfĕrbăhnt) *m* Miners' Federation; ~'bahn (-băhn) 🚃 *f* mountain-railway; ~'bau (-bow) *m* mining. [(*enthalten*) contain.]
be'rgen (bĕrgʰᵉn) save; ⚓ salv(ag)e;|
be'rgig (-gʰïç) mountainous, hilly.
Be'rg|kette *f* chain (*od.* range) of mountains; ~mann *m* miner; ~recht *n* mining-laws *pl.*; ~rennen *n Sport*: hill-climbing contest; ~rücken (-rükᵉn) *m* mountain-ridge; ~rutsch (-rŏŏtsh) *m* landslip; ~spitze (-shpïts⁶) *f* mountain peak; ~steiger(in *f*) (-shtīgʰᵉr) *m* mountain-climber; ~sturz (-shtŏŏrts) *m* landslip; ~ung (bĕrgŏŏŋ) *f* saving; ⚓ salvage; ~ungs-arbeit (bĕrgŏŏŋsăhrbīt) *f* salvage operation; ~werk (-vĕrk) *n* mine; ~werks-aktien (-vĕrksăhk-tsⁱᵉn) *f/pl.* mining-shares *pl.*; ~wesen (-vézᵉn) *n* mining.
Beri'cht (bᵉrïçt) *m* report, account; 2en report, *Am.* cover (*über et.* a th.); *j-m* et. ~ inform a p. of a th.; ~erstatter (-ĕrshtăht'r) *m* reporter; ~erstattung *f* report(ing).
beri'chtig|en (bᵉrïçtïgʰᵉn) rectify; set right; ✝ settle; ⊕ adjust; *Irrtum*: correct; 2ung *f* rectification; settlement; adjustment; correction.
berie'chen (bᵉreeç'n) smell at.
Berli'ner (bĕrleenᵉr) *m*, ~in *f* Berlinian, Berliner.
Be'rnstein (bĕrnshtīn) *m* amber.
be'rsten (bĕrstᵉn) (sn) burst.
berü'chtigt (bᵉrüçtïçt) notorious.
berü'cksichtig|en (bᵉrükzïçtïgʰᵉn) regard, consider; 2ung *f* consideration, regard.

Beru'f (bᵉrŏŏf) *m* calling; (*Gewerbe*) trade; (*höherer* ~) profession; (*innerer* ~) vocation; 2en¹ call; (*zs.-rufen*) convoke; *zu e-m Amt*: appoint (to); *sich* ~ *auf* (*acc.*) refer to; 2en² *adj.* competent; 2lich vocational.
Beru'fs... professional; ~beratung (-bᵉrăhtŏŏŋ) *f* vocational guidance; ~kleidung (-klīdŏŏŋ) *f* vocational clothing; ~krankheit (-krähŋkhīt) *f* occupational disease; ~schule (-shŏŏl⁶) *f* vocational school; ~spieler (-shpeel'r) *m Sport*: professional; 2tätig (-tätïç) employed in an occupation.
Beru'fung *f* convocation; appointment (*zu* to); ⚖ appeal (*an acc.* to); reference (*auf acc.* to); ~sgericht (-gʰᵉrïçt) *n* court of appeal.
beru'hen (bᵉrŏŏᵉn): ~ *auf* (*dat.*) rest on.
beru'hig|en (bᵉrŏŏïgʰᵉn) quiet, calm, soothe; *sich* ~ calm down; 2ung *f* calming (down).
berü'hmt (bᵉrümt) famous, celebrated; 2heit *f* renown; *Person*: celebrity.
berü'hr|en touch (*a. fig.*); 2ung *f* touch(ing); contact; *in* ~ *kommen mit* come in(to) contact with.
besä'en (bᵉzäᵉn) sow; *besät fig.* studded. [attest.]
besa'gen (bᵉsähgʰᵉn) mean, signify;|
besa'gt (-kt) (afore)said.
besä'nftigen (bᵉzĕnftïgʰᵉn) soothe; *sich* ~ calm down.
Besa'tz (bᵉzăhts) *m* border; trimming.
Besa'tzung *f* garrison; ⚓, 🚢 crew; ~smacht (-măhkt) *f* occupation force.
beschä'dig|en (bᵉshädïgʰᵉn) *S.*: damage, injure; *P.*: injure, hurt; 2ung *f* damage, injury, hurt.
bescha'ffen (bᵉshähfᵉn) **1.** procure; **2.** *adj.* constituted; (well- *etc.*) conditioned; 2heit *f* condition; quality; constitution.
beschä'ftig|en (bᵉshĕftïgʰᵉn) occupy; *Angestellte*: employ; 2ung *f* occupation; employment.
beschä'm|en (bᵉshämᵉn) shame, make ashamed; ~t ashamed; 2ung *f* shame.
bescha'tten (bᵉshähtᵉn) shade, shadow. [plative.]
beschau'lich (bᵉshowlïç) contem-|

Beschei'd (bᵉshīt) *m* answer; ₴/₴ decision; information (*über acc.* about); ~ *wissen* know.

beschei'den (bᵉshīdᵉn) modest, *Am.* backward; **~heit** *f* modesty, *Am.* backwardness.

beschei'nen (bᵉshīnᵉn) shine upon.

beschei'nig|en (bᵉshīnigʰᵉn) attest, certify; *den Empfang* ~ acknowledge receipt; **~ung** *f* certificate; receipt.

besche'nken (bᵉshĕnᵏkᵉn) make a present to; present *a p.* with *a th.*

besche'r|en (bᵉshér'n): *j-m et.* ~ give *a p. a th.*, bestow *a th.* upon *a p.*; **~ung** *f* distribution of presents.

beschie'ß|en (bᵉshees'n) fire on; bombard, shell; **~ung** *f* bombardment.

beschi'mpf|en insult; *stärker:* call *a p.* names; **~ung** *f* insult, affront.

beschi'rmen protect, shelter.

beschla'fen (bᵉshlāfᵉn) *et.:* sleep upon.

Beschla'g (bᵉshlāk) *m* mounting; ₴/₴ seizure, sequestration; *in* ~ *nehmen* seize.

beschla'gen (bᵉshlāhgᵉn) *v/t.* mount; *Pferd:* shoe; *adj. gut* ~ in well versed in; (*Fenster*) steamed.

Beschla'gnahme (-nāhmᵉ) *f* distraint, seizure, sequestration; ✕ requisition; ⚓ embargo; **~n** seize; sequestrate; ✕ requisition.

beschleu'nig|en (bᵉshlöinigʰᵉn) accelerate; speed up; **~ung** *f* acceleration.

beschlie'ßen (bᵉshlees'n) close; conclude; (*sich vornehmen*) decide, resolve.

Beschlu'ß (bᵉshlŏŏs) *m* (*Ende*) close, conclusion; *gefaßter:* resolution, *Am. a.* result; *amtlicher:* decree; **~fähig** (-fāiç) competent; **~fassung** (-fāʰsŏŏrₖ) *f* (*passing of a*) resolution. [smear.]

beschmie'ren (bᵉshmeer'n) (be-)

beschmu'tzen (bᵉshmŏŏts'n) soil, dirty.

beschnei'den (bᵉshnīdᵉn) cut; clip; *Nägel:* pare; *fig.* cut, curtail.

beschö'nig|en (bᵉshönigʰᵉn) colour; palliate; **~ung** *f* palliation.

beschrä'nk|en (bᵉshrĕnᵏk'n) confine, limit; restrict (*auf acc.* to), *Am.* curb; **~t** *geistig:* dull; **~ung** *f* limitation; restriction.

beschrei'b|en (bᵉshrīb'n) describe;

Blatt: write upon; **~ung** *f* description. [inscription.]

beschri'ft|en inscribe; **~ung** *f*

beschu'ldig|en (bᵉshŏŏldigʰᵉn) accuse (*gen.* of), charge (with); **~ung** *f* accusation, charge.

beschü'tz|en (bᵉshŭts'n) protect; **~er** *m* protector; **~erin** *f* protectress; **~ung** *f* protection.

beschwa'tzen (bᵉshvāʰts'n) coax (zu into).

Beschwe'rde (bᵉshvérdᵉ) *f* trouble; (*Mißstand*) grievance; *f* (*Klage*; *Krankheit*) complaint.

beschwe'r|en (bᵉshvér'n) burden, charge; *sich* ~ complain (*über* of); **~lich** troublesome.

beschwi'chtigen (bᵉshviçtigʰᵉn) appease; *Streit:* compose.

beschwi'ndeln (bᵉshvind'ln) cheat (*um* out of).

beschwö'r|en (bᵉshvör'n) *j-n, Geist:* conjure; *et.:* confirm by oath; **~ung** *f* conjuration; confirmation by oath.

besee'len (bᵉzél'n) animate.

bese'hen (bᵉzé'n) look at; *prüfend:* inspect. [**~ung** *f* removal.]

besei'tig|en (bᵉzītigʰᵉn) remove;

Be'sen (béz'n) *m* broom; **~stiel** (-shteel) *m* broom-stick.

bese'ssen (bᵉzĕs'n) possessed (*von* with); **~e(r)** *m* demoniac.

bese'tz|en (bᵉzĕts'n) border, trim; ✕ occupy; *Stelle:* fill; *Platz:* engage; *thea. Rolle:* cast; **~ung** *f* trimming; occupation; *thea.* cast.

besi'chtig|en (bᵉziçtigʰᵉn) view, inspect; **~ung** *f* view, inspection.

besie'del|n (bᵉzeed'ln) settle, colonize; **~ung** *f* colonization.

besie'geln (bᵉzeegʰ'ln) seal.

besie'g|en (bᵉzeegʰᵉn) defeat; conquer; **~er(in** *f*) *m* conqueror; **~ung** *f* conquest.

besi'nnen (bᵉzīn'n): *sich* ~ reflect, consider; *sich* ~ *auf* (*acc.*) recollect.

Besi'nnung (bᵉzīnŏŏrₖ) *f* consciousness; **~slos** unconscious, senseless.

Besi'tz (bᵉzīts) *m* possession; *in* ~ *nehmen* take possession of; **~en** possess; **~er(in** *f*) *m* possessor; **~ergreifung** (-ĕrgrīfŏŏrₖ) *f* taking possession of, occupation; **~tum** *n*, **~ung** *f* possession; property; (*Landgut*) estate.

beso'hlen (bᵉzöl'n) sole.

beso'ld|en (bᵉzöld'n) pay; **~et** salaried; **~ung** *f* pay; salary.

4*

beso'nder (b^ezönd^er) particular, peculiar; (gesondert) separate; 2heit f peculiarity; particularity; ~s especially, particularly; separately.

beso'nnen (b^ezön^en) discreet; level--headed; 2heit f discretion.

beso'rgen (b^ezörg^h^en) take care of; (fürchten) fear; (tun) do, manage, Am. fix; (verschaffen) get, procure.

Beso'rgnis (-knis) f apprehension; 2-erregend (-ĕrrég^h^ent) alarming.

beso'rgt (-kt) apprehensive, alarmed; (bemüht) anxious, solicitous; 2heit f solicitude.

Beso'rgung f care; management; ~en m. go shopping.

bespre'ch|en (b^eshprěç^en) discuss, talk over; Buch usw.: review; sich ~ mit confer with; 2ung f discussion; review; conference.   [ter.]

bespri'tzen (b^eshprits^en) (be)spat-]

be'sser (běs^er) better; ~n better, improve; sich ~ grow better; P.: improve; mend.

Be'sserung f improvement; change for the better; ✠ recovery; gute ~! good (od. better) health to you!

best best; der erste ~e the first comer; aufs ~e in the best way possible; zum ~en geben give; j-n zum ~en h. make sport of; zum 2en der Armen for the benefit of the poor; ich danke ~ens thank you very much.

Besta'nd (b^eshtä/mt) m continuance; (Vorrat) stock; (Kassen2) balance in hand; (Rest2) rest, remainder; ~ h. continue; ~s-aufnahme (-owfnä/m^e) f stock--taking.

bestä'ndig (b^eshtěndı̌ç) constant, steady; (andauernd) continual; Wetter: settled; 2keit f constancy.

Besta'ndteil (b^eshtä/mttil) m ingredient; component (part), constituent (part).   [strengthen.]

bestä'rken (b^eshtěrk^en) confirm,]

bestä'tig|en (b^eshtätig^h^en) confirm, Am. F okay; Vertrag: ratify; Empfang: acknowledge; sich ~ prove true; 2ung f confirmation; ratification; acknowledg(e)ment.

besta'tt|en (b^eshtä/t^en) bury; 2ung f burial.

beste'ch|en (b^eshtěç^en) bribe, corrupt; ~lich corruptible; 2ung f bribery, corruption.

Beste'ck (b^eshtěk) n ✠ case (of instruments); (Eß2) knife, fork and spoon; 2en (mit) stick (with).

beste'h(e)n (b^eshtē[^e]n) 1. v/t. undergo; Probe: stand; Prüfung: pass; nicht ~ fail; v/i. exist; subsist; (fort~) last, continue; ~ auf (acc.) insist (up)on; ~ aus consist of; ~ in consist in; 2. 2 n existence; subsistence; (auf acc.) insistence (on).

beste'hlen (b^eshtél^en) rob, steal from.

bestei'g|en (b^eshtig^h^en) ascend; Pferd: mount; Wagen usw.: enter; 2ung f ascent.

beste'll|en (b^eshtěl^en) order; (kommen l.) send for; (ernennen) appoint; Brief: deliver; Feld: till; Grüße: give; 2ung f order; appointment; ✓ cultivation; delivery.

be'stenfalls (běst^enfä/ls) at best.

besteu'er|n (b^eshtöi^ern) tax; 2ung f taxation.

Be'stie (běst^{ie}) f beast, brute.

besti'mmen (b^eshtı̌m^en) determine; (festsetzen) appoint; Begriff: define; zu, für et.: destine.

besti'mmt Zeit: appointed, fixed; (entschlossen) decided; (sicher) certain, positive; Begriff: definite; ~ nach ✠, ✗ bound for; 2heit f exactitude; determination.

Besti'mmung f determination; destination (s. ~s-ort m); definition; amtliche ~en regulations pl.

bestra'f|en (b^eshträ/f^en) punish; 2ung f punishment.

bestra'hl|en (b^eshträ/l^en) irradiate; ✗ treat with rays; 2ung f irradiation; ✗ ray treatment.

bestre'b|en (b^eshtréb^en) 1. sich ~ exert o.s.; 2. 2 n, 2ung f effort, endeavour.

bestrei'ten (b^eshtrit^en) contest, dispute; Ausgaben: defray; (leugnen) deny.

bestreu'en (b^eshtröi^en) strew (over).

bestü'rmen (b^eshtǔrm^en) storm, assail; (belästigen) importune.

bestü'rz|t (b^eshtǔrtst) confounded, dismayed; 2ung f consternation.

Besu'ch (b^ezōōk) m visit, call; (Besucher) visitor, company; der Schule: attendance (at); 2en visit; P.: go to see, call on; Ort: frequent; Schule: attend; ~er(in f) m visitor, caller.   [handle.]

beta'sten (b^etä/st^en) finger; touch,]

betä'tigen (b^etätig^h^en) practise; sich ~ bei take an active part in.

betäu'b|en (bᵉtöĭbᵉn) stun; *✻* narcotize; Ωung *f fig.* stupefaction; *✻* narcotization; Ωungsmittel *n* narcotic.

betei'lig|en (bᵉtīlĭghᵉn): *j-n* ~ give a p. Ω share (in); *sich* ~ *bei* participate in; ~*t bei* interested in; Ωte(r) *m* party concerned; Ωung *f* participation; † partnership.

be'ten (bēt'n) *v/i.* pray, say one's prayers; *bei Tische*: say grace.

beteu'er|n (bᵉtöĭᵉrn) asseverate, protest; Ωung *f* asseveration, protestation.

beti'teln (bᵉteet'ln) entitle, style.

Beto'n (bᵉtōn̄, -tōn) *m* concrete.

beto'n|en (bᵉtōnᵉn) stress; *fig.* emphasize; Ωung *f* accentuation; stress; emphasis.

betonie'ren (-eerᵉn) concrete.

betö'ren (betörᵉn) infatuate.

Betra'cht (bᵉträhkt) *m: in* ~ *ziehen* take into consideration; *(nicht) in* ~ *kommen* (not) to come into question; Ωen view; *fig.* consider; ~ung *f* consideration. [able.|

beträ'chtlich (bᵉtrĕçtlïç) consider-|

Betra'g (bᵉträhk) *m* amount; Ωen (bᵉträhghᵉn) 1. amount to; *sich* ~ behave o.s.; 2. ~en *n* behaviour, conduct.

betrau'en (bᵉtrowᵉn) entrust.

betrau'ern (bᵉtrowᵉrn) mourn for, deplore.

Betre'ff (bᵉtrĕf) *m: in* Ω (*gen.*) with regard to; Ωs (*gen.*) concerning; Ωen *fig.* concern; *was ... betrifft* as for; as to; *betrifft* (*Briefanfang*) subject; Ωend (-t) concerning *a th.*; person *etc.* in question.

betrei'ben (bᵉtrībᵉn) carry on; *Studien*: pursue; *(auf et. dringen)* push forward.

betre'ten (bᵉtrét'n) 1. step on; *Raum*: enter; 2. *adj.* perplexed, embarrassed.

betreu'en (bᵉtröĭᵉn) attend to.

Betrie'b (bᵉtreep) *m* management; *(Gewerbe)* business; *(Anlage)* plant; *(Werkstatt usw.)* (work)shop, works; *(öffentlicher* ~) service; *in* ~ working, Ωsam active; industrious.

Betrie'bs|führer *m* = ~leiter; ~kapital (-kähpïtähl) *n* working capital; ~kosten (-köstᵉn) *pl.* operating expenses; ~leiter (-lïtᵉr) *m* (works) manager; *Am.* superintendent; ~material (-mähtĕrĭ-

āhl) *n* working-stock; ~rat (-räht) *m* works council; Ωsicher (-zĭçᵉr) foolproof; ~störung (-shtörōōn̄g) *f* break-down. [plexed.|

betro'ffen (bᵉtröfᵉn) *fig.* per-|

betrü'b|en (bᵉtrübᵉn) grieve, afflict; Ωnis (bᵉtrüpnïs) *f* affliction, grief.

Betru'g (bᵉtrōōk) *m* fraud, deceit.

betrü'g|en (bᵉtrüghᵉn) cheat, deceive; defraud; *Am.* skin; Ωer(in *f*) *m* cheat, deceiver, impostor, *Am.* fake; ~erisch deceitful; fraudulent.

betru'nken (bᵉtrōōn̄k'n) drunk.

Bett (bĕt) *n* bed; ~decke *f* bedspread; counterpane; blanket.

Be'ttel (bĕt'l) *m* trash; ~brief (-breef) *m* begging letter; ~ei' (-ī) *f* begging; *fig.* solicitation; Ωn beg (*um* for); ~ *gehen* go begging; ~stab (-shtähp) *m: an den* ~ *bringen* bring to beggary.

be'ttlägerig (-lāghᵉrïç) bedridden.

Be'ttler *m* beggar; ~in *f* beggar woman.

Be'tt|stelle (-shtĕlᵉ) *f* bedstead; ~tuch (-tōōk) *n* sheet; ~überzug (-übᵉrtsōōk) *m* bed-slip; ~vorleger (-förlĕghᵉr) *m* bedside-rug; ~wäsche (-vĕshᵉ) *f* bed-linen; ~zeug (-tsöĭk) *n* bed-clothes.

betu'pfen (bᵉtoopfᵉn) dab.

beu'g|en (böĭghᵉn) bend, bow; *fig.* humble; *gr.* inflect; Ωung *f* bending; *gr.* inflexion.

Beu'le (böĭlᵉ) *f* bump; *(Geschwür)* boil; *in Blech usw.*: dent.

be-u'nruhig|en (bᵉ~ōōnrōōĭghᵉn) disquiet, alarm; Ωung *f* disturbance; *(Unruhe)* alarm.

be-u'rkunden (bᵉōōrkōōndᵉn) authenticate, verify.

be-u'rlaub|en (bᵉ~ōōrlowbᵉn) give leave of absence; *sich* ~ take leave; Ωung *f* granting of a leave.

be-u'rteil|en (bᵉöörtïlᵉn) judge *(nach by)*; Ωer(in *f*) *m* judge; Ωung *f* judg(e)ment.

Beu'te (böĭtᵉ) *f* booty, spoil; *der Tiere*: prey; *hunt.* bag.

Beu'tel (böĭt'l) *m* bag; *(Geld2)* purse; Ωn: *sich* ~ *Hose*: bag.

Beu'tezug (-tsōōk) *m* raid.

bevö'lker|n (bᵉfŏlkᵉrn) people, populate; Ωung *f* population.

bevo'llmächtig|en (bᵉfŏlmĕçtïghᵉn) authorize, empower; Ωte(r) *m* deputy; *pol.* plenipotentiary; Ωung *f* authorization.

bevo'r (bᵉfōr) before.

bevo'rmunden (bᵉfōrmo͞ondᵉn) patronize. [privilege.]

bevo'rrechtigen (bᵉfōrrĕçtĭgʰᵉn)

bevo'rsteh(e)n (bᵉfōrshtĕ[ʰ]n) be vear; ⸗d (-t) approaching.

bevo'rzugen (bᵉfōōrtso͞ogʰᵉn) favour; privilege.

bewa'chen (bᵉvähᵏᵉn) guard, watch.

bewa'ffn|en (bᵉvähfnᵉn) arm; ⸗ung f armament; (Waffen) arms pl.

bewa'hren (bᵉvährᵉn) keep; preserve. [the test.]

bewä'hren (bᵉvärᵉn): sich ⸗ stand

bewa'hrheiten (bᵉvährhitᵉn): sich ⸗ come od. prove true.

bewä'hrt tried; approved.

Bewa'hrung f preservation.

Bewä'hrungsfrist (bᵉväroͦngsfrĭst) f probation.

bewa'ldet (bᵉvähldᵉt) wooded, Am. timbered.

bewä'ltigen (bᵉvĕltĭgʰᵉn) Hindernis: overcome; Aufgabe: master.

bewa'ndert (bᵉvähndᵉrt) versed; skilled; experienced (in dat. in).

bewä'sser|n (bᵉvĕsᵉrn) irrigate; ⸗ung f irrigation.

bewe'g|en (bᵉvégʰᵉn) (a. sich) move, stir; j-n zu et. ⸗ induce to do; ⸗grund (bᵉvékgro͞ont) m motive; ⸗lich movable; Geist: versatile; P.: active; (behend) agile; Zunge: voluble; (rührend) moving; ⸗lichkeit f versatility; agility; volubility; ⸗t (-kt) See: agitated; fig. moved; Leben: eventful; Zeit: stirring.

Bewe'gung f movement; unruhige: stir; phys. motion; fig. emotion; in ⸗ setzen set going; ⸗slos motionless.

bewei'nen (bᵉvīnᵉn) deplore.

Bewei's (bᵉvis) m proof; ⸗en prove; ⸗führung (-fūro͞org) f argumentation; ⸗grund (-gro͞ont) m argument.

bewe'rb|en (bᵉvĕrbᵉn): sich ⸗ um apply for, Am. run for; (mit andern) compete for; um eine Dame: court; ⸗er m applicant, candidate; competitor (alle a. ⸗erin f); (Freier) suitor; ⸗ung f application; candidature; competition; courtship; ⸗ungsschreiben (bᵉvĕrbo͞ongsshrībᵉn) n letter of application.

bewe'rkstelligen (bᵉvĕrkshtĕlĭgʰᵉn) effect, bring about.

bewi'lligen (bᵉvĭlĭgʰᵉn) grant.

bewi'llkomm(n)|en (bᵉvĭlkōmnᵉn) welcome; ⸗ung f welcome.

bewi'rken (bᵉvĭrkᵉn) effect; cause.

bewi'rt|en (bᵉvĭrtᵉn) entertain; ⸗ung f entertainment.

bewi'rtschaften (bᵉvĭrtshähftᵉn) manage; Mangelware: ration, control.

bewo'hn|en (bᵉvōnᵉn) inhabit; live in; ⸗er(in f) m inhabitant; e-s Hauses: inmate.

bewö'lken (bᵉvölkᵉn) cloud; sich ⸗ become cloudy, cloud over.

bewu'nder|n (bᵉvo͞ondᵉrn) admire; ⸗nswert (-vért) admirable; ⸗ung f admiration.

bewu'ßt (bᵉvo͞ost): sich e-r S. ⸗ sn be conscious of; die ⸗e Sache the matter in question; ⸗los unconscious; ⸗sein (-zīn) n consciousness.

beza'hl|en (bᵉtsählᵉn) pay; Gekauftes: pay for; ⸗ung f pay(ment).

bezä'hmen (bᵉtsämᵉn) tame; fig. restrain.

bezau'ber|n (bᵉtsowbᵉrn) bewitch, enchant; ⸗ung f enchantment; fascination.

bezei'chn|en (bᵉtsĭçnᵉn) mark (out), (a. fig.) denote, designate; ⸗end (-t) characteristic (für of); ⸗ung f mark (-ing); denotation. [that.]

bezeu'gen (bᵉtsöigʰᵉn) testify to od.

bezie'h|en (bᵉtseeʰn) cover; mit Saiten: string; Wohnung: move into; Universität: enter; Ware: obtain; Zeitung: take in; Geld: draw; sich ⸗ Himmel: become overcast; sich ⸗ auf (acc.) refer to; ⸗er(in f) m Wechsel: drawer; Zeitung: subscriber.

Bezie'hung (bᵉtseeo͞org) f relation; persönl. ⸗en pl. connexions; in dieser ⸗ in this respect; ⸗sweise (-vīzᵉ) respectively.

Bezi'rk (bᵉtsĭrk) m district, Am. precinct; (Wahl⸗) borough.

Bezo'gene(r) (bᵉtsōgʰᵉnᵉ[r]) ✝ m drawee.

Bezu'g (bᵉtso͞ok) m cover(ing), case; v. Ware: supply; Zeitung: subscription; in ⸗ auf (acc.) as for; in relation to; ⸗ nehmen auf (acc.) refer to.

bezü'glich (bᵉtsüklĭç) adj. (auf acc.), prp. (gen.) relative (to).

Bezu'gsbedingungen (bᵉtso͞oksbᵉdĭngoͦngᵉn) f/pl. terms of delivery.

bezwe'cken (bᵉtsvĕkᵉn) aim at.

bezwei'feln (bᵉtsvīfᵉln) doubt.

bezwi'ngen (bᵉtsvĭⁿgᵉn) subdue; overcome; *sich* ~ restrain o.s.

Bi'bel (beebᵉl) *f* Bible.

Bi'ber (beebᵉr) *m* beaver.

Biblio|the'k (beebliŏtḗk) *f* library; **~thek'ar** (-ăhr) *m* librarian.

bi'blisch (beeblish) biblical.

bie'der (beedᵉr) honest, upright; **2keit** *f* honesty, uprightness.

bie'g|en (beegʰᵉn) *v/t.* (*a. sich*) bend; *v/i.* (sn): *um e-e Ecke* ~ turn (round) a corner; **2ung** *f* bend, curve. [supple; **2keit** *f* flexibility.|

bie'gsam (beekzăhm) flexible,|

Bie'ne (beenᵉ) *f* bee.

Bie'nen|**korb** (-kôrp), **~stock** (-shtŏk) *m* bee-hive; **~zucht** (-tsŏŏkt) *f* bee-keeping; **~züchter** (-tsŭçtᵉr) *m* bee-keeper.

Bier (beer) *n* beer; *helles* ~ (pale) ale; *dunkles* ~ stout, porter; **~'brauer** (-browᵉr) *m* brewer; **~'brauerei** *f* brewery; **~'haus** (-hoₐs) *n* ale-house; **~'kanne** *f* tankard.

bie'ten (beetᵉn) offer; *e-n guten Morgen,* ⸸, *a. Auktion*: bid.

Bila'nz (bĭlähnts) *f* balance, *Am.* statement; **2ie'ren** balance.

Bild (bĭlt) *n* image; *im Buch*: illustration; (*Bildnis*) portrait; (*Vorstellung*) idea; **~'bericht** (-bᵉrĭçt) *m* picture-story.

bi'lden (bĭldᵉn) form, shape; *Geist*: cultivate; *Gruppe usw.*: constitute; **~d** (-t) instructive.

Bi'lder|**buch** (bĭldᵉrbŏŏk) *n* picture-book; **~galerie** (-găhlᵉree) *f* picture-gallery; **~rätsel** (-räts ᵉl) *n* rebus.

Bi'ld|**fläche** (-flᵉçᵉ) *f*: *auf der* ~ *erscheinen* appear on the scene; **~funk** (-fŏŏngk) *m* wireless picture transmission; **~hauer(in** *f*) (-howᵉr) *m* sculptor; **~hauerei** *f* sculp-|

bi'ldlich figurative. [ture.|

Bi'ldnis (bĭltnĭs) *n* portrait.

Bi'ld|**rundfunk** (-rŏŏntfŏŏngk) *m* television (broadcasting); **~säule** (-zôĭlᵉ) *f* statue; **~schnitzer** (-shnĭtsᵉr) *m* (wood-)carver; **~seite** (-zītᵉ) *f* *e-r Münze*: face; **~sendung** (-zĕndŏŏng) *f* picture transmission; **~streifen** (-shtrīfᵉn) *m* film-reel; **~telegraphie** (-tĕlĕgrăhfee) *f* picture telegraphy.

Bi'ldung (bĭldŏŏng) formation; *e-r Gruppe usw.*: constitution; (*Aus2*)

education; (*Kultur*) culture; (*feine Sitte*) refinement.

Bi'llard (bĭl'ăhrt) *n* billiards *pl.*; (*~tisch*) billiard-table.

Bille'tt (bĭl'ĕt) *n* ticket; **~schalter** (-shăhltᵉr) *m* booking-office; *thea.* box-office.

bi'llig (bĭlĭç) reasonable, fair, just; *Preis*: cheap; **~en** (-ᵉn) approve (of), *Am.* approbate; **2keit** *f* fairness; cheapness; **2ung** *f* approval; sanction.

Bi'nde (bĭndᵉ) band; ⚕ bandage, *für den Arm*: sling; (*Hals2*) (neck)tie; (*Leib2*) sash; (*Stirn2*) bandeau; **~gewebe** (-gᵉᵛĕbᵉ) *n* connective tissue; **~glied** (-gleet) *n* connecting link; **~haut** (-howt) *f* conjunctiva; **~haut-entzündung** (-howtĕnttsŭndŏŏrg) *f* conjunctivitis; **2n** bind, tie (*an acc.* to); *Strauß*: make; *sich* ~ bind o.s.; **~strich** (-shtrĭç) *m* hyphen; **~wort** *n* conjunction. [thread.|

Bi'ndfaden (bĭntfăhdᵉn) *m* pack-|

Bi'ndung *f* bond; *fig., a.* ♪ tie.

bi'nnen (bĭnᵉn) within.

Bi'nnen|**gewässer** (-gᵉᵛĕsᵉr) *n* inland water; **~handel** *m* home trade, *Am.* domestic commerce; **~land** (-lăhnt) *n* inland, interior; **2ländisch** (-lĕndĭsh) internal; **~verkehr** (-fĕrkĕr) *m* inland trafic.

Bi'nse (bĭnzᵉ) *f* rush.

Biochemie' (beeŏçĕmee) *f* biochemistry. [graphy.|

Biographie' (beeŏgrăhfee) *f* bio-|

Biologie' (beeŏlŏgʰee) *f* biology.

Bi'rke (bĭrkᵉ) *f* birch-tree.

Bi'rne (bĭrnᵉ) *f* pear; (*Glüh2*) bulb.

bis (bĭs) 1. *prp. räumlich*: to; as far as; *zeitlich*: till; until; (~ *spätestens*) by; ~ *an,* ~ *auf* (*acc.*) to; up to; ~ *vier zählen* count up to four; *alle* ~ *auf drei* but three; 2. *cj.* till, until.

Bi'sam (beezăhm) *m* musk.

Bi'schof (bĭshŏf) *m* bishop; **~s...**, **bi'schöflich** (-ŏflĭç) episcopal.

bishe'r (bĭs-hér) up to now; so far; **~ig** hitherto existing.

Biß (bĭs) *m* bite.

bißchen (-çᵉn): *e.* ~ *a* little (bit).

Bi'ssen (bĭsᵉn) *m* bit, morsel.

bi'ssig (bĭsĭç) biting; *Hund*: snappish.

Bi'stum (bĭstŏŏm) *n* bishopric.

biswei'len (-vĭlᵉn) sometimes.

Bi'tte (bĭt^e) *f* request; *stärker*: entreaty; *auf j-s* ~ at a p.'s request. **bi'tten** (bĭt^en) *v/t.* ask, request; *stärker*: entreat; (*einladen*) invite; *j-n um Verzeihung* ~ beg a p.'s pardon; *v/i.* ~ *um et.* ask for; *bitte* please; *nach „dankel“*: (you are) welcome, don't mention it; *Spiel*: ~*l* play!; *dürfte ich Sie um ... ~?* may I trouble you for ...?

bi'tter (bĭt^er) bitter; *fig.* severe; 2e(r) *m* (*Schnaps*) bitters *pl.*; 2keit *f* bitterness; ~lich *adv.* bitterly.

Bi'tt|schrift (bĭtshrĭft) *f* petition; ~steller(in*f*)(-shtĕl^er)*m*petitioner.

blä'h|en (blä^n) *v/t.* inflate, (*a. sich*) swell; *v/i.* 🖝 cause flatulence; ~end (-t) flatulent.

bla'ken (blähk^n) smoke.

blamie'ren (blähmeer^n) compromise (*sich o.s.*), ridicule.

blank (blähꜧk) bright, shining; (~ *geputzt*) polished.

Bla'nko (blähꜧkŏ) 🖝 in blank; ~unterschrift (-ŏŏnt^rshrĭft) *f* blank signature; ~vollmacht (-fŏl-mäꜧkt) *f* unlimited power.

Bläs'chen (bläsç^n) *n* 🖝 pustule.

Bla's|e (blähz^) *f* (*Luft*2) bubble; (*Harn*2 *usw.*) bladder; 🗍 vesicle; (*Haut*2) blister; *in Glas usw.*: flaw; ~ebalg (-bählk) *m* (*ein a pair of*) bellows *pl.*; 2en blow; ♪ sound.

Bla's|-instrument (blähsĭnstrŏŏ-mĕnt) *♪ n* wind-instrument; ~orchester (-ŏrkĕst^er) *n* brass-band.

blaß (blähs) pale.

Blä'sse (blĕs^) *f* paleness.

Blatt (bläht) *n Pflanze, Buch*: leaf; *Papier*: sheet; *Schulter, Ruder, Säge usw.*: blade; (*Zeitung*) (news) -paper.

Bla'ttern (bläht^ern) *f/pl.* smallpox.

blä'ttern (blĕt^ern) turn over the leaves (*in dat.* of). [pock-marked.]

bla'tternarbig (bläht^rnährbĭç)

Blä'tterteig (blĕt^rtïk) *m*puff-paste.

Bla'ttpflanze (blähtpflähnts^) *f* foliage plant.

blau (blow) **1.** blue; ~es *Auge fig.* black eye; **2.** 2 *n* blue.

bläu'en (blŏĭ^n) (dye) blue.

blau'|grau (-grow) bluish grey; 2jacke (-yähk^) ⚓ *f* bluejacket.

bläu'lich bluish.

Blau'säure (blowzŏir^) *f* prussic acid.

Blech (blĕç) *n* sheet metal; (*Weiß*2) tin(-plate); F (*Unsinn*) bosh, trash, *Am. a.* boloney; 2e(r)n (of) tin; *Klang*: tinny; ~büchse (-bŭks^) *f* tin, *Am.* can; ~musik (-mŏŏzeek) *f* music of brass instruments; ~ware(n *pl.*) (-vähr^[n]) *f* tin-ware.

Blei (blï) *n* lead; s. ~stift.

blei'ben (blïb^n) (sn) remain, stay; (*übrig*~) be left; ~ *l.* let alone; *bei et.* ~ keep to; ~d (-t) lasting.

bleich (blïç) pale; ~en *v/t. u. v/i.* (sn) bleach, blanch; *Farbe*: fade; 2'sucht (-zŏŏxt) *f* green-sickness; ~'süchtig (-zŭçtĭç) maid-pale.

blei'ern (blï^rn) leaden.

Blei'|rohr (-rŏr) *n* leaden pipe; ~soldat (-zŏldäht) *m* tin soldier; ~stift (-shtĭft) *m* (lead) pencil; ~stifthülse (-shĭfthŭlz^) *f* pencil--protector; ~stiftspitzer (-shtĭft-shpĭts^r) *m* pencil-sharpener.

Ble'nd|e (blĕnd^) *f* blind; *opt.* diaphragm; 2en blind; *fig.* dazzle; ~laterne (-läht^rn^) *f* dark lantern; ~werk (-vĕrk) *n* delusion.

Blick (blĭk) *m* look; *flüchtiger*: glance; (*Aussicht*) view; *auf den ersten* ~ at first sight; 2'en look, glance (*auf acc., nach* at).

blind (blĭnt) blind; (*auf e-m Auge* of, *Am.* in); *Glas usw.*: dull; *Patrone*: blank; ~er *Lärm* false alarm; ~er *Passagier* stowaway; ~ *fliegen* fly blind.

Bli'nddarm *m* blind gut; 2 cæcum; ~entzündung (-ĕnttsŭn-dŏŏꜧ) *f* appendicitis.

Bl'inden|-anstalt (blĭnd^nähn-shtählt) *f* home for the blind; ~(führer)hund (-[für^r]hŏŏnt) *m* blind man's dog, *Am.* seeing eye dog; ~schrift (-shrĭft) *f* braille.

Bli'nd|flug (-flŏŏk) 🛦~ *m* blind flying; ~gänger (-g²ĕꜧ^r) 🗡 *m* dud; ~heit *f* blindness; 2lings (-lĭꜧs) blindly; ~schleiche (-shlïç^) *f* blind-worm.

bli'nk|en (blĭꜧk^n) gleam, twinkle; 2feuer (-fŏĭ^r) *n* intermittent light.

bli'nzeln (blĭnts^ln) blink, wink.

Blitz (blĭts) *m* lightning; (= ~'-strahl [-shträhl] *m*) flash of lightning; ~'-ableiter (-ähplït^r) *m* lightning-conductor; 2'en *v/i.*flash; *es* ~*t* it lightens; ~'gespräch (-g^e-shpräç) *n teleph.* lightning (*od.* express) call.

Blitz′licht (-lĭçt) *n* flash-light; **2′-schnell** (-shnĕl) as quick as lightning.

Block (blŏk) *m* block; (*Holz2*) log; (*Schreib2*) pad; *parl.* bloc; **~a′de** (-āhdᵉ) *f* blockade; **~a′debrecher** (blŏkāhdᵉbrĕçᵉr) *m* blockade-runner; **~′haus** (-hows) *n* log-house; **2ie′ren** (-eerᵉn) block up; **⋈** blockade.

blö′d|(e) (blȫd[ᵉ]) imbecile; (*zaghaft*) bashful, shy; **2igkeit** (-ĭçkit) *f* bashfulness; **2sinn** (blȫtzĭn) *m* ⚥ imbecility; (*Unsinn*) trash; **~sinnig** silly, idiotic.

blö′ken (blȫkᵉn) bleat; *Kuh:* low.

blond (blŏnt) blond, fair.

bloß (blōs) bare; naked; (*nichts als*) mere; *Schwert, Auge:* naked; *adv.* barely, merely, only.

Blö′ße (blȫsᵉ) *f* bareness, nakedness; ⋈, *fenc.*, *fig.* weak point.

blo′ß|legen (-légʰᵉn) lay bare; **~stellen** (-shtĕl′ᵉn) expose; *sich* ~ compromise o.s.

blü′hen (blü′ᵉn) bloom, blossom; *fig.* flourish.

Blu′me (blōōmᵉ) *f* flower; *des Weins:* bouquet.

Blu′men|beet (-bét) *n* flower-bed; **~blatt** *n* petal; **~händler(in** *f)* (-hĕndⁱᵉr) *m* florist; **~kohl** (-kōl) *m* cauliflower; **~strauß** (-shtrows) *m* bunch of flowers; **~topf** *m* flower-pot; **~zucht** (-tsōōkt) *f* floriculture.

Blu′se (blōōzᵉ) *f* blouse.

Blut (blōōt) *n* blood; **~′-andrang** (-ăhndrăhrⁿ) *m* congestion; **2′-arm** (-ăhrm) anæmic; **~′-armut** (-ăhrmōōt) *f* anæmia; **~′bad** (-băht) *n* massacre; **~′blase** (-blāhzᵉ) *f* blood-blister; **~′druck** (-drōōk) *m* blood-pressure; **2′dürstig** (-dürstĭç) bloodthirsty.

Blü′te (blütᵉ) *f* blossom, flower, (*a. fig.*) bloom; *der Jahre:* prime.

Blu′t-egel (-égʰᵉl) *m* leech.

blu′ten (blōōtᵉn) bleed.

Blu′t-erguß (-ĕrgōōs) *m* effusion of blood.

Blü′tezeit (blütᵉtsit) *f* flowering-time; *fig.* prime.

Blu′tgefäß (-gʰᵉfās) *n* blood-vessel.

blu′tig (blōōtĭç) bloody; *fig.* sanguinary.

Blu′t|körperchen (-kŏrpᵉrçᵉn) *n* bloodcorpuscle; **2leer** (-lér), **2los**

bloodless; **~probe** (-prōbᵉ) *f* blood-test; **~rache** (-răhkᵉ) *f* blood revenge; **2rot** (-rōt) blood-red; **2rünstig** (-rūnstĭç) bloody; **~spender** (-shpĕndᵉr) *m* blood donor; **2stillend** (-t) styptic; **~sturz** (-shtōŏrts) *m* hæmorrhage; **2sverwandt** (-fĕrvăhnt) related by blood (*mit* to); **~sverwandtschaft** *f* consanguinity; **~übertragung** (-übᵉrträhgōōrⁿ) *f* blood transfusion; **~ung** *f* bleeding, hæmorrhage; **2-unterlaufen** (-ōōntᵉrlowfⁿn) bloodshot; **~vergießen** (-fĕrgʰees′n) *n* bloodshed; **~vergiftung** (-fᵉrgʰiftōŏrⁿ) *f* blood-poisoning.

Bö (bȫ) *f* gust, squall.

Bock (bŏk) *m* buck; (*Widder*) ram; (*Ziegen2*) he-goat; *Gerät:* trestle, jack; (*Kutsch2*) box; (*Fehler*) blunder; **2′en** (bŏkᵉn) buck; *Mensch:* sulk; **2′ig** obstinate; **~′leder** (-lédᵉr) *n*, **2ledern** buckskin; **~′sprung** (-shprōŏrⁿ) *m* caper, gambol.

Bo′den (bōdᵉn) *m* (*Erde*) ground; *⚥ soil*; (*Gefäß2, Meeres2*) bottom; (*Fuß2*) floor; (*Haus2*) garret, loft; **~kammer** *f* garret; **~kredit-anstalt** (-krédĭtăhnshtählt) *f* land-mortgage bank; **2los** bottomless; *fig.* enormous; **~personal** (-pĕrzōnähl) ⚥ *n* ground-personnel; **~reform** *f* land reform; **~rente** *f* ground-rent; **~satz** (-zähts) *m* grounds *pl.*, sediment; **~schätze** (-shĕtsᵉ) *m/pl.* treasures of the soil; **2ständig** (-shtĕndĭç) indigenous.

Bo′gen (bōgʰᵉn) *m* bow; (*Biegung*) bend, curve; ⚥ arc; △ arch; *Papier:* sheet; **2förmig** (-fŏrmĭç) arched; **~gang** △ *m* arcade; **~lampe** *f* arc-lamp; **~schütze** (-shütsᵉ) *m* archer.

Bo′hle (bōlᵉ) *f* plank, thick board.

Bo′hne (bōnᵉ) *f* bean; grüne **~n** *pl.* French beans, *Am.* string-beans; weiße **~n** *pl.* haricot beans; **~n-stange** (-shtăhrⁿᵉ) *f* bean-stick.

bo′hnern (bōnᵉrn) wax, polish.

bo′hren (bōrᵉn) bore, drill.

Bo′hrer *m* drill, borer, gimlet.

bö′ig (bȫĭç) squally.

Bo′je (bōyᵉ) *f* buoy.

Bo′llwerk (bŏlvĕrk) *n* bulwark.

Bol′zen (bŏltsᵉn) *m* bolt; (*Plätt2*) heater.

bombardie′ren (bŏmbäʰrdeerᵉn) bombard, shell.

Bo′mbe (bŏmbᵉ) f bomb; fig. bomb-shell; ℒnfest, ℒnsicher (-zįᶜᵉr) bomb-proof; ~nflugzeug (-flōōktsŏik) n bomber; ~nschaden (-shäʰdᵉn) m bomb-damage.

Bon (bŏɡ, bŏrɡ) m promissory note.

Bonbo′n (bɡbɡ, bŏrɡbŏrɡ) m (n) sweetmeat.

Bo′nze (bŏnts) F m top dog, Am. big shot.

Boot (bōt) n boat; ~′smann m boatswain.

Bord (bŏrt) m ⚓ board; an ~ e-s Schiffes on board a ship; ~′funker (-fōōrกᵏᵉr) ≷ m air wireless operator; ~′schwelle (-shvĕlᵉ) f kerbstone, Am. curb(stone).

bo′rgen (bŏrgʰᵉn) borrow.

Bo′rke (bŏrkᵉ) f bark, rind.

Bo′rsalbe (bŏrzäʰlbᵉ) f borax ointment.

Bö′rse (bŏrzᵉ) f purse; ✝ Exchange; engS. Stock Exchange; ~nbericht (-bᵉrįçt) m stock-list; ℒnfähig (-fäįç) negotiable; ~nkurs (-kōōrs) m rate of exchange; ~nmakler (-mäʰklᵉr) m stock-broker; ~nnotierung (-nŏteerōōrɡ) f market-quotation; ~npapiere (-päʰpeerᵉ) n/pl. stocks pl.; ~nspekulant (-shpĕkōōläʰnt) m stock-jobber; ~nzeitung (-tsïtōōrɡ) f financial paper.

Bo′rste (bŏrstᵉ) f bristle.

bo′rstig bristly.

Bo′rte (bŏrtᵉ) f border; (Besatzℒ) braid, lace.

bö′s-artig (bŏsäʰrtįç) malicious; Tier: vicious; ⚕ malignant; ℒkeit f malignity.

Bö′schung (bŏshōōrɡ) f slope.

bö′se (bŏzᵉ) bad; evil; (zornig) angry, Am. mad (über, auf acc. at, with; s. bösartig; er meint es nicht ~ he means no harm; ℒ(s) n evil; ℒwicht (-vįçt) n villain.

bo′shaft (bōshäʰft) malicious.

Bo′sheit f malice.

bö′swillig (bŏsvįlįç) malevolent; ℒkeit f malevolence.

Bota′nik (bŏtäʰnįk) f botany; ~er m botanist.

bota′nisch botanic(al).

Bo′te (bŏtᵉ) m messenger.

Bo′tengang m errand.

Bo′tschaft (bŏtshäʰft) f message;

Amt: embassy; ~er m ambassador; ~erin f ambassadress.

Bö′ttcher (bŏtᶜᵉr) m cooper.

Bo′ttich (bŏtįç) m tub, vat.

Bouillo′n (bōōlyŏrɡ) f beef-tea.

Bo′wle (bŏlᵉ) f bowl; spiced wine.

Bo′x… boxing…

bo′x|en (bŏksᵉn) box; ℒer m boxer; berufsmäßiger: prize-fighter.

Boyko′tt (bŏikŏt) m boycott; ℒie′ren (-eerᵉn) boycott.

brach (bräʰk) fallow (a. fig.).

Brand (bräʰnt) m burning; (Feuersbrunst) fire, conflagration; ⚕ gangrene; ♣ blight, mildew; ~′blase (-bläʰzᵉ) f blister; ~′bombe f incendiary bomb; ℒⁿ surge, break; ~′fleck m burn; ℒ′ig ♣ blighted, blasted; ⚕ gangrenous; ~′mal (-mäʰl) n brand; fig. stigma; ℒ′marken brand; fig. a. stigmatize; ~′mauer (-mowᵉr) f fire(-proof)-wall; ~′schaden (-shäʰdᵉn) m damage caused by fire; ~′-stätte (-shtĕtᵉ) f scene of a conflagration; ~′stifter(in f) (-shtįftᵉr) m incendiary; ~′stiftung f arson.

Bra′ndung (-dōōrɡ) f surf, surge.

Bra′ndwunde (bräʰntvŏōndᵉ) f burn; durch Verbrühung: scald.

Bra′nntwein (bräʰntvïn) m brandy, spirits pl.; whisky; gin; ~brennerei (-brĕnᵉri) f distillery.

bra′ten¹ (bräʰtᵉn) v/t. u. v/i. roast; im Ofen: bake; auf dem Rost: grill; in der Pfanne: fry.

Bra′ten² m roast meat; ~fett n dripping; ~soße (-zōsᵉ) f gravy.

Bra′t|fisch m fried fish; ~huhn (-hōōn) n roast fowl; ~kartoffeln (-käʰrtŏfᵉln) f/pl. fried potatoes; ~ofen (-ŏfᵉn) m frying-oven; ~pfanne f frying-pan; Am. skillet.

Brauch (browk) m usage; custom.

brau′chbar serviceable, useful.

brau′chen (browᵉn) make use of; want, need; Zeit: take; (ge~) use.

Brau′e (browᵉ) f eyebrow.

brau′|en (browᵉn) brew; ℒer m brewer; ℒerei (-i) f brewery; ℒhaus (-hows) n brewery.

braun (brown) brown; P.: tanned.

Bräu′ne (brŏinᵉ) f brownness; ⚕ quinsy; ℒn v/t. od. sich ~ brown.

Brau′nkohle (brownkŏlᵉ) f lignite.

bräu′nlich (brŏinlįç) brownish.

Brau′se (browzᵉ) (Gießkannenℒ) rose.

Brau'se|bad (-bäht) *n* shower-bath; **~limonade** (-lĭmŏnähd⁰) *f* fizzy lemonade; **2n** roar; bluster; *(sich ab~)* douche; **~pulver** (-pŏŏlf⁰r) *n* effervescent powder.

Braut (browt) *f* intended, fiancée; *am Hochzeitstag:* bride; **~'führer** *m* best man.

Bräu'tigam (bröitĭgähm) *m* intended, fiancé; *am Hochzeitstag:* bridegroom, *Am.* groom.

Brau't|jungfer (-yŏŏn̦f⁰r) *f* bridesmaid; **~kleid** (-klīt) *n* wedding-dress; **~kranz** (-krähnts) *m* bridal garland; **~leute** (-lóit⁰) *pl.*, **~paar** *n* engaged couple; *am Hochzeitstag:* bride and bridegroom; **~schatz** (-shähts) *m* dowry; **~schleier** (-shlī⁰r) *m* bridal veil.

brav (brähf) honest; *(tapfer)* brave; *(artig)* good.

bra'vo! (brähvŏ) bravo.

Bre'ch-eisen (brĕçīz⁰n) *n* jemmy, *Am.* jimmy.

bre'chen (brĕç⁰n) *v/t.* break; *Blume:* pluck, gather; *opt.* refract; *Papier:* fold; *Steine:* quarry; *die Ehe ~* commit adultery; *sich Bahn ~* break; *opt.* be refracted; *sich Bahn ~ force a passage;* *v/i.* (sn) break *(a.* [h.]: *mit j-m* with); *💥* vomit.

Bre'ch|mittel *n* emetic; **~reiz** (-rits) *m* sickly feeling; **~stange** (-shtähn̦⁰) *f* crow(bar), *Am.* prag; **~ung** *f opt.* refraction.

Brei (brī) pap; *(bsd. Hafer2)* porridge, *Am.* mush; *(~masse)* pulp; **2'ig** pappy; pulpy.

breit (brīt) broad; *(geräumig)* wide; *sich ~ m.* spread o.s. out; **~'beinig** (-bīnĭç) straddle-legged.

Brei'te (brīt⁰) *f* breadth; width; *ast., geogr.* latitude; **2n** spread; **~grad** (-grāht) *m* degree of latitude.

Bre'mse (brĕmz⁰) *f zo.* gadfly; ⊕ brake; **2n** *v/t. u. v/i.* (put on the) brake.

Bre'ms|fußhebel (bremsfŏŏshéb⁰l) ⊕ *m* brake pedal; **~klotz** (-klŏts) *m* brake shoe; **~vorrichtung** (-förrĭçtŏŏn̦) *f* braking-gear.

bre'nnbar (brĕnbähr) combustible.

bre'nnen (brĕn⁰n) *v/t.* burn; *Branntwein:* distil; *Haar:* curl; *Kaffee:* roast; *auf der Zunge:* bite; *Ziegel:* bake; *v/i.* burn; *Augen, Wunde:* smart; *Nessel:* sting; *es brennt!* fire!

Bre'nner *m (Gas2)* burner.

Bre'nn|holz (-hŏlts) *n* firewood; **~material** (-mähtĕr'ähl) *n* fuel; **~nessel** *f* (stinging) nettle; **~öl** (-öl) *n* lamp-oil; **~punkt** (-pŏŏn̦kt) *m* focus; **~schere** (-shér⁰) *f* curling-tongs *pl.*; **~spiritus** (-shpeerĭtŏŏs) *m* methylated-spirits; **~stoff** (-shtöf) *m* fuel.

Bre'sche (brĕsh⁰) *f* breach; gap.

Brett (brĕt) *n* board, plank; **~'spiel** (-shpeel) *n* game played on a board.

Bre'zel (bréts⁰l) *f* cracknel.

Brief (breef) *m* letter; **~'auf-schrift** (-owfshrift) *f* address; **~'heschwerer** (-b⁰shvér⁰r) *m* paper-weight; **~'bogen** (-bŏg⁰n) *m* sheet of note-paper; **~'kasten** *m* letter-box, *Am.* mail-box, *London:* pillar-box; **2'lich** *adv.* by letter; **~'marke** *f* (postage) stamp; **~'markensammlung** (-mährk⁰nzähm-lŏŏn̦) *f* stamp-collection; **~'ord-ner** *m* letter-file; **~'papier** (-päh-peer) *n* note-paper; **~'porto** *n* postage; **~'post** *f* mail, post, *Am. a.* first-class (matter); **~'tasche** (-tähsh⁰) *f* wallet, pocket-book; *Am. a.* billfold; **~'taube** (-towb⁰) *f* carrier-pigeon; **~'träger** (-träg⁰r) *m* postman, *Am.* mailman; **~'um-schlag** (-ŏŏmshlähk) *m* envelope; **~'waage** (-vähg⁰) *f* letter-balance, *Am.* postage scale; **~'wechsel** (-vĕks⁰l) *m* correspondence.

Brike'tt (brĭkĕt) *n* briquette.

Brilla'nt (brĭlyähnt) *m* brilliant.

Bri'lle (brĭl⁰) *f (eine ~ a pair of)* spectacles *pl.*; *(Schutz2)* goggles *pl.*; *(Abortsitz)* seat; **~nfutteral** (-fŏŏt⁰rähl) *n* spectacle-case.

bri'ngen (brĭn̦⁰n) *(her~)* bring; *(fort~)* take; *(geleiten)* conduct; *Opfer:* make; *Zinsen:* yield; *j-n dazu ~ daß* get a p. to *inf.*; *es mit sich ~* involve; *j-n um et. ~* make a p. lose a th.

Bri'se (breez⁰) *f* ⚓ breeze.

Bri't|e (brīt⁰) *m*, **~in** *f* Britisher; **2isch** British.

brö'ck(e)lig (brŏk[⁰]lĭç) crumbly.

brö'ckeln (brŏk⁰ln) crumble.

Bro'cken (brŏk⁰n) *m Brot:* crumb; *(Teilchen)* fragment.

bro'deln (brŏd⁰ln) bubble.

Brom (brŏm) *🜍 n* bromine.

Bro'mbeere (brŏmbér⁰) *f* blackberry.

Bronchia′lkatarrh (brŏnçiáhlkäh-tähr) *m* bronchial catarrh.
Bro′nze (brǫsᵉ) *f* bronze.
bronzie′ren (brǫseerᵉn) bronze.
Bro′sche (brŏshᵉ) *f* brooch.
broschie′ren (brósheerᵉn) stitch.
Broschü′re (-ûrᵉ) *f Streitschrift*: pamphlet; † booklet.
Brot (brŏt) *n* bread; *ganzes*: loaf; ~′-aufstrich (-owfshtriç) *m* spread.
Brö′tchen (brŏtçᵉn) *n* roll.
Bro′t|herr *m* employer; ~los unemployed; *fig.* unprofitable; ~neid (-nīt) *m* professional envy; ~rinde *f* crust of bread; ~schnitte *f* slice of bread; ~studium (-shtŏŏ-dᵗŏŏm) *n* bread-and-butter study.
Bruch (brŏŏk) breach; (*Knochen≈*) fracture; (*Unterleibs≈*) rupture; *im Papier*: fold; *im Stoff*: crease; A fraction; z̄t̄z̄ violation; (~*schaden*) breakage; (*Schrott*) scrap; ~′band (-bähnt) *n* truss.
brü′chig (brüçiç) brittle, fragile.
Bru′ch|landung (-lähndŏŏrꞧ) ⋊ *f* crash landing; ~rechnung (-réç-nŏŏrꞧ) *f* fractions *pl.*; ~strich (-shtriç) A *m* fraction-stroke; ~stück (-shtük) *n* fragment; ~zahl (-tsähl) *f* fractional number.
Brü′cke (brŏŏkᵉ) *f* bridge; (*Teppich*) rug; ~kopf *m* bridge-head; ~pfeiler (-pfīlᵉr) *m* pier.
Bru′der (brŏŏdᵉr) *m* brother; (*Mönch*) friar.
brü′derlich brotherly, fraternal.
Brü′he (brüᵉ) *f* broth; sauce; (*Braten≈*) gravy; ≈n scald.
brü′h|heiß (-his) scalding hot; ≈würfel *m* beef-cube.
brü′llen (brülᵉn) roar; *Rind*: bellow; *Mensch*: bawl; howl.
bru′mmen (brŏŏmᵉn) *v/i. u. v/t.* hum; *Tier*: growl; *Fliege*: buzz; *Mensch*: grumble, *Am.* F grouch.
Bru′mmer *m* blowfly, bluebottle.
bru′mmig grumbling.
brüne′tt (brünèt) *f* dark.
Brunft (brŏŏnft) *f hunt.* rut, heat; ~′zeit (-tsīt) *f* rutting-season.
Bru′nnen (brŏŏnᵉn) *m* well; (*Quelle*) spring; (*Spring≈*) fountain; ⚶ (mineral) waters *pl.*; ~ trinken take the waters; ~kur (-kŏŏr) *f* mineral water cure; ~wasser (-vähsᵉr) *n* spring-water.
Brunst (brŏŏnst) *f* ardour.
brü′nstig (brünstiç) ardent.

Brust (brŏŏst) *f* breast; (~*kasten*) chest; (*Busen*) bosom; (*am Braten*) brisket; ~′bild (-t) *n* half-length portrait; ~′bonbon *m* pectoral lozenge. [airs, boast (*mit of*).]
brü′sten (brüstᵉn): *sich* ~ give o.s.]
Bru′stfell-entzündung (brŏŏstfèl-ènttsündŏŏrꞧ) *f* pleurisy.
Bru′st|kasten *m* chest; ~schwimmen (-shvimᵉn) *n* breast-stroke.
Brü′stung (brüstŏŏrꞧ) *f* parapet.
Bru′stwarze (brŏŏstvährtsᵉ) *f* nip-]
Brut (brŏŏt) *f* brood (*a. fig.*) [ple.]
Bru′t-apparat (-ähpåhräht) *m* incubator.
brü′ten (brütᵉn) *v/i.* sit, *fig.* brood (*über dat.* over); *v/t.* hatch.
bru′tto (brŏŏtŏ) gross.
Bu′be (bŏŏbᵉ) *m* boy, lad; *b.s.* rascal; *Karten*: knave; ~nkopf *m* bobbed hair; ~nstreich (-shtriç) *m*, ~nstück (-shtük) *n* knavish trick.
Buch (bŏŏk) *n* book; ~′binder *m* bookbinder; ~′drucker (-drŏŏkᵉr) *m* printer; ~′druckerei *f* printing-office, *Am.* pr.-plant; ~′drucker-schwärze (-drŏŏkᵉrshvèrtsᵉ) *f* printer's ink.
Bu′che (bŏŏkᵉ) *f* beech(-tree).
bu′chen (bŏŏkᵉn) book, enter.
Bü′cher|-abschluß (büçᵉrähp-shlŏŏs) † *m* closing of the books; ~brett *n* book-shelf; ~ei′ (-ī) *f* library; ~freund (-frŏint) *m* bibliophile; ~revisor (-rèveczŏr) *m* auditor, accountant; ~schrank (-shrährꞧk) *m* bookcase.
Bu′ch|fink *m* chaffinch; ~führung, ~haltung *f* bookkeeping; ~handlung (-hähndlŏŏrꞧ) *f* book(seller's) shop, *Am.* book-store.
Bü′chse (büksᵉ) *f* box, case; (*Konserven≈*) tin, *Am.* can; (*Gewehr*) rifle; ~nfleisch (-flīsh) *n* tinned (*Am.* canned) meat; ~n-öffner *m* tin (*Am.* can-)opener.
Bu′chstabe (bŏŏkshtáhbᵉ) *m* letter; (*Schriftzug*) character; *typ.* type.
buchsta′bieren (-eerᵉn) spell.
bu′chstäblich (-shtäpliç) literal.
Bucht (bŏŏkt) *f* inlet, bay; creek.
Bu′chung (bŏŏkŏŏrꞧ) *f* entry.
Bu′ckel (bŏŏkᵉl) 1. *m* hump(back); 2. *f Verzierung*: boss, stud.
bu′ck(e)lig humpbacked.
bü′cken (bükᵉn): *sich* ~ stoop; bow (*vor j-m* to).

Bü'ckling (bŭklǐng) *m* bloater, red herring, kipper.   [den.|
Bu'de (bōōdᵉ) *f* stall, booth; F *co.)*
Büfe'tt (büfĕt) *n* sideboard; *(Schenktisch)* bar, *Am.* counter.
Bü'ffel (bŭfᵉl) *m* buffalo.
Bug (bōōk) *m* bow.
Bü'gel (bŭgʰᵉl) *m* bow; s. *Kleider⟲*, *Steig⟲*; ~**eisen** (-izᵉn) *n* flat-iron; ~**falte** *f* crease; ⟲n *Wäsche*: iron; *Kleid*: *bsd. Am.* press.
Bugsie'rdampfer(bōōkseerdähmp-fᵉr) *m* (steam-)tug.
bugsie'ren (bōōkseerᵉn) tow.
bu'hl|en (bōōlᵉn): *um et.* strive for; ⟲erei (-rǐ) *f*: *um et.*: striving for.
Bü'hne (bünᵉ) *f* scaffold; ⊕ platform; *thea.* stage; ~**n-anweisung** (-ăhnvīzōōᵣ) *f* stage-direction; ~**bild** (-t) *n* scene(ry); ~**ndichter** (-dǐçtᵉr) *m* play wright, dramatist; ~**nleiter** (-litᵉr) *m* stage-manager; ~**nstück** (-shtŭk) *n* stage-play.
Bu'lle¹ (bōōlᵉ) *m* bull; ~² *f eccl.* bull; ~**nbeißer** (-bisᵉr) *m* bulldog.
Bu'mmel (bōōmᵉl) F *m* (*Spaziergang*) stroll; *durch Lokale*: spree; ~**ei'** (-ī) *f* dawdling; (*Nachlässigkeit*) carelessness; ⟲ig careless; ⟲n (*müßig gehen*) lounge about; (*trödeln*) dawdle; (*schlendern*) stroll; ~**zug** (-tsōōk) *m* slow (*od.* stopping, *Am.* way) train.
Bu'mmler *m* loafer; *Am.* bum.
bums! (bōōms) bounce!
Bund (bōōnt) 1. *n* bundle; *Schlüssel*: bunch; 2. *m* (*Band*) band, tie; (*Bündnis*) alliance; *pol. a.* confederacy.
Bü'ndel (bŭndᵉl) *n* bundle; ⟲n bundle (up).
Bu'ndes... (-bōōndᵉs) *in Zssgn* federal; ~**genosse** (-gʰᵉnŏsᵉ) *m* ally; ~**republik** (-rĕpōōbleek) *f* Federal Republic of Germany; ~**staat** (-shtäht) *m* Federal State; ~**tag** (-tähk) *m* Federal Diet.
bü'ndig (bŭndǐç) (*gültig*) binding; *Schreibart usw.*: concise.
Bü'ndnis (bŭntnǐs) *n* alliance.
bunt (bōōnt) (many-)coloured; (~**ge-fleckt**) variegated; (*lebhaft*) gay; (*grell*) gaudy; *fig.* promiscuous; ⟲'-**druck** (-drōōk) *m* chromolithograph; ⟲'**stift** (-shtǐft) *m* coloured pencil.
Bü'rde (bŭrdᵉ) *f* burden, load.
Burg (bōōrk) *f* castle; citadel.

Bü'rge (bŭrgʰᵉ) *m* bail, surety; ⟲n: *für j-n*: (go) bail for; *für et.*: warrant a th.
Bü'rger (bŭrgʰᵉr) *m*, ~**in** *f* citizen; (*Stadt⟲*) townsman; ~**krieg** (-kreek) *m* civil war.
bü'rgerlich civil; *Küche usw.*: plain; ⟲es *Gesetzbuch* code of civil law; ⟲e(r) *m* commoner.
Bü'rger|meister (bŭrgʰᵉrmistᵉr) *m* *in England*: mayor; *in Deutschland*: burgomaster; ~**recht** (-rĕçt) *n* civic rights *pl.*; freedom of a city; ~**steig** (-shtīk) *m* pavement, footpath, *bsd. Am.* sidewalk; ~**wehr** (-vér) *f* militia.   [bail.|
Bü'rgschaft (bŭrkshäft) *f* security,|
Büro' (bŭrō) *n* office; ~**ange-stellte(r)** (-ăhngʰᵉshtĕltᵉ[r]) *m* clerk; ~**klammer** *f* (paper)clip; ~**krat** (-kräht) *m* bureaucrat; ~**kratie'** (-ee) *f* red-tapism, bureaucracy; ⟲**kra'tisch** bureaucratic; ~**stunden** (-shtōōndᵉn) *f/pl.* office-hours, *Am.* duty-hours; ~**vor-sitzende** (-fōrshtéᵉr) *m* head, clerk.
Bu'rsch(e) (bōōrsh[ᵉ]) *m* boy, lad, fellow; chap, *Am.* guy.
burschiko's (-ikŏs) free and easy.
Bü'rste (bŭrstᵉ) *f*, ⟲n brush.
Busch (bōōsh) *m* bush = **Bü'schel** (bŭshᵉl) *m* (*n*) tuft, bunch.
bu'schig bushy; *Haar*: shaggy.
Bu'sen (bōōzᵉn) *m* breast; bosom; *fig.* heart; (*Meer⟲*) bay, gulf; ~**nadel** (-nähdᵉl) *f* breast-pin.
Bu'ße (bōōsᵉ) *f* penance; penitence; (*Geldstrafe*) fine.
bü'ßen (büsᵉn) atone for; expiate; have to pay for.
Bü'ßer(in *f*) *m* penitent.
bu'ß|fertig (-fĕrtǐç) penitent; ⟲**tag** (-tähk) *m* day of repentance and prayer; ⟲**übung** (-übōōrg) *f* penitential exercise.
Bü'ste (bŭstᵉ) *f* bust; ~**nhalter** *m* bra(ssiere); *v. Strandanzug*: halter.
Bu'tter (bōōtᵉr) *f* butter; ~**blume** (-blōōmᵉ) *f* buttercup; ~**brot** (-brŏt) *n* bread and butter; ~**brot-papier** (-brŏtpăhpeer) *n* grease-proof paper; ~**dose** (-dŏzᵉ) *f* butter-dish.
bu'ttern *v/t. u. v/i.* churn.
Bu'tzenscheibe (bōōtsᵉnshībᵉ) *f* bull's-eye pane.

C

Café (kăhfé) *n* coffee-house; café.
Ce'llo (tshĕlō) *n* cello.
Chaiselo'ngue (shăz(ᵉ)lǫg, -lŏrₒ) *f* lounge, couch.
Champa'gner (shăhmpăhnⁱᵉr) *m* champagne (wine).
Cha'os (kăhŏs) *n* chaos.
Chara'kter (kăhrăhktᵉr) *m* [*pl.* -te're* (-érᵉ)] character; *fig.* title; ✗ brevet rank; Ͻfest of firm character; Ͻisie'ren (-ĭzeer^en) characterize; ⁓i'stik (-ĭstĭk) *f* characterization; Ͻi'stisch characteristic (*für* of); Ͻlos unprincipled; ⁓zug (-tsōōk) *m* characteristic, feature, trait.
Chassi's (shăhsee) *n* chassis.
Chauffeu'r (shŏfŏr) *m* chauffeur, driver.
Chaussee' (shŏsé) *f* high-road.
Chauvin|i'smus (shŏvĭnĭsmōōs) *m* chauvinism; *Brt.* jingoism; ⁓i'st(in *f*) *m* chauvinist; jingo.
Chef (shĕf) *m* head, chief; ✝ principal, *Am.* boss; senior partner.
Chemie' (çémee) *f* chemistry.
Chemika'lien (-kăhlⁱᵉn) *n/pl.* chemicals.
Che'miker *m* analytical chemist.
che'misch chemical.
Chi'ffre (shĭfᵉr) *f* cipher; ⁓num-mer (-nŏŏmᵉr) *f* box-number.
chiffrie'ren (shĭfreer^en) cipher, code.
Chine's|e (çeenéz^e) *m*, ⁓in *f*, Ͻisch Chinese.

Chini'n (çĭneen) *n* quinine.
Chiru'rg (çĭrōōrk) *m* surgeon; ⁓ie' (-gʰee) *f* surgery; Ͻisch surgical.
Chlor (klŏr) *n* chlorine; ⁓'kalium (-kăhl'ōōm) *n* potassium chloride; ⁓'kalk (-kăhlk) *m* chloride of lime.
Chlorofo'rm (klŏrŏfŏrm) *n*, Ͻie'ren (-eer^en) chloroform.
Cho'lera (kŏlᵉrăh) *f* cholera.
chole'risch (kŏlérĭsh) choleric.
Chor (kŏr) *m* chorus; (*Sänger*Ͻ) choir; ⁓a'l (kŏrăhl) *m* hymn, choral(e); ⁓gesang (-gʰézăhrₒ) *m* chorus; choral song; ⁓sänger (-zĕrₒᵉr) *m* chorus-singer.
Christ (krĭst) *m*, ⁓in *f* Christian.
Chri'sten|heit *f* Christendom; ⁓tum *n* Christianity.
Chri'stkind (-kĭnt) *n* Christ-child.
chri'stlich Christian.
Chrom (krŏm) *n Metall*: chromium; *Farbe*: chrome.
Chro'nik (krŏnĭk) *f* chronicle.
chro'nisch chronic.
Chroni'st *m* chronicler.
Cli'que (klĭkᵉ) *f* clique; ⁓nwesen (-véz^en) *n* cliquism.
Couple't (kōōplé) *n* comic song.
Coupo'n (kōōpórₒ) *m* coupon.
Cour (kōōr) *f*: *j-m die* ⁓ *m.* court.
Courta'ge (kŏŏrtăhG̣ᵉ) *f* brokerage.
Cousi'ne (kōōzeen^e) *f* cousin.
Creme (krăm, -é-) *f* cream.
Cu'taway (*mst* kŏt^evé) morning coat.

D

da (dāh) **1.** *adv.* there; *von ~ an* *räumlich:* from there; *zeitlich:* from that time on; *~ haben wir's!* there we are!; **2.** *cj. Zeit:* when; *Grund:* as; *(da ja)* since.

dabei' (dăhbī) near by; *(überdies)* besides; *(trotzdem)* yet; *was ist denn ~?* what of that?; **~bleiben** (-blîb⁰n) persist; *~ blieb es* there the matter ended; *~sein* (-zîn) be present, take part; *~stehen*(-shté⁰n) stand by.

da'bleiben (dāhblîb⁰n) (sn) stay.

da ca'po (dāh kāhpō) encore.

Dach (dāhκ) *n* roof; *fig.* shelter; **~'-antenne** *f* overhouse aerial; **~'decker** *m* tiler; slater; **~'fenster** *n* dormer-window; **~'garten** *m* roof-garden; **~'gesellschaft** (-gʰᵉ-zělshăhft) *f* holding company; **~'kammer** *f* garret; **~'pappe** *f* roofing felt; **~'rinne** *f* gutter.

Dachs (dāhks) *m* badger.

Da'ch|sparren (-shpăhr⁰n) *m* rafter; **~stube** (-shtōōbᵉ) *f* garret; **~stuhl** (-shtōōl) *m* framework of a roof; **~ziegel** (-tseegʰᵉl) *m* (roofing) tile.

da'du'rch (dāhdŏŏrç) through *(od. by)* that *(od. it)*; by that means.

dafü'r (dăhfér) for that, for it; *(als Ersatz)* in return (for it), instead (of it); *ich kann nichts ~* it is not my fault.

dage'gen (dāhgʰégʰᵉn) **1.** *adv.* against that *od.* it; *Vergleich:* in comparison with it; *Tausch, Ersatz:* in return *(od.* exchange) (for it); *ich habe nichts ~* I have no objection (to it); **2.** *cj.* on the contrary, on the other hand.

dahei'm (dāhhîm) at home.

dahe'r (dăhhér) from there; *Ursache:* therefore; hence; *bei Verben der Bewegung:* along.

dahi'n there; to that place; *(vergangen)* gone, past; *bei Verben der Bewegung:* along; *j-n ~ bringen, daß* induce a p. to *inf.*

dahi'nter (dăhhintᵉr) behind that *od.* it; **~kommen** (sn) find it out.

da'mal|ig (dāhmăhlĭç) of that time; then; **~s** (-s) then, at that time.

Da'mast (dăhmăhst) *m* damask.

Da'm(e)brett (dāhm[ᵉ]brĕt) *n* draught-board.

Da'me (dāhmᵉ) *f* lady; *beim Tanz usw.:* partner; *Karte:* queen.

Da'men|abteil (-ăhptîl) *n* ladies' compartment; **~einzelspiel** (-ints⁰lshpeel) *n Tennis:* the women's singles *pl.*; **2haft** ladylike; **~konfektion** (-könfěkts'ōn) *f* ladies' ready-to-wear; **~mannschaft** (-măhnshăhft) *f Sport:* women's team; **~schneider** (-shnîdᵉr) *m* ladies' tailor.

da'mi't 1. *adv.* with it, with that; by it *od.* this; **2.** *cj.* (in order) that *od.* to; *~ nicht* lest; for fear that.

dä'mlich (dămlĭç) silly, dull.

Damm (dāhm) *m* dam, dike; *(Straßen2)* roadway; *fig.* barrier; **~'bruch** (-brŏŏκ) *m* bursting of a dike.

dä'mmer|ig (děmᵉrĭç) dusky; **2-licht** (-lĭçt) *n* twilight; **~n** (děmᵉrn) grow dusky; *morgens:* dawn; **2ung** *f (Morgen2)* dawn; *(Abend2)* twilight.

Dä'mon (dămōn) *m* demon.

dämo'nisch (-mōnish) demoniacal.

Dampf (dăhmpf) *m* steam; *weitS.* vapour; **~'bad** (-băht) *n* vapour--bath; **~'boot** (-bŏt) *n* steamboat; **2'en** steam.

dä'mpfen (děmpf⁰n) *(abschwächen)* damp; *Farbe, Ton:* subdue; *Feuer:* quench; *Stoß:* deaden; *(mit Dampf behandeln)* steam; *Speise:* stew.

Da'mpfer *m* steamer.

Dä'mpfer *m* damper.

Da'mpf|kessel *m* (steam-)boiler; **~maschine** (-măhsheenᵉ) *f* steam--engine; **~schiff** *n* steamship; **~walze** (-văhltsᵉ) *f* steam roller.

Da'm(e)spiel (dāhm[ᵉ]shpeel) *n* draughts *pl.*; *Am.* chekers.

dana'ch (dăhnăhκ) after that *od.* it; *(demgemäß)* accordingly; *er sieht ganz ~ aus* he looks very much like it.

Dä'n|e (dän⁰) *m*, **~in** *f* Dane.
dane'ben (dähnéb⁰n) near it, next to it; (*außerdem*) besides; **~gehen** (-gʰé⁰n) (sn) go amiss.
danie'der (dähneed⁰r) down; **~ liegen** (-leegʰé⁰n) be laid up (with); *Handel:* be depressed.
dä'nisch (dänísh) Danish.
Dank (dähŋk) *m* thanks *pl.*; (**~barkeit**) gratitude; (*Lohn*) reward; *Gott sei ~!* thank God!; **2** *prp.* owing (*od.* thanks) to.
da'nkbar grateful; (*lohnend*) profitable; **~ für** thankful for; **2keit** *f* gratitude.
da'nken (dähŋké⁰n) *v/i.* thank (*j-m.* a *p.*); *danke!* thank you; *ablehnend:* no thank you!; **~swert** (-vért) meritorious.
Da'nk|gebet (dähŋkgʰé⁰bét) *n* thanksgiving; **~schreiben** (-shrib⁰n) *n* letter of thanks.
dann (dähn) then; **~ und wann** now and then.
dara'n (dährähn) at (by, in, on *od.* to) that *od.* it; *nahe ~ sn zu* be on the point of; *er ist gut* (*übel*) *~* he is well (badly) off; *ich bin ~* it is my turn; **~gehen** (-gʰé⁰n) (sn) set to work.
darau'f (dährowf) on it *od.* them; *zeitlich:* after (that); **~gehen** (-gʰé⁰n) *v/i.* (sn) be lost *od.* consumed; **~hin** thereupon.
darau's (dährows) from it *od.* that.
da'rben (dährb⁰n) suffer want.
da'rbieten (dährbeet⁰n) offer, present.
da'rbringen present, offer.
darei'n (dährin) into it; *sich ~ finden, fügen, geben* put up with it.
dari'n (dährin) in it, in that.
da'rleg|en (dährlégʰé⁰n) *fig.* expose, explain; **2ung** *f* exposition, statement.
Da'rleh(e)n (dährléh[⁰]n) *n* loan.
Darm (dährm) *m* gut; bowels *pl.*
da'rstell|en (dährshtél⁰n) represent; **2er(in** *f*) *m* *thea.* performer; **2ung** *f* representation; performance. [strate.]
da'rtun (dährtōōn) prove, demon-]
darü'ber (dährüb⁰r) over it *od.* that; (*betreffs*) about it; (*querüber*) across it; **~ hinaus** beyond it, past it.
daru'm (dährōōm) around that *od.* it; (*deshalb*) therefore.

daru'nter (dährōōnt⁰r) under that *od.* it; *unter e-r Zahl:* among them; (*weniger*) less.
da'sein (dähzin) **1.** (sn) be present; (*vorhanden sn*) exist; **2.** **2** *n* existence, being.
da'stehen (dähshté⁰n) *v/i.* be there.
daß (dähs) that; **~** *nicht* lest.
Da'ten (däht⁰n) *n/pl.* (actual) facts; data *pl.*
datie'ren (-eer⁰n) date.
Da'ttel (däht⁰l) *f* date.
Da'tum (dähtōōm) *n* date.
Dau'er (dow⁰r) *f* duration, continuance; *auf die ~* in the long run; **2haft** durable, lasting; **~** *sn Stoff:* wear well; **~karte** *f* season-ticket, *Am.* commutation ticket; **~lauf** (-lowf) *m* endurance run; **2n 1.** continue, last; *lange ~* take a long time; **2.** *er dauert mich* I pity him; **~ welle** *f im Haar:* permanent wave.
Dau'men (dowmé⁰n) *m* thumb; **~ abdruck** (-ähpdrŏŏk) *m* thumb-print.
Dau'ne (down⁰) *f* down; **~decke** *f* eiderdown.
davo'n (dähfōn) of that *od.* it; by that *od.* it; (*weg*) off, away; **~ bleiben** (-blib⁰n) (sn) keep off; **~kommen** get off; **~laufen** (-lowf⁰n) (sn) run away. [for it.]
davo'r (dähfōr) before that *od.* it;]
dazu' (dähtsōō) to that *od.* it; (*zu dem Zweck*) for that purpose; (*außerdem*) in addition to that; **~** kommt add to this; *ich komme nie* **~** *...* I can never find time to ...
dazwi'schen (dähtsvish⁰n) between them; **~kommen** (sn) intervene.
Deba'tte (débäht⁰) *f* debate.
debattie'ren (-eer⁰n) debate.
De'bet (débét) † *n* debit
Debü't (débü) *n* first appearance, début.
dechiffrie'ren (déshífreer⁰n) decipher; *tel.* decode.
Deck ⊕ *n* deck; **~'bett** *n* feather bed.
De'cke (děk⁰) *f* cover; *wollene:* blanket; *e-s Zimmers:* ceiling; **~l** *m* lid; (*a. Buch2*) cover; **2n** cover; *den Tisch ~* lay the cloth *od.* table.
De'ck|mantel *m fig.* cloak; **~name** (-nähm⁰) *m* pseudonym; **~ung** *f* cover; *Wechsel:* security.
defe'kt (défékt) **1.** defective; **2.** **2** *m* defect.

definie'ren (défineer⁰n) define.
definiti'v (défïnîteef) definite, final.
De'fizit (défïtsït) *n* deficit, deficiency.
Defraud|a'nt (défrowdä**h**nt) *m* defrauder; **Qie'ren** defraud.
De'gen (dég**h**n) *m* sword.
degradie'ren (dégrä**h**deer⁰n) degrade, *Am.* demote.
de'hn|bar extensible; *fig.* vague; **~en** (dén⁰n) extend, stretch; **Qung** *f* extension.
Deich (dïç) *m* dike, dam.
Dei'chsel (dïks⁰l) *f* pole, shaft; (*Gabel~*) thill.
dein (dïn) your; *der dein(ig)e* yours; *die Qen your family*; **~esgleichen** (dïn⁰sglïç⁰n) the like of you; **~ige** (dïnïg**h**⁰) s. *dein.*
Deka'n (dékä**h**n) *m* dean.
dekatie'ren (dékä**h**⁰ r⁰n) hotpress.
Deklamat|io'n (déklahmähts'ōn) *f* declamation; **~'or** *m* declaimer.
deklamie'ren (déklä**h**meer⁰n) *v/t.* recite; *mst v/i.* declaim.
Deklin|atio'n (déklïnähts'ōn) *f gr.* declension, **Qie'ren** decline.
Dekorat|eu'r (dékö rähtōr) *m* decorator; (*Schaufenster~*) window--dresser; **~io'n** (-ts'ōn) *f* decoration; *thea.* scenery.
dekorie'ren (dékōreer⁰n) decorate.
Dekre't (dékre⁰ *n* decree.
delika't (délïkä**h**t) delicate; delicious; **Qe'sse** (-ês⁰) *f* delicacy; (*Leckerbissen*) dainty.
Delphi'n (dêlfeen) *m* dolphin.
Demago'g (démä**h**gōk) *m* demagogue; **Qisch** (-gōg**h**ïsh) demagogical.
Deme'nt|i (déméntee) *n* denial; **Qie'ren** (-eer⁰n) deny.
de'm|gemäß. ~na'ch (démg**h**⁰mäs, -nä**h**ĸ) accordingly.
de'mnächst (démnä**h**çst) shortly, soon.
demobilisie'ren (démōbïlïzeer⁰n) *v/t. u. v/i* demob(ilize).
Demokra't (démōkrä**h**t) *m,* **~in** *f* democrat, **~ie'** (-ee) *f* democracy; **Qisch** democratic.
demonstrie'ren (démōnstreer⁰n) *v/t. u. v/i.* demonstrate.
Demont|a'ge (démōntähg**h**⁰) *f* dismantling **Qie'ren** dismantle.
De'mut (démōōt) *f* humility.
de'mütig (démütïç) humble; **~en** (-g**h**⁰n) humble, humiliate.

de'nk|bar thinkable; conceivable; **~en** (dénĸk⁰n) *v/t. u. v/i.* think; **~ an** (*acc.*) think of; (*sich erinnern*) remember; *sich et. ~* imagine, fancy; **Qfreiheit** (-frïhīt) *f* freedom of thought; **Qmal** (-mä**h**l) *n* monument; (*Ehrenmal*) memorial; **Q--schrift** *f* memorial; **Qstein** (-shtïn) *m* memorial stone; **~würdig** (-vür-dïç) memorable; **Qzettel** *m fig.* lesson.
denn (dén) *cj.* for; *adv.* then.
de'nnoch (dénök) nevertheless.
Denunz|ia'nt (dénōönts'ähnt) *m* informer; **Qie'ren** (-eer⁰n) denounce.
Depe'sche (dépêsh⁰) *f* dispatch; telegram, wire; wireless.
depeschie'ren (-eer⁰n) *f* telegraph, wire.
deponie'ren (dépōneer⁰n) deposit.
Deposi'ten (dépōzeet⁰n) *pl.* deposits *pl.*; **~bank** *f* bank of deposit.
der (dér), *die* (dee), *das* (dä**h**s) 1. *art.* the; 2. *dem. pron.* that, this, he, she, it; *rel. pron.* who, which, that.   [a kind.]
de'r-artig (dérä**h**rtïç) such, of such/
derb (dêrp) solid; (*kräftig*) sturdy; (*grob*) blunt, rough.
derglei'chen (dérglïç⁰n) such; *und ~ and the like.*
de'r-, die'-, da'sjenige (-yénïg**h**⁰) he who, she who, that which.
der-, die-, dasse'lbe (-zêlb⁰) the same; he, she, it.
Desert|eu'r (dézèrtōr) *m* deserter; **Qie'ren** (-eer⁰n) (sn) desert.
desglei'chen (dêsglïç⁰n) likewise.
de'shalb (dèshä**h**lp) therefore.
des-infizie'ren (dêsïnfïtseer⁰n) disinfect.
Despo't (dêspōt) *m* despot.
Qestillie'ren (dêstïleer⁰n) distil.
de'sto (dêstō) the; **~ besser** all (*od.* so much) the better.
de'swe'gen (dêsvég**h**⁰n) therefore.
Detai'lgeschäft (dêtä**h**'g**h**⁰shêft) *n* retail shop; **~handel** *m* retail trade.
Detekti'v (détêkteef) *m* detective.
deu'ten (dōit⁰n) *v/i.* (*auf acc.*) point to; *fig.* signify; *v/t.* interpret.
deu'tlich clear, distinct.
deutsch (dōitsh), **Q'e(r)** *m* German; **Q'tum** *n* German nationality.
Deu'tung *f* interpretation.
Devi'se (déveez⁰) *f* motto; ⚑ foreign exchange *od.* currency.

Deze'mber (détsĕmbᵉr) *m* December.

Dezerna't (déstĕrnäht) *n* department; branch.

dezima'l (détsĭmähl) decimal.

dezimie'ren (-eerᵉn) decimate.

Diade'm (diähdém) *n* diadem.

Diagno'se (diähgnōzᵉ) *f* diagnosis.

diagona'l (diähgōnähl), 2e *f* diagonal.

Diale'kt (diählĕkt) *m* dialect; 2isch dialectal.

Dialo'g (diählōk) *m* dialogue.

Diama'nt (diähmähnt) *m* diamond.

Diä't (diät) *f* diet, regimen; ~en *pl.* day's allowance.

dicht (dĭçt) (*undurchlässig*) tight; (*~gedrängt*) compact; dense; *Stoff:* thick; ~ *bei* close by.

di'chten (dĭçtᵉn) 1. tighten; 2. *v/t.* compose; *v/i.* write poetry.

Di'chter *m* poet; ~in *f* poetess; 2isch poetic(al).

Di'chtkunst (dĭçtkŏŏnst) *f* poetry.

Di'chtung (dĭçtŏŏrɲ) *f* poetry; (*Einzel*2) poem; work of fiction.

dick (dĭk) thick, big; (*beleibt*) stout; 2e *f* thickness; stoutness; ~'fellig (-fĕliç) thick-skinned; ~'flüssig (-flüsiç) viscous; 2'icht (dĭkiçt) *n* thicket; 2kopf *m* pig-headed; fellow; ~leibig (-lïbiç) corpulent; *fig.* bulky.

Dieb (deep) *m* thief, *Am.* crook; ~erei' (-bᵉrī) *f* thieving, thievery. Die'b(e)s|bande *f* gang of thieves; ~höhle *f* nest of thieves.

die'bisch (deebish) thievish.

Die'bstahl (deepshtähl) *m* theft.

Die'le (deelᵉ) *f* (*Brett*) deal, board; (*Fußboden*) floor; (*Vorraum*) hall; 2n board; floor.

die'nen (deenᵉn) *v/i.* serve (*j-m* a p.; *zu* for).

Die'ner *m* servant, *Am.* attendant; ~in *f* maid-servant; ~schaft *f* domestics *pl.*

die'nlich (deenliç) serviceable.

Dienst (deenst) *m* service; (*Stelle*) employment; *im* (*außer*) ~ on (off) duty.

Die'nstag (deenstähk) *m* Tuesday.

Die'nst|alter *n* lenght of service; 2bar subject; (*zinspflichtig*) tributary; ~bote (-bōhtᵉ) *m* domestic (servant), *Am.* help; 2eifrig (-ïfriç) eager to serve; 2frei (-frï) exempt from service; ~herr *m*

master; employer; ~leistung (-lïstŏŏrɲ) *f* service; 2lich offi.ial; ~mädchen (-mätçᵉn) *n* maid-servant, *Am.* help; ~mann *m* porter; ~pflicht *f* official duty; ~stunden (-shtŏŏndᵉn) *f/pl.* hours of attendance; 2(-un)tauglich (-[ŏŏn]towkliç) (un)fit for service; 2tuend (-tŏŏᵉnt) on duty; ~weg (-vék) *m* official channels; ~wohnung *f* official dwelling.

die'ser (deezᵉr), die'se (deezᵉ), die'ses (deezᵉs) *od.* dies (dees) this; *pl.* these.

die'sjährig (-yäriç) of this year.

Die'trich (deetriç) *m* picklock.

Differe'nz (dĭfᵉrĕnts) *f* difference.

Dikta't (dĭktäht) *n* dictation; 2o'risch (-ōrĭsh) dictatorial; ~u'r (-ōōr) *f* dictatorship.

diktie'ren (-eerᵉn) dictate.

Diletta'nt (dĭlĕtähnt) *m* amateur.

Ding (dĭrɲ) *n* thing.

Diphtheri'tis (dïftᵉreetĭs) *f* diphtheria.

Diplo'm (dĭplōm) *n* diploma.

Diploma't (-äht) *m* diplomatist; ~ie' (-ee) *f* diplomacy; 2isch diplomatic.

dire'kt (dïrĕkt) direct; ~er Wagen 🚂 through carriage; 2io'n (-ts'ōn) *f* direction; (*Verwaltung*) management; board of directors; 2or (-ōr) *m* manager, director; (*Schul*2) headmaster, *Am.* principal; 2ri'ce (-treesᵉ) *f* manageress, directress.

Dirig|e'nt (dïrĭgʰĕnt) *f m* conductor; 2ie'ren (-eerᵉn) *f* conduct.

Di'rne (dïrnᵉ) *f* lass; *b.s.* prostitute.

Disharmon|ie' (dishährmōnee) *f* discord; 2isch discordant.

Disko'nt (dĭskónt) ♥, ~o *m* discount; 2ie'ren (-eerᵉn) discount.

diskre't (dĭskrét) discreet.

disponie'ren (dĭspōneerᵉn) dispose (*über acc.* of).

Dispositio'n (-zĭts ōn) *f* arrangement; (*Neigung*) disposition.

disputie'ren (dĭspōōteerᵉn) debate.

Disside'nt (dĭsĭdĕnt) *m*, ~in *f* dissenter, non-conformist.

Dista'nz (dĭstähnts) *f* distance.

Di'stel (dĭstᵉl) *f* thistle.

Distri'kt (dĭstrĭkt) *m* district.

Diszipli'n (dĭstsĭpleen) *f* discipline.

Divide'nde (dïvĭdĕndᵉ) *f* dividend.

dividie'ren (-deerᵉn) divide.

Di'wan (deevähn) m divan.

doch (dŏκ) yet; however; nevertheless; but; *auffordernd:* do (do *sit down!*); *nach verneinter Frage:* yes, I do!; ja ~ yes, indeed; *nicht* ~! don't!, (*gewiß nicht*) certainly not.

Docht (dŏκt) m wick.

Dock (dŏk) n dock.

Do'gge (dŏgʰᵉ) f mastiff.

Do'hle (dōlᵉ) f (jack)daw.

Do'ktor (dŏktŏr) m doctor.

Dokume'nt (dŏkōōmĕnt) n document, deed.

Dolch (dŏlç) m dagger; ~'stoß (-shtŏs) m stab of a dagger.

do'lmetsch|en (dŏlmĕtsh'n) v/i. u. v/t. interpret; 2er(in f) m interpreter.

Dom (dōm) m cathedral.

Domä'ne (dŏmänᵉ) f domain.

Do'mino (dōmĭnŏ) m (*Mantel*) domino; n *Spiel:* dominoes pl.

Do'nner (dŏnᵉr) m thunder; 2n thunder; ~schlag (-shlähk) m clap of thunder; *fig.* thunderclap; ~s-tag (-tähk) m Thursday; ~wetter n thunderstorm.

Do'ppel (dŏpᵉl) n duplicate; ~decker m biplane; ~-ehe (-éᵉ) f bigamy; ~gänger (-gʰĕngᵉr) m double; ~punkt (-pŏŏn̈gkt) m colon; ~sinn (-zĭn) m ambiguity; 2sinnig ambiguous; ~sohle (-zōlᵉ) f clump (sole); ~spiel (-shpeel) n *Tennis:* double; ~stecker ⚡ m double plug; 2t (-t) double; *adv.* twice; ~verdiener (-fĕrdeenᵉr) m two-job man; ~zentner m quintal, 2züngig (-tsüngiç), ~züngigkeit f double-dealing.

Dorf (dŏrf) n village; ~'bewohner (-ĭn f) (-bᵉvōnᵉr) m villager.

Dorn (dŏrn) m thorn; prickle; spine; *e-r Schnalle:* tongue; *j-m ein* ~ *im Auge sn* be a thorn in one's side; 2'ig thorny.

dö'rren (dŏrᵉn) dry.

Dörr... dried...

Dorsch (dŏrsh) m cod.

dort (dŏrt) there; ~'her (-hér) from there; ~'hin there, that way.

do'rtig of that place, there.

Do'se (dōzᵉ) f box; (*Konserven*2) tin, *Am.* can; ~n-öffner (dŏzᵉn-öfnᵉr) m tin-opener.

Do'sis (dōzĭs) f dose.

dotie'ren (dōteerᵉn) endow.

Do'tter (dŏtᵉr) m yolk.

Do'zent (dŏtsĕnt) m lecturer.

Dra'che(n) (dräκʰᵉn) m dragon; (*Papier*2) kite; *fig.* (*böses Weib*) termagant, *Am.* battle-axe.

Drago'ner (drähgōnᵉr) m dragoon.

Draht (dräht) m wire; ~'-antwort f reply by wire; 2'en wire; ~'funk (-fōŏn̈k) m wired wireless; ~'gaze (-gähzᵉ) f wire gauze; ~'geflecht (-gʰᵉflĕçt) n wire netting; ~'hindernis ✕ n wire entanglement; 2'ig wiry; 2'los wireless; ~'nachricht (-nähκrĭçt) f wire; ~'seilbahn (-zĭlbähn) f funicular railway; ~'stift m wire-tack; ~'zieher (-tseeᵉr) m *fig.* wire-puller.

drall (drähl) plump; *Frau:* buxom.

Dra'ma (drähmäh) n drama; ~'-tiker (-mähtĭkᵉr) m dramatist; 2'tisch (-mähtĭsh) dramatic.

Drang (drähng) m press, rush; (*Antrieb*) impulse, urge.

drä'ngen (drĕngᵉn) press; *im Gedränge:* (*a. sich*) crowd; *fig.* urge; *Gläubiger:* dun.

Dra'ngsal (drähngzähl) f, n distress; (*Bedrückung*) oppression; 2ie'ren (-eerᵉn) harass; vex.

Drau'fgänger (drowfgʰĕngᵉr) m daredevil, *Am.* go-getter.

drau'ßen (drows'n) outside; out of doors; (*in der Fremde*) abroad.

dre'chseln (drĕksᵉln) turn.

Dre'chsler m turner.

Dreck (drĕk) F m dirt; (*Schlamm*) mud; (*Unrat*) filth; 2'ig dirty; muddy; filthy.

Dre'h|bank (dré) f (turning-)lathe; 2bar (-bähr) revolving; ~bleistift (-blĭshtĭft) m propelling pencil; ~buch (-bōōk) n *Film:* script, scenario; ~bühne f *thea.* revolving stage; 2en (dréᵉn) (*a. sich* ~) turn; *Film:* shoot; *Zigarette:* roll; *es* ~t *sich darum, daß* the point is whether; ~kreuz (-krŏĭts) n turnstile; ~orgel (-ŏrgʰᵉl) f barrel-organ; ~punkt (-pŏŏn̈gkt) m centre of motion; *fig.* pivot; ~strom (-shtrŏm) ⚡ m threephase current; ~stuhl (-shtōōl) m revolving chair; ~tür (-tür) f rotatory door; ~ung f turn; *um e-e Achse:* rotation.

drei (drī) three; 2'beinig (-bīnĭç) three-legged; 2'bund (-bŏŏnt) m Triple Alliance; 2'-eck n triangle; ~'-eckig triangular; ~erlei' (drīᵉrlī) of three kinds; ~'fach (-fä*h*ĸ), ~'fältig (-fĕltĭç) threefold; ~fa'rben... three-colour; 2'fuß (-fōōs) m tripod; ~'jährig (-yärĭç) three-years-old; *Dauer*: triennial; ~'mal (-mä*h*l) three times; ~'malig repeated three times; ~'seitig (-zitĭç) trilateral; ~'silbig (-zĭlbĭç) trisyllabic.

drei'ßig (drisĭç) thirty; ~ste (drisĭkst*e*) thirtieth.

dreist (drist) bold; *a.b.s.* audacious.

Drei'stigkeit (-ĭçkĭt) f boldness, audacity.

drei'|stimmig (-shtĭmĭç) for three voices; ~tägig (-täg*h*ĭç) lasting three days; ~teilig (-tĭlĭç) tripartite; ~zehn(te) (-tsén[t*e*]) thirteen(th).

Drell (drĕl) m drill(ing), ticking.

dre'schen (drĕsh*e*n) thresh.

Dre'sch|flegel (-flég*h*ĕl) m flail; ~maschine (-mä*h*sheen*e*) f threshing-machine.

dressie'ren (drĕseer*e*n) train.

dri'llen (dril*e*n) ⚔, ⚒ drill.

Dri'llich (drilĭç) m ticking.

Dri'llinge (drilĭɳ*e*) m/pl. three children at a birth.

dri'ngen (drĭɳ*e*n): a) (sn) ~ *durch* penetrate; through; ~ *in (acc.)* into; b) (h.) ~ *auf (acc.)* insist on; ~ in j-n urge a p.; ~d (-t) urgent, pressing.

dri'nglich urgent; 2keit f urgency.

dri'nnen (drĭn*e*n) inside.

dri'tte (drit*e*), 2l n third; ~ns thirdly.

dri'ttletzt (drĭtlĕtst) last but two.

Dro'ge (drōg*h*e) f drug; ~rie' (-ree) f druggist's (shop), *Am.* drugstore.

Drogi'st (drōg*h*ĭst) m druggist.

dro'hen (drō*e*n) threaten.

Dro'hne (drōn*e*) f drone.

drö'hnen (drön*e*n) roar, boom.

Dro'hung (drōō*o*rɳ) f threat, menace.

dro'llig (drŏlĭç) droll; funny.

Dro'meda'r (drōmĕdā*h*r) n dromedary.

Dro'schke (drŏshk*e*) f cab; taxi; *Am.* hack; ~nhalteplatz (-hä*h*lt*e*plä*h*ts) m cabstand; ~nkutscher (-kōōtsh*e*r) n cabman, driver, *Am.* hackman.

Dro'ssel (drŏs*e*l) f thrush; ~klappe ⊕ f throttle(-valve); 2n ⊕ throttle.

drü'ben (drüb*e*n) over there.

Druck (drōōk) m pressure; (*Last*) weight; (*Buch*) print; (~en) printing; ~'bogen (-bōg*h*e*n) m proof-sheet.

dru'cken (drōōk*e*n) print.

drü'cken (drük*e*n) press; *fig.* oppress; *Schuh*: pinch; *Preis*: bring down; *Rekord*: lower; *sich um (od. von)* et. ~ shirk a th.

Dru'cker m printer.

Drü'cker m latch; *am Gewehr*: trigger.

Drucker|ei' (-ī) f printing-office, *Am.* printery; ~schwärze (-shvĕrts*e*) f printer's ink.

Dru'ck|fehler m misprint; ~fehlerverzeichnis (-fĕl*e*rfĕrtsĭçnĭs) n errata *pl.*; 2fertig (-fĕrtĭç) ready for the press; ~knopf m patent (*od.* snap)fastener; ⚡ push-button; ~luft (-lōōft) f compressed air; ~pumpe (-pōōmp*e*) f forcepump; ~sache(n *pl.*) (-zähĸ*e*[n]) ⚒ f printed matter; ~schrift f type; (*Abhandlung*) publication.

Drü'se (drüz*e*) f gland.

du (dōō) you.

Duble'tte (dōōblĕt*e*) f duplicate.

du'cken (dōōk*e*n) duck; *fig.* humble; *sich* ~ stoop; duck.

Du'delsack (dōōd*e*lzähĸ) m bagpipe.

Due'll (dōōĕl) n duel; 2ie'ren (-eer*e*n): *sich* ~ (fight a) duel.

Due'tt (dōōĕt) n duet.

Duft (dōōft) m scent, fragrance, perfume; 2'en exhale fragrance; 2'end (-t) fragrant; 2'ig airy.

du'ld|en (dōōld*e*n) bear; suffer (*a. v/i.*); (*zulassen*) tolerate; 2ung f toleration; 2er(in f) m sufferer.

du'ldsam (dōōltzä*h*m) tolerant (*gegen* of); 2keit f tolerance.

dumm (dōōm) stupid, dull; 2'heit f stupidity; (*Handlung*) silly action; 2'kopf m blockhead, *Am.* deadhead.

dumpf (dōōmpf) hollow; *fig.* dull; (*feucht*) damp; *Luft*: close; ~'ig musty.

Dü'ne (dün*e*) f dune.

Dung (dōōrɳ) m, Dü'nger (dürɳ*e*r) m dung, manure; (*künstlicher* ~) fertilizer.

dü'ngen (dürɳ*e*n) dung, manure, fertilize.

du'nkel (dōōrɳĸ*e*l) 1. dark; *fig.* obscure; 2. 2 n, 2heit f darkness; *fig.* obscurity.

Dü'nkel (dünₐkᵉl) *m* conceit; **2haft** conceited.

Du'nkelkammer (dŏoₐkᵉlkä/hmᵉr) *f* dark room.

du'nkeln (dŏoₐkᵉln) grow dark, darken.

dü'nken (dünₐkᵉn) seem.

dünn (dün) thin.

Dunst (dŏonst) *m* vapour; *in der Luft*: haze; *v. Bier usw.*: fume.

dü'nsten (dünstᵉn) stew.

du'nstig (dŏonstiç) vaporous; hazy.

Duplika't (dŏoplïkäht) *n* duplicate.

Dur (dŏor) ♪ *n* major.

durch (dŏorç) 1. *prp.* through; 2. *adv.* through; ~ *und* ~ thorough(ly).

du'rch-arbeiten (-ä/rbītᵉn) work through.

durch-au's (-ows) out and out; (*unbedingt*) absolutely, by all means; ~ *nicht* not at all, by no means.

du'rchbilden educate *od.* train thoroughly.

du'rchblä'ttern (*überfliegen*) skim.

Du'rchblick *m* vista.

du'rchblicken: ~ *l.* give to understand.

durchbo'hren pierce; perforate.

du'rchbraten (-brä/htᵉn) roast thoroughly; *durchgebraten* well done.

du'rchbrennen (sn) burn through; *& Sicherung*: fuse, blow; *Radioröhre*: burn out; *fig.* run away.

du'rchbringen bring through; *Gesetz*: pass; *Geld*: dissipate.

Du'rchbruch (-brŏok) *m* breach; rupture; ✕ break-through.

durchde'nken think over.

du'rchdrängen: *sich* ~ force one's way through.

du'rchdringen 1. *v/i.* (sn) get through; penetrate; *Meinung*: prevail; 2. *durchdrin'gen v/t.* penetrate; *fig.* pierce.

durch-eina'nder (-inähndᵉr) 1. confusedly, pell-mell; 2. ♀ *n* muddle; confusion; ~bringen, ~werfen muddle up; confound; mix up.

du'rchfahren *v/i.* (sn), *durchfa'hren v/t.* pass through.

Du'rchfahrt *f* passage; (*Tor*) gateway.

Du'rchfall (-fähl) *m* diarrhœa; (*Mißerfolg*) failure, *Am.* flunk; **2en** (sn) fall through; *fig.* fail, *Am.* flunk; *thea.* be damned; ~ *l.* reject.

du'rchfechten see *a th.* through.

du'rchfinden (-findᵉn) (*sich*) find one's way through.

durchfle'chten interweave.

durchfo'rschen search through.

du'rchfressen cat through.

du'rchfrieren (freerᵉn) (sn) chill through.

Du'rchfuhr (-fŏor) *f* transit.

du'rchführ|bar (-fü/rbä/hr) practicable; ~en carry out; put through; ~ungsbestimmung (dŏorçfü-rŏoₐsbᵉshtïmŏoₐç) *f* carrying-out ordinance.

Du'rchgang (-gä/hₐ) *m* passage; ✝ transit; ~sverkehr (-gä/hₐsfë́rkeʼr) *m* through traffic; through; ~szoll (-gä/hₐstsŏl) *m* transit-duty.

du'rchgeh(e)n (-gᵉëʹ[ᵉ]n) *v/i.* (sn) go *od.* walk through; (*fliehen*) abscond; *Liebende*: elope; *Pferd*: bolt; *Gesetz*: pass; *v/t.* (*prüfen*) look over; ~d (-t) continuous; 箇 ~er Wagen through carriage; ~d(s) (-t[s]) throughout.

durchgei'stigt (-gʰïstïçt) spirited.

du'rchgreifen (-grïfᵉn) *fig.* act decidedly; ~d (-t) radical, sweeping.

du'rchhalten *v/i.* see it through.

du'rchhauen (-howᵉn) cut through; *j-n*: flog.

du'rchhelfen (*dat.*) help through.

du'rchkämpfen fight *a th.* out.

du'rchkochen boil thoroughly.

du'rchkommen (sn) come *od.* get through; *im Examen*: pass.

durchkreu'zen (-krŏitsᵉn) cross; thwart.

Du'rchlaß (-lähs) *m* passage.

du'rchlassen let through.

du'rchlässig (dŏorçlësïç) permeable (*für* to).

du'rchlaufen (-lowfᵉn) *v/i.* (sn) run through.

durchle'ben (-lébᵉn) live through; pass.

du'rchlesen (-lézᵉn) read through *od.* over.

durchleu'cht|en (-lŏiçtᵉn) ⚡ radiograph; **2ung** *f* radioscopy.

durchlö'chern (-löçᵉrn) perforate; pierce.

du'rchmachen (-mähкᵉn) go *od.* pass through.

Du'rchmarsch *m* march(ing) through.

Du'rchmesser *m* diameter.

durchnä'ssen wet through, soak.

du'rchnehmen go over.
du'rchpausen (-powz⁴n) trace, calk.
durchque'ren (-kvér⁴n) traverse.
du'rchrechnen count over.
Du'rchreise (-ríz⁴) f passage; 2n v/i. (sn) pass through; ₋nde(r) through passenger, Am. transient.
du'rchreißen (-rís⁴n) v/i. (sn) get torn; v/t. rend, tear.
du'rchschauen (-show⁴n) v/t. see through.
durchschau'ern (-show⁴rn) thrill.
du'rchscheinen (-shín⁴n) shine through; ₋d (-t) transparent.
du'rchscheuern (-shŏi⁴rn) rub through.
durchschie'ßen (-shees⁴n) Buch: interleave.
Du'rchschlag (-shlähk) m (Sieb) colander, strainer; v. Maschinenschrift: (carbon-)copy; 2en (-shlähg⁴n) v/i. get through; (wirken) have effect; Papier: blot; Erbsen: strain; sich ₋ fight one's way through; fig. rough it; durchschla'gen beat through; 2end (-t) telling; ₋papier (-päⁱpeer) n copying paper.
du'rchschnei'den (-shníd⁴n) cut through.
Du'rchschnitt m ⊕ section, profile; fig. average; 2lich average; adv. on an average; ₋s₋ average.
du'rchsehen (-zé⁴n) v/t. look a th. over; bsd. typ. revise.
du'rchseihen (-zí⁴n) filter, strain.
du'rchsetzen carry a. th. through; sich ₋ push; durchse'tzen intersperse.
Du'rchsicht f looking over; bsd. typ. revision.
du'rchsichtig (-zíçtiç) transparent; 2keit f transparency.
du'rchsickern (sn) ooze out.
du'rchsieben (-zeeb⁴n) sift.
du'rchsprechen talk a th. over.
durchste'chen pierce; Damm: cut.
du'rchstecken pass through.
Du'rchstich m cut(ting).
durchstö'bern (-shtöb⁴rn) ransack.
du'rchstrei'chen (-shtríç⁴n) cross out.
durchstrei'fen (-shtríf⁴n) roam through.

durchsu'ch|en (-zōōk⁴n), 2ung f search.
durchtrie'ben (-treeb⁴n) cunning, artful; 2heit f cunning.
durchwa'chen (-vähk⁴n) pass waking.
durchwa'chsen (-vähks⁴n) Speck: streaky.   [through.|
durchwa'ndern v/t. wander|
durchwe'ben (-véb⁴n) interweave, interlace.
du'rchwe'g (-věk) throughout.
durchwei'chen (-viç⁴n) soak through.
du'rchwinden (-vínd⁴n): sich ₋ struggle through.
durchwü'hlen rake; rummage.
du'rchzählen count over.
du'rchzie'hen (-tsee⁴n) pass through.
Du'rchzug (-tsōōk) m passage; (Luft) (through) draught.
du'rchzwängen (-tsvěṇg⁴n) force through.
dü'rfen (dürf⁴n) be permitted od. allowed; I may; ich darf nicht I must not; wenn ich bitten darf (if you) please; man darf wohl erwarten it is to be expected.
dü'rftig (dürftiç) (bedürftig) needy; (ungenügend) poor, scanty.
dürr (dür) dry; (mager) lean; 2'e f dryness; (Regenmangel) drought.
Durst (dōörst) m thirst.
dü'rsten (dürst⁴n) v/i. be thirsty; fig. ₋ nach thirst for.
du'rstig thirsty (nach for).
Du'sche (dōōsh⁴) f douche; shower (-bath); 2n douche.
Dü'se (düz⁴) f nozzle; zur Strahlbildung: jet; ₋n-antrieb (-ähntreep) m jet propulsion; ₋nflugzeug (-flōōktsŏik) n jet-plane.
dü'ster (düst⁴r) gloomy; 2 n, 2keit f gloom(iness).
Du'tzend (dōōts⁴nt) n dozen; 2weise by the dozen.
Dyna'm|ik (dünähmik) f dynamics; ₋ı't (dünähmeet) n dynamite; ₋omaschine (dünähmōmähsheen⁴) f dynamo (machine), Am. generator.
D'-Zug (détsōōk) m corridor-train, Am. vestibule-train.

E

E'bbe (ĕbᵉ) *f* ebb(-tide); 2n ebb.
e'ben (ĕbᵉn) 1. *adj.* even; (*flach*)
plain, level; 2. *adv.* (*genau*)
exactly; (*gerade*) just; ~ *tun wollen*
be just going to; ~ *erst just now*;
2bild *n* image; ~bürtig (-bûrtiç)
of equal birth; ~derse'lbe (-dér-
zĕlbᵉ) the very same; 2e *f* plain;
A plane; *falls* likewise; 2holz
(-hŏlts) *n* ebony; 2maß (-mähs) *n*
symmetry; ~mäßig (-mäsiç) sym-
metrical; ~so (-zō) just so; just as
...; (*auch*) likewise; ~soviel (-zōfeel)
just as much.   [mountain-ash.]
E'ber (ĕbᵉr) *m* boar; ~esche ℔ *f*
e'bnen (ĕbnᵉn) level; *fig.* smooth.
E'cho (ĕçō) *n* echo.
echt (ĕçt) genuine; (*wahr*) true;
(*rein*) pure; (*wirklich*) real; (*recht-
mäßig*) legitimate; *Farbe*: fast;
Urkunde: authentic; 2'heit *f*
genuineness; authenticity; legiti-
macy.   [-kick.]
E'ckball (ĕkbähl) *m Sport*: corner-
E'ck|e (ĕkᵉ) *f* corner; (*Kante*) edge;
2ig angular; *fig.* awkward; ~platz
m corner-seat; ~zahn (-tsähn) *m*
canine tooth.
e'del (éd⁴l) noble; *Metall*: precious;
Körperteil: vital; 2frau (-frow) *f*
noblewoman; ~denkend (-dĕn-
kᵉnt) noble-minded; 2knabe
(-knähbᵉ) *m* page; 2leute (-lŏitᵉ)
pl. nobles; 2mann *m* nobleman;
2mut (-mōōt) *m* generosity; ~mü-
tig (-mûtiç) noble-minded; 2-obst
(-ōpst) *n* choice fruit; 2stein
(-shtīn) *m* precious stone.
E'feu (éfŏi) *m* ivy.
Effe'kt (ĕfĕkt) *m* effect; ~en *pl.* ef-
fects; ♰ stocks; ~enhandel *m* stock
(-exchange) business; ~hascherei
(-hähsh⁴ri) *f* claptrap.
effektuie'ren (ĕfĕktōōeer⁴n) effec-
tuate.
ega'l (égähl) (*gleich*) equal; (*einer-
lei*) all one, the same.
E'gge (ĕg⁴) *f*, 2n harrow.
Egoi's|mus (égōismōōs) *m* egoism;
~t(in *f*) *m* egoist; 2tisch selfish.
e'he¹ (é⁴) *cj.* before.

E'he² *f* marriage; (~*stand*) ma-
trimony; ~brecher(in *f*) (-brĕc⁴r)
m adulterer (adulteress); 2breche-
risch adulterous; ~bruch (-brōŏk)
m adultery; ~frau (-frow) *f* wife;
~gatte *m*, ~gattin *f* spouse; ~-
leute (-lŏit⁴) *pl.* married people;
2lich conjugal; *Kind*: legitimate;
~losigkeit (-lōzíçkit) *f* celibacy.
e'hemal|ig (é⁴mählíç) former; ~s
formerly.
E'he|mann *m* husband; ~paar
(-pähr) *n* married couple.
e'her sooner; (*lieber*) rather.
E'hering (é⁴rinʒ) *m* wedding ring.
e'hern (é⁴rn) brazen.
E'he|scheidung (é⁴shidōŏrʒ) *f* di-
vorce; ~stand (-shtähnt) *m* married
state, wedlock; ~versprechen (-fĕr-
shprĕç⁴n) *n* promise of marriage;
~vertrag (-fĕrträhk) *m* marriage-
settlement. [shnid⁴r] *m* slanderer.]
E'hr-abschneider(in *f*) (érähp-
e'hrbar (érbähr) honourable; *Benehmen*: modest; 2keit *f* respect-
ability; modesty.
E'hre (ér⁴) *f* honour; *zu* ~n (*gen.*)
in honour of; 2n honour; (*achten*)
esteem.
e'hren|amtlich honorary; 2bürger
m honorary freeman; 2doktor
m honorary doctor; 2-erklärung
(-ĕrklärōŏrʒ) *f* (full) apology; 2ge-
richt *n* court of honour; ~haft
honourable; 2mann *m* man of
honour; 2mitglied (-mītgleet) *n*
honorary member; 2recht *n*: *Verlust der bürgerlichen* ~e loss of civil
rights; 2rettung *f* rehabilitation;
~rührig (-rûriç) defamatory; 2-
sache (-zähk⁴) *f* affair of honour;
~voll honourable; ~wert honourable; 2wort *n* word of honour;
2zeichen (-tsiç⁴n) *n* decoration.
e'hr|erbietig (érĕrbeetiç) respect-
ful; 2-erbietung *f*, 2furcht
(-fōŏrkt) *f* respect, reverence;
stärker: awe; ~fürchtig (-fûrçtiç)
respectful; 2gefühl *n* sense of
honour; 2geiz (-gʰits) *m* ambition;
~geizig ambitious.

e'hrlich (érliç) honest; *Handel, Spiel*: fair; *Meinung*: candid; **♀keit** *f* honesty, fairness.

e'hr|liebend (-leebᵉnt) loving honour; **~los** dishonourable, infamous; **♀losigkeit** (-löziçkǐt) *f* infamy; **~sam** (-zäⁿm) respectable; **♀verlust** (-fêrlŏost) g̃z *m* loss of civil rights; **~widrig** (-veedriç) disgraceful; **~würdig** (-vǔrdiç) venerable.

ei¹ (ĭ)! ah!, indeed!; **~** *jal* oh yes!

Ei² *n* egg.

Ei'chbaum (içbowm) *m* oak-tree.

Ei'che (içᵉ) *f* oak; **~l** *f* acorn.

Ei'cheln *pl. Kartenspiel*: club.

ei'chen¹ (içᵉn) *v/t.* gauge.

ei'chen² *adj.* of oak; **♀...** oak...

Ei'ch|hörnchen (içhörnçᵉn) *n* squirrel, *Am.* chipmunk; **~maß** (içmähs) *n* standard. [perjured.|

Eid (ĭt) *m* oath; **♀'brüchig** (-brǔçiç)|

Ei'dechse (idĕksᵉ) *f* lizard.

ei'desstattlich (id²sshtähtliç); **~e** *Erklärung* affidavit.

ei'dlich (ĭtliç) sworn; upon oath.

Ei'dotter (-dótᵉr) *m* yolk.

Ei'er|kuchen (ĭᵉrkŏŏkᵉn) *m* omelet; **~schale** (-shählᵉ) *f* egg-shell.

Ei'fer (ĭfᵉr) *m* zeal; eagerness; (*Hast*) haste; *blinder* **~** *schadet nur more haste, less speed;* **~er** *m* zealot; **~sucht** (-zŏŏkt) *f* jealousy; **♀süchtig** (-zǔçtiç) jealous (*auf acc.*)

ei'frig (ĭfriç) zealous, eager. [of.)|

Ei'gelb (ĭg°ĕlp) *n* yolk.

ei'gen (ĭg°ᵉn) own; (*genau, wählerisch*) particular; *j-m* **~** peculiar (to); (*seltsam*) strange, odd; **♀art** *f* peculiarity; **~artig** peculiar; singular; **♀brötler** (-brötlᵉr) *m* square-toes; **♀gewicht** (-g°ᵉviçt) *n* dead weight; **~händig** (-hĕndiç) with one's own hand; **♀heit** *f* peculiarity; particularity; *der Sprache:* idiom; **♀liebe** (-leebᵉ) *f* self-love; **♀lob** (-lōp) *n* self-praise; **~mächtig** (-mĕçtiç) arbitrary; **♀name** (-nähmᵉ) *m* proper name; **♀nutz** (-nŏŏts) *m* self-interest; **~nützig** (-nǔtsiç) selfish; **~s** expressly. [adjective.|

Ei'genschaft *f* quality; **~swort** *ni*

Ei'gen|sinn (-zǐn) *m* obstinacy; **♀sinnig** wilful, obstinate.

ei'gentlich (ĭg°ᵉntliç) proper; true, real; *adv.* properly (speaking).

Ei'gentum (ĭg°ᵉntŏŏm) *n* property.

Ei'gentümer(in *f*) (ĭg°ᵉntǔmᵉr) *m* owner, proprietor; proprietress.

eigentü'mlich (ĭg°ᵉntǔmliç) proper; (*sonderbar*) peculiar; odd; **♀keit** *f* peculiarity.

Ei'gentumsrecht (ĭg°ᵉntŏŏmsrĕçt) *n* ownership; *literarisches:* copyright.

ei'genwillig (ĭg°ᵉnvǐliç) self-willed.

ei'gnen (ĭgⁿᵉn): *sich* **~** (*für j-n*) suit (a p.); *s. geeignet.*

Ei'gnung (ĭgnŏŏn‚) *f* aptitude.

Eil... (ĭl) express.

Ei'le (ĭlᵉ) *f* haste, speed; *große:* hurry; **♀n** (ĭlᵉn) (sn *u.* h.) hasten, make haste; hurry; *Sache:* be urgent; **~nds** (-ts) speedily.

Ei'lgut (ĭlgŏŏt) *n* express goods *pl.*

ei'lig (ĭliç) hasty, speedy; (*dringend*) urgent; *es* **~** *h.* be in a hurry.

Ei'mer (ĭmᵉr) *m* bucket, pail.

ein (ĭn) 1. one; 2. *art.* a, an.

eina'nder (-ähndᵉr) one another, each other.

ei'n-arbeiten (-ährbĭtᵉn): *sich* **~** *in* (*acc.*) make o.s. acquainted with.

ei'n-armig (-ährmiç) one-armed.

ei'n-äscher|n (-ĕshᵉrn) burn to ashes; *Leiche:* incinerate; **♀ung** *f* incineration.

ei'n-atmen (-ährmᵉn) breathe, inhale.

ei'n-äugig (-ŏigᵉiç) one-eyed.

Ei'nbahnstraße (-bährnshträähsᵉ) *f* one-way street. [embalm.|

ei'nbalsamieren (-bährlzähmeerᵉn)|

Ei'nband (-bährnt) *m* binding.

ei'nbegriffen (-b°grǐfᵉn) included.

ei'nbehalten detain.

ei'nberufen (-b°rŏŏfᵉn) convene; ✕ call out.

ei'nbild|en (sich) fancy, imagine; **♀ung** *f* imagination; (*Dünkel*) conceit.

ei'nbinden (-bĭndᵉn) *Buch:* bind.

ei'nbrechen (-brĕçᵉn) *v/t.* break down; *v/i.* (sn) break in(to *in s. Haus*); (*beginnen*) begin; set in.

Ei'nbrecher *m bei Nacht:* burglar; *bei Tage:* housebreaker.

Ei'nbruch (-brⱺⱪ) *m des Feindes:* invasion; (*Haus♀*) house-breaking, burglary (*a.* **~sdiebstahl** [ĭn-brⱺⱪsdeepshtähl] *m*); **~** *der Nacht* nightfall.

ei'nbürger|n (-bürgⁿᵉrn) naturalize; **♀ung** *f* naturalization.

Ei'n|buße (-bŏŏsᵉ) *f* loss; **♀büßen** (-büsᵉn) lose.

ei'ndämmen dam up; *fig.* chock.
Ei'ndecker $\mathcal{L}$ *m* monoplane.
ei'ndrängen: *sich* ~ intrude.
ei'ndring|en (sn) penetrate; *feindlich* ~ *in* (*acc.*) invade; ~lich urgent; 2ling *m* intruder.
Ei'ndruck (-drŏŏk) *m* impression.
ei'ndrücken press in; crush.
ei'ndrucksvoll (īndrŏŏksfōl) impressive. [limit.]
ei'n-engen (-ĕngʰeⁿn) narrow; *fig.*|
Ei'ner (inʳr) *m* $\not\!\!R$ unit; digit; 2lei (-lī) 1. of the same kind; (one and) the same; 2. 2 *n* sameness; monotony. [hand.]
ei'nerseits (inⁿrzits) on the one|
ei'nfach (-fáʜк) simple; single; (*schlicht*) plain; *Mahl*: frugal; 2heit *f* simplicity;
ei'nfädeln thread; *fig.* contrive.
Ei'nfahrt *f* entrance.
Ei'nfall (-fáʜl) *m* $\times$ invasion.
ei'nfallen (sn) fall in; *in die Rede*: strike in; $\int$ chime in; *feindlich*: invade; *Rede*: interrupt.
Ei'nfalt (-fáʜlt) *f* simplicity; (*Dummheit*) silliness.
ei'nfältig (-fĕltĭç) simple; silly.
Ei'nfaltspinsel (infáʜltspinzᵉl) *m* simpleton. [plain.]
ei'nfarbig (infáʜrbĭç) of one colour;|
ei'nfass|en border; *Edelstein*: set; 2ung *f* border; setting. [o.s.]
ei'nfinden (-fīndⁿᵉn): *sich* ~ present|
ei'nflechten interlace; *fig.* put in.
ei'nfließen (-fleesᵉn) (sn) flow in(to in *acc.*); *fig.* ~ *l.* throw in.
ei'nflößen (-flȫⁿn) infuse.
Ei'nfluß (-flŏŏs) *m* influx; *fig.* influence.
ei'nflußreich (-flŏŏsrĭç) influential.
ei'nflüstern *j-m*: *fig.* prompt to.
ei'nförmig (-fōrmĭç) uniform; (*eintönig*) monotonous.
ei'nfriedig|en (-freedĭgʰᵉn) fence, enclose; 2ung *f* enclosure.
ei'nfrieren (-freerᵉn) (sn) freeze in.
ei'nfügen (-fūgʰᵉn) join; *fig.* insert;
Ei'nfuhr (-fōōr) *f* import (-ation); ~waren (-váʜrᵉn) *f/pl.* imports.
ei'nführen † import; *P., Brauch*: introduce; *in ein Amt*: install.
Ei'ngabe (-gáʜbᵉ) *f* petition, application.
Ei'ngang *m* entrance; (*Eintreten*) entry; *v. Waren*: arrival; *nach* ~ on receipt; ~sbuch (ingáʜrꞑsbōōk) *n* book of entries.

ei'ngeben (-ghébᵉn) *Arznei*: give; *Gedanken usw.*: prompt, suggest.
ei'nge|bildet (-gʰᵉbildᵉt) imaginary; (*dünkelhaft*) conceited; ~boren (-bōrᵉn), 2borene(r) *m* native.
Ei'ngebung *f* suggestion; inspiration.
ei'nge|denk (-gʰᵉdĕnꞑk) mindful (*gen.* of); ~fallen (-fáʜlᵉn) *Auge*: sunken; *Backe*: hollow; ~fleischt (-gʰᵉflisht) *fig.* inveterate.
ei'ngeh(e)n (-gʰé[ᵉ]n) *v/i.* (sn) *Brief usw.*: come in; $\diamond$ die (off); (*aufhören*) cease (to exist); ~ *auf* (*acc.*) agree to; *näher*: enter into; *v/t.* (h., sn) contract *a marriage*; come *to terms*; incur *liabilities*, make *a bet*; ~d (-t) detailed; thorough.
ei'nge|meinden (-gʰᵉmīndᵉn) incorporate; ~nommen (-gʰᵉnŏmᵉn) prejudiced (in favour of; against); *von sich*: self-conceited; 2sandt (-gʰᵉzáʜnt) *n Zeitung*: letter to the Editor; ~sessen (-gʰᵉzĕsᵉn), 2e(r) *m* resident; 2ständnis (-gʰᵉshtĕndnĭs) *n* avowal; ~steh(e)n (-shté[ᵉ]n) avow, confess; 2weide (-gʰᵉvīdᵉ) *n/pl.* bowels; *anat.* intestines; ~wöhnen accustom (*in acc.* to); ~wurzelt (-gʰᵉvŏŏrtselt) deep-rooted, inveterate.
ei'ngießen (-gʰeesᵉn) pour in; *Wein usw.*: pour out.
ei'ngleisig (-glīzĭç) single-track.
ei'ngraben (-gráʜbᵉn) dig in; *fig.* engrave.
ei'ngreifen (-grīfᵉn) 1. *fig.* intervene; ~ *in* (*acc.*) *fig.* interfere with; *in Rechte*: encroach on; 2. 2 *n* intervention.
Ei'ngriff *m in Rechte*: encroachment; $\not\!\!F$ operation.
ei'nhalten *v/t.* keep; observe; *v/i.* stop, leave off.
ei'nhändig|en (-hĕndĭgʰᵉn) hand over; 2ung *f* delivery.
ei'nheften sew (*od.* stitch) in.
ei'nheimisch (-himĭsh) native; *Fabrikat*: home-made; *Krankheit*: endemic.
Ei'nheit (-hīt) *f* unity; $\not\!\!R$, *phys.*, $\times$ unit; 2lich uniform; ~s-preis (-pris) *m* standard price; ~sschule (-shōōlᵉ) *f* standard school.
ei'nheizen (-hitsᵉn) light a fire.
ei'nholen (-hōlᵉn) *v/t.* (*entgegengehen*) go to meet; (*erreichen*) overtake; *Versäumtes*: make up for;

Genehmigung: apply for; *Befehl*, *Rat*: take; (*einkaufen*) buy; *v/i.* go shopping.

ei'nhüllen wrap (up *od.* in).

ei'nig (iniç) united; ~ *sn* be at one; ~e (inig^he) several; (*a.* ~s) some; ~en (inig^hen) (*vereinigen*) unite; *sich* ~ come to terms; ~ermaßen (inig^hermähs^en) in some measure; Skeit *f* concord; unity; Sung (inigōōng) *f* union; agreement.

ei'njährig (-yäriç) one-year-old; ♀ annual.   [collect.\
ei'nkassieren (-kähseer^en) cash;\
Ei'nkauf (-kowf) *m* purchase; *Einkäufe m.* go shopping; Sen buy, purchase.

Ei'nkäufer (-kóif^er) ♱ *m* buying agent.

Ei'nkaufspreis (-kowfspris) *m* cost--price.   [inn).\
ei'nkehren (-kér^en) put up (at *an*\
ei'nkerben notch.
ei'nkerkern imprison.   [for.\
ei'nklagen (-kläh^gh^en) *Schuld*: sue\
ei'nklammern *typ.* bracket.
Ei'nklang (-kläh^ng) *m* unison; harmony.

ei'nkleiden (-klid^en) clothe.
ei'nklemmen squeeze in; jam.
ei'nklinken (-klink^en) latch.
Ei'nkommen *n* income, revenue; ~steuer (-shtói^er) *f* income-tax.
ei'nkreisen (-kríz^en) encircle.
ei'nlad|en (-lähd^en) *et.*: load in; *j-n*: invite; Sung *f* invitation.
Ei'nlage (-läh^ge) *f Brief*: enclosure; ♱ investment; (*Bank*S) deposit; (*Schuh*S) instep-raiser; (*Zahn*S) filling; Srn ♱ warehouse, store (up).
Ei'nlaß (-lähs) *m* admission.
ei'nlassen let in, admit; *sich* ~ *in*, *auf* (*acc.*) engage in, enter into.
Ei'nlaßkarte *f* admission ticket.
ei'nlaufen (-lowf^en) (sn) come in, arrive; *Schiff*: enter; *Stoff*: shrink.
ei'nlegen (-lég^en) lay (*od.* put) in; *Geld*: deposit; *in Salz*: pickle; *Früchte*: preserve; *Berufung*: lodge; *Ehre*: gain.   [insole.\
Ei'nlegesohle (-lég^he^zōl^e) *f* sock,\
ei'nleit|en (-lit^en) introduce; ~end (-t) introductory; Sung *f* introduction.
ei'nleuchten (-lóiçt^en) be evident.
ei'nliefern (-leef^ern) deliver (up).
ei'nliegend (-leeg^he^nt) *im Brief*: enclosed.

ei'nlösen (-löz^en) *Pfand*: redeem; *Rechnung*, *Wechsel*: meet.
ei'nmachen (-mähk^en) *Obst*: preserve.
ei'nmal (-mähl) once; (*künftig*) one day; *auf* ~ all at once; *nicht* ~ not even; Sei'ns (-ins) *n* multiplication--table; ~ig happening but once; unique.
Ei'nmarsch *m* entry; Sieren (-eer^en) (sn) march in, enter.
ei'nmengen, ~mischen (-mish^en): *sich* ~ meddle, interfere (*in acc.* with).   [keit *f* unanimity.\
ei'nmütig (-mütiç) unanimous; S-\
Ei'nnahme (-nähm^e) *f* ✗ taking, capture; *von Geld*: receipt.
ei'nnehmen (-ném^en) *Mahlzeit*, *Stelle*: take; *Geld*: receive; *Raum*: occupy; ♱♱, ✗, *fig.* captivate; ~d (-t) engaging.
Ei'n-öde (-öd^e) *f* desert, solitude.
ei'n-ordnen classify; *Brief usw.*: file.
ei'npacken (-pähk^en) *v/t.* pack up.
ei'npferchen (-pférç^en) pen in; *fig.* crowd.   [*fig.* implant.\
ei'npflanzen (-pflähnts^en) plant;\
ei'npökeln (-pök^eln) pickle, salt.
ei'nprägen (-präg^he^n) imprint; impress.
ei'nquartieren (-kvährteer^en) quarter, billet.
ei'nrahmen (-rähm^en) frame.
ei'nräumen (-róim^en) *fig.* grant, concede.
ei'nrechnen comprise, include.
ei'nreden (-réd^en): *j-m et.*: persuade *od.* talk a p. into.
ei'nreichen (-riç^en) hand in, give in.
ei'nreihen (-ri^en) range (*in acc.* among).   [-breasted.\
ei'nreihig (-riíç) *Rock*: single-\
Ei'nreise (-riz^e) *f* entry; ~erlaubnis (-érlowpnis) *f* entry permit.
ei'nreißen (-ris^en) *v/t.* tear; *Haus*: pull down; *v/i.* (sn) rend; *fig.* spread.
ei'nrenken (-rēng^k^en) set.
ei'nricht|en (-riçt^en) establish; (*ordnen*) arrange; *Wohnung*: furnish; *es* ~ manage; *sich* ~ establish o.s.; *sparsam*: economize; *sich* ~ *auf* (*acc.*) prepare for; Sung *f* establishment; arrangement; (*Ausstattung*) equipment; (*Anlage*) installation; (*Möbel*) furniture; (*Laden*S) fittings *pl.*

ei'nrosten (-röstⁿ) (sn) grow rusty.

ei'nrücken (-rükⁿ) v/i. (sn) enter; v/t. *Zeitung:* insert; *typ. Zeile:* indent.

ei'nrühren (-rürⁿ) stir, mix.

eins (ïns) 1. one; 2. ♀ *f* (number) one.

ei'nsam (-zähm) lonely, solitary; ♀keit *f* loneliness, solitude.

ei'nsammeln (-zähmⁿln) gather; collect.

Ei'nsatz (-zähts) *m* inset; *Spiel:* stake, pool; *am Kleid:* insertion; ♪ striking in; *v. Arbeitskräften:* employment.　[imbibe.]

ei'n-saugen (-zowgⁿ) suck in; *fig.*|

ei'nschalten insert; ♂ switch on; *mot.* put in; *allg.* turn on.

ei'nschärfen (-shěrfⁿ) inculcate (*dat.* upon).

ei'nschätzen (-shětsⁿ) *zur Steuer:* assess; *weitS.* estimate (*auf acc.* at).

ei'nschenken pour out *od.* in.

ei'nschicken send in.　[ten) insert.]

ei'nschieben (-sheebⁿ) (einschal-|

ei'nschiff|en (*a. sich*) embark; ♀ung *f* embarkation.　[asleep.]

ei'nschlafen (-shlähfⁿ) (sn) fall|

ei'nschläfern (-shläfⁿrn) lull to sleep; ♂ narcotize.

Ei'nschlag (-shlähk) *m (Beimischung)* touch; ♀en (-shlähgⁿ) v/t. *Nagel:* drive in; *(zerbrechen)* break (in); *(einhüllen)* wrap up; *Weg:* take; *(zs.-falten)* tuck in; v/i. shake hands; *Blitz:* strike; *(geraten)* succeed; *nicht ~* fail; ~(e)papier (-pähpeer) *n* wrapping-paper.

ei'nschleichen (-shlíçⁿ) (sn) (*sich*) creep in.

ei'nschleppen *Krankheit:* import.

ei'nschließ|en (-shleesⁿ) lock up; *(umgeben)* enclose; ✗ encircle; *fig.* include; ~lich (*gen.*) inclusive (of).

ei'nschmeicheln (-shmíçⁿln): *sich* ~ insinuate o.s. (*bei* with); ~d (-t) insinuating.　[smuggle in.]

ei'nschmuggeln (-shmoogⁿln)|

ei'nschnappen (sn) *Feder:* catch.

ei'nschneidend (-shnidⁿnt) *fig.* incisive.

Ei'nschnitt *m* cut, incision; notch.

ei'nschnüren (-shnürⁿn) lace.

ei'nschränk|en (-shrěₙkⁿn) restrict; confine; *Ausgaben:* reduce; *sich* ~ economize; ♀ung *f* restriction; reduction.

Ei'nschreibe|brief (-shrïbⁿbreef) *m*

registered letter; ~gebühr (-gⁿbür) *f* registration-fee; ♀n enter; ♀ register; ~ l. have registered; *sich* ~ enter one's name.

ei'nschreiten (-shritⁿn) 1. (sn) interpose, intervene; 2. ♀ *n* intervention.　[shrink.]

ei'nschrumpfen (-shro͝ompfⁿn)(sn)|

ei'nschüchter|n (-shüçtⁿrn) intimidate; ♀ung *f* intimidation.

ei'nschulen (-shoolⁿn) put to school.

ei'nsegn|en (-zégnⁿn) *Kinder:* confirm; ♀ung *f* confirmation.

ei'nsehen (-zéⁿn) look into; *fig.* see; *ein* ♀ *h.* have consideration.

ei'nseifen (-zifⁿn) soap; *Bart:* lather.

ei'nseitig (-zitíç) one-sided.

ei'nsend|en (-zěndⁿn) send in; ♀er (-in *f*) *m* sender; *Zeitung:* contributor.

ei'nsetz|en (-zětsⁿn) v/t. set (*od.* put) in; *Geld:* stake; *Zeitung:* insert; *(gründen)* institute; *j-n:* appoint; *fig.* use; *Leben:* risk; *sich* ~ *für* stand up for; v/i. set in; ♪ strike in; ♀ung *f* appointment.

Ei'nsicht (-zíçt) *f* inspection; *fig.* insight; judiciousness; ♀svoll judicious.

ei'nsickern (-zíkⁿrn) (sn) infiltrate.

Ei'nsiedler (-zeedlⁿr) *m*, ~in *f* hermit.

ei'nsilbig (-zilbíç) monosyllabic; *fig.* taciturn; ♀keit *f* taciturnity.

Ei'nspänn|er (-shpěnⁿr) *m* one-horse carriage; ♀ig one-horse.

ei'nsperren (-shp-) lock up, confine.

ei'nspringen (sn) ⊕ catch; *fig. für j-n:* act as substitute.　[jection.]

ei'nspritz|en inject; ♀ung *f* in-|

Ei'nspruch (-shprook) *m* objection, protest; ~srecht *n* veto.

einst (ïnst) once; *(künftig)* one day.

Ei'nstand (-shtähnt) *m Tennis:* deuce.

ei'nstecken (-sht-) put in; pocket.

ei'nsteigen (-shtigⁿn) (sn) get in; ⚏ ~! take your seats!, *Am.* all aboard!

ei'nstell|en (-shtělⁿn) put in; ✗ enlist; *Arbeiter:* engage; *(aufgeben)* give up; *Zahlungen usw.:* stop; *Mechanismus:* adjust (*auf* to); *Radio:* tune in (to); *Arbeit:* strike; *Fabrikbetrieb:* shut down; *opt.: a.* *fig.* focus (on); *sich* ~ appear;

Wetter usw.: set in; 2ung *f* enlistment; engagement; (*geistig*) (mental) attitude.

ei'nstimmen (-shtĭm°n) join in.

ei'nstimmig (*einmütig*) unanimous; 2keit *f* unanimity.

ei'nstöckig (-shtŏkĭç) one-storied.

ei'nstreuen (-shtrŏi°n) *fig.* intersperse. [rehearse.

ei'nstudieren (-shtōōdeer°n) study;]

ei'nstürmen (-sht-) (sn): ~ auf rush at. [collapse.

Ei'nsturz (-shtŏŏrts) *m* falling in,]

ei'nstürzen (-sht-) *v/i.* (sn) fall in.

ei'nstweilen (-vīl°n) for the present; ~ig temporary.

ei'ntauschen (-towsh°n) exchange (for).

ei'nteil|en (-tīl°n) divide; (*verteilen*) distribute; *in Klassen*: classify; 2ung *f* division; classification.

ei'ntönig (-tōnĭç) monotonous; 2keit *f* monotony.

Ei'ntracht (-träʜkt) *f* harmony, concord.

ei'nträchtig (-trĕçtĭç) harmonious.

ei'ntragen (-trähgʰ°n) *schriftlich*: enter; *amtlich*: register; *Gewinn*: bring in.

ei'nträglich (-träklĭç) profitable.

Ei'ntragung *f* entry; registration.

ei'ntreffen (sn) arrive; (*geschehen*) happen; *Voraussagung*: come true.

ei'ntreiben (-trīb°n) *Schuld*: collect.

ei'ntreten (-trét°n) *v/i.* (sn) enter; *in das Heer usw.*: join; (*geschehen*) occur, take place; *für*: stand up for.

Ei'ntritt *m* entry; (*Einlaß*) admittance; (*Anfang*) beginning; ~ verboten! no admittance!; ~sgeld (-gʰĕlt) *n* entrance (*od. Sport*: gate) money; ~skarte *f* admission ticket.

ei'ntrocknen (-trŏkn°n) (sn) dry up.

ei'n-üben (-üb°n) *st.*: practise; *j-n*: train. [rate.

ei'nverleiben (-fĕrlīb°n) incorpo-]

Ei'nverständnis (-fĕrshtĕndnĭs) *n* agreement. [sn agree.

ei'nverstanden (-fĕrshtãʜnd°n):]

Ei'nwand (-väʜnt) *m* objection (gegen to).

Ei'nwander|er (-väʜndᵉrᵉ) *m* immigrant; 2n (sn) immigrate; ~ung *f* immigration. [tionable.

ei'nwandfrei (-väʜntfrī) unobjec-]

ei'nwärts (-vĕrts) inward(s).

ei'nweih|en (-vī°n) consecrate; *fig.* ~ *in* (*acc.*) initiate into; 2ung *f* consecration; initiation. [tion.

ei'nwend|en (sn) object; 2ung *f* objec-]

ei'nwickeln wrap (up), envelop.

ei'nwillig|en (-vĭlĭgʰᵉn) consent, agree (*in acc.* to); 2ung *f* consent.

ei'nwirk|en: ~ *auf* (*acc.*) act upon; 2ung *f* influence.

Ei'nwohner (-vōnᵉr) *m*, ~in *f* inhabitant.

Ei'nwurf (-vŏŏrf) *m fig.* objection; *für Briefe usw.*: slit; *für Münzen*: slot.

Ei'nzahl (-tsähl) *f* singular (number); 2en pay in; ~ung *f* payment.

ei'nzäunen (-tsŏin°n) fence in.

Ei'nzel|handel (intsᵉl-) *m* retail business; ~händler *m* retailer; ~heit *f* item; ~en *pl.* particulars, details.

ei'nzeln (intsᵉln) single; (*besonder*) particular; (*für sich allein*) individual; *Schuh usw.*: odd.

Ei'nzel|spiel (-shpeel) *n Tennis*: single; ~verkauf (-fĕrkowf) *m* sale by retail; ~wesen (-véz°n) *n* individual.

ei'nziehen (-tsee°n) *v/t.* draw in; ✂ call in; ₰ confiscate; (*Erkundigung*: make; *v/i.* (sn) enter; *Wohnung*: move in; *Flüssigkeit*: soak in.

ei'nzig (intsĭç) only; single; (*ohnegleichen*) unique. [-in.

Ei'nzug (-tsōōk) *m* entry; moving-]

ei'nzwängen (-tsvĕngʰ°n) press, squeeze.

Eis (is) *n* ice; (*Frucht2*) ice-cream; ~'bahn *f* skating-rink; ~'bär *m* polar bear; ~'decke *f* sheet of ice.

Ei'sen (iz°n) *n* iron.

Ei'senbahn (iz°nbäʜn) *f* railway, *Am.* railroad; *mit der* ~ by rail; ~er *m* railway-man; ~fahrt *f* railway-journey; ~knotenpunkt (-knŏt°npŏŏꜧkt) *m* junction; ~unglück (-ōōnglük) *n* railway-accident; ~wagen (-vähgʰ°n) *m* railway-carriage, *Am.* -car.

Ei'sen|blech (-blĕç) *n* sheet-iron; ~erz *n* iron-ore; ~gießerei (-gʰees⁻sʰrī) *f* iron-foundry; 2haltig ferruginous; ~hütte *f* iron-works *pl.*; ~waren (-vährᵉn) *f/pl.* ironmongery, hardware; ~warenhändler *m* ironmonger, *Am.* hardware-dealer.

ei'sern (iz°rn) iron, of iron.

ei's|frei (-frī) free from ice; 2gang (-gäʜꜧ) *m* breaking up of the ice; ~grau (-grow) hoary; ~ig (izĭç)

icy; ~kalt icy cold; 2lauf(en *n*)
(-lowf*e*n) *m* skating; 2läufer(in *f*)
(-löif*e*r) *m* skater; 2meer (-mér) *n*
polar sea; 2scholle *f* ice-floe;
2schrank (-shrähr̩k) *m* refrigera-
tor, *Am.* icebox; 2waffel *f Am.*
cone; 2zapfen *m* icicle; 2zeit (-tsit)
f ice-age.

ei'tel (it*e*l) vain (*auf acc.* of); (*bloß*)
mere; 2keit *f* vanity.

Ei'ter (it*e*r) *m* matter, pus; ~beule
(-böil*e*) *f* abscess; 2ig purulent; 2n
(it*e*rn) fester; suppurate; 2ung *f*
suppuration.

Ei'weiß (ivïs) *n* white of an egg; (U]
albumen; 2haltig albuminous.

E'kel (ék*e*l) 1. *m* disgust (*vor dat.*
at); (*et. Widerliches*) aversion; 2. *n*
nasty fellow; 2haft, e'k(e)lig disgusting; 2n disgust; *sich* ~ *vor* (*dat.*)
be (*od.* feel) disgusted.

ela'st|isch (élåhstïsh) elastic; 2izi-
tä't (-ïtsität) *f* elasticity.

Elefa'nt (él*e*fåhnt) *m* elephant.

elega'n|t (élégåhnt) elegant; 2z *f*
elegance.

elektrifizie'r|en (élĕktrïfitseer*e*n)
electrify; 2ung *f* electrification.

Ele'ktriker (élĕktrïk*e*r) *m* electri-
cian.

ele'ktrisch electric(al).

elektrisie'ren (-ïzeer*e*n) electrify.

Elektrizitä't (-ïtsität) *f* electricity;
~swerk *n* electric-power station.

Elektrote'chnik (élĕktrötĕçnïk) *f*
electrical engineering; ~er *m* electrical engineer.

Eleme'nt (él*e*mĕnt) *n* element.

elementa'r (él*e*mĕntåhr) elementary; 2schule (-shool*e*) *f* elementary
(*od.* primary) school.

E'lend (élĕnt) 1. *n* misery; 2. 2
miserable, wretched.

elf (ĕlf), 2 *f* eleven.

E'lfenbein (ĕlf*e*nbïn) *n*, 2ern ivory.
e'lfte eleventh.

Eli'te (éleet*e*) *f* the élite.

E'lle (ĕl*e*) *f* yard; *anat.* ulna. [bow.]

E'll(en)bogen (ĕll*e*nbög*h*en) *m* el-]

e'lter|lich (ĕlt*e*rlïç) parental; 2n
pl. parents; ~nlos parentless.

Emai'l (émåh-') *n* enamel.

Empfa'ng (ĕmpfåhŋ) *m* e-r P. u.
Radio: reception; *e-r* S.: receipt;
2en *v/t.* receive.

Empfä'nger (ĕmpfĕŋ*e*r) *m* P. u.
S.: receiver; (*Brief*2) addressee;
(*Waren*) consignee.

empfä'nglich susceptible (*für* to);
2keit *f* susceptibility.

Empfa'ngs|gerät (-g*h*erät) *n* re-
ceiving set; ~schein (-shïn) *m* receipt; ~zimmer *n* reception-room.

empfe'hl|en (ĕmpfél*e*n) (re-)com-
mend; ~ *Sie mich* (*dat.*) please
remember me to; ~enswert (-vért)
commendable.

Empfe'hlung *f* recommendation;
(*Gruß*) compliments *pl.*

empfi'nden (ĕmpfind*e*n) feel; (*ge-
wahren*) perceive.

empfi'ndlich (-tlïç) sensitive (*a.
phot.*; *für* to); (*leicht verletzt*)
touchy; *Kälte*: biting; *Verlust*:
grievous; 2keit *f* sensitiveness.

empfi'ndsam (-tzåhm) sentimental;
2keit *f* sentimentality.

Empfi'ndung *f* (*Wahrnehmung*)
perception; (*Sinnes*2) sensation;
(*seelische* ~) sentiment; 2slos in-
sensible; ~svermögen (-fĕrmö-
g*h*en) *n* perceptive faculty.

empo'r (ĕmpör) up, upwards.

empö'ren (ĕmpör*e*n) revolt, shock;
sich ~ revolt (*a. fig.*), rebel.

Empö'rer *m*, ~in *f* rebel.

empo'r|kommen (sn) rise (in the
world); 2kömmling (-kömlïŋ)
m upstart; ~ragen (-råhg*h*en) (h.)
tower, rise; ~steigen (-shtïg*h*en)
(sn) rise; ascend.

Empö'rung (ĕmpöröoŋ) *f* rebellion, revolt; (*Unwille*) indignation.

e'msig (ĕmzïç) busy, diligent,
assiduous; 2keit *f* assiduity, diligence.   [(*aufhören*) finish.]

E'nde (ĕnd*e*) *n* end; 2n *v/i.* end;]

e'ndgültig (ĕntgültïç) final, definitive.

e'ndigen (ĕndïg*h*en) *s.* enden.

e'ndlich (ĕntlïç) finally, at last.

e'nd|los (-t) endless; 2punkt
(-pöor̩kt) *m* final point; 2station
(-shtåhts'ön) ⚙ *f* terminus, *Am.*
terminal; 2summe (-zöom*e*) *f*
(sum) total.

E'ndung (ĕndöoŋ) *f* termination.

E'nd|-ursache (entöörzåhk*e*) *f*
final cause; ~zweck (-tsvĕk) *m*
ultimate object. [lacking in energy.]

Energie' (énérg*h*ee) *f* energy; 2los]

ene'rgisch (énérg*h*ïsh) energetic.

eng (ĕŋ) narrow; *Kleidung*: tight;
(*nah*) close; (*innig*) intimate; *im
~eren Sinne strictly speaking; ~ere
Wahl short list.

engagie'ren (ăgăhɊeer'n) engage.

E'nge (ĕŋ₂ᵉ) f narrowness; fig. straits pl.

E'ngel (ĕŋ₂ᵉl) m angel.

e'ngherzig (ĕŋ₂hĕrtsïç) narrow-minded.

E'ngländer (ĕŋ₂lĕndᵉr) m Englishman; pl. (als Volk) the English; ~in f Englishwoman.

e'nglisch (ĕŋ₂lïsh) English.

E'ngpaß (ĕŋ₂pähs) m defile, narrow pass.

engro's (ăhŋ₂grŏ), 2... wholesale.

e'ngstirnig (ĕŋ₂shtïrnïç) narrow-minded.

E'nkel (ĕŋ₂kᵉl) m grandchild; grandson; ~in f granddaughter.

eno'rm (ĕnŏrm) enormous.

ent-a'rt|en degenerate; 2ung f degeneration.

entbe'hr|en (ĕntbĕr'n) lack; miss, want; freiwillig: do without; ~lich dispensable; 2ung f want, privation.

entbi'nden (ĕntbïnd'n) dispense, release (von from); Frau: deliver (of).

Entbi'ndung f dispensation, release; delivery; ~s-anstalt (-ăhnshtăhlt) f lying-in (od. maternity) hospital.

entblö'ßen (ĕntblȫs'n) denude; Haupt: uncover; entblößt bare; fig. destitute (gen. of).

entde'ck|en discover; detect; 2er m discoverer; 2ung f discovery.

E'nte (ĕntᵉ) f duck; fig. (unglaubliche Geschichte) canard, hoax.

ent-e'hr|en (ĕntĕr'n) dishonour; 2ung f degradation; (Schändung) rape.

ent-ei'gn|en (ĕnt-īgn'n) expropriate; 2ung f expropriation.

ent-e'rben disinherit.

e'ntern (ĕntᵉrn) board, grapple.

entfa'llen v/i. (sn): j-m ~ escape a p.; fig. slip a p.'s memory; auf j-n ~ fall to a p.'s share.

entfa'lten unfold; (zeigen) display.

entfe'rn|en (ĕntfĕrn'n) remove; sich ~ withdraw; ~t distant, remote; fig. far (from ger.); 2ung f removal; (Ferne) distance.

entfla'mmen inflame. [escape.]

entflie'hen (ĕntflee'n) (sn) flee,]

entfre'mden (ĕntfrĕmd'n) estrange, alienate (j-m from a p.).

entfü'hr|en abduct; Kind: kidnap; 2ung f abduction.

entge'gen (ĕntgᵉghᵉn) adv., prp. (dat.) Gegensatz: in opposition to, contrary to; Richtung: towards; ~geh(e)n (-gʰé[ᵉ]n) (sn) go to meet; ~gesetzt (-gʰᵉzĕtst) opposite; fig. contrary; ~kommen (sn) come to meet; fig. meet a p.('s wishes) halfway; 2kommen n obligingness; ~kommend obliging; ~nehmen (-némᵉn) accept; ~sehen (-zéᵉn) look forward to; ~setzen (-zĕts'n) oppose; ~steh(e)n (-shté[ᵉ]n) (h.) be opposed; ~stellen oppose; ~ treten (-trétᵉn) (sn) meet a p.; feindlich: oppose a p.

entge'gn|en (ĕntgʰégnᵉn) reply; 2ung f reply. [(from).]

entge'hen (ĕntgʰéᵉn) (sn) escape]

Entge'lt (ĕntgʰĕlt) n (a. m) recompense; 2en atone od. suffer for.

entglei's|en (ĕntglïzᵉn) (sn) run off the rails; fig. (make a) slip; 2ung f derailment; fig. slip.

entglei'ten (ĕntglïtᵉn) (sn) slip, (dat. from).

entha'lt|en contain, hold; sich ~ (gen.) abstain from; 2ung f abstention.

entha'ltsam (ĕnthăhltzăhm) abstinent; 2keit f abstinence.

enthau'pten (ĕnthowptᵉn) behead, decapitate.

enthei'ligen (ĕnthïlïgʰᵉn) profane, desecrate.

enthü'll|en unveil; fig. reveal; 2ung f unveiling; fig. revelation.

Enthusia's|mus (ĕntȫȫzᵘăhsmŏȫs) m enthusiasm; 2tisch enthusiastic.

entklei'den (ĕntklïdᵉn) (a. sich) undress.

entko'mmen 1. (sn) escape (j-m a p.; aus from); **2.** 2 n escape.

entkrä'ft|en (ĕntkrĕftᵉn) enfeeble, debilitate; (widerlegen) refute; 2ung f enervation; refutation.

entla'd|en (ĕntlăhdᵉn) unload; (bsd. ɇ; a. sich) discharge; 2ung f discharge.

entla'ng (ĕntlăhŋ₂) along.

entla'rven (ĕntlăhrfᵉn) unmask.

entla'ss|en (ĕntlăhsᵉn) dismiss, discharge; 2ung f dismissal, discharge, 2ungsgesuch (ĕntlăhsȫȫŋ₂sgʰᵉzȫȫк) n resignation.

entla'sten unburden; discharge.

Entla'stung f discharge; ~szeuge (-tsöïgʰᵉ) m witness for the defendant.

entlau'fen (ĕntlowf'n) (sn) run away (from).

entle'digen (ĕntlédĭg^hᵉn) release (*gen.* from); *sich ~* (*gen.*) rid o.s. of; *e-r Pflicht*: acquit o.s. of; *e-s Auftrags*: execute.

entlee'ren (ĕntlér'n) empty.

entle'gen (ĕntlég^hᵉn) remote, distant. [of, from).]

entle'hnen (ĕntlén'n) borrow (*dat.*)

entlo'cken draw, elicit (from).

entlo'hnen (ĕntlōn'n) pay (off).

entlü'ften ventilate.

entmu'tig|en (ĕntmōōtĭg^hᵉn) discourage; ♀ung *f* discouragement.

entne'hmen (ĕntném'n) take (*dat.* from); *fig. aus et. ~* gather from.

entne'rven (ĕntnĕrf'n) enervate.

enträ'tseln (ĕntrãts'n) unriddle.

entrei'ßen (ĕntris'n) snatch away from *a p.*

entri'chten (ĕntrĭçt'n) pay.

entri'nnen (sn) escape (*dat.* from).

entro'llen *v/t.* unroll.

entrü'cken remove (*dat.* from).

entrü'st|en shock; *sich ~* be shocked (*über* at); *~et* indignant (at *a th.*, with *a p.*); ♀ung *f* indignation.

entsa'g|en (ĕntzãhg^hᵉn) (*dat.*) renounce, resign; ♀ung *f* renunciation, resignation.

entschä'dig|en (ĕntshãdĭg^hᵉn) indemnify, compensate; ♀ung *f* indemnity, compensation.

entschei'den (ĕntshīd'n) decide; *sich ~*; *S.*: be decided; *P.*: come to a resolution; *für, gegen, über*: decide for, against, on; *~d* decisive.

Entschei'dung *f* decision.

entschie'den (ĕntsheed'n) decided; ♀heit *f* determination.

entschlie'ßen (ĕntshlees'n): *sich ~* resolve, determine (*zu et.* on; *zu tun* to do).

entschlo'ssen (ĕntshlŏs'n) resolute; ♀heit *f* resoluteness.

entschlü'pfen (sn) escape, slip.

Entschlu'ß (ĕntshlŏōs) *m* resolution, resolve, (*a. ~kraft f*) determination.

entschu'ldig|en (ĕntshŏōldĭg^hᵉn) excuse; *sich ~* apologize (*bei* to *für* for); *sich ~ l.* beg to be excused; ♀ung *f* excuse; apology.

entse'tz|en (ĕntzĕts'n) **1.** (*erschrecken*) frighten; *sich ~* be terrified (*über acc.* at); **2.** ♀ *n* horror, fright; *~lich* horrible, shocking.

entsi'nnen (ĕntzĭn'n): *sich ~* (*gen.*) remember.

entspa'nn|en (ĕntshp-) relax; unbend; ♀ung *f* relaxation; *pol. détente* (*fr.*).

entspre'ch|en (*dat.*) answer; correspond to; *~end* (-t) corresponding; ♀ung *f* equivalent.

entspri'ngen (sn) escape; *Fluß*: rise, *Am.* head; *s. entstehen*.

entste'h|(e)n (ĕntshté[ᵉ]n) (sn) (*aus*) arise, originate (from); ♀ung *f* origin.

entste'll|en disfigure; *fig.* misrepresent; ♀ung *f* disfigurement; misrepresentation.

enttäu'sch|en (ĕnttŏish'n) disappoint; ♀ung *f* disappointment.

entthro'n|en (ĕnttrōn'n) dethrone; ♀ung *f* dethronement.

entrü'mmer|n clear of debris *od.* rubble; ♀ung *f* rubble-clearing.

entvö'lker|n (ĕntfŏlk'rn) depopulate; ♀ung *f* depopulation.

entwa'chsen (ĕntvãks'n) (sn; *dat.*) outgrow.

entwa'ffn|en disarm; ♀ung *f* disarmament.

entwä'sser|n drain; ♀ung *f* drainage.

entwe'der (ĕntvéd'r): *~ ... oder* either ... or.

entwei'chen (ĕntvĭç'n) (sn) escape (*aus* from).

entwei'hen (ĕntvī'n) profane.

entwe'nden pilfer, purloin.

entwe'rfen design, sketch; trace (out); plan.

entwe'rt|en (ĕntvért'n) depreciate; *Briefmarke*: cancel; ♀ung *f* depreciation; cancellation.

entwi'ckeln (*a. phot.*) develop (*a. sich*); (*erklären*) explain.

Entwi'cklung *f* development.

entwi'rren (ĕntvĭr'n) disentangle.

entwi'schen (sn) escape (*j-m* a p.).

entwö'hnen (ĕntvŏn'n) wean.

entwü'rdigen degrade.

Entwu'rf (ĕntvŏōrf) *m* design; plan; draft.

entwu'rzeln (ĕntvŏōrts'ln) uproot.

entzie'hen (ĕnttsee'n) withdraw (*dat.* from).

entzi'ffern (ĕnttsĭf'rn) decipher; *tel.* decode.

entzü'ck|en (ĕnttsŭk'n) charm, delight; ♀en *n*, ♀ung *f* delight, rapture.

entzü'nd|bar (ĕnttsŭntbähr) in-flammable; ~en kindle (a. sich); inflame (a. 🜂); 2ung f 🜂 inflammation.

entzwei' (ĕnttsvī) break, cut, etc.; asunder, in two, to pieces; be broken; ~en (a. sich) disunite; ~gehen (-ghéén) go to pieces; 2ung f disunion.

Epidemie' (ĕpĭdémee) f, epide'-misch epidemic (disease).

Epilo'g (ĕpĭlŏk) m epilogue.

e'pisch (ĕpĭsh) epic.

Episo'de (ĕpĭzŏdé) f episode.

Epo'che (ĕpŏxé) f epoch.

E'pos (ĕpŏs) n epic (poem).

er (ĕr) he; ~ selbst he himself.

er-a'chten (ĕrähxtén) 1. think, deem; 2. 2 n: m-s ~s in my opinion.

erba'rmen (ĕrbährmén) 1. sich j-s ~ pity, commiserate a p.; 2. 2 n pity, mercy; ~swert (-vért), ~s-würdig pitiable.

erbä'rmlich (ĕrbĕrmlĭç) pitiful; pitiable; miserable.

erba'rmungslos (ĕrbährmŏŏnŋslŏs) pitiless.

erbau'|en (ĕrbowén) build (up); fig. edify; 2er m builder; ~lich edifying; 2ung f fig. edification, Am. uplift.

E'rbe (ĕrbé) 1. m heir; 2. n inheritance, heritage.

erbe'ben (ĕrbébén) (sn) tremble, shake.

e'rben (ĕrbén) inherit.

erbeu'ten (ĕrböitén) capture.

Erb... (ĕrp...) hereditary.

erbie'ten (ĕrbeetén): sich ~ offer to do.

E'rbin f heiress.

erbi'tten request, solicit.

erbi'tter|n (ĕrbĭtérn) exasperate; 2ung f exasperation.

E'rbkrankheit (ĕrpkrähnŋkhīt) f hereditary disease.

er|-bla'ssen (ĕrblähsén), -blei'chen (-blĭçén) (sn) grow (od. turn) pale.

E'rb-lasser (ĕrplähsér) m testator; ~in f testatrix.

e'rb-lich (ĕrplĭç) hereditary; 2keit f physiol. heredity.

erbli'cken perceive, see.

erbli'nd|en (ĕrblĭndén) (sn) grow blind; 2ung f loss of sight.

erbre'chen 1. break open; (sich ~) vomit; 2. 2 n vomiting.

E'rbschaft (ĕrpshähft) f inheritance.

E'rbse (ĕrpsé) f pea; ~nbrei (-brī) m pease-pudding; ~nsuppe (-zŏŏpé) f pea-soup.

E'rbteil (ĕrptĭl) n inheritance.

E'rd|-arbeiter (értährbītér) m navvy; ~ball (-bähl) m globe; ~beben (-bébén) n earthquake; ~beere (-béré) f strawberry; ~boden (-bŏdén) m ground, soil; ~e (érdé) f earth, ground (beide a. 🜨); (Bodenart) soil; (Welt) world; 2en 🜨 earth, ground.

erde'nk|en think out, devise; ~lich imaginable.

E'rdgeschoß (-ghéshŏs) n ground-floor, Am. first floor.

erdi'cht|en (ĕrdĭçtén) invent, feign; ~et fictitious; 2ung f fiction, figment.

e'rdig (ĕrdĭç) earthy.

E'rd|karte f map of the earth; ~kreis (-krīs) m, ~kugel (-kŏŏghél) f (terrestrial) globe; ~kunde (-kŏŏndé) f geography; ~leitung (-lītŏŏrŋ) 🜨 f earth-connexion, Am. ground wire; ~nuß (-nŏŏs) f peanut; ~öl (-ŏl) n mineral oil; ~reich (-rĭç) n ground, earth.

erdrei'sten (ĕrdristén): sich ~ dare, presume.

erdro'sseln (ĕrdrŏséln) strangle.

erdrü'cken squeeze to death; ~d (-t) fig. overwhelming.

E'rd|schicht (-shĭçt) f stratum; ~strich (-shtrĭç) m region, zone; ~teil (-tĭl) m part of the world; continent.

erdu'lden (ĕrdŏŏldén) suffer, endure.

er-ei'fern (ĕr-iférn): sich ~ get excited.

er-ei'gnen (ĕr-īgnén): sich ~ happen, come to pass.

Er-ei'gnis (ĕr-īknĭs) n event, occurrence; 2reich (-rĭç) eventful.

er-e'rben inherit.

erfa'hr|en (ĕrfährén) 1. learn; (erleben) experience; 2. adj. experienced; 2ung f experience.

erfa'ssen grasp (a. fig.), seize, catch.

erfi'nd|en (ĕrfĭndén) invent; 2er m inventor; 2erisch inventive.

Erfi'ndung f invention.

Erfo'lg (ĕrfŏlk) m success; (Wirkung) result; 2en (ĕrfŏlghén) (sn) ensue, follow; 2los unsuccessful; vain; 2reich (-rĭç) successful.

erfo'rder|lich requisite, required; ~n require, demand; 2nis n requirement; requisite.

erfo'rsch|en (ĕrfŏrshᵉn) investigate; explore; 2er m investigator; explorer; 2ung f investigation; exploration.

erfreu'|en (ĕrfrŏïᵉn) rejoice; sich e-r S. ~ enjoy a th.; ~lich pleasant, gratifying.

erfrie'ren (ĕrfreerᵉn) (sn) freeze to death; erfroren Glied: frost-bitten.

erfri'sch|en refresh; 2ung f refreshment.

erfü'll|en fill; fig. fulfil; 2ung f fulfilment; 2ungs-ort m settling-place.

ergä'nz|en (ĕrgʰĕntsᵉn) complete; ~end supplementary (to); 2ung f completion; (das Ergänzte) supplement; 2ungs... supplementary.

erge'ben (ĕrgʰĕbᵉn) 1. (liefern) yield, (erweisen) prove; sich ~ surrender, e-r S.: devote o.s. to; sich ~ (aus) result (from); sich ~ (in acc.) resign o.s. (to); 2. adj. devoted (dat. to); ~st adv. respectfully; 2heit f devotion.

Erge'b|nis (ĕrgʰĕpnĭs) n result; ~ung (ĕrgʰĕbŏŏrg) f resignation; ✗ surrender.

erge'h(e)n (ĕrgʰĕ[ᵉ]n) (sn) come out; ~ l. issue; über sich ~ l. submit to; fig. sich ~ in (dat.) indulge in.

ergie'big (ĕrgʰeebĭç) productive.

ergie'ßen (ĕrgʰees⁻ᵉn): sich ~ discharge.

ergö'tzen (ĕrgŏts⁻ᵉn) (a. sich) delight (an dat. in); 2 n delight.

ergö'tzlich delightful.

ergrei'f|en (ĕrgrĭf⁻ᵉn) seize; Besitz, Flucht, Partei, Maßregeln usw.: take; Beruf, Feder, Waffen: take up; Gemüt: affect, touch; 2ung f seizure.

ergrü'nden fathom; fig. a. probe.

Ergu'ß (ĕrgŏŏs) m effusion.

erha'ben (ĕrhähbᵉn) elevated; fig. sublime; ~ sn über (acc.) be above; 2heit f elevation; sublimity.

erha'lt|en (bekommen) receive; get; (bewahren) preserve, keep; (unterhalten) maintain; sich ~ von subsist on; 2ung f preservation; maintenance.

erhä'ltlich (ĕrhĕltlĭç) obtainable.

erhä'ngen (ĕrhĕɳᵉn) hang.

erhä'rten harden; fig. confirm.

erha'schen (ĕrhähshᵉn) catch.

erhe'ben (ĕrhĕbᵉn) lift, raise; (erhöhen) elevate; (preisen) exalt; Steuern usw.: levy, raise; Klage ~ bring an action; sich ~ rise; Frage usw.: arise; ~d (-t) fig. elevating.

erhe'blich (ĕrhĕplĭç) considerable.

Erhe'bung f elevation; exaltation; levy; (Empörung) revolt.

erhei'tern (ĕrhītᵉrn) cheer, exhilarate.

erhe'llen (ĕrhĕlᵉn) v/t. light up; fig. clear up; v/i. appear.

erhi'tzen (a. sich) heat (a. fig.).

erhö'h|en (ĕrhŏᵉn) (a. sich) raise; 2ung f (Anhöhe) elevation; (Lohn usw.) rise; (Preis usw.) advance; (Steigerung) increase.

erho'l|en (ĕrhŏlᵉn): sich ~ recover; nach Arbeit: recreate; 2ung f recovery; recreation.

erhö'ren hear; Bitte: grant.

er-i'nner|n (ĕr-ĭnᵉrn) v/t. ~ an (acc.) remind a p. of; sich ~ (gen., an acc.) remember, recollect (acc.); 2ung f remembrance; recollection; (Mahnung) reminder; ~en pl. reminiscences.

erka'lten (ĕrkählt⁻ᵉn) (sn) cool down.

erkä'lt|en (ĕrkĕlt⁻ᵉn): sich (sehr) ~ catch (a bad) cold; 2ung f cold.

erke'nnen recognize (an dat. by); (wahrnehmen) perceive, discern; (klar ~) realize; ✝ credit; ♬ pass sentence (on).

erke'nntlich grateful; 2keit f gratitude.

Erke'nntnis 1. f perception; realization; 2. n decision, finding.

E'rker (ĕrkᵉr) m bay.

erklä'r|en (ĕrklärᵉn) (erläutern) explain; (begründen) account for; (aussprechen) ~ für ...) declare; sich ~ für, gegen declare for, against; ~lich explicable, accountable; 2ung f explanation; declaration.

erkli'ngen (ĕrklĭɳᵉn) (sn) sound, ring.

erkra'nken (ĕrkrähɳkᵉn) (sn) fall ill (an dat. of).

erkü'hnen (ĕrkün⁻ᵉn): sich ~ venture, make bold (to inf.).

erku'ndig|en (ĕrkŏŏndĭgʰᵉn): sich ~ inquire (über acc., nach after, for; about); 2ung f inquiry.

erkü'nsteln affect.

6

erla'hmen (sn) *fig.* relax.
erla'ngen (črlähr̄g⁶n) obtain.
Erla'ß (črlähs) *m* edict, decree.
erla'ssen *Schuld, Strafe usw.*: remit; dispense (a p. from a th.); *Verordnung*: issue; *Gesetz*: enact.
erlau'ben (črlowb⁶n) allow, permit; *sich ~ †* beg *to do.*
Erlau'bnis (črlowpnĭs) *f* allowance, permission; ⁓schein (-shĭn) *m* permit.
erläu'ter|n (črlöĭt⁶rn) explain, illustrate; 2ung *f* explanation, illustration.
E'rle (črl⁶) ♀ *f* alder.
erle'ben (črléb⁶n) (live) to see; experience.
Erle'bnis (črlépnĭs) *n* experience.
erle'dig|en (črlédĭg⁶n) dispatch; *Auftrag*: execute; 2ung *f* dispatch.
erlei'chter|n (črlĭçt⁶rn) make easy, facilitate; *Bürde*: lighten; *fig.* relieve; 2ung *f* ease; relief; facilitation.
erlei'den (črlĭd⁶n) suffer.
erleu'cht|en (črlöĭçt⁶n) illuminate; 2ung *f* illumination.
erlie'gen (črleeg⁶n) (sn) succumb.
erlo'gen (črlōg⁶n) false, untrue.
Erlö's (črlȫs) *m* proceeds *pl.*
erlö'schen (črlös̄n) expire; die out.
erlö's|en (črlȫz⁶n) redeem; deliver; 2ung *f* redemption; deliverance.
ermä'chtig|en (črmęçtĭg⁶n) authorize; 2ung *f* authorization.
erma'hn|en admonish; 2ung *f* admonition.
Erma'ngelung (črmähr̄g⁶lōr̄g) *f*: *in ~* (*gen.*) in default of, failing.
ermä'ßig|en (črmäsĭg⁶n) abate, reduce; 2ung *f* abatement, reduction.
erma'tt|en (črmäht⁶n) *v/t.* fatigue; tire; *v/i.* (sn) tire; *fig.* slacken; 2ung *f* fatigue, exhaustion.
erme'ssen 1. judge; 2. ♀ *n* judg(e)ment; (*Belieben*) discretion.
ermi'ttel|n (črmĭt⁶ln) ascertain; 2ung *f* ascertainment; inquiry.
ermö'glichen (črmȫklĭç⁶n) render possible.
ermo'rd|en murder; 2ung *f* murder.
ermü'd|en (črmüd⁶n) *v/t. u. v/i.* (sn) tire; 2ung *f* tiredness.
ermu'nter|n (črmōŏnt⁶rn) rouse; encourage; 2ung *f* encouragement.

ermu'tig|en (črmōŏtĭgʰ⁶n) encourage; 2ung *f* encouragement.
ernä'hr|en nourish, feed; (*erhalten*) support; 2er *m* bread-winner; 2ung *f* nourishment; support.
erne'nn|en nominate, appoint; 2ung *f* nomination, appointment.
erneu'e(r)|n (črnöĭ⁶[r]n) renew; renovate; 2ung *f* renewal.
ernie'drig|en (črneedrĭgʰ⁶n) *fig.* humble; 2ung *f* humiliation.
Ernst¹ (črnst) *m* seriousness; *im ~* in earnest.
ernst², ⁓'haft, ⁓'lich serious; earnest; (*würdig*) grave.
E'rnte (črnt⁶) *f* harvest; (*Ertrag*) crop; ⁓fest *n* harvest home; 2n *v/t. u. v/i.* harvest, (*a. fig.*) reap.
ernü'chter|n (črnüçt⁶rn) sober; *fig.* disillusion; ⁓ung *f* disillusionment.
Er-o'ber|er (črōb⁶r⁶r) *m* conqueror; 2n conquer; 2ung *f* conquest.
er-ö'ffn|en open; *j-m et.*: disclose; *förmlich*: notify; 2ung *f* opening; disclosure. [2ung *f* discussion.|
er-ö'rter|n (čr-ört⁶rn) discuss;]
erpre'ss|en *et.*: extort; *j-n*: blackmail; 2er(in *f*) *m* extortioner; 2ung *f* extortion.
erpro'ben (črpröb⁶n) try, test.
erqui'ck|en (črkvĭk⁶n) refresh; 2ung *f* refreshment.
erra'ten (črräht⁶n) guess, find out.
erre'chnen calculate, compute.
erre'g|bar (črrékbähr) excitable; ⁓en (črrégʰ⁶n) excite; 2er(in *f*) *m* exciter; ⚥ germ; 2ung *f* excitation; *Zustand*: excitement.
errei'ch|bar (črrĭçbähr) attainable; within reach; ⁓en reach; *fig.* attain; (*gleichkommen*) come up to.
erre'tt|en, 2ung *f* rescue.
erri'cht|en erect; establish; 2ung *f* erection; establishment.
erri'ngen gain, obtain; *Erfolg*: achieve; *Preis*: carry off.
errö'ten (črröt⁶n) *v/i.* (sn) blush.
Erru'ngenschaft (črrōŏr̄g⁶nshähft) *f* acquisition; achievement.
Ersa'tz (črzähts) *m* compensation; ⁓ *mann*, ⁓*mittel*; ⁓ *leisten* make amends; ⁓mann *m*, ⁓mittel *n* substitute; ⁓mine (-meen⁶) *f Bleistift*: refill; ⁓reifen (-rĭf⁶n) *m* spare tyre; ⁓stück (-shtük) *n*, ⁓teil (-tĭl) ⊕ *m* spare (part); ⁓wahl *f* by-election.

erscha'ffen create.

erscha'llen (sn) (re)sound.

erschei'n|en (ĕrshīn⁴n) (sn) appear; Łung f appearance.

erschie'ßen (ĕrshees⁴n) shoot (dead).

erschla'ff|en (ĕrshläf⁴n) v/i. (sn) languish; slacken; v/t. relax; Łung f relaxation.

erschla'gen (ĕrshlähg^h⁴n) kill, slay.

erschlie'ßen (ĕrshlees⁴n) open (up Gegend). [exhaustion]

erschö'pf|en exhaust; Łung f|

erschre'cken 1. v/t. frighten; 2. v/i. (sn) be frightened (über at).

erschü'tter|n shake; Łung f shake, shock; fig. commotion.

erschwe'ren (ĕrshvér⁴n) render more difficult; Schuld: aggravate.

erschwi'ngen (ĕrshvĭng⁴n) afford.

erschwi'nglich attainable.

erse'hen (ĕrzé⁴n) see; learn.

erse'hnen (ĕrzén⁴n) long for.

erse'tzbar (ĕrzĕtsbähr) reparable.

erse'tzen (ĕrzĕts⁴n) (wiederherstellen) repair; (entschädigen für) compensate (for); j-n: replace; Auslagen: refund.

ersi'chtlich (ĕrzĭçtlĭç) evident.

ersi'nnen contrive, devise.

erspa'r|en (ĕrshpähr⁴n) save; Łnis f saving.

ersprie'ßlich (ĕrshpreeslĭç) useful.

erst (ĕrst) 1. first; 2. adv. first; (anfangs) at first; (bloß) only, but; not... before; not... till.

ersta'rr|en (ĕrshtähr⁴n) (sn) stiffen; (unempfindlich w.) grow numb; erstarrt benumbed; Łung f torpidity; numbness.

ersta'tt|en (ĕrshtäht⁴n) restore; Geld: refund; Bericht ~ make a report; Łung f restitution.

E'rst-aufführung (ĕrst-owffūröōr̥) f first night.

erstau'n|en (ĕrshtown⁴n) 1. v/i. (sn) be astonished (über acc. at); v/t. astonish; 2. Ł n astonishment; ~lich astonishing.

erste'chen stab.

erstei'g|en (ĕrshtīg^h⁴n) ascend; Łung f ascent.

e'rstens (ĕrst⁴ns) first, firstly.

ersti'ck|en (ĕrshtĭk⁴n) v/t. u. v/i. (sn) choke, suffocate; Łung f suffocation.

e'rstklassig (~klähsĭç) first-class.

erstre'ben (ĕrshtréb⁴n) strive after.

erstre'cken: sich ~ extend.

erstü'rmen take by storm.

ersu'chen (ĕrzōōk⁴n), Ł n request.

erta'ppen catch, surprise.

ertö'nen (ĕrtön⁴n) (sn) (re)sound.

Ertra'g (ĕrträhk) m produce, yield; Łen (ĕrträhg^h⁴n) bear, endure.

erträ'glich (ĕrträklĭç) tolerable.

erträ'nken drown.

ertri'nken (sn) be drowned.

ertü'chtigen (ĕrtüçtĭg^h⁴n) train.

er-ü'brigen (ĕr-übrĭg^h⁴n) save.

erwa'chen (ĕrvähk⁴n) (sn) awake.

erwa'chsen (ĕrvähks⁴n) 1. v/i. (sn) arise; 2. adj. grown-up, adult (a. Łe[r]).

erwä'g|en (ĕrvähg^h⁴n) weigh; consider; Łung f consideration.

erwä'hlen choose, elect.

erwä'hn|en, Łung f mention.

erwä'rmen (a. sich) warm, heat.

erwa'rt|en wait for; fig. expect; Łung f expectation.

erwe'cken awaken, rouse; cause.

erwe'hren: sich ~ (gen.) keep off.

erwei'chen (ĕrvīç⁴n) soften.

erwei'sen (ĕrvīz⁴n) prove; Achtung: show; Dienst: render; Ehre, Gunst: do.

erwei'ter|n (ĕrvīt⁴rn) (a. sich) expand, enlarge, extend; Łung f enlargement, extension.

Erwer'b (ĕrvĕrp) m acquisition; (Beruf) business; Łen (-b⁴n) acquire; Łung f acquisition.

erwe'rbs|los unemployed; Ł-losenunterstützung (-lōz⁴nōōn-t⁴rshtūtsōōr̥) f unemployment benefit; Łlosigkeit (-lōzĭçkīt) f unemployment; ~tätig (-tätĭç) (gainfully) employed; Łzweig (-tsvīk) m line of business.

erwi'der|n (ĕrveed⁴rn) return; (antworten) reply; Łung f return; reply.

erwi'schen (ĕrvĭsh⁴n) catch, trap.

erwü'nscht (ĕrvŭnsht) desired.

erwü'rgen (ĕrvŭrg^h⁴n) strangle, throttle.

Erz (ĕrts, ĕrts) n ore; Metall: brass.

erzä'hl|en (ĕrtsäl⁴n) tell; relate; narrate; Łer(in f) m narrator; story-teller; Łung f narration; tale, story.

E'rz|bischof (-bĭshŏf) m archbishop; ~bistum (-bĭstōōm) n archbishopric.

erzeu'g|en (ĕrtsŏig^h⁴n) beget; (hervorbringen) produce; Łer m producer; 2nis (-knĭs) n (Natur2) produce; (Geistes2) production; ⊕ product; 2ung f production.

E'rz|feind (-fīnt) m arch enemy; ~herzog (-hĕrtsŏk) m archduke; ~herzogin (-hĕrtsŏgʰĭn) f archduchess; ~herzogtum (-hĕrtsŏktōōm) n archduchy.

erzie'hen (ĕrtsee⁴n) educate; bring up.

Erzie'her m educator; ~in f governess; 2isch educational.

Erzie'hung f education; upbringing; ~s-anstalt (-ăʰnshtăʰlt) f educational establishment; ~swesen (-véz⁴n) n educational matters pl.

erzie'len (ĕrtseel⁴n) obtain; Gewinn: realize.

erzü'rnen v/t. make angry; sich mit j-m ~ fall out with.

erzwi'ngen (ĕrtsvĭng⁴n) force, enforce.

es (ĕs) it; nach do, hope, say, think usw.: so; er ist reich, ich bin ~ auch he is rich, so am I; ~ gibt there is, there are.

E'sche (ĕshᵉ) f ash(-tree).

E'sel (éz⁴l) m donkey; bsd. fig. ass; ~ei' f folly; ~s-ohr n im Buch: dog's ear.

e'ßbar (ĕsbäʰr) eatable, edible.

E'sse (ĕsᵉ) f chimney.

e'ssen (ĕs⁴n) 1. eat; zu Mittag ~ dine, have dinner; zu Abend ~ have supper; 2. 2 n (Speise) food; (Mittag~) dinner; (Abend~) supper; 2szeit (-tsĭt) f dinner-time; abends: supper-time.

Esse'nz (ĕsĕnts) f essence.

E'ssig (ĕsĭç) m vinegar.

E'ß|löffel (~ m table-spoon; ~tisch m dining-table; ~waren (-vähr⁴n) f/pl. eatables; ~zimmer n dining-room.

etablie'ren (étăʰbleer⁴n) establish.

Eta'ge (étăʰG⁴) f floor, story; ~wohnung (-vŏnōōɳ) f flat, Am. apartment.

Eta'ppe (étăʰp⁴) f ✕ base; fig. (Teilstrecke) stage.

Eta't (étăʰ) m budget, parl. the Estimates pl.; ~sjahr (-yäʰr) n fiscal year.

E'thik (étĭk) f ethics pl. od. sg.

Etike'tt (étĭkĕt) n label; ~e f etiquette; 2ie'ren (-eer⁴n) label.

e'tliche (ĕtlĭç⁴) pl. some, several.

Etui' (étvee) n case.

e'twa (ĕtvăʰ) by chance; (ungefähr) about, Am. around; ~ig eventual.

e'twas (ĕtvăʰs) pron. something; adj. some; any; adv. somewhat.

euch (ŏiç) (to) you; refl. yourselves.

eu'er (ŏi⁴r) your; pred. yours.

Eu'le (ŏil⁴) f owl.

eu'rige (ŏirĭgʰᵉ): der usw. ~ yours.

Europä'|er (ŏirŏpä⁴r) m, ~erin f, 2isch European.

Eu'ter (ŏit⁴r) n udder.

evakuie'r|en (évăʰkōōeer⁴n) evacuate; 2te(r) f (m) evacuee.

evange'l|isch (évăʰɳgʰélĭsh) evangelic(al); 2'ium (-'ōōm) n gospel.

e'wig (évĭç) eternal; perpetual; auf ~ for ever; 2keit f eternity; F seit e-r ~ for ages.

exa'kt (ĕks-ăʰkt) exact.

Exa'm|en (ĕksăʰm⁴n) n examination; 2inie'ren (-ĭneer⁴n) examine.

Exe'mpel (ĕksémp⁴l) n example.

Exempla'r (ĕksémplăʰr) n specimen; e-s Buches: copy.

exerzie'r|en (ĕksĕrtseer⁴n) v/t. u. v/i. drill; 2platz m ¦drill-ground.

Exi'l (ĕkseel) n exile.

Existe'nz (ĕksĭstĕnts) f existence; ~minimum n living wage.

existie'ren (ĕksĭsteer⁴n) exist; (leben können) subsist.

exo'tisch (ĕksŏtĭsh) exotic.

exped|ie'ren (ĕkspédeer⁴n) dispatch; 2itio'n (ĕkspédĭts'ŏn) f expedition; ✝ dispatch office.

Experime'nt (ĕkspĕrĭmĕnt) n, 2ie'ren (-eer⁴n) experiment.

explodie'ren (ĕksplŏdeer⁴n) (sn) explode.

Explosio'n (-z'ŏn) f explosion.

Expo'rt (ĕkspŏrt) m export (ation); 2ie'ren (-eer⁴n) export.

Expr'eß... (ĕksprĕs) express.

E'xtra|blatt (ĕkstrăʰ-) n special edition, Am. extra; 2fein (-fĭn) superfine.

Extra'kt (ĕkstrăʰkt) m extract.

E'xtrazug (ĕkstrăʰtsōōk) m special train.

Extre'm (ĕkstrém) n, 2 extreme.

Exzelle'nz (ĕkstsĕlĕnts) f Excellency.

exze'ntrisch (ĕkstsĕntrĭsh) eccentric.

Exze'ß (ĕkstsĕs) m excess.

F

Fa′bel (fāhbᵉl) *f* fable; *fig.* fiction; *e-s Dramas:* plot; 2haft fabulous; *fig.* capital; 2n *v/i.* tell stories.

Fabri′k (fāhbreek) *f* factory, mill, works *pl.*; ~a′nt (-ăhnt) *m* manufacturer; ~arbeit (-ăhrbit) *f* work in a factory; = ~ware; ~arbeiter (-in *f*) *m* factory hand; ~a′t (-ăht) *n* manufacture; ~atio′nsfehler (-ăhts⁰önsfélᵉr) *m* flaw; ~besitzer(in *f*) (-bᵉzitsᵉr) *m* factory-owner; ~marke *f* trade-mark, ~stadt (-shtăht) *f* manufacturing town; ~ware (-văhrᵉ) *f* manufactured goods *pl. od.* article; ~zeichen (-tsiçᵉn) *n* trade-mark.

Fach (făhk) *n* compartment; *Schreibtisch:* pigeon-hole; *Schrank:* shelf; (*Schubfach*) drawer; *fig.* department, province, branch, line; (*Unterrichts2*) subject; ~′-arbeiter (-ăhrbitᵉr) *m* skilled worker; ~′-arzt *m* (medical) specialist; ~′-ausdruck (-owsdrŏŏk) *m* technical term. [fan.]
fä′cheln (fēçᵉln), **Fä′cher** (fēçᵉr) *m*
Fa′ch|kenntnisse (făhᴋkéntnisᵉ) *f/pl.* technical knowledge; 2kundig (-kŏŏndiç) expert; ~literatur (-lĭtᵉrăhtŏŏr) *f* technical literature; ~mann *m*, 2männisch (-mēnish) expert; ~schule (-shŏŏlᵉ) *f* technical school; ~werk△ *n* framework.

Fa′ckel (făhkᵉl) *f* torch; ~zug (-tsŏŏk) *m* torch-light procession.

fa′de (făhdᵉ) stale; insipid; flat.

Fa′den (făhdᵉn) *m* thread; ~nudeln (-nŏŏdᵉln) *f/pl.* vermicelli; 2scheinig (-shiniç) threadbare.

fä′hig (fēᵉç) (zu) able (to), capable (of); 2keit *f* ability; faculty.

fahl (făhl) (*verschossen*) faded; *Gesichtsfarbe:* livid, asky.

fa′hnd|en (făhndᵉn) *v/i.* search (*nach* for); 2ung *f* search.

Fa′hne (făhnᵉ) *f* flag, standard; ✕ colours *pl.*; *typ.* galley proof.

Fa′hnen|-eid (-it) *m* military oath; ~flucht (-flŏŏkt) *f* desertion; 2flüchtig (-flüçtiç): ~ w. desert; ~stange (-shtăhŋᵉ) *f* flag-staff.

Fa′hr|bahn (făhrbăhn) *f* roadway; 2bar practicable; ⏚ navigable; ~damm *m* roadway.

Fä′hre (fār̃ᵉ) *f* ferry(-boat).

fa′hren (făhrᵉn) **1.** *v/i.* (sn) *allg.:* go; (*selbst lenken*): drive; *auf e-m Fahrrad od. mit e-m öffentlichen Beförderungsmittel:* ride; ⏚ sail; *mot.* motor; *mit der Eisenbahn* ~ go by rail *od.* by train; *spazieren* ~ take a drive; *mit der Hand* ~ *über* (*acc.*) pass one's hand over; ~ *lassen* let go; *gut* (*schlecht*) ~ *bei* et. fare well (ill) at *od.* with; *fahr(e) wohl!* farewell!; **2.** *v/t.* drive; (*befördern*) convey.

Fa′hrer (făhrᵉr) *m* driver.

Fa′hr|gast *m* passenger; ~geld *n* fare; ~gelegenheit (-gʰᵉlégʰᵉnhit) *f* conveyance; ~gestell (-gʰᵉshtēl) *n* ✗ undercarriage, *mot.* chassis; ~karte *f* ticket; ~kartenschalter (-kăhrtᵉnshăhltᵉr) *m* booking-office, *Am.* ticket-window; 2lässig (-lēsiç) careless, negligent; ~lässigkeit *f* negligence; ~plan (-plăhn) *m* timetable, *Am.* schedule; 2planmäßig (-plăhnmăsiç) regular; *adv.* to time, *Am.* on schedule; ~preis (-pris) *m* fare; ~rad (-răht) *n* cycle; ~schein (-shin) *m* ticket; ~schule (-shŏŏlᵉ) *f mot.* driving school; ~stuhl (-shtŏŏl) *m* lift, *Am.* elevator; ~stuhlführer *m* lift-man, *Am.* elevator-boy.

Fahrt (făhrt) *f im Wagen:* ride, drive; (*Reise*) journey; (*See2*) voyage, passage; (*Ausflug*) trip; *in voller* ~ (at) full speed.

Fä′hrte (fārtᵉ) *f* track.

Fa′hr|vorschrift (făhrforshrĭft) *f* rule of the road; ~wasser *n* water-way; *fig.* track; ~weg (-vék) *m* carriage-road; ~zeug (-tsŏĭk) *n* vehicle; ⏚ vessel.

Fa′kt|or (făhktŏr) *m* factor; ⊕ foreman; ~o′tum (făhktŏtŏōm) *n* factotum; ~u′r[a] (făhktŏŏr[ăh]) *f* invoice.

Fa′lke (făhlkᵉ) *m* falcon, hawk.

Fall (făhl) *m* fall; (*Vorfall*), *gr.*, st̃ᵃ, ⚜ case; *gesetzt den* ~ suppose; *auf* *alle Fälle* at all events; *auf jeden* ~ in any case; at any rate; *auf keinen* ~ on no account; *im* ~e ... in case ...

Fa'lle (fähl⁴) *f* trap.

fa'llen (fähl⁴n) (sn) fall, drop; *Schuß*: be heard; ~ *l.* drop; ♀ *n* fall.

fä'llen (fēl⁴n) fell, cut down; *Urteil:*|

fallie'ren (fähleer⁴n) fail. [pass.|

fä'llig (fēliç) due; ♀keit *f* maturity; ♀keitstermin (fēliçkitstĕrmeen) *m* maturity date.

Fa'll|-obst (fählōpst) *n* windfall; ~reep (-rép) ♣ *n* ladder-rope.

falls (fähls) in case, if.

Fa'll|schirm *m* parachute; ~schirmspringer(in *f*) (fählshĭrmshprĭng⁴r) *m* parachutist; ~strick *m* snare; ~tür *f* trap-door.

falsch (fählsh) false; *(verkehrt)* wrong; *(unecht)* counterfeit; *Münze*: base; *Wechsel*: forged; *Mensch*: deceitful.

fä'lschen (fēlsh⁴n) falsify; *Nahrungsmittel*: adulterate; ♀er(in *f*) *m* falsifier; adulterator.

Fa'lschheit *f* falseness; deceitfulness.

Fa'lsch|münzer *m* coiner; ~münzerwerkstatt (-münts⁴rvĕrkshtäht) *f* coiner's den; ~spieler (-shpeel⁴r) *m* card-sharper.

Fä'lschung (fēlshōng) *f* falsification; adulteration. [boat.|

Fa'ltboot (fähltbōt) *n* collapsible|

Fa'lt|e (fählt⁴) *f* fold; *am Kleid*: pleat; *(Runzel)* wrinkle; ♀en fold; *Hände*: join; ♀ig folded; pleated; wrinkled.

fa'lzen (fählts⁴n) fold; ⊕ rabbet.

Fami'lie (fähmeel'⁴) *f* family.

Fami'lien|nachrichten (-nähкrĭçt⁴n) *f*/*pl. Zeitung*: births, marriages, and deaths; ~name (-nähm⁴) *m* family name, surname, *Am.* last name; ~stand (-shtäht) *m* family status.

Fana'tiker (fähnähtĭk⁴r) *m*, ~in *f*, fana'tisch fanatic. [fanaticism.|

Fanati'smus (fähnähtĭsmoōs) *m*|

Fang (fäng) *m* capture; *Fische*: catch; ♀'en catch; *engS.* capture. ~'zahn (-tsähn) *m* fang, tusk.

Fa'rbband (fährpbähnt) *n* ink ribbon.

Fa'rbe (fährb⁴) *f* colour; *(Farbstoff)* dye; *(Gesichts♀)* complexion; *Karten*: suit.

fa'rb-echt (fährpbĕçt) fast, fadeless.

fä'rben (fĕrb⁴n) colour *(a. sich)*; *Haar, Stoff*: dye.

fa'rben|blind (-blĭnt) colour-blind; ♀druck (-drook) *m* colour-print (-ing); ♀photographie (-fōtōgrähfee) *f* colour photography.

Fä'rber (fĕrb⁴r) *m* dyer.

Fa'rbfilm (fährpfilm) *m* colour film.

fa'rb|ig coloured; ~los colourless; ♀stoff *m* dye(-stuff); ♀ton (-tōn) *m*|

Fä'rbung *f* colouring; tinge. [tint.|

Farn (fährn) *m*, ~'kraut (-krowt) *n* fern.

Fasa'n (fähzähn) *m* pheasant.

Fa'sching (fähshĭng) *m* carnival.

Fa'sel|ei (fähz⁴lī) *f* drivel; *(Zerfahrenheit)* heedlessness; ~hans *m* scatter-brain; ♀ig scatter-brained; ♀n drivel; be heedless.

Fa'ser (fähz⁴r) *f* fibre, thread; ♀ig fibrous; ♀n ravel (out). [vat, tub.|

Faß (fähs) *n* cask, barrel; *(Bütte)*|

Fa'ßbier (fähsbeer) *n* draught beer.

Fassa'de (fähsähd⁴) *f* façade; ~nkletterer (-klĕt⁴r⁴r) *m* cat burglar.

fa'ssen (fähs⁴n) seize, take hold of; = *ein...*; *(begreifen)* grasp; *(enthalten)* hold; *Entschluß*: take; *Gedanken*: form; *sich* ~ compose o.s.; *sich kurz* ~ be brief.

fa'ßlich conceivable.

Fa'ssung *f* = *Ein♀*; *fig.* composure; *schriftlich*: draft(ing); *(Wortlaut)* wording; ~sgabe (-gähb⁴), ~skraft *f* mental capacity; ~svermögen (-fĕrmög⁴⁴n) *n* holding capacity; = ~sgabe; ♀slos disconcerted.

fast (fähst) almost, nearly. [Lent.|

fa'sten (fähst⁴n) fast; ♀zeit (-tsit) *f*|

Fa'st|nacht (-nähкt) *f* Shrove Tuesday; ~tag (-tähk) *m* fast-day.

fata'l (fähtähl) awkward.

fau'chen (fowк⁴n) spit.

faul (fowl) rotten; putrid; *(träge)* idle, lazy; *(verdächtig)* fishy; ~'en rot, putrefy.

fau'lenz|en (fowlĕnts⁴n) idle, lounge; ♀er *m* lazy-bones.

Fau'lheit *f* idleness laziness.

fau'lig putrid.

Fäu'lnis (foilnĭs) *f* rottenness.

Fau'lpelz *m* = *Faulenzer*.

Faust (fowst) *f* fist; *auf eigene* ~ one's own account; ~'handschuh (-hähntshoō) *m* mitten; ~'kampf *m* boxing (-match); ~'schlag (-shlähk) *m* cuff, *Am.* slug.

Favori't (fähvŏreet) *m* favourite.

Fa'xe (fáhks⁵) *f*, ⁓n *pl.* foolery.

Fe'bruar (fébröōāhr) *m* February.

fe'cht|en (fĕçt⁵n) *v/i.* fight; *fenc.* fence; ⁓er *m* swordsman.

Fe'der (féd⁵r) *f* feather; (*Schmuck⁓*) plume; (*Schreib⁓*) pen; ⊕ spring; ⁓busch (-bōōsh) *m* plume; ⁓gewicht (-g⁵⁵viçt) *n* *Boxen:* feather-weight; ⁓halter *m* penholder; ⁓kasten pen-case; ⁓kraft *f* elasticity; ⁓krieg (-kreck) *m* literary war; leicht (-liçt) (*as*) light as a feather; ⁓lesen (-léz⁵n) *n*: *nicht viel ⁓s m.* mit make no bones about; ⁓messer *n* penknife; n lose feathers, be elastic; nd (-t) elastic; springy; ⁓strich (-shtriç) *m* stroke of the pen; ⁓vieh (-fée) *n* poultry; ⁓wischer (-vish⁵r) *m* penwiper; ⁓zeichnung (-tsiçnōōr̬) *f* pen-and-ink drawing. [fairy-like.]

Fee (fé) fairy; 'nhaft (fé⁵nhǎhft)|

Fe'gefeuer (fég⁵fói⁵r) *n* purgatory.

fe'gen (fég⁵⁵n) sweep.

Fe'hde (féd⁵) *f* feud; *weitS.* quarrel, war; *in* ⁓ *liegen* be at war.

Fe'hl|betrag (félb⁵trähk) *n* deficit, shortage; ⁓bitte *f* vain request.

fe'hlen (fél⁵n) miss (*a. v/t.*); (*abwesend sn*) be absent; (*irren*) err; (*sündigen*) do wrong; (*mangeln*) be wanting; *es fehlt ihm an ... he* lacks; *was fehlt Ihnen?* what is the matter with you?

Fe'hler (fél⁵r) *m* (*Mangel*) defect; (*Charakter2*; *Verstoß*) fault; (*Versehen*) mistake; (*Irrtum*) error; frei (-frī), los faultless; haft faulty.

Fe'hl|geburt (-g⁵⁵bōōrt) *f* miscarriage; gehe)n (-g⁵é[⁵]n) (sn) go wrong; ⁓griff *m* mistake; ⁓schlag (-shlǎhk) *m* *fig.* failure; schlagen (-shlǎhg⁵⁵n) (sn) *fig.* fail; ⁓schluß (-shlōōs) *m* wrong inference; ⁓schuß (-shōōs) *m* miss; ⁓spruch (-shprōōk) *m* miscarriage of justice; treten (-trét⁵n) make a false step; ⁓tritt *m* false step; *fig.* slip, fault; ⁓zündung (-tsün-dōōr̬) *f* misfire.

Fei'er (fī⁵r) *f* celebration; (*Festlichkeit*) festival; ⁓abend (-ǎhb⁵nt) *m* time for leaving off work; off-time; ⁓ *m.* knock off.

fei'erlich solemn; keit *f* solemnity. [make holiday.]

fei'ern (fī⁵rn) *v/t.* celebrate; *v/i.*|

Fei'ertag (fī⁵rtǎhk) *m* holiday.

fei'g(e¹) fik, -g⁵⁵) cowardly.

Fei'ge² *f fig.*; ⁓nbaum (-bowm) *m* fig-tree.

Fei'gheit (fíkhīt) *f* cowardice.

Fei'gling (fikliŗ̬) *m* coward.

feil (fīl) for sale; *fig.* venal; ⁓bieten (-beet⁵n) offer for sale.

Fei'le (fíl⁵) *f* file; n file.

fei'lschen (filsh⁵n) bargain.

fein (fīn) fine; polite; elegant.

Feind (fīnt) *m*, ⁓*in* (findîn) *f* enemy.

fei'ndlich (fintliç) hostile, inimical.

Fei'ndschaft *f* enmity; hostility.

fei'ndselig (-zéliç) hostile; keit *f* hostility.

fei'n|fühlig (-fūliç) sensitive; gefühl (-g⁵⁵fül) *n* delicacy; gehalt *m* standard; heit *f* fineness; delicacy; politeness; elegance; ⁓hörig (-hōriç) quick of hearing; kost (-kōst) *f* delicacies *pl.*, *Am.* delicatessen; mechanik (-mĕçǎhnîk) *f* precision mechanics; schmecker *m* gourmand; ⁓sinnig (-zîniç) delicate; heit *f* delicacy.

feist (fīst) fat, plump. [licate.]

Feld (fĕlt) *n* field; (*Grund, Boden*) ground; (*Ebene*) plain; △, ⊕ panel, compartment; *Schach:* square; *ins* ⁓ *ziehen* take the field; ⁓bett *n* camp-bed; ⁓dienst (-deenst) *m* active service; ⁓flasche (-flǎhsh⁵) *f* water-bottle; ⁓frucht (-frōōkt) *f* produce of the field; ⁓geschrei (-g⁵⁵shrī) *n* war-cry; ⁓herr *m* general; 'herrnkunst (-hĕrrnkoonst) *f* strategy; ⁓kessel *m* camp-kettle; ⁓lazarett (-lǎhtsǎhrĕt) *n* field-hospital; ⁓marschall (-mǎhrshǎhl) *m* Field Marshal; marschmäßig (-mǎhrsh-mǎsiç) in marching order; ⁓messer *m* (land-)surveyor; ⁓meßkunst (-mĕskōōnst) *f* surveying; ⁓post (-pόst) *f* army-post; ⁓prediger (-prédîg⁵r) *m* army chaplain; ⁓schlacht (-shlǎhkt) *f* pitched battle; ⁓stecher (-shtĕç⁵r) *m* field-glass; ⁓stuhl (-shtōōl) *m* camp-stool; ⁓webel (-véb⁵l) *m* sergeant; ⁓weg (-vék) *m* field-path; ⁓zeichen (-tsiç⁵n) *n* ensign; ⁓zug (-tsōōk) *m* campaign.

Fe'lge (fĕlg⁵⁵) *f* rim, felloe, felly.

Fell (fĕl) *n allg. u. v. kleineren Tieren:* skin; *v. großen Tieren:* hide; (*Haarkleid*) coat.

Fels (fĕls), ⁓'en (fĕlz⁵n) *m* rock.

Fe'lsblock *m* boulder.

fe'lsig (fĕlzĭç) rocky.

Fe'nchel (fĕnçel) m fennel.

Fe'nster (fĕnstᵉr) n window; ~brett n window-sill; ~flügel (-flü-gʰᵉl) m casement; ~kreuz (-krŏits) n cross-bar(s pl.); ~laden (-lähdᵉn) m shutter; ~rahmen (-rähmᵉn) m window-frame; ~riegel (-reegʰᵉl) m window-fastener; ~scheibe (-shibᵉ) f pane.

Fe'rien (fĕrⁱᵉn) f/pl. vacation, holidays pl.; parl. recess; ~kolonie (-kŏlōnee) f holiday-camp.

Fe'rkel (fĕrkᵉl) n young pig.

fern (fĕrn) far, distant; (entlegen) remote; (weit fort) far off; von ~ from afar.

Fe'rn|-amt n trunk (Am. long-distance) exchange; ~anruf (-ähn-rōōf) m trunk (Am. long-distance) call; ~bleiben (-blibᵉn) (sn) keep away (from); ~e f distance, remoteness; ~empfang (-ĕmpfähng) m Radio: long-distance reception; 2er farther; fig. further(more); ~ liefen ... also ran ...; ~flug (-flōōk) m long-distance flight; 2gelenkt (-gʰᵉ-lĕngkt) guided; ~gespräch (-gʰᵉ-shpräç) n trunk (Am. long-distance) call; ~glas (-glähs) n telescope; binocular; 2halten (a. sich) keep away (von from); ~heizung (-hit-sōōng) f distant heating; ~kamera (-kähmᵉräh) f tele-camera; ~lenkung (-lĕngkōōng) f, s. ~steuerung; 2liegen (-leegʰᵉn) (dat.) be far (from); ~rohr (-rōr) n telescope; ~schreiber (-shribᵉr) m teleprinter; ~sehen (-zéᵉn) n television; ~seher m televisor; ~sehsendung (-zézĕndōōng) f telecast; ~sicht (-zĭçt) f perspective.

Fe'rnsprech|-amt (fĕrnshprĕçähmt) n exchange; ~anschluß (-ähn-shlōōs) m telephone connexion; ~automat (-owtōmäht) m automatic telephone; ~er m telephone; ~leitung (-litōōng) f telephone line; ~stelle f call-office; ~zelle f call-box.

fe'rn|stehen (-shtéᵉn) (dat.) be a stranger to; 2steuerung (-shtōi-rōōng) f remote (od. distant) control; 2verkehr (-fĕrkér) m long-distance traffic.

Fe'rse (fĕrzᵉ) f heel.

fe'rtig (fĕrtĭç) ready; (beendet) finished; (~gekauft) readymade; mit j-m ~ w. manage a p.; sich ~ m. make (od. get) ready; mit et. ~ sn have done; ~bringen manage; 2keit f dexterity; skill; (Sprech2) fluency; 2stellung f completion; 2waren (-vährᵉn) f/pl. finish products. [ing.]

fesch (fĕsh) smart, shackle; dash-/

Fe'ssel (fĕsᵉl) f fetter; vet. fetlock; ~ballon (-băllŏ, -ŏng) m captive balloon; 2n fetter; fig. captivate; Blick: arrest.

fest¹ (fĕst) firm; (nicht flüssig) solid; (unbeweglich) fixed; (nicht los-gehend) fast; (festhaltend) tight; Schlaf: sound; Gewebe: close.

Fest² (fĕst) n festival; feast.

fe'st|binden (-bĭndᵉn) tie, fasten (to); 2-essen n banquet; ~fahren: sich ~ stick fast; 2halle (-hählᵉ) f banqueting-hall; ~halten v/t. hold fast; v/i. ~ an (dat.) keep to; (sich) hold on to.

fe'stig|en (fĕstĭgʰᵉn) strengthen; Währung: stabilize; 2keit (fĕstĭçkit) f firmness; solidity; 2ung f strengthening; stabilization.

Fe'st|land (-länt) n continent; 2legen (-légʰᵉn) fix; sich auf et. ~ commit o.s. to.

fe'stlich festive; 2keit f festivity.

fe'st|machen (-mähkᵉn) fix, fasten; fig. settle; 2mahl n banquet; 2-nahme f, ~nehmen arrest; 2rede (-rédᵉ) f speech of the day; ~setzen (-zĕtsᵉn) fix; (sich) settle (down); 2spiel (-shpeel) n festival; ~ste-hend (-shtéᵉnt) stationary; Tat-sache: certain; ~stellen establish; (ermitteln) ascertain; (behaupten) state; P.: identify; 2stellung f ascertainment; statement; identific-ation; 2tag (-tähk) m festival day, holiday.

Fe'stung f fortress. [sion.]

Fe'stzug (-tsōōk) m festive proces-/

fett (fĕt) 1. fat; fig. rich; 2. ~ n fat; weit S. grease; 2'druck (-drōōk) m bold print; 2'fleck m spot of grease; ~ig fat(ty); 2'leibigkeit (-lĭbĭçkit) f corpulence. [rag, Am. frazzle.]

Fe'tzen (fĕtsᵉn) m shred; (Lumpen)/

feucht (fŏiçt) moist; damp. [ture.]

Feu'chtigkeit (fŏiçtĭçkit) f mois-/

Feu'er (fŏiᵉr) n fire; fig. ardour; für die Zigarre: light; ~bestattung (-bᵉshtähtōōng) f cremation; ~eifer (-ifᵉr) m ardour; 2fest fire-proof;

~gefährlich (-gʰᵉfǟrlĭç) inflammable; **~haken** (-hä/hkᵉn) m poker; **~lärm** m fire-alarm; **~lösch-apparat** (-lŏshä/pǟhräht) m fire-extinguisher; **~melder** m fire-alarm.

feu'ern (fói'rn) fire.

Feu'er|probe (-prōbᵉ) f fig. crucial test; **2rot** (-rōt) (as) red as fire; **~sbrunst** (-brŏŏnst) f conflagration; **~schiff** n lightship; **~sgefahr** (-gʰᵉfǟhr) f danger of fire; **2speiend** (-shpī'ᵉnt) volcanic; **~spritze** (-shprīts) f fire-engine; **~stein** (-shtīn) m flint.

Feu'(e)rung f fuel.

Feu'er|versicherung (-fěrzĭçᵉ-rŏŏrₙ) f fire-insurance; **~wache** (-vä/hkᵉ) f fire-station; **~wehr** (-vér) f fire-brigade, Am. fire department; **~wehrmann** m fireman; **~werk** n fireworks pl.; **~werker** m ✗ artificer; **~werkskörper** m firework; **~zange** (-tsä/hrₙᵉ) f fire-tongs pl.; **~zeug** (-tsŏĭk) n match-box; (Benzin2) lighter.

feu'rig (fóiriç) fiery; fig. ardent.

Fia'sko (fiä/hskō) n failure.

Fi'bel (feebᵉl) f primer.

Fi'chte (fĭçtᵉ) f spruce; **~nnadel** (-nä/hdᵉl) f pine-needle.

Fie'ber (feebᵉr) n fever; **2krank** (-krä/hrₙk) feverish; **~mittel** n febrifuge; **2n** be in a fever; **~schauer** (-show'r) m ague fit; **~tabelle** (-tä/hběl'ᵉ) f temperature-chart; **~thermometer** (-těrmŏmétᵉr) n clinical thermometer.

Fie'(del (feedᵉl) f, **2n** fiddle; **~bogen** (-bōgʰᵉn) m fiddle-stick.

Figu'r (figōŏr) f figure; Schach: chessman.

figü'rlich (fĭgǖrlĭç) figurative.

File't (filé) n Fleischstück: fillet, Am. tenderloin.

Filia'le (filiä/hlᵉ) f branch.

Filigra'n(-arbeit f) (filigrä/hn[ä/hr-bit]) n filigree.

Film (film) m film; **~atelier** (-ä/htᵉ-lᵉ) n studio; **~aufnahme** (-owfnä/hmᵉ) f shot; Vorgang: shooting of a film; **~band** (-bä/hnt) n reel; 2'en film, Am. shoot; **~regisseur** (-rěGĭsŏr) m film director; **~reklame** (-rěklä/hmᵉ) f screen advertising; **~schauspieler(in** f) (-showshpeel'r) m screen actor m (actress f); **~streifen** (-shtrī/fᵉn) m reel; **~theater** (-tčä/htᵉr) n picture house; **~verleih** (-fěrlī) m film distribution; **~vorstellung** (-fōrshtělōŏrₙ) f cinema show, the pictures pl.

Fi'lter (fĭltᵉr) m (n) filter.

filtrie'ren (filtreerᵉn) filter, strain.

Filz (fĭls) m felt; 2'ig felt-like; fig. stingy; **~laus** (-lows) f crab-louse.

Fina'nz|-amt (finä/hnts-) n etwa: inland revenue office; **~en** f/pl. finances; 2ie'll financial; 2ie'ren (-eerᵉn) finance; **~mann** m financier; **~mini'ster** m Minister of Finance; Brit. Chancellor of the Exchequer; Am. Secretary of the Treasury; **~ministe'rium** (-mĭnĭstér'ŏōm) n ministry of finance; Brit. Exchequer, Am. Treasury Department; **~wesen** (-vézᵉn) n finances pl.

fi'nden (fĭndᵉn) find; fig. think, deem; sich ~ be (found); sich ~ in (acc.) accommodate o.s. to; wie ~ Sie ...? how do you like ...?

Fi'nder m, **~in** f finder; **~lohn** m finder's reward.

fi'ndig resourceful.

Fi'ndling (fĭntlirₙ) m foundling.

Fi'nger (fĭₙᵉr) m finger; **~abdruck** (-ä/hpdrōŏk) m finger-print; **~hut** (-hŏōt) m thimble; **~ling** m finger-stall; 2n finger; **~spitze** f finger-tip; **~spitzengefühl** (-shpĭtsᵉn-gʰᵉfül) n fig. smooth touch; **~zeig** (-tsīk) m hint.

Fink (fĭnk) m finch.

fi'nster (fĭnstᵉr) dark; obscure; bsd. fig. gloomy; 2nis f darkness, obscurity.

Fi'nte (fĭntᵉ) f feint; fig. a. fib.

Fi'rma (fĭrmäh) f firm.

fi'rmen (fĭrmᵉn) confirm.

Fi'rmen-inhaber (fĭrmᵉnínhä/hbᵉr) m principal.

Firn (fĭrn) m, **~feld** (-fělt) n névé.

Fi'rnis (fĭrnĭs) m, 2en varnish.

First (fĭrst) m ridge.

Fisch (fĭsh) m fish; **~bein** (-bīn) n whalebone; 2'en fish.

Fi'scher m fisherman; **~boot** (-bōt) n fishing-boat; **~ei'** (-ī) f fishery.

Fi'sch|fang (-fäₙₙ) m fishing; **~gerät** (-gʰᵉrät) n fishing-tackle; **~gräte** (-grätᵉ) f fish-bone; **~händler(in** f) m fishmonger, Am. fish-dealer; 2ig fishy; **~laich** (-lĭç) m spawn; **~leim** (-līm) m fish-glue; **~schuppe** (-shŏōpᵉ) f scale; **~tran**

(-trähn) m train-oil; ~zucht (-tsöökt) f pisciculture; ~zug (-tsöök) m draught (of fishes).

fiska'lisch (fiskählish) fiscal.

Fi'skus (fiskōōs) m Exchequer Treasury.

Fi'stel (fist'l) f ꜰ fistula; ♩ falsetto.

Fi'ttich (fitiç) m wing, pinion.

fix (fiks) quick; ~e Idee fixed idea; ~'en ✝ bear; ~ie'ren (-eerᵉn) fix; j-n: stare at; ♂'stern m fixed star; ♀'um (fiksōōm) n fixed sum od. salary. [Wasser u. fig.: shallow.]

flach (flähk) flat; (eben) plain;]

Flä'che (flěçᵉ) f (Ebene) plain; (Oberꜱ) surface; (Wasserꜱ usw.) sheet; ♮ plane; ~n-inhalt, ~n-raum (-rowm) m area; ~nmaß (-mähs) n superficial measure.

Fla'chrennen (flähкrĕnᵉn) n flat]

Flachs (flähks) m flax. [race.]

fla'ckern (flähkᵉrn) flare; flicker.

Fla'gge (flähgᵉ) f flag, colours pl.; ~n... flag; ♀n hoist (the) flag.

Flak (flähk) anti-aircraft gun, flak.

Fla'mme (flähmᵉ) f flame; lodernd: blaze; ♀n v/i. flame; blaze.

Flane'll (flähnĕl) m flannel; ~anzug (-ähntsōōk) m, ~hose (-hōzᵉ) f flannels pl. [rᵉn) flank.]

Fla'nk|e (flähnkᵉ) f, ♀ie'ren (-ee-)

Fla'sche (flähshᵉ) f bottle; kleine: flask; ~nbier (-beer) n bottled beer; ~nhals m neck (of a bottle); ~nzug (-tsöök) m pulley, tackle. [steady.]

fla'tterhaft (flähtᵉrhähft) fickle, un-]

fla'ttern (flähtᵉrn) (h. u. sn) flutter; Fahne, Haar usw.: stream.

flau (flow) (schwach) faint; ✝ flat, dull; ~e Zeit slack time.

Flaum (flowm) m down.

Flausch (flowsh) pilot-cloth.

Flau'se (flowzᵉ) f shift, shuffle; ~nmacher(in f) (-mähkᵉr) m shuffler.

Fle'chse (flĕksᵉ) f sinew, tendon.

Fle'cht|e (flĕçtᵉ) f braid, tress, plait; ♀ lichen; ♛ herpes; ♀en braid, plait; ♣werk n wickerwork.

Fleck (flĕk) m spot; (Ort) place; (Flicken) patch; (Schmutzꜱ) stain, blot, spot; (Makel) blemish; e-s Schuhes: heel (-piece).

Fle'cken¹ m s. Fleck; Ortschaft:]

fle'cken² spot, stain. [borough.]

Fle'ck|fieber (-feebᵉr) n spotted fever; ♀ig spotted; (befleckt) stained; ~wasser n securing water.

Fle'dermaus (flédᵉrmows) f bat.

Fle'gel (flégʰᵉl) m flail; fig. churl, boor; ~ei' (-ī) f rudeness; ♀haft rude; ~jahre (-yährᵉ) n/pl. cubhood.

fle'hen (fléᵉn) 1. implore (um et. a th.); 2. ♀ n supplication.

Fleisch (flīsh) n flesh; (Kochꜱ) meat; (Fruchtꜱ) pulp; ~'brühe (-brüᵉ) f broth; beef-tea; ~er m butcher; ~'-extrakt (-ĕksträhkt) m extract of meat, bovril; ♀'fressend (-t) carnivorous; ~'hackmaschine (-hähкmäsheenᵉ) f mincing-machine; ♀'ig fleshy; ♣ pulpous; ~'konserven (-könzĕrvᵉn) f/pl. potted meat; ~'kost (-kōst) f meat diet; ♀'lich carnal, fleshly; ♀'los meatless; ~'pastete (-pähstétᵉ) f meat-pie; ~'speise (-shpīzᵉ) f (course of) meat; ~'vergiftung (-fĕrgʰiftōōnɡ) f ptomaine poisoning; ~'ware (-vährᵉ) f meat.

Fleiß (flīs) m diligence, industry.

flei'ßig diligent, industrious.

fle'tschen (flĕtshᵉn): die Zähne ~ show one's teeth.

Fli'ck|en¹ (flikᵉn) m patch; ♀en² mend, patch (up), repair; ~schneider (-shnidᵉr) m jobbing tailor; ~schuster (-shōōstᵉr) m cobbler; ~werk n patchwork.

Flie'der (fleedᵉr) m elder; spanischer: lilac.

Flie'ge f (fleegʰᵉ) fly.

flie'gen 1. (sn) fly; 2. ♀ n flying; ✈ a. aviation.

Flie'gen|fänger (-fĕnɡᵉr) m fly-catcher; ~gewicht (-gʰᵉviçt) n Boxen: fly-weight; ~klappe, ~klatsche (-klähtshᵉ) f fly-flap, Am. swatter; ~pilz (-pilts) m toadstool.

Flie'ger (fleegʰᵉr) m flyer, airman, aviator; berufsmäßiger: pilot; Rennen: sprinter; ~abwehr (-ähpvér) f anti-aircraft; ~alarm (-ählährm) m air-raid warning; ~bombe f air bomb; ~in f airwoman, aviator; ~offizier (-öfitseer) m air-force officer. [avoid, shun.]

flie'hen (fleeᵉn) v/i. (sn) flee; v/t.]

Flie'se (fleezᵉ) f flag(stone), tile.

Flie'ß|band (fleesbähnt) n assembly line; ♀en (sn) flow; ♀end Sprache: fluent; ~papier (-pähpeer) n blotting-paper. [ter.]

fli'mmern (flimᵉrn) glimmer, glit-]

flink (flinɡk) quick, nimble, brisk.

Fli'nte (flīntᵉ) f (shot)gun.

Fli'tter (flĭt^er) *m* tinsel, spangle; ~kram (-krähm) *m* frippery; ~wochen (-vŏx^en) *f/pl.* honeymoon.
fli'tzen (flĭts^en) (sn) flit, whisk.
Flo'ck|e (flŏk^e) *f* Schnee: flake; *Wolle:* flock; 2ig flaky, fluffy.
Floh (flō) *m* flea; ~'stich (-shtĭç) *m* flea-bite.
Flor (flōr) *m* 1. bloom(ing), blossom(ing); *fig. v. Damen:* bevy; 2. (*dünnes Gewebe*) gauze, crape.
Flore'tt (flŏrĕt) *n fenc.* foil.
Flo'skel (flŏsk^el) *f* flourish.
Floß (flōs) *n* raft, float.
Flo'sse (flŏs^e) *f* fin.
flö'ß|en (flŏs^en) float, raft; 2er *m* raftsman.   [play (on) the flute.|
Flö'te (flŏt^e) *f* flute; 2n *v/i. u. v/t.*|
flott (flŏt) floating, afloat; (*lustig*) gay; (*lebhaft*) brisk; *Tänzer:* good; *Kleidung:* smart; (*schnell*) quick.
Flo'tte (flŏt^e) *f* fleet; (*Marine*) navy; ~nschau (-show) *f* naval review; ~nstützpunkt (-shtüts-pŏŏn̥kt) *m* naval base.
Flotti'lle (flŏtĭl'^e) *f* flotilla.
Flöz (flŏts) *n* seam; layer.
Fluch (flōox) *m* curse; (*Redensart*) oath; 2'en curse (*j-m* a p.); swear (*auf acc.* at). [(*Reihe*) range, row.|
Flucht (flōoxt) *f* flight, escape;|
flü'chten (flüçt^en) (sn) *u. sich* ~ flee; take to flight.
flü'chtig fugitive; (*vergänglich*) transitory; (*oberflächlich*) flighty; (*unsorgfältig*) careless; ~ volatile.
Flü'chtling (flüçtlin̥) *m* fugitive; *im Ausland:* refugee; ~slager (-lähg^er) *n* refugee-camp.
Flug (flōok) *m* flight; *im* ~e *fig.* in haste; ~'abwehr... (-ähpvér) anti-aircraft...; ~'bahn *f* trajectory; ~'ball (-bähl) *m Tennis:* volley; ~'blatt *n* pamphlet; ~'boot (-bōt) *n* flying boat; ~'dienst (-deenst) *m* air-service.
Flü'gel (flüg^{he}l) *m* wing (*a. △, ⚔, ✕*); (*Fenster*2) casement; (*Tür*2) leaf; (*Windmühlen*2) sail; (*Propeller*2) blade; ♪ grand (piano); ~fenster *n* casement-window; ~mann *m* file-leader; ~tür *f* folding-door.   [senger.|
Flu'g|gast (flōokgähst) *m* air-pas-|
flü'gge (flüg^{he}) fledged.
Flu'g|hafen (-hähf^en) *m* airport; ~linie (-leen^{ie}) *f* airway, airline; ~maschine (-mähsheen^e) *f* flying-

-machine; ~platz *m* airfield; ~post (-pŏst) *f* air-mail; ~schrift *f* pamphlet; ~sport *m* aviation; ~wesen (-véz^en) *n* aviation; ~zeug (-tsŏĭk) *n* aeroplane, *Am.* airplane.
Flu'gzeug|führer *m* pilot; ~halle *f* hangar; ~träger (-träg^{he}r) *m* aircraft carrier; ~rumpf (-rŏŏmpf) *m* fuselage.
Flu'nder (flŏŏnd^er) *f* flounder.
Flunker|ei (flŏŏn̥k^erī) *f* fib(bing); 2'n fib.
Flur (flōōr) 1. *f* field, plain; 2. *m* (*Haus*2) (entrance-)hall.
Fluß (flŏŏs) *m* river; (*Fließen*) flow(ing); *der Rede:* fluency; ~'bett *n* channel, river-bed.
flü'ssig (flüsĭç) liquid; *Geld:* ready; *Stil:* even running; 2keit *f* liquid; *Zustand:* liquidity.
Flu'ß|pferd (flŏŏspfért) *n* river-horse; ~schiffahrt (-shĭfährt) *f* river-traffic.
flü'stern (flüst^ern) whisper.
Flut (flōōt) *f* flood; *fig.* deluge; 2'en (*h. u.* sn) flow; ~'welle *f* tidal wave.
Fo'hlen (fōl^en) *n* foal, colt.
Fo'lge (fŏlg^e) *f* (*Wirkung*) consequence; (*Fortsetzung*) continuation; (*Aufeinander*2) succession; (*Reihen*2) series; (*~zeit*) future; (*Zs.-gehöriges*) set, suit; ~n *f/pl. fig.* aftermath.
fo'lgen (sn; *dat.*) follow; *zeitlich im Amt:* succeed (*j-m* a p.; *auf acc.* to); (*sich ergeben*) ensue (*aus* from); (*gehorchen*) obey; ~dermaßen (-d^ermähs^en) as follows; ~schwer (-shvér) of great consequence.
fo'lge-richtig (fŏlg^{he}rĭçtiç) consistent.
fo'lger|n (fŏlg^{he}rn) infer, conclude, deduce (*aus* from); 2ung *f* inference, deduction, conclusion.
fo'lgewidrig (fŏlg^{he}veedrĭç) inconsistent.
fo'lglich (fŏlklĭç) consequently.
fo'lgsam (fŏlkzähm) obedient; 2keit *f* obedience.|
Fo'lie (fōl^{ie}) *f* foil.   [*f* obedience.|
Fo'lter (fŏlt^er) *f* torture; *auf die* ~ *spannen* put to the rack; ~qual (-kvähl) *f* torture; ~n (fŏlt^ern) torture.
Fonds (fŏs, fŏr̥s) *m* funds *pl.; fig.* fund; ~'börse *f* stock-exchange.
Fontä'ne (fŏn̥tän^e) *f* fountain.
fo'ppen (fŏp^en) fool; hoax.

Fö'rderband (fŏrdᵉrbăhnt) *n* conveyor-belt.
fö'rderlich conducive (to).
fo'rdern (fŏrdᵉrn) demand; *als Eigentum:* claim; (*heraus~*) challenge.
fö'rdern (fŏrdᵉrn) further, promote; ⚒ haul.
Fo'rderung *f* demand; challenge.
Fö'rderung *f* furtherance; promotion; ⚒ hauling.
Fore'lle (fŏrĕlᵉ) trout.
Form (fŏrm) *f* form; (*Muster*) model; (*Gieß*2) mould; **~alitä't** (-ăhlĭtăt) *f* formality; **~a't** (-ăht) *n* form, size; **~'el** *f* formula; **2e'll** (-ĕl) formal; **2'en** form, mould.
Fo'rmenlehre (fórmᵉnlérᵉ) *f gr.* accidence.
Fo'rmfehler (fŏrmfélᵉr) *m* informality.
fö'rmlich (fŏrmlĭç) formal; *fig.* ceremonious; (*regelrecht*) regular; **2keit** *f* formality.
fo'rmlos formless; *fig.* informal.
Formula'r (fŏrmoolăhr) *n* form.
formulie'ren (fŏrmooleerᵉn) formulate.
forsch (fŏrsh) smart, dashing.
fo'rsch|en (fŏrshᵉn) search (*nach* for); **2er(in** *f*) *m* investigator; (*Gelehrter*) researcher.
Fo'rschung *f* investigation; *gelehrte:* research; **~sreise** (-rīzᵉ) *f* exploring expedition; **~sreisende(r)** *m* explorer.
Forst (fŏrst) *m* forest; **~'-aufseher** (-owfzéᵉr) *m* (forest-)keeper.
Fö'rster (fŏrstᵉr) *m* forester.
Fo'rst|haus (-hows) *n* forester's house; **~revier** (-rĕveer) *n* forest-district; **~wesen** (-vézᵉn) *n*, **~wirtschaft** (-vĭrtshăhft) *f* forestry.
fort (fŏrt) (*vorwärts*) on; (*weg*) away, gone.
fo'rt...: (*Man vergleiche auch die Zssgn mit weg...*) **~bewegen** (-bᵉvégʰᵉn) move on; **2bildungsschule** (-bĭldoongsshoolᵉ) *f* continuation school *od.* classes *pl.*; **2dauer** (-dowᵉr) *f* continuance; **~dauern** continue, last; **~fahren** continue, go on; **~führen** carry on; **2gang** (-găhng) *m* continuation; **~geh(e)n** (-gʰé[ᵉ]n) (sn) (*fortschreiten*) proceed; (*fortfahren*) continue; **~geschritten** (-gʰᵉshrĭtᵉn) advanced; **2kommen** *n* progress; **~laufend** (-lowfᵉnt) continuous; **~pflanzen** (-pflăhntsᵉn) propagate; **2pflanzung** *f* propagation; **~reißen** (-rīsᵉn): *mit sich ~* carry with o.s.; **~schaffen** remove; **~schreiten** (-shrītᵉn) (sn) proceed; **~schreitend** (-t) progressive; **2schritt** *m* progress; **~setzen** (-zĕtsᵉn) continue; **2setzung** *f* continuation; *~ folgt* to be continued; **~während** (-vărᵉnt) continual.
Foye'r (foăhyé) *n thea.* lobby.
Fracht (frăhкt) *f* load; ⚓ cargo; = **~geld**; **~'brief** (-breef) *m* freight warrant; **~'dampfer** (-dăhmpfᵉr) *m* freighter; **2'frei** (-frī) carriage paid; **~'fuhrmann** (-foormăhn) *m* carrier; **~'geld** *n* freight, carriage; **~'gut** (-goot) *n* ordinary freight; **~'stück** *n* package.
Frack (frăhk) *m* dress-coat; **~'-anzug** (-ăhntsook) *m* dress-suit.
Fra'ge (frăhgʰᵉ) *f* question; (*Erkundigung*) inquiry; e-e *~ stellen* ask a question; *in ~ stellen* question; **~bogen** (-bōgʰᵉn) *m* questionnaire.
fra'gen (frăhgʰᵉn) ask; (*ausfragen*) question; *~ nach* ask for; (*sich kümmern um*) care for.
Fra'ger(in *f*) *m* questioner.
Fra'ge|wort *n* interrogative; **~zeichen** (-tsīçᵉn) *n* question-mark.
fra'glich (frăhklĭç) questionable; (*in Rede stehend*) in question (*nach su.*).
fra'glos (frăhklōs) unquestionably.
fra'gwürdig (frăhkvŭrdĭç) questionable.
frank|ie'ren (frăhngkeerᵉn) stamp, prepay; **~'o** (-ō) post-paid; *Paket:* carriage paid.
Fra'nse (frăhnzᵉ) *f* fringe.
Fra'nz|band (frăhntsbăhnt) *m* calf-binding; **~branntwein** (-brăhntvīn) *m* surgical spirit.
Franzo'se (frăhntsōzᵉ) *m* Frenchman; *~n pl. the* French.
Franzö'sin (frăhntsözĭn) *f* Frenchwoman.
französ'sisch French.
frä'sen (frăzᵉn) *v/t.* mill.
Fra'tze (frăhtsᵉ) *f* grimace.
Frau (frow) *f* woman; (*Herrin*) lady; (*Ehe*2) wife; *vor Namen:* Mrs.
Frau'en|-arzt *m* specialist for women's diseases; **~rechte** *n/pl.* women's rights *pl.*; **~sport** *m* women's sports *pl.*; **~stimmrecht** (-shtĭmrĕçt) *n* women's suffrage.
Fräu'lein (fröilīn) *n* young lady; *Titel:* Miss.

frech (frĕç) impudent, insolent; **2'heit** f impudence, insolence.

frei (fri) free (*von* from, of); *Stelle:* vacant; *Feld:* open; (*porto2*) (pre-)paid; *∼er Beruf* liberal profession; *∼ Haus* free to the door; *im 2en* in the open air; *ich bin so ∼!* I take the liberty; *∼er Nachmittag* afternoon off.

Frei'|beuter (-bŏit°r) m freebooter; **2bleibend** (-blīb°nt) *Preis:* without engagement; **∼brief** (-breef) m charter; **∼denker** m free-thinker.

frei'en (fri'°n) (*mst um*) court.

Frei'er m suitor.

Frei'|exemplar (-ĕksĕmplāhr) n presentation copy; **∼frau** (-frow) f baroness; **∼gabe** (-gāhb°) f release; **2geben** (-ghéb°n) release; *Schule:* give a holiday; **2gebig** liberal, generous; **∼gebigkeit** f liberality; **∼gepäck** (-gʰᵉpĕk) n free luggage; **2haben** (-hāhb°n) *Schule:* have a holiday; **∼hafen** (-hāhf°n) m free port; **2halten** treat; **∼handel** m free trade.

Frei'heit (frihīt) f liberty, freedom; **∼sstrafe** (-shtrāhf°) f imprisonment.

Frei'herr m baron.

Frei'|karte f free pass; **2lassen**, **∼lassung** f release; **∼lauf(rad** n) (-lowf[rāht]) m free wheel.

frei'lich (frīliç) certainly, to be sure.

Frei'|lichtbühne (-liçtbün°) f open-air stage; **2machen** (-māhк°n) ℗ prepay, stamp; **∼marke** f stamp; **∼maurer** (-mowr°r) m freemason; **∼mut** (-mōōt) m frankness; **2mütig** frank; **∼schar** (-shāhr) f volunteer-corps; **∼schein** (-shīn) m licence; **2sinnig** (-zīniç) liberal; **2sprechen** (-shprĕç°n) acquit, absolve; **∼sprechung** f, **∼spruch** (-shprŏŏk) m absolution, acquittal; **∼staat** (-shtāht) m free state republic; **∼stätte** (-shtĕt°) f asylum; **2stehen** (-shté°n) be free; *es steht dir frei zu tun* you are free to to; **∼stelle** f scholarship; **2stellen** *j-m et.*: leave to a p.('s choice); **∼stoß** (-shtōs) m *Fußball:* free kick; **∼tag** (-tāhk) m Friday; **∼tod** (-tōt) m voluntary death; **∼treppe** f outside staircase; **2willig** (-viliç) voluntary; **∼willige(r)** (-viligʰᵉ[r]) m volunteer; **∼zeit** (-tsit) f spare (*od.* leisure) time; **∼zügigkeit** (-tsügʰīçkit) f freedom of movement.

fremd (frĕmt) strange; (*ausländisch*) foreign; **∼'-artig** strange.

Fre'mde (frĕmd°) f in der (*od.* die) *∼* abroad; **∼nbuch** (-bōōk) n visitors' book; **∼nführer** m guide; **∼n-industrie** (-īndōōstree) f tourist industry; **∼nlegion** (-légʰiōn) ✗ f Foreign Legion; **∼nverkehr** (-fĕrkér) m foreign visitors *pl.*; **∼n-zimmer** n spare (bed)room.

Fre'mde(r) m stranger; foreigner.

Fre'md|körper ✗ m foreign body; **2ländisch** (-lĕndīsh) foreign; **2-sprachlich** (-shprāhкliç) foreign- (-language); **∼wort** n foreign word.

Freque'nz (frékvĕnts) f frequency.

fre'ssen (frĕs°n) 1. *Vieh*: eat; *Mensch:* devour; *Rost usw.*: corrode; 2. 2 n feed, food. [voracity.]

Fre'ßgier (frĕsgʰᵉer) f gluttony,

Freu'de (frŏid°) f joy; (*Vergnügen*) pleasure; *∼ finden an* (*dat.*) take (a) pleasure in.

Freu'den... *in Zssgn mst* ... of joy; **∼botschaft** (-bōtshāhft) f glad tidings *pl.*; **∼fest** n feast; **∼feuer** (-fŏi°r) n bonfire; **∼geschrei** (-gʰᵉshrī) n shouts *pl.* of joy; **∼tag** (-tāhk) m day of rejoicing.

freu'dig joyful.

freu'dlos (frŏidlōs) joyless.

freu'en (frŏi°n): *es freut mich* I am glad; *sich ∼* (*über acc.*) rejoice (at), be glad (of); *sich ∼ auf acc.* look forward to.

Freund (frŏint) m, **∼'in** f friend.

freu'ndlich (frŏintliç) friendly, kind; (*angenehm*) pleasant.

Freu'ndschaft (frŏintshāhft) f friendship; **2lich** friendly.

Fre'vel (frĕfᵉl) m misdeed, outrage; **2haft** wicked, outrageous; **2n** commit a crime.

Fre'vler m, **∼in** f offender.

Frie'de(n) (freed°[n]) m peace.

Frie'dens|bruch (-brōōk) m breach of (the) peace; **∼stifter(in** f) m peacemaker; **∼störer(in** f) (-shtŏr°r) m disturber of the peace; **∼ver-handlungen** (-fĕrhāhndlōōrgʰᵉn) f/pl. peace-negotiations; **∼vertrag** (-fĕrtrāhk) m treaty of peace.

Frie'd... (-t-): **2fertig** (-fĕrtiç) peaceable, pacific; **∼hof** (-hōf) m churchyard, cemetery; **2lich** **∼fertig**; (*ungestört*) peaceful; **2los** peaceless. [I am (*od.* feel) cold.]

frie'ren (freer°n) freeze; *mich friert*

Fries (frees) *m* frieze.

frisch (frĭsh) fresh; (*neu*) new; *auf* ~er *Tat ertappen* take *a p.* in the very act; ~ *gestrichen!* wet paint!; 2'e *f* freshness.

Friseu'r (frĭzör) *m*, (Friseu'se [frĭzöz^e] *f* ladies') hairdresser.

frisie'ren (frĭzeer^en): *j-n* ~ dress a p.'s hair; F *fig. Bericht usw.*: cook.

Frisie'r|mantel *m* dressing-jacket; ~salon (-zählg̱,-örg̱) *m* hair-dressing saloon; ~tisch *m* toilet table.

Frist (frĭst) *f* appointed time, set term; (*Aufschub*) respite, delay; 2'en: *sein Leben* ~ manage to live.

Frisu'r (frĭzöor) *f* hair-dress(ing), *Am.* hair-do.

frivo'l (frĭvōl) frivolous, flippant.

froh (frō) glad, joyful.

frö'hlich (frȫlĭç) cheerful, gay.

frohlo'cken (frōlŏk^en) exult (*über* at; over).

Fro'hsinn (frōzĭn) *m* cheerfulness.

fromm (frŏm) pious; *Pferd*: quiet.

Frömmelei' (frŏm'lī) *f* bigotry.

Frö'mmigkeit (frŏmĭçkīt) *f* piety.

Frö'mmler(in *f*) *m* devotee.

Fron (frōn), ~'-arbeit (-ährbīt) *f*, ~'dienst (-deenst) *m fig.* drudgery.

frö'nen (frȫn^en) (*dat.*) indulge in.

Front (frŏnt) *f* front.

Frosch (frŏsh) *m* frog; ~'perspektive (-pĕrspĕkteev^e) *f* worm's-eye view.

Frost (frŏst) *m* frost; (*Kältegefühl*) chill; ~'beule (-böil^e) *f* chilblain.

frö'steln (frŏst^eln) feel chilly.

frö'stig frosty; (*a. fig.*) chilly.

frottie'r|en (frŏteer^en) rub; 2-(hand)tuch (-[hä/nt]tōōk) *n* Turkish towel. [(*Getreide*) corn; crop.|

Frucht (frōōкht) *f* fruit (*a. fig.*);|

fru'chtbar fruitful, fertile; 2keit *f* fruitfulness, fertility.

fru'cht|bringend *fig.* productive; ~en be of use; 2knoten (-knŏt^en) ◊ *m* seedvessel; ~los fruitless.

früh (frü) early; (*morgens*) in the morning; *morgen* ~ to-morrow morning; *heute* ~ this morning; ~er (*ehemals*) formerly; ~estens at the earliest; 2'-aufsteher(in *f*) (-owfshté^er) *m* early riser; 2'e (frü^e) *f*: *in aller* ~ very early; 2'geburt (-g^hbōōrt) *f* premature birth; 2'gottesdienst (-gŏt^esdeenst) *m* morning service; 2'jahr *n* spring.

Frü'hling (frülĭg̱) *m* spring.

früh'h|mo'rgens (-mórg^hens) early in the morning; ~reif (-rīf) precocious; 2stück *n* breakfast; ~stücken (have) breakfast; ~zeitig (-tsitĭç) early; 2zug (-tsōōk) ᛏ *m* early train. [sorrel; 2'ig foxy.|

Fuchs (fōōks) *m* fox (*a. fig.*); (*Pferd*)|

Fü'chsin (fūksĭn) *f* she-fox.

Fu'chs|jagd (-yä/kt) *f* fox-hunt; 2rot (-rōt) foxcoloured; 2teufels-wi'ld (-töif^elsvĭlt) mad with anger.

fu'chteln (fōōкt^eln) fidget.

Fu'der (fōōd^er) *n* cart-load.

Fu'ge (fōōg^he) *f* joint, juncture; ⊕ seam; ♪ fugue.

fü'g|en (füg^hen) join, unite; (*ver-~*) dispose; (*hinzu-~*) add; *sich* ~ (*dat.*; *in acc.*) comply (with), yield (to), submit (to); ~sam (fükzähm) pliant, yielding. [felt.|

fü'hlbar (fülbä/r) sensible; *Mangel*:|

fü'hl|en (fül^en) feel; *sich glücklich usw.* ~ feel happy *etc.*; 2er *m*, 2faden (-fähd^en) *m*, 2horn *n* feeler; 2ung *f* contact; ~ *h.* (*verlieren*) mit be in (lose) touch with. [transport.|

Fu'hre (fōōr^e) *f* cart-load; (*Fahren*)|

fü'hren (für^en) lead; *e-m Ziele zu*: conduct; (*Weg weisen*) guide; *Besucher*: show; (*tragen*) carry; *Bücher*, *Waren*: keep; *Geschäft*, *Gespräch*, *Prozeß*: carry on; *Namen*: bear; *Feder*, *Waffe* (*handhaben*) wield; (*verwalten*) manage; *ein Leben*: live; *ein gut usw.* ~ conduct o.s.; *Krieg* (*mit j-m*) ~ make war ([up]on a p.); *zu Tische* ~ take in; *v/i.* lead. [ranking.|

fü'hrend (-t) prominent, *Am.*|

Fü'hrer(in *f*) *m* leader; conductor; guide (*a. als Buchtitel*); manager (-ess *f*); *mot.* driver; ⹋ pilot; *Sport*: captain; ~raum (-rowm) ⹋ *m* cockpit; ~schein (-shīn) *m mot.*, ⹋ licence; ~sitz (-zĭts) *m* driver's seat; ⹋ (pilot's) cockpit; ~stand (-shtä/nt) ᛏ *m* cab.

Fu'hr|lohn (fōōrlōn) *m* carriage; ~mann *m* carrier, waggoner; ~park *m* park.

Fü'hrung *f* guidance; conduct; direction, management; (*Benehmen*) conduct; ~szeugnis (-tsöiknĭs) *n* certificate of good conduct.

Fu'hr|-unternehmer (fōōrōōnt^er-ném^er) *m* carrier; ~werk *n* vehicle.

Fü'llbleistift (fülblishtĭft) *m* filling pencil.

Fü'lle (fül^e) f fulness; abundance.
fü'llen[1] fill.
Fü'llen[2] n foal.
Fü'll|feder(halter m) (fülféd^{e}r-
[hählt^{e}r]) f fountainpen(holder); ~
horn n horn of plenty; ~ung f
filling (a. Zahn2); (Tür2) panel.
Fund (fŏŏnt) m find, discovery.
Fundame'nt (fŏŏndähmĕnt) n
foundation.
Fu'nd|büro (-bürō) n lost-property
office; ~gegenstand (-g^{h}ég^{h}én-
shtähnt) m article found; ~grube
(-grŏŏb^e) f fig. mine.
fünf (fünf) five; ~'fach fivefold;
2'tel n fifth (part); ~'tens fifthly;
~'te(r) fifth.
fü'nfzehn (fünftsén) fifteen; ~te(r)
fifteenth. [fiftieth.]
fü'nfzig (fünftsiç) fifty; ~ste(r)]
Funk (fŏŏn̄k) m wireless, bsd. Am.
(so a. in den Zssgn) radio; ~'-anlage
(-ähnlähg$^h e$) f wireless plant;
~'-apparat (-ähpähräht) m wireless
set; ~'bastler (-bähstl^{e}r) m radiofan.
Fu'nke (fŏŏn̄k^e), ~n m spark.
fu'nkeln (fŏŏnk^{e}ln) sparkle, glitter.
fu'nken (fŏŏnk^{e}n) radio, wireless;
2telegraphie (-télégrähfee) f wireless telegraphy.
Fu'nker m wireless operator.
Fu'nk|gerät (-g$^h e$rät) n wireless
apparatus; ~spruch (-shprŏŏk) m
wireless message, radiogram; ~sta-
tion (-shtähts'ōn) f wireless station;
~stille f wireless silence.
Fu'nktion (fŏŏn̄kts'ōn) f function;
~ä'r m functionary; 2ie'ren
(-eer^{e}n) function, operate.
Fu'nk|turm (-tŏŏrm) m radio
tower; ~verkehr (-fĕrkér) m wireless communication; ~wagen (-vä-
g$^h e$n) m radio car; ~wesen (-véz^{e}n)
n radio engineering.
für (für) for; Jahr ~ Jahr year by
year; ich ~ meine Person as for me;
~ und wider pro and con.
Fü'rbitte f intercession.
Fu'rche (fŏŏrç^e) f furrow; (Runzel)
wrinkle; 2n furrow; wrinkle.
Furcht (fŏŏrçt) f fear, dread; aus ~
vor (dat.) for fear of; 2'bar fearful,
terrible. [~ be afraid (vor dat. of).]
fü'rchten (fürçt^{e}n) fear, dread; sich]
fü'rchterlich (fürçt^{e}rliç) horrible,
terrible. [2samkeit f timidity.]
fu'rcht|los fearless; ~sam timid;]
Fu'rie (fŏŏr$^i e$) f fury.

Furnie'r (fŏŏrneer) n, 2en veneer.
Fü'r|sorge (fürzŏrg$^h e$) f care; (so-
cial) welfare; ~sorge-amt n welfare
centre; ~sorge-erziehung (-ĕr-
tseeŏŏn̄g) f trustee education; ~
sorger(in f) m welfare worker;
2sorglich (-zŏrkliç) careful; ~
sprache (-shprähk^e) f intercession;
~sprecher (-shprĕç^{e}r) m inter-
cessor.
Fürst (fürst) m prince; sovereign;
~'enstand (-énshtähnt) m princely
rank; ~'entum (-^{e}ntōōm) n prin-
cipality; ~'in f princess.
fü'rstlich princely; 2keiten (-kīt^{e}n)
f/pl. princely personages.
Furt (fŏŏrt) f ford. [runcle.]
Furu'nkel (fŏŏrŏŏn̄k^{e}l) m fu-]
Fü'rwort (fürvŏrt) n pronoun.
Fuß (fōŏs) m foot; feste ~ fassen
get a footing; auf gutem (schlech-
tem) ~ stehen mit be on good (bad)
terms with; zu ~ on foot; zu ~
gehen walk; gut zu ~e sn be a good
walker; ~'-angel (-ähng$^h e$l) f man-
-trap; ~'ball m football, Am. soc-
cer; ~'ballspieler (-bählshpeel^{e}r)
m footballer; ~'bank f footstool;
~'bekleidung (-b^{e}klidŏŏn̄g) f foot-
-gear, foot-wear; ~'boden (-bŏd^{e}n)
m floor(ing); ~'bremse (-brĕmz^e) f
footbrake; 2'en = auf (dat.) fig.
rely on; ~'gänger (-g^{h}ĕn̄g^{e}r) m
pedestrian; im Verkehr: foot-pas-
senger; ~'gelenk (-g$^h e$lĕn̄k) n
ankle-joint.
Fü'ßling (füsliñg) m foot.
Fu'ß|note (-nōt^e) f footnote; ~pfad
(-pfäht) m foot-path; ~sack (-zähk)
m foot-muff; ~sohle (-zōl^e) f sole
of the foot; ~soldat (-zōldäht) m
foot-soldier; ~spur (-shpŏŏr) f einzelne (a. ~stapfe f) footprint,
footstep; Reihe davon: track; weit S.
trace; ~steig (-shtīk) m foot-path;
~tritt m kick; ~wanderung (-vähn-
d^{e}rŏŏn̄g) f walking-tour; ~weg
(-vék) m foot-path.
Fu'tter[1] (fŏŏt^{e}r) n (Nahrung) food;
(Vieh2) feed; (Trocken2) fodder;
~2 (Rock2) lining.
Futtera'l (fŏŏt^{e}rähl) n case;
(Schachtel) box; (Scheide) sheath.
Fu'ttermittel n feeding stuff.
fü'tter|n (füt^{e}rn) 1. feed; 2. (innen
bekleiden) line; mit Pelz: fur; 2ung
f feeding; lining.
Fu'tterstoff m lining (material).

G

Ga'be (gāhbᵉ) f gift; ⚕ dose.
Ga'bel (gāhbᵉl) f fork; ⁓frühstück (-frühstük) n luncheon; ⚥n (sich) fork; ⁓ung f bifurcation.
ga'ckern (gāhkᵉrn) cackle.
ga'ffen (gāhfᵉn) gape; stare.
Ga'ge (gāhǰᵉ) f pay, salary.
gä'hnen (gänᵉn) 1. yawn; 2. ⚥ ⚥ yawning.
Ga'la (gāhlāh) f gala; in ⁓ in full dress.
gala'nt (gāhlähnt) gallant; (höflich) courteous.
Galanterie' (-ᵉree) f gallantry; courtesy; ⁓arbeit (-āhrbīt) f, ⁓waren (-vāhrᵉn) f/pl. fancy goods, Am. notions pl.
Galerie' (gāhlᵉree) f gallery.
Ga'lgen (gāhlgʰᵉn) m gallows sg., gibbet; ⁓frist f respite; ⁓humor (-hōōmōr) m grim humour.
Ga'lle (gāhlᵉ) f bile; fig. gall; ⁓nblase (-blāhzᵉ) f gall-bladder; ⁓nstein (-shtīn) m gall-stone.
Ga'llert (gāhlᵉrt) n, ⁓e f jelly.
ga'llig (gāhlïç) bilious.
Galo'pp (gāhlöp) m, ⚥ie'ren (-eerᵉn) gallop.
galva'n|isch (gāhlvāhnïsh) galvanic; ⁓isie'ren (-īzeerᵉn) galvanize.
Gama'sche (gāhmähshᵉ) f gaiter; kurze: spat.
Gang (gāhnₓ) m walk; fig. (Bewegung, Tätigkeit) motion; s. Gangart; e-r Maschine: movement, action; (Boten⚥) errand; (Weg) way; (Baum⚥) alley; (Bahn, Lauf; Verlauf; bei Tafel) course; (Verbindungsweg) passage; im Hause: corridor; zwischen Stuhlreihen: gangway, bsd. Am. aisle; Fechten: pass; anat. duct; mot. (Geschwindigkeit) speed; in ⁓ bringen set going, Am. operate; im ⁓ sn be in motion; fig. be in progress; in vollem ⁓ in full swing.
Ga'ng|-art f Mensch: gait; Pferd: pace; ⚥bar Weg: practicable; Münze: current; ✝ marketable.
Gä'ngelband (gʰänₓᵉlbähnt) n lead-

ing-strings pl.; am ⁓ führen fig. lead by the nose.
Gans (gāhns) f goose, pl. geese.
Gä'nse|blümchen (gʰänzᵉblümçᵉn) n daisy; ⁓braten (-brāhtᵉn) m roast goose; ⁓haut (-howt) f fig. goose-flesh; ⁓klein (-klīn) n (goose-)-giblets pl.
ganz (gāhnts) 1. adj. all; (ungeteilt) entire, whole; (vollständig) complete, total; 2. adv. quite; entirely, usw. (s. 1); (sehr) very; ⁓ Auge, Ohr all eyes, ears; ⁓ und gar nicht not at all; im ⁓en on the whole; ✝ in the lump; 3. ⚥'e(s) n whole; (Gesamtheit) totality.
gä'nzlich (gʰäntslïç) total, entire.
Ga'nztagsbeschäftigung (gāhntstähksbᵉshäftïgōōnₓ) f full-time job od. employment.
gar (gāhr) 1. adj. Speise: done; 2. adv. quite, very; (sogar) even; ⁓ nicht not at all.
Gara'ge (gāhrāhǰᵉ) f garage.
Garantie' (gāhrähntee) f guarantee, warranty; ⚥ren guarantee, warrant.
Ga'rbe (gāhrbᵉ) f sheaf.
Ga'rde (gāhrdᵉ) f guard.
Gardero'be (gāhrdᵉrōbᵉ) f wardrobe; (Kleiderablage) cloak- (Am. check-)room; ⁓nmarke f check; ⁓nständer (-shtändᵉr) m (hat and) coat stand.
Gardi'ne (gāhrdeenᵉ) f curtain.
gä'ren (gärᵉn) ferment.
Gär'|mittel n, ⁓stoff m ferment.
Garn (gāhrn) n yarn; (Faden) thread; (Netz) net; fig. snare.
garnie'ren (gāhrneerᵉn) trim; bsd. Speise: garnish.
Garniso'n (gāhrnïzōn) f garrison.
Garnitu'r (gāhrnïtōōr) f (Besatz) trimming; (Zs.gehöriges) set.
ga'rstig (gāhrstïç) foul, nasty.
Ga'rten (gāhrtᵉn) m garden; ⁓anlage (-āhnlāhgʰᵉ) f gardens; ⁓bau (-bow) m horticulture; ⁓erde (garden-)mould; ⁓geräte (-gʰᵉrätᵉ) n/pl. gardening-tools; ⁓stadt f garden city.

Gä'rtner (gʰĕrtnᵉr) *m*, ⁓**in** *f* gardener; ⁓**ei'** (-ī) *f* gardening, horticulture; *Ort:* nursery.

Gä'rung (gäroōrῃ) *f* fermentation.

Gas (gäʰs) *n* gas; ⁓**geben** step on the gas; ⁓'**-anstalt** (-äʰnshtäʰlt) *f* gas-works *pl.*, *Am.* gas plant; ⁓'**behälter** (-bᵉhĕltʰr) *m* gasometer, *Am.* gas tank; ⁓'**beleuchtung** (-bᵉlóiçtoōrῃ) *f* gas-light(ing); ⁓'**brenner** *m* gas-burner; 2'**förmig** (-förmīç) gaseous; ⁓'**fußhebel** (-fōōshébᵉl) *n* mot. accelerator pedal; ⁓'**hebel** *m* mot. throttle lever, accelerator; ⁓'**herd** (-hĕrt) *m* gas-stove, *Am.* gas-range; ⁓'**leitung** (-lītoōrῃ) *f* gas-main; ⁓'**messer** *m*, ⁓'**-uhr** (-ōōr) *f* gas-meter.

Ga'sse (gäʰsᵉ) *f* lane, *Am.* alleyway.

Ga'ssen|bube (-bōōbᵉ), ⁓**junge** (-yoōṇᵉ) *m* street arab; ⁓**hauer** (-howᵉr) *m* street song.

Gast (gäʰst) *m* guest; (*Besucher*) visitor; (*Witshaus..*) customer; *thea.* star; 2'**frei** (-frī), 2'**freundlich** (-fröintlíç) hospitable; ⁓'**freundschaft** (-fröintshäʰft) *f* hospitality; ⁓'**geber** (in *f*) (-gᵉébᵉr) *m* host(ess); ⁓'**haus** (-hows) *n*, ⁓'**hof** (-hōf) *m* restaurant; inn.

gastie'ren (gäʰsteerᵉn) *thea.* star.

ga'stlich hospitable.

Ga'st|mahl (gäʰstmäʰl) *n* feast, banquet; ⁓**recht** *n* right of hospitality; ⁓**rolle** *f* starring part; ⁓**spiel** (-shpeel) *n* starring (performance); ⁓**stätte** *f* restaurant; ⁓**stube** (-shtōōbᵉ) *f* general room; ⁓**wirt** (-in *f*) *m* innkeeper, landlord, *f* landlady; ⁓**wirtschaft** *f* inn.

Ga'tte (gäʰtᵉ) *m* husband; consort.

Ga'tter (gäʰtᵉr) *n* railing, grating.

Ga'ttin *f* wife; *förmlich:* consort.

Ga'ttung *f* kind, sort; ⟨⟩ genus.

gau'keln (gowkᵉln) juggle; (*hin und her flattern*) flutter.

Gaul (gowl) *m* nag.

Gau'men (gowmᵉn) *m* palate.

Gau'ner (gownᵉr) *m*, ⁓**in** *f* swindler, sharper, trick(st)er; ⁓**ei'** (-ī) *f* swindling, trickery.

Ga'ze (gäʰzᵉ) *f* gauze. [law.]

Ge-ä'chtete(r) (gᵉĕçtᵉtᵉ[r]) *m* out-|

Gebä'ck (gᵉbĕk) *n* baker's ware; (*Kuchenwerk*) pastry.

Gebä'lk (gᵉbĕlk) *n* timber-work.

Gebä'rde (gᵉbärdᵉ) *f* gesture; 2**n:**

---

sich ⁓ deport o.s., behave; ⁓**nspiel** (-shpeel) *n* gesticulation; dumb show; ⁓**nsprache** (-shpräʰkᵉ) *f* language of gestures.

Geba'ren (gᵉbäʰrᵉn) *n* deportment, behaviour.

gebä'ren (gᵉbĕrᵉn) bear, bring forth (*a. fig.*); give birth to.

Gebäu'de (gᵉbóidᵉ) *n* building, edifice.

Gebei'n(e *pl.*) (gᵉbīn[ᵉ]) *n* bones *pl.*

Gebe'll (gᵉbĕl) *n* barking.

ge'ben (gᵉébᵉn) *j-m et.:* give a p. a th.; *Kartenspiel:* deal; *sein Wort:* pledge; *von sich* ⁓ give out, emit; *Laut:* utter; *Speise:* bring up; et. (*nichts*) ⁓ *auf* (*acc.*) make (no) account of; *sich* ⁓ (*nachgeben*) yield; (*nachlassen*) abate, settle (down); *sich zufrieden* ⁓ (*mit*) content o.s. (with); *sich zu erkennen* ⁓ make o.s. known; *was gibt es?* what is the matter?

Gebe't (gᵉbét) *n* prayer.

Gebie't (gᵉbeet) *n* territory; district; *fig.* province; sphere.

gebie'ten *v/t.* order, *a. Achtung usw.:* command; *v/i.* rule.

Gebie'ter *m* master; ⁓**in** *f* mistress; 2**isch** imperious.

Gebi'lde (gᵉbíldᵉ) *n* form; structure; 2**t** educated, well-bred.

Gebi'rg|e (gᵉbírgᵉ) *n* (chain of) mountains; 2**ig** mountainous; ⁓**s-bewohner** (-bᵉvönᵉr) *m* mountaineer.

Gebi'ß (gᵉbis) *n* (set of) teeth; *künstliches:* denture; *am Zaum:* bit.

gebo'ren (gᵉbörᵉn) born; ⁓**e** *Schmidt née Smith; ich bin am ...* ⁓ I was born on ...

gebo'rgen (gᵉbórgᵉn) safe; 2**heit** *f* safety.

Gebo't (gᵉböt) *n* order; command; (*Angebot*) bid(ding), offer; *die Zehn* ⁓**e** *pl.* the ten commandments.

Gebrau'ch (gᵉbrowҳ) *m* use; (*Gewohnheit*) usage, custom; 2**en** use, employ; 2**t** *Kleidung usw.:* second-hand.

gebräu'chlich (gᵉbröiçlíç) in use; (*üblich*) usual, customary.

Gebrau'chs|anweisung (gᵉbrowҳsäʰnvizoōrῃ) *f* directions *pl.* for use; ⁓**artikel** (-äʰrteekᵉl) *m* requisite; 2**fertig** (-fĕrtíç) ready for use; ⁓**muster** (-mōōstᵉr) *n* registered design.

Gebre'chen (gʰᵉbrĕçᵉn) defect, in-firmity.

gebre'chlich fragile; *P.*: frail, infirm; 2keit *f* fragility; infirmity.

Gebrü'der (gʰᵉbrŭdᵉr) *m/pl.* brothers.

Gebü'hr (gʰᵉbŭr) *f* duty; fee; ~en *pl.* dues *pl.*; 2en (*dat.*) be due to; *sich* ~ be proper; 2end (-t) due; 2enfrei (-fri) no-charge; 2en-pflichtig (-pflíçtiç) chargeable.

Gebu'rt (gʰᵉbŏŏrt) *f* birth.

gebü'rtig (gʰᵉbŭrtiç): ~ *aus* a native of.

Gebu'rts|-anzeige (-ăhntsigʰᵉ) *f* notification of birth; ~fehler (-félᵉr) *m* natural defect; ~helfer *m accoucheur* (*fr.*); ~jahr (-yăhr) *n* year of birth; ~land (-lăhnt) *n* native country; ~ort *m* birthplace; ~schein (-shin) *m* certificate of birth; ~tag (-tăhk) *m* birthday.

Gebü'sch (gʰᵉbŭsh) *n* bushes *pl.*, thicket.

Geck (gʰĕk) *m* dandy, *Am.* dude.

ge'ckenhaft dandyish.

Gedä'chtnis (gʰᵉdĕçtnĭs) *n* memory; (*Erinnerung*) remembrance; *zum* ~ (*gen.*) in memory of; ~feier (-fiᵉr) *f* commemoration.

Geda'nke (gʰᵉdăhᴎkᵉ) *m* thought, idea; *in* ~n absorbed in thought; *sich* ~n *m.* über alarm o.s. about.

Geda'nken|gang (-găhᴎ) *m* train of thought; ~leser(in *f*) (-lézᵉr) *m* thought-reader; 2los thoughtless; ~strich (-shtriç) *m* dash; 2voll thoughtful.

Gede'ck (gʰᵉdĕk) *n* cover.

gedei'hen (gʰᵉdiᵉn) 1. (sn) thrive, prosper; 2. 2 *n* prosperity.

gedei'hlich thriving, prosperous.

Gede'nk... (gʰᵉdĕᴎk): 2en (*gen.*) think of; (*sich erinnern*) remember; (*erwähnen*) mention; ~ zu tun intend to do; ~feier (-fiᵉr) *f* commemoration; ~stein (-shtin) *m* memorial stone; ~tafel (-tăhfᵉl) *f* tablet.

Gedi'cht (gʰᵉdĭçt) *n* poem.

gedie'gen (gʰᵉdeegʰᵉn) solid; (*rein*) pure; 2heit *f* solidity; purity.

Gedrä'ng|e (gʰᵉdrĕᴎᵉ) *n* crowd, throng; 2t crowded; *Stil:* concise.

gedru'ngen (gʰᵉdrŏŏᴎᵉn) compact.

Gedu'ld (gʰᵉdŏŏlt) *f* patience; 2en (-dᵉn): *sich* ~ have patience; 2ig (-diç) patient.

Ge-e'hrte(s) (gʰᵉ-értᵉs) *n*: *Ihr* ~ *vom* ... *your favour of* ...

ge-ei'gnet (gʰᵉ-ignᵉt) fit, suitable.

Gefa'hr (gʰᵉfăhr) *f* danger, peril; (*Wagnis*) risk; *auf meine* ~ at my peril *od.* risk.

gefä'hrden (gʰᵉfărdᵉn) endanger.

gefä'hrlich (gʰᵉfărliç) dangerous.

gefa'hrlos without risk, safe.

Gefä'hrte (gʰᵉfărtᵉ) *m* companion, fellow.

Gefa'llen (gʰᵉfăhlᵉn) 1. *m Handlung:* favour; ~ *an* (*dat.*) *finden* take a pleasure in; 2. 2 *v/i.* please (*j-m* a *p.*); *er gefällt mir* I like him; *sich* 2 *l.* (*sich fügen*) put up with.

gefä'llig (gʰᵉfăliç) pleasing, agree-able; *P.*: complaisant, obliging; 2keit *f* complaisance; *Handlung:* favour; ~st (if you) please.

gefa'ngen (gʰᵉfăhᴎᵉn) imprisoned; ~nehmen take prisoner; *fig.* cap-tivate; 2e(r) *m* prisoner, captive.

Gefa'ngen|enlager (gʰᵉfăhᴎᵉnĕn-lăhgʰᵉr) *n* prison(ers') camp; ~nahme (-năhmᵉ) *f* capture; ~schaft *f* captivity, imprisonment; 2setzen (-zĕtsᵉn) put in prison.

Gefä'ngnis (gʰᵉfĕᴎnĭs) *n* prison; ~strafe (-shtrăhfᵉ) *f* (pain of) imprisonment; ~wärter (-vărtᵉr) *m* warder, *Am.* prison guard.

Gefä'ß (gʰᵉfăs) *n* vessel.

gefa'ßt (gʰᵉfăhst) composed; ~ *auf* (*acc.*) prepared for.

Gefe'cht (gʰᵉfĕçt) *n* fight, action.

Gefie'der (gʰᵉfeedᵉr) *n* feathers *pl.*

Geflü'gel (gʰᵉflügʰᵉl) *n* poultry.

Geflü'ster (gʰᵉflüstᵉr) *n* whisper (-ing).

Gefo'lge (gʰᵉfólgʰᵉ) *n* attendance.

Gefo'lgschaft (gʰᵉfólkshăhft) *f* fol-lowers *pl*

gefrä'ßig (gʰᵉfrăsiç) greedy, vora-cious; 2keit *f* gluttony, voracity.

Gefrie'r... (gʰᵉfreer-): 2en (sn) congeal, freeze; ~fleisch (-flish) *n* frozen meat; ~punkt (-pŏŏᴎkt) *m* freezing-point. [-cream.]

Gefro'rene(s) (gʰᵉfrörᵉnĕ[s]) *n* ice-Gefü'ge (gʰᵉfügʰᵉ) *n* (*Bau*) struc-ture; (*Gewebe*) texture.

gefü'gig pliant; 2keit *f* pliancy.

Gefü'hl (gʰᵉfül) *n* feeling; (*Tast-sinn*) touch; (*Empfänglichkeit*) sense (*für* of); (*Wahrnehmung*) sensation; 2los unfeeling; 2voll (full of) feel-ing; (*rührselig*) sentimental.

ge'gen (gʰégʰᵉn) *örtlich, zeitlich*: towards; *gegensätzlich*: against; (*ungefähr*) about, *Am.* around; *Zeitpunkt*: by; *Mittel* ~ ...: for; *vergleichend*: compared with; *freundlich usw.* ~ to; ~ *bar* for cash.

Ge'gen|angriff *m* counter-attack; ~befehl (-bᵉfél) *m* counter-order; ~beschuldigung (-bᵉshōōldĭgōōrₔ) *f* recrimination.

Ge'gend (gʰégʰᵉnt) *f* region.

Ge'gen|dienst (-deenst) *m* return service; ~druck (-drōōk) *m* reaction; ꝶ-eina'nder (-ĭnähndᵉr) against one another *od.* each other; ~forderung (-fórdᵉrōōrₔ) *f* counter-claim; ~geschenk (-gʰᵉshénk) *n* return present; ~gewicht (-gʰᵉvĭçt) *n* counterpoise; ~gift (-gʰĭft) *n* antidote; ~kandidat (-kăhndĭdäht) *m* rival candidate; ~klage (-klähgʰᵉ) *f* countercharge; ~leistung (-lĭstōōrₔ) *f* equivalent; ~maßregel (-mähsrégʰᵉl) *f* counter-measure; ~mittel *n* remedy, antidote; ~partei (-pährtī) *f* opposite party; ~probe (-próbᵉ) *f* counter-proof; ~satz (-zähts) *m* contrast, opposition; ꝶsätzlich (-zétslĭç) contrary, opposite; ~seite (-zītᵉ) *f* opposite side; ꝶseitig mutual, reciprocal; *auf* ~*keit beruhen* be mutual; ~stand (-shtähnt) *m* object; (*Thema*) subject, topic; ~strömung (-shtrömōōrₔ) *f* counter-current; ~stück *n* counterpart, match; ~teil (-til) *n* contrary, reverse; *im* ~ on the contrary; ꝶteilig contrary, opposite; ꝶ-ü'ber (-übᵉr) (*dat.*) opposite (*acc. od.* to); *P.*: face to face (with); ~ü'ber *n* vis-a-vis; ꝶü'berstellung (-übᵉrshtélōōrₔ) *f bsd. ꝶ* confrontation; ~vorschlag (-fórshlähk) *m* counter-proposal; ~wart (-vährt) *f* presence; present time; ꝶwärtig present; actual; *adv.* at present; ~wehr (-vér) *f* defence, resistance; ~wert (-vért) *m* equivalent; ~wind (-vĭnt) *m* contrary wind; ~wirkung (-vĭrkōōrₔ) *f* counter-effect, reaction; ꝶzeichnen (-tsĭçnᵉn) countersign; ~zeuge (-tsóigʰᵉ) *m* counter-witness; ~zug (-tsōōk) *m* ⚙ corresponding train.

Ge'gner (gʰégnᵉr) *m* adversary, opponent; ~schaft *f* opposition.

Geha'lt (gʰᵉhählt) *m* **1.** contents *pl.*; (*Aufnahmefähigkeit*) capacity; (*innerer Wert*) merit; **2.** *mst n* salary.

geha'lt|los empty; ~voll of great value, substantial; racy.

Geha'lts|-empfänger (-ĕmpfĕnₔᵉr) *m* salary earner; ~erhöhung (-ĕrhöōrₔ) *f* rise (*Am.* raise) in salary.

gehä'ssig (gʰᵉhĕsĭç) malicious, spiteful; ꝶkeit *f* malice.

Gehäu'se (gʰᵉhóizᵉ) *n* box, case.

Gehe'ge (gʰᵉhégʰᵉ) *n* enclosure.

gehei'm (gʰᵉhīm) secret; ꝶdienst (-deenst) *m* secret service.

Gehei'mnis (gʰᵉhīmnĭs) *n* secret; mystery; ~krämer *m* secret-monger; ꝶvoll mysterious.

Gehei'm|polizist (-pólĭtsĭst) *m* detective; ~schrift *f* cipher; *tel.* code; ~tuerei (-tōōᵉrī) *f* secretiveness.

Gehei'ß (gʰᵉhīs) command.

ge'h(e)n (gʰé[ᵉ]n) (sn) go; *zu Fuß*: walk; (*weg*~) leave; *Maschine*: go, work; *Uhr*: go; *Ware*: sell; *Wind*: blow; *Teig*: rise; *wie geht es Ihnen?* how are you (getting on)?; *das geht nicht* that won't do; *in sich* ~ repent; *wieviel Pfennige* ~ *auf e-e Mark?* ... go to the mark?; *das Fenster geht nach Norden* ... faces (*od.* looks) north.

Geheu'l (gʰᵉhóil) *n* howling.

Gehi'lf|e (gʰᵉhĭlfᵉ) *m*, ~in *f* assistant, helpmate.

Gehi'rn (gʰᵉhĭrn) *n* brain(s *pl.*); ~erschütterung (-ĕrshütᵉrōōrₔ) *f* concussion (~schlag [-shlähk] *m* apoplexy) of the brain.

geho'ben (gʰᵉhōbᵉn) *Sprache*: elevated; ~e *Stimmung* high spirits.

Gehö'ft (gʰᵉhöft) *n* farm(stead).

Gehö'lz (gʰᵉhölts) *n* wood, copse.

Gehö'r (gʰᵉhör) *n* hearing; ear; *nach dem* ~ by ear.

geho'rchen (gʰᵉhórçᵉn) obey (*j-m* a p.).

gehö'ren (gʰᵉhörᵉn) (*dat. od. zu*) belong to; *sich* ~ be proper, fit, suitable.

gehö'rig (*dat. od. zu*) belonging to; (*schicklich*) fit, proper; due; (*tüchtig*) good; *adv.* duly.

geho'rsam (gʰᵉhörzähm) **1.** *adj.* obedient; **2.** ꝶ *m* obedience.

Ge'h|rock (gʰᵉrök) *m* frock-coat; ~werk ⊕ *n* work.

Gei'er (gʰĭᵉr) *m* vulture.

7*

Gei'ge (gʰīgʰᵉ) f violin; 2n play (on) the violin; ~nbogen (-bōgʰᵉn) m bow; ~nkasten (-kähstᵉn) m violin-case; ~r(in f) m violinist.

geil (ghil) wanton.

Gei'sel (gʰīzᵉl) f hostage.

Geiß (gʰīs) f goat.

Gei'ßel (gʰīsᵉl) f whip, lash; fig. scourge; 2n lash; fig. castigate.

Geist (gʰīst) m spirit; (Verstand) mind, intellect; (Witz) wit; (Gespenst) ghost; (Kobold) spirite.

gei'sterhaft ghostly.

gei'stes|abwesend (-ähpvézᵉnt) absent-minded; 2arbeiter (-ährbītᵉr) m brain-worker; 2gabe (-gähbᵉ) f mental gift, talent; 2gegenwart (-gʰégʰᵉnvährt) f presence of mind; ~krank (-krähŋk) insane; 2krankheit f insanity; 2schwach (-shvähк feeble-minded; ~verwandt (-fĕrvähnt) congenial; 2zustand (-tsōōshtähnt) m state of mind.

gei'stig intellectual, mental; (unkörperlich) spiritual; Getränk: spirituous; ~e Arbeit brainwork.

gei'stlich spiritual; (2e betreffend) clerical; (kirchlich) sacred; 2e(r) m clergyman; 2keit f clergy.

gei'st|los spiritless; dull; ~reich (-rīç), ~voll ingenious, spirited.

Geiz (ghits) m avarice; ~'hals (-hähls) m miser, niggard; 2'ig avaricious.

Gekla'pper (gʰᵉklähpᵉr) n rattling.

Gekli'rr (gʰᵉklīr) n clashing.

Gekrei'sch (gʰᵉkrīsh) n screaming.

Gekri'tzel (gʰᵉkrītsᵉl) n scrawl(ing).

gekü'nstelt (gʰᵉkünstᵉlt) (geziert) affected.

Gelä'chter (gʰᵉlĕçtᵉr) n laughter.

Gela'ge (gʰᵉlähgʰᵉ) n carousal.

Gelä'nde (gʰᵉlĕndᵉ) n terrain; ground; 2gängig (-gʰĕŋḵịç) cross--country (manœuvrable); ~lauf (-lowf) m Sport: cross-country run.

Gel'änder (gʰᵉlĕndᵉr) n railing, balustrade; (Treppen2) banisters pl.

gela'ngen (gʰᵉlähŋᵉn) (sn) (an, in acc.; zu) arrive at, get od. come to; zu e-m Ziel: attain. [posed.|

gela'ssen (gʰᵉlähsᵉn) calm, com-|

geläu'fig (gʰᵉlŏifịç) current; (fließend) fluent; Zunge: voluble; (bekannt) familiar.

gelau'nt (gʰᵉlownt) disposed.

Geläu't (gʰᵉlŏit) n ringing; (die Glocken) chime.

gelb (gʰĕlp) yellow; ~'lich yellowish; 2'sucht (-zōōкt) f jaundice.

Geld (gʰĕlt) n money; zu ~ m. (turn into) cash; ~'angelegenheit (-ähngʰᵉlégʰᵉnhīt) f money-matter; ~'ausgabe (-owsgähbᵉ) f expense; ~'beutel (-bŏitᵉl) m purse; ~'-entwertung (-ĕntvértōōŋ) f devaluation of money; ~'erwerb (-ĕrvĕrp) m money-making; ~'geber (-gʰébᵉr) m financial backer; ~'geschäfte (-gʰᵉshĕftᵉ) n/pl. money transactions; 2'gierig (-gʰᵉerị̈ç) greedy for money; ~'mann m capitalist; ~'mittel n/pl. funds; ~'schrank (-shrähnk) m safe; ~'sendung (-zĕndōōŋ) f remittance; ~'strafe (-shträhfᵉ) f fine; ~'stück n coin; ~'tasche (-tähshᵉ) f money-bag; für Scheine: note-case, Am. billfold; ~'-überhang (-übᵉrhähŋ) m surplus money; ~'umlauf (-ōōmlowf), ~'umsatz (-ōōmzähts) m circulation of money; ~'verlegenheit (-fĕrlégʰᵉnhīt) f pecuniary embarrassment; ~'wechsler (-vĕkslᵉr) m money-changer; ~'wert (-vért) m monetary value.

Gelee' (Qᵉlé) n jelly.

gele'gen (gʰᵉlégʰᵉn) adj. situated, Am. located; (passend) convenient, opportune.

Gele'genheit (gʰᵉlégʰᵉnhīt) f occasion; gute: opportunity; bei ~ on occasion; ~s-arbeiter (-ährbīt²r) m casual worker; ~s-kauf (-kowf) m chance purchase.

gele'gentlich (gʰᵉlégʰᵉntlịç) occasional; (gen.) on the occasion of.

gele'hrig (gʰᵉlérịç) docile; 2keit f docility. [learning.|

Gele'hrsamkeit (gʰᵉlérzähmkīt) f|

gele'hrt (gʰᵉlért) learned; 2e(r) m learned (wo)man, scholar.

Gelei'se (gʰᵉlīzᵉ) n rut, track; ⛴ (line of) rails pl.

Gelei't (gʰᵉlīt) n Personen: attendance; j-m das ~ geben accompany a p.; 2en accompany; ~zug (-tsōōk) ⚓ m convoy.

Gele'nk (gʰᵉlĕŋk) n joint; 2ig pliable, supple.

Gelie'bte(r) (gʰᵉleept²[r]): m lover; ~ f mistress, sweetheart.

geli'nd(e) (gʰᵉlĭnd[ᵉ]) soft, smooth; Regen: gentle; Wetter: mild; Feuer: slow; Strafe: lenient.

geli'ngen (gᵊelɪnᵷᵉn) **1.** (sn) succeed; es gelingt mir, zu tun I succeed in doing; **2.** ⸿ n success.

ge'llen (gᵊĕl⁴n) shrill; (schreien) yell; Ohr: tingle; ⸽d (-t) shrill.

gelo'ben (-gᵊelōb⁴n), **Gelö'bnis** (gᵊelŏpnĭs) n vow, promise.

ge'lt|en (gᵊĕlt⁴n) v/t. be worth; v/i. be of value; Münze: be current; (Geltung h.) have credit od. influence; (sich bestärigen) hold good; j-m ⸽ concern a p.; ⸽ für a) pass for, be reputed to be; b) (sich anwenden l.) apply to; ⸽end m. maintain, assert; Einfluß: bring to bear; ⸽ l. let pass, allow; das gilt nicht that is not fair; that does not count; es galt unser Leben our life was at stake; ⸿ung f value; Münze: currency.

Gelü'bde (gᵊelŭpd⁴) n vow.

Gelü'st (gᵊelŭst) n desire (for).

gemä'chlich (gᵊemĕᵵlĭᵵ) comfortable, easy; ⸿keit f ease.

Gema'hl (gᵊemähl) m consort, husband; ⸽in f consort, wife.

Gemä'lde (gᵊemäld⁴) n painting, picture.

gemä'ß (gᵊemäs) prp. according to; ⸽igt (-ĭçt) moderate; geogr. temperate.

gemei'n (gᵊemĭn) common; (allgemein) general; (niedrig) low, vulgar, coarse; ⸿e(r) X m private; et. ⸽ h. mit have a th. in common with.

Gemei'nde (gᵊemĭnd⁴) f community; (Kirchen⸿) parish; städtisch: municipality; eccl. congregation; ⸽bezirk (-b⁴tsĭrk) m municipality; ⸽rat (-räht) m = ⸽vorstand; ⸽vorstand (-förshtähnt) m (urban od.) rural district council.

gemei'n|gefährlich (-gᵊᵉfährlĭç) dangerous to the public; ⸿heit f b. s. lowness, vulgarity; (niedrige Tat) low act; ⸽nützig (-nŭtsĭç) of public utility; ⸿platz (-plähts) m commonplace; ⸽sam common; joint; ⸿schaft f community; (Verkehr) intercourse; ⸽schaftlich -sam; ⸿sinn (-zĭn) m public spirit; ⸽verständlich (-fĕrshtĕntlĭç) popular; ⸿wesen (-véz⁴n) n community; ⸿wohl (-vōl) n public welfare.

Geme'nge (gᵊemĕnᵷᵉ) n mixture.

geme'ssen (gᵊemĕs⁴n) measured; (förmlich) formal; (feierlich) grave.

Geme'tzel (gᵊemĕts⁴l) n slaughter.

Gemi'sch (gᵊemĭsh) n mixture.

Gemu'rmel (gᵊemŏōrm⁴l) n murmur(ing).

Gemü'se (gᵊemŭz⁴) n vegetables, greens pl.; ⸽händler(in f) m greengrocer. [disposition, temper.]

Gemü't (gᵊemŭt) n mind; (⸽s-art)

gemü'tlich good-natured; genial; (behaglich) comfortable, snug.

Gemü'ts|-art f temper, character; ⸽bewegung (-b⁴végōōṉ) f emotion; ⸿krank (-krähnᵷk) diseased in mind; ⸽krankheit f mental disorder; ⸿ruhig (-rōōĭç) composed, calm; ⸿zustand (-tsōōshtähnt) m state of mind.

gemü'tvoll emotional.

genau' (gᵊᵉnow) exact, accurate; (pünktlich) precise; (streng) strict; ⸿igkeit (-ĭçkĭt) f accuracy, exactness.

gene'hm (gᵊeném) agreeable; ⸿igen (-ĭgʰᵉn) grant; approve of; behördlich: license; ⸿igung (-ĭgōōṉ) f grant; approval; licence.

genei'gt (gᵊᵉnĭkt) inclined (fig. zu to); (j-m) well disposed (to[wards] a p.); ⸿heit f inclination; (Gunst) goodwill.

Genera'l (gᵊĕn⁴rähl) m general; ⸽direktor m general manager; ⸽feldmarschall (-fĕltmährshäʰl) X m Field Marshal; ⸽intendant m thea. head manager; ⸽konsul (-kŏnzōōl) m consul-general; ⸽leu'tnant (-lŏĭtnähnt) m lieutenant-general; ⸿major (-mähyŏr) m major-general; ⸿probe (-prŏb⁴) f dress rehearsal; ⸽stab (-shtäʰp) m General Staff; ⸽stabskarte f ordnance map; ⸽streik (-shtrĭk) m general strike; ⸽versammlung (-fĕrzähmlōōṉ) f general meeting; ⸽vollmacht (-fŏlmäʰkt) f general power of attorney.

gene's|en (gᵊᵉnéz⁴n) (sn) recover; ⸿ung f recovery.

genia'l (gᵊĕn'äʰl) highly gifted, ingenious; ⸿ität (-ĭtät) f genius.

Geni'ck (gᵊᵉnĭk) n nape, neck.

Genie' (Génee) n genius.

genie'ren (Géneer⁴n) trouble, molest; sich ⸽ feel embarrassed.

genie'ßen (gᵊᵉnīs⁴n) enjoy; eat; drink; von et. ⸽ taste a th.

Geno'ss|e (gᵊᵉnŏs⁴) m, ⸽in f companion, mate; comrade.

Geno'ssenschaft *f* co-operative society; † partnership.

genu'g (gʰᵉnöök) enough, sufficient.

Genü'ge (gʰᵉnügʰᵉ) *f*: *zur ~* sufficiently; **⸰n** suffice; *das genügt that will do*; *j-m*: satisfy a p.; **⸰nd** (-t) sufficient.

genü'gsam (gʰᵉnükzāhm) easily satisfied; (*mäßig*) frugal; **⸰keit** *f* frugality.

Genu'gtuung (gʰᵉnööktöö⸰ön₉) *f* satisfaction.

Genu'ß (gʰᵉnöös) *m* enjoyment; pleasure; (*Nutznießung*) profit, use; *v. Speisen usw.*: taking; *fig.* treat; **~mittel** *n* luxury; **⸰süchtig** (-zü₉ti₉) pleasure-seeking.

Geo... (gʰéö-): **~gra'ph** (-gråhf) *m* geographer; **⸰graphie'** (-gråhfee) *f* geography; **⸰gra'phisch** (-gråhfīsh) geographical; **~lo'g(e)** (-lök, -gʰ[ᵉ]) *m* geologist; **~metrie'** (-métree) *f* geometry.

Gepä'ck (gʰᵉpěk) *n* luggage, ✕ *od. Am.* baggage; **~abfertigung** (-åhpfērtigöön₉) *f* luggage-office, *Am.* baggage expedition; **~aufbewahrung(sstelle)** (-owfbᵉvåhröön₉[s-shtĕlᵉ]) *f* left-luggage office, *Am.* check room; **~halter** *m am Fahrrad:* carrier; **~netz** *n* luggage-rack; **~schein** (-shīn) *m* luggage-ticket, *Am.* baggage check; **~träger** (-trägʰᵉr) ⸺ porter, *Am.* baggageman; **~wagen** (-vågʰᵉn) *m* luggage-van, *Am.* baggage car.

gepfle'gt (gʰᵉpflĕkt) *P.*: well-groomed; *S.*: well cared-for.

Gepla'pper (gʰᵉplåhpᵉr) *n* babbling.

Gepo'lter (gʰᵉpöltᵉr) *n* rumbling noise.

Geprä'ge (gʰᵉprägʰᵉ) *n* stamp.

gera'de (gʰᵉråhdᵉ) **1.** *adj. allg.*: straight; (*eben*), *Zahl*: even; (*unmittelbar*) direct; **2.** *adv. s.* 1; just; *er schrieb ~* he was (just) writing; *nun ~* now more than ever; *~ an dem Tage* on that very day; **3.** ♀ *f* straight line; **⸰r** *m Boxen:* direct hit, *linker:* jab; **~au's** (-ows) straight on; **~herau's** (-hērows) frankly; **~swegs** (-véks) directly; **~zu'** (-tsöö) straight on; *adv.* downright.

Gera'ssel (gʰᵉråhsᵉl) *n* rattling.

Gerä't (gʰᵉrät) *n* tool, implement, utensil; *technisches:* gear; *teleph., Radio:* set; (*Fisch♀*) tackle.

gera'ten (gʰᵉrähtᵉn) **1.** *v/i.* (sn) *örtlich:* come (*od.* fall, get) in(to), (up)on *etc.*; (*gut ~*) prosper, succeed; *in Brand ~* catch fire; *ins Stocken ~* come to a standstill; *in Vergessenheit ~* fall into oblivion; *in Zorn ~* fly into a passion; **2.** *adj.* advisable.

Geratewo'hl (gʰᵉrähtᵉvöl) *n*: *aufs ~* at random.

geräu'mig (gʰᵉröimi₉) spacious.

Geräu'sch (gʰᵉröish) *n* noise; **⸰los** noiseless; **⸰voll** noisy.

ge'rb|en (gʰĕrbᵉn) tan; **⸰er** *m* tanner; **⸰erei** (-ᵉrī) *f* tannery.

gere'cht (gʰᵉrĕçt) just; *j-m ~ w.* do justice to a p.; *e-m Wunsch usw. ~ w.* meet; **⸰igkeit** (-i₉kīt) *f* justice; *a.* = **⸰same** (-zåhmᵉ) *f* right; privilege.

Gere'de (gʰᵉrédᵉ) *n* talk; rumour.

Gerei'ztheit (gʰᵉrītsthīt) *f* irritation.

gereu'en (gʰᵉröiᵉn): *es gereut mich* I repent (of) it, I am sorry for it.

Geri'cht (gʰᵉriçt) *n* **1.** (*Speise*) dish, course; **2.** (*Rechtsspruch*) judgment; = **~shof** *m*; **⸰lich** judicial, legal.

Geri'chts|barkeit (gʰᵉriçtsbåhrkīt) *f* jurisdiction; **~diener** (-deenᵉr) *m* usher (of the court); **~hof** (-höf) *m* law-court, court of justice; *mst rhet. u. fig.* tribunal; **~kosten** (-köstᵉn) *pl.* law-costs; **~saal** (-zåhl) *m* session-hall; **~schreiber** (-shrībᵉr) *m* clerk (of the court); **~stand** (-shtåhnt) *m* competency; **~tag** (-tåhk) *m* court-day; **~verhandlung** (-fĕrhåhndlöön₉) *f* judicial hearing; (*Strafe♀*) trial; **~vollzieher** (-föltseeᵉr) *m* (court-)bailiff.

geri'ng (gʰᵉrīn₉) little, small; (*unbedeutend*) trifling; slight; (*niedrig*) mean, low; (*ärmlich*) poor; (*minderwertig*) inferior; **~achten** (-åhktᵉn) think little of; disregard; **~fügig** (-fügʰi₉) trifling; slight; **~schätzen** (-shĕtsᵉn) = **~achten**; **~schätzig** disdainful, slighting; **⸰schätzung** *f* disdain; disregard; **~st** least; *nicht im ~en* not in the least.

geri'nnen (sn) curdle.

Geri'ppe *n* skeleton; ⊕ framework.

gern (gʰĕrn) willingly, gladly; *~ h., mögen*, tun be fond of, like.

Geröl'l (gʰᵉröl) *n* rubble.

Ge'rste (gʰĕrstᵉ) *f* barley.

Ge'rstenkorn n barleycorn; ♂ sty.
Ge'rte (gʰᵉrtᵉ) f switch, twig.
Geru'ch (gʰᵉrōōĸ) m smell, odour; scent; ♀los scentless; ⁓s-sinn (-zĭn) m smell.
Gerü'cht (gʰᵉrŭçt) n rumour.
geru'hen (gʰᵉrōō'ᵉn) deign, be pleased.
Gerü'mpel (gʰᵉrŭmpᵉl) n lumber.
Gerü'st (gʰᵉrŭst) n (Bau♀) scaffold(ing); (Schau♀) stage.
gesa'mt (gʰᵉzähmt) whole, entire, total, aggregate; ♀-ausgabe (-owsgähbᵉ) f complete edition; ♀betrag (-bᵉträhĸ) m sum total; ♀heit f total(ity); the whole.
Gesa'ndt|e(r) (gʰᵉzähntᵉ[r]) m envoy; ⁓schaft f legation.
Gesa'ng (gʰᵉzähng) m singing; (Lied) song; ⁓buch (-bōōĸ) n hymn-book; ⁓lehrer(in f) (-lérᵉr) m singing-master (-mistress f); ⁓verein (-fᵉrĭn) m choral society, Am. glee-club.
Gesä'ß (gʰᵉzäs) n seat, backside.
Geschä'ft (gʰᵉshëft) n business; (Unternehmung) transaction; (Angelegenheit) affair; (Beschäftigung) occupation; (Laden) shop, Am. store; ♀ig busy, active; ⁓igkeit (-ĭçkĭt) f activity; ♀lich business ...; commercial.
Geschä'fts|bericht (-bᵉrĭçt) m business report; ⁓brief (-breef) m b. letter; ⁓freund (-fröint) m correspondent; ⁓führer m manager; ⁓haus (-hows) n commercial firm; ⁓lokal (-lōkähl) n shop; office; ⁓mann m b.-man; ♀mäßig (-mäsĭç) business-like; b.s. perfunctory; ⁓ordnung (-ördnōōɳg) f parl. standing orders pl.; ⁓papiere (-pähpeerᵉ) n/pl. commercial papers; ⁓reisende(r) (-rĭzᵉndᵉ[r]) m commercial traveller; ⁓schluß (-shlōōs) m closing-time; ⁓stelle (-shtĕlᵉ) f agency; ⁓verbindung (-fᵉrbĭndōōɳg) f b. connexion; ⁓viertel (-fĭrtᵉl) n shopping centre; ⁓zeit (-tsĭt) f office-hours pl.; ⁓zimmer n office, bureau; ⁓zweig (-tsvĭk) m branch (of b.).
gesche'hen (gʰᵉshéᵉn) (sn) happen, occur; (getan w.) be done; es geschieht ihm recht it serves him right.
geschei't (gʰᵉshĭt) clever. [gift.]
Gesche'nk (gʰᵉshĕnɳk) n present,⌡

Geschi'chte (gʰᵉshĭçtᵉ) f history; fig. affair; (Erzählung) story.
geschi'chtlich historical.
Geschi'chts|forscher, ⁓schreiber (-shrĭbᵉr) m historian.
Geschi'ck (gʰᵉshĭk) n 1. fate; destiny; 2. = ⁓lichkeit (-lĭçkĭt) f skill; (Befähigung) aptitude; ♀t skilful, apt; clever.
Geschi'rr (gʰᵉshĭr) n (Gefäß) vessel; (Tafel♀) service, oft: things; (Küchen♀) crockery; (Pferde♀) harness.
Geschle'cht (gʰᵉshlëçt) n sex; (Art) kind; (Abstammung) race; (Familie) family; (Menschenalter) generation; gr. gender; ♀lich sexual.
Geschle'chts|krankheit (gʰᵉ-shlëçtskrähɳkhĭt) f venereal disease; ⁓teile (-tĭlᵉ) m/pl. genitals; ⁓trieb (-treep) m sexual desire.
geschli'ffen (gʰᵉshlĭfᵉn) Glas: cut; fig. polished.
Geschma'ck (gʰᵉshmähk) m taste (a. fig.); (Aroma) flavour; ⁓ finden an (dat.) take a fancy to; ♀los tasteless; ⁓sache (-zähĸᵉ) f matter of taste; ♀voll tasteful.
geschmei'dig (gʰᵉshmĭdĭç) supple, pliant.
Geschna'tter (gʰᵉshnätᵉr) n cackling.
Geschö'pf (gʰᵉshöpf) n creature.
Gescho'ß (gʰᵉshös) n projectile; missile; (Stockwerk) story, floor.
Geschre'i (gʰᵉshrĭ) n cries pl.; fig. noise.
Geschü'tz (gʰᵉshŭts) n gun.
Geschwa'der (gʰᵉshvähdᵉr) n ⚓ squadron; ✕, ⚓ group.
Geschwä'tz (gʰᵉshvĕts) n idle talk; (Klatsch) gossip; ♀ig talkative.
geschwei'ge (gʰᵉshvĭgʰᵉ) (denn) not to mention; let alone, much less.
geschwi'nd (gʰᵉshvĭnt) fast, quick.
Geschwi'ndigkeit (gʰᵉshvĭndĭçkĭt) f quickness; (bestimmte ⁓) speed, pace; phys. velocity; mit e-r ⁓ von ... at the rate of.
Geschwi'ster (gʰᵉshvĭstᵉr) pl. brother(s) and sister(s).
Geschwo'ren|e(r) (gʰᵉshvörᵉnᵉ[r]) m juror; pl. jury (⁓engericht [-gʰᵉ-rĭçt] n).
Geschwu'lst (gʰᵉshvōōlst) f swelling, tumour.
Geschwü'r (gʰᵉshvŭr) n abscess.
Gese'll(e) (gʰᵉzĕl[ᵉ]) m companion; fellow; ⊕ journeyman.

gese'llen (*a. sich*) (*zu*) associate (with), join (with, to).

gese'llig social; sociable.

Gese'llschaft (g^heᵉzĕlshäͣft) *f* society; party; ✝ company; *j-m ~ leisten* bear a p. company; ~er(in *f*) *m* companion; ✝ partner; 2lich social.

Gese'llschafts|-anzug (-ăͣhntsōͦk) *m* evening-dress; ~reise (-riz^e) *f* co-operative tour; ~spiel (-shpeel) *n* round game; ~tanz (-tăͣhnts) *m* ball-room dance.

Gese'tz (g^heᵉzĕts) *n* law; ~buch (-bōͦk) *n* code; ~entwurf (-ĕnt-vōͦrf) *m* bill; ~eskraft *f* legal force; 2gebend (g^héb^ent) legislative; ~geber *m* legislator; ~gebung *f* legislation.

gese'tzlich lawful, legal; ~ *geschützt* patented, registered.

gese'tz|los lawless; ~mäßig (-mä-sĭç) legal; lawful; 2sammlung (-zähͣmlōͦng) *f* code.

gese'tzt (g^heᵉzĕtst) sedate, staid; *Alter*: mature; ~ (*den Fall*), *es sei wahr* suppose (*od.* supposing) it were true.

Gesi'cht (g^heᵉzĭçt) *n* face; countenance; look; (*Sehvermögen*) sight.

Gesi'chts|farbe *f* complexion; ~kreis (-kris) *m* horizon; ~punkt (-pōͦngkt) *m* point of view; ~zug (-tsōͦk) *m* feature.

Gesi'ms (g^héᵉzīms) *n* ledge.

Gesi'nde (g^héᵉzĭnd^e) *n* servants *pl.*

Gesi'ndel *n* rabble, mob.

gesi'nnt (g^heᵉzĭnt) disposed; ...-minded.

Gesi'nnung (g^heᵉzĭnōͦng) *f* mind; disposition; opinions *pl.*; 2slos unprincipled; 2s-treu (-trŏi) loyal.

gesi'tt|et (g^heᵉzĭt^et) civilized; (*wohlerzogen*) well-bred; 2ung *f* civilization.

Gespa'nn (g^heᵉshpäͣn) *n* team, *Am.* span.

gespa'nnt tense (*a. fig.*); *Seil*: tight; *Aufmerksamkeit*: close; *Beziehungen*: strained; ~ *sn auf* (*acc.*) be anxious for; *auf ~em Fuße* on bad terms; 2heit *f* tension.

Gespe'nst (g^heᵉshpĕnst) *n* ghost, spectre; 2erhaft ghostly.

Gespie'l|e (g^heᵉshpeel^e) *m*, ~in *f* playmate.

Gespi'nst (g^heᵉshpĭnst) *n* web.

Gesprä'ch (g^heᵉshpräͣç)n talk; con-

versation; *teleph.* call; (*Zwie*2) dialogue; 2ig talkative.

Gesta'lt (g^heᵉshtäͣlt) *f* form, figure, shape; (*Wuchs*) stature; 2en (*a. sich*) form, shape.

Gesta'ltung *f* formation.

gestä'nd|ig (g^heᵉshtĕndĭç): ~ *sn* confess; 2nis *n* confession.

Gesta'nk (g^heᵉshtäͣhngk) *m* stench.

gesta'tten (g^heᵉshtäͣht^en) permit.

Ge'ste (g^hĕst^e) *f* gesture.

geste'h(e)n (g^heᵉshté[ᵉ]n) confess, avow.

Gestei'n (g^heᵉshtin) *n* rock, stone.

Geste ll (g^heᵉshtĕl) *n* stand; (*Rahmen*) frame; (*Bock*2) trestle, horse.

ge'stern (g^hĕst^ern) yesterday; ~ *abend* last night.

Gesti'rn (g^heᵉshtĭrn) *n* star; (*Sternbild*) constellation; 2t starred.

ge'strig (g^hĕstrĭç) of yesterday.

Gestrü'pp (g^heᵉshtrŭp) *n* underwood.

Gesu'ch (g^heᵉzōͦk) *n* application; request; (*Bittschrift*) petition; 2t wanted; (*begehrt*) sought-after; (*geziert*) affected.

gesu'nd (g^heᵉzōͦnt) sound, healthy; (*zuträglich*) wholesome; ~en (g^heᵉzōͦnd^en) (sn) recover.

Gesu'ndheit (g^heᵉzōͦnthit) *f* health (-iness); wholesomeness; *j-s ~ ausbringen* propose a p.'s health; 2lich sanitary; ~s-amt *n* Board of Health; ~spflege (-pflég^he) *f* sanitation; ~swesen (-véz^en) *n* Public Health.

Getö'se (g^hetöz^e) *n* din.

Geträ'nk (g^heᵉtrĕngk) *n* drink.

getrau'en (g^heᵉtrowᵉn): *sich ~ dare*, venture.

Getrei'de (g^heᵉtrid^e) *n* corn, grain; ~bau (-bow) *m* corn-growing; ~pflanze (-pfläͣhnts^e) *f* cereal plant.

getreu' (g^heᵉtrŏi) faithful(ly ~lich), loyal.

Getrie'be (g^heᵉtreeb^e) *n* ⊕ gear(ing); drive; (*reges Leben*) bustle.

getro'st (g^heᵉtrŏst) confident.

Getu'e (g^hetōͦ^e) *n* fuss.

Getü'mmel (g^heᵉtüm^el) *n* turmoil.

Geva'tter (g^heᵉfähͣt^er) *m* godfather; ~in *f* godmother.

Gevie'rt (g^héᵉfeert) *n* square.

Gewä'chs (g^hᵉvĕks) *n* growth (*a.* ⚕^e), *engS.* plant, herb.

gewa'chsen (g^heᵉvähͣks^en): *j-m ~ sn* be a match for a p.; *e-r S.*: be equal to a th.

gewa'gt (gʰᵉväʰkt) risky.

gewä'hlt (gʰᵉvält) *Sprache:* selected.

gewa'hr (gʰᵉväʰr) (*gen.*) aware of.

Gewä'hr (gʰᵉvär) *f* warrant, security; 2en grant; yield; 2 l. let alone; 2leisten (-listᵉn) guarantee.

Gewa'hrsam (gʰᵉväʰrzäʰm) *m u. n* custody.

Gewä'hrsmann (-s-) *m* authority.

Gewa'lt (gʰᵉväʰlt) *f* power; *amtliche:* authority; (̰tätigkeit) force, violence; *höhere* ̰ act of God; 2ig powerful; (*heftig*) vehement; 2sam violent, forcible.

gewa'lttätig (gʰᵉväʰlttätiç) violent.

Gewa'nd (gʰᵉväʰnt) *n* garment.

gewa'ndt dexterous, adroit; *geistig:* clever; 2heit *f* adroitness, dexterity; cleverness.

Gewä'sch (gʰᵉvĕsh) *n* twaddle.

Gewä'sser (gʰᵉvĕsᵉr) *n* waters *pl.*

Gewe'be (gʰᵉvébᵉ) *n* tissue (*a. anat. u. fig.*); *Web:* (*Webart*) texture.

Gewe'hr (gʰᵉvér) *n* gun; ✕ rifle.

Gewei'h (gʰᵉvī) *n* horns, antlers *pl.*

Gewe'rbe (gʰᵉvĕrbᵉ) *n* trade, business; industry; ̰ausstellung (-owsshtĕlōoŋ) *f* industrial exhibition; ̰schule (-shōōl) *f* technical school; 2tätig (-tätiç), 2treibend (-tribᵉnt) industrial; ̰tribende(r)(-tribᵉndᵉ[r])*m* tradesman.

gewe'rblich (gʰᵉvĕrpliç) industrial.

gewe'rbsmäßig (gʰᵉvĕrpsmäsiç) professional.

Gewe'rkschaft (gʰᵉvĕrkshäʰft) *f* trade(s)-union; ̰ler *m*, 2lich trade(s)-unionist.

Gewi'cht (gʰᵉviçt) *n* weight, *Am. a.* heft; ̰ *legen auf* (*acc.*) lay stress on; 2ig weighty.

gewi'llt (gʰᵉvilt) willing.

Gewi'mmel (gʰᵉvimᵉl) *n* swarm.

Gewi'nde (gʰᵉvindᵉ) *n* ⊕ thread.

Gewi'nn (gʰᵉvin) *m* gain(s *pl.* ✝), profit; *Lotterie:* prize; *Spiel:* winnings *pl.*; ̰anteil (-äʰntil) *m* dividend; ̰beteiligung (-bᵉtiligōoŋ) *f* profit-sharing; 2bringend profitable; 2en *v/t.* win; gain; get; *v/i. fig.* improve; ̰sucht (-zookt) *f* greed of gain; 2süchtig (-züçtiç) greedy of gain.

Gewi'rr (gʰᵉvir) *n* tangle.

gewi'ß (gʰᵉvis) certain, sure; ̰l to be sure!; *ein gewisser ...* a certain ...

Gewi'ssen (gʰᵉvisᵉn) *n* conscience; 2haft conscientious; 2los un-

scrupulous; ̰sbisse *m/pl.* remorse; ̰sfrage (-fräʰgᵉ) *f* matter of conscience.

gewisserma'ßen (gʰᵉvisᵉrmäʰsᵉn) to a certain extent. [surety.

Gewi'ßheit (gʰᵉvishit) *f* certainty,

Gewi'tter (gʰᵉvitᵉr) *n* thunderstorm; ̰luft (-lōoft) *f* sultry air; 2n thunder; ̰regen (-régʰᵉn) *m* thunder-shower; ̰wolke (-völkᵉ) *f* thunder-cloud. [*acc.* to).]

gewö'hnen (gʰᵉvönᵉn) accustom (*an*)

Gewo'hnheit (gʰᵉvönhit) *f* (*Herkommen*) custom; (*persönliche* ̰) habit; 2smäßig (-mäsiç) habitual.

gewö'hnlich (gʰᵉvönliç) (*üblich*) usual, ordinary, common; customary; (*gewohnt*) habitual, wonted; (*gemein*) common, vulgar.

gewo'hnt (gʰᵉvönt) habitual; be used to.

Gewö'lbe (gʰᵉvölbᵉ) *n* vault.

Gewü'hl (gʰᵉvül) *n* bustle.

Gewü'rz (gʰᵉvürts) *n* spice; condiment; 2ig spicy; ̰nelke *f* clove.

Gezä'nk (gʰᵉtsĕrŋk) *n* quarrel(ling).

Geze'ter (gʰᵉtsétᵉr) *n* clamour.

gezie'men (gʰᵉtseemᵉn) (*dat.*) (*a. sich* ̰ [*für*]) become; ̰d (-t) becoming; due.

gezie'rt (gʰᵉtseert) affected.

Gezwi'tscher (gʰᵉtsvitshᵉr) *n* twitter. [constrained.]

gezwu'ngen (gʰᵉtsvōoŋᵉn) forced,

Gicht (gʰiçt) *f* gout; 2'isch gouty; ̰'knoten (-knōtᵉn) *m* gout-stone.

Gie'bel (gʰeebᵉl) *m* gable(-end).

Gier (gʰeer) *f* greed(iness).

gie'rig (*nach*) greedy (of).

Gie'ßbach (gʰeesbäʰk) *m* torrent.

gie'ß|en (gʰees-ᵉn) pour; ⊕ cast, found; *Blumen:* water; *es gießt* it is pouring (with rain); 2er *m* founder; 2erei' (-ᵉri) *f* foundry; 2kanne *f* watering-can, -pot.

Gift (gʰift) *n* poison; (*Tiere, fig. Bosheit*) venom; 2ig poisonous; venomous; ̰'mischer(in *f*) *m* poisoner; ̰'zahn (-tsäʰn) *m* venom-tooth.

Giga'nt (gʰigäʰnt) *m* giant.

Gi'pfel (gʰipfᵉl) *m* summit, top.

Gips (gʰips) *m* gypsum; ⊕ plaster (of Paris); ̰'-abdruck (-äʰpdrōōk) *m* plaster-cast; 2'en plaster; ̰'verband (-fĕrbäʰnt) *m* plaster dressing.

girie'ren † (Gīreerᵉn) circulate; *Wechsel*: endorse.

Girla'nde (gʰīrlähndᵉ) f garland.

Gi'ro † (Geerō) n endorsement; ~bank (-bähnk) f transfer bank; ~konto (-kôntō) n current account.

gi'rren (gᵇlrᵉn) coo.

Gita'rre (gʰitährᵉ) f guitar.

Gi'tter (gᵇltᵉr) n grating; attice; (*Geländer*) failing; ~fenster n lattice-window; ~tor (-tōr) n trellised gate. [shōō) m kid glove.]

Glace'handschuh (glähsèhähnt-)

Glanz (glähnts) m brightness; lustre; brilliancy; splendour.

glä'nzen (glèntsᵉn) glitter, shine; ~d bright, brilliant; *fig.* splendid.

Gla'nz|leder (-lédᵉr) n patent leather; ~papier (-pähpeer) n glazed paper; ~periode (-pèr'ōdᵉ) f glorious days *pl.*; ~punkt (-pōōŋkt) m acme.

Glas (glähs) n glass.

Gla'ser (glähzᵉr) m glazier.

glä'sern (gläzᵉrn) of glass; *fig.* glassy.

Gla's|glocke (-glôkᵉ) f bell-glass; (glass) shade; ~hütte f glass-~works *pl.*

glasie'ren (glähzeerᵉn) glaze; *Küche*: frost.

gla'sig (glähziç) glassy, vitreous.

Gla'sscheibe (glähsshibᵉ) f pane of glass.

Glasu'r (glähzōōr) f glaze; (*Schmelz*) enamel; *Küche*: frosting.

glatt (gläht) smooth (*a. fig.*); (*eben*) even; *Lüge usw.*: flat, downright; ~ anliegen fit close; ~ rasiert clean-~shaved.

Glä'tte (glètᵉ) f smoothness.

Gla'tt-eis (glähtīs) n glazed frost.

glä'tten (glètᵉn) smooth.

Gla'tze (glähtsᵉ) f bald head.

Glau'be (glowbᵉ) m faith, belief (*an acc.* in); 2n *v/t.* believe; (*meinen, annehmen*) think, suppose, *Am.* guess; *v/i.* believe (*j-m* a p.; *an acc.* in).

Glau'bens|bekenntnis (-bᵉkĕntnis) n creed; ~lehre (-lérᵉ) f, ~satz (-zähts) m dogma.

glau'bhaft (glowphähft) credible.

gläu'big (glöibiç) believing, faithful; 2e(r) (-igʰᵉ[r]) m believer; 2er(in f) † m creditor.

glau'bwürdig (glowpvŭrdiç) credible.

gleich (glīç) 1. *adj.* (~ *an Bedeutung usw.*) equal; (*derselbe*) the same; (*ähnlich*) like; (*eben, auf* ~er *Höhe*) even, level; *es ist mir* ~ it's all the same to me; 2. *adv.* alike; equally; (*so*~) instantly, directly; 3. 2'e(r) m equal; 2'e(s) n the like; (*ebensoviel*) as much; ~'-artig homogeneous; ~'bedeutend (-bᵉdöitᵉnt) synonymous; ~'en (*dat.*) be like; (*gleichkommen*) equal.

glei'ch|falls also, likewise; ~förmig (-förmiç) uniform; ~gesinnt (-gᵇᵉzīnt) like-minded; 2gewicht (-gᵇᵉviçt) n (*a. fig.*) balance; equilibrium, equipoise; ~gültig (-gŭltiç) indifferent (*gegen* to); *es ist mir* ~ I don't care (for it); 2gültigkeit f indifference; 2heit f equality; (*Ähnlichkeit*) likeness; kommen: *j-m* ~ come up to a p.; ~laufend (-lowfᵉnt) parallel; ~lautend (-lowtᵉnt) consonant; *Inhalt*: of the same tenor; ~machen (-mähχᵉn) equalize; 2maß (-mähs) n symmetry; ~mäßig (-mäsiç) equal, symmetrical; 2mut (-mōōt) m equanimity; ~mütig (-mŭtiç) even-tempered; ~namig (-nähmiç) of the same name; 2nis n simile; ~sam as it were; ~seitig (-zītiç) equilateral; ~stehen (-shtéᵉn) be equal; ~stellen (*j-m*) equalize (to, with); 2stellung f equalization; 2strom (-shtröm) ⚡ m continuous (*od.* direct) current; 2ung f equation; ~viel (-feel) no matter; ~wertig (-vértiç) equivalent; ~wo'hl (-völ) however, all the same; ~zeitig (-tsītiç) simultaneous; (*zeitgenössisch*) contemporary.

Gleis (glīs) = *Geleise*.

glei'ten (glītᵉn) (sn) glide, slide.

Glei't|flieger (-fleegᵇᵉr) m glider; ~flug (-flōōk) m glide, volplane; ~schutz(reifen) (-shōōts[rifᵉn]) m non-skid (tyre).

Gle'tscher (glètshᵉr) m glacier; ~spalte (-shpähltᵉ) f crevasse.

Glied (gleet) n (*a fig.*) limb; member; (*Ketten-, Binde*2) link; ✕ rank.

glie'dern (gleedᵉrn) articulate; *logisch*: arrange; (*einrichten*) organize.

Glie'derung f articulation; arrangement; organization. [limbs.]

Glie'dmaßen (gleetmähsᵉn) *pl.*

gli'mmen (glīmᵉn) glimmer, glow.

gli'mpflich (glĭmpflĭç) gentle.
gli'tzern (glĭts⁴rn) glitter.
Glo'bus (glōbŏŏs) m globe.
Glo'cke (glŏk⁴) f bell; (Glas⚥)
shade; (Uhr) clock.
Glo'cken|stuhl (-shtōōl) m belfry;
~schlag (-shlähk) m stroke of the
clock; ~spiel (-shpeel) n chime(s
pl.); ~turm (-tōŏrm) m bell-tower.
Glö'ckner (glŏkn⁴r) m bell-ringer.
Glo'rie (glōr¹⁴) f glory; ~nschein
(-shīn) m fig. halo, aureola.
glo'rreich (glōrrĭç) glorious.
glo'tzen (glŏts⁴n) stare.
Glück (glük) n fortune; (~sfall) good
luck; (~sgefühl) happiness; (Wohlstand) prosperity; ~ h. be lucky,
succeed; ~ wünschen congratulate
(j-m zu et. a p. [up]on a th.); viel ~!
good luck!; ⚥'bringend lucky;
⚥'en (sn u. h.) = gelingen.
glü'cklich fortunate; happy; lucky;
~erwei'se fortunately.
glü'ckselig (glükzélĭç)blissful, blessed, happy.
Glü'cks|fall (-fähl) m lucky chance;
~kind (-kĭnt) n fortune's favourite;
~ritter m adventurer; ~spiel
(-shpeel) n game of hazard; ~tag
(-tähk) m red-letter day.
Glü'ck|wunsch (glükvōōnsh) m
congratulation; zu Festen: compliments pl. (of the season).
Glü'h|birne (glübĭrn⁴) f (incandes-
cent) bulb; ⚥en (glü⁴n) v/i. glow;
⚥end Eisen: red-hot; Kohle: live;
fig. ardent, fervid; ⚥heiß (-hīs)
burning hot; ~licht (-lĭçt) n incandescent light; ~strumpf
(-shtrōōmpf) m incandescent
mantle; ~wein (-vīn) m mulled
wine.   [ing fire; fig. ardour.‹
Glut (glōōt) f glow; konkret: glow-‹
Gna'de (gnähd⁴) f (Huld) grace;
(Gunst) favour; (Barmherzigkeit)
mercy; ✗ quarter.
Gna'den|-akt m act of grace; ~
brot (-brōt) n bread of charity,
~frist f reprieve; ~gehalt n pension; ~gesuch (-g⁴zōōk) n petition
of grace.
gnä'dig (gnädĭç) gracious; (barm-
herzig) merciful; ~e Frau madam.
Gnom (gnōm) m gnome, goblin.
Gold (gŏlt) n gold; ~'borte f gold
lace; ⚥'en (gŏld⁴n) gold; fig. golden;
~'feder (-féd⁴r) f gold nib; ~'fisch
m goldfish; ⚥'gelb (-g⁴ĕlp) golden;

~'gräber m (gold-)digger; ~'grube
(-grōōb⁴) f gold-mine; ~'münze f
gold coin; ~'schmied (-shmeet) m
goldsmith; ~'schnitt m gilt edges
pl.; mit ~ gilt-edged; ~'stück n
gold coin; ~'waage (-vähg⁴) f
gold-balance; ~'währung (-vä-
rōōr)g) f gold-standard.
Golf¹ (gŏlf) m gulf; ~², ~'spiel
(-shpeel) n golf; ~'platz m golf-
links pl.; ~'schläger m golf-club;
~'spieler(in f) (-shpeel⁴r) m golfer.
Go'ndel (gŏnd⁴l) f gondola; ✗ car.
gö'nnen (gŏn⁴n) allow, grant, not
to grudge a p. a th.
Gö'nner|(in f) m patron(ess f); bsd.
Am. sponsor; ⚥haft patronizing;
~schaft f patronage; sponsorship.
Go'sse (gŏs⁴) f gutter.
Gott (gŏt) m God; (Gottheit) god;
⚥'begnadet (-b⁴gnähd⁴t) (heaven-)
inspired; ⚥-ergeben (-ĕrg⁴b⁴n)
resigned to the will of God.
Go'ttes|-acker m churchyard, God's-
-acre; ~dienst (-deenst) m divine
service; ~furcht (-fōōrkt) f fear
of God; ⚥fürchtig (-fürçtĭç) god-
fearing; ~haus (-hows) n church,
chapel; ~lästerer m blasphemer;
~lästerung f blasphemy; ~leugner
(-lŏĭgn⁴r) m atheist.
Go'ttheit (gŏthīt) f deity, divinity.
Gö'ttin (gŏtĭn) f goddess.
gö'ttlich (gŏtlĭç) divine.
ge'tt|lob! (-lōp) God be praised!;
~los godless; F fig. unholy; ~ver-
gessen (-fĕrg⁴ĕs⁴n) s. ⚥los.
Gö'tze (gŏts⁴) m idol.
Gö'tzen|bild n idol; ~diener(in f)
(-deen⁴r) m idolater; ~dienst
(-deenst) m idolatry.
Gouvern|a'nte (gōōv⁴rnähnt⁴) f
governess; ~eu'r (-ŏr) m governor.
Grab (grähp) n grave, rhet. tomb,
sepulchre.
Gra'ben (grähb⁴n) 1. m ditch; ✗
trench; 2. ⚥ dig; ⊕ engrave.
Gra'b|gewölbe (-g⁴vŏlb⁴) n vault,
tomb; ~mal (-mähl) n tomb; ~rede
(-réd⁴) f funeral sermon; ~schrift f
epitaph; ~stein (-shtīn) m tomb-
stone.
Grad (gräht) m degree; (Rang)
grade; ~'einteilung (-ĭntīlōōr)g) f
graduation; ~'messer m graduator;
~'netz n skeleton map.
Graf (grähf) m engl.: earl; count.
Grä'fin (gräfĭn) f countess.

Gra′fschaft f county.
Gram (grähm) 1. *m* grief, sorrow; 2. *j-m* ♀ *sn* be cross with.
grä′men (grähᵉn) (*a. sich*) grieve.
grä′mlich morose, peevish.
Gramm (grähm) *n* gram(me).
Gramma′t|ik (grähmähtĭk) *f* grammar; ♀isch grammatical.
Grammopho′n (grähmŏfōn) *n* gramophone, *Am.* phonograph; ⁓platte *f* (gr. *od.* ph.) disk *od.* record.
Grana′t (grähnäht) *m* min. garnet; ⁓e *f* shell; (*Gewehr*♀, *Hand*♀) grenade; ⁓trichter (-trĭçtᵉr) *m* (shell)crater.
Grani′t (grähneet) *m* granite.
Gra′nne (grähnᵉ) ♀ *f* awn.
gra′phisch (grähfĭsh) graphic(ally).
Graphi′t (grähfeet) *m* black-lead.
Gras (grähs) *n* grass; ♀′en (grähzᵉn) graze; ⁓′halm *m* blade of grass; ♀′ig (grähzĭç) grassy; ⁓′platz *m* grass-plot, green.
grassie′ren (grähseerᵉn) prevail.
grä′ßlich (gräslĭç) horrible; (*scheuß-lich*) atrocious, hideous.
Grat (graht) *m* edge, ridge.
Grä′te (grätᵉ) *f* fish-bone.
gra′tis (grähtĭs) gratis, free.
Gratul|a′nt (grähtōōlähnt) *m* congratulator; ⁓atio′n (-ähts′ōn) *f* congratulation; ♀ie′ren (-eerᵉn) congratulate (*j-m zu et.* a p. on a th.); *j-m zum Geburtstage* ⁓ wish a p. many happy returns (of the day).
grau (grow) grey, *bsd. Am.* gray.
grau′en¹ (growᵉn) *Tag:* dawn.
grau′en² 1. *mir graut vor* (*dat.*) I have a horror of, I shudder at; 2. ♀ *n* horror (*vor of*); ⁓haft, ⁓voll horrible, dreadful.
gräu′lich (gröilĭç) greyish.
Grau′pe (growpᵉ) *f* (peeled) barley; ⁓ln 1. *f/pl.* sleet; 2. ♀ sleet.
grau′sam (growzähm) cruel; ♀keit *f* cruelty.
grau′sen (growzᵉn) 1. = *grauen²* 1; 2. ♀ *n* horror (*vor of*).
grau′sig (growzĭç) horrible.
Graveu′r (grähvör) *m* engraver.
gravie′ren (grähveerᵉn) engrave; ⁓d (*belastend*) aggravating.
gravitä′tisch (grähvĭtätĭsh) grave.
Gra′zie (grähtsĭᵉ) *f* grace.
graziö′s (grähts′ös) graceful.

grei′fbar (grīfbähr) ✝ on hand; *fig.* palpable.
grei′fen (grīfᵉn) *v/t.* seize; ⁓ *an den Hut, das Herz usw.* touch; ⊕ *in-einander.* interlock; ⁓ *nach* snatch (*od.* grasp) at; *zu den Waffen* ⁓ take up arms.
Greis (grīs) *m* old man. [age.]
Grei′sen-alter (grīzᵉnähltᵉr) *n* old)
grei′senhaft senile.
Grei′sin (grīzĭn) *f* old woman.
grell (grĕl) glaring; *Ton:* shrill.
Gre′nze (grĕntsᵉ) *f* limit; (*Scheide-linie*) boundary; *von Ländern:* frontier, borders *pl.*
gre′nzen border (*an acc.* on).
gre′nzenlos boundless.
Gre′nz|fall (-fähl) *m* border-line case; ⁓land (-lähnt) *n* borderland; ⁓linie (-leen′ᵉ) *f* boundary-line; ⁓stein (-shtīn) *m* boundary-stone.
Greu′el (gröiᵉl) *m* horror, abomination; ⁓tat (-täht) *f* atrocity.
greu′lich (gröilĭç) horrid, dreadful.
Grie′ch|e (greeçᵉ) *m*, ♀isch Greek.
grie′sgrämig (greesgrämĭç) morose.
Grieß (grees) *m* gravel (*auch ⁎*), grit; (*Weizen*♀) semolina.
Griff (grĭf) *m* grip, grasp, hold; ♪ touch; *Schirm, Messer:* handle; *Schwert:* hilt; *fig. ein guter* ⁓ a hit.
Gri′lle (grĭlᵉ) *f* cricket; *fig.* freak, whim; ♀nhaft whimsical.
Grima′sse (grĭmähsᵉ) *f* grimace.
Grimm (grĭm) *m* fury, rage; ⁓′en *n* gripes *pl.*, colic; ♀′ig furious, fierce, grim.
Grind (grĭnt) *m* scab, scurf.
gri′nsen (grĭnzᵉn), ♀ *n* grin.
Gri′ppe (grĭpᵉ) *f* influenza.
grob (grōp, -ö-) coarse; gross; (*un-höflich*) rude; *Arbeit, Haut:* rough.
Gro′bheit *f* coarseness *usw.*
Gro′bschmied (grōpshmeet) *m* blacksmith.
grö′hlen (grölᵉn) bawl.
Groll (grŏl) *m* grudge, ill-will; ♀′en *j-m* ⁓ bear a p. ill-will *od.* a grudge; *Donner:* rumble.
Gros (grōs) *n* gross.
Gro′schen (grōshᵉn) *m* penny.
groß (grōs) great; large; (*umfang-reich*) big; *Wuchs:* tall; *im* ⁓en wholesale, on a large scale; *im* ⁓en *und ganzen* on the whole; *im* ⁓er *Buchstabe* capital letter; *das* ♀e *Los* the first prize; ♀′-aufnahme (-owf-nähmᵉ) *f Film:* close-up.

Grö′ße (grös⁶) f (Umfang) size, largeness; des Wuchses: tallness, height; (Menge; bsd. ₳) quantity; (Bedeutung) greatness; (Person) celebrity; thea. star.

Gro′ß|-eltern pl. grand-parents; ~enkel m great-grandson.

gro′ßenteils (grös⁶ntils) largely.

Grö′ßenwahn (grös⁶nvähn) m megalomania.

Gro′ß|funkstelle (-fŏŏₙkshtĕl⁶) f high-power radio (od. wireless) station; ~grundbesitz (-grŏŏntb⁶zits) m great landed property; ~handel m wholesale trade; ~handlung f wholesale firm; 2herzig (-hĕrtsĭç) magnanimous; ~herzog (-hĕrtsŏk) m grand duke; ~industrie (-indŏŏstree) f wholesale manufacture.

Gro′ssist (grŏsĭst) m wholesaler.

gro′ß|jährig (-yärĭç) of age; 2jährigkeit f majority; 2kaufmann (-kowfmähn) m wholesale merchant; 2kraftwerk (-krähftvĕrk) n high-power station; 2macht (-mähкt) f great power; 2maul (-mowl) n braggart; 2mut (-mŏŏt) f magnanimity; 2mutter (-mŏŏt⁶r) f grandmother; 2schreibung (-shribŏŏnₖ) f capitalization; ~sprecherisch (-shprĕç⁶rĭsh) boastful; ~spurig (-shpŏŏrĭç) arrogant; 2stadt (-shtäht) f large city; ~städtisch (-shtätĭsh) (characteristic) of a large city; 2tat (-täht) f exploit.

grö′ßtenteils (gröst⁶ntils) for the most part.

gro′ß|tuerisch (-tŏŏ⁶rĭsh) boastful; ~tun (-tōōn) swagger; sich mit et. ~ brag of; 2vater (-fäht⁶r) m grandfather; 2vertrieb (-fĕrtreep) m distribution in bulk; ~ziehen (-tsee⁶n) bring up; ~zügig (-tsüg⁶ĭç) broad-minded, generous; S.: large scale.

Gro′tte (grŏt⁶) f grotto.

Grü′bchen (grüpç⁶n) n dimple.

Gru′be (grŏŏb⁶) f pit; ⚒ mine.

Grübelei′ (grüb⁶lī) f musing, meditation.

grü′beln (grüb⁶ln) muse, ponder, Am. mull (über dat. over).

Gru′ben|-arbeiter (-ährbīt⁶r) m miner; ~gas (-gähs) n firedamp; ~lampe f miner's lamp.

Gruft (grŏŏft) f tomb, vault.

grün (grün) **1.** green; ~er Junge greenhorn; ~er Tisch official table; **2.** 2 n green; der Natur: verdure.

Grund (grŏŏnt) m ground; (Erdboden) soil; (Meeres2 usw.) bottom; (Tal) valley; (Fundament) foundation; (Beweg2) motive; (Beweis2) reason, argument; von ~ aus thoroughly; ~'bedeutung (-b⁶-dŏĭtōŏₙₖ) f original meaning; ~'bedingung (-b⁶dĭngŏŏnₖ) f main condition; ~'begriff m fundamental principle; ~'besitz (-b⁶zĭts) m landed property; ~'besitzer m land owner.

grü′nd|en (günd⁶n) found, establish; ✝ promote; sich ~ auf (acc.) be based upon; 2er(in f) m founder; ✝ promoter.

Gru′nd|fehler (-fél⁶r) m radical fault; ~fläche (-flĕç⁶) f base; ~gedanke (-g⁶dähnₖk⁶) m root idea; ~gesetz (-g⁶zĕts) n fundamental law, statute; ~kapital (-kähpĭtähl) n (original) stock; ~lage (-lähg⁶) f foundation, basis; 2legend (-lé-g⁶nt) fundamental, basic.

grü′ndlich (grüntlĭç) thorough.

Gru′nd|linie (-lcen¹⁶) f base-line; (Entwurf) outline; 2los bottomless; fig. groundless; unfounded.

Gru′nd|regel (-rég⁶l) f fundamental rule; ~riß (-rĭs) m △ ground-plan; (Lehrbuch) compendium; ~satz (-zähts) m principle; 2sätzlich fundamental; adv. on principle; ~schule (-shŏŏl⁶) f elementary (od. primary) school; ~stein (-shtīn) m foundation-stone; ~steuer (-shtŏĭ⁶r) f land-tax; ~stoff m element; ~strich (-shtrĭç) m down stroke; ~stück n plot (of land); (real) estate; premises pl.

Grü′ndung (gründŏŏnₖ) f foundation, establishment.

gru′nd|verschieden (-fĕrsheed⁶n) entirely different; 2zahl (-tsähl) f cardinal number; 2zug (-tsŏŏk) m main feature, characteristic.

grü′nen (grün⁶n) be (od. grow) green; fig. flourish.

Grü′nkram (günkrähm) m greengrocery.

grü′nlich greenish.   [gris.|

Grü′nspan (günshpähn) m verdi-|

gru′nzen (grŏŏnts⁶n) grunt.

Gru′pp|e (grŏŏp⁶) f, 2ie′ren (-eer⁶n) group.

gru'selig (grōōz^elĭç) creepy.

Gruß (grōōs) m salutation; greeting; im Brief, bsd. ✗ salute; regards, compliments pl.

grü'ßen (grüs^en) greet, bsd. ✗ salute; (anrufen) hail; (j-n) ~ l. send one's compliments (to a p.).

Grü'tze (grüts^e) f grits, groats pl.

gu'cken (gŏŏk^en) peep, peer. -

gü'ltig (gültĭç) valid; (in Kraft) effective, in force; Münze: current; Fahrkarte: available; 2keit f validity; currency; availability.

Gu'mmi (gŏŏmee) n (m) (Kleb2) gum; (Kautschuk) (India) rubber; ~band (-bănt) n elastic; ~boot (-bōt) n rubber dinghy.

gummie'ren (gŏŏmeer^en) gum.

Gu'mmi|knüppel m truncheon; ~mantel m mackintosh; ~schuhe (-shŏŏ^e) m/pl. galoshes pl., Am. rubbers; ~zug (-tsōōk) m elastic; rubber webbing.

Gunst (gŏŏnst) f favour (a. ~'bezeigung [-b^etsigŏŏn] f), goodwill; zu ~en (gen.) in favour of.

gü'nstig (gŭnstĭç) favourable.

Gü'nstling (gŭnstlĭn) m favourite.

Gu'rgel (gŏŏrg^el) f throat; (Schlund) gullet; 2n gargle.

Gu'rke (gŏŏrk^e) f cucumber.

Gurt (gŏŏrt) m girdle; (Sattel2) girth; (Trage2) strap.

Gü'rtel (gürt^el) m girdle, belt; geogr. zone.

gü'rten (gürt^en) gird, girdle.

Guß (gŏŏs) m ⊕ founding, cast (-ing); typ. fount; (Regen) downpour; ~'eisen (-iz^en) n cast iron; ~'stahl (-shtähl) m cast steel.

gut¹ (gŏŏt) 1. good; adv. well; Wetter: fine; es ist ~! all right!; es ~ h. be well off; laß es ~ sein! never mind!; Sie h. ~ lachen it is very well for you to laugh; 2. 2'e(s) n the good; 2es tun do good.

Gut² n possession, property; (Land-2) (landed) estate; ✝ goods pl.

Gu't|-achten (-ăhkt^en) n (expert) opinion; 2~artig good-natured; ✗ benign; ~dünken n opinion, discretion.

Gü'te (güt^e) f goodness, kindness; ✝ class, quality; haben Sie die ~ be so kind as.

Gü'ter|-abfertigung (-ăhpfĕrtĭgŏŏn), ~annahme (-ăhnnähm^e) f goods-office, Am. freight agency; ~bahnhof (-bähnhōf) m goods station, Am. freight yard; ~verkehr (-fĕrkér) m goods-traffic, Am. freight traffic; ~wagen (-vähg^heⁿ) m (goods) wag(g)on, Am. freight car; ~zug (-tsōōk) m goods train, Am. freight train.

gu't|gelaunt (-g^helownt) in a good temper; ~gesinnt (-g^hezĭnt) well-disposed; loyal; 2haben (-hähb^en) n credit; ~heißen (-his^en) approve (of); ~herzig (-hĕrtsĭç) kind-hearted.

gü'tig (gütĭç) good, kind.

gü'tlich (gütlĭç) amicable, friendly.

gu't|machen (-măhк^en): wieder ~ make up for; ~mütig (-mütĭç) good-natured; 2mütigkeit f good nature; ~sagen (-zăhg^heⁿ): ~ für answer for.

Gu'tsbesitzer(in f) (gŏŏtsb^ezits^er) m landowner.

Gu't|schein (-shin) m credit note od. bill; j-m 2schreiben (-shrib^en) place to a p.'s credit; ~schrift f credit.

Gu't|haus (gŏŏtshows) n farm-house; ~hof (-hōf) m farmyard; ~verwalter (-fĕrvăhlt^er) m landowner's steward.

Gu'ttat (gŏŏttäht) f good action, benefit.

gu'twillig (gŏŏtvĭllĭç) voluntary, willing.

Gymna'sium (gŭmnähz'ŏŏm) n grammar-school.

Gymna'st|ik (gŭmnähstĭk) f gymnastics pl.; 2isch gymnastic.

H

Haar (hāhr) *n* hair; *sich die* ~*e* m. dress one's hair; *fig. aufs* ~ to a hair; *bei* e-m ~ s. ~*esbreite;* 2'-**bürste** *f* hairbrush; 2'**en** lose one's hair; ~'**esbreite** (-brit^e) *f:* *um* ~ within a hair's breadth; 2'**fein** (-fīn) (as)fine as a hair; *fig.* subtle; ~'**gefäß** (-g^hᵉfās) *n* capillary vessel; 2'**ig** hairy; *in Zssg ... -*haired; 2'**klein** (-klīn) *adv.* to a hair; ~'**klemme** *f* hair-slide, *Am.* bobby pin; ~'**nadel** (-nāhd^el) *f* hairpin; ~'**netz** *n* hair-net; 2'**scharf** (-shāhrf) very sharp; ~'**schneidemaschine** (-shnīd^emāhsheen^e) *f* hair clipper; ~'**schnitt** *m* hair-cut; ~'**schwund** (-shvöont) *m* loss of hair; ~'**spalterei** (-shpählt^erī) *f* hair-splitting; 2'**sträubend** (-shtröib^ent) shocking; ~'**strich** (-shtriç) *m* hair-stroke; ~'**tracht** (-trāƕt) *f* hair-dress; ~'**wäsche** (-vēsh^e) *f* shampooing; ~'**wasser** *n* hairwash, cosmetic; ~'**wickel** (-vīk^el) *m* curler; ~'**wuchsmittel** (-vooksmit^el) *n* hair-restorer.

Ha'be (hāhb^e) *f* belongings.

ha'ben (hāhb^en) 1. have; *sich* ~ make a fuss; *etwas (nichts) auf sich* ~ be of (no) consequence; *da* ~ *wir's!* there we are!; 2. 2 *n* ✝ credit.

Ha'bgier (hāhpg^heer) *f* avarice; 2ig covetous, avaricious.

ha'bhaft *f:* ~ *w.* (*gen.*) get hold of.

Ha'bicht (hāhbiçt) *m* hawk.

Ha'b|sucht (hāhpzöoƕt), 2süchtig (-züçtiç) s. ~gier(ig).

Ha'cke (hāhk^e) *f* 1. hoe, mattock; 2. = ~n¹ *m* heel.

ha'cken² (hāhk^en) hack, chop; (*klein* ~) mince; (*picken*) pick.

Ha'ckfleisch (hāhkflīsh) minced meat, hash.

Hä'cksel (hěks^el) *m u. n* chaff.

Ha'der (hāhd^er) *m* brawl; dispute; quarrel; 2n quarrel.

Ha'fen (hāhf^en) *m* port; harbour; ~**arbeiter** (-āhrbīt^er) *m* longshoreman, docker; ~**damm** *m* jetty, pier; ~**stadt** (-shtāƕt) *f* seaport.

Ha'fer (hāhf^er) *m* oats *pl.*; *in Zssgn mst* oat-...; ~**brei** (-brī) *m* (oatmeal-) porridge; ~**flocken** *f/pl.* rolled oats; ~**grütze** *f* groats *pl.*; ~**schleim** (-shlīm) *m* gruel.

Haft (hāƕt) *f* (*Gewahrsam*) custody; (*Verhaftung*) arrest; 2bar responsible, liable; ~'**befehl** (-b^efél) *m* warrant of arrest; 2'**en** stick, adhere (*an dat.* to); ~ *für* be liable for.

Ha'ftpflicht (hāƕtpflīçt) *f* liability; *mit beschränkter* ~ limited; 2ig liable.

Ha'gel (hāhg^el) *m* hail; *fig.* shower; ~**korn** *n* hailstone; 2n hail; ~**schauer** (-show^er) *m* hailstorm.

ha'ger (hāhg^hᵉr) lean, meagre.

Hahn (hāhn) *m* cock (*a. am Gewehr*); ⊕ stopcock; (*Zapf*2) tap, *Am.* faucet; ~'**enkampf** *m* cock-fight; ~'**enschrei** (-shrī) *m* cock-crowing.

Ha'hnrei (hāhnrī) *m* cuckold.

Hai (hī) *m* ~'**fisch** *m* shark.

Hain (hīn) *m* grove; wood.

hä'keln (hāk^ein) crochet.

Ha'k|en (hāhk^en) 1. *m* hook (*a. beim Boxen*); (*Spange*) clasp; 2. 2en hook; 2ig hooked.

halb (hāƕlp) 1. *adj.* half; *eine* ~*e Stunde* half an hour, *Am.* a halfhour; e. ~*es Jahr* six months; ♩ ~*er Ton* semitone; 2. *adv.* half; by halves.

ha'lb|-amtlich semi-official; 2-**dunkel** (-dööŋk^el) *n* dusk, twilight; (...)**ha'lber** (hāƕlb^er) (*wegen*) on account of; (*um ... willen*) for the sake of.

Ha'lb|fertigfabrikat (hāƕlpfĕrtiçfāhbreekāht) *n* semi-manufactured product; 2**gar** (-gāhr) underdone, *Am.* rare; ~**gott** *m* demigod.

Ha'lbheit (hāƕlphīt) *f* half measure.

halbie'ren (hāƕlbeer^en) halve; ♈ bisect.

Ha'lb|insel (-īnz^el) *f* peninsula; 2**jährig** (-yāriç) of six months; 2**jährlich** (-yārliç) half-yearly; ~**kreis** (-kris) *m* semicircle; ~**kugel** (-kōog^hᵉl) *f* hemisphere; 2**laut** (-lowt) in an undertone; 2**mast**

half-mast; ~**messer** m radius; 2-**part** go halves, go fifty-fifty; ~**schuh** (-shōō) m low shoe; ~**tags-beschäftigung** (-tǟksb⁵shéftī-gōōⁿₜ) f part-time employment; 2**tot** (-tōt) half-dead; 2**wegs** (-véks) half-way; (ziemlich) tolerably; ~**welt** f demi-monde; 2**wüchsig** (-vūksí̦ç) half-grown; ~**zeit** (-tsīt) f half-time.

Ha'lde (hǟldᵉ) f slope; ⚒ dump.

Hä'lfte (hélftᵉ) f half.

Ha'lfter (hǟlftᵉr) f halter.

Ha'lle (hǟlᵉ) f hall; e-s Hotels: lounge; Sport: covered court.

ha'llen (hǟlᵉn) sound, resound.

Ha'llensport (hǟlᵉnshpört) m indoor sports pl.

hallo'! (hǟlō) hullo!; 2 n fig. fuss.

Halm (hǟlm) m blade; stalk.

Hals (hǟls) m neck; (Kehle) throat; auf dem Halse haben have on one's back; ~'**abschneider** (-ǟhpshnīdᵉr) m cut-throat; ~'**band** (-bǟnt) n necklace; Tier2: collar; ~'**binde** (-bīndᵉ) f necktie; ~'**ent-zündung** (-énttsündōōⁿₜ) f inflammation of the throat; ~'**kette** f necklace; ~'**kragen** (-krǟhgᵉn) m collar; ~'**schmerzen** (-shmḗrtsᵉn) m/pl.: ~ h. have a sore throat; 2'**starrig** (-shtǟhrí̦ç) obstinate, stiff--necked; ~'**tuch** (-tōōk) n neckerchief; wollenes: comforter.

Halt (hǟlt) 1. m hold; (Innehalten) halt, stop; (Stütze) support; (innerer ~) steadiness; 2. 2 int. stop! **ha'ltbar** durable; fig. tenable.

ha'lten (hǟlt⁵n) v/t. (fest~ auf~ zurück~ an~ ent~) hold; (beibe~ fest~ an, zurück~ feil~ [auf]be-wahren) keep; den Körper gerade usw. ~; Sitzung, Versammlung: hold; Feiertag, Schule, Personal, Tiere: keep; (stützen) support; Predigt, Rede: deliver; Vorlesung: give; Zeitung: take in; sich ~ (stand~) hold (out); (in e-r bestimmten Richtung bleiben, in e-m [guten] Zustand bleiben) keep; sich bereit ~ be ready; ~ für hold, think, take to be; irrtümlich: take for; es ~ mit side with; viel (wenig) ~ von think highly (little) of; sich ~ an (acc.) hold (od. keep) to; zu j-m ~ adhere (od. stick) to; auf et. ~ set store by; v/i. s. haltmachen; (ganz bleiben; dauern) last, hold out; (festsitzen) hold; Eis: bear.

Ha'lte|punkt (-pōōⁿₜkt) m, ~**stelle** f stopping-place, stop, halt; ~**signal** (-zīgnǟhl) n block-signal.

ha'lt|los unsteady; ~**machen**(-mǟh-k⁵n) halt, stop; 2**ung** (hǟltōōⁿₜ) f attitude; bearing; carriage; der Börse: state.

hä'misch (hǟmīsh) malicious.

Ha'mmel (hǟm⁵l) m wether; ~**fleisch** (-flīsh) n mutton; ~**keule** (-kóilᵉ) f leg of mutton; ~**rippchen** (-rīpçᵉn) n mutton-chop.

Ha'mmer (hǟm⁵r) m hammer.

hä'mmern (hḗm⁵rn) hammer.

Hämorrhoi'den (hǟmōrōeedᵉn) f/pl. hæmorrhoids pl., piles pl.

Ha'mster (hǟmst⁵r) m hamster; 2n hoard.

Hand (hǟnt) f hand; j-m die ~ drücken shake hands with a p.; an ~ von guided by; aus erster ~ at first hand; bei der ~ zur ~ at hand; unter der ~ in secret; fig. ~ und Fuß h. hold water; s-e ~ im Spiele h. have a finger in the pie; ~'**arbeit** (-ǟhrbīt) f manual labour; weibliche: needlework, Am. seam; pred. hand-made; ~'**arbeiter** m manual labourer; ~'**bibliothek** (-beeblīōték) f reference library; 2'**breit** (-brīt) of a hand's breath; ~'**buch** (-bōōk) n manual, handbook.

Hä'nde|druck (hénd⁵drōōk) m shake of the hand; ~**klatschen** (-klǟhtsh⁵n) n clapping of hands.

Ha'ndel (hǟnd⁵l) m trade; (Groß2) commerce; weirS. traffic; (ge-schlossener ~) bargain; 2n act; ✝ trade (mit with a p.; in goods); deal in goods; (feilschen) bargain (um for); ~ von treat; es handelt sich um the question is.

ha'ndels|einig (-iní̦ç) w. come to terms; 2**genossenschaft** (-ghᵉnōs⁵nshǟhft) f co-operative commercial association; 2**gericht** (-ghᵉ-rīçt) n commercial court; 2**gesell-schaft** (-ghᵉzélshǟhft) f trading company; 2**haus** (-hows) n commercial house; 2**kammer** f Chamber of Commerce; 2**marine** (-mǟh-reenᵉ) f mercantile marine; 2**mi-nister** m Minister of Commerce; 2**ministerium** (-mīnīstér'ōōm) n Board of Trade, Am. Department of Commerce; 2**schiff** n merchantman; 2**schiffahrt** (-shīfǟhrt) f merchant service; 2**schule** (-shōōlᵉ) f commercial school; Ქstadt (-shtäht) f commercial town; ~üblich (-üpliç) usual in (the) trade; Ქvertrag (-tĕrträhk) m commercial treaty.

ha'ndeltreibend (hähnde̅ltrībe̅nt) trading.

Ha'nd|feger (-fége̅hr) m hand-brush; ~fertigkeit (-fĕrtiçkīt) f manual skill; Ქfest sturdy; ~feuerwaffen (-fóirvähfe̅n) f/pl. small-arms pl.; Ქge-arbeitet (-ge̅ährbite̅t) handmade; ~geld n ⸭ earnest (money); ⋈ bounty; ~gelenk n wrist; ~gepäck (-ge̅hpĕk) n small luggage (Am. baggage); ~granate (-grähnähte̅) f hand-grenade; Ქgreiflich (-grifliç) palpable; ~ w. use one's hands; ~griff m grasp; (Art des Zugreifens) manipulation; a. = ~habe (-hähbe̅) f handle; Ქhaben handle; (verwalten) manage; ~karren m hand-cart; ~koffer m portmanteau, suit-case; ~langer (-lähnge̅r) m handy man, (a. fig.) hodman.

Hä'ndler (hĕndle̅r) m, ~in f dealer, trader.

ha'ndlich (hähntliç) handy.

Ha'ndlung (hähndlo̅ong) f act, (a. e-s (Dramas) action; trade, business; (Laden) shop.

Ha'ndlungs|gehilfe (-ge̅hhilfe̅) m (Schreiber) clerk; (Verkäufer) shop-assistant; ~reisende(r) (-rīze̅nde̅r) m commercial traveller, Am. drummer; ~weise (-vīze̅) f way of dealing; procedure.

Ha'nd|schlag (-shlähk) m handshake; ~schreiben (-shrībe̅n) n autograph letter; ~schrift f handwriting; (Werk) manuscript; Ქschriftlich in writing; ~schuh (-shōō) m glove; ~tasche (-tähshe̅) f hand-bag; ~tuch (-tōōk) n towel; ~voll (-fól) f handful; ~wagen (-vähge̅n) m hand cart; ~werk n trade, handicraft; ~werker m artisan; mechanic; craftsman; ~werkzeug (-vĕrkstsöik) n tools, implements pl.; ~wörterbuch (-vört⁶rbōōk) n concise dictionary; ~wurzel (-vŏorts⁶l) f wrist; ~zeichnung (-tsiçnōoŋ) f drawing.

Hanf (hähnf) m hemp.

Hang (hähŋ) m slope; fig. inclination (zu to); tendency (to).

Hä'nge|boden (hĕŋ⸱e̅bŏde̅n) m loft; ~brücke f suspension bridge; ~

lampe f hanging-lamp; ~matte f hammock.

hä'ngen (hĕŋe̅n) v/t. hang, suspend; v/i. hang, be suspended; (haften) adhere (a. fig.; an dat. to); (anliegen) cling (to); ~bleiben (-blībe̅n) (sn) be caught (an dat. by).

hä'nseln (hĕnz⁶ln) tease, quiz.

Ha'nsestadt (hähnze̅shtäht) f Hansetown.

Ha'nswurst (hähnsvŏorst) m merry-andrew, clown.

ha'ntieren (hähnteer⁶n) v/i. work, operate; ~ mit et. handle, manipulate.

Ha'ppen (hähp⁶n) m mouthful.

Ha'rfe (hährf⁶) f harp.

Ha'rke (hährk⁶) f, Ქn rake.

hä'rmen (hĕrm⁶n): sich ~ grieve.

ha'rmlos (hährmlōs) harmless; innocent.

Harmon|ie' (hährmōnee) f harmony; Ქie'ren (-eer⁶n) harmonize; ~ika (-ikäh) f accordion; Ქ'isch harmonious.

Harn (hährn) m urine; ~blase (-blähz⁶) f (urinary) bladder; Ქ'en urinate.

Ha'rnisch (hährnĭsh) m armour.

Ha'rnröhre (hährnrŏr⁶) f urethra.

Harpu'n|e (hährpōōn⁶) f harpoon; Ქie'ren (-eer⁶n) harpoon.

hart (hährt) hard.

Hä'rte (hĕrt⁶) f hardness; fig. hardship; harden.

Ha'rt|geld n coined money; ~gummi (-gōōmee) n hard rubber; Ქherzig (-hĕrtsiç) hard-hearted; Ქköpfig (-köpfiç) headstrong; ~leibigkeit (-lībiçkīt) f constipation; Ქnäckig (-nĕkiç) obstinate.

Harz (hährts) n resin; (Geigen- usw. Ქ) rosin; Ქ'ig resinous.

Hasa'rdspiel (hähzährtshpeel) n gambling.

ha'schen (hähsh⁶n) snatch (nach at).

Ha'se (hähz⁶) m hare.

Ha'selnuß (hähz⁶lnōōs) f hazel-nut.

Ha'sen|braten (hähz⁶nbräht⁶n) m roast hare; ~fuß (-fōōs) m fig. coward; das ~panier (-pähneer) ergreifen take to one's heels; ~scharte (-shährt⁶) f harelip.

Ha'spe (hähsp⁶) f hasp, hinge.

Ha'spel (hähsp⁶l) f reel; windlass.

Haß (hähs) m hatred. [hateful.]

ha'ssen (hähs⁶n) hate; ~swert (-vért)]

hä'ßlich (hĕsliç) ugly.

8

Hast (hähst) f haste, hurry; ℒ'en (sn) hasten, hurry; ℒ'ig hasty.
hä'tscheln (hätsh⁶ln) caress; coddle.
Hau'be (howb⁶) f cap; zo. tuft; ⊕ u. mot. bonnet, bsd. Am. hood.
Haubi'tze (howbīts⁶) f howitzer.
Hauch (howⰔ) m breath; ℒ'en breathe.
Hau'e (how⁶) ✗ f hoe, mattock.
hau'en (how⁶n) v/t. hew, chop; cut; (schlagen) strike; F (prügeln) hit; sich ~ fight; v/i. ~ nach strike at.
Hau'fe(n) (howf⁶n) m heap; pile; (Schwarm) crowd; (Anzahl) number.
häu'fen (hõif⁶n) heap, pile up, (a. sich) accumulate.
häu'fig frequent; ℒkeit f frequency.
Häu'fung accumulation.
Haupt (howpt) n head; (Ober℥) chief; ⁓⁓⁓ principal, chief, main; ⁓'-anschluß (-ăhnshlōōs) m teleph. main station; ⁓'bahnhof (-băhnhõhf) m central station; ⁓'buch (-bōōⰔ) n ledger; ⁓'fach (-făhⰔ) n Studium: principal (od. main) subject, Am. major; ⁓'film m feature-picture; ⁓'geschäft (-g^hⁱshĕft) n central office; ⁓'gewinn (-g^hⁱvin) m first prize; ⁓'handels-artikel (-hăhnd⁶lsăhrteek⁶l) m staple; ⁓'linie (-leen¹⁶) ⅌ f main (Am. trunk) line; ⁓'mann m captain; ⁓'merkmal (-mĕrkmăhl) n characteristic feature; ⁓'post-amt (-pŏstăhmt) n general (Am. main) post-office; ⁓'punkt (-pōōⰁkt) m cardinal point; ⁓'quartier (-kvăhrteer) n headquarters pl.; ⁓'redakteur (-rĕdăhktōr) m chief (Am. city) editor; ⁓'rolle f chief part, lead; ⁓'sache (-zăhⰔ⁶) f main point; ℒ'-sächlich (-zĕⳤlⁱⳤ) chief, main, principal; ⁓'stadt (-shtăht) f capital, metropolis; ℒ'städtisch (-shtătⁱsh) metropolitan; ⁓'straße (-shtrăhs⁶) f main street; ⁓'treffer m first prize; ⁓'verkehrsstunden (-fĕrkĕrsshtōōnd⁶n) f/pl. crowded (od. rush) hours; ⁓'versammlung (-fĕrzăhmlōōⰁg) f general meeting.
Haus (hows) n house; (Heim) home; ✝ firm; nach Hause home; zu Hause at home; ⁓'angestellte(r) (-ăhng^hⁱshtĕlt⁶r) domestic (servant), Am. house worker; ⁓'-apotheke

(-ăhpŏtēk⁶) f family medicine-chest; ⁓'-arbeit (-ăhrbit) f indoor work; Schule: (a. ⁓'-aufgabe (-owfgăhb⁶) f) homework, home-lesson; ⁓'-arzt m family doctor; ℒ'backen fig. homely; ⁓'bedarf m household necessaries pl.; ⁓'besitzer(in f) (-b⁶zīts⁶r) m house-owner; ⁓'diener (-deen⁶r) m porter.
hau'sen (howz⁶n) dwell; arg ~ make havoc (of).
Haus|flur (-flōōr) m (entrance-) hall, Am. hallway; ⁓frau (-frow) f mistress of the house; gute usw. ~ housewife; ⁓halt m household; ℒ-halten mit economize; ⁓hälterin f housekeeper; ⁓halts-artikel f (-hăhltsăhrteek⁶l) m/pl. household goods; ⁓halts-plan (-hăhltsplăhn) m parl. budget; ⁓haltung f house-keeping; ⁓herr m master of the house, householder.
hausie'ren (howzeer⁶n) (mit et.) hawk, peddle (a th.).
Hausie'rer m hawker, pedlar.
Haus|kleid (-klit) n house-dress; ⁓knecht (-knĕⳤt) m boots sg.; ⁓lehrer (-lér⁶r) m private tutor.
häu'slich (hõislⁱⳤ) domestic; ℒkeit f family life; home.
Haus|mädchen (-mătⳤ⁶n) n house-maid; ⁓mannskost (-măhnskŏst) f plain fare; ⁓meister (-mist⁶r) m porter, caretaker, Am. janitor; ⁓mittel n household medicine; ⁓ordnung f rule of the house; ⁓rat (-răht) m household effects pl.; ⁓recht (-rĕⳤt) n domestic authority; ⁓schlüssel (-shlüs⁶l) m street-door key; ⁓schuh (-shōō) m slipper.
Haus'ss|e (hōs[⁶l]) f rise (of prices), boom; ⁓ie'r (hōs'é) ✝ m bull.
Haus|stand (-shtăhnt) m house-hold; e-n ~ gründen set up a house; ⁓suchung (-zōōⰔōōⰁg) f domiciliary visit; ⁓tier (-teer) n domestic animal; ⁓tür (-tür) f street (od. front)-door; ⁓verwalter (-fĕrvăhlt⁶r) m steward; ⁓wart m = ⁓meister; ⁓wirt m landlord; ⁓wirtin f landlady.
Haut (howt) f skin; auf Flüssigkeit: film; bis auf die ~ to the skin; aus der ~ fahren jump out of one's skin; ⁓'-abschürfung (-ăhpshürfōōⰁg) f excoriation; ⁓'-ausschlag (-owsshlăhk) m rash; ⁓'farbe f complexion.

Hautgou′t (ōgōō) m high smell.
häu′tig (hōitïç) membranous.
Hau′t|krankheit (-krä/ŋkhīt) f cutaneous disease; **~pflege** (-pflé-ghe) f care of the skin; **~schere** (-shére) f cuticle scissors pl.
Havarie′ (hä/nvährée) f average.
he! (hé) I say!
He′b-amme (hép-ă/nme) f midwife.
He′be|baum (héb-bowm), **He′bel** (héb-l) m lever; **~bühne** f mot. car lift. [reduce; sich ~ rise.]
he′ben (héb-n) lift, raise; ⚓ Bruch:|
Hecht (héçt) m pike.
Heck (hěk) ⚓ n stern.
He′cke (hěk-) f ⚓ hedge; zo. hatch; ⚓n hatch; **~nrose** (-rōz-) f dog-rose.
he′da! (hédä/n) hullo!
Heer (hér) n army; fig. host; **~′es-dienst** (-deenst) m military service; **~′(es)macht** (-mä/nkt) f military forces pl.; **~′(es)zug** (-tsōōk) m expedition; **~′führer** m general; **~′-schar** (-shä/nr) f host; **~′straße** (-shträhs-) f highway; military road.
He′fe (hé/nf) f yeast, barm; (Bodensatz u. fig.) dregs pl.
Heft (héft) n haft, handle; e-s Schwertes: hilt; (Lieferung) number, part; (Schreib⚓) copy-book.
he′ften fasten, fix; Näherei: baste, tack; Buchbinderei: stitch.
He′ftfaden (héïtfä/nd-n) m stitching thread.
he′ftig (héftïç) vehement, violent; ⚓keit f vehemence, violence.
He′ft|klammer f paper-clip **~-pflaster** n sticking-plaster.
he′gen (hégh-n) cherish; foster; hunt. preserve; Zweifel: entertain.
He′hler (hél-r) m, **~in** f receiver (of stolen goods); **~ei′** (-ī) f receiving (of stolen goods).
hehr (hér) sublime.
Hei′d|e¹ (hīd-) m, **~in** f heathen.
Hei′de² f heath; **~kraut** (-krowt) n heather; **~land** (-lä/nnt) n moor (-land).
Hei′den|geld n no end of money; **~lärm** m hullabaloo; **~spaß** (-shpä/ns) m capital fun; **~tum** n paganism.
hei′dnisch (-hītnīsh) heathen(ish).
hei′kel (hīk-l) delicate; (wählerisch) particular.
heil (hīl) (ganz) whole; (unversehrt) sound, unhurt; 2. ⚓ n welfare; eccl. salvation; ⚓! hail!
Hei′land (hīlä/nnt) m Saviour.

Hei′l|anstalt (hīlä/nnshtä/nlt) f medical establishment; **~bad** (-bä/nt) n spa; **⚓bar** (-bä/nr) curable; ⚓en cure; (a. v/i.; sn) heal; **~gehilfe** (-gh-hilf-) m barber-surgeon.
hei′lig (hīlïç) holy; (geweiht) sacred; (feierlich) solemn; ⚓er Abend Christmas Eve; ⚓e(r) (hīligh-r) saint; **~en** hallow, (a. fig.) sanctify; ⚓keit f holiness, sanctity; **~sprechen** (-shprěç-n) canonize; ⚓sprechung f canonization; ⚓tum n sanctuary; (Reliquie) relic; ⚓ung f sanctification.
Hei′l|kraft f healing power; ⚓-kräftig (-krěftïç) curative; **~kunde** (-kōōnd-) f medical science; ⚓los wicked; fig. awful; **~mittel** n remedy, medicament; **~quelle** (-kvěl-) f medicinal spring.
hei′lsam (hīlzä/nm) wholesome, salutary. [vation Army.|
Hei′ls-armee (hīlsä/nrmé) f Sal-|
Hei′l|ung (hīlōōŋ) f cure; healing; **~verfahren** (-fěrfä/nr-n) n medical treatment.
heim (hīm) adv., ⚓ n home; ⚓′-arbeit (-ä/nrbīt) f home-work, outwork.
Hei′mat (hīmä/nt) f home; **~land** (-lä/nnt) n native country; ⚓lich native; ⚓los homeless; **~-ort** m native place; **~vertriebene(r)** (-fěrtreeb-n-r) m expellee.
Hei′mchen (hīmç-n) n cricket.
hei′misch (hīmish) domestic; native; sich ~ fühlen feel at home.
Hei′m|kehr (hīmkér) f return (home), ⚓kehren, ⚓kommen (sn) return home.
hei′mlich (hīmlïç) secret; (verstohlen) furtive; stealthy; ⚓keit f secrecy; (Geheimnis) secret.
Hei′m|reise (hīmrīz-) f homeward journey; ⚓suchen (-zōōk-n) haunt; (plagen) plague; **~tücke** f malice; ⚓tückisch malicious; ⚓wärts (-věrts) homeward; **~weg** (-vék) m way home; **~weh** (-vé) n homesickness.
Hei′rat (hīrä/nt) f marriage; ⚓en v/t. u. v/i. marry.
Hei′rats|-antrag (-ä/nnträ/nhk) m proposal of marriage; ⚓fähig (-fä/nïç) marriageable; **~kandidat** (-kä/nndidä/nt) m suitor, wooer; **~vermittler(in** f) (-fěrmïtl-r) m matrimonial agent.

8*

hei′ser (hiz⁴r) hoarse.

heiß (his) hot; *mir ist ~ I am hot.*

hei′ßen (his⁴n) *v/t.* call; (*befehlen*) bid, tell; *v/i.* be called; (*bedeuten*) mean; *das heißt* that is (to say); *wie ~ Sie?* what is your name?; *wie heißt das auf Englisch?* what's that in English?

hei′ter (hit⁴r) serene; cheerful; ℒkeit *f* serenity; cheerfulness.

hei′zen (hits⁴n) *v/t. u. v/i.* heat.

Hei′zer *m* fireman, stoker.

Hei′z|kissen *n* heating pad; ~körper *m* radiator; ~material (-mählter′ähl) *n* fuel; ~ung *f* heating.

Held (hĕlt) *m* hero.

He′lden|gedicht (-ghé⁴dĭçt) *n* epic; ℒhaft heroic; ~mut (-mōōt) *m* heroism; ℒmütig (-mütĭç) heroic; ~tat (-täht) *f* heroic deed; ~tum *n* heroism.

He′ldin (hĕld′n) *f* heroine.

he′lfen (hĕlf⁴n) (*dat.*) help; (*fördern*) aid; (*beistehen*) assist; (*nützen*) avail.

He′lfer *m,* ~in *f* helper, assistant; ~shelfer *m* accomplice.

hell (hĕl) bright (*a. Verstand*), clear (*a. Klang*); *Haar:* fair; *Bier:* light; ~′blau (-blow) light-blue; ~′blond (-blŏnt) very fair; ~′hörig (-hörĭç) quick of hearing; ℒ′seher(in *f*) (-zé⁴r) *m* clairvoyant.

Helm (hĕlm) *m* helmet; ~′busch (-bōōsh) *m* plume; crest.

Hemd (hĕmt) *n* (*Männer*ℒ) shirt; (*Frauen*ℒ) chemise; ~′bluse (-blōō-z⁴) *f* shirt-blouse, *Am.* shirt-waist; ~′hose (-hŏz⁴) *f* combinations, *Am.* union suit.

he′mm|en (hĕm⁴n) stop, check; (*behindern*) hamper; *Rad, Wagen:* drag; *seelisch:* curb, restrain; ℒnis *n* check, obstruction; ℒung *f* stoppage, check; *seelisch:* restriction, inhibition; ℒschuh (-shōō) *m* drag.

Hengst (hĕnᵍst) *m* stallion.

He′nkel (hĕnᵍk⁴l) *m* handle.

He′nker *m* hangman, executioner, *zum* ~*! hang it!*

He′nne (hĕn⁴) *f* hen.

her (hér) hither, *mst* here; *es ist ein Jahr ~ it is a year ago; hinter (dat.) ~ sein be after; ~ damit! out with it!*

hera′b (hĕrähp) down, downwards; ~lassen (-lähs⁴n) let down; sich ~

fig. condescend; ℒlassung *f* condescension; ~setzen (-zĕts⁴n) lower; *fig.* degrade, disparage; *Preis:* reduce; ℒsetzung *f* lowering; degradation, reduction; ~steigen (-shtĭgʰ⁴n) (sn) descent; ~würdigen (-vürdĭgʰ⁴n) degrade, abase.

hera′n (hĕráhn) on, near; *er ging an sie ~ he went up to them; nur ~! come on!; ~kommen* (sn) come on; approach (*an j-n a p.*); *~ an et.* get to *od.* at; ~wachsen (-vähks⁴n) (sn) grow up.

herau′f (hĕrowf) up, upwards; (*hier~*) up here; ~beschwören (-b⁴shvŏr⁴n) conjure up; ~steigen (-shtĭgʰ⁴n) (sn) ascend; *Unwetter:* come up.

herau′s (hĕrows) out; ~*! come out!; ~ damit!* out with it!; *die Handhabung von et. ~ h.* have got the knack (*Am.* hang) of *a th.*; ~bekommen *fig.* find out; *Geld:* get back; ~bringen bring out; ~fordern provoke; *zum Kampf:* challenge; ℒforderung *f* challenge, provocation; ~geben (-gʰéb⁴n) give forth *od.* up, hand out; *Buch:* publish; *Geld ~* (*auf acc.*) give change (for); *Vorschrift usw.:* issue; ℒgeber *m* publisher; (*Redakteur*) editor; ~kommen (sn) come out; ~nehmen (-ném⁴n) take out; sich et. ~ presume; ~putzen (-pōōts⁴n) dress up; ~reden (-réd⁴n): sich ~ extricate o.s.; ~stellen put out; sich ~ turn out; ~streichen (-shtrĭ-ç⁴n) extol; puff; sich ~winden (-vĭnd⁴n): *fig.* extricate o.s.

herb (hĕrp) harsh, sharp; acrid.

herbei′ (hĕrbī) here on, near; ~eilen (-ĭl⁴n) (sn) approach in haste; ~führen *fig.* bring about; ~lassen: sich ~ condescend *to*; ~schaffen procure.

He′rberge (hĕrbĕrgʰ⁴) *f* shelter, lodging; (*Gasthaus*) inn.

he′rbeten (hérbét⁴n) say off mechanically.

He′rbheit (hérphīt), **He′rbigkeit** (hĕrbĭçkīt) *f* harshness, acerbity.

Herbst (hĕrpst) *m* autumn, *Am.* fall; ℒ′lich autumnal.

Herd (hért) *m* hearth, fireplace; (*Kochmaschine*) range; *fig.* (*Sitz*) seat.

He′rde (hérd⁴) *f* herd (*a. fig.*); *Kleinvieh:* flock (*a. fig.*).

herei′n (hĕrīn) in; ~*!* come in!; walk in!, step in! ~**fallen** (sn) be sold, be taken in.

he′r|fallen (sn): ~ *über j-n* fall (up)on; *et.* go at; 2**gang** (-gäh₁) *m* proceedings, circumstances *pl.*; ~**geben** (-gʰébᵉn) deliver, give; *sich* ~ *zu* lend o.s. to; ~**gehören** (gʰᵉhö-rᵉn) belong to the matter; ~**halten** *v/t.* hold out; *v/i.* suffer.

He′ring (hérin₂) *m* herring.

he′r|kommen (sn) come here *od.* near; ~ *von* come from *od.* of; 2**kommen** *n* (*Sitte*) custom; (*Abstammung*) descent, extraction; ~**kömmlich** traditional; customary; 2**kunft** (-kŏŏnft) *f* descent; origin; ~**leiten** (-lítᵉn) (*von*) derive (from); 2**leitung** *f* derivation.

He′rold (hérŏlt) *m* herald.

Herr (hĕr) *m* master; (*bsd. adliger* ~) lord; (*Mann der höheren Stände*) gentleman; *Anrede*: Sir, *vor Eigennamen*: Mr.; (*Gott*) Lord; *mein* ~ Sir; *meine* ~*en* gentlemen.

He′rren|fahrer *m* owner-driver; ~**haus** (-hows) *n* mansion-house; *parl.* House of Lords; 2**los** ownerless; ~**reiter** (-rítᵉr) *m* gentleman rider; ~**zimmer** *n* study; smoking-room.

he′rrichten (hérrɪçtᵉn) prepare, arrange.

He′rrin *f* mistress, lady.

he′rrisch imperious.

he′rrlich (hĕrlɪç) glorious, magnificent, splendid; 2**keit** *f* splendour, glory.

He′rrschaft (hérshäft) *f* rule; dominion; *fig.* mastery; *der Dienstboten*: master and mistress; (*Gut*) manor, estate; 2**lich** belonging to a master *od.* lord; high-class.

he′rrschen (hérshᵉn) rule; govern; (*vor*~) prevail.

He′rrscher *m* ruler, sovereign.

He′rsch|sucht (hĕrshzŏŏkt) *f* thirst of power; 2**süchtig** (-zǘçtɪç) imperious.

he′r|rühren *von*, *aus* come (*od.* proceed) from; ~**sagen** (-zähgᵉn) recite, repeat; ~**stammend** (-shtäh-mᵉnt) *von*, *aus* come (*od.* be descended) from; ~**stellen** (*erzeugen*) produce; (*wieder* ~) restore, repair; 2**stellung** *f* production; restoration; recovery.

herü′ber (hĕrübᵉr) over, across.

her′um (hĕrŏŏm) round, about; (*ringsum*) around; ~**führen**: *j-n* ~ show a p. round; ~**lungern** (-lŏŏ₁gᵉrn) loiter (*od.* hang) about; ~**reichen** (-ríçᵉn) hand round; ~**treiben** (-tríbᵉn): *sich* ~ gad about.

heru′nter (hĕrŏŏntᵉr) = *herab*; *den Hut* ~*l* off with your hat!; ~**bringen** *fig.* lower, reduce; ~**kommen** (sn) *fig.* come down in the world; (*verfallen*) decay; *p.p. fig.* down and out; ~**machen** (-mähkᵉn) run down, *Am.* F call down; ~**reißen** (-rísᵉn) pull down; *fig.* scarify; ~**sein** (-zín) (sn) *gesundheitlich*: be low; ~**wirtschaften** (-vírtshähf-tᵉn) run down.

hervo′r (hĕrfōr) forth, out; ~**bringen** produce; *Worte*: utter; 2**bringung** *f* production; ~**geh(e)n** (-gʰé[ᵉ]n) (sn) *als Sieger*: come off; *als Folge*: result (*aus* from); (*ersichtlich* sn) be evident; ~**heben** (-hébᵉn) render prominent; emphasize; ~**holen** (-hōlᵉn) produce; ~**ragen** (-rähgʰᵉn) project; stand out; ~**ragend** prominent; outstanding; ~**rufen** (-rŏŏfᵉn) call forth; *thea.* call for; ~**stechend** (-shtéçᵉnt) conspicuous.

Herz (hĕrts) *n allg.* heart; *Kartenspiel*: hearts *pl.*; *Anrede*: darling, love; *sich ein* ~ *fassen* take heart; *mit ganzem* ~*en* whole-heartedly; *sich et. zu* ~*en nehmen* take a th. to heart.

he′rzen (hértsᵉn) hug, embrace.

He′rzens...: *nach* ~*lust* (-lōŏst) *f* to one's heart's content; ~**wunsch** (-vŏŏnsh) *m* heart's desire.

he′rz|-ergreifend (-ergríf ᵉnt) heart-moving; 2**gegend** (-gʰégᵈᵉnt) *f* cardiac region; ~**haft** hearty; ~**ig** lovely, *Am.* cute; 2**klopfen** *n* palpitation (of the heart); ~**krank** (-krähn₂k) suffering from the heart; ~**lich** hearty, cordial; ~ *gern* with all my heart; ~**los** heartless.

He′rzog (hértsōk) *m* duke; ~**in** (hértsōgʰᶦn) *f* duchess; ~**tum** *n* dukedom, duchy.

He′rz|schlag (-shlähk) *m* heartbeat; ${ }^{g8}$ apoplexy of the heart; ~**schwäche** (-shvéçᵉ) *f* cardiac weakness; 2**zerreißend** (-tserrísᵉnt) heart-rending.

He′tze (hĕtsᵉ) *f* (*Eile*) hurry, rush; (*Aufreizung*) instigation, agitation; **2en** (hĕts⁴n) v/t. hunt. hunt; fig. hurry, rush (a. v/i.); (aufreizen) incite; Hund auf j-n ~ set a dog at a p.; ~**er(in** f) m instigator, agitator; **2erisch** inflammatory; ~**jagd** (-yähkt) f hunt(ing); rush; ~**presse** f yellow press.

Heu (hŏi) n hay.

Heuchelei' (hŏiç⁴li) f hypocrisy.

heu'cheln (hŏiç⁴ln) simulate, feign, (bsd. v/i.) dissemble.

Heu'chler m, ~**in** f hypocrite; **2isch** hypocritical.

heu'en (hŏi⁴n) make hay.

heu'ern (hŏi⁴rn) hire.

heu'len (hŏil⁴n) howl; (weinen) cry.

Heu'schrecke (hŏishrĕk⁴) f locust, grasshopper.

heu't|e (hŏit⁴) today; ~ **abend** tonight; ~ über (vor) acht Tage(n) this day week; ~**ig** this day's, today's; weitS. present; ~**zutage** (-tsōōtähg^hᵉ) nowadays.

He'xe (hĕks⁴) f witch; fig. hell-cat; **2n** practise witchcraft; ~**nmeister** (-mist⁴r) m wizard; ~**nschuß** (-shōōs) 🔒 m lumbago; ~**rei'** (-ri) f witchcraft.

Hieb (heep) m stroke, blow; Schnitt: cut; fig. hit; ~**e** pl. (Prügel) a thrashing.

hier (heer) here; ~**l** present!; ~ **entlang!** this way!

hie'ra'n (heerähn) at (od. by od. on) this.

hier|au'f (-owf) hereupon; ~**au's** (-ows) from (od. out of) this, hence; ~**bei'** (-bi) at (od. in od. with) this; ~**durch** (-dŏōrç) by this, hereby; ~**für** (-für) for this; ~**he'r** (-hér) hither; bis ~ so far; ~**i'n** herein, in this; ~**mi't** herewith, with this; ~**nach** (-nähk) after this; according to this; ~**ne'ben** (-néb⁴n) next door; fig. besides; ~**ü'ber** (-üb⁴r) over here; about this; ~**u'nter** (-ŏōnt⁴r) under this; among these; bei verstehen usw.: by this; ~**vo'n** (-fōn) of (od. from) this; ~**zu'** (-tsōō) (in addition) to this.

hie'sig (heezïç) of this place.

Hi'lfe (hĭlf⁴) f help; aid, assistance; (Armen2) relief; ~**ruf** (-rōōf) m cry for help.

hi'lf|los helpless; ~**reich** (-rïç) helpful.

hi'lfs|bedürftig (-b⁴dürftïç) indi-

gent; **2lehrer** (-lér⁴r) m assistant schoolmaster; **2maschine** (-mäh-sheen⁴) f auxiliary engine; **2mittel** n remedy, resource; (Notbehelf) expedient; **2quelle** (-kvĕl⁴) f re-source; **2werk** n relief.

Hi'mbeere (hĭmbér⁴) f raspberry.

Hi'mmel (hĭm⁴l) m sky, heavens pl.; eccl. heaven; ~**bett** n four-poster; **2blau** (-blow) sky-blue; ~**fahrt** f Ascension; **2schreiend** (-shri⁴nt) crying (to heaven).

Hi'mmels|gegend (-g^hég⁴nt) f quarter; ~**körper** m celestial body; ~**richtung** (-rïçtŏōŋ) f quarter of the heavens; the four chief points of the compass; ~**strich** (-shtrïç) m climate, tone.

hi'mmlisch (hĭmlïsh) celestial, hea-venly.

hin (hĭn) there; (weg) gone, lost; ~ **und her** to and fro, Am. back and forth; ~ **und zurück** there and back; ~ **und wieder** now and then.

hina'b (hĭnähp) down.

hi'n-arbeiten (-ährbit⁴n) auf (acc.) work towards.

hinau'f (hĭnowf) up; ~**steigen** (-shtig^h⁴n) (sn) ascend, mount.

hinau's (hĭnows) out; ~**geh(e)n** (-g^hé[⁴]n) (sn) go out; ~ über (acc.) go beyond, exceed; ~ auf (acc.) Fenster usw.: face; Absicht: aim at; ~**laufen** (-lowf⁴n) (sn) auf (acc.) amount to; ~**schieben** (-sheeb⁴n) postpone, defer; ~**werfen** j-n ~ turn out, Am. fire.

Hi'n|blick m: im ~ auf (acc.) with regard to, in view of; **2-bringen** Zeit: spend.

hi'nderlich (hĭnd⁴rlïç) hindering.

hi'ndern (hĭnd⁴rn) prevent (an dat. from doing), hinder.

Hi'ndernis hindrance; obstacle; ~**rennen** n obstacle-race.

hindu'rch (hĭndŏōrç) through; across.

hinei'n (hĭnin) in; ~**geh(e)n** (-g^hé[⁴]n) (sn) (Platz h.) find room; in den Topf gehen ... ~ the pot holds ...

Hi'n|fahrt f journey (od. way there); **2fallen** (sn) fall (down); **2fällig** (-fĕlïç) frail, (a. fig.) weak; ~**fälligkeit** f frailty, weakness; **2-fo'rt** henceforth, in (the) future; ~**gabe** (-gähb⁴) f devotion; **2geben**

(-gʰébᵉn) give up; *sich* ~ (*dat.*) devote o.s. to; indulge in; **~gebung** *f* devotion; **2geh(e)n** (gʰé[ᵉ]n) (sn) go there; (*vergehen*) pass; ~ *l.* let pass; **2halten** hold out; (*vertrösten*) put off.

hi'nken (hiŋkᵉn) (h. *u.* sn) limp.

hi'n|länglich (-lĕ£ŋliç) sufficient; **~legen** (-légʰᵉn) lay down; *sich* ~ lie down; **~nehmen** take; (*dulden*) put up with; **~raffen** take away; **~reichen** (-riçᵉn) *v/t.* reach (out); *v/i.* (*genügen*) suffice; **~reißen** (-risᵉn) *fig.* transport; *v/d* ravishing; **~richten** (-riçᵉt) execute, put to death; **2richtung** *f* execution; **~setzen** (-zĕtsᵉn) put down; *sich* ~ sit down; **2sicht** (-ziçt) *f* regard, respect; *in* 2 *auf* (*acc.*), **~sichtlich** (*gen.*) with regard to; **~stellen** place; put down; ~ *als* represent as.

hint-a'n|setzen (hintǎɦnzĕtsᵉn) *fig.* neglect, slight; **2setzung** *f* neglect.

hi'nten (hintᵉn) behind.

hi'nter (hintᵉr) behind; ~ *sich l.* outdistance; **2bein** (-bin) *n* hind leg; **2bliebenen** (-bleebᵉnᵉn) *pl.* the bereaved; **~bringen** inform (*j-m* et. a p. of a th.); **2e(r)** F *m* posteriors *pl.*; **~eina'nder** (inǎɦndᵉr) one after another; **2gedanke** (-gʰédǎɦŋʰé) *m* (mental) reservation; **~ge'h(e)n** (-gʰé[ᵉ]n) deceive; **2ge'hung** *f* deception; **2grund** (-grōont) *m* background; **2halt** *m* ambush; **~hältig** (-hĕltiç) insidious; **2kopf** *n* back of the head; **2haus** (-hows) *n* back-building; **~he'r** (-hér) behind; *zeitlich*: afterwards; **2hof** (-hóf) *m* backyard; **~la'ssen** leave (behind) **2la'ssenschaft** *f* inheritance; **~le'gen** (-légʰᵉn) deposit; **2le'gung** *f* deposition; **2list** *f* artifice, cunning; **~listig** cunning, artful; **2mann** *m* ⚔ rearrank man; *fig.* backer; **2rad** (-rǎht) *n* rear wheel; **~rücks** (-rûks) from behind; **2seite** (-zitᵉ) *f* back; **2teil** (-til) *n* back part; **~trei'ben** (-tribᵉn) frustrate; **2treppe** *f* backstairs *pl.*; **2tür** (-tür) *f* backdoor; **2ziehung** (-tseeōoŋ) *f* defraudation.

hinü'ber (hinübᵉr) over, across.

hinu'nter (hinóontᵉr) down; *die Treppe* ~ downstairs.

Hi'n|weg (hinvék) *m* way (there); **2we'g** (-vék) *adv.* away, off; **2we'g-**

kommen *über* get over; **2we'g-sehen** (-vĕkzéᵉn): *fig. über* et. ~ shut one's eyes to a th.; *sich* **2we'g-setzen** (-vĕkzĕtsᵉn) *über* make light of; **~weis** (-vis) *m*, **~weisung** (-vizōoŋ) *f* hint; direction; (*auf acc.*) reference to; **2weisen** (-vizᵉn) *v/t.* direct (*nach, zu* to); *v/i.* ~ *auf* (*acc.*) point to; (*verweisen*) refer to; **2-werfen** throw down; *flüchtig*: sketch slightly; **2wirken** *auf* (*acc.*) work towards; **2ziehen** (-tseeᵉn) attract; *zeitlich*: protract; *sich* ~ drawn on; **2zielen** (-tseelᵉn) *auf* (*acc.*) aim at.

hinzu' (hintsōo) to (it); near; in addition; **~fügen** (-fūgʰᵉn), **~legen** (-légʰᵉn), **~rechnen** (-réçnᵉn), **~setzen** (-zĕtsᵉn), **~tun** (-tōon), **~zählen** (-tsälᵉn) add; **2fügung** *f* addition; **~kommen** (sn) *unvermutet*: supervene; (*noch* ~) be added; *es kommt hinzu, daß* add to this that; **~treten** (-trétᵉn) (sn) approach; = **~kommen**; **~ziehen** (-tseeᵉn) *add*; *Arzt usw.*: call in.

Hirn (hirn) *n* brain(s *pl.*); **~ge-spinst** (-gʰéshpinst) *n* chimera; **2'los** brainless; **~'schale** (-shǎɦlᵉ) *f* brain-pan; **~'schlag** (-shlǎhk) *m* (fit of) apoplexy; **2'verbrannt** (-fĕrbrǎmt) crack-brained.

Hirsch (hirsh) *m* stag, hart; *weitS.* deer; **~'geweih** (-gʰévī) *n* antlers *pl.*; **~'kuh** (-kōō) *f* hind; **~'leder** (-lédᵉr) *n* buckskin.

Hi'rse (hirzᵉ) *f* millet.

Hirt (hirt) *m* herdsman, shepherd.

Hi'rtin *f* shepherdess.

hi'ssen (hisᵉn) hoist (up).

Histo'r|iker (histórikᵉr) *m* historian; **2isch** historical.

Hi'tze (hitsᵉ) *f*, 2n heat; **~welle** *f* heat-wave, *Am.* hot spell.

hi'tzig (hitsiç) hot.

Hi'tz|kopf *m* hothead; **~schlag** (-shlǎhk) *m* heat-stroke.

Ho'bel (hōbᵉl) *m*, 2n plane.

hoch (hōk) 1. high; *v. Wuchs:* tall; *hohes Alter* great age; *hohe See* open sea; *hohe Ehre* great honour; ~ *lebe die Königin!* long live the queen!; 2. 2 *n* (2*ruf*) cheer; (*Trinkspruch*) toast; *barometrisches:* high.

ho'ch|achten (-ǎɦktᵉn) esteem highly; **2achtung** *f* esteem, respect; **~achtungsvoll** (-ǎɦktōoŋsfól) respectful(ly); **2-antenne** *f* high

aerial; 2bahn f high-level railway,
Am. elevated railroad; 2betrieb
(-bᵉtreep) m intense activity; 2-
burg (-bŏŏrk) f fig. stronghold;
2deutsch (-dóitsh) n high German;
2druck (-drŏŏk) m high pressure;
2-ebene (-ébᵉnᵉ) f tableland; ~fah-
rend high-handed; ~fein (-fīn)
superfine; 2frequenz (-frékvēnts)
≠ f high frequency; 2gebirge
(-gʰᵉbĭrgʰᵉ) n high mountain chain;
2genuß (-gʰᵉnŏŏs) m great enjoyment; 2haus (-hows) n skyscraper;
~herzig (-hērtsĭç) noble-minded;
2herzigkeit f generosity; 2kon-
junktur (-kŏnyŏŏn̨ktŏŏr) f boom-
-peak season; 2land (-lä̈nt) n high-
land; 2mut (-mŏŏt) m haughtiness;
~mütig (-mütĭç) haughty; 2-ofen
(-ōfᵉn) m (blast-)furnace; ~rot
(-rōt) bright red; 2saison (-sēzᵍ,
-ōn̨) f height of the season; ~-
schätzen (-shētsᵉn) esteem highly;
2schule (-shŏŏlᵉ) f university;
academy; 2seefischerei (-zéfĭshᵉrī)
f deep-sea fishery; 2sommer
(-zómᵉr) m midsummer; 2span-
nung ≠ f high tension.

höchst (hȫçst) highest, adv. most.
Ho'chstapler (hȫkshtä̈hplᵉr) m
impostor.
hö'chstens (hȫçstᵉns) at (the) most.
Hö'chst|form f Sport: top form;
~geschwindigkeit (-gʰᵉshvĭndĭç-
kit) f erlaubte: speed limit; ~kom-
mandie'rende(r) (-kŏmä̈hndee-
rᵉndᵉr) m commander-in-chief;
~leistung (-lĭstŏōn̨) f Sport: record; ⊕ maximum output; ~lohn
(-lōn) m maximum wage; ~maß
(-mä̈hs) n maximum; ~preis (-prīs)
m maximum price.

ho'ch|trabend (-trä̈hbᵉnt) bom-
bastic; 2verrat (-fērrä̈ht) m high
treason; 2wald (-vä̈lt) m timber
(-forest); 2wasser n high water;
flood; ~wertig (-vértĭç) high-grade;
2wild (-vĭlt) n large game; 2wohl-
geboren (-vōlgʰᵉbōrᵉn) Right Honourable.
Ho'chzeit (hȫktsīt) f wedding;
~(s)..., 2lich nuptial, bridal; ~s-
geschenk (-gᵉshēnk) n wedding-
-present; ~sreise (-rīzᵉ) f wedding-
-tour.
ho'cke|n (hȫkᵉn) squat; 2r m
stool.
Hö'cker (hȫkᵉr) m knoll, bump;

(Auswuchs) hump, hunch; 2ig
rough, uneven.
Ho'de (hōdᵉ) f testicle.
Hof (hōf) m courtyard; (Bauern2)
farm; e-s Fürsten: court; ast. halo;
j-m den ~ m. court a p.; ~'dame
(-dä̈hmᵉ) f lady in waiting; 2'fähig
(-fä̈ĭç) presentable at court.
Ho'ffart (hōfä̈hrt) f pride.
ho'ffen (hōfᵉn) hope (auf acc. for);
(erwarten) expect; zuversichtlich:
trust (in); ~tlich as I hope.
Hoffnung (hōfnŏŏn̨) f hope; 2slos
hopeless; 2svoll (-fōl) hopeful;
(verheißungsvoll) promising.
Ho'fhund (hōfhŏŏnt) m watch-dog.
hö'fisch (hōfĭsh) courtly.
hö'flich (hōflĭç) courteous, polite;
2keit f courtesy, politeness.
Ho'f|meister (hōfmīstᵉr) m steward;
(Lehrer) tutor; ~staat (-shtä̈ht) m
royal (od. princely) household.
Hö'he (hōᵉ) f height; ⚹, ast.,
geogr. altitude; (Anhöhe) hill; (Gipfel) summit; e-r Summe: amount;
der Preise: level; in gleicher ~ mit
on a level with; fig. auf der ~ up
to date; in die ~ up.
Ho'heit (hōhīt) f Highness; ~s-
zeichen (-tsīçᵉn) n nationality
mark.
Hö'hen|kur-ort (hōᵉnkŏŏrōrt) m
high-altitude health-resort; ~sonne
(-zōnᵉ) f ☀ Alpine sun; engS.: sun-
light-lamp; ~steuer (-shtōĭᵉr) ⚹ n
elevator; ~zug (-tsŏŏk) m hill-
-range.
Hö'hepunkt (hōᵉpŏŏn̨kt) m highest
point; ast., fig. culmination; fig.
zenith.
hohl (hōl) hollow (a. fig.); concave.
Hö'hle (hōlᵉ) f cave, den.
Ho'hl|maß (-mä̈hs) n dry measure;
~raum (-rowm) m hollow; ~spie-
gel (-shpeegʰᵉl) m concave mirror;
~weg (-vék) m defile.
Hö'hlung (hōlŏŏn̨) f hollow, cavity.
Hohn (hōn) m scorn, disdain.
hö'hnen (hōnᵉn) sneer (acc. at).
hö'hnisch sneering, scornful.
Hö'ker (hȫkᵉr) m hawker, huckster;
~in f huckstress; 2n huckster.
hold (hōlt) (a. ~selig [zélĭç] lovely,
sweet; (geneigt) propitious, favourable.
ho'len (hōlᵉn) fetch; (gehen nach)
go for; Atem ~ draw breath; ~ l.
send for; sich e-e Krankheit ~ catch.

Ho'lländer (hŏlĕndᵉr) m Dutchman; ~in f Dutchwoman.

Hö'lle (hŏlᵉ) f hell.

Hö'llen|lärm m infernal noise; ~maschine (-mähsheenᵉ) f infernal machine; ~pein (-pīn) f torment of hell.

hö'llisch hellish, infernal.

ho'lperig (hŏlpᵉrĭç) rugged; jolty; bumpy; fig. stumbling.

Holz (hŏlts) n wood; ~'bau (-bow) m wooden structure; ~'bildhauer (-bĭlthowᵉr) m wood-carver.

hö'lzern (hŏltsᵉrn) wooden.

Ho'lz|fäller m wood-cutter, Am. lumberman; ~hacker (-hähkᵉr), ~hauer (-howᵉr) m wood-chopper; ~händler m timber-merchant; 2ig woody; ~kohle f charcoal; ~platz m timber-yard; ~schnitt m woodcut; ~schnitzer m wood-carver; ~schuh (-shoō) m clog; ~stoß (-shtōs) m pile of wood; ~weg (-vék) m fig. auf dem ~ sn be on the wrong tack; ~wolle f wood-wool, Am. excelsior.

Homöopathie' (hŏmöōpähtee) f homœopathy.

Ho'nig (hōnĭç) m honey; ~kuchen (-kōōkᵉn) m treaclecake; 2süß (-züs) as honey-sweet; ~wabe (-vähbᵉ) f honeycomb.

Honor|a'r (hŏnōrähr) n fee; ~atio'ren (-ähts'ōrᵉn) m/pl. notabilities; 2ie'ren (-eerᵉn) fee; Wechsel: honour.

Ho'pfen (hŏpfᵉn) m hop; ⊕ hops pl. hopp! (hŏp) hop!

ho'ps|a! (hŏpsäh) hullo!; ~en (sn) hop, jump.

hö'rbar (hŏrbähr) audible.

ho'rch|en (hŏrçᵉn) listen (auf acc. to); 2er m listener; eavesdropper.

Ho'rde (hŏrdᵉ) f horde, gang.

hö'ren (hŏrᵉn) v/t. u. v/i. hear; Radio: listen (in); schwer ~ be hard of hearing; sich ~ l. als Künstler: perform; ~ Sie mal! I say!

Hö'rer (hŏrᵉr) m hearer; Radio: listener-in; (Apparat) receiver; ~schaft f audience.

Hö'rig|e(r) (hŏrĭgᵉr) m bond(wo)-man; ~keit (hŏrĭçkīt) f bondage.

Horizo'nt (hŏrĭtsŏnt) m horizon; 2a'l horizontal.

Horn (hŏrn) n horn; (Jagd2) bugle; (Bergspitze) peak; ~'haut (-howt) f horny skin; des Auges: cornea.

Horni'sse (hŏrnĭsᵉ) f hornet.

Horni'st (hŏrnĭst) m bugler.

Horosko'p (hŏrŏskōp) n horoscope; das ~ stellen cast a horoscope.

Hö'r|rohr (hŏrrōr) n ear-trumpet; ~saal (-zähl) m auditorium; ~spiel (-shpeel) n radio-play.

Hö'rweite (hŏrvītᵉ) f (in ~ within) earshot.

Ho'se (hōzᵉ) f mst ~n pl. (eine a pair of) trousers, Am. pants pl.; (lange, weite ~) slacks pl.; (Knie2) breeches; (weite Knie2) knickerbockers.

Ho'sen|klappe f flap, fly; ~tasche (-tähshᵉ) f trouser pocket; ~träger (-trägʰᵉr) m (a. pair of) braces pl., Am. suspenders pl.

Hospita'l (hŏspĭtähl) n hospital.

Ho'stie (hŏst'ᵉ) f host, holy wafer.

Hote'l (hŏtĕl) n hotel; ~ie'r (hŏtĕl'é) m, ~besitzer(in f) (-bᵉzĭtsᵉr) m hotel-keeper.

Hub (hōōp) m lift; (Kolben2) stroke.

Hu'bschrauber (hōōpshrowbᵉr) m helicopter.

hübsch (hüpsh) pretty; nice; (a. ~ beträchtlich) handsome.

Huf (hōōf) m hoof; ~'eisen (-īzᵉn) n horseshoe; ~'nagel (-nähgʰᵉl) m hobnail; ~'schlag (-shlähk) m horse's kick; clatter of a horse's feet; ~'schmied (-shmeet) m farrier.

Hüf't|e (hüftᵉ) f hip; haunch; ~gelenk n hip-joint; ~gürtel m für Damen: suspender (Am. garter) belt; 2lahm hip-shot; ~weh (-vé) n sciatica.

Hü'gel (hügʰᵉl) m hill, hillock.

hü'g(e)lig hilly.

Huhn (hōōn) n fowl; (Henne) hen; junges ~, Hü'hnchen (hünçᵉn) n pullet, chicken.

Hü'hner|-auge (hünᵉrowgʰᵉ) n corn; ~ei (-ī) n hen's egg; ~hund (-hōōnt) m pointer, setter; ~leiter (-lītᵉr) f roost-ladder.

Huld (hōōlt) f grace, favour.

hu'ldigen (hōōldĭgʰᵉn) do homage; e-r S.: indulge in.

Hu'ldigung f homage.

hu'ld|reich (hōōltrĭç), ~voll (-fŏl) gracious.

Hü'lle (hülᵉ) f cover(ing), wrap, envelope; (Schleier) veil; 2n cover, wrap (up).

Hü'lse (hülz^e) *f* hull, husk; (*Schale*; *Granaten*2) shell; (*Patronen*2 *usw.*) case; (*Schote*) pod; ~nfrucht (-frōōkt) *f* legume.

huma'n (hōōmä*h*n) humane; 2itä't *f* humanity.

Hu'mmel (hōōm'l) *f* bumble-bee.

Hu'mmer (hōōm^{e}r) *m* lobster.

Humo'r (hōōmōr) *m* humour; 2i'stisch (-istish) humorous.

hu'mpeln (hōōmp'ln) hobble.

Hund (hōōnt) *m* dog; (*Jagd*2) hound; *fig. auf den ~ kommen* go to the dogs.

Hu'nde... (-d^e-): ~hütte *f* dog-kennel, *Am.* doghouse; ~kuchen (-kōōk^{e}n) *m* dog-biscuit; ~leine (-lin^e) *f* (dog-)lead; ~peitsche (-pītsh^e) *f* dog-whip.

hu'ndert (hōōnd^{e}rt) (a) hundred; 4 *vom* 2 four per cent (4%,); ~fach, ~fältig (-fēltiç) hundredfold; 2~ja'hrfeier (-yährfī^{e}r) *f*, ~jährig (-yäriç) centenary; ~st hundredth.

Hu'ndesperre (hōōnd^{e}shpēr^e) *f* muzzling-order.

Hü'ndin (hündin) *f* she-dog, bitch.

hü'ndisch doggish; *fig.* (*krieche-risch*) crouching.

Hu'nds... (-ts-): 2gemein (-g^{h}emīn) scurvy; ~tage (-tä*h*g^h^{e}) *m/pl.* dog-|

Hü'ne (hün^e) *m* giant. [-days.|

Hu'nger (hōōng^{e}r) *m* hunger; ~ bekommen get hungry; ~ h. be hungry; ~kur (-kōōr) *f* fasting cure; ~leider (-līd^{e}r) *m* starveling; ~lohn (-lōn) *m* starvation wage(s).

hu'ng(e)rig hungry.

hu'ngern be hungry; *freiwillig:* abstain from food; *j. ~ l.* starve a p.

Hu'nger|snot (-nōt) *f* famine; ~streik (-shtrīk) *m* hunger-strike; ~tod (-tōt) *m* starvation.

Hu'pe (hōōp^e) *f* horn; 2n hoot.

hü'pfen (hüpf^{e}n) (sn) hop, skip.

Hü'rde (hürd^e) *f* hurdle; (*Pferch*) pen; ~nrennen *n* hurdle-race.

Hu're (hōōr^e) *f*, 2n whore.

hu'rtig (hōōrtiç) quick, swift; (*behend*) agile, ni*m*ble.

Husa'r (hōōzähr) *m* hussar.

husch! (hōōsh) hush!, quick!; ~'en (sn) scurry, whisk.

hü'steln (hüst^{e}ln) cough slightly.

hu'sten (hōōst^{e}n), 2 *m* cough.

Hut^1 (hōōt) *m* hat.

Hut^2 *f* care, charge; guard; *auf der ~ sein* be one's guard.

hü'te|n (hüt^{e}n) guard; keep; watch (over); *Vieh:* tend; *das Bett ~* keep one's bed; *sich ~ vor* (*dat.*) beware of; 2r(in *f*) *m* keeper, guardian; (*Vieh*2) herdsman.

Hu't|futter (-fōōt^{e}r) *n* lining of a hat; ~krempe *f* brim of a hat; ~macher (-mä*h*k^{e}r) *m* hatter; ~nadel (-nä*h*d^{e}l) *f* hat-pin.

Hü'tte (hüt^e) *f* hut, cottage; ⊕ metallurgical plant; *mount.* refuge; ~nwesen (-véz^{e}n) *n* metallurgy.

Hyä'ne (hüän^e) *f* hyena.

Hyazi'nthe (hüä*h*tsint^e) *f* hyacinth.

hydrau'lisch (hüdrowlish) hy-draulic.

Hygie'n|e (hü*g*^{h}ién^e) *f* hygiene; 2isch hygienic, sanitary.

Hy'mne (hümn^e) *f* hymn.

Hypno'|se (hüpnōz^e) *f* hypnosis; 2tisie'ren (-tīzeer^{e}n) hypnotize.

Hypocho'nd|er (hüpokónd^{e}r) *m* hypochondriac.

Hypothe'k (hüpōték) *f* mortgage.

Hypothe'|se (hüpōtéz^e) *f* hypothe-sis; 2tisch hypothetic(al).

Hysterie' (hüstéree) *f* hysteria.

I

i! why!; *i wo!* certainly not!

ich (ĭç) 1. I; 2. ℒ *n* self.

Idea'l (ĭdēähl) *n*, ℒ *adj.* ideal; ℒ**isie'ren** (-īzeer⁴n) idealize.

Idee' (ĭdé) *f* idea, notion.

identi|fizie'ren (ĭdĕntĭfĭtseer⁴n) identify; ∿**'sch** identical; ℒtä't *f* identity.

Idio't (ĭd'ŏt) *m* idiot; ∿**ie'** (-ee) *f* idiocy; ℒ**'isch** idiotic.

I'gel (eeg^hₑl) *m* hedgehog.

Ignora'nt (ĭgnŏrähnt) *m* ignoramus.

ignorie'ren (-ĭgnŏreer⁴n) ignore.

ihr (eer) *besitzanzeigend*: her; *pl.* their; ℒ your; ∿**'erseits** (eer⁴rzits) in her (their, your) turn.

i'hrige (eerĭgh⁴): *der usw.* ∿ hers; *pl.* theirs; ℒ yours.

illegiti'm (ĭlég⁴ĭteem) illegitimate.

illuminie'ren (ĭlŏŏmīneer⁴n) illuminate.

illuso'risch (ĭlŏŏzŏrĭsh) illusory.

illustrie'ren (ĭlŏŏstreer⁴n) illustrate.

I'ltis (ĭltĭs) *m* fitchew, polecat.

I'mbiß (ĭmbĭs) *m* light meal, snack, *Am.* lunch.

I'mker (ĭmk⁴r) *m* bee-master.

immatrikulie'ren (ĭmä/trĭkŏŏlee-r⁴n) (*a. sich* ∿ *l.*) matriculate, enrol.

i'mmer (ĭm⁴r) always; *für* ∿ for ever; ∿ *mehr* more and more; ∿ *wieder* again and again; ∿**fort** always, continually; ℒ**grün** *n* evergreen; ∿**hin** still, yet; ∿**während** (-vär⁴nt) everlasting.

Immobi'lien (ĭmóbeel⁴ēn) *pl.* immovables, real estate.

immu'n (ĭmŏŏn) immune (*gegen* from); ℒtä't *f* immunity.

I'mpf... (ĭmpf-): ∿**arzt** *m* vaccinator; ℒ**en** ✻ vaccinate; ∿**schein** (-shīn) *m* certificate of vaccination; ∿**ung** ✻ vaccination.

imponie'ren (ĭmpŏneer⁴n): *j-m* ∿ impress a p.

Impo'rt (ĭmpŏrt) *m* import(ation); ℒ**ie'ren** (-eer⁴n) import.

imposa'nt (ĭmpŏzähnt) imposing.

im|prägnie'ren (ĭmprägneer⁴n) impregnate; ∿**provisie'ren** (ĭmprŏ-vizeer⁴n) improvise.

imsta'nde (ĭmshtähnd⁴) able.

in (ĭn) (*acc.*) in, into; (*dat.*) in, at; (*innerhalb*) within.

In-a'ngriffnahme (ĭnä/ngrĭfnähm⁴) *f* taking in hand.

I'nbegriff (ĭnb⁴grĭf) *m* essence; ℒ**en** included.

I'nbrunst (ĭnbrŏŏnst) *f* ardour, fervour.

i'nbrunstig (ĭnbrŭnstĭç) ardent, fervent.

inde'm (ĭndém) whilst, while; *Mittel*: by *mit Gerundium*.

inde's(sen) 1. *adv.* meanwhile; 2. *cj.* (*jedoch*) however.

India'ner (ĭnd'ä/n⁴r) *m* Red Indian.

I'nd(i)er (ĭnd['ĭ]⁴r) *m*, **i'ndisch** (ĭndĭsh) Indian, Hindoo.

i'ndiskret (ĭndĭskrét) indiscreet; ℒ**io'n** (ĭndĭskréts⁴ŏn) indiscretion.

individu|e'll (ĭndĭvĭdŏŏĕl); ℒ**um** (ĭndĭvee'dŏŏŏŏm) *n* individual.

Indoss|ame'nt (ĭndŏsähmĕnt) ✝ *n* endorsement; ∿**ie'ren** (-eer⁴n) indorse.

Industrie' (ĭndŏŏstree) *f* industry; ∿**arbeiter** (-ä/rbīt⁴r) *m* industrial worker.

industrie'll (ĭndŏŏstrĭĕl) industrial.

infa'm (ĭnfähm) infamous.

Infanter|ie' (ĭnfähnt⁴ree) *f* infantry; ∿**'st** *m* foot-soldier.

infizie'ren (ĭnfĭtseer⁴n) infect.

info'lge (ĭnfŏlgh⁴) (*gen.*) in consequence of, owing to; ∿**d'essen** consequently.

informie'ren (ĭnfŏrmeer⁴n) inform, *falsch* ∿ misinform.

Ingenieu'r (ĭnℒĕn'ŏr) *m* engineer.

I'ngwer (ĭnℊ v⁴r) *m* ginger.

I'nhaber (ĭnhä/b⁴r) *m*, ∿**in** *f* possessor; holder; occupant.

I'nhalt (ĭnhä/lt) *m* contents *pl.*; (*wörtlicher* ∿) tenor; (*Raummaß*) capacity; ℒ**reich** (-rĭç) significant; ∿**s-angabe** (-ä/ngä/b⁴) *f* summary; ∿**sverzeichnis** (-fĕrtsĭçnĭs) *n* table of contents, index.

Inka'sso (ĭnkä/sŏ) *n* encashment.

i'nkonseque'nt (ĭnkŏnzĕkvĕnt) inconsistent; ℒ**z** (-ts) *f* inconsistency.

Inkra'fttreten (ĭnkrăhfttrét⁵n) *n* coming into force.

I'nland (ĭnlăhnt) *n* inland; (*Ggs. Ausland*) home.

I'nländer (ĭnlĕnd⁵r) *m* native.

i'nländisch native; *Handel:* inland; *Erzeugnis:* home-made; *Verbrauch:* domestic.

I'nlett (ĭnlĕt) *n* bedtick.

I'nliegend (ĭnleeg⁵hⁿt) enclosed.

inmi'tten (*gen.*) in the midst of.

i'nne... (ĭn⁵): ~haben possess, hold; ~halten *v/i.* stop; *v/t.* keep to.

I'nnen inside; *nach* ~ inward(s).

I'nnen|minister *m Brit.* Home Secretary, *Am.* Secretary of the Interior; ~ministerium (-mĭnĭstér'ŏŏm) *n Brit.* Home Office, *Am.* Department of the Interior; ~politik *f* domestic policy; ~seite (-zĭt⁵) *f* inner side.

i'nner (ĭn⁵r) interior; inner; (*a.* ⚓) internal; 2e(s) *n* interior; *Minister (-ium)* des 2n s. Innen...; ~halb (-hăhlp) *prp.* (*gen.*) within; *adv.* (on the) inside; ~lich inward; *a.* ⚓ internal; ~st inmost.

i'nnewerden preceive.

i'nnewohnend (ĭn⁵vŏh⁵nt) inherent.

i'nnig (ĭnĭç) heart-felt; fervent; *Beziehung:* intimate; 2keit *f* fervour; intimacy.

I'nnung (ĭnŏŏŋ) *f* guild.

i'noffizie'll (ĭnŏfĭts'ĕl) unofficial.

I'nsasse (ĭnzăhs⁵) inmate.

I'nschrift *f* inscription.

Inse'kt (ĭnzĕkt) *n* insect.

I'nsel (ĭnz⁵l) *f* island; ~bewohner (-in *f*) (-b⁵vŏh⁵r) *m* islander.

Inser|a't (ĭnzĕrăht) *n* advertisement; 2ie'ren (-eer⁵n) insert, advertise.

insgesa'mt (ĭnsg⁵zăhmt) altogether.

inso'fe'rn (ĭnzŏfĕrn) *adv.* so far; *cj.* ~ *als* as far as, in so far as.

i'nsolven|t (ĭnzŏlvĕnt) insolvent; 2z *f* insolvency.

inspizie'ren (ĭnspĭtseer⁵n) inspect, superintend.

Install|ateu'r (ĭnstăhlăhtŏr) *m* installer, plumber; 2ieren (-eer⁵n) install.

insta'nd (ĭnshtăhnt): ~ halten keep up; 2haltung *f* upkeep; ~ setzen (-zĕts⁵n) *j-n:* enable; *et.:* repair.

i'nständig (ĭnshtĕndĭç) instant.

Insta'nz (ĭnstăhnts) *f* instance; ~enweg (-vék) *m* official channels *pl.*

Institu't (ĭnstĭtŏŏt) *n* institute.

instruie'ren (ĭnstrŏŏeer⁵n) instruct.

Instrume'nt (ĭnstrŏŏmĕnt) *n* instrument.

inszenie'ren (ĭnstséneer⁵n) stage.

Intellige'nz (ĭntĕlĭg⁵ĕnts) *f* intelligence.

Intenda'nt (ĭntĕndăhnt) *m thea.* casting director.

interessa'nt (ĭnt⁵rĕsăhnt) interesting.

Intere'sse (ĭnt⁵rĕs⁵) *n* interest (*an dat.*, *für* in); ~ngemeinschaft (-g⁵hĕmĭnshăhft) *f* combine, pool, trust.

Interess|e'nt *m* interested party; 2ieren (-eer⁵n) interest (*für* in); *sich* ~ *für* take an interest in.

interimi'stisch (ĭnt⁵rĭmĭstĭsh) provisional.

Intern|a't (ĭntĕrnăht) *n* boarding-school; 2ieren (-eer⁵n) intern; ~ie'rung *f* internment.

inter|pelle'ren (-pĕleer⁵n) interpellate; ~punktie'ren (-pŏŏŋkteer⁵n) punctuate; 2punktio'n (-pŏŏŋkts'ŏn) *f* punctuation; ~venie'ren (-vĕneer⁵n) intervene; 2zo'nenpaß (-tsŏn⁵npăhs) *m* interzonal pass.

inti'm (ĭnteem) intimate (*mit* with); 2itä't *f* intimacy.

Intriga'nt (ĭntrĭgăhnt) *m* intriguer.

intrigie'ren (ĭntrĭg⁵eer⁵n) intrigue, plot.

Invali'de (ĭnvăhleed⁵) *m* invalid; ~nrente *f* disablement pension.

Inventa'r (ĭnvĕntăhr) *n* inventory, stock.

Inventu'r (ĭnvĕntŏŏr) *f* stock-taking; ~ *m.* take stock; ~ausverkauf (-owsfĕrkowf) *m* stock-taking sale.

investie'r|en (ĭnvĕsteer⁵n) invest; 2ung *f* investment.

i'nwendig (ĭnvĕndĭç) inward.

inzwi'schen (ĭntsvĭsh⁵n) in the meantime.

i'rd|en (ĭrd⁵n) earthen; ~isch earthly; (*weltlich*) worldly.

I're (eer⁵) *m* Irishman; **I'rin** *f* Irishwoman.

i'rgend (ĭrg⁵hⁿt) *in Zssgn* some, *allg. u. bei Frage u. Verneinung any; wenn ich* ~ *kann* if I possible can; ~**ein(e, s)** (-in) some; any; ~ **jemand** (yémăhnt) somebody; anybody; ~ **etwas** (ĕtvähs) some-

thing; anything; ~wie (-vee) some-
how; anyhow; ~wo somewhere;
anywhere.
i'risch (eerĭsh) Irish.
Iron|ie' (ĭrōnee) f irony; ℒ'isch
ironic(al).
i'rre (ĭrᵉ) 1. astray; (verwirrt) confused; ℬ insane; 2. ℒ(r) lunatic;
~fahren, ~gehen (-gʰéᵉn) (sn) go
astray; ~führen lead astray; fig.
mislead; ~machen (-mähκᵉn)
puzzle, bewilder; perplex; ~n err;
(umherschweifen) wander; (sich) ~
be mistaken.
I'rren|arzt m alienist; ~haus
(-hows) n, ~-anstalt (-ähnshtählt) f
lunatic asylum.
i'rre|reden (-rédᵉn) rave; ~werden
(sn) fig. grow puzzled (an dat.
by).

I'rr|fahrt f wandering; ~garten
m maze; ℒgläubig (-glóibĭç) heretical.
i'rrig erroneous; false, wrong.
irritie'ren (ĭrĭteerᵉn) (ärgern) irritate; (be-irren) puzzle.
I'rr|lehre f false doctrine; ~licht
(-lĭçt) n will-o'-the-wisp; ~sinn
(-zĭn) m insanity; ℒsinnig insane;
~tum m error, mistake; ℒtümlich
(-tümlĭç) erroneous; ~weg (-vék)
m wrong way.
I'schias (ĭsç'ähs) ℬ f sciatica.
Isola'tor (ĭzōlähtŏr) ⚡ m insulator.
Isolie'r|band (ĭzōleerbähnt) n in-
sulating tape; ℒen isolate; ⚡ in-
sulate; ~ung f isolation; ⚡ in-
sulation.
Itali|e'ner (ĭtähl'énᵉr) m, ℒe'nisch
Italian.

J

Ja (yäh) yes; ~ *doch!* to be sure!; ~ *sogar* nay (even); *wenn* ~ if so; *er ist* ~ *mein Freund* why, he is my friend.

Jacht (yäнкt) *f* yacht.

Ja'cke (yäнke) *f* jacket.

Jagd (yäнkt) *f* hunt(ing); *mit der Flinte*: shooting; (*Verfolgung*) chase; = ~*bezirk*; *auf* ~ *gehen* go hunting *od.* shooting; ~'**bezirk** (-betsïrk) *m* hunting-ground, shooting(-ground); ~'**flinte** *f* sporting gun *od.* rifle; ~'**flugzeug** (-flööktsöik) ⚔ *n* pursuit plane; ~'**haus** (-hows) *n* shooting- *od.* hunting-box; ~'**hund** (-höönt) *m* hound; ~'**rennen** *n* steeple-chase; ~'**revier** (-rëveer) *n* = ~*bezirk*; ~'**schein** (-shïn) *m* shooting-licence; ~'**schloß** (-shlös) *n* hunting-seat; ~'**tasche** (-täнshe) *f* game-bag.

ja'gen (yäнghen) *v/i.* hunt; shoot; (*eilen*) rush, dash; *v/t.* hunt; (*hetzen*) chase; (*weg.*) drive away; *in die Flucht* ~ put to flight.

Jä'ger (yägher) *m* hunter, sportsman; ✗ rifleman.

jäh (yä) precipitous, sudden.

Jahr (yähr) *n* year; *ein halbes* ~ six months; ~'**buch** (-böök) *n* annual.

ja'hrelang (yäнrelähng) (lasting) for years.

Ja'hres...: *in Zssgn mst* annual; ~**bericht** (-berïçt) *m* annual report; ~**feier** (-fïer) *f* ~**tag** (-täнk) *m* anniversary; ~**zeit** (-tsït) *f* season.

Ja'hr|gang (yäнrgähng) *m* annual set; *Menschen*: age-class; *Wein*: vintage; ~**hu'ndert** (-hööndert) *n* century.

jä'hrlich (yärlïç) annual, yearly.

Ja'hr|markt *m* fair; ~**tau'send** (-towz^nt) *n* millennium; ~**ze'hnt** (-tsént) *n* decade.

Jä'hzorn (yätsörn) *m* sudden anger; *Eigenschaft*: irascibility; ℥*ig* irascible. [blind.]

Jalousie' (Gäнlöözee) *f* Venetian

Ja'mmer (yäнmer) *m* lamentation; (*Elend*) misery; *es ist ein* ~ *it is a pity.*

jä'mmerlich (yĕmerlïç) lamentable, deplorable; *contp.* pitiable.

ja'mmern (yäнmern) lament (for); (*dchzen*) wail; *er jammert mich* I pity him.

Ja'nuar (yäнnööähr) *m* January.

Japa'n|er (yäнpähner) *m,* ~**erin** *f,* ℥*isch* japanese.

jä'ten (yäten) *v/t. u. v/i.* weed.

Jau'che (yowke) *f* liquid manure.

jau'chzen (yowktsen) shout (with joy), cheer.

jawo'hl (yäнvöl) yes, indeed, to be sure.

Ja'wort (yäнvört) *n* consent; *e-m Freier das* ~ *geben* accept a suitor.

je (yé) ever; ~ *nachdem* as the case may be; *cf. according as*; ~ *zwei* two at a time; *sie bekamen* ~ *zwei Äpfel* two apples each; *für* ~ *zehn Wörter* for every ten words; ~ ... *desto* the ... the.

je'de (yéde), ~**r**, ~**s** every; *v. e-r Gruppe*: each; *v. zweien*: either; (~ *beliebige*) any; ~**r**, *der whoever*; ~**n** *zweiten Tag* every other day; ~**n- fa'lls** at all events, in any case; ~**rma'nn** every one, everybody; ~**rzei't** (-tsït) at any time.

jedo'ch (yédök) however, yet.

je'he'r (yéhér): *von* ~ at all times.

je'mals (yémähls) ever, at any time.

je'mand (yémäнnt) somebody; someone; anybody; any one.

je'ne (yéne), ~**r**, ~**s** that, *pl.* those.

je'nseitig (yénzïtïç) opposite.

je'nseits (yénzïts) beyond (℥ *n* the ~).

je'tzig (yétsïç) present; actual

jetzt (yětst) now, at present; *für* ~ for the present.

je'weilig (yévïlïç) respective.

Joch (yök) *n* yoke; (*Berg*℥) pass.

Jod (yöt) *n* iodine.

jo'deln (yödeln) *n* yodel.

Joha'nnis(tag *m*) (yöhäнnïs) *n* St. John's Day; ℥**beere** (-bére) *c* red currant.

jo'hlen (yölen) bawl; *parl.* boo.

Jo'lle (yöle) *f* jolly-boat.

Journali'st (℥öörnählïst) *m* journalist, *Am.* newspaperman.

Ju'bel (yōōbᵉl) *m* jubilation; ~feier (-fiᵉr) *f* jubilee; 2n jubilate, exult.
Jubil|a'r(in *f*) (yōōbīlä*h*r) *m* person celebrating his (her) jubilee; ~ä'um (yōōbīlä̇ōŏm) *n* jubilee.
juchhe(i)'! (yōōᴋhé, -ĭ) hey-day!
Ju'chten (yōōᴋtᵉn) *m* Russia(n) ju'cken (yōōkᵉn) itch. [leather.]
Ju'de (yōōdᵉ) *m* Jew; ~ntum *n* Judaism; ~nverfolgung (-fĕrfōl-gōŏn₂) *f* Jew-baiting. [Jewish.]
Jü'd|in (yüdĭn) *f* Jewess; 2isch]
Ju'gend (yōōgʰᵉnt) *f* youth; ~amt *n* Youth Welfare Office; ~freund (-frŏint) (-in [frŏindĭn] *f*) *m* early friend; 2herberge (-hĕrbĕrgʰᵉ) *f* youth-hostel; 2jahre (-yä*h*rᵉ) *n*/*pl*. early years; ~kraft *f* youthful strenght; 2lich youthful; ~liche(r) *m* juvenile, *Am.* teen-ager; ~liebe (-leebᵉ) *f* calf-love; ~schriften *f*/*pl.* books for the young; ~streich (-shtrĭç) *m* youthful prank.
Ju'li (yōōlee) *m* July.
jung (yōōn₂) young; *Erbsen*: green; *Wein*: new; *Bier*: fresh.
Ju'nge 1. *m* boy, lad; 2. *n* young; ein ~s a young one; *Raubtier*: cub; 2n bring forth young; 2nhaft boyish; ~nstreich (-shtrĭç) *m* boyish trick.

Jü'nger (yün₂ᵉr) *m* disciple.
Ju'ngfer (yōōn₂fᵉr) *f* maid; (*Zofe*) lady's maid; spinster.
jü'ngferlich (yün₂fᵉrlĭç) virginal.
Ju'ngfern|fahrt (yōōn₂fᵉrnfäh̄rt) *f* maiden voyage; ~rede (-rédᵉ) *f* maiden speech; ~schaft *f* virginity, maidenhood.
Ju'ng|frau (yōōn₂frow) *f* maid, virgin; 2fräulich (-frŏilĭç) maiden (-ly), virgin(al); ~gesell(e) (-gʰᵉzĕl[ᵉ]) *m* bachelor; ~gesellenstand (-gʰᵉzĕlᵉnshtǟhnt) *m* bachelorhood; ~gesellin *f* bachelor-girl.
Jü'ngling (yün₂lĭn₂) *m* youth.
jüngst (yün₂st) 1. *adj.* youngest; *Zeit*: last; latest; 2. *adv.* (*n.* ~'hin) recently, lately.
Ju'ni (yōōnee) *m* June.
Ju'ra (yōōrǟh) *n*/*pl.*: ~ studieren study (the) law.
Ju'rist (yōōrĭst) *m* lawyer; *Student*: law-student; 2isch juridical.
just|ie'ren ⊕ (yōōsteer'ᵉn) adjust; 2ie'rung (-eeroon₂) *f* adjustment.
Justi'z (yōōsteets) *f* justice; ~be-amte(r) *m* officer of justice; ~minister *m Brit.* Lord Chancellor, *Am.* Attorney General.
Juwe'l (yōōvél) *n* jewel.
Juwelie'r (yōōvēleer) *m* jeweller.

K

(Vgl. auch C und Z)

Ka'bel (kăhbᵉl) n cable; 2n cable; ~depesche (-dépĕshᵉ) f cable(gram).
Ka'beljau (kăhbᵉlyow) m cod(fish).
Kabi'ne (kăhbeenᵉ) f cabin.
Kabine'tt (kăhbǐnĕt) n cabinet.
Ka'chel (kăhkᵉl) f (Dutch) tile.
Kada'ver (kăhdăhvᵉr) m carcass.
Kade'tt (kăhdĕt) m cadet.
Kä'fer (kăfᵉr) m beetle, Am. bug.
Ka'ffee (kăhfĕ) m coffee; ~bohne f c.-bean; ~kanne f c.-pot; ~mühle f c.-mill; ~satz (-zăhts)mc.-grounds pl.; ~tasse f c.-cup.
Kä'fig (kăfiç) m cage.
kahl (kăhl) bald; fig. a. bare, naked; Baum: bare; Landschaft: barren; 2'kopf m baldhead; ~'köpfig (-köpfiç) bald-headed. [barge.]
Kahn (kăhn) m boat; punt; (Last2).
Kai (kī, kā) m quay, wharf.
Kai'ser (kizᵉr) m emperor; ~in f empress; ~krone (-krônᵉ) f imperial crown; 2lich imperial; ~reich (-riç), ~tum n empire.
Kajü'te (kăhyütᵉ) f cabin.
Kaka'o (kăhkăhŏ) m cocoa.
Ka'lauer (kăhlowᵉr) m Joe Miller.
Kalb (kăhlp) n calf; 2'en (-bᵉn) calve.
Ka'lb|fell n calfskin; ~'fleisch (-flĭsh) n veal; ~leder (-lédᵉr) n calf(-leather).
Ka'lbs|braten (-brăhtᵉn) m roast veal; ~keule (-köilᵉ) f jeg of veal; ~nierenbraten (-neerᵉnbrăhtᵉn) m loin of veal.
Kale'nder (kăhlĕndᵉr) m calendar, almanac; ~block m date-block.
Ka'li (kăhlĭ) n potash.
Kali'ber (kăhleebᵉr) n calibre; bore.
Kalk (kăhlk) m lime; ~'(stein)-bruch (-[shtǐn]brŏŏk)m limestone--quarry; 2'en withewash; 2'ig limy; ~'ofen (-ôfᵉn) m limekiln; ~'stein (-shtǐn) m limestone.
Kalorie' (kăhlôreeᵉ) f phys. calorie.
kalt (kăhlt) cold; geogr., a. fig. frigid; mir ist ~ I am cold.
ka'ltblütig (-blŭtiç) cold-blooded; adv. in cold blood.

Käl'te (kĕltᵉ) f cold; chill (a. fig.); fig. coldness; ~grad (-grăht) m degree below zero.
ka'ltstellen keep cold; fig. shelve.
Kame'l (kăhmél) n camel; ~haar (-hāhr) n camel's hair.
Kamera'd (kăhmᵉrăht) m comrade, fellow, mate; ~schaft fellowship; 2schaftlich companionable.
Kami'lle (kăhmǐlᵉ) ♀ f camomile.
Kami'n (kăhmeen) m chimney; (Ofen) fire-place, fireside; ~sims (-zǐms) m od. n mantelpiece; ~vorsetzer (-fōrzĕtsᵉr) m fender.
Kamm (kăhm) m comb; Vogel, Welle: crest; (Berg2) ridge.
kä'mmen (kĕmᵉn) comb.
Ka'mmer (kăhmᵉr) f (small) room, closet; (Behörde) board; ⊕, anat., parl. chamber; ~diener (-deenᵉr) m valet; ~frau (-frow) f lady's maid; ~herr m chamberlain; ~jäger (-yāgᵉr) m rat-catcher; ~musik (-mŏŏzeek) f chamber--music; ~zofe (-tsôfᵉ) f = ~frau.
Ka'mm|garn n worsted(yarn); ~rad (-răht) n cog-wheel.
Kampf (kăhmpf) m combat; (a. fig.) fight; schwerer: struggle; Sport: contest; fig. conflict; ~'bahn f Sport: stadium; 2'bereit (-bᵉrǐt) ready for battle.
kä'mpfen (kĕmpfᵉn) fight; (ringen) struggle.
Ka'mpfer (kăhmpfᵉr) m camphor.
Kä'mpfer (kĕmpfᵉr) m, ~in f fighter; bsd. ✕ combatant.
Ka'mpf|flugzeug (-flŏŏktsöik) n fighter; ~platz m battlefield; Sport u. fig.: arena; ~preis (-prǐs) m prize; ~richter (-rǐçtᵉr) m umpire; 2-unfähig (-ŏŏnfăiç) disabled.
kampie'ren (kăhmpeerᵉn) camp.
Kana'l (kăhnăhl) m künstlich: canal; natürlich: channel; (Abzugs2) sewer, drain; geogr. the Channel; ~isatio'n (-ǐzăhtsǐōn) f e-s Flusses: canalization; e-r Stadt: sewerage; 2isie'ren (-ǐzeerᵉn) canalize; sewer.

Kana'rienvogel (käʰnähr¹ᵉnfögʰᵉl) *m* canary.

Kanda're (käʰndährᵉ) *f* curb (-bit).

Kandid|a't (käʰndīdäʰt) *m* candidate; ~atu'r (-äʰtöör) *f* candidature, *Am.* candidacy; ℒie'ren (-eerᵉn) be (a) candidate.

Kani'nchen (käʰneençᵉn) *n* rabbit; ~bau (-bow) *m* rabbit-burrow.

Ka'nne (kähnᵉ) *f* can, pot; (*Krug*) jug; ~gießer (-gʰees²r) *m* pot-house politician.

Kanniba'l|e (käʰnïbählᵉ) *m*, ~in *f*, ℒisch cannibal.   [nade.]

Kanona'de (käʰnönähdᵉ) *f* canno-

Kano'ne (käʰnönᵉ¹ *f* cannon, gun; *Sport*: crack; ~nboot (-böt) *n* gunboat; ~ndonner *m* booming of cannon; ~nkugel (-köögʰᵉl) *f* cannon-ball.

Kanonie'r (käʰnöneer) *m* gunner.

Ka'nte (käʰntᵉ) *f* edge; (*Einfassung*) border; (*Spitze* lace; ~n¹ *m Brot*: top crust; ℒn² cant, set on edge.

ka'ntig angular, edged.

Kanti'ne (käʰnteenᵉ) *f* canteen, *Am.* post exchange.

Kanu' (käʰnöo) *n* canoe.

Kanü'le (käʰmülᵉ) ⚕ *f* tubule.

Ka'nzel (käʰntsᵉl) *f* pulpit; ✈ turret; ~redner (-rédnᵉr) *m* pulpit orator.

Kanzlei' (käʰntslī) *f* office.

Ka'nzler *m* chancellor.

Kap (käʰp) *n* cape.

Kape'lle (käʰpᵉlᵉ) *f* chapel; ♪ band.

Kape'llmeister (käʰpᵉlmistᵉr) *m* bandmaster.

ka'per|n (käʰpᵉrn) capture, seize; ℒschiff *n* privateer.

Kapita'l (käʰpïtähl) 1. *n* capital; stock; ~ und Zinsen principal and interest; 2. ℒ capital; ~anlage (-äʰnlähgʰᵉ) *f* investment ~flucht (-flöökt) *f* flight of capital; ℒisie'ren (-īzeerᵉn) capitalize, ~i'st *m* capitalist; ~verbrechen (-fĕrbrĕ-çᵉn) *n* capital crime.

Kapitä'n (käʰpïtähn) *m* captain; ~leutnant (-löïtnäʰnt) *m* lieutenant (in the navy).

Kapi'tel (käʰpïtᵉl) *n* chapter.

kapitulie'ren (käʰpïtöoleerᵉn) capitulate.

Kapla'n (käʰpläʰn) *m* chaplain.

Ka'ppe (käʰpᵉ) *f* cap; (*Kapuze*; *a.* ⊕) hood; (*kleiner Damenhut*) bonnet; ℒn *Tau*: cut; ⚓ lop, top.

Kaprio'le (käʰprïölᵉ) *f* caper.

Ka'psel (käʰps²l *f* case, box.

kapu'tt (käʰpöot) broken; *fig.* ruined; (*ermattet*) worn out, all in.

Kapu'ze (käʰpöots²) *f* hood.

Karabi'ner (käʰrähbeenᵉr) *m* carbine.

Kara'ffe (käʰrähfᵉ) *f* carafe, decanter.

Karambol|a'ge (käʰrähmbölähℒᵉ) *f* collision; *Billard*: cannon; ℒie'ren (-eerᵉn) collide; *Billard*: cannon, *Am.* carom.

...karä'tig (käʰrätïç) ... carat.

Karawa'ne (käʰrähvähnᵉ) *f* caravan.

Karbi'd (käʰrbeet) *n* carbide.

Kardina'l (käʰrdïnähl) *m* cardinal.

Karfrei'tag (käʰrfrītäʰk) *m* Good Friday.

karg (käʰrk) scanty; poor; ~'en (käʰrgʰᵉn) be sparing.

kä'rglich (kĕrklïç) scanty, poor.

karie'rt (käʰreert) checked, chequered, *Am.* checkerd.

Karik|atu'r (käʰrïkäʰtöör) *f*, ℒie'ren (-eerᵉn) caricature, cartoon.

karmesi'n (käʰrmēzeen) crimson.

Ka'rneval (käʰrnᵉvähl) *m* carnival.

Ka'ro (käʰrö) *n* square; *Kartenspiel*: diamonds *pl.*; ~muster (-möost²r) *n* chequers *pl.*

Karosserie' (käʰrös²reeᵉ) *f* body.

Ka'rpfen (käʰrpfᵉn) *m* carp.

Ka'rre (käʰrᵉ) *f* wheel-barrow.

ka'rren (käʰrᵉn), ℒ *m* cart.

Karrie're (käʰrᵉ¹ärᵉ) *f* gallop; (*Laufbahn*) career.

Ka'rtᵉ (käʰrtᵉ) *f* card; (*Land*ℒ) map; (*See*ℒ) chart; (*Fahr*ℒ *usw.*) ticket; (*Speise*ℒ) bill of fare.

Kartei' (käʰrtī) *f* card-index.

Karte'll (käʰrtĕl) *n* cartel.

Ka'rten|brief (käʰrtᵉnbreef) *m* letter-card; ~legerin (-légʰᵉrïn) *f* fortune-teller; ~spiel (-shpeel) *n* card-playing.

Karto'ffel (käʰrtöfᵉl) *f* potato; ~brei (-brī) *m* mashed potatoes *pl.*; ~käfer (-käfᵉr) *m* potato-bug.

Karto'n (käʰrtörℝ) *m* (~papier) cardboard; (*Schachtel*) cardboard box.

Kartothe'k (käʰrtötéḱ) *f* = *Kartei*.

Karusse'll (käʰröosĕl) *n* merry-go-round, *Am.* carousel.   [Week.]

Ka'rwoche (käʰrvök²) *f* Holy

Kä'se (käzᵉ) *m* cheese.

9

Kase'rn|e (kähzĕrnᵉ) f barracks pl.; ~enhof (-höf) m barrack-yard; 2ie'ren (-eerᵉn) barack.

kä'sig (käzic̣) cheesy.

Kasi'no (kähzeenō) n casino; club; (Offiziers2) mess.

Ka'sperle (kähspᵉrlᵉ) n Punch; ~theater (-tĕähᵗr) n Punch and Judy (show).

Ka'sse (kähsᵉ) f money-box; (Laden2) till; (Zahlstelle) pay-office; (~nschalter) pay-desk; (Theater2 usw.) ticket-, booking-office; (Bargeld) cash; bei ~ in cash.

Ka'ssen|-anweisung (-ähnvīzōōn̄g f, ~schein (-shīn) m cash order; bill; ~bote (-bōtᵉ) m bank messenger; ~buch (-bōōk) n cash-book; ~patient (-pähts'ĕnt) m panel-patient.

Kasse'tte (kähsĕtᵉ) f casket; phot. plate-holder.

kassie'ren (kähseerᵉn) v/t. get in (money); (aufheben) annul; ein Urteil: quash.

Kassie'rer m, ~in f cashier.

Kasta'nie (kähstähn'ᵉ) f chestnut.

kastei'en (kähstī'ᵉn) mortify.

Ka'sten (kähstᵉn) m chest, box, case; ~geist (-gīst) m caste-feeling.

Katalo'g (kähtählōk) m catalogue.

Kata'rrh (kähtähr) m cold, catarrh.

katastr|opha'l (kähtähstrōfähl) catastrophic; 2o'phe (-ōfᵉ) f catastrophe.

Katechi'smus (kähtĕc̣īsmōōs) m catechism.

Kateg|orie' (kähtégōree) f category; 2o'risch (-ōrīsh) categorical.

Ka'ter (kähtᵉr) m tom cat; s. Katzenjammer.

Kathe'der (kähtédᵉr) n lecturing desk.

Katholi'k (kähtōleek) m, ~in f, katho'lisch (Roman) Catholic.

Kattu'n (kähtōōn) m calico, print.

Ka'tze (kähtsᵉ) f cat.

Ka'tzenjammer (kähts'nyähmᵉr) F m hang-over.

Kau'derwelsch (kowdᵉrvĕlsh) n gibberish; 2en gibber.

kau'en (kowᵉn) v/t. u. v/i. chew.

kau'ern (kowᵉrn) (sn) cower, squat.

Kauf (kowf) m purchase; günstiger: bargain, good buy; ~'brief (-breef) m purchase-deed; 2'en buy, purchase.

Käu'fer (kóifᵉr) m buyer, purchaser.

Kau'f|haus (kowfhows) n stores pl.; ~laden (-lähdᵉn) m shop, Am. store.

käu'flich (kóiflic̣) purchasable; fig. b.s. venal; adv. by purchase.

Kau'f|mann (kowfmähn) m merchant; im kleinen: retailer, shopkeeper; 2männisch (-mĕnīsh) commercial; ~vertrag (-fĕrträhk) m contract of sale. [ing-gum.]

Kau'gummi (kowgōōmee) n chew-

kaum (kowm) scarcely, hardly.

Kau'tabak (kowtähbähk) m chewing-tobacco.

Kautio'n (kowts'ōn) f security.

Kau'tschuk (kowtshōōk) m caoutchouc, hard rubber.

Kavallerie' (kähⁱvählᵉree) f cavalry, horse.

Ka'viar (kähⁱv'ähr) m caviar(e).

keck (kĕk) bold; 2'heit f boldness.

Ke'gel (kégʰᵉl) m cone; (Spiel2) pin; ~ schieben = 2n play (at) skittles od. ninepins; ~bahn f skittle (Am. bowling)-alley; 2förmig (-förmic̣) conical.

Ke'gler (kégⁱᵉr) m skittle-player.

Ke'hle (kélᵉ) f throat.

Ke'hlkopf (kélköpf) m larynx.

Ke'hre (kérᵉ) f turn, bend; 2n brush, sweep; (um~) turn; sich an (acc.) mind. [pl.]

Ke'hricht (kéric̣t) m (n) sweepings)

Ke'hrseite (-zītᵉ) f reverse, back.

kei'f|en (kīfᵉn) scold.

Keil (kīl) m wedge; Näherei: gusset; ~'e F pl. thrashing; ~erei' (-ᵉrī) f sl. row; 2'förmig (-förmic̣) wedge-shaped; ~'kissen n padded wedge; ~'schrift f cuneiform characters pl.

Keim (kīm) m germ; a. seed, bud; 2'en (h. u. sn) germ(inate); 2'frei (-frī) sterile; ~. sterilize; ~'träger (-trägʰᵉr) ℳ m (germ-)carrier; ~'zelle f germ-cell.

kein (kīn) no, not any; als su. ~'e (r, s) none; no one, nobody, not anybody; ~er (von beiden) neither; ~'eswe'gs (-véks) by no means, not at all; ~'mal (-mähl) not once, never.

Keks (kéks) m (n) biscuit. Am. cracker, cookie.

Kelch (kĕlc̣) m cup; ♀ calyx.

Ke'lle (kĕlᵉ) f ladle; ⊕ trowel.

Ke'ller (kĕlᵉr) m cellar; ~ei' (-ī) f cellarage; ~geschoß (-gʰᵉshōs) n basement; ~meister (-mīstᵉr) m butler.

Ke′llner (kĕln*ᵉ*r) *m* waiter, barman; ~**in** *f* waitress, barmaid. [press.\
Ke′lter (kĕlt*ᵉ*r) *f* winepress; **2n**\
ke′nn|en (kĕn*ᵉ*n) know, be acquainted with; ~**enlernen** become acquainted with, get to know; **2er(in** *f*) *m* connoisseur; expert; ~**tlich** recognizable; **2tnis** *f* knowledge; ~ **nehmen** *von* take not(ic)e of; **2zeichen** (-tsĭç*ᵉ*n) *n* mark, sign; *fig.* criterion; ~**zeichnen** (-tsĭçn*ᵉ*n) mark, characterize.

ke′ntern (kĕnt*ᵉ*rn) *v/i.* (sn) capsize.\
Ke′rbe (kĕrb*ᵉ*) *f* notch, slot.\
ke′rben notch, indent.\
Ke′rker (kĕrk*ᵉ*r) *m* gaol, jail; ~**meister** (-mĭst*ᵉ*r) *m* jailer.\
Kerl (kĕrl) *m* fellow, *Am.* guy.\
Kern (kĕrn) *m* kernel; *Apfel usw.*: pip; *Steinobst:* stone; *fig.* core, pith; *phys.* nucleus; ~′**gehäuse** (-g*ʰᵉ*hŏĭz*ᵉ*) *n* core; **2′gesund** (-g*ʰᵉ*-zŏŏnt) thoroughly sound; **2′ig** *fig.* (markĭg) pithy; (derb) solid; ~′-**punkt** (-pŏŏᵑkt) *m* essential point.\
Ke′rze (kĕrts*ᵉ*) *f* candle; ~**nstärke** (-shtĕrk*ᵉ*) *f* candle-power.\
Ke′ssel (kĕs*ᵉ*l) *m* kettle; (Dampf2) boiler; (Vertiefung) hollow.\
Ke′tte (kĕt*ᵉ*) *f*, **2n** chain (an to).\
Ke′tten|glied (-gleet) *n* link of a chain; ~**hund** (-hŏŏnt) *m* watch-dog.\
Ke′tzer (kĕts*ᵉ*r) *m*, ~**in** *f* heretic; ~**ei′** (-ī) *f* heresy; **2isch** heretical.\
keu′ch|en (kŏĭç*ᵉ*n) pant, gasp; **2-husten** (-hŏŏst*ᵉ*n) *m* (w)hooping-cough.\
Keu′le (kŏĭl*ᵉ*) *f* club; *Fleisch:* leg.\
keusch (kŏĭsh) chaste; (rein) pure; **2′heit** *f* chastity.\
ki′chern (kĭç*ᵉ*rn) titter, giggle.\
Kie′bitz (keebĭts) *m* lapwing.\
Kie′fer (keef*ᵉ*r) *m* jaw; *f* pine.\
Kiel (keel) *m* keel; (Feder2) quill; ~′**raum** (-rowm) *m* hold; ~′**wasser** *n* wake.\
Kie′me (keem*ᵉ*) *f* gill.\
Kien (keen) *m* resinous pine-wood; ~′-**apfel** *m* pine-cone.\
Kie′pe (keep*ᵉ*) *f* back-basket.\
Kies (kees) *m* gravel.\
Kie′sel (keez*ᵉ*l) *m* flint, pebble.\
Kie′sweg (keesvék) *m* gravel-walk.\
Ki′lo... (keelō-): ~**gra′mm** *n* kilogramme; ~**he′rtz** (-hĕrts) *n* kilo-cycle; ~**me′ter** (-mét*ᵉ*r) *n* kilometre; ~**wa′tt** *n* kilowatt.

Ki′mme (kĭm*ᵉ*) *f* notch.\
Kind (kĭnt) *n* child; baby.\
Kinderei′ (kĭnd*ᵉ*rī) *f* (dummer Streich) childish trick; (Kleinigkeit) trifle.\
Ki′nder... (-d-): ~**frau** (-frow) *f* nurse; ~**fräulein** (-frŏĭlĭn) *n* nursery-governess; ~**garten** *m* kindergarten, infant (od. nursery)-school; **2leicht** (-lĭçt) foolproof; **2los** childless; ~**mädchen** (-mâțç*ᵉ*n) *n* nurse(-maid); ~**märchen** (-mâr̦ç*ᵉ*n) *n* nursery-tale; ~**spiel** (-shpeel) *n* *fig.* trifle; ~**stube** (-shtŏŏb*ᵉ*) *f bsd. fig.* nursery; ~**wagen** (-vähg*ʰᵉ*n) *m* perambulator, baby carriage; ~**zeit** (-ᵗsĭt) *f* childhood; ~**zimmer** *n* nursery, *Am.* playroom.\
Ki′ndes... (-d-): ~**alter** *n* infancy; ~**kind** (-kĭnt) *n* grandchild.\
Ki′nd|heit *f* childhood; **2isch** (kĭndĭsh) childish; **2lich** (kĭntlĭç) childlike; *gegenüber den Eltern:* filial.\
Kinn (kĭn) *n* chin; ~′**backen** *m*, ~′**lade** (-lähd*ᵉ*) *f* jaw(-bone); ~′-**bart** *m* imperial; ~′**haken** (-hâh-k*ᵉ*n) *m* uppercut.\
Ki′no (keenō) *f n* cinema, *the pictures pl., Am.* motion picture theater, *F* movies *pl.*; ~**vorstellung** (-fōrshtĕlŏŏᵑ) *f* cinema-show.\
Ki′ppe (kĭp*ᵉ*) *f fig. auf der* ~ *on the* tilt; **2n** *v/t. u. v/i.* (h. u. sn) tilt, tip, topple (over).\
Ki′rche (kĭrç*ᵉ*) *f* church.\
Ki′rchen|älteste(r) (-ĕlt*ᵉ*st*ᵉ*[r]) *m* churchwarden, elder; ~**buch** (-bŏŏκ) *n* parochial register; ~**diener** (-deen*ᵉ*r) *m* sexton, sacristan; ~**gemeinde** (-g*ʰᵉ*mĭnd*ᵉ*) *f* parish; ~**lied** *n* hymn; ~**musik** (-mŏŏzeek) *f* sacred music; ~**schiff** *n* nave; ~**steuer** (-shtŏĭ*ᵉ*r) *f* church-rate; ~**stuhl** (-shtŏŏl) *m* pew.\
Ki′rch|gang (-gähᵑ) *m* church-going; ~**hof** (-hōf) *m* churchyard; **2lich** ecclesiastical; ~**spiel** (-shpeel) *n* parish; ~**turm** (-tŏŏrm) *m* steeple; ~**weih** (-vī) *f* parish fair.\
ki′rre (kĭr*ᵉ*) *adj. u.* ~**m.** tame.\
Ki′rsche (kĭrsh*ᵉ*) *f* cherry.\
Ki′ssen (kĭs*ᵉ*n) *n* cushion; (Kopf2) pillow; (Polster) pad.\
Ki′ste (kĭst*ᵉ*) *f* chest, box, case.\
Kitsch (kĭtsh) *m* trash.\
Kitt (kĭt) *m* cement; (Glaser2) putty.\
Ki′ttel (kĭt*ᵉ*l) *m* smock, frock.

g*

ki'tten (kitᵉn) cement; putty.

Ki'tzel (kitsᵉl) m tickle.

ki'tz|eln tickle; ∼lig ticklish.

Kla'dde (klähdᵉ) f waste-book.

kla'ffen (kläffᵉn) (h. u. sn) gape.

klä'ffen (kläfᵉn) yap, yelp.

kla'gbar (klähkbähr) actionable.

Kla'ge (klähgʰᵉ) f complaint; lament; ≈ suit, action; ∼n v/i. lament (um for); ≈ sue (auf acc. for); ∼ über complain of.

Klä'ger (klähgʰᵉr) m, ∼in f plaintiff, complainant.

klä'glich (kläklïç) lamentable; Stimme: plaintive; (erbärmlich) pitiable.

klamm (klähm) clammy; (erstarrt) numb; (knapp) short, scarce.

Kla'mmer (klähmᵉr) f ⊕ clamp, cramp; gr., typ. bracket, parenthesis; (Wäsche≈) peg; ∼n: sich ∼ an (acc.) cling to.

Klang (klähng) m sound; Glocke: ringing; Geld, Stimme usw.: ring; (∼farbe) timbre; ≈'los soundless; ≈'voll (-fōl) sonorous.

Kla'pp|e (klähpᵉ) f flap; ♪ key, Flöte: stop; ⊕, anat. valve; (Tisch≈, Visier≈) leaf; im Abzugsrohr: trap; ≈en v/t. clap, flap (a. v/i.: mit et. a th.); v/i. fig. (gut gehen) work (well), Am. click; = klappern.

Kla'pper (klähpᵉr) f rattle; ≈ig fig. shaky, rickety; ∼kasten m Klavier: tinkettle; Wagen: rattletrap; ∼n clatter, rattle; mit den Zähnen ∼ chatter one's teeth; ∼schlange (-shlähngᵉ) f rattlesnake, Am. rattler.

Kla'pp|kamera (klähpkähmᵉräh) f folding camera; ∼kragen (-krähgʰᵉn) m turn-down collar; ∼sitz (-zïts) m tip-up seat; ∼stuhl (-shtōōl) m folding chair; ∼tisch m folding table.

Klaps (klähps) m, ≈'en slap, smack.

klar (klähr) clear; (hell) bright; (durchsichtig) limpid; (offenbar) evident, obvious; Antwort: plain; sich ∼ sn über (acc.) be clear on.

klä'r|en (klärᵉn) (a. sich) clarify; ≈ung f clarification.

kla'rlegen (klährléghᵉn), ∼stellen clear up.

Kla'sse (klähsᵉ) f class; Schule: form Am. grade; ∼n-arbeit (-ährbit) f (written) classroom test; ≈nbewußt (-bᵉvōōst) class-conscious; ∼n-kampf m class-war (fare) od. -struggle; ∼nzimmer n classroom.

klassifizie'r|en (klähsïfïtseerᵉn) classify; ≈ung f classification.

Kla'ss|iker (klähsïkᵉr) m classic; ≈isch classic(al).

klatsch! (klähtsh) 1. crack!; 2. ≈ m clap; (üble Nachrede) scandal; (Geschwätz) gossip; ≈'base (-bähzᵉ) f gossip; ≈'e f fly-flap; ∼'en v/t. u. v/i. clap; fig. gossip; Beifall ∼ applaud (j-m a p.); ∼'haft gossiping; scandalous; ≈'maul (-mowl) n chatterbox; scandalmonger.

Klau'e (klowᵉ) f claw (a. ⊕); (Pfote) paw (a. = Hand).

Klau'se (klowzᵉ) f hermitage.

Klau'sel klowzᵉl) f clause; proviso; stipulation.

Klaviatu'r (klähvʼähtōōr) f keyboard.

Klavie'r (klähveer) n piano (-forte); ∼sessel (-zěsᵉl) m music-stool; ∼stimmer m piano-tuner; ∼stunde (-shtōōndᵉ) f piano-lesson.

kle'be|n (klébᵉn) v/t. glue, paste; v/i. stick, adhere (an dat. to); ≈pflaster (-pflähstᵉr) n sticking plaster.

kle'b(e)rig adhesive, sticky.

Kle'b(e)stoff (kléb[ᵉ]shtōf) m adhesive.

Klecks m (klěks) blot, blotch; ≈'en blot; blur; Malerei contp. daub.

Klee (klé) m clover, trefoil.

Kleid (klit) n garment; dress; (Frauen≈) frock, elegantes: gown; pl. clothes; ≈'en (klidᵉn) clothe, dress; j-n gut usw. ∼: suit, become.

Klei'der... (-d-): ∼ablage (-ährplähgʰᵉ) f cloakroom; ∼bügel (-büghᵉl) m coat-hanger; ∼bürste (-bürstᵉ) f clothes-bruh; ∼haken (-hähkᵉn) m clothes-peg; ∼schrank (-shrähnk) m wardrobe; ∼ständer (-shtěndᵉr) m (hat and) coat stand; ∼stoff m dress-material.

klei'dsam (klitzähm) becoming.

Klei'dung (klidōōng) f clothing; ∼s-stück n article of dress.

Klei'e (kliᵉ) f bran.

klein (klin) little (nur attr.); small; (geringfügig) petty; ∼es Geld (small) change; von ∼ auf from (one's) infancy; ≈'-auto (-owtō) n baby car; ≈'bahn f narrow-gauge railway; ≈'bildkamera (-biltkähmᵉräh) f miniature camera; ≈'geld n small change; ~gläubig (-glöibiç) of little faith; 2'handel m retail business; 2'händler m retail dealer; 2'-heit f smallness; 2'holz n matchwood.

Klei'nigkeit (klīnïçkīt) f trifle; ~s-krämer (-krăm⁴r) m pedant, fussy person.

Klei'n|kind (klīnkīnt) n infant; ~kinderbewahr-anstalt (-kīnd⁴r-b⁴vāhră/ănshtăhlt) f crèche; 2laut (-lowt) dejected; 2lich paltry, fussy; ~mut (-mōōt) m pusillanimity; 2mütig (-mütiç) pusillanimous.

Klei'nod (klīnōt) n jewel, gem.

Klei'n|staat (klīnshtăht) m minor state; ~städter(in f) (-shtăt⁴r) m, 2städtisch provincial; ~vieh (-fee) n small cattle.

Klei'ster (klīst⁴r) m, 2n paste.

Kle'mm|e (klĕm⁴) f f ⊕ clamp; ⨍ terminal; fig. corner, fix; 2en jam, squeeze, pinch; sich den Finger ~ jam one's finger; ~er m pince-nez (fr.).

Kle'mpner (klĕmpn⁴r) m tinsmith, plumber, Am. tinner.

Kle'rus (klérōōs) m clergy.

Kle'tte (klĕt⁴) f bur.

kle'tter|n (klĕt⁴rn) (sn) climb, clamber; 2pflanze (-pflă/ănts⁴) f climber, creeper.

Kli'ma (kleemăh) n climate.

klima'tisch climatic.

kli'mmen (klīm⁴n) (sn) climb.

kli'mpern (klīmp⁴rn) v/i. jingle, tinkle; auf dem Klavier: strum.

Kli'nge (klĭŋ⁴) f blade.

Kli'ngel (klĭŋ⁴l) f (small) bell; ~knopf m bell-push; 2n ring; tinkle; P.: ring the bell; es klingelt the bell rings; ~zug (-tsōōk) m bell-pull.

kli'ngen (klĭŋ⁴n) sound; Glocke: ring; Metall: tinkle; Glas: clink.

Kli'n|ik (kleenĭk) f nursing home, clinical hospital; 2isch clinical.

Kli'nke (klĭŋk⁴) f latch.

Kli'ppe (klĭp⁴) f cliff; crag.

kli'rren (klĭr⁴n) clink, clatter; clank.

Klistie'r (klïsteer) n, ~spritze (-shprĭts⁴) f enema.

Kloa'ke (klōă/ănk⁴) f sewer, sink.

Klo'b|en (klōb⁴n) m ⊕ block, pulley; (Holz) log; 2ig massy.

klo'pfen (klŏpf⁴n) knock, rap; sanft: tap; Herz: throb; es klopft there's a knock at the door.

Klö'ppel (klŏp⁴l) m der Glocke: clapper; (Spitzen2) bobbin; ~spitze (-shpĭts⁴) pillow-lace.

Klops (klŏps) m mincemeat ball.

Klose'tt (klōzĕt) n water-closet, lavatory: ~papier (-pä/hpeer) n toilet-paper.

Kloß (klōs) m clod; v. Mehl: dumpling.

Klo'ster (klōst⁴r) n cloister; (Nonnen2) convent; (Mönchs2) monastery; ~bruder (-brōōd⁴r) m friar; ~frau (-frow) f nun.

Klotz (klŏts) m block.

Klu'bsessel (klōōpzĕs⁴l)m easychair.

Kluft (klōōft) f gap; cleft; chasm.

klug (klōōk) (gescheit) clever, intelligent; (verständig) wise, judicious, sensible; (vorsichtig) prudent; 2'-heit f cleverness, intelligence; wisdom, judiciousness; prudence.

Klu'mp|en (klōōmp⁴n) m lump; (Erde) clod; (Haufen) heap; ~fuß (-fōōs) m club-foot; 2ig lumpy, cloddy.

kna'bbern (knă/ăhb⁴rn) nibble.

Kna'be (knă/ăhb⁴) m boy; ~n-alter f boyhood; 2nhaft boyish.

Knack (knă/ăk), ~s m crack; 2'en v/t. u. v/i. crack; v/i. Schloß usw.: click.

Knall (knă/ăhl) m clap; crack; (Schuß) report; (Explosion) detonation; ~bonbon (bg/hg, bŏŋ/hbŏŋ) m cracker; 2'en crack; pop; detonate.

knapp (knă/ăhp) (eng) close, tight; (spärlich) scanty, scarce; Stil: concise; Mehrheit: bare; mit ~er Not entrinnen have a narrow escape; ~w. run short; 2'e m esquire; ⚒ miner; 2'heit f scarcity, shortage; conciseness; 2'schaft f society of miners.

Kna'rre (knä/hr⁴) f rattle; 2n creak, rattle.

kna'ttern (knă/ht⁴rn) crackle; rattle.

Knäu'el (knöi⁴l) n (m) clew; fig. crowd, throng.

Knauf (knowf) m knob.

Knau'ser (knowz⁴r) m niggard; ~ei (-ī) f stinginess; 2ig stingy; 2n be stingy.

Kne'bel (knéb⁴l) m (Mund2) gag; 2n gag; fig. muzzle.

Knecht (knĕçt) m servant; ⨍ farm-hand; (Unfreier) slave; 2'en enslave; 2'isch servile; ~'schaft f servitude, slavery.

knei'f|en (knîf⁴n) pinch, nip; 2er *m*
pince-nez (fr.); 2zange (-tsä*h*ng⁴⁵)
f (a pair of) pincers *pl.*; *kleine*:
tweezers *pl.*

Knei'pe (knîp⁴) *f* public (house),
Am. saloon; 2n *v/t.* tipple, carouse;
‿rei' (-rī) *f* drinking-bout.

kne'ten (knêt⁴n) knead.

Knick (knîk) *m*, 2'en break, crack.

Kni'cker (knîk⁴r) *m* = *Knauser*.

Knicks (knîks) *m*, 2'en curts(e)y.

Knie (knee) *n* knee; 2'fällig (-fèlĭç)
upon one's knees; ‿'hose (-hôz⁴) *f*
(a pair of) breeches; *weite*: knickerbockers, plusfours *pl.*; ‿'kehle *f*
hollow of the knee; ‿'scheibe
(-shîb⁴) *f* kneepan; ‿'strumpf
(-shtröömpf) *m* knee-length stocking; 2(e')n kneel.

Kniff (knîf) *m* pinch; *fig.* trick;
2'(e)lig tricky; 2'en fold.

kni'psen (knîps⁴n) 🐝 clip, punch;
phot. snap.

Knirps (knîrps) *m* pigmy.

kni'rschen (knîrsh⁴n) grate; *mit den*
Zähnen ‿ gnash one's teeth.

kni'stern (knîst⁴r) crackle.

kni'ttern (knĭt⁴rn) crumple.

Kno'blauch (knôplowk) *m* garlic.

Knö'chel (knôç⁴l) *m* knuckle;
(*Fuß*2) ankle.

Kno'chen (knôk⁴n) *m* bone; ‿bruch
m fracture (of a bone).

kno'chig (knôkĭç) bony, *Am.*
scrawny.

Knö'del (knôd⁴l) *m* dumpling.

Kno'lle (knôl⁴) 🐝 *f* tuber; (*Zwiebel*)
bulb.

Knopf (knôpf) *m* button.

knö'pfen (knöpf⁴n) button.

Kno'pfloch (knôpflôk) *n* buttonhole.

Kno'rpel (knörp⁴l) *m* cartilage.

Kno'rr|en (knör⁴n) *m* knot, knag;
2ig knotty, gnarled, knaggy.

Kno'spe (knösp⁴) *f*, 2n bud.

Kno'ten (knôt⁴n) *m*, 2 knot; ‿punkt
(-pöö*h*kt) 🐝 *m* junction.

kno'tig (knôtĭç) knotty.

Knuff (knôôf) *m*, 2'en cuff.

knü'llen (knúl⁴n) crumple.

knü'pfen (knüpf⁴n) tie, knot.

Knü'ppel (knüp⁴l) *m* cudgel.

knu'rren (knöör⁴n) growl; *fig.*
grumble (*über at*); *Magen*: rumble.

knu'sp(e)rig (knösp[⁴]rĭç) crisp.

Knu'te (knööt⁴) *f* knout.

Knü'ttel (knüt⁴l) *m* cudgel.

Ko'bold (kôbölt) *m* (hob)goblin.

Koch (kôk) *m* (man-)cook; ‿'buch
(-bôôk) *n* cookery-book; 2'en *v/i.*
be cooking; *Flüssigkeit*: boil; *v/t.*
cook; boil.

Kö'cher (köç⁴r) *m* quiver.

Ko'ch|kiste *f* haybox; ‿löffel *m*
kitchen-ladle; ‿salz (-zä*h*lts) *n*
kitchen-salt; ‿topf *m* cooking-pot.

Kö'der (köd⁴r) *m*, 2n bait; lure;
decoy.

Ko'dex (kôdĕks) *m* code.

Ko'ffer (köf⁴r) *m* trunk, box; portmanteau; suit-case; ‿gerät (-g⁴⁴-
rät) *n* portable set.

Kohl (köl) *m* cabbage.

Ko'hle (köl⁴) *f* coal; (*Holz*2) charcoal; *é usw.*: carbon; *wie auf* ‿*n*
sitzen be on tenter-hooks.

Ko'hlen|-anzünder (-ä*h*ntsünd⁴r) *m*
fire-lighter; ‿arbeiter (-ä*h*rbît⁴r)
m coal-miner; ‿eimer (-îm⁴r) *m*
coalscuttle; ‿kasten *m* coal-box;
‿revier (-rĕveer) *n* coal-field, ‿
säure (-zöir⁴) *f* carbonic acid;
‿stoff *m* carbon.

Ko'hlepapier (köl⁴pä*h*peer) *n* carbon paper.

Ko'hlrübe (kölrüb⁴) *f* Swedish
turnip.

Ko'je (köy⁴) *f* berth.

Koka'rde (kökä*h*rd⁴) *f* cockade.

koke'tt (kökĕt) coquettish; 2erie'
(-⁴ree) *f* coquetry; ‿ie'ren (-eer⁴n)
flirt.

Ko'kosnuß (kôkösnöös) *f* coco-nut.

Koks (köks) *m* coke.

Ko'lben (kölb⁴n) *m* (*Gewehr*2) butt
(-end); (*Maschinen*2) piston; ‿stange
(-shtä*h*ng⁴) *f* piston-rod.

Kolle'g (kölĕk) *n* course of lectures;
‿e (-g⁴⁴) *m*, ‿in *f* colleague; ‿ium
(kölĕg^h¹ööm) *n* board; staff.

Ko'ller (köl⁴r) *m* *fig.* tantrum; 2n
v/i.(sn) roll.

kolli|die'ren (kölīdeer⁴n) (sn) col-
lide; 2sio'n (-z'ön) *f* collision.

Kö'lnischwasser (kölnĭshvä*h*s⁴r) *n*
eau-de-Cologne.

Kolonia'l... (kôlôn'ä*h*l-) colonial ...;
‿waren (-vä*h*r⁴n) *f*/*pl.* groceries
pl.; ‿warenhändler *m* grocer;
‿warenhandlung *f* grocer's shop,
Am. grocery.

Kolon|ie' (kölönee) *f* colony; 2isie'-
ren (-īzeer⁴n) colonize.

Ko'lo'nne (kölön⁴) *f typ.*, ⚔ column;
Arbeiter: gang.

kolorie'ren (kölöreer⁴n) colour.

Kolo'ß (kŏlŏs) m colossus.
kolossa'l (kŏlŏsä/hl) colossal, huge.
kombinie'ren (kŏmbīneer⁶n) combine.
Ko'miker (kŏmĭk⁶r) m comic (actor).
ko'misch comic(al); odd.
Komitee' (kŏmītē) n committee.
Kommand|a'nt (kŏmä/hndä/hnt) ~eu'r (-ör) m commander; **2ie'ren** (-eer⁶n) command; ~i'tgesellschaft (kŏmä/hndeetg^hᵉzělshä/hft) f limited partnership.
Komma'ndo (kŏmä/hndō) n command; (Abteilung) detachment; ~~brücke f (pilot-) bridge.
ko'mmen (kŏm⁶n) (sn) come; (an.,) arrive; ~ l. P.: send for; S.: order; et. ~ sehen foresee; an die Reihe ~ have one's turn; auf et. (acc.) ~ think of, hit on; zu dem Schluß ~ daß decide that; hinter et. (acc.) ~ find out; um et. ~ lose a th.; zu et. ~ (bekommen) come by a th.; wieder zu sich ~ come round od. to (o. s.), drohend: wie ~ Sie dazu? how dare you?
Komment|a'r (kŏmĕntä/hr) m commentary; **2ie'ren** (-eer⁶n) comment on.
Kommi's (kŏmee) m clerk; salesman.
Kommissa'r (kŏmĭsä/hr) m commissioner.
Kommi'ßbrot (kŏmĭsbrōt) n ammunition bread.
Kommissionä'r (kŏmĭs'ōnär) m agent.
Kommo'de (kŏmōd⁶) f (chest of) drawers pl.
Kommuni'smus (kŏmŏŏnĭsmōŏs) m communism.
Komödia'nt (kŏmŏd'ä/hnt) m comedian; contp. play-actor.
Komö'die (kŏmŏd'⁶) f comedy.
Kompa(g)nie' (kŏmpä/hnee) f company; ~geschäft (-g^hᵉshĕft) n joint business. [partner.]
Kompagno'n (kŏmpä/hn'ŏr̩) m]
Ko'mpaß (kŏmpä/hs) m compass.
komplizie'ren (kŏmplĭtseer⁶n) complicate.
Komplo'tt (kŏmplŏt) n plot.
kompon|ie'ren (kŏmpŏneer⁶n) compose; **2'ist** m composer.
Kompo'tt (kŏmpŏt) n stewed fruit, Am. sauce.
komprimie'ren (kŏmprĭmeer⁶n) compress.

Komprom|i'ß (kŏmprŏmĭs) m, 2-ittie'ren (-ĭteer⁶n) compromise.
Kondens|a'tor (kŏndĕnzä/htŏr) m condenser; **2ie'ren** (-eer⁶n) condense; **2ierte Milch** evaporated milk.
Kondi'tor (kŏndeetŏr) m confectioner; ~ei' (-ī) f confectioner's shop; ~waren (-vä/hr⁶n) f/pl. confectionery.
Konfe'kt (kŏnfĕkt) n sweetmeats pl., Am. soft candy.
Konfektio'nsgeschäft (kŏnfĕkts'-ōnsg^hᵉshĕft) n ready-made clothes shop.
Konfer|e'nz (kŏnfĕrĕnts) f conference; **2ie'ren** (-eer⁶n) confer.
Konfessio'n (kŏnfĕs'ōn) f confession; **2e'll** (-ĕl) confessional.
konfirmie'ren (kŏnfĭrmeer⁶n) confirm. [fiscate.]
konfiszie'ren (kŏnfĭstseer⁶n) con-]
Konfitü'ren (kŏnfĭtür⁶n) f/pl. confectionery.
konfo'rm (kŏnfŏrm) conformable (dat. od. mit to). [confront.]
konfrontie'ren (kŏnfrŏnteer⁶n)]
konfu's (kŏnfōōs) confused.
Kö'nig (kŏnĭç) m king; ~in (-g^hĭn) queen; **2lich** (kŏnĭklĭç) royal; ~reich (-rĭç) n kingdom; **2s-treu** (-trŏi), ~s-treue(r) royalist; ~s-würde f royal dignity; ~tum n royalty; kingship.
Konjunktu'r (kŏnyŏŏr̩ktōōr) f trade outlook, (turn of the) market.
Konkurre'n|t (kŏnkŏŏrĕnt) m, ~in f competitor; ~z f competition; (sportliche Veranstaltung) event; **2z-fähig** (-fäĭç) competitive; ~zgeschäft (-g^hᵉshĕft) n rival firm; ~z-kampf m competition.
konkurrie'ren (kŏnkŏŏreer⁶n) compete (um for).
Konku'rs (kŏnkŏŏrs) m bankruptcy, failure; ~ anmelden declare o. s. a bankrupt; ~erklärung (-ĕrklä-rŏŏr̩) f declaration of insolvency; ~masse f bankrupt's estate; ~verfahren (-fĕrfä/hr⁶r) n proceedings pl. in bankruptcy; ~verwalter (-fĕrvä/hlt⁶r) m (official) receiver, assignee in bankruptcy.
kö'nnen (kŏn⁶n) a) be able; ich kann I can; es kann sein it may be; du kannst hingehen you may go (there); b) (verstehen) know, understand; er kann Englisch he knows English, he can speak English.

Konnosseme'nt (kŏnŏsᵉmĕnt) n bill of lading.

konseque'n|t (kŏnzĕkvĕnt) consistent; 2z f consistency; (Folge) consequence.

Konse'rven (kŏnzĕrvᵉn) f/pl. tinned (Am. canned) goods; ⁓n-büchse (-bŭksᵉ) f tin, Am. can; ⁓n-fabrik (-fåhbreek) f canning-factory, cannery.

konservie'ren (kŏnzĕrveerᵉn) conserve, preserve.   [syndicate.]

Konso'rtium (kŏnzŏrts'ŏŏm) n}

konstruie'ren (kŏnstrŏŏeerᵉn) construct; (entwerfen) design.

Konstrukt|eu'r (kŏnstrŏŏktŏr) m designer; ⁓io'nsfehler (kŏnstrŏŏkts'ŏnsfélᵉr) m constructional fault.

Konsul|a't (kŏnzŏŏlåht) n consulate; 2tie'ren (-teerᵉn) consult.

konsum|ie'ren (kŏnzŏŏmeerᵉn) consume; 2ver-ein (fĕr-īn) m Co-operative Society.

Ko'nter-admiral (kŏntᵉråhtmeeråhl) m rear-admiral.

Kontinge'nt (kŏntĭᵣ₂ghĕnt) n quota.

Ko'nto (kŏntŏ) n account; ⁓auszug (-owstsŏŏk) m statement of account; ⁓korre'nt n account current.

Konto'r (kŏntŏr) n office.

Kontro'll|e (kŏntrŏlᵉ) f control, Am. check-up; 2ie'ren (-eerᵉn) control, check; ⁓marke f check.

konventione'll (kŏnvĕnts'ŏnĕl) conventional.

Konversatio'nslexikon (kŏnvĕrzåhts'ŏnsléksĭkŏn) n encyclopædia.

Konzentr|atio'nslager (kŏntsĕnträhts'ŏnslåghᵉr) n concentration--camp; 2ie'ren (-eerᵉn) concentrate.

Konze'rn (kŏntsĕrn) m trust, pool, combine.

Konze'rt (kŏntsĕrt) n concert.

Konzessio'n (kŏntsĕs'ŏn) f licence; 2ie'ren (-eerᵉn) license.

Kö'per (kŏpᵉr) m twill.

Kopf (kŏpf) m head; (Verstand) brains pl.; (Pfeifen2) bowl; ein fähiger ⁓ a clever fellow; j-m über den ⁓ wachsen outgrow a p.; fig. get beyond a p.; ⁓'-arbeit (-åhrbīt) f brain-work; ⁓'bahnhof (-båhnhŏf) m terminus, Am. terminal (depot); ⁓'bedeckung (-bᵉdĕkŏŏng) f head-gear.

kö'pfen (kŏpfᵉn) behead; Fußball: head.

Ko'pf|-ende n head; ⁓hörer (-hŏrᵉr) m headphone; ⁓kissen n pillow; 2los headless; ⁓nicken n nod; ⁓putz (-pŏŏts) m head-dress; ⁓rechnen (-rĕçnᵉn) m mental arithmetic; ⁓salat (-zåhlåht) m cabbage--lettuce; ⁓sprung (-shrŏŏng) m header; ⁓tuch (-tŏŏk) n kerchief; 2-ü'ber headlong; ⁓weh (-vé) n headache; ⁓zerbrechen (-tsĕrbrĕçᵉn) n: j-m ⁓ m. puzzle a p.

Kopie' (kŏpee) f, 2ren copy; phot. print; ⁓rstift m copying pencil.

Ko'ppel (kŏpᵉl) ⋈ ⁓ n belt; 2n couple (a. ⊕).

Kora'lle (kŏråhlᵉ) f coral.

Korb (kŏrp) m basket; fig. refusal; fig. Hahn im ⁓e cock of the walk; ⁓'möbel (-mŏbᵉl) n/pl. wicker furniture.

Ko'rdel (kŏrdᵉl) f cord.

Kori'nthe (kŏrĭntᵉ) f currant.

Kork (kŏrk) m, 2'en cork; ⁓'enzieher (-tseeᵉr) m corkscrew.

Korn (kŏrn) n grain; (Getreide) corn; Gewehr: foresight; ⁓ m (Schnaps) whisky, gin.

kö'rnig (-kŏrnĭç) granular; ⁓--grained.

Kö'rper (kŏrpᵉr) m body; phys., ⅋ solid; ⁓bau (-bow) m build; 2behindert (-bᵉhĭndᵉrt) disabled, impeded; ⁓beschaffenheit (-bᵉshähfᵉnhīt) f constitution, physique; ⁓fülle f corpulence; ⁓größe (-grŏsᵉ) f stature; ⁓kraft f physical strength; 2lich bodily; (stofflich) corporeal; ⁓pflege (-pflégʰᵉ) f hygiene of the body; ⁓schaft f corporation; ⁓verletzung (-férlĕtsŏŏ)ᵣ₂} battery. Ko'rpsgeist (kŏrpsgist) m team--spirit.

Korre'ktor (kŏrĕktŏr) m proof--reader.

Korrektu'r (kŏrĕktŏŏr) f correction; (auch ⁓bogen m) (-bŏghᵉn) proof(-sheet).

Korrespond|e'nt (kŏrĕspŏndĕnt) m correspondent; ⁓e'nz f correspondence; 2ie'ren (-eerᵉn) correspond.

korrigie'ren (kŏrĭgheerᵉn) correct.

Korse'tt (kŏrzĕt) n corset, stays pl.

ko'se|n (kŏzᵉn) v/t. caress; v/i. fondle; 2name (-nåhmᵉ) m pet name.

Kost (kŏst) f food, fare; (Beköstigung) board.

ko'stbar costly; precious.
Ko'sten 1. *pl.* cost(s *pl.*), expenses; charges *pl.*; *auf* ~ (*gen.*) at the expense of; 2. 2 *Geld:* cost; *fig.* take, require; 3. 2 (*schmecken*) taste; ~anschlag (-ǎhnshlǎhk) *m* estimate; 2frei (-frī) free of charge.
Ko'st|gänger (-g^hĕng^h^er) *m* boarder; ~geld *n* board(-wages *pl.*).
kö'stlich (kŏstlĭç) (*wertvoll*) precious; (*wohlschmeckend*) delicious.
ko'stspielig (kŏstshpeelĭç) expensive.
Kostü'm (kŏstüm) *n* costume, dress; ~fest *n* fancy-dress ball.
Kot (kōt) *m* dirt, mud; *tierischer:* excrement.
Kotele'tt (kŏt[^e]lĕt) *n* cutlet, chop.
Ko'tflügel (kōtflüg^hel) *m* mudguard, *Am.* fender.
ko'tig (kōtĭç) dirty, miry.
Kra'bbe (krǎhb^e) *f* shrimp (*a. fig.*); (*Taschenkrebs*) crab.
kra'bbeln (sn) crawl, grabble.
Krach (krǎhk) *m* crack (*a.* ⚓, *fig.*) crash; (*Streit*) quarrel; (*Lärm*) row; 2'en crack, crash.
krä'chzen (krĕçts^en) croak, caw.
Kraft (krǎhft) 1. *f* strength; (*Natur-* 2) force; (*Macht*) power; (*Rüstigkeit*) vigour; (*Wirksamkeit*) efficacy; *in* ~ *sn* (setzen, treten) be in (put into, come into) operation *od.* force; *außer* ~ setzen annul; 2. 2 (*gen.*) by virtue of; ~'-anlage (-ǎhnlǎhg^he) *f* power plant; ~'-brühe (-brü^e) *f* beef tea; ~'droschke (-drŏshk^e) *f* taxi(cab); ~'fahrer *m* motorist; ~'fahrsport (-fǎhrshpŏrt) *m* motoring.
krä'ftig (krĕftĭç) strong, vigorous, *Am.* husky; (*mächtig*) powerful; (*nahrhaft*) substantial; ~en (krĕftĭg^hen) strengthen.
kra'ft|los powerless; 2probe (-prōb^e) *f* trial of strength; 2rad (-rǎht) *n* motor cycle; 2stoff *m* fuel, motor spirit; ~voll (-fól) powerful; 2wagen (-vǎhg^hen) *m* (motor) car; 2werk ⊕ *n* power station.
Kra'gen (krǎhg^hen) *m* collar; ~knopf *m* c.-stud, *Am.* c.-button.
Krä'he (krǎ^e) *f*, 2n crow.
Kra'lle (krǎhl^e) *f* claw.
Kram (krǎhm) *m* small wares *pl.*; things *pl.*; *fig.* stuff; 2'en rummage.
Krä'mer (krǎm^er) *m* shopkeeper.

Kra'mpe (krǎhmp^e) *f* cramp.
Krampf (krǎhmpf) *m* cramp, spasm; convulsion; ~'-ader (-ǎhd^er) *f* varicose vein; 2'haft convulsive.
Kran (krǎhn) *m* crane.
krank (krǎhŋk) ill (*pred.*); sick; diseased; ~ *w.* fall ill; 2'e(r) *m* patient.
krä'nkeln (krĕŋk^eln) be sickly.
krä'nken (krǎhŋk^en) suffer (from).
krä'nken (krĕŋk^en) vex; offend.
Kra'nken|bett, ~lager (-lǎhg^her) *n* sick-bed; ~haus (-hows) *n* hospital; ~kasse *f* sick-fund; ~kost *f* diet; ~pflege (-pfleg^he) *f* nursing; ~pfleger(in *f*) *m* nurse; ~schein (-shīn) *m* medical certificate; ~versicherung (-fĕrzĭç^röoŋ) *f* health insurance; ~wagen (-vǎhg^hen) *m* ambulance; ~zimmer *n* sick-room.
kra'nkhaft morbid.
Kra'nkheit (krǎhŋhīt) *f* illness, sickness; disease; ~s-erreger -ĕrrég^her) *m* morbific agent; ~s-erscheinung (-ĕrshīnöoŋ) *f* symptom.
krä'nklich (krĕŋklĭç) sickly.
Krä'nkung *f* offence.
Kranz (krǎhnts) *m* garland, wreath.
Krä'nz|chen (krĕntsç^en) *n* *fig.* ladies' meeting; 2en wreathe, crown.
Krä'tze (krĕts^e) *f* itch.
kra'tzen (krǎhts^en) scrape; scratch.
krau'|en (krow^en) scratch softly; ~len crawl.
kraus (krows) crisp, curly; *die Stirn* ~ *ziehen* knit one's brows.
Krau'se (krowz^e) *f* frill, ruff.
kräu'seln (kröiz^eln) *v/t. u. refl.* curl, crisp; *Wasser:* ripple, be ruffled; *Rauch:* wreathe.
Kraut (krowt) *n* herb; plant.
Krawa'll (krǎhvǎhl) *m* riot.
Krawa'tte (krǎhvǎht^e) *f* tie, scarf.
Kreatu'r (krĕǎhtöor) *f* creature.
Krebs (krĕps) *m* crayfish; *ast.*, ♋ cancer; ~'schaden (-shǎhd^en) *m* *fig.* canker.
krede'nzen (krédĕnts^en) present.
Kredi't (krédeet) *m* credit; 2fähig (-fǎiç) solvent, sound.
kreditie'ren (kréditeer^en) *v/t.* credit.
Krei'de (krīd^e) *f* chalk.
Kreis (krīs) *m* circle; (*Wirkungs*2) sphere; *ast.* orbit; (*Gebiet*) district, *Am.* county.
krei'schen (krīsh^en) scream; shriek.

Krei'sel (krī̆z⁴l) *m* whip(ping)-top; **~kompaß** (-kŏmpȧẞ) *m* gyro--compass.

krei'sen (krī̆z⁴n) circulate, revolve, circle; rotate.

krei's|förmig (-fŏrmĭç) circular; **2lauf** (-lowf) *m* circulation; rotation; **~rund** (-rŏōnt) circular; **2-säge** (-zăgʰᵉ) *f* circular saw; **2ver-kehr** (-fĕrkér) *m* roundabout traffic.

Kre'mpe (krĕmpᵉ) *f* brim.

Kre'mpel (krĕmp⁴l) *m* lumber.

krepie'ren (krépeer⁴n) (sn) *Tier:* perish; *Granate:* burst.

Krepp (krĕp) *m,* **~'flor** (-flōr) *m* crape; **~'sohle** (-zōl⁴) *f* crêpe sole.

Kreuz (krŏits) *n* cross (*a. fig.*); *Karte:* club(s *pl.*); **♩** sharp; *anat.* small of the back; *Pferd:* croup(e); *kreuz und quer* in all directions; **~'band** (-bȧ̃nt) *n* (postal) wrapper; *unter* **~** *schicken* by book-post.

kreu'zen (krŏits⁴n) *v/t.* cross; *v/i.* cruise.

Kreu'zer ♣ *m* cruiser.

Kreu'z|fahrt ♣ *f* cruise; **2igen** (krŏitsigʰᵉn) crucify; **~igung** *f* crucifixion; **~otter** *f* common viper; **~schmerzen** (-shmĕrts⁴n) *m/pl.* lumbago; **~ung** *f* crossing; *v. Rassen:* cross-breed(ing); **~verhör** (-fĕrhŏr) *n* cross-examination; **~weg** (-vék) *m* cross-road; **2weise** crosswise; **~worträtsel** (-vŏrträts⁴l) *n* cross-word puzzle; **~zug** (-tsōōk) *m* crusade.

krie'ch|en (krēēç⁴n) (h. u. sn) creep, crawl; *fig.* cringe (vor to); **2er(in** *f* *m* sneak; **2erei** (-⁴rī) *f* cringing.

Krieg (kreek) *m* war; *im* **~** at war.

krie'gen (krēēgʰᵉn) *v/t.* (*bekommen*) get.

Krie'g|er *m* warrior; **2'erisch** warlike; martial; **2'führend** belligerent.

Krie'gs|beschädigte(r) (kreeks-bᵉshädigt⁴[r]) disabled ex-service-man; **~dienst** (-deenst) *m* military service; **~erklärung** (-ĕrklärōōⁿ₂) *f* declaration of war; **~flotte** *f* navy; **~führung** *f* warfare; **~gefange-ne(r)** (-gʰᵉfăⁿ₂ᵉnᵉ[r]) *m* prisoner of war; **~gefangenschaft** *f* captivity; **~gericht** (-gʰᵉrĭçt) *n* court-martial; **~gewinner** (-gʰᵉvĭnl⁴r) *m* war--profiteer; **~hafen** (-hăhf⁴n) *m*

naval port; **~kamerad** (-kăhmᵉ-răht) *m* fellow-soldier; **~list** *f* stratagem; **~macht** (-măʜkt) *f* military forces *pl.*; **~minister** *m* Secretary for (*Am.* of) War; **~ministe'rium** (-mĭnĭstér'ōōm) *n* War Office, *Am.* Department of War; **~rat** (-răht) *m* council of war; **~schauplatz** (-showplăʜts) *m* seat (*od.* theatre) of war; **~schiff** *n* man-of-war; **~schule** (-shōōl⁴) *f* military academy; **~teilnehmer** (-tīlném⁴r) *m* combatant; *ehemaliger:* ex-service-man, *Am.* veteran; **~treiber** (-trī-b⁴r) *m* war-monger; **~zug** (-tsōōk) *m* expedition, campaign.

Krimina'l|be-amte(r) (krĭmĭnăhl-bᵉăhmt⁴[r]) *m* detective; **~polizei** (-pŏlĭtsī) *f* criminal investigation department; **~roman** (-rŏmăhn) *m* detective story.

Kri'ppe (krĭp⁴) *f* crib, manger; (*Säuglingsheim*) crèche.

Kri's|e (kreez⁴), **~is** *f* crisis.

Krista'll (krĭstȧhl) *m* crystal.

Kriti'k (krĭteek) *f* criticism; (*Besprechung*) critique, review.

Kri'tiker (kreetĭk⁴r) *m* critic; **2isch** critical (*gegenüber* of); **2isie'ren** (-ĭzeer⁴n) criticize.

kri'tteln (krĭt⁴ln) (*an dat.*) find fault (with), cavil (at).

Kri'ttler(in *f*) *m* fault-finder.

Kritzel|ei' (krĭts⁴lī) *f,* **2'n** scribble, scrawl.

Krokodi'l (krŏkŏdeel) *n* crocodile.

Kro'ne (krŏn⁴) *f* crown.

krö'nen (krŏn⁴n) crown.

Kro'n|leuchter (krŏnlŏiçt⁴r) *m* chandelier; lustre; *elektrisch:* electrolier; **~prinz** *m* Crown Prince; *Brit.:* Prince of Wales; **~prinzessin** *f* Crown Princess; *Brit.:* Princess Royal.

Krö'nung (krŏnōōⁿ₂) *f* coronation.

Kro'nzeuge (krŏntsŏigʰᵉ) *m* chief-witness; *Brit.* King's (*Am.* State's) evidence.

Kropf (krŏpf) *m* crop; **♊** goitre.

Krö'te (krŏt⁴) *f* toad.

Krü'cke (krŭk⁴) *f* crutch.

Krug (krōōk) *m* jug; (*großer Ton*₂) pitcher; (*Trink*₂) mug; (*Bier*₂) tankard; (*Wirtshaus*) inn.

Kru'ke (krōōk⁴) *f* stone bottle.

Kru'me (krōōm⁴) *f* crumb.

krü'mel|ig (krüm⁴lĭç) crumbly; **~n** (krüm⁴ln) crumble.

krumm (kroŏm) crooked (*a. fig.*); curved; **~beinig** (-bīnĭç) bow-legged.

krü′mmen (krŭmⁿn) (*a. sich*) crook, bend, curve.

Krü′mmung *f* crookedness; curvature; bend, turn, winding.

Krü′ppel (krŭpⁿl) *m* cripple.

Kru′ste (kroŏstⁿ) crust.

Kü′bel (kŭbⁿl) *m* tub, bucket, pail.

Kubi′k... (koŏbeek) cubic.

Kü′che (kŭçⁿ) *f* kitchen; (*Kochart*) cuisine, cookery; *kalte* ~ cold dinner.

Ku′chen (koŏĸⁿn) *m* cake; **~bäcker** *m* pastry-cook.

Kü′chen|gerät (-gʰᵉrät) *n*, **~geschirr** (-gʰᵉshĭr) *n* kitchen utensils *pl.*; **~herd** (-hért) *m* (kitchen-) range; **~schrank** (-shräⁿk) *m* larder, pantry; **~zettel** *m* bill of fare.

Kü′cken (kŭkⁿn) *n* chick(en).

Ku′ckuck (koŏkoŏk) *m* cuckoo.

Ku′fe (koŏfᵉ) *f* tub, vat; (*Schlitten∿*) runner.

Kü′fer (kŭfⁿr) *m* cooper.

Ku′gel (koŏgʰᵉl) *f* ball; (*Gewehr∿*) bullet; Å, *geogr.* sphere; 2**förmig** (-förmĭç) globular, spherical; **~gelenk** *n* socket-joint; **~lager** (-lähgʰᵉr) ⊕ *n* ball-bearing; 2n *v/i.* (sn) *u. v/t.* roll; **~stoßen** (-shtösᵉn) *n* putting the weight (*Am.* shot).

Kuh (koŏ) *f* cow.

kühl (kŭl) cool; 2′-**anlage** (-ähnlähgʰᵉ) *f* cold-storage plant; 2′e *f* coolness; *∿n* cool.

Kü′hler *m mot.* radiator.

Kü′hl|raum (-rowm) *m* refrigerating (*od.* cold-storage) chamber; **~schrank** (-shräⁿk) *m* refrigerator.

kühn (kŭn) bold; (*keck*) daring.

Ku′hstall (-koŏshtähl) *m* cow-shed.

kula′nt (koŏlähnt) obliging, fair.

Kuli′sse (koŏlĭsᵉ) *f* wing, side-scene; *hinter den ∿n* behind the scenes; **~nfieber** (-feebᵉr) *n* stage-fright.   [vate.]

kultivie′ren (koŏltiveerᵉn) cultivate; *fig.* culture; civilization; **~film** *m* educational film; **~land** (-lähnt) *n* cultivated land.

Ku′ltus (koŏltoŏs) *m* cult, worship; **~minister** *m* Minister of Education and Public Worship.

Ku′mmer (koŏmᵉr) *m* grief; (*Sorge*) sorrow; (*Unruhe*) trouble.

kü′mmer|lich (kŭmᵉrlĭç) miserable; poor; scanty; **~n** *v/t.* trouble; (*angehen*) concern; *sich ∿ um* mind; care for; (*sorgen für*) see to; 2**nis** *f* affliction.

ku′mmervoll (koŏmᵉrföl) sorrowful.

Kumpa′n (koŏmpähn) *m* companion, fellow, pal.

Ku′nd|e (koŏndᵉ) *m*, **~in** *f* customer.

ku′nd|geben (koŏntgʰébᵉn) make known; 2**gebung** *f* demonstration.

ku′ndig (koŏndĭç) knowing; versed (*gen.* in); expert (*gen.* at, in).

kü′ndig|en (kŭndĭgʰᵉn) *v/i.* give *a. p.* notice (to quit); *v/t. Kapital:* call in; 2**ung** *f* notice, warning.

Ku′ndschaft (koŏntshähft) custom (-ers *pl.*); 2**en** reconnoitre; **~er(in** *f*) *m* scout.

kü′nftig (kŭnftĭç) future; next week, *etc.*; *adv.* in future.

Kunst (koŏnst) *f* art; skill; **~′-akademie** (-ähkähdémeᵉ) *f* academy of arts; **~′-ausdruck** (-owsdroŏk) *m* technical term; **~′-ausstellung** (-owsshtélöⁿg) *f* art exhibition; **~′druck** (-droŏk) *m* art print(ing); **~′dünger** *m* artificial manure; 2**′-fertig** (-fērtĭç) skilled; **~′fertigkeit** *f* artistic skill; 2′**gerecht** (-gʰᵉrēçt) artistically *od.* technically correct; **~′geschichte** (-gʰᵉshĭçtᵉ) *f* history of art; **~′gewerbe** *n* applied arts *pl.*; **~′glied** (-gleet) *n* artificial limb; **~′griff** *m* artifice, trick, knack; **~′händler** *m* art-dealer; **~′kenner(in** *f*) *m* connoisseur; **~′laufen** (-lowfᵉn) *n Eissport:* figure-skating; **~′leder** (-lédᵉr) *n* imitation leather.

Kü′nstler (kŭnstlᵉr) *m*, **~in** *f* artist; *∿*, *thea.* performer; 2**isch** artistic.

kü′nstlich artificial.

Ku′nst|liebhaber(in *f*) (-leephähbᵉr) *m* amateur; **~maler(in** *f*) (-mählᵉr) *m* artist (painter); **~reiter(in** *f*) (-rītᵉr) *m* equestrian; **~seide** (-zīdᵉ) *f* artificial silk, rayon; **~stück** *n* trick, feat, *bsd. Am.* stunt; **~tischler** *m* cabinet-maker; **~verlag** (-fērlähk) *m* art-print publishers; 2**voll** (-föl) artistic, ingenious; **~werk** *n* work of art; **~wolle** *f* artificial wool.

ku′nterbunt (koŏntᵉrboŏnt) higgledy-piggledy.

Ku'pfer (kŏŏpfᵉr) n copper; 2n of copper; copper...; 2rot (-rōt) copper-coloured; ~stich (-shtiç) m copperplate engraving.

Kupo'n s. Coupon. [head.\]

Ku'ppe (kŏŏpᵉ) f dome; (Nagel2)\

Ku'ppel (kŏŏpᵉl) f cupola, dome; 2n v/t. ⊕ couple; clutch; v/i. b.s. pimp, procure; ~ung f (Wellen2) coupling; (Schalt2) clutch.

Ku'ppler (kŏŏplᵉr) m, ~in f b.s. pimp, procurer.

Kur (kōōr) f cure.

Kurat|e'l (kōōrähtĕl) f guardianship; ~or m guardian, trustee.

Ku'rbel (kōōrbᵉl) f crank, handle; ~kasten m Film: cinema camera; 2n crank; Film: reel off.

Kü'rbis (kürbĭs) m pumpkin.

Ku'r|gast (kōōrgähst) m visitor; ~haus (-hows) n spa hotel, casino.

Kurie'r (kōōreer) m courier.

kurie'ren (kōōreerᵉn) cure.

kurio's (kōōr'ōs) curious, odd.

Kü'rlauf (kürlowf) m Eislauf: free-skating.

Ku'r|liste (kōōrlĭstᵉ) f list of visitors; ~ort m health-resort; ~pfuscher (-in f) (-pfōōshᵉr) m quack.

Kurs (kōōrs) m (Umlauf) currency; (~wert) rate, price; ⚓ u. fig. course; ~bericht (-bᵉrĭçt) m market report; ~'buch (-bōōk) n railway guide.

Kü'rschner (kürshnᵉr) m furrier.

kursie'ren (kōōrzeerᵉn) circulate.

Ku'rsus (kōōrzōōs) m course.

Ku'rs|verlust (kōōrsfᵉrlōōst) m loss on exchange; ~wert (-vért) m market-value; ~zettel m exchange-list.

Ku'rve (kōōrvᵉ) f curve, bend.

kurz (kōōrts) short; adv. shortly;

(kurzum) in short; ~ angebunden sn be curt; ~ vor London short of L.; in ~em shortly; zu ~ kommen come off badly (bei in); den kürzeren ziehen get the worst of it; 2'-arbeiter (-ährbītᵉr) m part-time worker; ~'-atmig (-ähtmĭç) short-winded.

Kü'rze (kürtsᵉ) f shortness; brevity; 2n shorten; (ab~) abridge.

ku'rzfristig (kōōrtsfrĭstĭç) short-dated.

kü'rzlich (kürtslĭç) recently, lately.

Ku'rz|schluß (-shlōōs) ⚡ m short circuit; ~schrift f shorthand(-writing); 2sichtig (-zĭçtĭç) short-sighted; 2u'm (kōōrtsōōm) in short; ~waren (-vährᵉn) f/pl. haberdashery, Am. dry goods, notions; (Eisen2) hardware; ~weil (-vīl) f pastime; 2weilig amusing; ~welle ⚡ f short wave.

Kusi'ne s. Cousine.

Kuß (kōōs) m, kü'ssen (küsᵉn) kiss.

ku'ßfest kissproof.

Kü'ste (küstᵉ) f coast, shore.

Kü'sten|bewohner (-bᵉvōnᵉr) m seasider; ~fischerei (-fĭshᵉrī) f inshore fishery; ~gebiet (-gᵉbeet) n coastal area; ~schiffahrt (-shĭfährt) f coasting.

Kü'ster (küstᵉr) m sexton.

Ku'tsch|bock (kōōtshbōk)m(coach-) box; ~e (kōōtshᵉ) f coach, carriage; ~enschlag (-shlähk) m carriage-door; ~er m coachman, driver; 2ie'ren (-eerᵉn) v/i. (sn u. h.) drive ([in] a coach).

Ku'tte (kōōtᵉ) f cowl.

Kuve'rt (kōōvĕrt) n envelope; (Gedeck) cover; 2ie'ren (-eerᵉn) put in an envelope.

Kux (kōōks) ⚒ m mining share.

L

Lab (lāhp) *n* rennet.
La'be (lāhb⁰) *f* = Labsal; ⅋n refresh; *fig.* comfort.
Labor|ato'rium (lāhbŏrähtŏr'ŏŏm) *n* laboratory; ⅋ie'ren (-eer⁰n) an (*dat.*) labour under.
La'bsal (lāhpzāhl) *n*, **La'bung** (-b-) *f* refreshment; *fig.* comfort.
La'che (lāhk⁰) *f* pool, puddle.
lä'cheln (lĕç⁰lŋ), ⅋ *n* smile.
la'chen (lāhk⁰n) **1.** laugh (*über acc.* at); **2.** ⅋ *n* laugh, laughter.
lä'cherlich (lĕç⁰rlĭç) ridiculous, laughable; (*unbedeutend*) derisory.
Lachs (lāhks) *m* salmon.
Lack (lāhk) *m* (gum-)lac; (*Firnis*) varnish; lacquer; ⅋ie'ren (-eer⁰n) lacquer, varnish; ⅋'leder (-léd⁰r) *n* patent leather; ⅋'stiefel (-shteef⁰l) *m* patent (leather) boot, dress- boot.
La'de (lāhd⁰) *f* box, case; (*Schub⅋*) drawer; ⅋'fähigkeit (-fäïçkīt) *f* loading capacity; ⅋hemmung ⚔ *f* jam; ⅋linie (-leen'⁰) ⚓ *f* load- (water)line.
la'den¹ (lāhd⁰n) load; *Schußwaffe:* load, (*a.* ⚡) charge; ⚖ cite, summon; *als Gast:* invite.
La'den² *m* shop, *Am.* store; (*Fenster⅋*) shutter; ⅋dieb (-deep) *m* shoplifter; ⅋hüter (-hût⁰r) *m* drug (in the market); ⅋'inhaber(in *f*) (-ĭnhähb⁰r) *m* shopkeeper, *Am.* storekeeper; ⅋kasse *f* till; ⅋preis (-prīs) *m* selling price; ⅋schild *n* shopsign; ⅋tisch *m* counter.
La'de|platz (lāhd⁰plähts) *m* loading- -place; ⅋schein (-shīn) *m* bill of lading.
La'dung (lāhdŏŏŋ) *f* loading; *Güter:* freight; ⚓ cargo; *Schußwaffe od.* ⚡ charge; ⚖ summons.
La'ge (lāhg⁰) *f* situation, position; *e-s Hauses usw.* site; (*Zustand*) state, condition; (*Haltung*) attitude; *geol.* layer, stratum; (*Runde Bier usw.*) round; *in der ⅋ sein zu tun* be in a position to do.
La'ger (lāhg⁰r) *n* couch, bed; *geol.* deposit; *e-s Wildes:* lair; ⊕ bear- ing; (*Waren⅋*) warehouse; (*Vorrat*)

store, stock; ⚔ camp, encampment; ✝ *auf ⅋* on hand, in stock; ⅋buch (-bōŏk) *n* stock-book; ⅋geld *n* warehouse-rent; ⅋haus (-hows) *n* warehouse; ⅋n *v/i.* lie down, rest (*a. sich ⅋*); ⚔ (en-)camp; ✝ be stored; *v/t.* lay (down); ✝ store, warehouse; ⅋platz *m* depot; resting-place; ⅋ung *f v. Waren:* storage.
lahm (lāhm) lame; ⅋'en be lame.
lä'hmen (lām⁰n) lame, paralyse.
Lä'hmung *f* laming; paralysis.
Laib (līp) *m* loaf.
Laich (līç) *m*, ⅋'en spawn.
Lai'e (līⁱ⁰) *m* layman.
Lakai' (lāhkī) *m* lackey, footman.
La'ke (lāhk⁰) *f* brine, pickle.
La'ken (lāhk⁰n) *n* sheet.
la'llen (lāhl⁰n) stammer.
Lame'lle (lāhmĕl⁰) *f* lamina.
Lamm (lāhm) *n* lamb; ⅋'fell *n* lambskin; ⅋'fromm lamblike.
La'mpe (lāhmp⁰) *f* lamp.
La'mpen|fieber (-feeb⁰r) *n* stage- fright; ⅋glocke *f* lamp-globe; ⅋ schirm *m* lamp-shade; ⅋zylinder (-tsĭlīnd⁰r) *m* lamp-chimney.
Lampio'n (lāhmp'ŏŋ) *m* Chinese lantern.
Land (lāhnt) *n* land; (*Ggs. Stadt*) country; (*Ackerboden*) ground, soil; (*Gebiet*) territory; *ans ⅋* ashore; *auf dem ⅋e* in the country; *zu ⅋e* by land; ⅋'-arbeiter (-ährbīt⁰r) *m* farm labourer; ⅋'bau (-bow) *m* agriculture; ⅋'besitz (-bᵉzīts) *m* landed property; ⅋'bewohner (-bᵉvōn⁰r) *m* countryman; ⅋'ebahn ⚓ *f* runway, taxi-strip; ⅋'en *v/i.* (sn) *u. v/t.* land; (*ausschiffen*) disembark; ⚔ alight; ⅋'-enge *f* neck of land, isthmus; ⅋'eplatz *m* quay; ⚓ landing-ground.
La'ndes|kind (-kint) *n* native; ⅋ kirche (-kĭrç⁰) *f* national (*Brit.* established) church; ⅋sprache (-shprähk⁰) *f* vernacular (tongue); ⅋-üblich (-üplĭç) customary; ⅋ verrat (-fĕrräht) *m* high treason; ⅋verräter (-fĕrrät⁰r) *m* traitor to

his country; ~verteidigung (-fĕr-tidigŏŏrῃ) f national defence; ~verweisung (-fĕrvizŏŏrῃ) f banishment.

La'nd|flugzeug (-flŏŏktsŏĭk) n land-plane; ~friede (-freed^e) m public peace; ~gericht (-g^hᵉrĭçt) n etwa: higher (od. provincial) court; ~gut (-gŏŏt) n country seat, estate; ~haus (-hows) n country house; ~karte f map; 2läufig (-lŏĭfĭç) customary, current. [-like.]

lä'ndlich (lĕntlĭç) rural, country-|

La'nd|mann m countryman, farmer; ~messer m surveyor; ~partie (-păhrtee) f picnic, excursion; ~plage (-plähg^hᵉ) f public calamity; ~rat (-răht) m etwa: district president; ~recht (-rĕçt) n common law; ~regen (-rég^hᵉn) m general rain.

La'ndschaft (lähntshähft) f province, district; bsd. paint. landscape; 2lich provincial, scenic.

La'ndsmann m fellow-countryman.

La'nd|straße (-shträhs^e) f highway, high-road; ~streicher(in f) (-shtri-ç^r) m tramp, Am. hobo; ~strich (-shtriç) m tract of land.

La'ndung (lähndŏŏrῃ) f landing, debarkation; ~sbrücke f landing-stage.

La'nd|vermessung f land-surveying; ~volk n country-people; 2wärts (-vĕrts) landward; ~wirt m farmer, agriculturist; ~wirtschaft f agriculture, farming; 2wirtschaftlich agricultural; ~zunge (-tsŏŏrῃ^e) f spit (of land).

lang (lährῃ) long; Mensch: tall; e-e Woche ~ for a week; ~'-atmig (-ăhtmlç) long-winded.

la'nge (lähῃ^e) long, ~ her long ago; noch ~ nicht far from.

Lä'nge (lĕrῃ^e) f length; (Größe) tallness; geogr., ast. longitude; der ~ nach (at) full length, lengthwise.

la'ngen (lährῃ^ᵉn) (genügen) suffice; ~ nach reach for.

Lä'ngenmaß (lĕrῃ^ᵉnmähs) n linear measure.

La'ng(e)weile (lährῃ^ᵉvĭl^e) f boredom, ennui.

la'ngfristig long-dated; ~jährig (-yăriç) of long standing.

lä'nglich (lĕrῃlĭç) longish, oblong.

La'ng|mut (-mŏŏt) f, 2mütig (-mütĭç) long-suffering.

längs (lĕrῃs) along; ~ der Küste along shore; 2... longitudinal.

la'ngsam (lährῃzăhm) slow.

längst (lĕrῃst) long ago, long since; ~'ens at the latest.

la'ng|weilen (lährῃ~vĭl^ᵉn) bore; sich ~ feel bored; ~weilig tedious, dull; ~e Person bore; 2welle f Radio: long wave; ~wierig (-veerĭç) protracted, lengthy.

La'nze (lähnts^e) f lance.

Lappa'lie (lăhpăhl^ĭe) f trifle.

La'ppen (lăhp^ᵉn) m (Flicken) patch; (Lumpen) rag; (Wisch2) duster.

la'ppig (schlaff) flabby.

lä'ppisch (lĕpĭsh) foolish, silly.

Lä'rche (lĕrç^e) ⚥ f larch.

Lärm (lĕrm) m noise; din; ~ schlagen give the alarm; 2'en make a noise; ~'end noisy.

La'rve (lährf^e) f mask; zo. larva.

lasch (lăhsh) limp, lax; Bier: stale.

La'sche (lähsh^e) f (Klappe) flap; am Schuh: tongue.

la'ssen (lähs^ᵉn) let; leave (undone, off; open, shut); (gestatten) allow; (dulden) suffer; (veranlassen) make, cause, have (od. get) ... done; (befehlen) order; laß (das)! don't!, laß das Weinen! stop crying!; von et. ~ desist from, renounce; von sich hören ~ send news; sich nichts sagen ~ take no advice; es läßt sich nicht leugnen there is no denying (the fact).

lä'ssig (lĕsĭç) indolent; sluggish.

Last (lăhst) f load; (Bürde) burden; (Gewicht) weight; (Fracht) cargo, freight; fig. weight, charge, trouble; ✝ zu ~en von to the debit of; j-m zur ~ fallen be a burden to a p.

la'sten (auf dat.) weigh (upon); 2-ausgleich (-owsglĭç) m equalization of burdens.

La'ster (lăhst^ᵉr) n vice.

la'sterhaft vicious.

Lä'stermaul (lĕst^ᵉrmowl) n slanderer, backbiter.

lä'ster|n (lĕst^ᵉrn) v/t. slander, defame; Gott: blaspheme; 2ung f slander, calumny; blasphemy.

lä'stig (lĕstĭç) troublesome.

La'st|kahn m barge; ~kraftwagen (-krähftvähg^hᵉn) m (motor) lorry, Am. truck; ~schrift ✝ f debit; ~träger (-träg^hᵉr) m porter; ~wagen (-vähg^hᵉn) m wag(g)on, truck; ~zug (-tsŏŏk) m road-train.

Latei'n (lähtīn) n, 2isch Latin.

Late'rne (lähtĕrnᵉ) f lantern; lamp; ~npfahl m lamp-post. [(along).]

la'tschen (lähtshᵉn) F (sn) shuffle|

La'tte (lähtᵉ) f lath; ~nkiste f crate; ~nverschlag (-fĕrshlähk) m latticed partition; ~nzaun (-tsown) m paling.

lau (low) tepid, (a. fig.) lukewarm.

Laub (lowp) n foliage, leaves pl.; ~'baum (-bowm) m deciduous tree.

Lau'be (lowbᵉ) f bower, arbour; ~nkolonie (-kōlonee) f allotment gardens pl.

Lau'b|frosch (lowpfrösh) m tree-frog; ~säge (-zägʰᵉ) f fret-saw.

Lau'er (lowᵉr) f: auf der ~ liegen od. sn lie in wait; 2n lurk; ~ auf (acc.) watch for.

Lauf (lowf) m course; (a. ♪) run; (Wett2) race; Wasser: current; (Gewehr2) barrel; im ~e der Zeit in course of time; ~'bahn f career; ~'bursche (-bōrshᵉ) m errand-boy.

lau'fen (lowfᵉn) v/i. (sn) run; (zu Fuß gehen) walk; (fließen) flow; Zeit: pass; (leck sn) leak; die Dinge ~ l. let things slide; j-n ~ l. let a p. go; ~d Jahr usw.: current; † ~en Monats instant (mst abbr. inst.).

Läu'fer (lôifᵉr) m runner (a. ~in f); (Teppich) carpet strip; Schach: bishop; Fußball: half(-back).

Lau'f|masche (lowfmähshᵉ) f ladder, Am. run; ~paß (-pähs) m sack; ~schritt m running pace.

Lau'ge (lowgʰᵉ) f lye.

Lau'heit (lowhit) f tepidity, luke-warmness.

Lau'ne (lownᵉ) f humour; mood; temper; (Grille) caprice, whim.

lau'n|enhaft capricious; ~ig humorous; ~isch moody; wayward.

Laus (lows) f louse (pl. lice).

lau'sch|en (lowshᵉn) listen; ~ig snug, cosy.

laut (lowt) 1. loud; adv. aloud, loud(ly); (lärmend) noisy; 2. prp. according to; † as per; 3. 2 m sound.

Lau'te (lowtᵉ) f lute; 2n sound; Inhalt, Worte: run.

läu'te|n (lôit'n) ring; toll; es ~t the bell is ringing.

lau'ter (lowtᵉr) pure; clear; fig. sincere; (nichts als) mere, nothing but.

läu'ter|n (lôitᵉrn) purify; refine; 2ung f purification; refining.

lau't|los noiseless; mute; silent; Stille: hushed; 2sprecher (-shprē-cᵉr) m loudspeaker; 2stärke (-shtĕrkᵉ) f Radio: volume (of sound); 2stärkeregler (-shtĕrkᵉ-réglᵉr) m volume control.

lau'warm (lowvährm) tepid, luke-warm.

Lave'ndel (lähvĕndᵉl) m lavender.

lavie'ren (lähveerᵉn) tack (a. fig.).

Lawi'ne (lähvᵉeᵉ) f avalanche.

lax (lähks) lax, loose.

Lazare'tt (lähtsährĕt) n (military) hospital. [about town.]

le'bemann (lébᵉmähn) m man|
le'ben (lébᵉn) 1. live; (am 2 m) be alive; j-n (hoch) ~ l. cheer a. p.; 2. 2 n life; (geschäftiges Treiben) stir, animation; ins ~ rufen call into being.

lebe'ndig (lébĕndiç) living; alive (pred.); (flink) quick; lively.

Le'bens-alter n age; ~anschauung (-ähnshowōŋ) f view of life; ~art f (Benehmen) manners pl.; ~beschreibung (-bᵉshriboōŋ) f life, biography; 2fähig (-fäiç) viable; 2gefährlich (-gᵉfährliç) perilous; ~gefährte (-gʰᵉfärtᵉ) m life's companion; ~größe (-grös²) f life-size; ~haltung f standard of life; ~kraft f vital power; 2länglich (-lĕrŋliç) for life, lifelong; ~lauf (-lowf) m course of life; schriftlicher: personal record; 2lustig (-lōōstiç) cheery, merry; ~mittel n/pl. foodstuffs, provisions pl.; 2müde (-müdᵉ) weary of life; 2treu (-trӧi) true to life; ~unterhalt (-ōōntᵉrhählt) m livelihood; s-n ~ verdienen earn one's living; ~versicherung (-fĕrziçᵉrōōŋ) f life-insurance; ~wandel (-vähndᵉl) m life, conduct; ~weise (-vizᵉ) f mode of living; gesundheitliche ~: regimen; ~weisheit (-vishit) f practical wisdom; 2wichtig (-viçtiç) vital; ~zeichen (-tsiçᵉn) n sign of life; ~zeit (-tsit) f lifetime; auf ~ for life.

Le'ber (lébᵉr) f liver; ~fleck m mole; 2krank suffering from the liver; ~tran (-trähn) m cod-liver oil.

Lebewo'hl (lébᵉvõl) n farewell.

le'b|haft (léphähft) lively; 2kuchen (kōōkᵉn) m gingerbread (cake); ~los lifeless.

le'chzen (lĕçts⁴n) languish (for).

Leck (lĕk) 1. n leak; 2. Ձ leaky; ⚓ ~ w. spring a leak.

le'cken (lĕk⁴n) v/t. lick; v/i. leak.

le'cker (lĕk⁴r dainty; Ձbissen m dainty, delicacy; ~haft dainty.

Le'der (lēd⁴r) n leather; Ձn leathern, of leather: fig. dull.

le'dig (lēdĭç empty, vacant; (unverheiratet single unmarried; e-r S.: free from ~lich solely, merely.

Lee (lē) ⚓ f lee(-side).

leer (lēr) empty; void; (unbesetzt; ausdruckslos) vacant; (eitel vain; ⊕ ~ laufen run idle; Ձ²e f emptiness; (leerer Raum) void, phys. vacuum; ~'en empty, void, clear; Ձ²gut (-g·· ⴕ n empties; Ձ²lauf (-lowf) ⊕ m idle motion.

Lega't (legăhr n legate, n legacy.

le'gen (legʰᵉr lay, place, put: sich ~ lie down, zu Bett: go to bed; Wind usw. abate; (nachlassen) cease; sich auf e-e S ~ apply o.s. to; Karten ~ tell fortunes by the cards.

Lege'nde (lĕgʰĕnd⁴) f legend.

legiti'm (lĕgʰiteem legitimate; Ձatio'nspapier (l⁴gʰitīmähts'önspähpeer) n paper of identification; ~ie'ren (legʰitimeer⁴n) (sich) prove one's identity.

Lehm (lem) m loam; Ձ²ig loamy.

Le'hne (len⁴) f (Arm~) arm, (Rück∑) back; Ձn (a. sich lean (an acc. against [(-shtōōl m arm-chair.|

Le'hn sessel (lenzĕs⁴l), ~stuhl

Le'hr ·anstalt (-ähnshtählt) f educational establishment, school; ~buch (-bōōk) n textbook.

Le'hre (lēr⁴) f 1. theoretische: doctrine, praktische: rule, precept; (moralische Warnung) lesson; des Lehrlings apprenticeship; in die ~ geben apprentice, article (bei, zu to); 2. ⊕ gauge, Am. gage; Ձn teach, instruct (dartun) show.

Le'hrer (ler⁴r) m teacher; master; instructor ~in f (lady) teacher; ~kolle'gium (-kolēgʰiōōm) n staff (of teachers ~(innen)semina'r (-zĕmĭnähr n training-college, Am. teachers' college

Le'hr|fach (-fähк n subject; ~film m instructional film; ~gang m course (of instruction); ~geld n premium; Ձhaft didactic; ~herr m master, bsd. Am. boss; ~junge

(-yōōrʰᵉ) m apprentice; ~körper m teaching staff; ~ling m apprentice; ~mädchen (-mätç⁴n) n girl apprentice; ~meister (-mist⁴r) m teacher; Handwerk: master; ~plan (-plähn) m (school) curriculum; Ձreich (-rĭç) instructive; ~stuhl (-shtōōl) m (professor's) chair; ~ stunde (-shtōōnd⁴) f lesson; ~zeit (-tsīt) f apprenticeship.

Leib (līp) m body; (Bauch) belly; (Taille) waist; gut bei ~e sn be corpulent; mit ~ und Seele body and soul; ~'-arzt m physician in ordinary; ~'chen n bodice.

leib-ei'gen (lipigʰᵉn) in bondage; Ձe(r) m serf, bond(wo)man.

Lei'bes... (-b-): ~erbe(n pl.) m issue; ~frucht (-frōōkt) f fetus; ~übung (-übōōŋ) bodily exercise.

lei'blich (liplĭç) bodily, corpor(e)al.

Lei'b|rente f life-annuity; ~schmerzen (-shmĕrts⁴n) m/pl. stomach-ache, colic; ~wache (-vähк⁴) f body-guard; ~wäsche (-vĕsh⁴) f body-linen, underwear.

Lei'che (līç⁴) f (dead) body, corpse.

Lei'chen|begängnis (-b⁴gĕŋnis) n funeral; Ձblaß (-blähs) deadly pale; ~feier (-fī⁴r) f obsequies pl.; ~halle f mortuary; ~rede (-rēd⁴) f funeral oration; ~schauhaus (-shownows) n morgue; ~träger (-trägʰᵉr) m bearer; ~tuch (-tōōk) n shroud; ~ verbrennung f cremation; ~wagen (-vähgʰᵉn) m hearse.

Lei'chnam (liçnähm) m = Leiche.

leicht (līçt) light; (nicht schwierig) easy; (gering) slight; Tabak: mild; Ձ²-athletik (-ähtlétĭk) f (light) athletics pl.; ~fertig (-fĕrtĭç) light, frivolous, flippant; Ձ²fertigkeit f frivolity, flippancy; Ձ²gewicht (-gʰᵉvĭçt) n Boxen: light-weight; ~'-gläubig (-glöibĭç) credulous; Ձ²-igkeit f lightness, (Mühelosigkeit) ease, facility; ~'lebig (-lēbĭç) easy-going; Ձ²sinn (-zĭn) m frivolity, levity; ~'sinnig light-minded, frivolous.

leid (lit) 1. es tut mir ~ (um) I am sorry (for); 2. Ձ n (Schaden) harm; (Betrübnis) grief, sorrow.

lei'den (līd⁴n) 1. allg. suffer (an dat. from); ~ mögen like; 2. Ձ n suffering; ✄ complaint; ~d ailing.

Lei'denschaft f passion; Ձlich passionate; Ձslos dispassionate.

Lei'dens|gefährte (-gʰᵉfärtᵉ) *m*, ~gefährtin *f* fellow-sufferer.

lei'd|er (lid'r) unfortunately; *int.* alas!; ~ig disagreeable; ~lich (litlïç) tolerable; 2tragende(r) (-trähgʰᵉn-d'r) *m* mourner.

Lei'er (li'r) *f* lyre; *die alte* ~ the old story; ~kasten *m* barrel-organ; ~(kasten)mann *m* organ-grinder.

Lei'h|bibliothek (lïbeeblïötᴇ́k) *f* lending (*Am.* rental) library; 2en (li'n) lend; (*ent.~*) borrow; ~gebühr (-gʰᵉbür) *f* lending-fee; ~haus (-hows) *n* pawnshop, *Am.* loan office; 2weise as a loan.

Leim (lim) *m* glue; 2'en glue; (*steifen*) sizĕ.

Lein (lin) *m* flax; ~'e (lïn') *f* line, cord; (*Hunde2*) (dog-)lead; 2'en², ~'en² *n* linen; ~'-öl (-öl) *n* linseed--oil; ~'samen (-zähm'n) *m* linseed; ~'wand *f* linen; *Film:* screen.

lei'se (liz') low, soft; (*sanft*) gentle; light; ~ stellen *Radio:* tune down.

Lei'ste (list') *f* border, ledge; ⚓ fillet; *anat.* groin.

lei'sten (list'n) 1. do; (*verrichten*) perform; (*erfüllen*) fulfil; *Eid:* take; *Dienst:* render; *ich kann mir das* ~ I can afford it; 2. 2 *m* last; *zum Füllen:* boot-tree.

Lei'stung (listöoŋ) *f allg.* perform-ance; *engS.:* achievement; (piece of) work; *e-r Fabrik usw.:* output; *e-r Versicherung:* benefit; 2sfähig (-fäïç) *P.:* efficient; *Fabrik usw.:* productive; ~sfähigkeit *f* capacity; efficiency; productivity, *phys.,* ⊕ power. [*Am.* editorial.]

Lei't-artikel (lïtährteek'l) *m* leader.|

lei'ten (lit'n) lead; guide; (*a. phys.*) conduct; *fig.* direct; *Unternehmen:* manage, *Am.* operate.

Lei'ter (lit'r) 1. *m,* ~in *f* leader, (*a. phys.*) conductor (*f* conductress), guide; *e-s Unternehmens:* manager (*f* manageress); 2. *f* ladder.

Lei't|faden (lïtfähd'n) *m* (*Lehr-buch*) textbook, guide; ~spruch (-shpröōk) *m* motto.

Lei'tung (lïtöoŋ) *f* direction; guid-ance; management; *phys.* conduc-tion; *konkret:* ⚡ lead, *tel.* line; (*Rohr2*) pipeline; ~ besetzt! the line is engaged (*Am.* busy); ~s-draht *m* conducting wire; ~srohr *n* conduit-pipe; *für Gas, Wasser:* main.

Lektio'n (lĕkts'ōn) *f* lesson.

Le'ktor (lĕktŏr) *m* lecturer, reader.

Lektü're (lĕktür') *f* reading.

Le'nde (lĕnd') *f* loin(s *pl.*).

le'nk|bar (lĕŋkbähr) guidable; ~es Luftschiff dirigible (airship); ~en direct, guide; (*wenden*) turn; (*be-herrschen*) rule; govern; *Wagen:* drive; ⚓ steer; *Aufmerksamkeit:* auf (*acc.*) call ... to; 2rad (-räht) *n* steering wheel; ~sam tractable, manageable; 2stange *f* handle-bar.

Lenz (lĕnts) *m* spring; *fig.* prime.

Le'rche (lĕrç') *f* lark.

le'rn|begierig (lĕrnbᵉgʰeerïç) de-sirous of learning; ~en learn; (*studieren*) study.

Le'se (lēz') *f* gathering; (*Wein2*) vintage; ~buch (-böōk) *n* reading--book.

le'sen (lēz'n) read; (*auflesen*) gather; ~' glean; (*aussuchen*) pick; *univ.* lecture (*über acc.* on); *Messe* ~ say mass; ~swert (-vért) worth reading.

Le'ser *m,* ~in *f* reader; 2lich legible.

Le'sezeichen (lēz'tsïç'n) *n* book--mark.

letzt (lĕtst) last; (*abschließend*) final; ultimate; *der* ~ere the latter; ~e Hand anlegen an (*acc.*) put the finishing touches to.

Leu'cht|e (löïçt') *f* (*fig.* shining) light, (*a. fig.*) lamp, (*a. fig.*) luminary; 2en emit light, shine; (*strahlen*) beam; *Meer:* phosphor-esce; *j-m* ~ light a p.; 2end shin-ing, bright; ~er *m* candlestick; ~feuer (-föï'r) *n* beacon(-fire); ~ku-gel (-köōgʰᵉl) *f* (signal) rocket, flare; ~turm (-töōrm) *m* lighthouse; ~ziffer *f* luminous figure.

leu'gnen (löïgn'n) deny.

Leu'mund (löïmöont) *m* reputation; ~szeugnis (-tsöïknïs) *n* testimonial to a p.'s character.

Leu'te (löït') *pl.* people; *engS.* folk(s); *einzelne:* persons; ✕ *u.* ⊕ men *pl.*; (*Dienst2*) servants.

Leu'tnant (löïtnähnt) *m* lieutenant.

leu'tselig (löïtsélïç) affable.

Le'xikon (lĕksïkŏn) *n* dictionary.

Libe'lle (lïbĕl'e) *f* dragon-fly.

Licht (lïçt) 1. *n* light; (*Kerze*) candle; *das* ~ *der Welt erblicken* see the light; 2. 2 light, bright; ~er *Augenblick* lucid interval; ~'-

bad (-bäht) n solar bath; ~'**bild** n photograph; ~'**bildervortrag** (-bild-d⁶rförträhk) m lantern-slide lecture; ℒ'-**echt** (-ĕçt) fast to light, fadeless; ℒ'-**empfindlich** (-ĕmpfintlïç) phot. sensitive; ~ m. sensitize; ℒ'en Wald: clear; Reihen, Haar: (a. sich) thin; den Anker ~ weigh anchor; ℒerlo'h blazing, in full blaze; ~'-hof (-hôhf) m glass-roofed court; opt. halo; ~'leitung (-lîtōōrg) f lighting circuit; ~'pause (-powz⁶) f blueprint; ~'reklame (-rĕklähm⁶) f luminous advertising; ~'schacht (-shäḫt) m well; ~'schein (-shïn) m blaze, gleam; ℒ'scheu (-shòï) shunning the light; ~'spieltheater (-shpeeltĕäht⁶r) n picture theatre, Am. movie theater; ~'strahl m ray, beam; ~'ung f clearing; ℒ'voll (-fôl) luminous.

Lid (leet) n eyelid.

lieb (leep) dear; es ist mir ~, daß I am glad that; ~'äugeln (-ôïg⁶ln) ogle (mit a p., a th.); ℒ'chen n sweetheart.

Lie'be (leeb⁶) f love (zu of, for); ~diener (-deen⁶r) m time-server, toady; ~lei' f flirtation.

lie'ben (leeb⁶n) v/t. love; (gern mögen) be fond of, like; v/i. (be in) love; ℒde(r) lover.

lie'benswürdig (leeb⁶nsvürdïç) lovable, amiable; (freundlich) kind; ℒkeit f amiability; kindness.

lie'ber dearer; adv. rather, sooner.

Lie'bes|dienst (-deenst) m (act of) kindness; good turn; ~erklärung (-ĕrklärōōrg) f declaration of love; ~gabe (-gähb⁶) f gift; ~heirat (-hïräht) f love-match; ~paar (-pähr) n couple of lovers; ~werk n work of charity.

lie'bevoll (leeb⁶fôl) loving, affectionate.

lie'b|gewinnen grow fond of; ~haben (-hähb⁶n) love, be fond of; ℒhaber(in f) m lover; fig. amateur; ℒhaberei (-hähb⁶rï) f (für) fancy (for, to); (fig. Steckenpferd) hobby; ℒhaberpreis (-hähb⁶rpris) m fancy price; ~kosen (-kōz⁶n) caress, fondle; ℒkosung f caress.

lie'blich (leeplïç) lovely; delightful.

Lie'bling m favourite; darling; bsd. Tier: pet; ~s... favourite.

lie'b|los unkind; ~reich (-rïç) kind; ℒreiz (-rïts) m charm; ℒschaft f

amour; ℒste(r) m sweetheart; Anrede: darling.

Lied (leet) n song.

lie'derlich (leed⁶rlïç) disorderly; Lebenswandel: loose, dissolute.

Liefera'nt (leef⁶rähnt) m supplier; purveyor.

lie'fer|bar (leef⁶rbähr) deliverable; ℒfrist f term of delivery; ~n deliver; (beschaffen) furnish, supply; Ertrag: yield; ℒschein (-shïn) m delivery note; ℒung f delivery; supply; (Buch) number; ℒwagen (-vähg⁶⁶n) m delivery-van, Am. delivery truck.

Lie'gekur (leeg⁶⁶kōōr) f rest-cure.

lie'gen (leeg⁶n) lie; Haus usw.: be (situated); es liegt mir daran, zu I am anxious to; es liegt (mir) nichts daran it is of no consequence (to me); ~bleiben (-blïb⁶n) (sn) keep (one's bed); unterwegs: break down; Arbeit usw.: be left; ~lassen let lie; (zurücklassen) leave (behind); (nichts anrühren) leave alone; ℒ-schaften f/pl. real estate.

Lie'gestuhl (leeg⁶⁶shtōōl) m deck-chair.

Li'ga (leegäh) f league.

Likö'r (lïkör) m liqueur, cordial.

li'la (llläh) lilac(-coloured).

Li'lie (leel¹⁶) f lily.

Limona'de (lïmönähd⁶) f lemonade.

Limousi'ne (lïmōōzeen⁶) f mot. limousine, saloon, Am. sedan (car).

lind (lïnt) soft, gentle.

Li'nde (lïnd⁶) f lime-tree.

li'ndern (lïnd⁶rn) soften; mitigate; alleviate.

Li'nderung f alleviation, mitigation; ~smittel n lenitive.

Linea'l (lïnĕähl) n ruler.

Li'nie (leen¹⁶) f line.

Li'nien|blatt n ink lines pl.; ℒtreu (-tröï) following the party line.

lin(i)ie'ren (lïn[ï]eer⁶n) rule.

link (lïrjk) left; ~e Seite left(-hand) side; v. Stoff: wrong side; ℒe f the left (hand); ℒe(r) m Boxen: left; ~'isch awkward.

links (lïrjks) on (od. to) the left; (~händig) left-handed.

Li'nse (lïnz⁶) f lentil; opt. lens.

Li'ppe (lïp⁶) f lip; ~nstift m lip-stick.

liquidie'ren (leekvïdeer⁶n) liquidate, wind up; Honorar: charge.

li'speln (lĭspᵉln) lisp; whisper.
List (lĭst) f cunning, craft; trick.
Li'ste (lĭstᵉ) f list, roll.
li'stig (lĭstĭç) cunning, crafty, sly.
Li'ter (leetᵉr) n (m) litre.
litera'risch (lĭtᵉrährĭsh) literary.
Litera't (lĭtᵉräht) m man of letters; writer.
Literatu'r (lĭtᵉrähtōōr) f literature; ~geschichte (-gᵉshĭçtᵉ) f history of literature.
Lithogra'ph (lĭtōgrähf) m lithographer; ℒie'ren (-eerᵉn) lithograph.
Li'tze (lĭtsᵉ) f cord, string, braid; ℰ strand(ed wire), flex(ible).
Livree' (lĭvrē) f livery.
Lize'nz (lĭtsĕnts) f licence.
Lob (lōb) n praise; (Empfehlung) commendation; ℒ'en (lōbᵉn) praise; ℒ'enswert (lōbᵉnsvért) praiseworthy; ~gesang (-gᵉzähn̗g) m hymn; ~'hudelei' (-hōōdᵉli) f base flattery.
lö'blich (lȫplĭç) commendable.
lo'b|preisen (lōppriz'n) praise, extol; ℒrede (-rédᵉ) f eulogy, panegyric.
Loch (lŏⱪ) n hole; ℒ'en punch; ~er m file-punch, perforator.
Lo'cke (lŏⱪᵉ) f curl, ringlet.
lo'cken (lŏⱪ'n) 1. (a. sich ~) curl; 2. decoy; fig. allure, entice.
lo'cker (lŏⱪᵉr) loose; ~n (a. sich ~) loosen, Boden: break up.
lo'ckig curly.
Lo'ck|mittel n, ~speise (-shpīzᵉ) f bait, enticement; ~spitzel m (fr.) agent provocateur, ~ung f allurement, enticement, ~vögel (-fōgʰᵉl) m decoy(-bird).
lo'dern (lōdᵉrn) flare, blaze.
Lö'ffel (lŏfᵉl) m spoon; (großer) ladle; ~voll (-fŏl) m spoonful.
Lo'ge (lōⱪᵉ) f thea. box; (Freimaurerℒ) lodge; ~nschließer (-shleesᵉr) m box-keeper.
Logie'r|besuch (lōⱪeerbᵉzōōⱪ) m staying company; ℒen lodge.
Logi's (lōⱪee) n lodging(s pl.).
lo'gisch (lōgʰĭsh) logical.
Lohn (lōn) m reward; (Arbeitsℒ) wages pl., pay(ment); ~empfänger m wage-earner; ℒ'en compensate, reward; Arbeiter: pay; sich ~ pay; ℒ'end paying; ~erhö'hung (-ᵉrhōōn̗g) f pay rise od. increase; ~'steuer (shtŏiᵉr) f wage tax; ~'tüte (-tütᵉ) f pay envelope.

Lö'hnung (lȫnōōn̗g) f pay.
Loka'l (lōkähl) locality, place; (Wirtshaus) public house.
Lokomoti've (lōkōmōteevᵉ) f locomotive, engine; ~führer m engine-driver, Am. engineer.
Lo'rbeer (lórbér) m laurel, bay.
Lo're (lōrᵉ) ⊕ lorry.
Los¹ (lōs) n lot; (Lotterieℒ) ticket; das große ~ the first prize.
los² loose; free; was ist ~? what's up?; j-n, et. ~ sein be rid of; ~! go!
lo's|binden untie; ~brechen (-brĕçᵉn) v/t. break off; v/i. break out.
Lö'sch|blatt, ~papier (-pähpeer) n blotting-paper; ℒen (lȫshᵉn) Feuer: extinguish; Schrift: blot out; Schuld: cancel; Durst: quench; Kalk: slake; ℰ unload; ~er m blotter.
lo'se (lōzᵉ) loose.
Lö'segeld (lȫzᵉgĕlt) n ransom.
lo'sen (lōzᵉn) cast (od. draw) lots (um for).
lö'sen (lȫzᵉn) loosen, untie; Fahrkarte: take; Schuß: discharge; Aufgabe, Zweifel usw.: solve; ℰ dissolve.
lo's|geh(e)n (lōsgʰēʰᵉʃ]n) (sn) (sich lösen) come (od. get) loose; (davongehen; Schuß) go off; (anfangen) begin; auf j-n: go at; ~haken (-hähkᵉn) unhook; ~kaufen (-kowfᵉn) ransom, redeem; ~ketten unchain; ~knüpfen untie; ~kommen (sn) get loose od. free; ~lassen let go; (freilassen) release.
lö'slich (lȫslĭç) soluble.
lo's|machen (lōsmäⱪᵉn) loosen; ~reißen (-risᵉn) tear off; sich ~ break away; sich ~sagen (-zähgʰᵉn) von renounce; ~schlagen (-shlähgʰᵉn) v/i. open the attack; ~ auf j-n: attack; ~schnallen unbuckle; ~schrauben (-shrowbᵉn) unscrew; ~sprechen (-shrĕçᵉn) absolve.
Lo'sung (lōzōōn̗g) f ✗ password; fig. watchword.
Lö'sung (lȫzōōn̗g) f solution.
lo'swerden (lōsvérdᵉn) (sn) get rid of.
lö'ten (lȫtᵉn) solder.
lo'trecht (lōtrĕçt) perpendicular.
Lo'tse (lōtsᵉ) m, ℒn pilot.
Lotterie' (lŏtᵉree) f lottery; ~gewinn m prize.
lo'tterig (lŏtᵉrĭç) sluttish, slovenly.
Lö'we (lȫvᵉ) m lion.

10*

Lö'wen-anteil (-ä/ntil) *m* lion's share.

Lö'win *f* lioness.

Luchs (lŏŏks) *m* lynx.

Lü'cke (lük^e) *f* gap; (*leere Stelle*) blank, *fig.* void; **nbüßer** (-büs^er) *m* stopgap; **2nhaft** defective, incomplete; **2nlos** unbroken; complete.

Lu'der (lŏŏd^er) *n* P damned wretch.

Luft (lŏŏft) *f* air; (*zug*) breeze; (*Atem*) breath; frische **~** schöpfen take the air; *fig.* et. aus der **~** greifen spin a th. out of thin air; in die **~** fliegen be blown up; sich **~** m. give vent to one's feelings; **~'-angriff** *m* air raid; **~'ballon** (-bä/lg, -ōr_g) *m* (air-)balloon; **~'brücke** *f* air-bridge; als Versorgungsweg: air-lift; **2'dicht** (-dĭçt) air-tight; **~'druck** (-drŏŏk) *m* atmospheric pressure; **~'druckbremse** (-drŏŏk-brĕmz^e) *f* pneumatic brake.

lü'ften (lüften) air; (*heben*) Hut: raise; Schleier: lift; (*enthüllen*) disclose.

lu'ft|ig airy; **2kissen** *n* air-cushion; **2klappe** *f* air-valve; **2-krieg** (-kreek) *m* aerial warfare; **2kur-ort** (-kŏŏrōrt) *m* climatic health-resort; **2landetruppen** (-lä/nd^etrŏŏp^en) *f/pl.* airborne troops *pl.*; **~leer** (-lér) void of air, exhausted; **~er** Raum vacuum; **2-linie** (-leen^e) *f* bee-line; **2post** (-pōst) *f* air-mail; **2reifen** (-rif^en) *m* pneumatic tyre; **2reklame** (-rĕ-klä/hm^e) *f* sky-line advertising; **2-röhre** *f* anat. windpipe; **2schaukel** (-showk^el) *f* swing-boat; **2schiff** *n* airship; **2schiffahrt** *f* aerial navigation; **2schiffer** *m* aeronaut, airman; **2schiffhalle** *f* hangar; **2-schlauch** (-shlowк) *m* air tube; *mot.* inner tube; **2schlösser** *n/pl.* castles in the air; **2schutz** (-shŏŏts) *m* air raid protection *od.* precaution(s *pl.*); **2schutzkeller** *m* air-raid shelter; **2stützpunkt** (-shtüts-pŏŏ$r_g$kt) ✕ *m* air-base.

Lü'ftung (lüftŏŏr_g) *f* airing; ventilation.

Lu'ft|verkehr (-fĕrkér) *m* air-traffic; **~verkehrsgesellschaft** (-fĕrkérsg^ezĕlshä/ft) *f* air-line operating company; **~verkehrslinie** (-fĕrkérsleen^e) *f* air-line *od.* -route;

~weg (-vék) *m* airway; auf dem **~** by air; **~zug** (-tsŏŏk) *m* draught.

Lü'ge (lüg^e) *f* lie, falsehood; j-n **~n** strafen give a p. the lie.

lü'gen (tell a) lie; **~haft** lying, mendacious; false.

Lü'gner (lügn^er) *m*, **~in** *f* liar; **2isch** = *lügenhaft*.

Lu'ke (lŏŏk^e) *f* dormer (*od.* garret-) -window; ⚓ hatch.

Li'mmel (lĭm^el) *m* lout, boor, hooligan; **2haft** loutish.

Lump (lŏŏmp) *m* ragamuffin, scamp; **~'en¹** *m* rag; **2'en²**: sich nicht **~** lassen do things handsomely.

Lu'mpen|pack *n* rabble, riff-raff; **~sammler(in** *f*) (-zä/hml^er) *m* rag-picker.

lu'mpig (lŏŏmpĭç) ragged; *fig.* paltry.

Lu'nge (lŏŏr_g^e) *f* (eine a pair of) lungs *pl.*, v. Tieren: lights *pl.*

Lu'ngen|-entzündung (-ĕntsün-dŏŏr_g) *f* pneumonia; **~flügel** (-flü-g^el) *m* lung; **2krank** suffering from the lung; **~krankheit** lung--disease; **~schwindsucht** (-shvĭnt-zŏŏkt) *f* pulmonary consumption.

lu'ngern (lŏŏr_g^ern) idle, loiter.

Lu'pe (lŏŏp^e) *f* magnifier.

Lust (lŏŏst) *f* pleasure, delight; (*Verlangen*) desire; **~** h. zu have a mind to; **~'barkeit** (lŏŏstbä/rkit) *f* diversion; öffentliche: entertainment.

lü'stern (lüst^ern) (nach) desirous (of); (*sinnlich*) lascivious.

Lu'stgarten (lŏŏstgä/hrt^en) *m* pleasure garden.

lu'stig (lŏŏstĭç) merry, gay; sich **~** m. über (acc.) make fun of; **2keit** *f* gaiety, mirth.

Lü'stling (lüstlĭr_g) *m* voluptuary.

lu'st|los dull, ✝ *a.* flat; **2mord** *m* rape and murder; **2spiel** (-shpeel) *n* comedy.

lu'tschen (lŏŏtsh^en) suck.

Luv (lŏŏf) ⚓ *f* luff, weather-side.

luxuri'ös (lŏŏksurĭ'ŏs) luxurious.

Lu'xus (lŏŏksŏŏs) *m* luxury; **~ar-tikel** (-ä/rteek^el) *m* fancy article.

Lymph... (lümf-) lymphatic; **~'e** *f* lymph; (*Impfstoff*) vaccine.

ly'nchen (lĭnç^en) lynch.

Ly'rik (lürĭk) *f* lyric poetry; **~er** *m* lyric poet.

ly'risch lyric; *fig.* lyrical.

M

Maat (māht) ⚓ *m* mate.
Ma'che (măhκ^e) *f* make; *fig.* make-up; *in der ~ h.* have in hand.
ma'ch|en (măhκ^en) *allg.* make; (*tun*) do; (*kosten, betragen*) come to, amount to; *j-n ~ zu et.* make a p. a th.; *was macht das (aus)?* what does that matter?; *mach' doch!* (do) make haste!; *dagegen kann man nichts ~* that cannot be helped; *sich ~ an (acc.)* set about; *sich an j-n heran ~* approach a p.; *ich mache mir nichts daraus* I don't care about it; et. *~ l.* have a th. made; **2enschaften** (măhκ^enshăhft^en) *f/pl.* machinations.
Macht (măhκt) *f* power (*a. Staat*); might; ⚔ force(s *pl.*); **~'befugnis** (-b^efŏŏknĭs) *f* competence; **~'haber** (-hāhb^er) *m* ruler.
mä'chtig (mĕçtĭç) powerful, mighty; *e-r S. ~ sn* be master of.
ma'cht|los powerless; **2politik** (-pŏlĭteek) *f* policy of the strong hand; **2spruch** (-shprŏŏκ) *m* authoritative decision; **~voll** powerful; **2vollkommenheit** (-fŏlkŏm^enhīt) *f* authority; **2wort** *n* word of command.
Ma'chwerk (-măhκvĕrk) *n*: *elendes ~* bungling (piece of) work.
Mä'dchen (mātç^en) *n* girl; (*Dienst2*) maid(-servant), servant(-girl); *in Zssgn* girl's ..., girls' ...; *~ für alles* general (servant); *junges ~* young lady; **2haft** girlish; **~name** (-nāhm^e) *m* girl's name; *e-r Frau*: maiden name; **~schule** (-shōōl^e) *f* girls' school.
Ma'de (māhd^e) *f* maggot, mite.
Mä'del (mād^el) F *n* lass.
ma'dig māhdĭç) maggoty.
Magazi n (măhgăhtseen) *n* store, warehouse, (*Zeitschrift*) magazine.
Magd (māhkt) *f* maid(-servant).
Ma'gen (māhg^{he}n) *m* stomach; (*Tier2*) maw; **~beschwerden** (-b^eshvérd^en) *f/pl.* indigestion; **~geschwür** (-g^{he}shvür) *n* gastric ulcer; **~krampf** *m* spasm of the stomach; **~leiden** (-līd^en) *n* stomach-complaint; **~säure** (-zŏir^e) *f* gastric acid.
ma'ger (māhg^{he}r) meagre (*a. fig.*); *bsd. Fleisch*: lean, *Am.* scrawny; **2milch** (-mĭlç) *f* skim milk.
Magie' (măhg^hee) *f* magic.
ma'gisch magic(al).
Magistra't (măhg^hĭstrāht) *m* municipal (*od.* town) council.
Magne't (măhgnét) *m* magnet; **2isch** magnetic; **2isie'ren** (-ĭzeer^en) magnetize; **~nadel** (-nāhd^el) *f* magnetic needle.
Mahago'ni (măhhăhgōnĭ) *n* (*a.* **~holz** *n*) mahogany (wood).
mä'hen (mā^en) mow, cut, reap.
Mahl (māhl) *n* meal, repast.
ma'hlen (māhl^en) grind.
Ma'hlzeit (māhltsīt) *f* meal, repast.
Mä'hne (mān^e) *f* mane.
ma'hn|en (māhn^en) remind (*an acc.* of); admonish; (*auf Zahlung drängen*) dun; **2ung** *f* reminder; admonition; dunning; **2zettel** *m* demand note.
Mai (mī) *m* May; **~'glöckchen** (-glŏkç^en) *n* lily of the valley.
Mai'käfer (mīkāf^er) *m* cockchafer.
Mais (mīs) *m* maize, Indian corn; *Am.* corn.
Majestä't (măhyĕstāt) *f* majesty; **2isch** majestic; **~sbeleidigung** (-b^elīdĭgŏŏng) *f* lese-majesty.
Majo'r (măhyōr) *m* major.
major|e'nn of (full) age; **2itä't** *f* majority.
Ma'kel (māhk^el) *m* stain; blemish; **2los** spotless, immaculate.
Mäkel|ei' (māk^elī) *f* fault-finding; fastidiousness; **2'ig** fault-finding; (*wählerisch*) fastidious; **2'n** (māk^eln) find fault (*an dat.* with).
Ma'kler (māhkl^er) *m* broker.
Makulatu'r (măhkōōlăhtōōr) *f* waste paper.
Mal (māhl) *n* **1.** mark, sign; (*Grenze*) boundary; *Sport*: goal; (*Ablauf2*) start; (*Fleck*) spot; (*Mutter2*) mole; **2.** time; *mit e-m ~e* (*plötzlich*) all at once.
ma'len (māhl^en) paint.

Ma'ler *m*, ~in *f* painter; (*Kunst*2) artist; ~ei' (-i) *f* painting; 2isch picturesque.

ma'lnehmen (māhlném⁴n) multiply.

Maiz (māhlts) *n* malt.

Mama' (māhmāh) *f* mamma, F ma.

man (māhn) one, people, you, they.

manch (māhnç) many a; ~'e *pl.* some; ~erlei' (māhnç⁴rlī) various.

Ma'nchester(samt) (-zähmt) *m* corduroy.

ma'nchmal (māhnçmāhl) sometimes.

Manda'nt (māhndähnt) *m* client.

Manda't (māhndäht) *n* mandate.

Ma'ndel (māhnd⁴l) *f* almond; *anat.* tonsil; ~' shock; ~entzündung (-ĕnttsŭndōōŋ) *f* tonsillitis.

Ma'nge(l¹) (māhŋ⁴l) *f* mangle.

Ma'ngel² *m* want, lack, deficiency; (*Knappheit*) shortage; (*Armut*) penury; (*Fehler*) defect; *aus* ~ an for want of; ~ *leiden an* (*dat.*) be in want of; 2haft defective; deficient; ~haftigkeit *f* defectiveness; deficiency.

ma'ngel|n¹ (māhŋ⁴ln) want, be wanting; *es* ~*t mir an* (*dat.*) I am in want of, I lack; ~n² mangle; ~s (*gen.*) in default of; 2ware (-vāhr⁴) *f* scarce goods *pl.*

Manie' (māhnee) *f* mania.

Manie'r (māhneer) *f* manner; 2lich mannerly, polite.

Mann (māhn) *m* man; (*Gatte*) husband.

ma'nnbar(māhnbāhr)marriageable; 2keit *f* puberty, (wo)manhood.

Mä'nnchen (mĕnç⁴n) *n* little man; *zo.* male; *Vögel:* cock.

Ma'nnes|-alter *n* manhood; ~kraft *f* virility.

ma'nnhaft manly.

Ma'nnheit *f* manhood, virility.

ma'nnig|fach (māhniçfāhx), ~faltig (-fāhltiç) manifold, various; 2faltigkeit *f* multiplicity, variety.

mä'nnlich (mĕnliç) male; *gr.* masculine; *fig.* manly.

Ma'nnschaft (māhnshāhft) *f* men *pl.*; ♣ crew; *Sport:* team; ~führer *m Sport:* captain; ~geist (-gist) *m* team-spirit.

Ma'nnszucht (māhnstsōōkt) *f* discipline.

Manö'v|er (māhnȫv⁴r) *n*, 2rie'ren (-reer⁴n) manœuvre.

Mansa'rde (māhnzährd⁴) *f* attic.

ma'nsch|en (māhnsh⁴n) dabble, splash; 2erei' (-⁴rī) *f* dabbling; mess.

Manche'tte (māhnshĕt⁴) *f* cuff; ~nknopf *m* sleeve-link.

Ma'ntel (māhnt⁴l) *m* (*Männer*2) overcoat, greatcoat; (*Frauen*2) coat; *weit, ärmellos:* cloak, mantle; ⊕ case, jacket; (*Luftreifen*2) cover.

Manufaktu'r (māhnōōfäktōōr) *f* manufacture; ~waren (-vāhr⁴n) *f/pl.* manufactured goods.

Manuskri'pt (māhnōōskript) *n* manuscript; *typ.* copy.

Ma'ppe (māhp⁴) *f* portfolio.

Mä'rchen (mĕrç⁴n) *n* fairy-tale; *fig.* tale, story; *stärker:* fib. **mä'rchenhaft** fabulous.

Ma'rder (māhrd⁴r) *m* marten.

Mari'ne (māhreen⁴) *f* marine; (*Kriegs*2) navy; ~minister *m Brit.* First Lord of the Admiralty, *Am.* Secretary of the Navy; ~ministerium (mĭnĭstér'ōōm) *n* Ministry of Naval Affairs; *Brit.* Admiralty; *Am.* Navy Department.

marinie'ren (māhrĭneer⁴n) pickle.

Marione'tte (māhrĭ'ōnĕt⁴) *f* puppet; ~ntheater (-tĕäht⁴r) *n* puppet-show.

Mark (māhrk) 1. *n* marrow; ♀ *u. fig.* pith; 2. *f Münze:* mark.

marka'nt marked.

Ma'rke (māhrk⁴) *f* mark, token; (*Brief*2) stamp; (*Fabrikat*) make; (*Waren*2) brand; ~n-artikel (-āhr- teek⁴l) *m* proprietary article.

markie'ren (māhrkeer⁴n) mark; *fig.* put on.

ma'rkig marrowy; *fig.* pithy.

Marki'se (māhrkeez⁴) *f* blind, awning.

Ma'rkstein (māhrkshtīn) *m* (*a. fig.*) landmark.

Markt (māhrkt) *m* market; ~platz; (*Jahr*2) fair; *am* ~ in the market; ~flecken *m* market town; ~platz *m* market-place; ~schreier (-shrī⁴r) *m* quack; (*Reklamemacher*) puffer.

Marmela'de (māhrm⁴lāhd⁴) *f* jam; *von Apfelsinen:* marmalade.

Ma'rmor (māhrmōr) *m* marble; 2ie'ren (-eer⁴n) marble, grain; 2n marble.

Maroqui'n (māhrōkä̱) *n* morocco.

Maro'tte (māhrŏt⁴) *f* whim; hobby.

Marsch (mährsh) 1. *m* march; 2. *f* marsh, fen; ~'all (-ähl) *m* marshal; ~'befehl *m* marching-orders *pl.*; 2le'ren (-eer⁴n) (h., sn) march; ~'land (-lähnt) *n* marshy land.

Ma'rter (mährt⁴r) *f* torment, torture; ~pfahl *m* stake; 2n torture, torment.

Mä'rtyrer (mērtür⁴r) *m*, ~in *f* mart r; ~tum *n* martyrdom.

März (mērts) *m* March.

Marzipa'n (mährtsipähn) *m* (*n*) marchpane.

Ma'sche (mähsh⁴) *f* mesh; (*Strick*2) stitch; 2nfest ladderproof.

Maschi'ne (mähsheen⁴) *f* machine; (*Dampf-* usw. 2) engine.

Maschi'nen|bau (-bow) *m* mechanical engineering; ~gewehr (-gʰ⁴vér) *n* machine gun; 2mäßig (-mäsiç) mechanical, automatic; ~pistole *f* submachine gun; ~schaden *m* engine trouble; ~schlosser *m* engine (*od.* machine) fitter; ~schreiber(in *f*) (-shrib⁴r) *m* typist; ~schrift *f* typescript.

Maschin|erie' (mähsheen⁴ree) *f* machinery; ~ist'st *m* machinist, operator.

Ma'sern (mähz⁴rn) ⅋ *pl.* measles.

Ma'ske (mähsk⁴) *f* mask; ~nball *m* masked ball; ~rade (-mähsk⁴rähd⁴) *f* masquerade.

maskie'ren (mähsk⁴rähd⁴) mask.

Maß (mähs) *n* measure; (*Gleich*2) proportion; (*Mäßigung*) moderation; *nach* ~ *gemacht* made to measure; ~'-anzug (-ähntsöök) *m* bespoke (*Am.* custom) suit.

Ma'sse (mähs⁴) *f* mass; bulk; (*Volk*) multitude; (*Erbschafts*2, *Konkurs*2) estate; (*Gedränge*) crowd; e-e ~ ... lots *pl.* of ...

Ma'ssen|grab (-grähp) *n* common grave; 2haft abundant; ~pro-duktion (-prödöökts'ön) *f* mass production; ~versammlung (-fēr-zähmlööŋ) *f* massmeeting, *Am.* rally.

Ma'sseverwalter (mähs⁴fěrvählt⁴r) *m* (official) receiver.

ma'ß|gebend (mähsgʰéb⁴nt) standard; *fig.* authoritative, competent; ~halten observe moderation.

massie'ren (mähseer⁴n) massage.

ma'ssig (mähsiç) bulky, solid.

mä'ßig (mäsiç) moderate; *im Ge-nuß:* frugal; (*mittel~*) middling;

~en (mäsigʰ⁴n) moderate; 2ung *f* moderation; temperance.

massi'v (mähseef) massive, solid.

ma'ß|los immoderate; 2nahme, 2regel *f* measure; ~regeln reprimand; 2schneider (-shnid⁴r) *m* bespoke (*Am.* custom) tailor; 2stab (-shtähp) *m* measure; *auf Karten usw.:* scale; *fig.* standard; ~voll (-föl) moderate.

Mast¹ (mähst) *m*, ~'baum (-bowm) *m* mast. [rectum.]

Mast² *f* mast, food; ~'darm *m* mä'sten (mēst⁴n) feed, fatten.

Ma'stkorb *m* top, masthead.

Materia'l (mähtěr⁴ähl) *n* material.

Materia'lwaren (mähtěr'ählvähr⁴n) *f/pl.* groceries *pl.*; ~händler *m* grocer.

Mate'r|ie (mähtér'⁴) *f* matter, stuff; 2ie'll material. [mathematics *sg.*]

Mathemati'k (mähtěmähteek) *f|* Mathema'tiker *m* mathematician.

Matra'tze (mähträhts⁴) *f* mattress.

Matro'ne (mähtrön⁴) *f* matron.

Matro'se (mähtröz⁴) *m* sailor.

Matsch (mätsh) *m* (*Brei*) pulp, squash; (*Schlamm*) mud, slush; 2'ig pulpy; muddy, slushy.

matt (mäht) faint, feeble; *Auge, Licht:* dim; *Gold:* dead; ✝, *Farbe, Stil:* dull; *Glas:* frosted, ground; *Schach:* mate: ~ setzen (check)mate.

Ma'tte (mäht⁴) *f* mat.

Ma'tt|igkeit (mähtiçkit) *f* exhaustion; ~scheibe (-shib⁴) *f* phot. groundglass plate.

Mau'er (mow⁴r) *f* wall; ~blüm-chen (-blüm⁴n) *n* *fig.* wallflower; 2n *v/i.* make a wall; *v/t.* build; ~stein (-shtin) *m* brick; ~werk *n* masonry.

Maul (mowl) *n* mouth; 2'en (mowl-⁴n) pout; ~'esel (-éz⁴l) *m* hinny; ~'held *m* braggart; ~'korb *m* muzzle; ~'schelle *f* slap in the face; ~'tier (-teer) *n* mule; ~'wurf (-vöörf) *m* mole.

Mau'rer (mowr⁴r) *m* bricklayer, mason; ~meister (-mist⁴r) *m* master mason; ~polier (-pöleer) *m* bricklayer's foreman.

Maus (mows) *f* mouse; ~'efalle (-z-) *f* mouse-trap; 2'en (mowz⁴n) mouse; *fig.* pilfer.

Mau'ser (mowz⁴r) *f* moult(ing); 2n moult.

mau'setot (mowz⁴töt) stone-dead.

mau'sig: *sich* ~ *m.* give o.s. airs.

Mecha'nik (méçähník) *f* mechanics *sg.*; (*Triebwerk*) mechanism; ~**er** *m* mechanician.

mecha'n|isch mechanical; ~**isie'-ren** (-ĭzeerᵉn) mechanize; **2i'smus** (-ĭsmōōs) *m* mechanism.

me'ckern (mĕkᵉrn) bleat; *fig.* grumble, *Am.* gripe.

Medai'll|e (médäll¹ᵉ) *f* medal; ~**o'n** (-ˈōn̯) *n* locket.

Medizi'n (médĭtseen) *f* medicine; ~**er** *m* medical student; medical man; **2isch** medicinal; (*ärztlich*) medical.

Meer (mér) *n* sea; ocean; ~**'busen** (-bōōzᵉn) *m* gulf, bay; ~**'-enge** *f* straits *pl.*; ~**'es-spiegel** (mérˈes-shpeegʰél) *m* sea-level; ~**'rettich** *m* horse-radish; ~**'schweinchen** (-shvinçᵉn) *n* guinea-pig.

Mehl (mél) *n* flour; *grobes*: meal; ~**'brei** (-brī) *m* pap; **2'ig** mealy, farinaceous; ~**'speise** (-shpīzᵉ) *f* farinaceous food; *süß*: pudding; ~**'suppe** (-zōōpᵉ) *f* gruel.

mehr (mér) more; *nicht* ~ no more, no longer; *ich habe nichts* ~ I have nothing left; **2'arbeit** (-ährbīt) *f* overtime work; **2'-ausgabe** (-owsgähbᵉ) *f* additional expenditure; **2'betrag** (-bᵉträh̠k) *m* surplus; ~**'en** (*a. sich*) augment, increase; ~**'ere** several; ~**'fach** (-fäh̠ç) manifold; (*wiederholt*) repeated; **2'gebot** (-gʰᵉbōt) *n* higher bid; **2'heit** *f* plurality; majority; **2'kosten** *pl.* additional cost; ~**'malig** (-mählĭç) repeated; ~**'mals** (-mähls) several times; **2'verbrauch** (-fᵉrbrowx) *m* excess consumption; **2'wert** (-vért) *m* surplus value; **2'zahl** *f* majority; *gr.* plural (number).

mei'den (mīdᵉn) avoid, shun.

Mei'le (mīlᵉ) *f* mile.

mein (mīn) my; ~ = ~**'ige**.

Mei'n-eid (mīn-īt) *m* perjury; **2ig** (mīn-īdĭç) perjured.

mei'nen (mīnᵉn) think, *Am.* allow, reckon; (*sagen wollen*) mean; (*sagen*) say; *es gut* ~ mean well.

meinetwe'gen (mīnᵉtvégʰᵉn) for my sake; (*es ist mir gleich*) for all I care.

mei'nige (mīnĭgʰᵉ) mine; *die* **2n** my family.

Mei'nung (mīnōōn̠g) opinion; *meiner* ~ *nach* in my opinion; *j-m seine* ~ *sagen* give a p. a piece of one's

mind; ~**sverschiedenheit** (-fᵉrsheedᵉnhit) *f* disagreement (in opinion).

Mei'se (mīzᵉ) *f* titmouse.

Mei'ßel (mīsᵉl) *m,* **2n** chisel.

meist (mist) most; *die* ~**en** *pl.* most people; *am* ~**en,** ~**(ens)** mostly; **2'-bietende(r)** (-beetᵉndᵉr) *m* highest bidder; ~**'enteils** (mistᵉntīls) for the most part.

Mei'ster (mistᵉr) *m* master; *im Betrieb*: foreman; *Sport*: champion; **2haft** masterly; **2n** master; ~**schaft** *f* mastery; *Sport*: championship; ~**werk** *n* masterpiece.

Mei'stgebot (mistgʰᵉbōt) *n* highest bid.

Melanch|olie' (méläh̠n̠gkōlee) *f,* **2o'lisch** (méläh̠n̠gkōlĭsh) melancholy.

Me'lde|amt *n* registration office; ~**liste** *f Sport*: list of entries; **2n** (mĕldᵉn) *v/t.* announce; *et.* ~ (*berichten*) report; (*amtlich*) notify; *j-m et.* ~ inform a p. of a th.; *s ch* ~ report o.s. (*bei* to); *sich* ~ *zu, für* apply for a situation; enter one's name for an examination; *v/i. Sport*: enter (*zu* for).

Me'ldung *f* announcement, notice, information; notification; report; application; *Sport*: entry.

me'lken (mĕlkᵉn) milk.

Melod|ie' (mélōdee) *f* melody, tune, air; **2isch** (mĕlōdĭsh) melodious.

Melo'ne (mĕlōnᵉ) *f* melon.

Membra'n (mĕmbrähn) *f* membrane.

Me'nge (mĕn̠gᵉ) *f* quantity; (*Vielheit*) multitude; (*Schwarm*) crowd; *eine* ~ *Geld* plenty (*od.* lots) of money; *eine* ~ *Bücher* a great many books; **2n** mingle, mix; *sich* ~ *in* meddle with.

Mensch (mĕnsh) *m* human being, man; *einzelner*: person, individual; *die* ~**en** *pl.* people, mankind; *kein* ~ nobody.

Me'nschen|-alter *n* generation, age; ~**fresser** *m* cannibal; ~**freund(in** *f*) (-frōint, -frōindĭn) *m* philanthropist; *seit* ~**gedenken** *n* within the memory of man; ~**geschlecht** (-gʰᵉshlĕçt) *n* mankind; ~**haß** (-häh̠s) *m* misanthropy; ~**kenner(in** *f*) *m* judge of human nature; **2leer** (-lér) deserted; ~**liebe**

(-leeb^e) f philanthropy; 2möglich (-möklic) humanly possible; ~recht n right of man; 2scheu (-shöi) shy, unsociable;~verstand (-fĕrshtä⁄nt) m common (Am. horse) sense; ~würde f dignity of man.

Me'nschheit f mankind, humanity.

me'nschlich human; (human) humane; 2keit f humanity.

me'rk|bar, ~lich perceptible, noticeable; 2blatt n instructions pl.; 2buch (-bōōk) n memorandumbook; ~en mark, note; (wahrnehmen) perceive; sich et. ~ retain a th.; bear a th. in mind; sich nichts ~ l. seem to know nothing; 2mal n sign, mark; characteristic.

me'rkwürdig (mĕrkvừrdic) (auffallend) remarkable, noteworthy; (seltsam) curious, strange; ~erweise (mĕrkvừrdíg^hᵉrvīz^e) strange to say; 2keit f remarkableness; Sache: curiosity.

me'ßbar (mĕsbäⁿhr) measurable.

Me'sse (mĕs^e) f ✠ fair; eccl. mass; ⚓, ⚒ mess.

me'ssen measure; sich ~ können mit cope with.

Me'sser (mĕs^er) n knife; ~klinge f knife-blade; ~schmied (-shmeet) m cutler; ~schneide (-shnid^e) f knife-edge; ~stecher (-shtĕç^er) m cut-throat; ~stecherei' (-shtĕç^er)f knife-battle; ~stich m stab with a knife.

Me'ssing (mĕsīⁿg) n brass; ~blech n sheet-brass.

Me'ß|latte f surveyor's rod; ~tisch m plane table.

Meta'll (mĕtähl) n metal; 2en, 2isch metallic; ~geld n specie; ~glanz m metallic lustre; ~industrie (-indōōstree) f metallurgical industry; ~waren (-vähr^en) f/pl. hardware.

Meteo'r (mĕtéōr) |n meteor; ~olog(e) (-ōlōg^h[²]) m meteorologist; ~ologie (-ōlōg^hee) f meteorology.

Me'ter (mét^er) n (m) metre.

Metho'de (mĕtōd^e) f method; 2isch methodical.

Metropo'le (métrŏpōl^e) f metropolis.

Metz|elei' (mĕts^elī) f, 2'eln slaughter; ~'ger m butcher.

Meu'chel... (möiç^l-): ~mord m assassination; ~mörder(in f) m assassin; 2n assassinate.

meu'chlings (möiçlīⁿgs) treacherously.

Meu'te (möit^e) f pack of hounds; ~rei' (-rī) f mutiny; ~rer m mutineer; 2risch mutinous; 2rn mutiny.

mich (miç) me; ~ selbst myself.

Michae'li(s) (miçähélis) Michael-| Mie'der (meed^er) n bodice. [mas.] Mie'ne (meen^e) f mien, air, countenance; ~ m. et. zu tun offer to do; gute ~ zum bösen Spiel m. grin and bear it. [alarmist.]

Mie'smacher (meesmähk^er) F m) Mie't|e (meet^e) f 1. rent; weitS. hire; zur ~ wohnen live in lodgings; 2. ⚞ (Heu2, Korn2) stack, shock, rick; (Kartoffel- usw. 2) clamp; 2en rent; weitS. hire; ~er(in f) m tenant, lodger; 2frei (-frī) rent-free; ~haus (-hows) n tenement (Am. apartment) house; ~vertrag (-fĕrträhk) m lease; ~wohnung (-vōnōōⁿg) f lodgings pl.; flat; zins m rent.

Migrä'ne (mīgrän^e) f sick headache.

Mikropho'n (mīkrŏfōn) n microphone.

Mikrosko'p (mīkrŏskōp) n microscope; 2isch microscopic.

Mi'lbe (milb^e) f mite.

Milch (milç) f milk; (Fisch2) milt, soft roe; ~'brot (-brōt), ~'brötchen (-brötç^en) n (French) roll; ~'glas (-glähs) n opal glass; 2'ig milky; ~'kuh (-kōō) f milch cow; ~'mädchen (-mätç^en) n milkmaid; ~'mann m milkmann; ~'pulver (-pōōlf^er) n powdered milk; ~'reis (-rīs) m rice-milk; ~'straße (-shträhs^e) f ast. Milky Way, Galaxy; ~'wirtschaft f dairy; ~'zahn m milk-tooth.

mild (mīlt) mild; Luft, Regen, Wein: soft; Hauch, Verweis: gentle; (nachsichtig) lenient; = ~tätig; 2'e (mīld^e) f mildness; gentleness.

mi'lder|n (mīld^ern) soften, mitigate; Ausdruck: qualify; ~de Umstände m/pl. extenuating circumstances; 2ung f mitigation.

mi'ld|herzig (mīlthĕrtsīç), ~tätig (-tätiç) charitable.

Militä'r (mīlitär) n the military, army; in Zssgn military; ~dienstpflicht (-deenstpflíçt) n liability for service; 2isch military; ~regierung (-rĕg^heerōōⁿg) f military government.

Mili'z (mĭleets) *f* militia.

Millia'rde (mĭl'ăhrdᵉ) *f* milliard, *Am.* billion.

Millio'n (mĭl'ŏn) *f* million; **~ä'r** *m* millionaire.

Milz (mĭlts) *f* milt, spleen.

mi'nder (mĭndᵉr) less; **~** *gut* inferior; **~bemittelt** of moderate means; ♀betrag (-bᵉtrăhk) *m* deficit; ♀-einnahme (-innăhmᵉ) *f* decrease of receipts; ♀gewicht *n* short weight; ♀heit *f* minority; **~jährig** (-yărĭç) under age, minor; ♀jährigkeit *f* minority.

mi'nder|n diminish, lessen; ♀ung *f* diminution; **~wertig** (-vértĭç) inferior; ✝ off-grade; ♀wertigkeit *f* inferiority; ♀zahl *f* minority.

mi'ndest (mĭnd'ĕst) least; *adv.* **~**(ens), *zum* **~**en at least; ♀betrag (-bᵉtrăhk) *m* lowest amount; ♀gebot (-gʰᵉbŏt) *n* lowest bid; ♀lohn *m* minimum wage; ♀maß (-măhs) *n* minimum; ♀preis (-pris) *m* minimum price.

Mi'ne (meenᵉ) *f* mine; *für Bleistifte*: spare head.

Minera'l (mĭnᵉrăhl) *n* mineral, **~ogie'** (-ŏgʰee) *f* mineralogy.

Miniatu'r (mĭn'ăhtŏor) *f*, **~gemälde** (-gʰᵉmăldᵉ) *n* miniature.

Mini'ster (mĭnĭstᵉr) *m* minister; *Brit.* Secretary of State, *Am.* Secretary; ♀ium (mĭnĭstéʳŏom) *n* ministry; *Brit.* Office, *Am.* Department; **~präsident** (-prĕzĭdĕnt) *m* Prime Minister; **~rat** (-răht) *m* Cabinet Council.

minor|e'nn (mĭnŏrĕn) minor; ♀ität *f* minority.

Minu'te (mĭnŏotᵉ) *f* minute; **~n-zeiger** (-tsigʰᵉr) *m* minute-hand.

mir (meer) (to) me; *refl.* (to) myself.

mi'sch... (mĭsh...) **~en** mix, mingle; *verschiedene Sorten*: blend; *Kartenspiel*: shuffle; *sich* **~** in (*acc.*) meddle with; *unter* (*acc.*) mix with; ♀ling *m* mongrel; ♀masch *m* medley; ♀ung *f* mixture; blend; *metall.* alloy.

mi'ß|-a'chten (mĭsăhxtᵉn), ♀-achtung *f* disregard; ♀bildung *f* deformity; **~billigen** disapprove; ♀billigung *f* disapproval; ♀brauch (-browk) *m*, **~brau'chen** misuse; *zu et. Bösem*: abuse; **~bräuchlich** improper; **~deu'ten** (-dŏitᵉn) misinterpret.

mi'ssen (mĭsᵉn) miss; (*entbehren*) do without.

Mi'ß-erfolg *m* failure.

Mi'sse|tat (-tăht) *f* misdeed; **~täter** (-in *f*) *m* evil-doer.

mi'ß|fa'llen j-m **~** displease a p.; ♀fallen *n* displeasure; **~fällig** displeasing; (*mißbilligend*) disparaging; ♀geburt (-gʰᵉbŏort) *f* monster, deformity; ♀geschick *n* misfortune; mishap; **~gestimmt** *fig.* ill-humoured; **~glü'cken** (sn) fail; **~gönnen** envy, grudge (*j-m et.* a p. a th.); ♀griff *m* mistake, blunder; ♀gunst (-gŏonst) *f* envy, jealousy; **~günstig** envious, jealous; **~handeln** ill-treat; ♀handlung *f* ill--treatment; ♀heirat (-hīrăht) *f* misalliance; ♀helligkeit *f* discord, dissension.

Missiona'r (mĭs'ŏnăhr) *m* missionary.

Mi'ß|klang *m* dissonance; **~kredit** (-krédeet) *m* discredit.

mi'ßlich (mĭslĭç) awkward.

mi'ß|liebig (mĭsleebĭç) not in favour; **~lingen** (sn) fail; ♀mut (-mŏŏt) *m* ill-humour; (*Unzufriedenheit*) discontent; **~mutig** (-mŏŏtĭç) ill-humoured; discontented; **~ra'ten** (-răhtᵉn) *Kind*: ill-bred; ♀stand *m* grievance, nuisance; ♀-stimmung *f* = ♀mut; ♀ton (-tŏn) *m* dissonance (*a. fig.*); **~trau'en** (-trow'n) *j-m* **~** distrust a p.; ♀trauen *n* distrust; **~trauisch** (-trowĭsh) distrustful; ♀vergnügen (-fĕrgnügʰᵉn) *n* displeasure; **~vergnügt** discontented; ♀verhältnis *n* disproportion; ♀verständnis *n* misunderstanding; = ♀helligkeit; **~versteh(e)n** (-fĕrshté[ᵉ]n) misunderstand.

Mist (mĭst) *m* dung, manure; F *fig.* rot; **~beet** (-bét) *n* hotbed.

Mi'stel (mĭstᵉl) ♀ *f* mistletoe.

Mi'sthaufen (mĭsthowfᵉn) *m* dunghill.

mit (mĭt) **1.** *prp.* with; **~** *20 Jahren* at the age of twenty; **~** *Gewalt* by force; **2.** *adv.* also, too; **~** *dabei sn* be (one) of the party.

Mi't-arbeiter(in *f*) (-ăhrbĭtᵉr) *m* co-worker; collaborator; *Zeitung*: contributor (*an dat.* to).

Mi'tbesitzer(in *f*) (-bᵉzĭtsᵉr) *m* joint owner.

Mi'tbewerber(in *f*) *m* competitor.

Mi'tbewohner *m* fellow-lodger.

mi'tbringen bring along (with one).

Mi'tbürger(in *f*) *m* fellow-citizen.

mit-eina'nder (-inä*h*nd*e*r) together, jointly.

Mi't-erb|e *m*, ~in *f* coheir(ess *f*).

Mi't-esser ♂ *m* blackhead.

mi'tfühlen sympathize.

mi'tgeben (-g*h*éb*e*n) give along (*dat.* with).

Mi'tgefühl *n* sympathy.

mi'tgeh(e)n (-g*h*é[*e*]n) (sn) go with a p.

Mi'tgift *f* dowry.

Mi'tglied (mîtgleet) *n* member; ~schaft *f* membership; ~s-beitrag (-bîträ*h*k) *m* membership subscription.

mithi'n consequently, therefore.

Mi't-inhaber(in *f*) (-înhä*h*b*e*r) *m* copartner.

Mi'tkämpfer *m* (fellow-)combatant.

mi'tkommen (sn) come along (with a p.).

Mi'tläufer (-lóif*e*r) *m pol.* trimmer.

Mi'tleid (mîtlit) *n* compassion, pity; ~ h. *mit* have pity on; ~enschaft (-lîd*e*nshä*h*ft) *f*: in ~ *ziehen* affect, implicate; ~ig (-lîdîç) compassionate.

mi'tmachen (-mä*h*ķ*e*n) *v/i.* make one; *v/t.* join in; *Mode:* follow; (*erleben*) go through.

Mi'tmensch *m* fellow-man, ~creature.

mi'tnehmen take along (with one); (*erschöpfen*) exhaust, wear (out).

mi'trechnen (-rêçn*e*n) *v/t.* include, *v/i.* be included (in the reckoning).

mi'treden (-réd*e*n) join in a conversation; have a (*od.* ones') say (in *a matter*).

Mi'tschuld (mîtshôolt) *f* complicity; ~ig accessary (to); ~ige(r) (-dîg*h*er) *m* accomplice.

Mi'tschüler(in *f*) (-shül*e*r) *m* schoolfellow.

mi'tspiel|en (-shpeel*e*n) join in play; ~er(in *f*) *m* partner.

Mi'ttag (mîtä*h*k) *m* midday, noon; zu ~ essen dine; ~s at noon.

Mi'ttag(s)|brot (-brôt), ~essen *n* dinner, lunch; ~ruhe (-rōō*e*) *f*, ~schläfchen (-shlä*h*fç*e*n) *n* after-dinner nap, siesta; ~stunde (-shtōōnd*e*) *f* noon; ~tisch *m* dinner

(-table); ~zeit (-tsit) *f* noontide; (*Essenszeit*) lunch-, dinner-time.

Mi'tte (mît*e*) *f* middle; centre; *aus unserer* ~ from among us.

mi'tteil|en (mîttîl*e*n) communicate; (*weitergeben*) impart; *j-m et. od. daß* ... inform a p. of a th. *od.* that ...; ~sam communicative; ~ung *f* communication; information.

Mi'ttel (mît*e*l) *n* means (*a.* = *Geld*); (*Heilmittel*) remedy; (*Durchschnitt*) average; ~alter *n* middle ages *pl.*; ~alterlich mediæval; ~bar mediate, indirect; ~ding *n* intermediate thing; ~finger *m* middle finger; ~größe (-grös*e*) *f* medium size; ~ländisch midland; *engS.* Mediterranean; ~läufer (-lôif*e*r) *m Sport:* centre half; ~los without means, destitute; ~mäßig (-mäsîç) middling; *b.s.* mediocre; ~mäßigkeit *f* mediocrity; ~punkt (-pōōnkt) *m* centre; ~s(t) by means of; ~sorte (-zôrt*e*) *f* † middlings *pl.*; ~schule (-shōōl*e*) *f* intermediate (*Am.* high) school; ~s-person (-pêrzôn) *f* mediator, go-between; ~stand *m* middle classes *pl.*; ~ste(r) middle, central; ~stürmer *m Fußball:* centre forward; ~weg (-vék) *m* middle course.

mi'tten (mît*e*n): ~ in (*an, auf, unter*) in the midst (*od.* middle) of; ~ du'rch (-dōōrç) through the midst.

Mi'tter|nacht (-nä*h*ĸt) *f*, ~nächtig (-nêçtîç) midnight.

Mi'ttler (mîtl*e*r) 1. *m*, ~in *f* mediator; 2. *adj.* middle; medium; ~zwei'le (-vîl*e*) (in the mean)time.

Mi'tt|sommer (-zôm*e*r) *m* midsummer; ~woch (-vôĸ) *m* Wednesday.

mit-u'nter (-ōōnt*e*r) now and then.

Mi'twelt *f* our contemporaries *pl.*

mi'twirk|en co-operate (*bei* in); ~ung *f* co-operation.

Mi'twisser(in *f*) *m* accessary.

mi'tzählen = *mitrechnen.*

Mö'bel (möb*e*l) *n* = ~stück; *pl.* furniture; ~händler *m* furniture-dealer; ~spediteur (-shpédîtôr) *m* furniture-remover; ~stück *n* piece of furniture; ~tischler *m* cabinet-maker; ~wagen (-vä*h*g*h*en) *m* (removal *od.* pantechnicon) van.

mobi'l (môbeel) ✂ mobile; (*flink*) active; ~ *m.* mobilize; ~ia'r (-'iä*h*r) *n* furniture; ~machung (-mä*h*ĸōōr*g*) *f* mobilization.

möblie'ren (möbleer^{e}n) furnish.
Mo'de (möd^e) f fashion; (Sitte)
mode; aus der ~ out of fashion; ~
sn be the fashion; ~artikel (-ăhr-
teek^{e}l) m fancy article.
Mode'll (mŏdĕl) n model; ⊕
mould; (Muster) pattern; ~ stehen
serve as a model; 2ie'ren (-eer^{e}n),
mo'deln (mŏd^{e}ln) model, mould.
Mo'den|schau (mŏd^{e}nshow) f dress
parade; ~zeitung (-tsītōōŋ) f
fashion-magazine.
Mo'der (mŏd^{e}r) m mould;
(Schlamm) mud; 2ig mouldy,
musty; 2n (sn u. h.) moulder, rot.
mode'rn (mŏdĕrn) modern; (mo-
disch) fashionable, up-to-date; ~i-
sie'ren (-īzeer^{e}n) modernize, Am.
streamline.
Mo'de|waren (mŏd^{e}vāhr^{e}n) f/pl.
fancy goods; ~zeichner(in f)
(-tsīçn^{e}r) m fashion designer.
modifizie'ren (mŏdīfītseer^{e}n) mod-
ify.   [stylish.]
mo'disch (mŏdīsh) fashionable,
Modi'stin (mŏdīstīn) f milliner.
mo'geln (mŏg^{h}eln) F cheat.
mö'gen (mŏg^{h}en) (gern haben) like;
(wünschen) wish; (dürfen) v/aux.
may, might; ich möchte wissen
I should like to know; ich mag
nicht I won't; lieber ~ like better;
ich möchte lieber I would rather;
das mag sein that may be so; mag
er sagen, was er will let him say
what he likes.
mö'glich (möklīç) possible; nicht
~l you don't say so!; ~st viel as
much as possible; sein ~stes tun
do one's utmost; ~erwei'se possibly; 2keit f possibility; (Ent-
wicklungs2) potentiality.
Mohn (mōn) ⚥ m poppy.
Mohr (mōr) m Moor, negro.
Mö'hre (mŏr^e), Mo'hrrübe (mŏr-
rüb^e) ⚥ f carrot.
Molch (mŏlç) m salamander.
Mo'le (mŏl^e) ⚥ f mole, jetty.
Molkerei' (mŏlk^{e}rī) f dairy.
Moll (mŏl) ♪ n minor.
mo'llig (mŏlīç) snug.
Mome'nt (mŏmĕnt) m moment; n
⊕ momentum; (Antrieb) impulse;
2a'n (-ăhn) momentary; ~auf-
nahme (-owfnāhm^e) f instanta-
neous photograph, snapshot.
Mona'rch (mŏnăhrç) m, ~in f
monarch; ~ie' (-ee) f monarchy.

Mo'nat (mŏnăht) m month; 2lich
monthly.
Mönch (mŏnç) m monk, friar.
Mö'nchs|kloster (-klŏst^{e}r) n mon-
astery; ~kutte (-kŏōt^e) f monk's
frock; ~orden m monastic order.
Mond (mŏnt) m moon; ~'finsternis f lunar eclipse; 2'hell moonlit;
~'schein (-shin) m moonlight;
~'sichel (-zīç^{e}l) f crescent; 2'süchtig (-zůçtīç) moonstruck.
Mono|lo'g (mŏnōlŏk) m mono-
logue, soliloquy; ~po'l (-pŏl)
n monopoly; 2polisie'ren (-pŏli-
zeer^{e}n) monopolize; 2to'n (-tōn)
monotonous; ~tonie' (-tŏnee) f
monotony.
Mo'nstrum (mŏnstrōōm) n monster.
Mo'ntag (mŏntāhk) m Monday;
blauer ~ Saint Monday.
Monta'ge (mŏntăhG^e) f mounting,
fitting; setting-up; assemblage.
Monta'n... (mŏntăhn-) mining.
Mont|eu'r (mŏtŏr, mŏn-) m fitter,
mounter; assembler; bsd. mot.
mechanic(ian); ~eu'r-anzug (-ăhn-
tsōōk) m overall; 2ie'ren (-eer^{e}n)
mount, fit; (zs.bauen) assemble;
(errichten) set up; ~u'r (-ōōr) ✗ f
regimentals pl.
Moor (mōr) n fen, bog; ~'bad
(-băht) n mud-bath; 2'ig marshy,
boggy.
Moos (mōs) n moss; 2'ig (-mōzīç)
mossy.
Mops (mŏps) m pug.
Mora'l (mŏrăhl) f morality; (sitt-
liche Anschauung) morals pl.;
(Nutzanwendung) moral; ✗ morale;
2isch moral; 2isie'ren (-īzeer^{e}n)
moralize; ~ität f morality.
Mora'st (mŏrăhst) m mire; 2ig
miry.
Mord (mŏrt) m murder; ~'-an-
schlag (-ăhnshlăhk) m murderous
assault.
Mö'rder (mŏrd^{e}r) m murderer; ~in
f murderess; 2isch murderous.
Mo'rdgier (mŏrtg^{h}eer) f blood-
thirstiness.
Mo'rds|kerl m stunner; ~spek-
takel (-shpĕktăhk^{e}l) m hullabaloo.
Mo'rgen (mŏrg^{h}en) 1. m morning;
Landmaß: acre; des ~s, 2s, am ~ in
the morning; 2. 2 to-morrow; ~-
blatt n morning-paper; ~dämme-
rung f dawn; ~land (-lăhnt) n

Orient, East; ~rock *m e-r Frau:* dressing-gown, *bsd. Am.* wrapper; ~röte (-rȫt⁶) *f* dawn; ~zeitung (-tsitōōr̩) *f* morning paper.

mo'rgig (mȯrg^hĭç) of to-morrow.

Mo'rphium (mȯrí'ōȯm) *n* morphia, morphine.

morsch (mȯrsh) rotten, brittle.

Mö'rser (mȫrz⁶r) *m* mortar.

Mö'rtel (mȫrt⁶l) *m* mortar.

Moschee' (mȯshé) *f* mosque.

Mo'schus (mȯshȯos) *m* musk.

Moski'to (mȯskeetō) *m* mosquito.

Most (mȯst) *m* must.

Mo'strich (mȯstrĭç) *m* mustard.

Moti'v (mōteef) *n* motive; *paint.,* ♪ *motif* (*fr.*); 2ie'ren (mōtiveer⁶n) motivate.

Mo'tor (mōtȯr) *m* motor; engine; ~defekt (-défĕkt) *m* engine trouble; ~haube (-howb⁶) *f* (engine) bonnet, *Am.* hood; 2isie'ren (-ĭzeer⁶n) motorize; ~rad (-räht) *n* motor cycle; ~radfahren *m* motor-cyclist.

Mo'tte (mȯt⁶) *f* moth; 2nzer-fressen moth-eaten.

Mö'we (mȫv⁶) *f* gull, seamew.

Mü'cke (mŭk⁶) *f* gnat.

Mü'ckenstich (mŭk⁶nshtĭç) *m* gnat-bite.

Mu'cker (mōōk⁶r) *m* bigot.

mü'de (müd⁶) tired, weary.

Mü'digkeit (müdĭçkĭt) *f* weariness.

Muff (mōōf) *m a.* ~'e *f* muff; ⊕ (~'e) sleeve, socket; 2'eln mumble; 2'ig *P.:* sulky; *Geruch usw.:* musty, fusty.

Mü'he (mü⁶) *f* trouble, pains *pl.*; *(nicht) der ~ wert* (not) worth-while; ~ *m.* give trouble; *sich ~ geben* take pains; 2los easy; 2n: *sich ~* trouble o.s.; 2voll (-fȯl) troublesome; ~waltung (-vä/iltōōr̩) *f* trouble.

Mü'hle (mül⁶) *f* mill.

Mü'h|sal (müzähl) *n u. f* toil, trouble; hardship; 2sam, 2selig (-zélĭç) toilsome, troublesome.

Mula'tt|e (mōōläht⁶) *m*, ~in *f* mulatto.

Mu'lde (mōōld⁶) *f* tray, trough; *(weites Tal)* hollow.

Müll (mül) *n* rubbish, refuse; ~'-abfuhr (-ä/ipfōōr) *f* removal of refuse; ~'-eimer (-im⁶r) *m* dust-bin, *Am.* ash-can.

Mü'ller (mül⁶r) *m* miller.

Mü'll|haufen (-howf⁶n) *m* dust-heap; ~kasten *m* = ~eimer; ~kutscher (-kōōtsh⁶r) *m* dustman, *Am.* ashman; ~schaufel (-showf⁶l) *f* dustpan; ~wagen (-vähg^h⁶n) *m* dust- (*Am.* ash) cart.

multiplizie'ren (mōōltĭplĭtseer⁶n) multiply.

Mu'mie (mōōmi⁶) *f* mummy.

Mund (mōȯnt) *m* mouth; *den ~ halten* hold one's tongue; ~'-art *f* dialect; 2'-artlich dialectal.

Mü'ndel (münd⁶l) *m, f, n* ward, pupil; 2sicher (-zĭç⁶r) gilt-edged.

mü'nden (münd⁶n) in (*acc.*) *Fluß:* fall into; *Straße:* run into.

Mu'nd|harmonika (-hä/irmōnĭkäh) *f* mouth organ; ~höhle *f* cavity of the mouth.

mü'ndig (mündĭç) (*w.* come) of age; 2keit *f* majority.

mü'ndlich (müntlĭç) oral, verbal; *adv. a.* by word of mouth.

Mu'nd|pflege (mōōntpflég^h⁶) *f* care of the mouth; ~stück *n* mouth-piece; *Zigaretten:* tip.

Mü'ndung (mündōōr̩) *f* mouth; *e-r Feuerwaffe:* muzzle.

Mu'nd|vorrat (-fȯrräht) *m* provisions, victuals *pl.*; ~wasser *n* mouth-wash, gargle; ~werk *n* mouth; *ein gutes ~ h.* have the gift of the gab.

Munitio'n (mōōnĭts'ōn) *f* ammunition.

mu'nkel|n (mōōn̩k⁶ln) whisper; *man ~t* it is rumoured.

mu'nter (mōōnt⁶r) (*wach*) awake; (*lebhaft*) lively; (*fröhlich*) merry.

Mü'nz|e (münts⁶) *f* coint (*Denk2*) medal; (*Münzstätte*) mint; ~einheit (-inhit) *f* monetary unit; 2en coin; *fig. auf j-n ~* aim at; ~fernsprecher (-fĕrnshprêç⁶r) *m* coin telephone; ~fuß (-fōōs) *m* standard (of coinage); ~wesen (-véz⁶n) *n* monetary system.

mü'rbe (mürb⁶) (*zart*) tender; (*reif*) mellow; *Gebäck:* crisp, short; (*brüchig*) brittle; *fig. ~ m.* unnerve.

Mu'rmel (mōȯrm⁶l) *f* marble; 2n murmur; ~tier (-teer) *n* marmot.

mu'rren (mōȯr⁶n) grumble, growl.

mü'rrisch (mürĭsh) surly, sullen.

Mus (mōȯs) *n* pap; (*Obst2*) stewed fruit, jam.

Mu'schel (mōȯsh⁶l) *f* mussel; (~schale) shell; *teleph.* ear-piece.

Musi'k (mōȯzeek) *f* music.

Musik|a'lien (mōōzĭkāhl'ⁱᵉn) *pl.* music; **~a'lisch** musical; **~a'nt** *m*, **Mu'siker** (mōōzĭk'ᵉr) *m* musician.

Musi'k|-instrument(-ĭnstrōōmĕnt) *n* musical instrument; **~lehrer** *m* music-master; **~stunde** (-shtōōndᵉ) *f* music-lesson.

musizie'ren (mōōzītseer'ᵉn) make (*od.* have) music.

Muska't (mōōskāht) *m* nutmeg.

Mu'skel (mōōsk'ᵉl) *m*, *f* muscle; **~kraft** *f* muscular strenght.

Muskul|atu'r (mōōskōōlähtōōr) *f* muscular system; **2ö's** (-ōs) muscular.

Muß (mōōs) *n* necessity.

Mu'ße (mōōsᵉ) *f* leisure; **mit ~ at** leisure.

Musseli'n (mōōsᵉleen) *m* muslin.

mü'ssen (müs'ᵉn) have to; be obliged (*od.* forced, compelled) to; *ich muß* I must.

mü'ßig (müsĭç) idle; **2gang** *m* idleness; **2gänger** *m* idler, loafer.

Mu'ster (mōōst'ᵉr) *n* model; (*Zeichnung usw.*) pattern, design; (*Probe*) sample, specimen; (*Bautyp*) type; (*Richtschnur*) standard; (*Vorbild*) example; **2haft** exemplary, model; classical; **2karte** *f* sample-card; **2n** examine; *neugierig*: eye; ✕ review, muster; *Staff*: figure; **~schutz** (-shōōts) *m* trade mark protection; **2ung** *f* inspection; muster(ing); review;

~zeichner(in *f*) (-tsīçnᵉr) *m* designer.

Mut (mōōt) *m* courage, spirit; *guten* **~es** *sn* be of good cheer; **~ fassen** take courage; **2'ig** courageous; **2'los** discouraged; **~'losigkeit** (-lōzĭçkĭt) *f* despondency; **2'maßen** (-mähsᵉn) guess, suppose; **2'maßlich** supposed; *Erbe*: presumptive; **~'maßung** *f* surmise, supposition.

Mu'tter (mōōt'ᵉr) *f* mother; (*Schrauben2*) nut; **~leib** (-lĭp) *m* womb.

mü'tterlich (müt'rlĭç) motherly.

Mu'tter|liebe (-leebᵉ) *f* motherly love; **2los** motherless; **~mal** (-māhl) *n* birth-mark, mole; **~milch** *f* mother's milk; **~schaft** *f* motherhood, maternity; **2seelen-allei'n** (-zélᵉnāhlĭn) quite alone; **~söhnchen** (-zönçᵉn) *n* spoilt child; **~sprache** (-shprāhᴋᵉ) *f* mother tongue; **~witz** *m* mother-wit.

Mu't|wille (mōōtvĭlᵉ) *m* frolicsomeness *usw.*; **2willig** (*ausgelassen*) frolicsome, sportive; (*Streiche machend*) mischievous; (*frevlerisch*) wanton.

Mü'tze (mütsᵉ) *f* cap.

My'rte (mürtᵉ) *f* myrtle.

mysterlö's (müstĕr'ōs) mysterious.

mystifizie'ren (müstifĭtseer'ᵉn) mystify.

My'stik (müstĭk) *f* mysticism.

My'th|e (mütᵉ) *f*, **~us** *m* myth; **2isch** mythic; *bsd. fig.* mythical.

N

na! (nâh) now!, then!, well!
Na'be (nähbᵉ) f hub, nave.
Na'bel (nähbᵉl) m navel.
nach (nähĸ) 1. prp. (dat.) Richtung,
Streben: (a. ~ ... hin) to(wards), for;
Reihenfolge: after; Zeit: after, past;
Art u. Weise, Maß, Vorbild: according to; ~ Gewicht by weight; 2. adv.
after; ~und ~ little by little; ~ wie
vor now as before.
na'chahm|en (-ähmᵉn) imitate,
copy; (fälschen) counterfeit; 2er(in
f) m imitator; 2ung f imitation;
copy; counterfeit.
Na'chbar (nähĸbāhr) m, ~in f
neighbour; 2lich neighbourly; ~
schaft f neighbourhood.
na'chbestell|en (-bᵉshtĕlᵉn) repeat
one's order (et. for a th.); 2ung f
repeat(-order). [parrot.]
na'chbet|en (-bétᵉn), 2er(in f) m)
na'chbilden = nachahmen.
na'chblicken (dat.) look after.
na'chdatieren (-dähteerᵉn) post-
date. [when; je ~ according as.]
nachde'm (nähĸdém) cj. after,]
na'chdenk|en (-), reflect, meditate
(über acc. on); 2. 2 n reflection,
meditation; ~lich reflecting; (gedankenvoll) pensive.
Na'chdruck (nähĸdrŏŏk) m 1. stress,
emphasis; 2. typ. reprint; (Raub-
druck) piracy; pirated edition; 2en
reprint; ungesetzlich: pirate.
na'chdrücklich energetic; empha-
tic; forcible.
na'ch-eifern (-ifᵉrn) (dat.) emulate.
nach-eina'nder (-inähndᵉr) one
after another, successively.
na'ch-erzähl|en repeat; dem Eng-
lischen ~t adapted from the E.
Na'chfolg|e f succession; 2en (sn;
dat.) follow, succeed; ~er(in f) m
follower, successor.
na'chforsch|en (dat.) investigate
a th., search (for); inquire (into);
2ung f investigation, inquiry, search.
Na'chfrage (nähĸfragʰᵉ) f inquiry;
† demand; 2n inquire after.
na'chfühlen (dat.) feel with a p.
na'chfüllen fill up.

na'chgeben (-gʰébᵉn) (dat.) S.:
give way; P.: give in, yield.
na'chgeh(e)n (-gʰé[ᵉ]n) (sn) j-m:
follow; Geschäften: attend to; Uhr:
be slow.
Na'chgeschmack (nähĸgʰᵉshmähk)
m after-taste.
na'chgiebig (-gʰeebĭç) yielding,
compliant; 2keit f compliance.
na'chhaltig lasting, enduring.
nachhe'r (nähĸhér) afterwards.
Na'chhilfe f assistance; ~stunde
(-shtŏŏndᵉ) f repetitional lesson,
coaching. [up for.]
na'chholen (-hōlᵉn) recover, make)
Na'chhut (nähĸhŏŏt) ⚔ f rear
(-guard). [pursue.]
na'chjagen (-yähgʰᵉn) (sn; dat.))
na'chklingen resound.
Na'chkomme m descendant; 2n
(sn; dat.) come after; fig. Befehl:
obey; Verpflichtung: meet; ~n-
schaft f issue, descendants pl.
Na'chkriegs... (nähĸkreeks) post-
-war.
Na'chlaß (nähĸlähs) m am Preis:
reduction; e-s Verstorbenen: assets
pl., estate.
na'chlassen v/t. leave (behind);
Preis: reduce; v/i. (sich entspannen)
slacken, relax; (sich vermindern)
diminish; Regen usw.: abate.
na'chlässig careless, negligent.
na'chlaufen (-lowfᵉn) (sn; dat.) run
after.
na'chlösen (-lözᵉn): e-e Fahrkarte
~ take a supplementary ticket.
na'chmachen (-mähĸᵉn) imitate
(j-m et. a p. in a th.); (fälschen)
counterfeit.
na'chmalig (-mählĭç) subsequent.
na'chmessen measure again.
Na'chmittag (nähĸmĭtähk) m afternoon; 2(s) in the afternoon; ~s-
kleid (-klit) n tea-gown.
Na'chnahme (-nähmᵉ) f cash (Am.
collect) on delivery.
Na'chporto (-pŏrtŏ) n surcharge.
na'chprüfen (-prüfᵉn) verify; check.
na'chrechnen reckon over again;
Rechnung: check.

Na'chrede (-réd⁶) f: üble ~ evil report, slander; 2n: j-m Übles ~ slander a p.

Na'chricht f news; (Bericht) report; (Auskunft) information; ~ geben = benachrichtigen; ~en-agentur (náhkrïçt⁶náhg⁶ĕntŏōr) f news agency; ~endienst (-deenst) m news (✕ intelligence) service.

Na'chruf (náhkrŏōf) m obitnary (notice).

na'chschicken send after (a p.).

Na'chschlagebuch (náhkshláhg⁶ʰ⁶- bŏōk) n reference-book.

na'chschlagen Buch: consult; Wort: look up.

Na'chschlüssel m skeleton-key.

Na'chschrift f Brief: postscript.

na'chsehen (-zé⁶n) go and see; j-m: look atter; et.: examine, inspect; Maschine usw.: overhaul; = nach- schlagen; (hingehen l.) j-m et.: indulge a p. in a th.

na'chsenden (-zĕnd⁶n) send after (a p.); Brief: forward.

Na'chsicht (-zïçt) f indulgence; 2ig, 2s-voll indulgent.

na'chsinnen meditate, muse (on).

na'chsitzen Schule: be kept in.

Na'chsommer m St. Martin's (Am. Indian) summer.

Na'chspiel (náhkshpeel) n fig. sequel. [peat.]

na'chsprechen (náhkshprĕç⁶n) re-)

na'chspüren (-shpŭr⁶n) (dat.) track, trace.

nächst (näçst) 1. adj. Reihenfolge, Zeit: next; Entfernung, Beziehung: nearest; 2. prp. next to, next after; 2'beste m second best.

na'chsteh(e)n (-shté[⁶]n) (dat.) be inferior to.

na'chstell|en v/t. place behind; Uhr: put back; Stellschraube usw.: adjust; v/t. j-m: be after; 2ung f persecution.

Nä'chst|enliebe (näçst⁶nleeb⁶) f charity; 2ens before long.

na'chstreben (náhkshtréb⁶n) j-m: emulate; e-r S.: strive after.

na'chsuch|en (-zŏōk⁶n) search (for); um et. ~ apply for; 2ung f search, inquiry.

Nacht (näht) f night; bei ~, des ~s = nachts; ~'-asyl (-ähzül) n night- -shelter; ~'-ausgabe (-owsgähb⁶) f Zeitung: extra special.

Na'chteil (náhktil) m disadvantage;

im ~ sn be at a d.; 2ig disadvan- tageous.

Na'cht|-essen n supper; ~falter m moth; ~geschirr n chamber- -pot; ~hemd n night-dress, night- -gown, Am. night-robe; Männer: night-shirt. [ingale.]

Na'chtigall (náhktïgähl) f night-)

Na'chtisch m dessert.

Na'chtlager (náhktlähg⁶ʰ⁶r) n night's lodging. [tural.]

nä'chtlich (näçtlïç) nightly, noc-)

Na'cht|lokal (-lŏkähl) n night-club; ~quartier (-kvährteer) n night- quarters pl.

Na'chtrag (náhktráhk) m supple- ment; 2en (-tráhg⁶ʰ⁶n) carry after a p.; (zufügen) add; ✝ Bücher: post up; fig. j-m et. ~ bear a p. a grudge.

na'chträglich (náhktráklïç) supple- mentary; (später) subsequent.

nachts (náhkts) at (od. by) night.

Na'cht|schicht f night-shift; ~ schwärmer(in f) (-shvĕrm⁶r) m fig. night-reveller; ~tisch m bed- side-table; ~wächter (-véçt⁶r) m watchman; ~wandler(in f) m sleep- -walker; ~zeug (-tsŏïk) n night- -things pl. [again.]

na'chwachsen (-vähks⁶n) (sn) grow)

Na'chwahl f by-election.

Na'chweis (náhkvïs) m proof; 2bar demonstrable, traceable; 2en (náhk- vīz⁶n) point out, show; (beweisen) prove.

Na'ch|welt f posterity; ~winter m late winter; ~wirkung f after- -effect; ~wort n epilogue; ~wuchs (-yŏōks) m the rising generation.

na'chzahl|en pay in addition; 2ung f additional payment.

na'chzählen count over again.

Na'chzügler (náhktsügʰl⁶r) m straggler, late-comer.

Na'cken (náhk⁶n) m (nape of the) neck; ~schlag (-shlähk) m fig. drawback.

na'ck|end (náhk⁶nt), ~t naked, nude; fig. bare; Wahrheit: plain.

Na'del (náhd⁶l) f needle; (Steck2) pin; ~arbeit (-ährbit) f needle- work; ~holzbaum (-hŏltsbowm) m conifer(ous tree); ~stich m prick; stitch; fig. pin-prick.

Na'gel (náhg⁶l) m nail; (Zier2) stud; 2n nail; 2neu' (-nŏï) brand- -new; ~pflege (-pflég⁶ʰ⁶) f care of the nails, manicure.

na'gen (nāhgʰᵉn) gnaw (an dat. at); an e-m Knochen pick.

nah (nāh), na'he (nāhᵉ) near, close; Gefahr: imminent.

Nä'he (nāᵉ) f nearness, proximity; in der ~ close by.

na'he|gehen (nāhᵉgʰéᵉn) (sn; dat.) grieve; ~kommen (sn; dat.) fig. approach; ~liegen (-leegʰᵉn) suggest itself, be obvious.

na'hen (nāhᵉn) (sn; a. sich ~; dat.) approach.

nä'hen (nāᵉn) sew, stitch.

Nä'here(s) (nāᵉrᵉ[s]) n details, particulars pl.

Nä'herin f seamstress.

nä'hern (nāᵉrn) (a. sich ~) approach (j-m a p.). [almost.]

na'hezu (nāhᵉtsōō) adv. nearly,

Nä'hgarn (nāgāhrn) n sewing-cotton.

Na'hkampf m close fight.

Nä'h|maschine (nāmähsheenᵉ) f sewing-machine; ~nadel (-nāhdᵉl) f sewing needle.

nä'hren (nārᵉn) nourish (a. fig.); Kind: nurse; sich ~ feed (von on).

na'hrhaft (nāhrhähft) nutritious, nourishing.

Nä'hrkraft f nutritive power.

Na'hrung f food, nourishment; ~smittel n/pl. food, victuals.

Nä'hrwert (nārvért) m nutritive.

Naht (nāht) f seam. [value.]

Na'hverkehr (nāhfěrkér) m local traffic. [ments pl.]

Nä'hzeug (nātsöik) n sewing-imple-

nai'v (nāheef) naive, ingenuous, simple; 2itä't (nāhivitāt) f naïveté.

Na'me (nāhmᵉ) m name; dem ~n nach nominal(ly); know a p. by name.

na'men|los nameless; fig. unutterable; ~s (-s) named; (im Namen von) in the name of; 2s-tag (-tāhk) m name-day; 2s-vetter (-fèt'r) m namesake; ~tlich by name; (besonders) especially.

na'mhaft (nāhmhähft) (berühmt) notable; (bedeutend) considerable; ~ m. name.

nä'mlich (nämliç) 1. adj. the same; 2. adv. namely (abbr. i. e. od. viz.).

Napf (nähpf) m bowl, dish.

Na'rbe (nāhrbᵉ) f scar.

na'rbig scarred; Leder: grained.

Narko'|se (nāhrközᵉ) f narcosis; 2tisie'ren (-tizeerᵉn) narcotize.

Narr (nāhr) m fool; zum ~en halten make a fool of; 2'en fool.

Na'rren|haus (-hows) n madhouse; ~kappe f fool's cap; ~streich (-shtriç) m foolish trick.

Na'rrheit f folly.

Nä'rrin (nèrin) f foolish woman.

nä'rrisch foolish; (sonderbar) odd.

Narzi'sse (nāhrtsisᵉ) f narcissus.

na'schen (nähshᵉn) eat on the sly.

Nä'scher (nèshᵉr) m, ~in f lover of dainties; ~ei'en (-iᵉn) f/pl. dainties, sweets. [dainties.]

na'schhaft (nähshhähft) fond of

Na'se (nähzᵉ) f nose.

nä'seln (näzᵉln) nasalize, snuffle.

Na'sen|bluten (nähzᵉnblōōtᵉn) n nose-bleeding; ~laut (-lowt) m nasal (sound); ~loch (-lök) n nostril; ~spitze f tip of the nose.

na'seweis (-vīs) pert, saucy.

na'sführen (nähsfürᵉn) dupe.

Na'shorn (nähshörn) n rhinoceros.

naß (nähs) wet; (feucht) moist.

Nä'sse (nèsᵉ) f wet(ness); humidity; 2n wet; moisten. [raw.]

na'ßkalt (nähskählt) damp and cold,

Natio'n (nähtsöön) f nation.

nationa'l (nähtsᵒönähl) national; 2hymne (-hümnᵉ) f national anthem; 2itä't f nationality.

Na'tter (nähtᵉr) f adder, viper.

Natu'r (nāhtōōr) f nature; (Leibesbeschaffenheit) constitution; (Gemütsanlage) temper(ament); von ~ by nature. [naturalize.]

naturalisie'ren(nāhtōōrāhlizeerᵉn)

Natu'r-anlage (-ähnlāhgʰᵉ) f disposition. [temper.]

Nature'll (nāhtōōrěl) n nature,

Natu'r|erscheinung (nāhtōōrěrshinōōŋ) f phenomenon; ~forscher m naturalist, scientist; ~geschichte f natural history; 2getreu (-gʰᵉtröi) true to nature; ~kunde (-kōōndᵉ) f natural science.

natü'rlich (nähtürliç) natural; (echt) genuine; adv. of course.

Natu'r|trieb (nähtōōrtreep) m instinct; ~wissenschaft (-vīsᵉnshähft) f natural science; ~wissenschaftler m scientist.

Ne'bel (nébᵉl) m fog; weniger dicht: mist; 2haft fig. nebulous, hazy; ~horn n fog-horn.

ne'b(e)lig foggy, misty.

ne'ben (nébᵉn) beside, by (the side of); (nahe bei) near; (nebst) besides, ne′ben|-an next door; close by; 2-anschluß (-ä/ɴnshlŏŏs) m *teleph.* extension (station); 2-arbeit (-ährbit) *f* by-work; 2-ausgaben (-owsgähbᵉn) *f/pl.* incidental expenses; 2-ausgang (-owsgährɴ) m side-door; ~bei (-bī) close by; (*beiläufig*) by the way; (*außerdem*) besides; 2beruf (-bᵉrŏŏf) m side line; 2buhler(in *f*) (-bŏŏlᵉr) m rival; 2buhlerschaft *f* rivalry; ~-eina′nder (inä/ɴdᵉr) side by side; 2-einkünfte (-inkünftᵉ) *f/pl.* casual emoluments; 2fach (-fä/ɴᴋ) n *Studium:* subsidiary subject, *Am.* minor; 2fluß (-flŏŏs) m tributary; 2gebäude (-gᵊᵉbŏïdᵉ) n outhouse; 2gleis (-glīs) n siding, side-track; 2haus (-hows) n adjoining house; 2kosten *pl.* extras; 2-linie (-leenⁱᵉ) *f* ᵼ branch line; 2-mann m next man; 2produkt (-prōdŏŏkt) n by-product; 2programm n *Film:* supporting program(me); 2sache (-zähkᵉ) *f* secondary matter; ~sächlich (-zä̆çlĭç) subordinate, incidental; 2straße (-shträhsᵉ) *f* by-street; 2tür *f* side-door; 2-umstand (-ŏŏmshtä̆hnt)*m* accessory circumstance; 2zimmer n adjoining room.

nebst (népst) (*dat.*) besides.

ne′ck|en (nĕk′ᵉn) tease, banter; 2erei′ (-ᵉrī) *f* banter; ~isch teasing; (*drollig*) droll.

Ne′ffe (nĕf′ᵉ) m nephew.

negati′v (négä̆teef), 2 n negative.

Ne′ger (négʰᵉr) m negro; ~in *f* negress.

ne′hmen (némᵉn) take; *J–m et.* ~ take a th. from a p.; *ein Ende* ~ come to an end; *es sich nicht* ~ *l.* *zu* ~ insist upon *ger.*; *streng genommen* strictly speaking.

Neid (nīt) m, 2′en (nīdᵉn) envy; s. *be.*; ~′er m envier, grudger; 2′isch envious (*auf acc.* of); 2′los ungrudging.

Nei′ge (nighᵉ) *f im Glas:* heeltap; *auf die* ~ *gehen* be on the decline; (*knapp w.*) run short; 2n incline.

Nei′gung *f* inclination (*a. fig.*); (*Fläche*) incline.

nein (nīn) no.

Ne′lke (nĕlkᵉ) *f* carnation, pink; (*Gewürz2*) clove.

ne′nnen (nĕn′ᵉn) name, call; (*bezeichnen*) term; *Kandidaten:* nominate; (*erwähnen*) mention; *Sport:* enter; *sich ... ~* be called ...; 2-wert (-vért) worth mentioning.

Ne′nn|er ᴀ̸ m denominator; ~ung *f* naming; nomination; *Sport:* entry; ~wert (-vért) m nominal

Nerv (nĕrf) m nerve. [value.]

Ne′rven...: *mst* nervous; ~heil-anstalt (-hilä/ɴshtä̆hlt) *f* clinic for nervous diseases; 2leidend (-lidᵉnt) neuropathic; ~schwäche (-shvĕçᵉ) *f* nervous debility; 2stärkend tonic; ~system (zŭstém) n nervous system.

ne′rv|ig (nĕrvĭç) sinewy; ~ö′s (-vös) nervous; 2osität′ (-vŏzĭtät) *f* nervousness.

Ne′ssel (nĕsᵉl) *f* nettle.

Nest (nĕst) n nest; F bed; (*Kleinstadt*) hole.

nett (nĕt) neat, pretty, *Am.* cute; (*freundlich*) nice.

ne′tto (nĕtō) net, clear.

Netz (nĕts) n net; *fig.* network; ~′-anschluß (-ä/ɴnshlŏŏs) m mains connection; power supply.

neu (nŏï) new; (*kürzlich geschehen*) recent; (*neuzeitlich*) modern; ~ste *Nachrichten f/pl.* latest news; *was gibt es* 2es? what is the news?, *Am.* what is new?; ~artig novel; 2bau (-bow) m new building; 2druck (-drŏŏk) m reprint.

neu′er|dings (nŏïᵉrdĭɴgs) recently; 2er m innovator; 2ung *f* innovation.

neu′|geboren (nŏïgʰᵉbōrᵉn) new-born; ~gestalten reorganize; 2gestaltung *f* reorganization; 2gier (-de) (-gʰeer[dᵉ]) *f* curiosity, inquisitiveness; ~gierig curious, inquisitive; *ich bin* ~ *ob* I wonder if; 2heit *f* newness, (*a. Gegenstand*) novelty.

Neu′igkeit (nŏïĭçkīt) *f* (e–e a piece of) news; ~skrämer *m* newsmonger.

Neu′|jahr(s-tag m) (nŏïyährstä̆ɴk) New year('s Day) 2lich *adv.* the other day, recently; 2ling m novice, tiro; 2modisch (-mōdĭsh) fashionable; ~mond (-mönt) m new moon.

neun (nŏïn) nine; ~te ninth; 2′tel n ninth part; ~′tens ninthly; ~′-zehn(te) nineteen(th).

neu′nzig (nŏïntsĭç) ninety; ~ste ninetieth.

Neu′philologe (nŏïfĭlōlōgʰᵉ) m student *od.* teacher of modern languages.

Neu'regelung (nōirég^hᵉlōōr̩) f rearrangement. [neutrality.]
neutra'l (nōitrāhl) neutral; 2itä't f
neu'|vermählt (nōifĕrmält) newly married; 2zeit (-tsit) f modern times pl.
nicht (niçt) not; auch ~ nor.
Ni'cht|-achtung (-ăhktōōr̩) f disregard; 2-amtlich unofficial; ~a'ngriffspakt (-ăhngrïfspăhkt) m pact of non-aggression; ~annahme f non-acceptance; ~befolgung f non--observance.
Ni'chte (niçtᵉ) f niece.
ni'chtig (niçtiç) z̩t̩ null, void; fig. vain, futile; für ~ erklären annul.
Ni'chtigkeit f nullity, vanity.
Ni'chtraucher (niçtrowkᵉr) m non--smoker.
nichts (niçts) 1. nothing, not anything; 2. 2 n nothing(ness); fig. nonentity.
ni'chts|destowe'niger (-dĕstōvĕ-nīg^hᵉr) nevertheless; ~nutzig (-nōōtsiç) good-for-nothing; ~sagend (-zāhg^hᵉnt) insignificant; 2tuer (-tōō^hᵉr) m idler; ~würdig vile, base.
Nicht|vorha'ndensein (niçtfŏr-hähnd^hnzīn) n absence; lack; ~'wissen n ignorance.
ni'cken (nik^hn) nod; (schlummern) nap.
nie (nee) never, at no time.
nie'der (need^hr) 1. adj. low, mean; Wert, Rang: inferior; 2. adv. down; 2gang m decline; ~gehen (-g^hé^hn) (sn) go down; ᴈc̶ alight; Gewitter: burst; ~geschlagen (-g^hᵉshlāh-g^hᵉn) dejected, downcast; ~hauen (-how^hn) cut down; ~kommen (sn) be confined; 2kunft (-kōōnft) f confinement; 2lage (-lāhg^hᵉ) f defeat; (Magazin) warehouse; ~lassen let down; sich ~ sit down; Vogel: alight; (sich festsetzen) establish o.s., settle; 2lassung f establishment; settlement; ~legen (-lég^hᵉn) lay down; Amt: resign; Geschäft: retire from; Krone: abdicate; sich ~ lie down; zu Bett: go to bed; die Arbeit ~ strike od. knock off (work); ~machen (-măhk^hᵉn) cut down; ~schlag (-shlähk) m sediment; ᴈ precipitate; (atmo-sphärische 2) precipitation; Boxen: knock-out (blow); ~schlagen (-shlähg^hᵉn) knock down; Augen:

cast down; Boxen: knock out; Kosten usw.: cancel; (unterdrücken) suppress; z̩t̩ quash; ᴈ precipitate; fig. dishearten; ~schmettern fig. crush; ~setzen (-sĕts^hn) set od. put down; sich ~ sit down; ~strecken lay low; ~trächtig (-trĕçtiç) base, mean; F beastly; 2ung f lowland.
nie'dlich (neetliç) neat, nice, pretty, Am. cute. [hang-nail.]
Nie'dnagel (neetnāg^hᵉl) m agnail,]
nie'drig (needriç) low; (gemein) mean, base.
nie'mals (neemāhls) never, at no time. [one.]
nie'mand (neemăhnt) nobody, no]
Nie're (neer^hᵉ) f kidney; pl. reins, loins; ~nbraten (-brăht^hn) m roast]
nie'sen (neez^hn) sneeze. [loin.]
Niet (neet) n rivet; ~'e f blank; 2'en rivet.
Ni'lpferd (neelpfért) n hippopotamus. [prestige.]
Ni'mbus (nïmbōōs) m nimbus; fig.]
ni'mmer (nïm^hr) never; ~mehr nevermore; 2satt (-zäht) m glutton.
n'ippen (nïp^hn) v/i. u. v/t. sip.
Ni'ppsachen (nïpzähk^hn) f/pl. (k)nick-(k)nacks.
ni'rgend(s) (nïrg^hᵉnt[s]) nowhere.
Ni'sche (neesh^hᵉ) f niche.
ni'sten (nïst^hn) nest.
Niveau' (nïvō) n, nivellie'ren (nïvĕleer^hn) level.
Ni'xe (niks^hᵉ) f water-nymph.
noch (nōk) still; yet; ~ immer still; ~ einer another, one more; ~ einmal once more; ~ etwas something more; ~ etwas? anything else?; ~ nicht not yet; ~ heute this very day; ~ im 19. Jahrhundert as late as the 19th century; ~ so ever so; ~'malig (-māhliç) repeated; ~'-mals (-māhls) once more.
Noma'd|e (nōmăhd^hᵉ) m nomad; ~en..., 2isch nomadic.
No'nne (nŏn^hᵉ) f nun; ~nkloster (-klŏst^hr) n nunnery.
Nord (nŏrt), ~'en (-d^hn) m north; 2'isch northern.
nö'rdlich (nŏrtliç) northerly.
No'rd|licht n northern lights pl.; ~o'st(en) (-ŏst[^hn]) m north-east; ~pol (-pŏl) m North Pole; 2wärts (-vĕrts) northward(s); ~we'st(en) m north-west.
nö'rg|eln (nŏrg^hᵉln) v/i. nag, carp (an dat. at); 2ler(in f) m faultfinder.

11*

Norm (nŏrm) *f* standard, rule.

norma'l (nŏrmä́hl) normal; *Maß, Gewicht:* standard.

no'rmen (nŏrm⁴n), **normie'ren** (nŏrmeer⁴n) normalize, standardize.

Not (nŏt) *f* need, want; (*Zwang*) necessity; (*Bedrängtheit*) difficulty, trouble; (*Gefahr*) danger, (*engS.* ♣) distress; *zur* ~ if need be; *in Nöten sn* be in trouble; *es tut* ♀, *daß it is necessary that.*

Nota'r (nŏtä́hr) *m* notary.

No't|-ausgang (-owsgäh̄ŋ) *m* emergency exit; **~behelf** *m* makeshift, expedient, stopgap; **~bremse** (-brĕmz⁴) *f* emergency brake; **~brücke** *f* temporary bridge; **~durft** (-dŏŏrft) *f* necessaries *pl.* (of life); *s-e* ~ *verrichten* relieve nature; ♀**dürftig** scanty, poor.

No'te (nŏt⁴) *f* note; **~n** *pl.* music; *Schule:* mark; **~nbank** *f* issuing bank; **~nmappe** *f* music-holder.

No't|fall *m* case of need, emergency; ♀**gedrungen** (-gʰⁱdrŏŏŋ⁴n) needs; **~geld** *n* emergency money.

notie'r|en (nŏteer⁴n) note (down); † *Preise:* quote; ♀**ung** *f* † quotation.

nö'tig (nŏtĭç) necessary; ~ *h.* need; **~en** (nŏtĭgʰⁱn) force, oblige, compel; *e-n Gast:* press; *sich* ~ *l.* stand upon ceremony; **~enfalls** in case of need; ♀**ung** *f* compulsion.

Noti'z (nŏteets) *f* (*Kenntnis*) notice; (*Vermerk*) note, memorandum; **~block** *m* scribbling-block, *Am.* scratch-pad; **~buch** (-bŏŏk) *n* note-book.

No't|lage (-läh̄g⁴) *f* distress, emergency; ♀**landen** ⚓ (sn) be forced down; **~landung** *f* forced landing; ♀**leidend** (-lĭd⁴nt) needy; distressed; **~leine** (-lĭn⁴) 🛎 *f* communication-cord; **~lüge** (-lǖg⁴) *f* white lie.

noto'risch (nŏtŏ́rĭsh) notorious.

No't|signal (nŏtzĭgnä́hl) *n* signal of distress; **~sitz** (-zĭts) *m* mot. dick(e)y-seat, *Am.* rumble seat; **~stand** (-shtä́hnt) *m* emergency; **~stands-arbeiten** (-shtä́hntsǟhrbĭt⁴n) *f|pl.* relief works; **~standsgebiet** (-shä́hntsgʰⁱbeet) *n* distressed area; **~verband** (-fĕrbä́hnt) *m* first-aid dressing; **~verordnung** (-fĕrŏrdnŏŏŋ) *f* emergency decree; (*aus*) **~wehr** (-vér) *f* (in) self-

-defence; ♀**wendig** necessary; **~wendigkeit** *f* necessity; **~zucht** (-tsŏŏkt) *f* rape; ♀**züchtigen** (-tsŭ̄çtĭgʰⁱn) ravish.

Nove'lle (nŏvĕl⁴) *f* short story, novelette. [vember.|

Nove'mber (nŏvĕmb⁴r) *m* No-|

Nu (nŏŏ) *n*, *m: im* ~ in an instant.

Nua'nce (nŭas⁴) *f* shade.

nü'chtern (nŭçt⁴rn) fasting; (*Ggs. betrunken*) sober (*a. fig.*); *Feststellung:* flat; (*geistlos*) jejune, (*alltäglich*) prosaic; ♀**heit** *f* sobriety; *fig.* prosiness.

Nu'deln (nŏŏd⁴ln) *f|pl.* macaroni; (*Faden*♀) vermicelli, *Am.* noodles.

null (nŏŏl) 1. null; ~ *und nichtig* null and void; 2. ♀ *f* nought, (*a. fig.*) cipher; (♀*punkt*) zero.

numerie'r|en (nŏŏm⁴reer⁴n) number; **~ter Platz** reserved seat.

Nu'mmer (nŏŏm⁴r) *f* number; (*Schuh- usw.* ♀) size; (*Programm*♀) turn, item; *Sport:* event.

nun (nŏŏn) now, at present; *int.* well!; ~ *also* well then; **~'mehr** now; **~'mehrig** present.

nur (nŏŏr) only; (nothing) but; ~ *noch* still, only.

Nuß (nŏŏs) *f* nut (*a.* ⊕); **~'kern** *m* kernel; **~'knacker** (-knǟk⁴r) *m* nut-cracker; **~'schale** (-shäl⁴) *f* nutshell.

Nü'ster (nŭ̄st⁴r) *f* nostril.

Nu't(e) (nŏŏt[⁴]) *f* groove, rabbet.

nutz (nŏŏts), **nü'tze** (nŭ̄ts⁴) useful; *zu nichts* ~ good for nothing; ♀'**anwendung** (-äh̄nvĕndŏŏŋ) *f* practical application; **~'bar** useful; *sich et.* ~ *m.* utilize; **~'bringend** profitable.

Nu'tzen (nŏŏts⁴n) 1. *m* use; (*Gewinn*) profit; (*Vorteil*) advantage; (*Nützlichkeit*) utility; 2. ♀, **nü'tzen** (nŭ̄ts⁴n) *v/i.: zu et.* ~ be of use for a th.; *j–m* ~ serve a p.; *es nützt nichts* it is (of) no use (*zu inf.* to); *v/t.* make use of.

Nu'tz|holz *n* timber; **~leistung** (-lĭstŏŏŋ) *f* effective capacity.

nü'tzlich (nŭ̄tslĭç) useful.

nu'tz|los useless; ♀**nießer** (-nees⁴r) *m* usufructuary; ♀**nießung** *f* usufruct.

Nu'tzung (nŏŏtsŏŏŋ) *f* using; utilization; **~swert** (-vért) *m* value of produce.

Ny'mphe (nŭmf⁴) *f* nymph.

O

o! *int.* oh!; ~ weh! alas!, o dear!
Oa'se (ōāhzᵉ) f oasis.
ob (ŏp) *cj.* whether, if; *als* ~ as if.
O'b-acht (ōbăhкt) f: ~ geben pay heed (*od.* attention) (*auf acc.* to), take care (of); ~! look out!
O'bdach (ŏpdăhк) n shelter; ~lose(r) m casual; Asyl n für ~lose casual ward.
Obduktio'n (ŏpdŏŏkts'ōn) f post--mortem examination.
o'ben (ōbᵉn) above; *im Hause*: upstairs; *von* ~ from above; *von unten bis* ~ from top to bottom; ~a'n at the top; ~drei'n (-drīn) into the bargain; ~erwähnt above--mentioned; ~hi'n superficially.
o'ber (ōbᵉr) upper, higher.
O'ber|-arm m upper arm; ~arzt m head physician; ~befehl m chief command; ~befehlshaber (-bᵉfélshăhbᵉr) m commander-in-chief; ~bürgermeister (-bürghᵉrmīstᵉr) m chief burgomaster; *Brit.* Lord Mayor; ~fläche f surface; 2flächlich superficial; 2halb above; ~hand f upper hand; ~haupt (-howpt) n head, chief; ~haus (-hows) n the House of Lords; ~hemd n dress shirt; ~herrschaft f supremacy.
O'berin f *eccl.* Mother, Superior; *im Krankenhaus*: Matron.
o'ber|-irdisch overground; ≠ over-head; 2kellner m head waiter; 2-kiefer (-keefᵉr) m upper jaw; 2-körper m upper part of the body; 2land n upland; 2leder (-lédᵉr) n uppers *pl.*; 2leitung (-litōn₂) f supreme direction; ≠ overhead line, 2leutnant (-lôitnăhnt) m (*Am.* first) lieutenant; 2licht n skylight; 2lippe f upper lip; 2schenkel m thigh; 2schule (-shōōlᵉ) f second-ary school.
o'berst (ōbᵉrst) 1. uppermost; *Rang usw.*: supreme; 2. 2 m colonel.
O'berstaa'ts-anwalt (ōbᵉrshtăhts-ähnvählt) m Attorney General.
Oberstleu'tnant (ōbᵉrstlôitnähnt) m lieutenent-colonel.

O'bertasse f cup.
o'bgleich (ŏpglīç) (al)though.
O'bhut (ŏphōōt) f care; *in s-e* ~ nehmen take charge of.
o'big (ōbīç) above(-mentioned).
objekti'v (ŏpyĕkteef) 1. objective; 2. 2 n object-glass, lens; 2itä't (ŏpyĕktĭvĭtät) f objectiveness.
Obla'te (ŏblăhtᵉ) f wafer.
o'bliegen (ŏpleegᵉn): *j-m* ~ be incumbent on a p.; 2heit f duty, obligation.
Obligat|io'n (ŏblĭgähts'ōn) f bond; 2o'risch (-ōrish) compulsory.
O'bmann m (*Vorsitzender*) chair-man; *der Geschworenen*: foreman; (*Schiedsmann*) umpire; (*Betriebs*2) spokesman.
O'brigkeit (ōbrĭçkĭt) f authorities *pl*; 2lich magisterial.
Obst (ōpst) n fruit; ~'bau (-bow) m fruit-culture; ~'ernte fruit-crop; ~'garten m orchard; ~'händler (-in f) m fruiterer; ~'züchter(in f) m fruit-grower.
o'bwalten (ŏpvăhltᵉn) exist; *Um-stände*: prevail.
obwo'hl (ŏpvōl) (al)though.
O'chse (ŏksᵉ) m ox, bullock.
O'chsenfleisch (ŏksᵉnflīsh) n beef.
ö'de (ȫdᵉ) 1. desert, desolate; (*un-bebaut*) waste; F *fig.* dull; 2. 2 f desert, solitude.
o'der (ōdᵉr) or.
O'fen (ōfᵉn) m stove; (*Back*2) oven; (*Hoch*2) furnace; (*Brenn*2) kiln; ~vorsetzer (-förzĕtsᵉr) m fender.
o'ffen (ŏfᵉn) open; *Stelle*: vacant; *fig.* frank; *Feindseligkeiten*: overt.
offenba'r (ŏfᵉnbăhr) manifest, evi-dent; ~en disclose, manifest, reveal.
Offenba'rung f manifestation; re-velation; ~s-eid (-īt) m oath of manifestation.
O'ffenheit (ŏfᵉnhīt) f openness, frankness.
o'ffen|herzig open-hearted, frank; ~kundig (-kŏŏndĭg) public, no-torious; ~sichtlich (-zĭçtlĭç) ob-vious.

offensi'v (ŏfĕnzeef), 2e (-vᵉ) f offensive.

ö'ffentlich (ŏfᵉntlĭç) public; 2keit f publicity; *in aller ~ in public.*

Offe'rte (ŏfĕrt⁵) f offer.

offizie'll (ŏfĭts⁵ĕl) official.

Offizie'r (ŏfĭtseer) m officer; ~korps (-kŏr) n body of officers.

offiziö's (ŏfĭts⁵ŏ̈s) officious.

ö'ffn|en (ŏfⁿn) (a. sich) open; 2ung f opening, aperture.

oft (ŏft), o'ftmals (-mäⁿls), ö'fters (ŏftᵉrs) often, frequently.

oh! (ō) oh!, o!

o'hne (ōnᵉ) without; ~die's (-dees), ~hi'n without that; ~glei'chen (-glīçⁿn) unequalled, matchless.

O'hn|macht (ōnmäҳkt) f weakness; ⅋ swoon; 2mächtig (-mĕҫtĭç) weak; ⅋ in a faint, unconscious.

Ohr (ōr) n ear; *bis über die ~en* over head and ears.

Öhr (ŏ̈r) n eye.

O'hren|-arzt m ear-specialist; 2betäubend ear-deafening; ~leiden (-līdᵉn) n ear-complaint; ~schmalz n ear-wax; ~schmerz m ear-ache.

O'hr|feige (-fīgʰᵉ) f box on the ear; 2feigen: *j-n box a p.'s ears;* ~läppchen n lobe of the ear; ~löffel m ear-pick(er); ~wurm (-vŏŏrm) m earwig.

Ökono'm (ŏkŏnŏm) m agriculturist; (*Verwalter*) manager; ~ie' f agriculture; (*Verwaltung*) economy; 2isch economical. [f octave.]

Okta'v (ŏktähf) n octavo; ~e (-vᵉ) }

Okto'ber (ŏktŏbᵉr) m October.

Okul|a'r (ŏkōōlähr) n opt. eye-piece; 2ie'ren inoculate.

Öl (ŏl) n oil; *fig. ~ ins Feuer gießen* add fuel to the flame; ~'baum (-bowm) m olive-tree; ~'bild, ~'gemälde (-gᵉmäldᵉ) n oil-painting; 2'en oil, ⊕ a. lubricate; ~'farbe f oil-colour, oil-paint; 2'ig oily; ~'malerei (-mählᵉrī) f oil-painting; ~'quelle (-kvĕlᵉ) f oil-spring; ~'ung f oiling, ⊕ a. lubrication; *eccl. letzte ~ extreme unction.*

oly'mpisch (ŏlŭmpĭsh) Olympian; 2e *Spiele pl.* Olympic games.

Ö'lzweig (ŏltsvīg) m olive-branch.

O'mnibus (ŏmnĭbōōs) m (omni)bus.

ondulie'ren (ŏndōōleerᵉn) wave.

O'nkel (ŏnₖkᵉl) m uncle.

O'per (ŏpᵉr) f opera.

Operat|eu'r (ŏpᵉrähtŏr) m operator; ~io'n (-ts⁵ōn) f operation; 2i'v operative.

Opere'tte (ŏpᵉrĕtᵉ) f operetta.

operie'ren (ŏpᵉreerᵉn) operate (*j-n* on a p.); *sich ~ l.* undergo an operation.

O'pern|glas (ŏpᵉrnglähs) n, ~gucker (-gŏŏkᵉr) m opera-glass(es *pl.*); ~haus (-hows) n opera-house; ~sänger(in f) (-zĕngᵉr) m opera-singer.

O'pfer (ŏpfᵉr) n sacrifice; = ~gabe; (*Geopferter*, -s) victim; ~gabe (-gähbᵉ) f offering; 2n sacrifice; ~stätte f place of sacrifice; ~tod (-tōt) m sacrifice of one's life; ~ung f offering, sacrifice; 2willig willing to make sacrifices.

opponie'ren (ŏpōneerᵉn) (*dat.*) oppose.

O'ptik (ŏptĭk) f optics *sg.*; *phot.* lens system; ~er m optician.

o'ptisch optic(al).

Ora'kel (ŏrähkᵉl) n, ~spruch (-shprŏŏk) m oracle; 2haft oracular.

Ora'nge (ŏrähnₔGᵉ) f orange.

Orato'rium (ŏrähtŏr⁵ōōm) n oratorio.

Orche'ster (ŏrkĕstᵉr) n orchestra.

Orchidee' (ŏrçĭdē) f orchid.

O'rden (ŏrdᵉn) m order; (*Ehrenzeichen*) order, decoration.

O'rdens|band n ribbon (of an order); ~bruder (-brōōdᵉr) m friar; ~schwester f sister.

o'rdentlich (ŏrdᵉntlĭç) orderly; tidy; (*regelrecht*) regular; (*achtbar*) of orderly habits; (*tüchtig*) good, sound; *adv.* (*ziemlich stark*) downright; ~er *Professor* professor in ordinary.

ordinä'r (ŏrdīnähr) mean, vulgar.

o'rdn|en (ŏrdnᵉn) put in order; arrange, *Am.* fix up; 2er m (*Fest2 usw.*) steward; *Schule:* monitor; *Akten:* file.

O'rdnung (ŏrdnōōnₔ) f (*Anordnung*) arrangement; *Zustand:* order; (*Klasse*) class; *in ~ bringen* put in order; 2smäßig (-mäsĭç) orderly, regular; ~sruf (-rŏŏf) m *parl.* call to order; 2swidrig (-veedrĭç) contrary to order; ~szahl f ordinal (number).

Ordonna'nz (ŏrdŏnä́hnts) f ✕ orderly.

Orga'n (ŏrgä́hn) n organ; **~isatio'n** (ŏrgä́hnizähts'ōn) f organization; **Qisch** organic.

organisie'r|en (ŏrgä́hnīzeer⁶n) organize; **~t**(er *Arbeiter*) unionist.

O'rgel (ŏrg^hᵉl) f organ; **~pfeife** (-pfiif⁶) f organ-pipe; **~spieler** (-shpeel⁶r) m organist.

O'rgie (ŏrg^hiᵉ) f orgy.

Orienta'l|e m, **~in** f, **Qisch** oriental.

orientie'r|en (ŏr⁶ĕnteer⁶n) orient (-ɑte); *fig.* inform; *sich* ~ orient o.s.; **Qung** f orientation; *fig.* information.

Origin|a'l (ŏrig^hīnä́hl) n, **Qa'l** *adj.* original; **~alitä't** f originality; **Qe'll** original.

Orka'n (ŏrkä́hn) m hurricane.

Orna't (ŏrnä́ht) m robes *pl.*

Ort (ŏrt) m place; spot; locality; **Q'en** ⚓, ✕ orient, locate.

ö'rtlich (ŏrtlïç) local; **Qkeit** f locality.

O'rts|-angabe f statement of place; **Q-ansässig** (-ä́hnzĕsïç) **~ansäs-** sige f, **~ansässige(r)** resident; **~behörde** f local authorities *pl.*; **~beschreibung** (-b⁶shribŏŏr̄ŋ) f topography.

O'rtschaft f place; (*Dorf*) village.

O'rts|gespräch (ŏrtsg^hᵉshprǽç) n *teleph.* local call; **~kenntnis** f local knowledge; **~verkehr** (-fĕrkér) m local traffic.

Ö'se (ȫz⁶) f eye; loop.

Ost (ŏst), **~en** m east.

ostentati'v (ŏstĕntä́hteef) ostentatious.

O'ster|ei (ŏst⁶r-ī) n Easter egg; **~fest** n = *Ostern*; **~hase** (-hähz⁶) m easter-bunny.

O'stern (ŏst⁶rn) n Easter; *jüdisches* Passover.

Ö'sterreich|er (ŏst⁶rïç⁶r) m, **~erin** f, **Qisch** Austrian.

ö'stlich (ŏstlïç) eastern, easterly.

O'stmark f (*Geld*) eastern mark.

O'tter (ŏt⁶r) f (*Schlange*) adder.

Ouvertü're (ōōvĕrtǘr⁶) f overture.

Oxy'd (ŏksüt) n oxide; **Qie'ren** (ŏksüdeer⁶n) *v/t. u. v/i.* (sn) oxidize.

O'zean (ŏtsĕä́hn) m ocean.

P

Paar (pähr) 1. *n* pair; couple; 2. ein ♀ a few; ♀'en pair, couple (*a. sich* ~); ~'laufen (-lowf^en) *n* Sport: couple-skating; ~'ung *f* coupling, copulation; ♀'weise by pairs, in couples.

Pacht (pähkt) *f* lease, tenure; ♀'en farm, rent.

Pä'chter (pĕçt^er) *m*, ~in *f* (*Mieter*) lessee; *von Land:* tenant.

Pa'cht|-ertrag (pähktĕrträhk) *m* rental; ~geld *n* farm-rent; ~gut (-gŏot) *n* farm; ~ung *f* farming; (*das Gepachtete*) leasehold; ~vertrag (-fĕrträhk) *m* lease; ♀-weise on lease.

Pack (pähk) *n*, *m* packet, parcel; (*Ballen*) bale; *contp.* rabble.

Pä'ckchen (pĕkç^en) *n* packet.

pa'cken (pähk^en) 1. pack (up); (*fassen*) seize, grasp (*a. fig.*); *fig.* (*ergreifen*) affect, thrill; *packe dich!* be off!; 2. ♀ *m* pack; bale.

Pa'ck|esel (pähkéz^el) *m fig.* drudge, fag; ~material (-mähtĕr'ähl) *n* packing material; ~papier (-päh-peer) *n* packing (*od.* brown) paper; ~ung *f* package; 🏷 pack; ~wagen (-vähg^h^en) *m* luggage-van, *Am.* baggage car.

Pädago'g|(e) (pĕdähgŏg^h[^e]) *m*, ~in *f* pedagogue; ~ik *f* pedagogics *pl.*; ♀isch pedagogic(al).

Pa'ddel|boot (pähd^lbŏt) *n* canoe; ♀n (sn) paddle, canoe.

Pa'ge (pähǪ^e) *m* page; ~nkopf *m* page coiffure.

pah! (päh) pah!, pooh!, pshaw!

Pair (pär) *m* peer.

Pake't (pähkét) *n* packet, parcel, *Am.* package; ~annahme *f* parcels receiving office; ~ausgabe (-owsgäh^e) *f* parcel-delivery; ~karte ⚭ *f* dispatch-note; ~post (-pŏst) *f* parcel post.

Pakt (pähkt) *m* (com)pact.

Pala'st (pählähst) *m* palace.

Pa'letot (pähl^e^tŏ) *m* overcoat, greatcoat.

Pa'lm|e (pählm^e) *f* palm(-tree); ~öl *n* palm-oil.

Panee'l (pähnél) *n* panel, wainscot.

Panie'r (pähneer) *n* banner, standard; ♀en (bread-)crumb.

Pa'n|ik (pähník) *f*, ♀isch panic.

Pa'nne (pähn^e) *f* break-down.

Panti'ne (pähnteen^e) *f* clog.

Panto'ffel (pähntŏf^el) *m* slipper; *unter dem* ~ *stehen* be henpecked.

pa'n(t)schen (pähn[t]sh^en) splash (about); (*verfälschen*) adulterate.

Pa'nzer (pähnts^er) *m* armour; (*Kampfwagen*) tank; ~abwehr-kanone* (-ähpvérkähnŏn^e) *n* anti--tank gun; ~kreuzer (-krŏits^er) *m* armoured cruiser; ♀n armour; ~platte *f* armour-plate; ~schiff *n* ironclad; ~ung ⚓ *f* armour-plating; ~wagen (-vähg^h^en) *m* armoured car.

Papa' (pähpäh) *m* papa.

Papagei' (pähpähg^h^i) *m* parrot.

Papie'r (pähpeer) *n* paper; ~bogen (-bŏg^h^en) *m* sheet of paper; ♀en (of) paper; ~fabrik (-fähbreek) *f* paper-mill; ~korb *m* (waste-)paper basket; ~waren (-vähr^en) *f/pl.* stationery.

Pa'pp|band *m* stiff paper binding; ~deckel *m* pasteboard.

Pa'ppe (pähp^e) *f* pasteboard.

Pa'ppel (pähp^el) *f* poplar.

pä'ppeln (pĕp^eln) feed (with pap).

pa'pp|en paste; ~ig pappy, pasty; ♀-chachtel (-shähkt^el) *f* cardboard box.

Papst (pähpst) *m* pope.

pä'pstlich (pähpstlíç) papal.

Pa'psttum (pähpsttŏom) *n* papacy.

Para'de (pährähd^e) *f* parade; 🗡 review; *fenc.* parry; ~marsch 🗡 *m* march past.

paradie'ren (pährähdeer^en) parade.

Paradie's (pährähdees) *n* paradise; ♀isch (-deézish) paradisiac(al).

parado'x (pährähdŏks) paradoxical.

Paragra'ph (pährähgrähf) *m* paragraph, section; (*das Zeichen §*) section-mark.

paralle'l (pährählél), ♀e *f* parallel.

Paraly'|se (pährählüz^e) *f* paralysis; ♀sie'ren paralyse.

Parasi't (păhrăhzeet) *m* parasite.

Parenthe'se (păhrĕntéz^e) *f* parenthesis.

Parfo'rcejagd (păhrfŏrsyăhkt) *f* hunting, coursing.

Parfü'm (păhrfüm) *n* perfume, scent; ₤ie'ren perfume, scent.

pa'ri (păhree) ✝ par; al ～ at par. **parie'ren** (păhreer^e n) *v/i.* (*dat.*) obey *a p.*; *v/t. Pferd*: pull up; *Stoß*: parry.

Park (păhrk) *m* park; ～'-aufseher (-owfzé^e r) *m* park-keeper; ₤'en park.

Parke'tt (păhrkĕt) *n* parquet; *thea.* stalls *pl*, *Am.* parquet.

Parkplatz *m* parking place, *Am.* parking lot.

Parlame'nt (păhrlăhmĕnt) *n* parliament; ₤a'risch (-ăhrĭsh) parliamentary.

Parodie' (păhrŏdee), ₤ren parody.

Paro'le (păhrŏl^e) ✕ *f* password, parole; *fig.* watchword.

Partei' (păhrtī) party; ～ ergreifen für side with; ～gänger *m* partisan; ₤isch, ₤lich partial; ～lichkeit *f* partiality; ₤los impartial; *pol.* independent; ～tag (-tăhk) *m* party rally; ～zugehörigkeit (-tsŏŏg^hé hŏrĭçkĭt) *f* party affiliation.

Parte'rre (păhrtĕr) *n* ground-floor, *Am.* first floor; *thea.* pit, *Am.* parterre.

Partie' (păhrtee) ✝ *f* parcel, lot; (*Land₂*) excursion; *Kartenspiel*: game; *Tennis*: set; (*Heirat*) match. **Partitu'r** (păhrtĭtŏŏr) ♪ *f* score.

Pa'rtner (păhrtn^e r) *m*, ～in *f* partner.

Parze'll|e (păhrtsĕl^e) *f* lot, allotment; ₤ie'ren parcel out.

Paß (păhs) *m* pass; (*Durchgang*) passage; (*Reise₂*) passport.

Passagie'r (păhsăhₑer) *m* passenger; ～flugzeug (-flŏŏktsŏĭk) *n* air-liner.

Pa'ssah(fest) (păhsăh) *n* Passover.

Passa'nt (păhsăhnt) *m*, ～in *f* passer--by, *pl.* passers-by.

Pa'ßbild *n* passport photograph.

pa'ssen (păhs^e n) fit (a p.); (*zusagen*) suit (a p.); *Spiel*: pass; ～ zu go with, match (with); *sich* ～ be proper; ～d fit; suitable; becoming; (*günstig*) convenient.

passie'r|bar (păhseerbăhr) practicable; ～en *v/i.* (sn) (*geschehen*)

happen; *v/t.* pass; ₤schein (-shĭn) *m* permit.

Passio'n (păhs^ŏn) *f* passion; (*Liebhaberei*) hobby.

Passi'va (păhseevăh) ✝ *pl.* liabilities.

Pa'ste (păhst^e) *f* paste.

Paste'll (păhstĕl) *m* (*n*) pastel.

Paste'te (păhstét^e) *f* pie; ～bäcker *m* pastry-cook.

Pa'te (păht^e) *m* godfather; *f* godmother; *m, f* (= ～nkind *n*) godchild; ～nstelle *f* sponsorship.

Pate'nt (păhtĕnt) *n* patent; *ein* ～ *anmelden* apply for a patent; ～anwalt *m* patent solicitor; ₤ie'ren patent; ～ *f.* take out a patent for; ～inhaber (-inhăhb^e r) *m* patentee.

Patie'nt (păhts'ĕnt) *m*, ～in *f* patient.

Pa'tin (păhtĭn) *f* godmother.

Patrio't (păhtr'ŏt) *m*, ～in *f* patriot.

Patro'n (păhtrŏn) *m* patron, protector; (*oft b.s.*) fellow; ～a't (-ăht) *n* patronage; ～e *f* cartridge, *Am.* shell; ～in *f* patroness, protectress.

Patrou'ill|e (păhtrŏŏl'^i e) *f*, ₤ie'ren patrol.

Pa'tsche (păhtsh^e) *f*: *in der* ～ *sitzen* be in a fix *od.* scrape; ₤n (h. *u.* sn) (*spritzen*) splash; (*schlagen*) slap.

pa'tzig (păhtsĭç) snappish.

Pau'ke (powk^e) *f* kettledrum; ₤n F *Schule*: cram.

Pauscha'lsumme (powshălzŏŏm^e) *f* lump sum.

Pau'se (powz^e) *f* pause, stop, interval; *Schule*: break, *Am.* recess; *thea.* interval, *Am.* intermission; (*Pauszeichnung*) tracing; ₤n trace; ～nzeichen (-tsĭç^e n) *n* Radio: signature tune.

pausie'ren (powzeer^e n) pause.

Pa'vian (păhv'ăhn) *m* baboon.

Pa'villon (păhvĭl'ŏŋ) *m* pavilion.

Pech (pĕç) *n* pitch; *fig.* bad luck.

Pedante'rie (pĕhdăhnt^e ree) *f* pedantry.

Pe'gel (pég^h el) *m* water-gauge.

pei'l|en (pĭl^e n) *Tiefe*: sound; *Land₂*: take the bearings of; ₤funk (-fŏŏŋₖ) *m* Radio: directional radio.

Pei'n (pĭn) *f* pain, torture.

pei'nig|en (-ĭg^h e n) torment; ₤er (-in *f*) *m* tormentor.

pei'nlich (pĭnlĭç) painful; (*unangenehm*) embarrassing; (*sehr genau*) precise, scrupulous.

Pei'tsche (pītsh⁶) *f*, 2n whip; ~n-hieb (-heep) *m* lash.
Pe'lle (pĕl⁶) *f*, 2n skin, peel.
Pe'llkartoffeln (pĕlkä/rtŏf'ln) *f*/*pl.* potatoes in their jackets *od.* skin.
Pelz (pĕlts) *m* fur; (*Fell*) pelt; ~'-händler *m* furrier; ~'handschuh (-hä/ntshōō) *m* furred glove; ~'-mantel *m* fur coat.
Pe'ndel (pĕnd⁶l) *m u. n* pendulum; 2n (h. *u.* sn) oscillate; ~verkehr (-fĕrkĕr) *m* shuttle service.
Pensio'n (pä/nz'ŏn) *f* pension; ⚹ retired pay; (*Kostgeld*) board; (*Kosthaus*) boarding-house; (*Kostschule*) boarding-school; ~ä'r *m* pensioner; boarder; ~a't *n* boarding-school; 2ie'ren pension (off); *sich ~ lassen* retire.
Pe'nsum (pĕnzŏŏm) *n* task, lesson.
Pergame'nt (pĕrgä/mĕnt) *n* parchment.
Perio'd|e (pĕr'ŏd⁶) *f* period; 2isch periodic(al).
Peripherie' (pĕrĭfĕree) *f* circumference; *e-r Stadt*: outskirts *pl.*
Pe'rle (pĕrl⁶) *f* pearl; (*Glas2*) bead; 2n sparkle; ~nschnur (-shnōōr) *f* string of pearls.
Pe'rl|muschel (pĕrlmŏŏsh⁶l) *f* pearl-oyster; ~mutter (-mŏŏt'⁶r) *f* mother-of-pearl.
Pe'r|ser (pĕrz⁶r) *m*, 2isch Persian.
Perso'n (pĕrzŏn) *f* person.
Persona'l (pĕrzŏnähl) *n* staff; personnel; ~angaben (-ä/hngähb⁶n) *f*/*pl.* personal data; ~ausweis (-owsvis) *m* identity card.
Perso'nen|wagen (pĕrzŏn⁶nväh-g⁶⁶n) ⚥ *m* passenger-carriage, coach; ~zug (-tsŏŏk) *m* passenger-train, *Am.* way train.
personifizie'ren (pĕrzŏnĭfitseer⁶n) personify.
persö'nlich (pĕrzŏnlĭç) personal; 2keit *f* person(ality).
Perü'cke (pĕrük⁶) *f* wig.
Pest (pĕst) *f* pestilence, plague; 2'-krank infected with the plague.
Petersi'lie (pét⁶rzeel'⁶) *f* parsley.
Pe'tschaft (pĕtshä/hft) *n* seal, signet.
Pfad (pfäht) *m* path; ~'finder (-fĭnd⁶r) *m*/*pl.* Boy Scouts *pl.*; ~'-finderinnen *f*/*pl.* Girl Guides *pl.*
Pfahl (pfähl) *m* stake, pale, pile.
Pfand (pfä/nt) *n* pledge; (*Bürgschaft*) security; *im Spiel*: forfeit; ~'brief (-breef) *m* mortgage bond.

pfä'nden (pfĕnd⁶n) *et.*: seize, *j-n od. et.*: distrain upon.
Pfa'nd|haus (pfä/nthows) *n* pawnshop; ~leiher (-lī⁶r) *m* pawnbroker; ~schein (-shin) *m* pawn-ticket.
Pfä'ndung *f* seizure, distraint.
Pfa'nn|e (pfä/hn⁶) *f* pan; ~kuchen (-kōōk⁶n) *m* pancake; *Berliner* ~ doughnut.
Pfa'rr... (pfä/hr-): ~bezirk *m* parish; ~er *m* parson; *engl. Staatskirche*: rector, vicar; *Dissidenten*: minister; ~gemeinde (-g/h⁶mind⁶) *f* parish; ~haus (-hows) *n* parsonage; *engl. Staatskirche*: rectory, vicarage; ~kirche *f* parish-church.
Pfau (pfow) *m* peacock.
Pfe'ffer (pfĕf'⁶r) *m* pepper; ~gurke -gŏŏrk⁶) *f* gherkin; 2ig peppery; ~kuchen (-kōōk⁶n) *m* gingerbread; ~mi'nze ꝗ *f*, ~mi'nzplätzchen (-mĭntsplĕts⁶cⁿ) *n* peppermint; 2n pepper; *gepfeffert fig.* sharp.
Pfei'fe (pfif⁶) *f* whistle; (*Quer2*) fife; (*Orgel2*, *Tabaks2*) pipe; 2n whistle; pipe. [-bowl.]
Pfei'fenkopf (pfif⁶nkŏpf) *m* pipe-]
Pfeil (pfil) *m* arrow. [pier.]
Pfei'ler (pfil⁶r) *m* pillar; (*Brücken2*)]
Pfe'nnig (pfĕnĭç) *m* farthing.
Pferch (pfĕrç) *m*, 2'en fold, pen.
Pferd (pfért) *n* horse; *zu ~e* on horseback.
Pfe'rde... (-d⁶): ~geschirr *n* harness; ~knecht *m* groom; ostler; ~kraft *f* = ~stärke; ~rennen *n* horse-race; ~stall *m* stable; ~stärke *f* horse-power.
Pfiff (pfĭf) *m* whistle; (*Kunstgriff*) trick; 2'ig cunning, artful.
Pfi'ngst|en (pfĭng⁶st⁶n) *n*, *f*, ~fest *n* Whitsuntide; ~rose (-rōz⁶) *f* peony; ~so'nntag (-zŏntä/hk) *m* Whitsunday.
Pfi'rsich (pfĭrzĭç) *m* peach.
Pfla'nze (pflä/mts⁶) *f*, 2n plant.
Pfla'nzenfaser (pflä/hnts⁶nfähz⁶r) *f* vegetable fibre.
Pfla'nzer(in *f*) *m* planter.
Pfla'nz|schule (-shōōl⁶) *f* nursery; ~stätte *f fig.* hotbed, seminary; ~ung *f* plantation; *fig.* settlement.
Pfla'ster (pflä/hst⁶r) *n* (*Straßen2*) pavement; 🌿 plaster; ~er *m* paviour; 2n *Straße*: pave; 🌿 plaster; ~stein (-shtin) *m* paving-stone.
Pflau'me (pflowm⁶) *f* plum.

Pfle'ge (pflég^hᵉ) f care (a. des Kör-pers); (Kranken2) nursing; (Kunst2, Garten2 usw.) cultivation; **~be-fohlene(r)** m charge; **~eltern** pl. foster-parents; **~heim** (-hîm) n nursing home; 2n v/t. take care of; Kind: foster; Kranken: nurse; Kunst, Garten: cultivate; v/i. be accustomed (od. used) to inf., be in the habit of ger.; nur im pret. I etc. used to; **~r(in** f) m fosterer; **~** nurse; (Verwalter) trustee, curator; 2² guardian.

Pfle'g|ling (pflékling) m foster-child; weitS. charge; **~schaft** 2² f guardianship.

Pflicht (pflïçt) f duty, 2'ellfrig (-ifrîç) = 2treu; **~'gefühl** n sense of duty; 2'gemäß (-gᵃᵉmǟs), 2'-mäßig conformable to one's duty; 2'schuldig (-shööldîç) in duty bound; **~'treue** (-trŏiᵉ) f dutiful-ness; 2'vergessen undutiful.

Pflock (pflôk) m plug, peg.

pflü'cken (pflük⁴n) gather, pluck.

Pflug (pflōōk) m, **pflü'gen** (pflü-gʰᵉn) plough, Am. plow.

Pfo'rte (pfört⁴) f gate, door.

Pfö'rtner (pförtn⁴r) m doorkeeper, porter; Am. janiter.

Pfo'sten (pföst⁴n) m post.

Pfo'te (pfōt⁴) f paw.

Pfriem (pfreem) m awl, bodkin.

Pfropf (pfrôpf), **~'en** m stopper; (Kork2) cork; weitS. plug; 2'en stopper; cork; (stopfen) cram; Ϙ graft; **~'enzieher** (-tseeᵉr) m corkscrew.

Pfuhl (pfōōl) m pool, puddle.

pfui (pfōōi) fie!, for shame!

Pfund (pfōōnt) n pound; 2'weise by the pound.

pfu'sch|en (pfōōsh⁴n) bungle, botch; **~** in (acc.) dabble in a th.; 2erei' bungling (work).

Pfü'tze (pfüts⁴) f pool, puddle.

Phänome'n (fěnōmén) n pheno-menon; 2a'l phenomenal.

Phantasie' (fǎhntǎhzee) f fancy; imagination; ♪ fantasia; 2ren in-dulge in fancies; ♪ rave; ♪ im-provise.

Phanta'st (fǎhntǎhst) m, **~in** f visionary; 2isch fantastic.

Philanthro'p (filǎhntrōp) m, **~in** f philanthropist.

Philolo'g (fîlōlōk), **~e** m, **~in** f philologist; **~ie** f philology.

Philoso'ph (fîlōzôf) m philosopher; 2ie'ren philosophize.

Phle'gma (flěgmǎh) n phlegm.

phlegma'tisch phlegmatic.

phone'tisch (fōnétîsh) phonetic.

Pho'sphor (fôsfôr) m phosphorus.

Photogra'ph (fōtōgrǎhf) m photo-grapher; **~ie** f Bild: photograph; Kunst: photography; 2ie'ren photograph; 2isch photographic.

Photokopie' (fōtōkōpee) f photo-stat(ic copy).

Phra'se (frǎhzᵉ) f phrase.

Physi'k (füzeek) f physics sg.

Phy'siker (füzîk⁴r) m physicist.

phy'sisch (füzîsh) physical.

Pi'cke (pik⁴) f pick(axe).

Pi'ckel (pîk⁴l) m pimple.

pi'ck(e)lig pimpled, pimply.

pi'cken (pîk⁴n) pick, peck.

pie'pen (peep⁴n) peep; squeak.

Pietä't (piétät) f piety, reverence; 2los irreverent; 2voll (-fól) re-verent.

Pik (peek) n Kartenspiel: spade(s pl.); m (Groll) pique.

pika'nt piquant, fig. a. spicy; das 2e (the) piquancy.

Pi'ke (peek⁴) f pike; von der **~** auf dienen rise from the ranks.

pi'kfein (peekfïn) F tiptop, smart, slap-up.

Pi'lger (pïlgʰ⁴r) m, **~in** f pilgrim; **~fahrt** f pilgrimage.

Pi'lle (pîl⁴) f pill.

Pilo't (pîlōt) m pilot.

Pilz (pïlts) m eßbarer: mushroom; nicht eßbarer: toadstool.

pi'mp(e)lig (pîmp[⁴]lîç) effeminate.

Pi'nsel (pïnz⁴l) m brush; fig. sim-pleton; 2n paint; (schmieren) daub; **~strich** m stroke of the brush.

Pinze'tte (pîntsět⁴) f (e-e a pair of) tweezers pl.

Pionie'r (pïōneer) m pioneer; ⋇ (combat) engineer. [piracy.]

Pira't (pîrǎht) m pirate; **~erie'** f}

Pisto'le (pîstōl⁴) f pistol.

pla'ck|en (plǎhk⁴n) harass; sich **~** drudge; 2erei' f drudgery.

plädie'ren plēdeer⁴n) plead.

Plädoye'r (plēdôàhyé) n pleading.

Pla'ge (plǎhgʰᵉ) f plague, trouble, nuisance; torment; 2n plague, trouble, bother; sich **~** toil, drudge.

Plagia't (plǎhgʰⁱät) n plagiarism.

Plaka't (plǎhkǎht) n placard, bill, poster.

Plan (plähn) *m* plan; (*Entwurf*) scheme; ~'e *f* tilt, awning; ℒ'en plan, scheme.

planie'ren (plähneer⁶n) level.

Pla'nke (plähŋₖᵉ) *f* plank.

plä'nkeln (plëŋₖᵉln) skirmish.

pla'n|los without a fixed plan, planless, desultory; ~mäßig (-mäsiç) planned, systematic.

pla'nschen (plähnsh⁶n) splash.

Planta'ge (plähntähℒᵉ) *f* plantation.

Pla'pper|maul (plähpᵉrmowl) *f* chatterbox; ℒn (plähpᵉrn) babble, chatter, prattle.

plä'rren (plër⁶n) blubber; *singend:* bawl.

Pla'tin (plähteen) *n* platinum.

plä'tschern (plëtsh⁶rn) dabble, (s)plash; *Wasser:* ripple.

platt (pläht) flat, plain, level; (*nichts-sagend*) trite, trivial, commonplace.

Plä'ttbrett *n* ironing-board.

Pla'tte (pläht⁶) *f* plate; *Metall usw.:* sheet; (*Stein*ℒ) flag, slab; (*Tisch*ℒ) top; (*Tablett*) tray, salver; (*Schall*ℒ) disk, record.

Plä'tt|-eisen (-iz⁶n) *n* (smoothing-)iron; ℒn (plët⁶n) iron.

Plätterei' (plët⁶rī) *f* ironing shop.

Pla'tt|form *m* platform; ~fuß (-fōōs) *m* flat foot; ~heit *fig.* triviality; (*nichtssagende Bemerkung*) platitude.

Platz (plähts) *m* place; (*Raum*) space, room; (*öffentlicher* ~) square; *runder:* circus; (*Sitz*) seat; *Sport:* ground, *Tennis:* court; ~ nehmen take a seat.

pla'tzen (plähts⁶n) (sn) burst; (*Risse bekommen*) crack.

Pla'tz|patrone (plähtspähtrōn⁶) *f* blank cartridge; ~regen (-régʰᵉn) *m* downpour.

Plauder|ei' (plowd⁶rī) *f* chat, small-talk; *Vortrag im Plauderton:* talk; ℒn talk, chat(ter).

plauz! (plowts) bounce!, bang!

Plei'te (plit⁶) *sl. f* smash.

Plissee' (plisé) *n* pleating.

Plo'mb|e (plōmb⁶) *f* lead seal; (*Zahn*ℒ) stopping; ℒie'ren (-eer⁶n) seal; *Zahn:* stop.

plö'tzlich (plötsliç) sudden.

plump (plōomp) clumsy; ~s! plop!, plump!; ~'sen (sn) plump, plop.

Plu'nder (plōōnd⁶r) *m* lumber, rubbish, *Am.* junk.

plü'ndern (plünd⁶rn) plunder, pillage, loot, sack.

Plüsch (plüsh) *m* plush.

Pneuma't|ik (pnöimähtĭk) *m* pneumatic tire; ℒisch pneumatic.

Pö'bel (pöb⁶l) *m* mob, populace, rabble; ℒhaft low, vulgar.

po'chen (pōĸ⁶n) knock; (*leise* ~) rap; *Herz:* throb; ~ *auf (acc.)* boast of.

Po'cke (pōĸ⁶) *f* pock; ~n *pl.* small-pox; ~n-narbe *f* pock-mark.

Poesie' (pöézee) *f* poetry.

Poe't (pöét) *m* poet; ~in *f* poetess; ℒisch poetic(al).

Poi'nte (pȯăt⁶) *f* point.

Poka'l (pōkähl) *m* goblet; *Sportpreis:* cup; ~spiel (-shpeel) *n Sport:* cup-tie.

Pö'kel (pōk⁶l) *m* pickle; ~fleisch (-flish) *n* salt meat; ℒn pickle, salt.

Pol (pōl) *m* pole; *≠ a.* terminal.

Pola'r... (pōlăhr) polar.

Po'le (pōl⁶) *m,* **Po'lin** *f* Pole.

Pole'm|ik (pōlémĭk) *f* polemic(s *pl.*); ℒisie'ren (-izeer⁶n) polemize.

Poli'ce (pōlees⁶) *f* policy.

Polie'r (pōleer) *m* foreman; ℒen polish, burnish.

Polit|i'k (pōliteek) *f* politics *pl.*; (*praktische* ~) policy; ~iker (pōleetĭk⁶r) *m* politician; ℒisch political; ℒisie'ren (-izeer⁶n) talk politics.

Politu'r (pōlĭtōōr) *f* polish.

Polizei' (pōlĭtsi) police; ~knüppel *m* truncheon; ~kommissar *m* inspector; ℒlich (of the) police; ~präsident (-prězĭdĕnt) *m* Chief Constable; ~präsidium (prĕzee-d'ōōm) *n* police-headquarters; ~revier (-rĕveer) *n,* ~wache (väĸ⁶) *f* police-station; ~streife (shtrif⁶) *f* patrol; raid; ~stunde (-shtōōnd⁶) *f* closing time; ~ver-ordnung (-fĕrȯrdnōōⁿₖ) *f* police regulation(s *pl.*).   [~in *f* police-woman.]

Polizi'st (pōlĭtsĭst) *m* policeman;|

po'lnisch (pōlnish) Polish.

Po'lster (pōlst⁶r) *n* pad; (*Kissen*) cushion; bolster; ~ ~ung; ~möbel (-möb⁶l) *n/pl.* upholstery; ℒn pad, stuff; upholster; ~ung *f* padding, stuffing.

po'ltern (pōlt⁶rn) make a noise; rumble; (*zanken*) bluster.

Polyte'chnikum (pōlĭtĕçnĭkōōm) *n* polytechnic (school).

Pomp (pŏmp) *m* pomp; 2'haft, 2ö's (-ŏs) pompous.

Po'panz (pōpä/nts) *m* bugbear.

populä'r (pōpŏōlär) popular.

Po'r|e (pōrᵉ) *f* pore; 2ö's (-ŏs) porous.

Porte|feui'lle (pŏrtfö¹) *n* portfolio; **~monnaie'** (-mŏnä) *n* purse.

Portie'r (pŏrt'é) *m* = Pförtner.

Portio'n (pŏrts'ōn) *f* portion; ✕, ⚓ ration; (*servierte* ~) helping.

Po'rto (pŏrtŏ) *n* postage; 2frei (-frī) post-free, prepaid, *Am.* post paid; 2pflichtig liable to postage.

Porträt (pŏrträ) *n* portrait, like-ness; **~ieren** (pŏrtättteer'n) portray.

Portugie's|e (pŏrtŏōgʰeezᵉ) *m*, **~in** *f*, 2isch Portuguese.

Porzella'n (pŏrtsᵉlähn) *n* china, porcelain.

Posau'ne (pōzownᵉ) *f* trombone; *fig.* trumpet.

Po'se (pōzᵉ) *f* (*Feder*2) quill; (*Stellung*) pose.

positi'v (pōziteef) positive.

Positu'r (pŏzitōōr) *f* posture; *sich in* ~ *setzen* strike an attitude.

Po'sse (pŏsᵉ) *f* farce.

Po'ssen *m* trick, prank; 2haft droll, farcial; **~reißer** (pŏsᵉnris'ᵉr) *m* buffoon.

possie'rlich (pŏseerlꞮç) droll, funny.

Post (pŏst) *f* post, *bsd. Am.* mail; = **~amt**; *mit der ersten* ~ *by the first delivery;* **~'-amt** *n* post office; **~'-anweisung** (-ähnvīzōō₂) *f* money-order; **~'be-amte(r)** *m* post-office clerk; **~'bote** (-bōtᵉ) *m* postman; **~'dampfer** *m* mail-boat.

Po'sten (pŏstᵉn) *m* post; ✕ sentry, sentinel; (*gebuchter* ~) item, entry; *Waren:* lot, parcel.

postie'ren (pŏsteerᵉn) post, place.

Po'st|karte *f* post card; 2lagernd (-lähgʰᵉrnt) to be (left till) called for, (*fr.*) *poste restante;* **~nach-nahme** *f: gegen* ~ cash on delivery; **~paket** (-pähkét) *n* parcel (*Am.* package) sent by post; **~schaffner** *m* mail-guard; **~schal-ter** *m* counter; **~scheck** *m* postal cheque; **~schließfach** (-shleesfähк) *n* post-office box; **~stempel** *m* postmark, *Am.* mail stamp; 2-

wendend by return (of post); **~wesen** (-vézᵉn) *n* postal system; **~zug** (-tsŏōk) 🚂 *m* mail-train.

poussie'ren (pŏōseerᵉn) F flirt.

Pracht (prähкt) *f* splendour, magnificence.

prä'chtig (prĕçtꞮç), **pra'chtvoll** (prähкtfŏl) splendid, magnificent.

prä'gen (prägʰᵉn) stamp (on in *das Gedächtnis);* *Münze, Wort usw.:* coin.

pra'hlen (prählᵉn) brag, boast (*mit* of).

Pra'hler (*a.* **Pra'hlhans**) *m*, **~in** *f* boaster, braggart; **~ei'** *f* boasting; 2isch boastful; (*prunkend*) ostentatious.

Prakt|ika'nt (prähкtꞮkähnt) *m* probationer; **~iker** *m* practical man; expert; 2'isch practical; **~er Arzt** general practitioner; 2izie'ren (Ꞙtseerᵉn) practise.

Präla't (prĕläht) *m* prelate.

prall (prähl) (*straff*) tight; (*feist*) plump; **~'en** (sn) bound (against).

Prä'mie (prämiᵉ) *f* premium; (*Preis*) prize.

prämii'ren (prämeerᵉn) award a prize to.

pra'ng|en (prähn₂ᵉn) shine, make a show; 2er *m* pillory.

Pra'nke (prähn₂kᵉ) *f* paw.

pränumera'ndo (prĕnŏōmᵉrähndŏ) beforehand, in advance.

Präpara't (prĕpähräht) *n* preparation.

Präs|ide'nt (prĕzꞮdĕnt) *m* chairman, president; 2idie'ren (prĕzꞮdeerᵉn) preside; **~i'dium** (prĕzee-d'ōōm) *n* chair.

pra'sseln (prähsᵉln) crackle; patter.

pra'ssen (prähsᵉn) feast; revel.

Pra'xis (prähksꞮs) *f* practice.

Präzede'nzfall (prĕtsĕdĕntsfähl) *m* precedent, leading case.

präzi's (prĕtsees) precise.

pre'dig|en (prédꞮgʰᵉn) preach; 2er *m* preacher; (*Geistlicher*) clergyman; 2t *f* sermon.

Preis (pris) *m* price, cost; (*Belohnung*) prize; (*Lob*) praise; *um jeden* ~ at any price; **~'-aus-schreiben** (-owsshribᵉn) *n* competition.

prei'sen (prizᵉn) praise.

Prei's|-erhöhung (prisĕrhŏ͞o₂) *f* rise in price(s); **~-ermäßigung** (-ĕrmäsigŏō₂) *f* reduction in price(s); **~gabe** (-gähbᵉ) *f* abandonment; ℒgeben (-gʰébᵉn) abandon, expose; ⁓gericht *n* jury; ⁓lage (-lāhgʰᵉ) *f* range of price; ⁓liste *f* price-list; ⁓richter *m* arbiter, umpire; ⁓träger(in *f*) *m* prize-winner; ℒwert (-vért): ⁓ sn be a bargain.

ℒre'll|bock (prëlbŏk) *m* buffer-stop; ℒen *fig.* cheat, defraud (*um* of); ⁓stein (-shtin) *m* kerb-stone; ⁓ung ⚓ *f* contusion.

Premie'r|e (prᵉmⁱărᵉ) first night; ⁓minister *m* prime minister.

Pre'sse (prësᵉ) *f* press; ⁓amt *n* public relations office; ℒn press; squeeze; ⁓photograph (-fōtōgrä*h*t) *m* press-photographer; ⁓vertreter *m* public relations officer.

Pre'ß|kohle (prëskŏlᵉ) *f* briquette; ⁓luft (-lŏŏft) *f* compressed air.

Preu'ß|e (prŏisᵉ) *m*, ⁓in *f*, ℒisch Prussian.

pri'ckeln (prïkᵉln) prick(le); itch.

Priem (preem) *m* quid, plug.

Prie'ster (preestᵉr) *m* priest; ⁓in *f* priestess; ℒlich priestly, sacerdotal.

pri'm|a (preemäh) first-class, A 1; ✝ *a.* prime; ⁓ä'r primary.

Pri'mel (preemᵉl) *f* primrose.

Prinz (prints) *m* prince; ⁓e'ssin *f* princess; ⁓gemahl *m* Prince Consort.

Prinzi'p (prïntseep) *n* principle; ℒ aus (*od.* im) ⁓ prinzipiell on principle; ⁓a'l (-āhl) *m* principal, chief; (*Brother*ᵣ) employer; F boss.

Priori'tät (preeōrītät) *f* priority; ⁓s-aktie (-ä*h*ktsⁱᵉ) *f* preference share.

Pri'se (preezᵉ) *f* pinch (of snuff); ⚓ prize.

Pri'sma (prïsmäh) *n* prism.

Pri'tsche (prïtshᵉ) *f* plank-bed.

priva't (prïvä*h*t) private; ℒmann *m* private gentleman; ℒschule (-shōō-lᵉ) *f* private school.

privi|legie'ren (prïvïlēgʰeerᵉn), ℒ-leg (-lēgʰ) *n* privilege.

proba't (prōbä*h*t) proved, tested.

Pro'be (prōbᵉ) *f* trial; (*Beweis*) proof; (*Prüfung*) probation; (*Sprech-, Gesang*ℒ) audition; (*Wa*-renℒ) sample; *thea.* rehearsal; *metall.* assay; auf ⁓ on probation, on trial; auf die ⁓ stellen put to the test; ⁓abzug (-ä*h*ptsŏŏk) *m* *typ.*, *phot.* proof; ⁓bestellung *f*

trial order; ⁓fahrt *f* trial trip; ℒn try; *thea.* rehearse; ⁓nummer (-nŏŏmᵉr) *f* specimen number; ⁓sendung (-zëndōōₙ) *f* sample sent on approval; ℒweise on trial; ⁓zeit (-tsit) *f* term of probation.

probie'ren (prōbeerᵉn) try, test; (*kosten*) taste.

Proble'm (prōblém) *n* problem; ℒa'tisch problematic(al).

Produ'kt (prōdŏŏkt) *n* product; (*Natur*ℒ) produce; ⁓io'n (prō-dŏŏkts'ŏn) *f* production; (⁓*smenge*) output; ℒi'v (-eef) productive.

Produz|e'nt (prōdŏŏtsént) *m* producer; ℒie'ren produce; sich *künstlerisch* ⁓ perform.

Professio'n (prōfës'ŏn) *f* profession; (*Handwerk*) trade.

Profe'ss|or *m* professor; ⁓u'r (-ōōr) *f* professorship.

Profi'l (prōfeel) *n* profile.

Profi't (prōfeet) *m*, ℒie'ren (-eerᵉn) profit (by).

Progno'se (prōgnōzᵉ) *f* 🗲 prognosis; (*Wetter*ℒ) forecast.

Progra'mm (prōgrähm) *n* programme, *Am.* program.

proklamie'ren (prōklähmeerᵉn) proclaim.

Proku'r|a (prōkōōräh) *f* procuration; ⁓i'st *m* confidential clerk.

Proleta'r|ier (prōlétährⁱᵉr) *m*, ℒisch proletarian.

Prolo'g (prōlōk) *m* prologue.

prolongie'ren (prōlŏnₙgʰeerᵉn) prolong.

Promo|tio'n (prōmōts'ŏn) *f* graduation; ℒvie'ren (-veerᵉn) take one's degree.

Prophe't (prōfét) *m* prophet; ⁓in *f* prophetess; ℒisch prophetic.

prophezei'|en (prōfétsiᵉn) prophesy; ℒung *f* prophecy.

Pro'sa (prōzäh) *f* prose.

pro's(i)t! (prōzit, prōst) here's to you!, your health!

Prospe'kt (prōspékt) *m* (*Anzeige*) prospectus; booklet, folder.

prostitu|ie'ren (prōstïtōōeerᵉn) prostitute; ℒie'rte (-eertᵉ) *f* prostitute.

Prote'st (prōtést) *m* protest; ⁓ einlegen enter a protest.

Protesta'nt (prōtéstähnt) *m*, ⁓in *f*, ℒisch Protestant.

protestie'ren (prōtésteerᵉn) protest.

Protoko'll (prōtŏkŏl) n minutes pl., record; ~ aufnehmen take down the minutes; Cie'ren register, record.

Protz (prŏts) m ostentatious person, snob; C'en show off (mit et. a th.); C'enhaft, C'ig ostentatious, snobbish, Am. shoddy.

Provia'nt (prŏv'ähnt) m provisions, victuals pl.

Provi'nz (prŏvĭnts) f province; ~ia'l..., Cie'll provincial.

Provis|io'n (prŏvĭz'ōn) f commission; Co'risch (-zōrĭsh) provisional, temporary. [voke.]

provozie'ren (prŏvŏtseer'n) pro-

Proze'nt (prŏtsĕnt) n per cent; ~satz (-zähts) m, Cua'l (-ŏŏähl) percentage.

Proze'ß (prŏtsĕs) m process; a'g lawsuit, action; (Rechtsgang) (legal) proceedings pl.; kurzen ~ m. mit make short work of.

prozessie'ren (prŏtsĕseer'n) be at (od. go to) law.

prü'de (prüd'e) prudish.

prüf|en (prüf'n) try, test; (nach...) check, verify; (examinieren) examine; Cling m examinee; Cstein (-shtīn) m touchstone, test; Cung f trial, test; verification; examination.

Prü'gel (prüg'el) m cudgel, stick; pl. (Schläge) thrashing; ~ei' f fight, row; Cn cudgel, thrash; sich ~ fight.

Prunk (prŏōn̩k) m pomp, splendour; b.s. ostentation; C'en make a show (mit of), show off (mit et. a th.); C'haft ostentatious, showy; C'los unostentatious.

pst! (pst) hush!, stop!

psy'chisch (psų̈chĭsh) psychic(al).

Psycho-analy'|se (psų̈çŏ-ähnählüz'e) f psycho-analysis; ~tiker m psycho-analyst.

Pubertä't (pŏŏbĕrtät) f puberty.

Pu'blikum (pŏŏblĭkŏŏm) n public; (Zuhörerschaft) audience.

publiz|ie'ren (pŏŏblĭtseer'n) publish; Ci'st m publicist.

Pu'del (pŏōd'el) m poodle.

Pu'der (pŏōd'er) m powder; ~dose (-dōz'e) f powder-box; für die Handtasche: vanity-case; Cn powder; ~quaste (-kvähst'e) f powder-puff.

Puff (pŏōf) 1. m cuff, thump; (Knall) report, pop; (Bausch) puff;

2. C puff!, bang!; C'en v/i. puff; (knallen) pop; v/t. cuff, thump; pummel.

Pu'ffer (pŏōf'er) m 🐝 buffer.

Puls (pŏōls) m pulse; ~-ader (-ähd'er) f artery; Cie'ren (pŏŏlzeeren) pulsate; ~'schlag (-shlähk) m pulsation; ~'wärmer m muffetee.

Pult (pŏōlt) n desk.

Pu'lver (pŏōlf'er, -v-) n powder; (Schieß²) gunpowder; Cig powdery; Cisie'ren (-izeer'n) pulverize.

Pump (pŏōmp) F m: auf ~ on tick; 'o f pump; C'en pump; F go (od give) (on) tick; ~'hose (-hōz'e) f plus-fours pl.

Punkt (pŏōn̩kt) m point; (Tüpfelchen) dot; typ., gr. full stop, period; (Stelle) spot; fig. (Einzelheit) article, item; nach ~en siegen Boxen: win on points; ~ 10 Uhr at 10 (o'clock) sharp; Cie'ren point, dot; gr. punctuate.

pü'nktlich (pün̩ktlĭç) punctual; Ckeit f punctuality.

Punsch (pŏōnsh) m punch.

Pupi'lle (pŏōpĭl'e) f pupil.

Pu'ppe (pŏōp'e) f doll; (Draht², a. fig.) puppet; zo. chrysalis; ~n-spiel (-shpeel) n puppet-show.

Pu'rpur (pŏōrpŏōr) m, Cfarben, Crot (-rōt), Cn purple.

Pu'rzel|baum (pŏōrts'elbowm) m somersault; Cn (sn) tumble.

Pu'stel (pŏōst'el) f pustule.

pu'sten (pŏōst'en) F puff, blow.

Pu't|e (pŏōt'e), ~henne f turkey-hen; ~er, ~hahn m turkey-cock.

Putsch (pŏōtsh) m, C'en riot.

Putz (pŏōts) m finery; (Schmuck) ornaments pl.; (Mauer²) rough-cast; = ~waren; C'en P.: dress, attire; (schmücken) adorn; (reinigen) clean; (glänzend m.) polish; Lampe: trim; Pferd: groom; Schuhe: polish, Am. shine; Nase: blow, wipe; Zähne: brush; Gemüse: pick; C'ig queer; ~'laden (-lähd'en) m milliner's shop; ~'macherin (-mähχ'erīn) f milliner; ~'pulver (-pŏōlf'er) n polishing powder; ~'waren (-vähr'en) f/pl. millinery.

Pyja'ma (pų̈ähmäh, pĭdɡ-) n, m pyjamas (Am. pajamas) pl.

Pyrami'de (pų̈rähmeed'e) f pyramid; Cnförmig pyramidal.

Q

qua'bbelig (kvăhbᵉlĭç) flabby.

Quackelei' (kvăhkᵉli) f foolish talk.

Qua'cksalber (kvăhkzăhlbᵉr) m quack; ~ei' f quackery; ℔n quack.

Quadra't (kvăhdrăht) n square; 2 Fuß im ~ 2 feet square; ℔isch quadratic; ~meile (-milᵉ) f square mile.

Quai (ké) m quay, wharf.

qua'ken (kvăhkᵉn) Ente: quack; Frosch: croak.

quä'ken (kvăkᵉn) squeak.

Quä'ker (kvăkᵉr) m Quaker, Friend.

Qual (kvăhl) f pain; torment; agony.

quä'len (kvălᵉn) torment; (ärgern) vex, worry; (belästigen) bother, pester; (betrüben) afflict; sich ~ toil.

qualifizie'ren (kvăhlĭfĭtseerᵉn) (a. sich) qualify (zu for).

Qualitä't (kvăhlĭtät) f quality; ~s... high-class.

Qualm (kvăhlm) m, ℔'en smoke.

qua'lvoll (kvăhlfŏl) very painful, tormenting.

Qua'nt|ität (kvăhntĭtät) f quantity; ~um (kvăhntŏŏm) n quantum, quantity.

Quarantä'ne (kăhrₐtänᵉ, -ährₐ-) f: in ~ legen quarantine.

Quarta'l (kvăhrtăhl) n quarter of a year; (Schul2) term; (Zahltag) quarter-day.

Quartie'r (kvăhrteer) n lodging(s pl.); ✕ quarters pl., billets pl.

Qua'ste (kvăhstᵉ) f tassel.

Quatsch (kvăhtsh) sl. m bosh, rot, Am. baloney; ℔'en talk rot, twaddle; ~'kopf m twaddler.

Que'cksilber (kvĕkzĭlbᵉr) n quicksilver.

Que'lle (kvĕlᵉ) f spring, (a. fig.) source, fountain; ℔n v/i. (sn) spring; gush; (anschwellen) swell; v/t. (einweichen) soak.

Que'ngel|ei (kvĕnₑᵉli) f nagging; ℔n nag.

quer (kvér) cross, transverse; oblique; adv. across, obliquely.

Que'r... mst cross-...; ~e f: in die ~ crosswise; j-m in die ~ kommen cross a p.'s path od. (fig.) design; ~frage (-frăhgʰᵉ) f cross-question; ~kopf m wrong-headed fellow, crank; ~schnitt m cross section; ~straße (-shtrăhsᵉ) f cross street; zweite ~ rechts second turning to the right; ~treiberei' (-tribᵉri) f intriguing.

Querula'nt (kvĕrŏŏlăhnt) m, ~in f grumbler, Am. griper.

que'tsch|en (kvĕtshᵉn) squeeze; ℔ bruise; ℔ung f bruise.

quick (kvĭk) lively, brisk.

quie'ken (kveekᵉn) squeak.

quie'tschen (kveetshᵉn) scream; Tür usw.: squeak, creak.

Quirl (kvĭrl) m twirling-stick; ℔'en twirl; Eier usw.: whisk.

quitt (kvĭt) quits, even; ~ie'ren (-eerᵉn) receipt; (aufgeben) quit; ℔'ung f receipt.

Quo'te (kvŏtᵉ) f quota; share.

R

Raba′tt (răhbăht) *m* discount.
Ra′be (răhbᵉ) *m* raven.
rabia′t (răhbiăht) rabid, raving.
Ra′che (răhĸᵉ) *f* revenge, vengeance.
Ra′chen (răhĸᵉn) *m* throat, *anat.* pharynx; (*Tier*2) jaws *pl.*
rä′chen (rĕ̆cᵉn) avenge, revenge (*an dat.* [up]on).
Ra′chen|höhle *f* pharynx; ~katarrh (-kăhtăhr) *m* cold in the throat.
ra′ch|gierig (răhĸgeeriç), ~süchtig (-zủctiç) revengeful, vindictive.
Rad (răht) *n* wheel; (*Fahr*2) (bi-) cycle, machine.
Radau′ (răhdow) F *m* row, hubbub.
ra′debrechen (răhdᵉbrĕ̆cᵉn) mangle, murder *a language.*
ra′deln (răhdᵉln) (sn) cycle; F bike.
Rä′delsführer (răhdᵉlsfür̆ᵉr) *m* ringleader.
Rä′derwerk (răhdᵉrvĕrk) *n* gearing.
ra′d|fahren (răhtfăhrᵉn) (sn) cycle, (go on) bicycle; 2fahrer(in *f*) *m* cyclist, *Am.* wheelman; 2fahrsport *m* cycling.
radie′r|en (răhdeerᵉn) erase; *Kunst:* etch; 2gummi (-gŏ̄mee) *n u. m* India rubber, *Am.* eraser; 2messer *n* erasing knife; 2ung *f* etching.
radika′l (răhdĭkăhl) radical.
Ra′dio (răhd′ö) *n* radio, wireless; ~apparat (-ăhpăhrăht) *m* wireless set.
Ra′d|kranz *m* rim; ~reifen (-rifᵉn) *m* tyre, *Am.* tire; ~rennbahn *f* cycling ground; ~rennen *n* cycle-race; ~spur (-shpōōr) *f* nut, wheeltrack.   [gather up.|
ra′ffen (răhfᵉn) snatch up; *Kleid:|*
raffinie′rt (răhfĭneert) refined; *fig.* cunning.
ra′gen (răhgᵉn) tower.
Ragou′t (răhgŏō) *n* ragout, stew.
Ra′he (răhᵉ) Φ *f* yard.
Rahm (răhm) *m* cream.
Ra′hmen (răhmᵉn) **1.** *m* frame; (*Bereich*) scope; (*Ort u. Handlung*) setting; 2. 2 frame; ~antenne *f* frame aerial, *Am.* loop antenna.

Rake′te (răhkétᵉ) *f* rocket; ~nflugzeug (-flŏ̄ōktsöik) *n* rocket plane.
Ra′mm... (răhm-): ~bär, ~block *m*, ~e *f* rammer; 2en ram.
Ra′mpe (răhmpᵉ) *f* ramp, ascent; ~nlicht *n* footlights *pl.*
Ramsch|ware [răhrᵉl f) (răhmsh) *m* job lot; *im* ~ *kaufen* buy the lump; ~verkauf (-fĕrkowf) *m* jumble-sale.
Rand (răhnt) *m* edge, (*a. fig.*) brink; *fig.* verge; (*Saum*) border; *Hut:* brim; *Teller:* rim; *Buch usw.:* margin; *Wunde:* lip; ~′bemerkung *f* marginal note.
Rang (răhŋ) *m* rank; *ersten* ~*es* first-class, first-rate; *thea.* *erster* ~ dress-circle; *zweiter* ~ upper circle.
Ra′nge (răhŋᵉ) *m, f* romp.
rangie′ren (răhŋᵹeerᵉn) *v/t.* arrange; 翻 (*a. v/i.*) shunt, *Am.* switch; *v/i.* rank.
Ra′ngordnung (răhŋŏrdnŏōrŋ) *f* order of precedence.
Ra′nke (răhŋkᵉ) *f* tendril; runner.
Rä′nke (rĕŋkᵉ) *m/pl.* intrigues.
ra′nken (răhŋkᵉn) (*a. sich*) climb, creep.
Ra′nzen (răhntsᵉn) *m* knapsack.
ra′nzig (răhntsiç) rancid, rank.
Ra′ppe (răhpᵉ) *m* black horse.
rar (răhr) rare, scarce.
Rarita′t (răhrĭtăht) *f* rarity, curiosity.
rasch (răhsh) quick, swift; hasty; prompt; ~′eln rustle.
ra′sen¹ (răhzᵉn) rage; (*irre reden*) rave; (sn) (*daher*~) rush; ~d *Tempo, Wut:* tearing; *j-n* ~ *m.* drive a p. mad.
Ra′sen² (răhzᵉn) *m* grass; lawn; turf; ~platz *m* lawn, grass-plot.
Raserei′ (răhzᵉrī) *f* rage, frenzy.
Rasie′r|apparat (răhzeerăhpăh-răht) *m* safety-razor; 2en shave; *sich* ~ *l.* get shaved; ~klinge *f* razor-blade; ~messer *n* razor; ~pinsel (-pĭnzᵉl) *m* shaving-brush; ~schale (-shăhlᵉ) *f* sh.-mug; ~seife (-zifᵉ) *f* sh.-soap.
Ra′sse (răhsᵉ) *f* race, breed.

ra'sseln (rähsᵉln) (h. u. sn) rattle.

Ra'ssen... racial; ~frage (-frähgⁿᵉ) f question of racial prejudice; ~hygiene (-hŭgʰⁱénᵉ) f eugenics pl.; Qrein (-rīn) true-bred.

ra'ssig (räsïç) racy, bsd. Tier: thoroughbred.

Rast (rähst) f, Q'en rest; Q'los restless; ~'tag (-tähk) m day of rest.

Rat (räht) m advice, counsel; (Kollegium) council, board; (Person) councillor; (Ausweg) means, expedient; zu ~e ziehen consult; j-n um ~ fragen ask a p.'s advice.

Ra'te (rähtᵉ) f instalment.

ra'ten (rähtᵉn) advise, counsel (j-m [zu et.] a p. [to do a th.]); (er~) guess, divine.

ra'ten|weise by instalments; Q-zahlung f payment by instalments.

Ra't|geber(in f) (rähtgʰébᵉr) m adviser; ~haus n town hall, Am. city hall.

ratifizie'ren (rähtĭfïtseerᵉn) ratify.

Ratio'n (rähtsïōn) f, Qie'ren ration, allowance.

ra't|los puzzled, at a loss; ~schläge (-shlägʰᵉ) m/pl. advice.

Rä'tsel (räts⁴l) n riddle, enigma; Qhaft enigmatic(al); mysterious.

Ra'tte (rähtᵉ) f rat.

ra'ttern (rähtᵉrn) rattle.

Raub (rowp) m robbery; geistigen Eigentums: piracy; (Beute) prey, spoil; ~'bau (-bow) ⚔ m exhausting the soil; ⚒ robbing a mine; Q'en (rowbᵉn) take by force, steal; j-m et. ~ rob a p. of a th.

Räu'ber (röibᵉr) m robber; ~bande f gang of robbers; ~ei' f robbery; Qisch rapacious.

Rau'b|gier (rowpgʰeer) f rapacity; Qgierig rapacious; ~mord m robbery with murder; ~mörder m murderer and robber; ~tier (-teer) n beast of prey; ~zug (-tsōōk) m raid.

Rauch (rowk) m, Q'en smoke.

Rau'cher m, ~in f smoker; ~abteil (-ähptil) n smoking-compartment, Am. smoker.

Räu'cher... (röiçᵉr): ~hering (-hérĭŋ) m kipper; Qn smoke(-dry); desinfizierend: fumigate; (wohlriechend m.) perfume.

Rau'ch|fang (rowkfähŋ) m chimney, flue; Qig smoky; ~tabak m tobacco; ~zimmer n smoking-room.

Räud|e (röidᵉ) f mange; Qig mangy.

Rau'f|bold (rowfbōlt) m bully, brawler; Qen v/t. pluck, pull; sich ~ = v/i. fight, scuffle; ~erei' (-ᵉrī) f scuffle, fight.

rauh (row) rough; Wetter: raw; Stimme: hoarse; (streng) harsh; (grob) coarse, rude.

Rau'hreif (rowrif) m hoar-frost.

Raum (rowm) m room, space; (Zimmer) room; ⚓ hold.

räu'men (röimᵉn) clear; (verlassen) leave, bsd. ✗ evacuate; Wohnung: quit, vacate.

Rau'm-inhalt (rowmĭnhählt) m volume, capacity.

räu'mlich (röimlïç) relating to space, of space; spatial.

Rau'm-meter (rowmmétᵉr) n, m cubic metre.

Räu'mung (röimōōŋ) f clearing; ✝ clearance; e-r Stadt: evacuation; e-r Wohnung: quitting; ~s-ausverkauf (-owsférkowf) m clearance sale.

rau'nen (rownᵉn) whisper.

Rau'pe (rowpᵉ) f caterpillar; ~n-schlepper m caterpillar tractor.

Rausch (rowsh) m intoxication, drunkenness; fig. frenzy; e-n ~ h. be drunk; Q'en (h. u. sn) (rascheln) rustle; fließendes Wasser, Wind: rush; Brandung, Sturm: roar; Beifall: ring; ~gift n narcotic (drug).

räu'spern (röispᵉrn): sich ~ clear one's throat.

Ra'zzia (rähts'äh) f raid, sweep, Am. round-up.

reagie'ren (rĕähgʰeerᵉn) react (auf acc. upon).

reaktionä'r (rĕähkts'ōnär, Q(in f) m reactionary.

rea'l (rĕähl) real; ~isie'ren (-īzeerᵉn) realize; ~i'stisch realistic; Qitä't f reality.

Re'be (rébᵉ) f vine.

Rebe'll (rébĕl) m, ~in f, Qie'ren rebel; Qisch rebellious.

Re'b... (rép-): ~huhn (-hōōn) n partridge; ~laus (-lows) f phylloxera; ~stock m vine.

Re'chen¹ (rĕçᵉn) m rake.

Re'chen²|-aufgabe (-owfgähbᵉ) f, ~exempel n arithmetical problem;

~fehler m miscalculation; ~maschine (-māhsheen⁶) f calculating--machine; ~schaft f: ~ ablegen render an account (über acc. of); zur ~ ziehen call to account; ~schieber (-sheeb⁶r) m slide rule.

re′chnen (rĕçⁿn) reckon, calculate, count; ~ auf (acc.) count (od. reckon) (up)on; ~ zu v/t. reckon (v/i. rank) among.

Re′chnung (rĕçnŏŏng) f calculation; (Aufstellung) bill, account; (Waren-♀) invoice; auf seine ~ on his account; ~ legen render an account (über acc. of); ~s-prüfer m auditor.

recht¹ (rĕçt) right; (schuldig) due; (echt, wirklich) true, real; (gesetzmäßig) legitimate; (richtig) correct; adv. right, well; (sehr) very; ein ~er Narr a regular fool; zur ~en Zeit in due time; mir ist es ~ I don't mind; es geschieht ihm ~ it serves him right; ~ haben be right.

Recht² (rĕçt) n right (auf acc. to); (Gesetz) law; (Gerechtigkeit) justice; ~ sprechen administer justice; mit ~ justly.

Re′chte f right hand; pol. the Right.

Re′cht-eck n rectangle; ♀ig rectangular.

re′cht|fertigen justify; ♀fertigung f justification; ~gläubig (-glŏĭbiç) orthodox; ~haberisch (-hāhb⁶rish) dogmatic; ~lich legal, lawful; (redlich) righteous; ~los outlawed; ♀losigkeit (-lŏzĭçkit) f outlawry; ~mäßig (-māsiç) legal, legitimate; ♀mäßigkeit f legality; legitimacy; rechts (rĕçts) on (od. to) the right.

Re′chts|-anspruch m legal claim; ~anwalt m lawyer; solicitor; plädierender: barrister, Am. attorney (-at-law); ~beistand (-bishtǎhnt) m legal adviser.

re′cht|schaffen righteous; ♀schreibung (-shribŏŏng) f orthography.

Re′chts|fall m case; ~frage (-frāhg⁶) f issue of law; ~gelehrte(r) m jurist, lawyer; ♀gültig valid, legal; ~kraft f legal force; ♀kräftig = ~gültig; ~mittel n legal remedy; ~pflege (-pflĕg⁶) f administration of justice.

Re′chtsprechung (rĕçtshprĕçŏŏng) f jurisdiction.

Re′chts|spruch (-shprŏŏk) m legal decision; Zivilsache: judgment;

Strafsache: sentence; ~streit (-shtrīt) m action, lawsuit; ~verfahren n legal procedure; ~weg (-vék) m: den ~ beschreiten go to law; ♀widrig (-veedrĭç) illegal; ~wissenschaft f jurisprudence.

re′cht|wink(e)lig (rĕçtvĭnₖk[⁶]lĭç) right-angled; ~zeitig (-tsītiç) opportune; adv. in (due) time, Am. on time.

Reck (rĕk) n horizontal bar.

re′cken (rĕk⁶n) stretch.

Redakt|eu′r (rĕdăhktŏr) m editor; ~io′n (rĕdăhkts⁶ŏn) f (Tätigkeit) editorship; (Personal) editorial staff; (Räume) editor's office; (Fassung) wording; ♀ione′ll (rĕdăhkts⁶ŏnĕl) editorial.

Re′de (rĕd⁶) f speech; (feierliche) oration; (~weise) language; (Gespräch) talk, conversation; es geht die ~, daß it is rumoured that; zur ~ stellen call to account; ~gewandtheit (-g⁶vǎhnthit) f eloquence; ♀gewandt eloquent; ~kunst (-kŏŏnst) f rhetoric; ♀n speak; talk.

Re′dens-art f phrase; (Spracheigenheit) idiom; (Sprichwort) saying.

redigie′ren (rĕdĭg⁶eer⁶n) edit.

re′dlich (rĕtlĭç) honest, upright.

Re′dner (rĕdn⁶r) m speaker (a. ~in f); orator; ~bühne f platform; ♀isch oratorical.

re′dselig (rĕtzĕlĭç) talkative.

Ree′de (rĕd⁶) f roadstead; ~r m shipowner; ~rei′ f shipping firm.

ree′ll (rĕĕl) real; Firma: solid, respectable; Preis, Bedienung: fair.

Refer|a′t (rĕfĕrāht) n report; ~e′nt m reporter; referee; reviewer; ~e′nz f reference; ♀ie′ren report (über acc. [up]on).

reflektie′ren(rĕflĕkteer⁶n) auf(acc.) have a th. in view, want to have.

Reform|a′tor (rĕfŏrmāhtŏr) m reformer; ♀ie′ren reform.

Refrai′n (r⁶frä) n refrain; burden.

Rega′l (rĕgāhl) n shelf.

re′ge (rĕg⁶) active, brisk.

Re′gel (rĕg⁶l) f rule (Vorschrift) regulation; in der ~ as a rule; ♀los irregular; ♀mäßig (-māsiç) regular; ♀n regulate; settle; ♀recht regular; ~ung f regulation; settlement; ♀widrig (-veedrĭç) contrary to rule; irregular; abnormal.

re'gen[1] (régʰ⁶n) (a. sich ~) stir.

Re'gen[2] m rain; ~bogen (-bōgʰ⁶n) m rainbow; 2dicht rain-proof; ~guß (-gōōs) m downpour; ~mantel m waterproof, Am. raincoat; ~schauer (-show⁶r) m shower of rain; ~schirm m umbrella; ~tag (-tãhk) m rainy day; ~wetter n rainy weather; ~wurm (-vōōrm) m earthworm.

Regie' (rĕGee') f management, thea., Film: a. direction.

regie'ren (régʰeer⁶n) v/t. govern, rule; Pferd: manage; v/i. reign.

Regie'rung (rĕgʰeerōōng) f government; (~szeit) reign; ~s-antritt m accession (to the throne); ~sbezirk m governmental district.

Regime'nt (régʰimĕnt) n government; ✗ regiment.

Regisseu'r (rĕGisŏr) m stage-manager; Film: director.

Regi'st|er (rĕgʰist⁶r) n register; record; (Inhaltsverzeichnis) index; ~ra'tor (rĕgʰisträhtŏr) m recorder, registrar; ~ratu'r (rĕgʰisträhtŏr) f registry; 2rie'ren (rĕgʰistreer⁶n) register, record.

re'gne|n (régn⁶n) rain; ~risch rainy.

Regre'ß (rĕgrĕs) m recourse; 2-pflichtig liable to recourse.

re'gsam (rékzähm) active, quick.

regulie'r|bar (rĕgōōleerbähr) adjustable; ~en regulate; adjust.

Re'gung (rĕgōōng) f motion; innere: impulse; (Gefühls2) emotion; 2slos motionless.

Reh (ré) n roe; (weibliches ~) doe; ~bock m roebuck.

Rei'b-eisen (rīpiz⁶n) n grater.

rei'b|en (rīb⁶n) rub; (zer~) grate; Farben: grind; (klein ~) pulverize; wund ~ gall, chafe; 2ung f friction; ~ungslos frictionless.

reich[1] (rīç) rich (an dat. in); (~lich) copious.

Reich[2] (rīç) n empire; (König2; Natur2) kingdom.

rei'chen (rīç⁶n) v/t. reach; j–m et.: pass; sich die Hände ~ join hands; v/i. reach; (genügen) suffice.

rei'chhaltig (rīçhähltiç) copious.

rei'chlich (rīçliç) ample, plentiful; vor su. plenty of; adv. (ziemlich) rather, fairly.

Rei'chtum (rīçtōōm) m wealth (an dat. of).

Rei'chweite (rīçvit⁶) f reach, range.

reif[1] (rīf) ripe, mature.

Reif[2] (rīf) m (Frost) hoar-frost.

Rei'fe f ripeness, maturity.

rei'fen[1] (rīf⁶n) 1. ripen, mature; 2. es reift there is a hoar-frost.

Rei'fen[2] m hoop; (Rad2) tyre, Am. tire; ~schaden (-shähd⁶n) m mot. puncture.

Rei'feprüfung (rīf⁶prüfōōng) f leaving-examination.

rei'flich (rīfliç) mature.

Rei'gen (rigʰ⁶n) m round dance; fig. den ~ eröffnen open the ball.

Rei'he (rī⁶) f row, line; (Folge) series; thea. tier; nach der ~ by turns; ich bin an der ~ it is my turn; ~nfolge f succession; alphabetical order; 2nweise in rows.

Rei'her (rī⁶r) m heron.

Reim (rīm) m rhyme; 2'en v/t., v/i., v/refl. rhyme (auf acc. to).

rein (rīn) pure; (sauber) clean; (klar) clear; ~e Wahrheit plain truth; 2'-ertrag (-ẽrträhk) m net proceeds pl.; 2'gewinn m net profit; 2'heit f purity; cleanness.

rei'nig|en (rīnigʰ⁶n) clean(se); fig. purify; 2ung f clean(s)ing; fig. purification.

rei'nlich (rīnliç) cleanly; Kleidung: neat.

rei'n|rassig (rīnrähsiç) thoroughbred; 2schrift f fair copy.

Reis (rīs) m rice; n twig, sprig.

Rei'se (rīz⁶) f journey; (See2, Luft2) voyage; (weite ~) travel; (Überfahrt) passage; ~büro n tourist(s') office (Am. bureau); ~decke f travelling-rug; 2fertig ready to start; ~gefährte m fellow-traveller; ~genehmigung f travel permit; ~gepäck n luggage, Am. baggage; ~handbuch (-hähntbōōk) n (traveller's) guide; 2n (sn) travel, journey; ~ nach go to; ~nde(r) m (✝ commercial) traveller; ~necessaire (-nésĕsär) n dressing-case; ~paß (-pähs) m passport; ~schreibmaschine (-shripmäh-sheen⁶) f portable (typewriter); ~tasche (-tähsh⁶) f travelling-bag; ~zeit (-tsīt) f tourist season.

Rei'sig (rīziç) n brushwood.

Rei'ß|brett n drawing-board; 2en (rīs⁶n) 1. v/t. tear; (weg~) snatch; sich ~ um scramble for; v/i. (sn)

burst, split; 2. *su. n* acute pains *pl.*;
Lend rapid; *Tier:* rapacious;
Schmerz: acute; ~feder (-féd^er) *f*
drawing-pen; ~nagel (-nāhg^h^el) *m*,
~zwecke (-tsvĕk^e) *f* drawing-pin,
Am. thumbtack; ~schiene (-shee-n^e) *f* T-square; ~verschluß
(-fĕrshlŏŏs) *m* zip fastener; ~zeug
(-tsöik) *n* (case of) drawing
utensils.

Rei't... (rīt) *mst* riding-...; ~bahn
f riding-school, *fr.* manège; **Len**
(rīt^e n) (sn) ride, go on horseback;
~er *m* rider, horseman; *Kartei:*
tab; ~erin *f* horsewoman; ~erei
(-^erī) *f* cavalry; ~gerte, peitsche
(-pītsh^e) *f* horsewhip; ~knecht
m groom; ~kunst (-kŏŏnst) *f*
horsemanship; ~pferd (-pfĕrt) *n*
saddle-horse; ~weg (-vĕk) *m*
bridle-path.

Reiz (rīts) *m* charm, attraction;
(*Erregung*) irritation.

rei'zbar (rītsbā^hr) irritable, *Am.*
sore; **Lkeit** *f* irritability.

rei'z|en (rīts^e n) irritate; (*aufreizen*)
provoke; (*locken*) entice; (*bezau-bern*) charm; *☞* (*anregen*) excite;
~los unattractive; **Lmittel** *n*
stimulus; *☞* stimulant; **Lung** *f*
irritation; provocation; ~voll (-fōl)
charming, attractive.

Reklamatio'n (rĕklāhmāhts^ion) *f*
claim, complaint, protest.

Rekla'me (rĕklāhm^e) *f* advertising;
(*Propaganda*) publicity; ~ *m.* ad-vertise; ~biiro *n* advertising agen-cy; ~chef (-shĕf) *m* advertising-
-manager.

reklamie'ren (rĕklāhmeer^e n) (re-)
claim; complain.

rekognoszie'ren (rĕkŏgnŏstseer^e n)
reconnoitre.

Rekonvalesze'n|t (rĕkönvāhlĕs-tsĕnt) *m*, ~tin *f* convalescent.

Reko'rd (rĕkŏrt) *m* record.

Rekru't (rĕkrŏŏt) *m*, **Lie'ren**
recruit.

Re'ktor (rĕktŏr) *m* headmaster,
Am. principal; *univ.* chancellor,
Am. president.

relati'v (rĕlāhteef) relative.

Religio'n (rĕlig^ion) *f* religion.

religi|ö's (rĕligh^iŏs) religious; **Losi-tä't** (rĕligh^iōzitāt) *f* religiousness.

Re'ling (rēlĭṇ) *⚓* *f* rail.

Reli'quie (rĕleekv^ie) *f* relic.

Remi'se (rĕmeez^e) *f* coach-house.

Re'nn|bahn *f* (race-)course, race-
-track; *mot.* speedway; ~boot (-bōt)
n race-boat, racer; **Len** (rĕn^e n)
1. *v/i.* (sn) *u. v/t.* run; (*wett~*) race;
2. *sn. n* (*Wett~*) race; (*Einzel~*)
heat; ~fahrer *m* racing (bi)cylist
od. motorist; ~mannschaft *f*
race-crew; ~pferd (-pfĕrt) *n* race-
-horse, racer; ~sport *m* racing;
the turf; ~stall *m* racing-stud;
~strecke *f* distance to be run;
~tier (-teer) *n* reindeer.

renommie'ren (rĕnōmeer^e n) boast,
brag (*mit* of).

renovie'ren (rĕnōveer^e n) renovate.

renta'bel (rĕntāhbĕl) profitable.

Re'nt|e (rĕnt^e) income, revenue;
(*Alters~*) (old-age) pension; (*Pacht-☞*) rent; ~en-empfänger(in *f*)
(rĕnt^e nĕmpfĕṇ^e r) *m* (old-age)
pensioner; ~ie'r (-^iĕ) *m* man of
private means; **Lie'ren** (-eer^e n):
sich ~ pay; ~ner *m* = ~ier.

Reparatu'r (rĕpăhrāhtōōr) *f* repair;
~werkstatt (-vĕrkshtāht) *f* repair-
-shop.

reparie'ren (rĕpāhreer^e n) repair.

Repräsent|a'nt (rĕprĕzĕntāhnt) *m*
~a'ntin *f* representative; **Lie'ren**
represent.

Repressa'lie (rĕprĕsāhl^ie) *f* reprisal.

reproduzie'ren (rĕprŏdŏŏtseer^e n)
reproduce.

Repti'l (rĕpteel) *n* reptile.

Republi'k (rĕpŏŏbleek) *f* republic;
~a'ner *m*, **La'nisch** republican.

Rese'rve (rĕzĕrv^e) *f* reserve; ~rad
(-rāht) *n mot.* spare wheel.

reservie'ren (rĕzĕrveer^e n) reserve.

Resid|e'nz (rĕzĭdĕnts) *f* residence;
Lie'ren reside.

Respe'kt (rĕspĕkt) *m*, **Lie'ren**
respect; **Llos** irreverent; **Lvoll**
respectful; **Lwidrig** (-veedriç)
disrespectful.

Resso'rt (rĕsŏr) *n* department.

Rest (rĕst) *m* rest, (*a.* ⚗) remainder;
(*bsd.* ✝ *Tuch~*) remnant; = *Rück-stand.*

Restaura'nt (rĕstŏrāhṇ) restaurant.

Re'st|bestand *m* remainder; **Llich**
remaining; **Llos** entirely; ~zahlung
f payment of balance.

Resulta't (rĕzŏŏltāht) *n* result.

re'tten (rĕt^e n) save; rescue.

Re'ttich (rĕtĭç) *m* radish.

Re'ttung (rĕtōŏɳ) f saving; rescue; ~sboot (-bōt) n life-boat; ~sgürtel m life-belt; ~sleiter (-lītᵉr) f fire-escape; ℒslos past help; ~sring m life-belt.

Reu'|e (rŏiᵉ) f repentance; ℒen: et. reut mich I repent (of) a th.; ℒevoll, ℒ(müt)ig (-mütïç) repentant; ~geld n forfeit, smart-money.

Reva'nche (rĕvạsh^e) f revenge; ~partie (-pả/rtee) f return match.

revanchie'ren (rĕvạsheer^en) (sich) take on-'s revenge; return a favour.

Reve'rs (rĕvĕrs) m bond.

revidie'ren (rĕvideer^en) revise.

Revie'r (rĕveer) n quarter, district; s. *Jagd*ℒ.

Revo'lte (rĕvŏlt^e) f revolt.

Revolutionä'r (rĕvŏlōōts^ōnär) m revolutionary.

Revue' (r^evü) f review; *thea. revue* (fr.), ~ passieren l. pass in review.

rezens|ie'ren (rĕtsĕnzeer^en), ℒio'n (rĕtsĕnz'ōn) f review.

Reze'pt (rĕtsĕpt) n recipe.

Rhaba'rber (rȧhbȧ/rb^er) m rhubarb.

rheuma't|isch (rŏimả/tĭsh) rheumatic; ℒi'smus (rŏimả/tĭsmōōs) rheumatism.

rhy'thm|isch (rütmĭsh) rhythmical; ℒus (rütmōōs) m rhythm.

ri'chten (rĭçt^en) arrange, adjust; (*zielen mit*) point; level (*auf* at); (*lenken*) direct; (*zubereiten*) prepare; 𝕫̶𝕫̶ *Richter*: judge; *Henker*: execute; *in die Höhe* ~ raise; *sich* ~ *nach* conform to; *Preis*: be determined by.

Ri'chter m, ~in f judge; ℒlich judicial; ~spruch (-shprŏŏk) m judgment, sentence; ~stuhl (-shtōōl) m tribunal.

ri'chtig (rĭçtïç) right, correct; (*genau*) accurate; ~er Londoner regular cockney; *~ gehen Uhr*: go right; ℒkeit f correctness; accuracy; ~stellen rectify.

Ri'cht|linien (rĭçtleen^ïen) f/pl. (general) directions; ~preis (-pris) m standard price; ~schnur (-shnŏŏr) f plumb-line; ~strahler m beam wireless; ~ung f direction; ~waage (-vȧhg^he) f level; ~weg (-vĕk) m short cut.

rie'chen (reeçen) smell (*nach* of).

rie'feln (reef^eln) groove.

Rie'gel (reeg^hel) m bar, bolt; (*Kleider*ℒ) (clothes-)rack; *Seife*: bar; ℒn bar, bolt.

Rie'men (reem^en) m strap, thong; (*Ruder*) oar.

Ries (rees) n *Papiermaß*: ream.

Rie'se (reez^e) m giant.

Rie'sel|feld (reez^elfĕlt) n (sewage-) irrigated field; ℒn (reez^eln) (h. u. sn) purl; ripple; *es rieselt it* drizzles.

rie'senhaft (reez^enhähft), **rie'sig** (reezïç) gigantic.

Rie'sin (reezïn) f giantess.

Riff (rĭf) n reef.

Ri'lle (rĭl^e) f (small) groove.

Rime'sse (rĭmĕs^e) f remittance.

Rind (rĭnt) n ox, cow; *pl.* cattle.

Ri'nde (rĭnd^e) f rind; ♀ bark; *am Brot*: crust.

Ri'nder|braten (rĭnd^erbrȧht^en) m roast beef; ~hirt m comherd, *Am.* cowboy.

Ri'nd|fleisch (rĭntflïsh) n beef; ~(s)leder (-léd^er) n neat's leather; ~vieh (-fee) n = *Rinder.*

Ring (rĭɳ) m ring; (*Kreis*) circle; *e-r Kette*: link; ♀ pool, trust, *Am.* combine; ~'bahn f circular railway.

ri'ngeln (*a. sich*) curl.

ri'ng|en (rĭɳ^en) v/i. wrestle; *weitS.* struggle (*um* for); v/t. *die Hände*: wring; ℒer m wrestler.

ri'ng|förmig ring-shaped, annular; ℒkampf m wrestling-(match).

rings around; ~u'm (-ŏŏm) round about.

Ri'nn|e (rĭn^e) f channel, groove; (*Dach*ℒ) gutter; ~en (sn) run, flow; (h.) (*lecken*) leak; ~sal (-zähl) n streamlet; ~stein (-shtïn) m gutter.

Ri'ppe (rĭp^e) f, ℒn rib.

Ri'ppen|fell n pleura; ~fell-entzündung (rĭp^nfĕlĕntsündōōɳ) f pleurisy; ~stoß (-shtōs) m nudge (in the ribs).

Ri'siko (reezĭkŏ) n risk.

risk|a'nt (rĭskȧ/nt) risky; ~ie'ren risk.

Riß (rĭs) m rent, tear; (*a. fig.*) split; (*Sprung*) crack; *in der Haut*: chap; (*Schramme*) scratch; (*Zeichnung*) draft, plan.

ri'ssig (rĭsïç) full of rents; chappy.

Rist m *Fuß*: instep; *Hand*: wrist.

Ritt (rĭt) m ride.

Ri′tter (rĭt⁴r) *m* knight; *zum* ~ *schlagen* knight; ~**gut** (-gōōt) *n* manor.

ri′tterlich knightly, chivalrous; 2-**keit** *f* gallantry, chivalry.

ri′ttlings (rĭtlĭṇs) astride (*auf of*).

Ri′ttmeister (rĭtmĭst⁴r) *m* (cavalry) captain.

Ritz (rĭts) *m*, ~′*e f* chink; fissure; (*Schramme*) scratch; 2′**en** scratch.

Riva′l (rīvāhl), ~*e m*, ~**in** *f*, 2**isie′-ren** (rīvăhlizeer′n) rival; ~**itä′t** *f* rivalry. [oil.]

Ri′zinus-öl (reetsĭnōōsȫl) *n* castor

Ro′bbe (rŏb⁴) *f* seal. [throat.]

rö′cheln (rȫc⁴ʰln) rattle (in one's)

Rock (rŏk) *m* coat; (*Frauen*2) skirt; ~**schoß** (-shōs) *m* coat-tail.

Ro′del|bahn (rōd′lbāhn) *f* toboggan-slide, ice-run; 2n (h. u. sn), ~**schlitten** *m* luge, toboggan.

ro′den (rōd⁴n) *Wurzeln:* root out, stub up; *Wald, Land:* clear.

Ro′gen (rōg⁴ʰn) *m* (hard) roe.

Ro′ggen (rŏg⁴ʰn) *m* rye.

roh (rō) raw; *fig.* rough, rude; *Öl, Metall:* crude; 2′**bau** (-bow) *m* brick-work.

Ro′heit (rōhīt) *f fig.* rudeness.

Ro′hmaterial (rōmăhtĕr′ăhl) *n* raw material.

Rohr (rōr) *n* (*Schilf*2) reed; (*Bambus*2) cane; = *Röhre*.

Rö′hre (rȫr⁴) *f* tube; (*Leitungs*2) pipe; *Radio:* valve, *Am.* tube; ~**n-apparat** (-ăhpăhrăht) *m* valve set.

Ro′hr|leger (rōrlég⁴ʰr) *m* plumber; ~**leitung** (-lītōōṇ) *f* pipe-line; ~**post** (-pŏst) *f* pneumatic post; ~**stock** *m* cane.

Ro′hstoff (rōhtŏf) *m* raw material.

Ro′llbahn ⚡ *f* runway, taxi-strip.

Ro′lle (rŏl⁴) *f* roll; (*Walze*) roller; (*Draht*2, *Tau*2) coil; *am Flaschenzug*) pulley; *unter Möbeln:* castor; (*Dreh*2) mangle; *thea.* part, role.

ro′llen *v/i.* (h. u. sn) u. *v/t.* roll; *Wäsche:* mangle; ⚡ taxi.

Ro′llenbesetzung (rŏl⁴nb⁴zĕtsōōṇ) *f thea.* cast.

Ro′ller *m der Kinder:* scooter.

Ro′ll|feld ⚡ *n* landing ground *od.* area; ~**film** *m* roll-film; ~**schuh** (-shōō) *m* roller-skate; ~**sitz** (-zĭts) *m im Boot:* sliding seat; ~**stuhl** (-shtōōl) *m* wheel chair; ~**treppe** *f* escalator; ~**wagen** (-văhg⁴ʰn) *m* truck.

Roma′n (rōmāhn) *m* novel, (work of) fiction; (*Ritter*2 *u. fig.*) romance; ~**schriftsteller**(in *f*) (-shrĭftshtĕl′r) *m* novel-writer, novelist.

Roma′nt|ik (rōmăhntĭk) *f* romanticism; 2**isch** romantic.

Rö′m|er (rȫm⁴r) *m*, 2**isch** Roman.

rö′ntgen (rȫntg⁴ʰn) *v/t.*, 2~ X-ray; 2**strahlen** *m/pl.* X-rays.

ro′sa (rōzăh) pink.

Ro′se (rōz⁴) *f* rose; ⚡ erysipelas.

Ro′sen|kohl *m* Brussels sprouts *pl.*; ~**kranz** *m* garland of roses; *eccl.* rosary; 2**rot** (-rōt) rosy red; ~**stock** *m* rose-tree.

ro′sig (rōzĭc) rosy, roseate.

Rosi′ne (rōzeen⁴) *f* raisin.

Roß (rŏs) *n* horse; *rhet.* steed; ~′**haar** (-hăhr) *n* horsehair.

Rost (rŏst) *m* 1. rust; 2. (*Feuer*2) grate; (*Brat*2) gridiron, grill; ~′**braten** (-brăht⁴n) *m* roast joint.

ro′sten (rŏst⁴n) (sn) rust.

rö′sten (rȫst⁴n) roast; *Brot:* toast.

Ro′st|fleck *m* iron-mould; 2**frei** (-frī) rustless; stainless; 2**ig** rusty.

rot (rōt), 2 *n* red.

Rotatio′nsmaschine (rōtăhts′ōnsmăhsheen⁴) *f* rota(to)ry press.

ro′tblond sandy.

Rö′te (rȫt⁴) *f* redness; (*Scham*2) blush; 2n (*a. sich*) redden, flush.

ro′t|gelb reddish yellow; ~**glühend** (-glü′nt) red-hot; 2**haut** (-howt) *f* redskin; 2**kehlchen** *n* robin (redbreast).

rotie′ren (rōteer′n) rotate.

rö′tlich (rȫtlĭc) reddish.

Ro′t|stift *m* red pencil; ~**tanne** *f* spruce.

Ro′tte (rŏt⁴) *f* band, gang; ~**n-führer** *m* ganger, foreman.

Ro′t|wein (rōtvīn) *m* red wine; *französischer:* claret; ~**wild** *n* red deer.

Rouleau′ (rōōlō) *n* roller-blind.

Rü′be (rüb⁴) *f*: *weiße* ~ turnip; *rote* ~ beet(root); *gelbe* ~ carrot.

Rubi′n (rōōbeen) *m* ruby.

ru′ch|bar (rōōkbăhr): ~ *w.* get abroad; ~**los** wicked, profligate.

Ruck (rōōk) *m* jerk.

Rü′ck|-antwort *f; Postkarte mit* ~ reply post card; ~**berufung** (-b⁴rōōfōōṇ) *f* recall; ~**blick** *m* retrospect(ive view).

rü′cken¹ (rük⁴n) *v/t. u. v/i.* (sn) move; *näher* ~ draw near.

Rü'cken² *m* back; (*Berg*⌒) ridge; ⚔ rear; ⟋deckung *f fig.* backing; ⟋lehne *f* back (of a chair); ⟋mark *n* spinal cord; ⟋wirbel *m* dorsal vertebra.

Rü'ck|fahrkarte *f* return (-ticket), *Am.* round-trip ticket; ⟋fahrt *f* return; ⟋fall *m* relapse; ⟋fällig relapsing; ⟋frage (-frähg^h^e) *f* further inquiry; ⟋gabe (-gáhb^e) *f* return, restitution; ⟋gang *m* retrogression; ⟋gängig retrograde; ⟋ *m.* cancel; ⟋grat (-gräht) *n* spine, (*a. fig.*) backbone; ⟋halt *m* support; ⟋haltlos unreserved, frank; ⟋kauf (-kowf) *m* redemption; ⟋kehr, ⟋kunft (-kóonft) *f* return; ⟋koppelung *f Radio*: reaction coupling; ⟋lagen (-láhg^h^e'n) *f|pl.* reserves *pl.*; ⟋läufig (-lóifiç) retrograde; ⟋lings backwards; from behind; ⟋prall *m* rebound; ⟋reise (-ríz^e) *f* return journey.

Ru'cksack (róokzähk) *m* rucksack.

Rü'ck|schlag (-shlähk) *m* backstroke; *fig.* set-back; ⟋schluß (-shlóos) *m* conclusion; ⟋schritt *m* retrogression; ⟋seite (-zít^e) *f* back, reserve; ⟋sendung *f* return; ⟋sicht *f* respect, regard (*auf acc.* to), consideration; ⟋sichtslos regardless (*gegen* of); inconsiderate; ⟋sichtsvoll (rükziçtsfól) regardful (*gegen* of); considerate; ⟋sitz (-zíts) *m* back-seat; ⟋spiel (-shpeel) *n* return match; ⟋sprache (-shpráhĸ^e) *f* consultation; ⟋stand *m* arrears *pl.*; /^m^ residue; ⟋ständig backward; ⟋strahler *m mot.* rear reflector; ⟋tritt *m* withdrawal, retreat; resignation; ⟋trittbremse (rüktrítbrēmz^e) *f* backpedalling brake; ⟋wärts (-vĕrts) back, backward(s); ⟋wärtsgang *m mot.* reserve gear; ⟋weg (-vék) *m* way back, return.

ru'ckweise (róokvíz^e) by jerks.

rü'ck|wirkend retroactive; ⟋wirkung *f* reaction; ⟋zahlung *f* repayment; ⟋zug (-tsóok) *m* retreat.

Ru'del (róod^e'l) *n* pack; herd; troop.

Ru'der (róod^e'r) *n* oar; (*Steuer*⌒) rudder, helm; ⟋boot (-bōt) *n* row(ing)-boat; ⟋er *m* oarsman; ⟋fahrt *f* row; ⟋n *v|i.* (h. *u.* sn) *u. v|t.* row; ⟋regatta *f* boat race; ⟋sport *m* rowing sport.

Ru'd(r)erin (róod[r]^e'rĭn) *f* oarswoman.

Ruf (róof) *m* call; (*Schrei*) cry, shout; (*Berufung*) summons; (*öffentliches Urteil*) reputation, repute; ☩ credit; 2'en call; (*schreien*) cry, shout; ⟋ *l.* send for.

Ru'f|name (róofnähm^e) *m* Christian name; ⟋weite (-vít^e) *f*: *in* ⟋ within call.

Rü'ge (rüg^h^e) *f*, 2n censure.

Ru'he (róo^e) *f* rest; repose; (*Stille*) quiet; calm; tranquillity; *lassen Sie mich in* ⟋! let me alone!; ⟋bett *n* couch; ⟋gehalt *n* pension; 2los restless; 2n rest, repose; ⟋pause (-powz^e) *f* pause (for rest); ⟋platz *m* restingplace; ⟋stand *m* retirement; *in den* ⟋ *versetzen* superannuate; ⟋störer(in *f*) *m* disturber of the peace.

ru'hig (róoĭç) quiet; *Gemüt, Wasser*: tranquil, calm.

Ruhm (róom) *m* glory; renown; ⟋'-begier(de) (-b^e'gʰeer[d^e']) *f* thirst of glory.

rü'hmen (rǘm^e'n) praise, glorify; *sich* ⟋ boast (e-r S. of a th.).

rü'hmlich glorious, laudable.

ru'hm|los (róomlōs) inglorious; ⟋redig (-rédiç) vainglorious; ⟋voll (-fól) glorious.

Ruhr (róor) ⚕ *f* dysentery.

Rü'hr-ei (rüri) *n* scrambled eggs *pl.*

rü'hren (rür^e'n) (*a. sich* ⟋) stir; *innerlich*: touch, affect.

rü'hrig (rürĭç) active; stirring; 2-keit *f* activity.

rü'hrselig (rürzéllĭç) sentimental.

Rü'hrung (rüróo^n^g) *f* feeling, emotion.

Ru'in (róoeen) *m* ruin; decay; ⟋e *f* ruin; 2enhaft ruinous; 2ie'ren (róoĭneer^e'n) ruin; destroy; *Kleid usw.*: spoil.

Ru'mmel (róom^e'l) *m* row; (*Jahrmarkts- usw.* ⌒) revel; ⟋platz *m* fun-fair ground.

rumo'ren (róomōr^e'n) make a row.

Ru'mpel... (róompʰl-): ⟋kammer *f* lumber-room; 2n (sn) rumble.

Rumpf (róompf) *m* trunk, body; *Schiffs*⌒: hull; *Flugzeug*⌒: body, fuselage.

rü'mpfen (rümpf^e'n): *die Nase* ⟋ turn up one's nose, sniff (*über acc.* at).

rund (rōŏnt) round; 2'blick *m*
panorama; 2'e (rōŏnd⁶) *f* round;
Sport: lap; ~'en (*a. sich*) round; 2'-
erlaß (-ĕrlähs) *m* circular; 2'fahrt
f drive round *a town, etc.*; 2'flug
(-flōŏk) *m* circuit; 2'funk (-fōŏŋk)
m broadcast(ing); *im* ~ on the
radio *od.* air; ~'funken broadcast;
2'funkhörer(in *f*) *m* listener-in;
2'funkprogramm *n* broadcast
program(me); 2'funksprecher *m*
broadcaster; 2'funk-übertragung
(-fōŏŋküb⁶rträhgōŏŋ) *f* broadcast
transmission; 2'gang *m* circuit;
(*bsd.* 💥) round; 2'gesang (-g⁶⁶-
zähŋ) *m* roundelay, glee; *komischer*:
catch; ~'heraus (-hĕrows) in plain
terms; ~'herum (-hĕrōŏm) round
about; ~'lich roundish; 2'reise
(-rīz⁶) *f* circular tour, round trip;
2'schau (-show) *f* panorama;
(*Zeitung*) review; 2'schreiben
(-shrib⁶n) *n* circular (letter); ~'-
weg (-vĕk) flatly, plainly.
Ru'nz|el (rōŏnts⁶l) *f* wrinkle; 2(e)-
lig wrinkled; 2eln wrinkle; *die*
Stirn ~ knit one's brows.

rü'pelhaft (rüp⁶lhähft) boorish.
ru'pfen (rōŏpf⁶n) pluck.
ru'ppig (rōŏpïç) shabby; *fig.*
rude.
Ruß (rōōs) *m* soot.
Ru'ss|e (rōŏs⁶) *m*, ~in *f*, 2isch
Russian.
Rü'ssel (rüs⁶l) *m* snout; *des Ele-*
fanten: trunk.
ru'ß|en (rōŏs⁶n) soot; ~ig sooty.
rü'sten (rüst⁶n) (*a. sich*) prepare
(zu for); 💥 arm.
rü'stig (rüstïç) vigorous; 2keit *f*
vigour.
Rü'stung (rüstōŏŋ) *f* preparations
pl.; 💥 arming, armament; (*Har-*
nisch) armour; ~s-industrie (-ïn-
dōŏstree) *f* armament industry.
Rü'stzeug (rüst-tsŏik) *n* (set of)
tools; *fig.* equipment.
Ru'te (rōŏt⁶) *f* rod (*a. zum Züchti-*
gen); switch; (*Maß*) perch; ~n-
gänger *m* dowser.
Rutsch (rōŏtsh) *m* slide, glide; ~'-
bahn *f* slide, chute; 2'en (sn)
glide, slide.
rü'tteln (rüt⁶ln) shake; jog; jolt.

S

Saal (zä*h*l) *m* hall.

Saat (zäht) *f* (*Säen*) sowing; (*Same*) seed; (*sprossende Pflanzen*) standing crops *pl.*; ˜enstand *m* condition of the crops; ˜gut (-gōōt) *n* seed (-corn); ˜kartoffel *f* seed-potato.

Sa'bbat (zä*h*bäht) *m* Sabbath.

sa'bbern (zä*h*bᵉrn) F slaver, *Am.* drool; (*schwatzen*) twaddle.

Sä'bel (zäbᵉl) *m* sabre; 2n sabre; ˜scheide (-shidᵉ) *f* scabbard.

Sabot|a'ge (zä*h*bòtä*h*Gᵉ) *f*, 2ie'ren (zä*h*bóteerᵉn) sabotage.

Sa'ch|be-arbeiter(in *f*) (sä*h*kbᵉ-ä*h*rbitᵉr) *m* compiler, expert; ˜e (zä*h*kᵉ) *f* thing; (*Angelegenheit*) affair, matter, concern; ĭ˜t case, (*a. fig.*) cause; ˜en *pl.* (*Kleider usw.*) things; (*nicht*) zur ˜e (*gehörig*) (ir)relevant; *adv.* to (off) the point; gemeinsame ˜ m. make common cause; 2gemäß (-g*h*ᵉmäs) pertinent; appropriate; ˜kenntnis *f* experience; 2kundig (-kŏōndĭç) ˜verständig; ˜lage (-lä*h*gᵉ) *f* state of affairs; 2lich (-lĭç) real; (*zur Sache gehörig*) pertinent, to the point; (*unparteiisch*) unbiassed; (*Ggs.* subjektiv) objective; (*nüchtern*) Person: matter-of-fact.

sä'chlich (zĕçlĭç) neuter.

Sa'chlichkeit (zä*h*kĭçkĭt) *f* objectivity; matter-of-factness.

Sa'chregister (zä*h*krĕg*h*ĭstᵉr) *n* (subject) index.

Sa'chschaden (zä*h*kshä*h*dᵉn) *m* material damage.

Sa'chse (zä*h*ksᵉ) *m*, Sä'chsin*f*, sä'chsisch (zĕksĭsh) Saxon.

sa'cht(e) (zä*h*ktᵉ) soft, gentle; slow.

Sa'ch|verhalt *m* facts *pl.* of the case; 2verständig (zä*h*kfᵉrshtĕn-dĭç), ˜verständige(r) (zä*h*kfᵉr-shtĕndĭg*h*[r]) *m* expert, ˜walter (-vä*h*ltᵉr) *m* legal adviser; ˜wert (-vért) *m* real value.

Sack (zä*h*k) *m* sack, bag; ˜'gasse *f* blind alley, *Am.* dead end; (*a. fig.*) impasse; ˜'leinwand (-līnvä*h*nt) *f* sackcloth.

sä'en (zäᵉn) sow.

Sa'ffian (zä*h*fīä*h*n) *m* morocco (leather).

Saft (zä*h*ft) *m* juice; *der Pflanzen* (*a. fig.*): sap; 2'ig juicy (*a. fig.*); (*kraftvoll*) sappy; 2'los juiceless; sapless.

Sa'ge (zä*h*gᵉ) *f* legend, myth; es geht die ˜ the story goes.

Sä'ge (zäg*h*ᵉ) *f* saw; ˜bock *m* sawhorse.

sa'gen (zä*h*g*h*ᵉn) say; (*mitteilen*) tell; j-m ˜ l. send a p. word; er läßt sich nichts ˜ he will not listen to reason; es hat nichts zu ˜ that doesn't matter; ˜ wollen mit mean by; j-m gute Nacht ˜ bid a p. good night.

sä'gen (zäg*h*ᵉn) saw.

sa'genhaft (zä*h*g*h*ᵉnhä*h*ft) legendary, mythical. [sawdust.]

Sä'gespäne (zäg*h*ᵉshpänᵉ) *m*|*pl.*

Sa'hne (zä*h*nᵉ) *f* cream.

Saiso'n (sĕzọ, -ŏᵣ) *f* season; ˜˜ seasonal *work, etc.*

Sai'te (zitᵉ) *f* string; ˜n-instrument (-instrŏōmĕnt) *n* stringed instrument.

Sa'kko (zä*h*kō) *m* lounge jacket; ˜anzug (-ä*h*ntsōōk) m lounge (*Am.* business) suit.

Sakristei' (zä*h*krĭstī) *f* vestry.

Sala't (zä*h*lä*h*t) *m* salad; lettuce.

Sa'lb|e (zä*h*lbᵉ) *f* ointment; 2en anoint; ˜ung *f* (*a. fig.*) unction; 2ungsvoll(zä*h*lbŏōᵣsfòl)unctuous.

saldie'ren (zä*h*ldeerᵉn) † balance.

Sa'ldo (zä*h*ldō) *m* balance; den ˜ ziehen strike the balance; ˜vortrag (-fŏrträ*h*k) *m* balance forward.

Sali'ne (zä*h*leenᵉ) *f* salt-works *pl.*

Salizy'|säure (zä*h*lĭtsülzóirᵉ) *f* salicylic acid.

Sa'lmia'k (zä*h*lmĭä*h*k) *m* sal ammoniac; ˜geist (-g*h*ĭst) *m* liquid ammonia.

Salo'n (zä*h*lŏᵣ) *m* drawing-room, *Am.* parlor; ⚓ saloon; 2fähig (-fäĭç) presentable; ˜wagen (-vä*h*g*h*ᵉn) *m* saloon (*Am.* parlor) car.

Salpe'ter (zä*h*lpĕtᵉr) *m* saltpetre.

Salu't (zählōōt) m, 2ie'ren (zählōō-
teerᵉn) salute. [salute.]
Sa'lve (zählvᵉ) f volley; (Ehren2)|
Salz (zählts) n salt; ‿'bergwerk n
salt-mine; 2'en salt; ‿'fäßchen
(-fēsçᵉn) n salt-cellar; ‿'gurke
(-gōōrkᵉ) f pickled cucumber; ‿'-
hering (-hēriŋ) m pickled herring; 2'ig salt(y); ‿'säure (-zōirᵉ)
f hydrochloric (od. muriatic) acid;
‿'werk n salt-works pl.
Sa'me (zähmᵉ), ‿n m seed; tierischer:
sperm; ‿nkorn n grain of seed.
Sa'mmel|büchse (zähmᵉlbüksᵉ) f
collecting-box; ‿lager (-lāhgʰᵉr) n
clearing station; 2n (zähmᵉln) (a.
sich) gather; collect; 1ruppen,
Aufmerksamkeit: concentrate; ‿platz m place
of appointment. [collector.]
Sa'mmler m (zähmlᵉr), ‿in f|
Sa'mmlung (zähmlōōŋ) f collect-
ion; fig. composure; (Aufmerksamkeit) concentration.
Sa'mstag (zähmstähk) m Saturday.
samt¹ (zähmt) together with.
Samt² m velvet.
sä'mtlich (zēmtliç) all (together).
Sand (zähnt) m sand; fig. im ‿e verlaufen peter out.
Sanda'le (zähndahlᵉ) f sandal.
Sa'nd|bahn f Sport: dirt-track;
‿bank f sandbank; ‿boden (-bō-
dᵉn) m sandy soil; 2ig sandy;
‿korn n grain of sand; ‿torte f
Madeira cake; ‿uhr (-ōōr) f sand-
glass; ‿wüste (-vüstᵉ) f sandy
desert.
sanft (zähnft) soft; gentle, mild;
‿'mütig (-mütiç) gentle, placid.
Sang (zähŋ) m song.
Sä'nger (zēŋᵉr) m, ‿in f singer.
sangui'nisch (zähŋgōōeenĭsh) san-
guine. [2ung f reorganization.|
sanie'r|en (zähneerᵉn) reorganize;|
sanitä'r (zähnĭtär) sanitary.
Sanitä't|er (zähnĭtätᵉr) m am-
bulancer; ‿sbehörde f Board of
Health.
Sankt (zähŋkt) Saint.
Sard|e'lle (zährdēlᵉ) f anchovy;
‿i'ne (-eenᵉ) f sardine.
Sarg (zährk) m coffin.
sata'nisch (zähtähnĭsh) satanic.
Satelli't (zähtēleet) m satellite.
Sati'n (zähtä, -ēŋ) m sateen.
sati'risch (zähteerĭsh) satiric(al).
satt (zäht) satisfied; satiate(d); Farbe:

deep, rich; sich ‿ essen eat one's
fill; et. ‿ h. be tired (od. sick) of.
Sa'ttel (zähtᵉl) m saddle; ‿gurt
(-gōōrt) m girth; 2n saddle.
Sa'ttheit (zähthĭt) f satiety.
sä'ttig|en (zētĭgʰᵉn) satiate, satisfy;
‿n, ⊕ saturate; 2ung f satiation;
saturation. [f saddlery.|
Sa'ttler (zähtler) m saddler; ‿ei'|
Satz (zähts) m gr. sentence; phls.,
A proposition; (Boden2) sediment,
grounds pl.; typ. composition; ♪
movement; (zs.-gehörige Dinge) set;
Tennis: set; (Sprung) leap, bound;
(bestimmtes Verhältnis) rate,
Sa'tzung f statute; 2smäßig
(-māsĭç) statutory.
Sau (zow) f sow; P fig. slut.
sau'ber (zowbᵉr) clean; neat; iro.
fine, nice; 2keit f cleanness.
säu'ber|n (zōibᵉrn) clean, cleanse;
2ungs-aktion (zōibᵉrōōŋsähkts'-
ōn) f pol. purge.
sau'er (zowᵉr) sour (a. = mürrisch);
acid; fig. hard.
säu'er|lich (zōiᵉrliç) acidulous; ‿n
sour; Teig: leaven. [m leaven.|
Sau'er|stoff m oxygen; ‿teig (-tīk)|
sau'fen (zowfᵉn) drink, F booze.
Säu'fer (zōifᵉr) m drunkard.
sau'gen (zowgʰᵉn) suck (an a th.).
säu'gen (zōigʰᵉn) suckle, nurse.
Säu'getier (zōigʰᵉteer) n mammal.
Säu'gling (zōiklĭŋ) m baby, infant,
suckling; ‿sheim (-hīm) n baby-
-nursery.
Sau'g|pfropfen (zowkpfröpfᵉn) m
rubber teat; ‿pumpe (-pōōmpᵉ) f
suction pump.
Säu'le (zōilᵉ) f column; △ pillar;
‿ngang m colonnade; ‿nhalle f
portico. [border, edge.|
Saum (zowm) m seam, hem; (Rand)|
säu'm|en (zōimᵉn) v/t. hem; (a.
fig.) border; v/i. (zögern) delay,
tarry; ‿ig = saumselig.
Sau'm|pfad (zowmpfäht) m mule-
-track; 2selig (-zēliç) tardy; ‿tier
(-teer) n sumpter-mule.
Säu're (zōirᵉ) f sourness, a. ♪ des
Magens: acidity; ‿n acid.
Sauregu'rkenzeit (zowrᵉgōōrkᵉn-
sit) f silly season.
säu'seln (zōizᵉln) whisper, rustle.
sau'sen (zowzᵉn) (h. u. sn) rush;
Geschoß usw.: whiz(z); Wind:
whistle. [phone.|
Saxopho'n (zähksöfōn) n saxo-|

Scha'be (shāhb^e) *f zo.* cockroach; **~fleisch** (-flïsh) *n* scraped meat; **2n** scrape; **~rnack** *m* practical joke, hoax.

schä'big (shäbĭç) shabby; *fig.* mean.

Schablo'ne (shāblön^e) *f* (*Muster*) pattern; (**~nform**) stencil; *fig.* routine; **2nhaft**, **2nmäßig** (-mäsĭç) stereotyped; mechanical, routine.

Schach (shāhk) *n* chess!; check!; *in* ~ halten keep in check; **~brett** *n* chess-board. [fer, *Am.* dicker.| scha'chern (shāhk^ern) haggle, chaf-|

Scha'ch|feld *n* square; **~figur** (-fĭgōōr) *f* chess-man; **2matt** (check)mate; *fig.* tired out; **~spiel** (-shpeel) *n* game of chess.

Schacht (shāhkt) *m* shaft, pit.

Scha'chtel (shāhkt^el) *f* box.

Scha'chzug (shāhktsōōk) *m* move.

scha'de (shāhd^e): es ist ~ it is a pity.

Schä'del (shäd^el) *m* skull; **~bruch** (-brōōk) *m* fracture of the skull.

scha'den (shāhd^en) 1. injure, harm, hurt (*j-m* a p.); *das schadet nichts* it does not matter; 2. *m* injury, harm; (*Nachteil*) damage; (*Verlust*) loss; (*Verletzung*) hurt; (*Gebrechen*) infirmity; **2-ersatz** (-črzähts) *m* compensation, **~e** damages *pl.*; **2freude** (-fröid^e) *f* malicious joy.

scha'dhaft (shāhthähft) damaged; faulty.

schä'dig|en (shädĭg^hen) injure, wrong; **2ung** *f* damage; prejudice.

schä'dlich (shätlĭç) injurious, harmful; (*gesundheits~*) noxious.

Schä'dling (shätlĭŋ) *m* pest.

scha'dlos (shāhtlös): ~ *halten* indemnify; **2haltung** *f* indemnification.

Schaf (shāhf) *n* sheep; *fig.* simpleton; **2bock** *m* ram.

Schä'fer (shäf^er) *m*, **~in** *f* shepherd (-ess); **~hund** (-hōōnt) *m* shepherd's dog; *deutscher:* Alsatian (wolf-hound).

Scha'f-fell (shāhf-fĕl) *n* sheepskin.

scha'ffen (shāhf^en) (*er~*) create; (*tun, arbeiten*) do, work, be busy; (*ver~*) procure; (*befördern*) convey, (*weg~*) take, (*her~*) bring.

Scha'ffner (shāhfn^er) *m* 🚂 guard; (*Straßenbahn2*) conductor.

Scha'f|hirt *m* shepherd; **~(s)kopf** *m fig.* blockhead.

Schafo'tt (shäfŏt) *n* scaffold.

Scha'fpelz *m* sheepskin coat.

Schaft (shähft) *m* shaft; (*Gewehr2*) stock; ⊕ shank; (*Stiefel2*) leg; **~'stiefel** (-shteef^el) *m/pl.* top boots *pl.*

Scha'f|wolle *f* sheep's wool; **~zucht** (-tsōōkt) *f* sheep-breeding.

schä'kern (shäk^ern) dally; jest, joke.

schal[1] (shāhl) stale; insipid.

Schal[2] *m* shawl; comforter.

Scha'le (shāhl^e) *f* (*Gefäß*) dish, bowl; (*Becher*) cup; (*Hülse*) husk; (*Schote*) pod; *v. Obst:* peel; (*ab-geschälte* ~) paring, peeling; (*Eier2*, *Nuß2*) shell; (*Muschel2*) valve; (*Messer2*; *Waage2*) scale.

schä'len (shäl^en) peel, pare; *Hülsenfrüchte:* shell, husk.

Schalk (shāhlk) *m* rogue; (*Spaßvogel*) wag; **2'haft** roguish; waggish.

Schall (shāhl) *m* sound; **~'dämpfer** *m* silencer, muffler; **2'dicht** sound-proof; **~'dose** (-dōz^e) *f* sound-box; **2'en** (h. u. sn) sound, ring; **~'platte** *f* disk, record; **~'welle** *f* sound-wave.

Scha'ltbrett ⚡ *n* switch-board.

scha'lten (shāhlt^en) direct, rule; ⚡ switch; *mot.* change (*od.* shift) gears; *mit et.* deal with.

Scha'lter *m* ⚡, *thea.* booking-office, *Am.* ticket window; 🏦 counter; ⚡ switch.

Scha'lt|hebel (shälthéb^el) *m mot.* gear(shift) lever; **~jahr** *n* leap-year; **~tafel** (-tähf^el) ⚡ *f* switch-board; *mot.* instrument-board, *mot. u.* ⚡ dash-board; **~tag** (-tähk) *m* intercalary day.

Scham (shāhm) *f* shame; ~ *teile*.

schä'men (shäm^en): *sich* ~ be ashamed (*e-r S.*, *über acc.* of).

Scha'm|gefühl *n* sense of shame; **2haft** modest; bashful; **2los** shameless, impudent; **2rot** (-rōt) blushing; ~ *w.* blush; **2röte** (-rōt^e) *f* blush; **~teile** (-tíl^e) *m/pl.* privy parts. [grace.|

Scha'nde (shāhnd^e) *f* shame, dis-|

schä'nden (shénd^en) disgrace, (*a. Frau*) dishonour; (*verunstalten*) disfigure.

Scha'ndfleck (shāhntflĕk) *m* stain.

schä'ndlich (shéntlĭç) shameful, infamous; **2keit** *f* infamy.

Scha'ndtat (shāhnttäht) *f* infamy; infamous action.

Schä'ndung (shĕndōōrɔ̯) f s. schänden: dishonouring; disfigurement.

Scha'nk|gerechtigkeit (shährɔ̯kgᵘᵉréçtiçkit) f publican's licence; ~wirt m publican; ~wirtschaft f public house.

Scha'nze (shähnts⁰) f entrenchment; Ɔn entrench.

Schar (shähr) f troop, band.

scha'ren (shähr⁰n) (a. sich) assemble, collect, flock (together).

scharf (shährf) sharp; keen; Munition: live; ~ reiten ride hard; ~ sn auf be keen on; Ɔ'blick m fig. penetration, acuteness.

Schä'rfe (shĕrf⁰) f sharpness, (Schneide) edge; Ɔn sharpen, whet.

Scha'rf|macher (shährfmähᴋ⁰r) m firebrand; ~richter m executioner; ~schütze m sharpshooter; Ɔsichtig (-ziçtiç) sharp-sighted; fig. penetrating; ~sinn (-zîn) m sagacity; Ɔsinnig shrewd, sagacious.

Scha'rlach (shährlähᴋ) m scarlet.

Scha'rlatan (shährlähtähn) m charlatan, quack.

Scharmü'tzel (shährmüts⁰l) n, Ɔn skirmish.

Scharnie'r (-neer) n hinge, joint.

Schä'rpe (shĕrp⁰) f scarf, sash.

scha'rren (shähr⁰n) scrape, scratch; Pferd: paw.

Scha'rte (shährt⁰) f notch; fig. e-e ~ auswetzen repair a fault.

scha'rtig notchy, jagged.

Scha'tten (shäht⁰n) m (Schattenbild) shadow; (Dunkel) shade; ~bild n silhouette; Ɔhaft shadowy; ~seite (-zît⁰) f shady (fig. seamy) side.

schattie'r|en (shähteer⁰n), Ɔung f shade, tint.

scha'ttig (shähtiç) shady.

Schatz (shähts) m treasure; kosend: darling, sweetheart; ~'-amt n treasury, exchequer; ~'-anweisung (-ähnvizōōrɔ̯) f exchequer bill, Am. treasury certificate.

schä'tzen (shĕts⁰n) estimate; (taxieren) value (auf acc. at); (hoch~) esteem; ~swert (-vért) estimable.

Scha'tz|kammer f treasury; ~meister (-mist⁰r) m treasurer.

Schä'tzung (shĕtsōōrɔ̯) f estimate; (Urteil) estimation; (Hochɔ̯) esteem. [zur ~ stellen display]

Schau (show) f (Ausstellung) show;|

Schau'der (showd⁰r) m shudder;

fig. horror; Ɔhaft horrible; Ɔn (h. u. sn) shudder, shiver (vor at).

schau'en (show⁰n) v/t. see, view; v/i. look, gaze (auf acc. at).

Schau'er (show⁰r) m (Regenɔ̯ usw.) shower; (Schauder) shiver; (Anfall) fit; (innere Erregung) thrill; Ɔlich dreadful, horrible; Ɔn shiver; thrill; ~roman (-rōmähn) m thriller, shocker.

Schau'fel (showf⁰l) f, Ɔn shovel.

Schau'|fenster (showfĕnst⁰r) n shop- (Am. show-)window; ~fensterdekoration (-fĕnst⁰rdékōrähts'ön) f window-dressing.

Schau'kel (showk⁰l) f swing; Ɔn swing; Wiege, Stuhl usw.: rock.

Schaum (showm) m foam, froth; (Seifenɔ̯) lather.

schäu'men (shöim⁰n) foam, froth; Wein usw.: sparkle.

schau'mig (showmiç) foamy, frothy.

Schau'mwein (showmvîn) m sparkling wine. [theatre.]

Schau'platz (showplähts) m scene,)

schau'rig (-riç) awful, horrible.

Schau'|spiel (showshpeel) n spectacle; play; ~spieler m actor, player; ~spielerin f actress; ~spielhaus (-shpeelhows) n playhouse; ~spielkunst (-shpeelkōōnst) f dramatic art; ~steller m showman.

Scheck (shĕk) m cheque, Am. check.

sche'ckig (shĕkiç) piebald, spotted.

scheel (shél) squint-eyed; fig. jealous.

Sche'ffel (shĕf⁰l) m bushel.

Schei'be (shib⁰) f disk; (Schnitte) slice; (Fensterɔ̯) pane; (Schießɔ̯) target; ~nhonig (-hōniç) m honey in combs; ~nwischer (-vish⁰r) m mot. wind-screen wiper.

Schei'de (shid⁰) f (Säbelɔ̯) sheath, scabbard; (Trennung) parting; ~münze f (small) change; Ɔn v/t. separate; ᵐ/ₙ analyse; Ehe: divorce; v/i. (sn) (weggehen) depart; (von-ea.~gehen) part; ~wand f partition-wall; ~weg (-vék) m cross-road(s fig.).

Schei'dung (shidōōrɔ̯) f separation; (Eheɔ̯) divorce; ~sklage (-klähgʰᵉ) f divorce-suit.

Schein (shin) m shine; der Sonne usw.: light; (Ggs. Wirklichkeit) appearance; (Bescheinigung) certificate; (Quittung) receipt; (Rech-

nung usw.) bill; (*Geld*2) (bank-) note; 2'bar seeming; 2'en shine; (*den Anschein h.*) appear, seem; ~'grund (-groont) m sophism; (*Vorwand*) pretence, pretext; 2'-heilig (-hiliç) sanctimonious, hypocritical; ~'tod (-tōt) m suspended animation; 2'tot (-tōt) seemingly dead; ~'werfer m reflector; *bsd.* ✕ searchlight; *mot.* headlight; *thea.* spot-light.

Scheit (shīt) n log.

Schei'tel (shīt'l) m crown (of the head); *fig.* top; (*Haar*2): parting; 2n part.

Schei'ter|haufen (shīte'rhowf'en) m (funeral) pile; *für Lebende:* stake; 2n (shīt'rn) (sn) (*a. fig.*) be wrecked; *fig.* fail.

Sche'lle (shĕl'e) f (little) bell.

Sche'llfisch m haddock.

Schelm (shĕlm) m rogue; ~'enstreich (-shtriç) m roguish trick; 2'isch roguish.

Sche'lte (shĕlt') f scolding; 2n scold.

Sche'm|a (shémäh) n scheme; (*Muster*) model; 2a'tisch schematic.

Sche'mel (shém'l) m stool.

Sche'men (shém'n) m phantom.

Sche'nke (shĕnₖk') f public house.

Sche'nkel (shĕnₖk'l) m (*Ober*2) thigh; (*Unter*2) shank; (*Bein, e-s Dreiecks*) leg; *e-s Winkels:* side.

sche'nken (shĕnₖk'n) give, make a present of; *Schuld, Strafe:* remit; *Getränke:* retail.

Sche'nktisch m bar.

Sche'nkung (shĕnₖkoong) f donation; ~s-urkunde (-oorkoond') f deed of gift.

Sche'rbe (shĕrb') f, ~n m fragment, broken piece.

Sche're (shér') f (*eine a pair of*) scissors *pl.*; 2n shear, clip; *Haar:* cut; *Bart:* shave; *sich* (*weg*)~ be off; *sich* ~ *um* trouble about; ~schleifer (-shlīfe'r) m knife-grinder, ~rei' f bother, vexation.

Scherz (shĕrts) m jest, joke; ~ *treiben mit* make fun of; 2'en jest, joke; 2'haft facetious, sportive.

scheu (shoi) 1. shy; *Pferd:* skittish; ~ m. frighten; 2. 2 f shyness.

scheu'chen (shoiç'n) scare.

scheu'en (shoi'en) v/i. shy (at); v/t. fear; *sich* ~ *vor* be afraid of.

Scheu'er|frau (shoi'rfrow) f charwoman, *Am.* scrubsman; ~lappen

---

m scouring-cloth; 2n scour, scrub; *Haut:* chafe.

Scheu'klappe f blinker (*a. fig.*).

Scheu'ne (shoin') f barn, shed.

Scheu'sal (shoizähl) n monster.

scheu'ßlich (shoislįç) hideous, atrocious; 2keit f atrocity.

Schi (shee) m ski; ~ *laufen* ski.

Schicht (shīçt) f layer; (*Arbeits*2) shift; (*Pause*) rest; (*Volks*2) class, rank; 2'en put in layers; (*auf* ~) pile up; *nach Klassen:* classify; 2'weise in layers.

Schick (shīk) 1. m skill; tact; style; 2. 2 chic, stylish.

schi'cken (shīk'n) send, dispatch; ~ *nach* send for; *sich* ~ (*für j-n*) become (a p.); *sich* ~ *in* (*acc.*) put up with.

schi'cklich proper, becoming; decent; 2keit f propriety.

Schi'cksal (shīkzähl) n destiny, fate.

Schie'be|fenster (sheeb'fĕnst'r) n sash-window; ~karren m wheelbarrow; 2n (sheeb'n) push, shove; F (*unredlich verfahren*) shift; *mit Lebensmitteln usw.:* profiteer; ~r m slide(r); (*Riegel*) bolt; F shifter; profiteer, spiv; ~rgeschäft f n profiteering job; ~tür f sliding door.

Schie'bung (sheeboong) f F shifting; profiteering (job).

Schie'ds|gericht (sheets-) n court of arbitration; arbitration committee; ~richter m arbitrator; *Tennis:* umpire; *Fußball:* referee; 2richterlich arbitral; ~spruch (-shprŏŏk) m arbitration.

schief (sheef) slanting; oblique; *fig.* wrong; (*verzerrt*) wry; *fig.* ~ *gehen* go wrong.

Schie'fer (sheef'r) m slate; ~stift m slate pencil; ~tafel f slate.

schie'len (sheel'n) squint.

Schie'nbein (sheenbīn) n shinbone. [2n ✗ splint.]

Schie'ne (sheen') f rail; ✗ splint;] **schie'ß|en** (shees'n) shoot (*a. fig.*), fire (*auf acc., nach* at); *Fußball:* e. *Tor* ~ score; *gut* ~ be a good shot; ~salut ~ fire salute; 2pulver (-pŏŏlf'r) n gunpowder; 2scharte f loop-hole, embrasure; 2scheibe (-shīb') f target; 2stand m shooting-range, butts *pl.* [2) nave.]

Schiff (shif) n ship, vessel; (*Kirchen-*)] **Schi'ff|ahrt** f navigation; 2bar navigable; ~bau (-bow) m shipbuilding; **~bauer** m shipbuilder; **~bruch** (-brōŏk) m shipwreck; 2**brüchig** (-brŭçĭç) shipwrecked; **~brücke** f pontoon-bridge; 2en (sn) navigate, sail; **~er** m sailor; (Fluß~) boatman; (Schiffsführer) navigator; (Handelsschiffskapitän) skipper.

Schi'ffs|junge (-yŏŏrₙᵉ) m cabin--boy; **~kapitän** m (sea-)captain; **~ladung** (-lähdōōrₙ) f cargo; **~makler** (-mähkⁱᵉr) m ship-broker; **~raum** (-rowm) m hold; **~werft** f shipyard. [vexation; 2ie'ren vex.|

Schika'n|e (shĭkähⁿᵉ) f chicane(ry).|

Schi'|lauf(en n) (sheelowfᵉn) m ski-ing; **~läufer(in** f) (-lŏifᵉr) m skier.

Schild (shĭlt) 1. m shield; buckler; 2. n (Laden2) sign(board), facia; (Tür2) door-plate; (Namen-, Firmen-, Tür2) name-plate; (Etikett) label; (Mützen2) plate; **~drüse** (-drŭzᵉ) f thyroid gland.

Schi'lder|haus (shĭldᵉrhows) n sentry-box; **~maler** (-mählᵉr) m sign-painter; 2n (shĭldᵉrn) paint; fig. describe; **~ung** f description.

Schi'ld|patt n tortoise-shell; **~kröte** f (Land2) tortoise; (See2) turtle; **~wache** (-vähkᵉ) ⚔ f sentry, sentinel.

Schilf (shĭlf) n, **~rohr** n reed.

schi'llern (shĭl'rn) play in different colours.

Schi'mmel (shĭmᵉl) m white horse; (Pilz) mo(u)ld; 2ig mo(u)ldy, musty; 2n (h. u. sn) get mo(u)ldy.

Schi'mmer (shĭmᵉr) m, 2n gleam, glimmer.

Schimpf (shĭmpf) m disgrace, insult; 2'en v/t. abuse; v/i. rail (über, auf [acc.] at, against); 2'lich ignominious, disgraceful (für to); **~wort** n term of abuse.

Schi'ndel (shĭnd'l) f shingle.

schi'nden (shĭndᵉn) flay; fig. grind, Arbeiter: sweat; sich ~ slave.

Schi'nder m knacker; fig. grinder; sweater; **~ei'** f fig. sweating; (schwere Arbeit) grind, drudgery.

Schi'nken (shĭnₖᵉn) m ham.

Schi'ppe (shĭpᵉ) f, 2n shovel.

Schirm (shĭrm) m (Wind2 usw.) screen; (Mützen2) peak; (Regen2) umbrella; (Sonnen2) sunshade, parasol; (Lampen2) shade; fig. shelter; 2'en shelter; protect; **~'futteral**

(-fōŏtᵉrähl) n umbrella-case; **~'herr** (-in f) m protector, f protectress; **~'mütze** f peaked cap; **~'ständer** (-shtĕndᵉr) m umbrella-stand.

Schlacht (shlähкt) f battle; **~'bank** f shambles pl., oft sg.; 2'en slaughter.

Schlä'chter (shlĕçtᵉr) m butcher.

Schla'cht|feld n battle-field; **~haus** (-hows) n slaughter-house; **~kreuzer** (-krŏitsᵉr) m battle-cruiser; **~vieh** (-fee) n slaughter cattle.

Schla'ck|e (shlähkᵉ) f cinder, scoria, dross; slag; 2ig slaggy, drossy.

Schlaf (shlähf) m sleep; **~'abteil** (-ähptīl) n sleeping-compartment; **~'anzug** (-ähntsōōk) m sleeping--suit; **~'bursche** (-bōŏrshᵉ) m night-lodger.

Schlä'fchen (shlĕfçᵉn) n doze, nap.

Schla'fdecke f blanket.

Schlä'fe (shlĕfᵉ) f temple.

schla'fen (shlähfᵉn) sleep; ~ gehen, sich ~ legen go to bed.

schlä'f(e)rig sleepy, drowsy.

schlaff (shlähf) slack; loose; (welk) limp, flabby; fig. lax; (träg) indolent; 2'heit f slackness; laxity; indolence.

Schla'f|gelegenheit (-gᵉlégᵉⁿhīt) f sleeping accommodation; **~kamerad** m bedfellow; 2los sleepless; **~mittel** n soporific; **~mütze** f fig. sleepyhead; 2los **~rock** m dressing-gown, Am. robe; **~sofa** (-zōfäh) n sofa-bed; **~stelle** f night's lodging; 2trunken (-trōŏnₖᵉn) drowsy; **~wagen** (-vähgᵉⁿ) 🚂 m sleeping-car; **~wandler** (-vähndlᵉr) m sleep-walker; **~zimmer** n bedroom.

Schlag (shlähk) m blow (a. fig.); stroke; mit flacher Hand: slap; ⚡ shock; (Puls2, Herz2) beat; (Donner2) clap; der Vögel: warbling; (Kutschen2) carriage-door; fig. race, kind; breed; = **~anfall**; ~ sechs Uhr on the stroke of six; **~'ader** (-ähdᵉr) f artery; **~'anfall** (-ähnfähl) m stroke (of apoplexy); **~'baum** (-bowm) m turnpike; 2'en (shlähgᵉn) v/t. beat; strike; (treffen) hit; (hart ~) knock; (besiegen) defeat, beat; Holz: fell; Alarm ~ sound the alarm; in den Wind ~ cast to the four winds; sich ~ come to blows, fight; sich aus dem Sinne ~ dismiss a th. from one's mind; v/i. strike;

(*a. Herz*) beat; *Uhr*: strike; *Pferd*: kick; *Vogel*: warble; *das schlägt nicht in mein Fach that is not in my line;* ♀'end striking. [♪ song-hit.]

Schla'ger (shlähg^h^{e}r) *m* draw, hit;

Schlä'ger (shläg^h^{e}r) *m* beater *usw.;* *Kricket*: batsman; *Pferd*: kicker; (*Gerät*) *Kricket*: bat, (*Tennis*♀) racket; ~ei' *f* (free) fight, brawl, scuffle. [♀keit *f fig.* ready wit.]

schla'gfertig *fig.* ready-witted;

Schla'g|loch (-lŏk) *n* pot-hole; ~mann *m Rudern*: stroke; ~ring *m* knuckleduster, brass knuckles; ~sahne *f* whipped cream; ~schatten *m* cast shadow; ~seite (-zīt^e) ♆ *f* list; ~werk *n* striking mechanism; ~wort *n* catchword, slogan; ~zeile (-tsīl^e) *f* catch-line, *Am.* banner head; ~zeug (-tsŏik) ♪ *n* percussion instruments *pl.*

Schlamm (shlähm) *m* mud, mire.

schla'mmig muddy, slimy.

Schlä'mmkreide (shlĕmkrīd^e) *f* whit(en)ing.

Schla'mp|e (shlähmp^e) *f* slut, slattern; ♀ig slovenly; slipshod.

Schla'nge (shlähŋ^e) *f* snake; ~ stehen queue (*Am.* line) up.

schlä'ngeln (shlĕŋ^{e}ln): sich ~ wind; worm o.s. through *a th.*

Schla'ngenlinie (-leen'^ie) *f* serpentine (line).

schlank (shlähŋk) slender, slim.

schlapp (shlähp) = *schlaff;* F ~ *m.* break down; ♀'e *f* check, reserve; ✗ defeat; (*Verlust*) loss.

schlau (shlow) sly, cunning.

Schlauch (shlowk) *m* tube; (*Spritz-*♀) hose; (*Fahrrad*♀, *Auto*♀) inner tube; ~'boot (-bŏt) *n* rubber dinghy, *Am.* pneumatic boat.

Schlau'fe (shlowf^e) *f* loop.

schlecht (shlĕçt) 1. *adj.* bad; (*boshaft*) wicked; (*erbärmlich*) wretched; *Laune*: ill; *mir ist ~* I feel ill; 2. *adv.* badly, ill; ~'erdings (-^{e}rdiŋs) by all means, absolutely; ~'gelaunt (-g^{h}lownt) ill-humoured; ~hi'n, ~we'g (-vĕk) plainly, simply; ♀'igkeit *f* badness *usw.;* *j-n ~'machen* run a p. down.

schlei'ch|en (shlīç^{e}n) (*sn*) creep; slink; *sich davon~* steal away *od.* off; ♀er *m* sneak; ♀handel *m* smuggling, contraband (trade); ♀händler *m* smuggler; ♀weg (-vĕk) *m* secret path.

Schlei'er (shlī^{e}r) *m* veil; ♀haft *fig.* hazy, mysterious.

Schlei'f|e (shlīf^e) *f* (*Schlinge*) loop; (*gebundene* ~) slip-knot; (*Band*♀) bow, knot; (*Art Schlitten*) sledge, drag; ♀en 1. grind; *Messer usw.*: whet; *Edelstein, Glas*: cut; (*polieren*) polish; 2. (*schleppen*) drag; *Mauer usw.*: demolish; ♪ slur; ~stein (-shtīn) *m* whetstone, grindstone.

Schleim (shlīm) *m* slime; *im Körper*: mucus, phlegm; ~'haut (-howt) *f* mucous membrane; ♀'ig slimy; mucous.

schle'mm|en (shlĕm^{e}n) feast, gormandize; ♀er *m* glutton; ♀erei' *f* gluttony.

schle'nd|ern (shlĕnd^{e}rn) (*sn*) stroll, saunter; ♀rian (-r'ähn) *m* routine; beaten track, jogtrot.

schle'nkern (shlĕŋk^{e}rn) dangle; swing (*mit et. a th.*).

Schle'pp|dampfer (shlĕp-) *m* steam-tug; ~'e *f am Kleid*: train; (*Schweif*) trail; ♀en drag, trail; (*schwer tragen*) carry; ♆ tug; ♀end dragging; *Sprache*: drawling; ~er *m* ♆ tug(-boat); ~tau (-tow) *n* tow(ing)-rope; *ins* ~ *nehmen* take in tow.

Schleu'der (shlŏid^{e}r) *f* sling; ~artikel (-ăʰrteek^{e}l) ✝ *m* catchpenny article; ♀n *v/t.* fling, hurl; *v/i.* *mot.* skid, (side-)slip; ✝ sell belowcost, undersell; ~preis (-prīs) *m* underprice; *zu* ~preisen dirt-cheap.

schleu'nig (shlŏiniç) quick, speedy.

Schleu'se (shlŏiz^e) *f* lock, sluice.

schlicht (shlïçt) plain, simple; (*glatt*) smooth, sleek; ~'en *fig.* settle; ♀'er(in *f*) *m* arbitrator.

schlie'ß|en (shlees^{e}n) *v/t.* shut; close; *mit Schloß*: lock; *Freundschaft, Ehe*: contract; *Handel*: strike; *Vertrag, Frieden*: conclude; *Debatte*: close; *in sich* ~ include; *v/i.* shut; close; *aus et.* ~ *auf* (*acc.*) conclude *a th.* from *a th.;* ♀fach *n* post-office box; ~lich eventual(ly); [*Edelstein, Glas*: cut.]

Schliff (shlïf) *m* polish (*a. fig.*);

schlimm (shlïm) bad; ill; (*böse*) evil; (*wund*) sore; (*bedenklich*) serious; ~er worse; *am* ~sten the worst; ~ *daran sn* be badly off; ~'stenfalls at (the) worst.

Schli'ng|e (shlĭr̄gᵉ) *f* loop, noose; *(Draht2, Tau2)* coil; *~* sling; *hunt. u. fig.* snare; **~el** *m* rascal; **2en** wind, twist; *(schlucken)* gulp, gorge; *sich ~* wind, turn; **~pflanze** *f* creeper.

Schlips (shlĭps) *m* (neck-)tie.

Schli'tten (shlĭtᵉn) *m* sledge, *Am.* sled; *(bsd. Pferde2)* sleigh; *(Rodel2)* toboggan.

Schli'ttschuh (shlĭtshōō) *m* skate; *~ laufen* skate; **~läufer(in** *f)* (-lŏif̄ᵉr) *m* skater.

Schlitz (shlĭts) *m* slit, slash; *(Einwurf2)* slot; **2en** *v/t.* slit, slash.

Schloß (shlŏs) *n* castle; *(Tür2 usw.)* lock; *(Hasband2)* snap.

Schlo'sser (shlŏsᵉr) *m* locksmith.

schlo'tter|ig (shlŏtᵉrĭç) loose, shaky; **~n** hang loose; *Glieder:* shake.

Schlucht (shlŏŏkt) *f* gorge.

schlu'chzen (shlŏŏktsᵉn) sob.

Schluck (shlŏŏk) *m* draught, gulp; **2'en** swallow; **~'en** *m* hiccup.

Schlu'mmer (shlŏŏmᵉr) *m,* **2n** slumber. [*(Abgrund)* abyss, gulf.]

Schlund (shlŏŏnt) *m* throat, gullet;]

schlü'pf|en (shlüpf̄ᵉn) (sn) slip; **2er** *m (Damenhös-chen)* (ein a pair of) knickers *pl., Am.* panties; **~(e)rig** slippery; *fig.* lascivious.

Schlu'pf|loch (shlŏŏpf̄lŏk) *n* loop-hole; **~winkel** *m* hiding-place.

schlü'rfen (shlürf̄ᵉn) sip.

Schluß (shlŏŏs) *m* close, end; *(Ab2, Folgerung)* conclusion; *e-r Debatte:* closing.

Schlü'ssel (shlüsᵉl) *m* key; **~bart** *m* key-bit; **~bein** (-bīn) *n* collar-bone; **~bund** (-bŏŏnt) *n* bunch of keys; **~loch** (-lŏk) *n* keyhole.

Schlu'ß|folgerung (-fŏlḡʰᵉrŏŏrŋ) *f* conclusion; **~licht** (-lĭçt) *n* 🚗, *mot.* tail-light; **~runde** (-rŏŏndᵉ) *f Sport:* final; **~schein** (-shīn) ✝ *m* contract-note. *[leidigung)* insult.]

Schmach (shmä͟hk) *f* disgrace; *(Be-]*

schma'chten (shmä͟hktᵉn) languish, pine *(nach* for).

schmä'chtig (shmĕçtĭç) slender.

schma'chvoll disgraceful.

schma'ckhaft (shmä͟hkhä͟hft) savoury.

schmä'h|en (shmäᵉn) *(schimpfen)* revile; *(verleumden)* slander; **~lich** ignominious, disgraceful; **2schrift** *f* libel, lampoon; **2ung** *f* abuse, invective.

schmal (shmä͟hl) narrow; slender, thin; *fig.* scanty.

schmä'l|ern (shmäl̄ᵉrn) curtail, impair; **2erung** *f* curtailment, impairment.

Schma'l|film *m* narrow film; **~spur** (-shpŏŏr) *f,* **2spurig** 🚗 narrow-gauge.

Schmalz (shmä͟hlts) *n* lard.

schmaro'tz|en (shmä͟hrŏtsᵉn) sponge *(bei* on); **2er** *m* parasite.

Schma'rre (shmä͟hrᵉ) *f* scar, slash.

schma'tzen (shmä͟htsᵉn) smack.

Schmaus (shmows) *m,* **2'en** (shmowzᵉn) feast, banquet.

schme'cken (shmĕkᵉn) taste *(nach* of); *das schmeckt mir* I like it.

Schmeichel|ei' (shmĭçᵉlī) *f* flattery; cajolery; **2'haft** flattering; **2'n** flatter *(j-m* a p.); *zärtlich:* cajole.

Schmei'chler *m,* **~in** *f* flatterer.

schmei'ß|en (shmīsᵉn) F fling, hurl; **2fliege** (-fleeḡʰᵉ) *f* bowfly, blue-bottle.

Schmelz (shmĕlts) *m* enamel; *fig.* bloom; ♪ sweetness; **2'en** *v/t.* *(v/i.* [sn]) melt; *metall.* smelt, fuse; **~erei'** (-ᵉrī), **~'hütte** *f* foundry; **~'-ofen** (-ŏf̄ᵉn) *m* furnace; **~'tiegel** (-teeḡʰᵉl) *m* melting-pot, crucible.

Schme'rbauch (shmĕrbowk) *m* paunch.

Schmerz (shmĕrts) *m* pain *(a. fig.)*; ache; *(Kummer)* grief; **2'en** *v/t.* pain; *v/i.* ache; *seelisch:* grieve; **2'haft, 2'lich** painful; *fig. a.* grievous; **2'lindernd** soothing; **2'los** painless.

Schme'tter|ling (shmĕt̄ᵉrlĭr̄g) *m* butterfly; **2n** *v/t.* smash, dash; *v/i.* ♪ bray, blare; *Vogel:* warble.

Schmied (shmeet) *m* (black)smith; **~'e** (shmeedᵉ) *f* forge, smithy; **~'e-eisen** (-īzᵉn) *n* wrought iron; **~'e-hammer** *m* sledge-hammer; **2'en** forge; *Plan:* scheme.

schmie'gen (shmeeḡʰᵉn) *(a. sich)* nestle *(an* acc. to).

schmie'gsam (shmeekzä͟hm) pliant, flexible, supple; **2keit** *f* pliancy.

Schmie'r|e (shmeerᵉ) *f* grease; *thea.* troop of strolling players; **2en** smear; ⊕ grease, lubricate; *Brot:* butter; *Butter:* spread; *(kritzeln)* scrawl, scribble; *paint.* daub; **~erei'** (-ᵉrī) *f* smearing; scrawl; daub;

ₐig (*fettig*) greasy; (*schmutzig*)
dirty; *fig.* sordid; ～mittel ⊕ *n*
lubricant.

Schmi′nke (shmĭn̹k⁶) *f* (grease)
paint, make-up; *rote:* rouge; 2n
(*a. sich*) paint, make up; *rot:* rouge.

Schmi′rgel (shmĭrg^h⁶l) *m* emery.

Schmiß (shmĭs) *m* (*Hieb*) cut, lash;
fig. F verve, go, *Am.* pep.

schmo′llen (shmŏl⁶n) pout, sulk.

schmo′ren (shmŏr⁶n) stew.

Schmuck (shmŏŏk) 1. *m* ornament;
(*Juwelen*) jewels *pl.*; 2. ℒ neat,
smart, trim; spruce.

schmü′cken (shmük⁶n) adorn; trim.

schmu′ck|los unadorned; ℒsachen
(-zähк⁶n) *f/pl.* jewels.

Schmu′ggel (shmŏŏg^h⁶l) *m*, ～ei′
f smuggling; 2n smuggle; ～ware(n
pl.) (-vähr⁶[n]) *f* contraband.

Schmu′ggler *m* smuggler.

schmu′nzeln (shmŏŏnts⁶ln) smile
contentedly *od.* amusedly.

Schmutz (shmŏŏts) *m* dirt; (*a. fig.*)
filth; *fig.* smut; ～blech *n*, ～fänger
(-fên̹⁶r) *m* mudguard; 2′en soil,
get dirty; ～erei′ (-⁶rī) *f* filth; ～′-
fleck *m* stain; 2′ig dirty; filthy;
bsd. fig. smutty; sordid.

Schna′bel (shnähb⁶l) *m* bill, beak.

Schna′lle (shnähl⁶) *f*, 2n buckle.

schna′lzen (shnählts⁶n) click one's
tongue; snap one's fingers.

schna′ppen (shnähp⁶n) snap (*nach*
at); *nach Luft* ～ gasp for breath.

Schna′pp|schloß (-shlŏs) *n* spring-
lock; ～schuß (-shŏŏs) *m* snapshot.

Schnaps (shnähps) *m* strong liquor;
(*ein Glas* ～) dram.

schna′rchen (shnährc̹⁶n) snore.

schna′rren (shnähr⁶n) jar; rattle.

schna′ttern (shnäht⁶rn) cackle; *fig.*
chatter, gabble.

schnau′|ben (shnowb⁶n) snort; puff,
blow; *vor Wut* ～ foam with rage;
sich (*die Nase*) ～ blow one's nose;
～fen (-f⁶n) wheeze; pant.

Schnau′z|e (shnowts⁶) *f* snout;
muzzle; (*Tülle*) spout; 2n F jaw.

Schne′cke (shnĕk⁶) *f* snail; ～ngang
m: im ～ at a snail's pace; ～nhaus
(-hows) *n* snail's shell.

Schnee (shnē) *m* snow; ～′ball *m*,
2′ballen (*a. sich*) snowball; ～′bril-
le *f* (*eine a pair of*) snow-goggles
pl.; ～′fall *m* snowfall; ～′flocke *f*
snow-flake; ～′gestöber (-g^h⁶stöb⁶r)
n snow-storm; ～′glöckchen (-glök-

ç⁶n) *n* snowdrop; ～′pflug (-pflōōk)
m snow-plough; ～′schuh (-shōō) *m*
snow-shoe, ski; ～′wehe (-vé⁶) *f*
snowdrift; 2′weiß (-vīs) snow-
-white.

Schneid (shnīt) F *m* pluck, dash.

Schnei′de (shnīd⁶) *f* edge; ～mühle
f saw-mill; 2n *allg.* cut; (*be‿*) pare.

Schnei′der *m* tailor; ～in *f* dress-
maker; ～ei′ *f* tailoring; ～meister
(-mīst⁶r) *m* master tailor; 2n *v/i.*
do tailoring *od.* dressmaking; *v/t.*

Schnei′dezahn *m* incisor. [make.]

schnei′dig *fig.* smart, *Am.* nifty;
(*flott*) dashing; (*mutig*) plucky.

schnei′en (shnī⁶n) snow.

schnell (shnĕl) (*lebhaft, geschwind*)
quick; swift; (*schleunig*) speedy;
sich bewegender Gegenstand: fast;
Strömung, Wuchs, ✗ *Feuer:* rapid;
(*sofortig*) prompt; (*plötzlich*) sudden; ～l be quick!; ～′en *v/t. u. v/i.*
(sn) jerk; 2′feuer (-föi⁶r) *n* rapid
fire; 2′hefter *m* folder.

Schne′lligkeit (shnĕlic̹kīt) *f* quickness; speed; rapidity; promptness.

Schne′ll|kraft *f* elasticity; ～läufer
(-in *f*) (-lóif⁶r) *m* racer; ～verfah-
ren (-fêrfähr⁶n) r̄⁵ *n* summary
jurisdiction; ～zug (-tsōōk) *m* fast
train, express. [one's nose.]

schneu′zen (shnöits⁶n): *sich* ～ blow/

schnie′geln (shneeg^h⁶ln) smarten.

schni′ppisch (shnĭpish) snappish,
pert, *Am.* snippy.

Schnitt (shnĭt) *m* (*Schneiden*) cut
(-ting); (*Haarℒ, Kleiderℒ, ～wunde*)
cut; (*Buchℒ) edge; (*Gewinn*) profit;
(～*muster*) pattern; ✗ section; ～e *f*
cut, slice; ～′er(in *f*) *m* reaper,
mower; ～′fläche (-flêc̹⁶) *f* sec-
tion(al plane); ～′muster (-mōōst⁶r)
n pattern; ～′punkt (-pōōn̹kt) *m*
(point of) intersection; ～′waren
(-vähr⁶n) *f/pl.* drapery, mercery,
Am. dry goods *pl.*; ～′waren-
händler *m* draper; mercer; ～′-
wunde (-vōōnd⁶) *f* cut.

Schni′tzel (shnĭts⁶l) *n*, *a. m* chip;
2n whittle, chip.

schni′tzen (shnĭts⁶ln) carve, cut.

Schni′tzer *m* carver; (*Fehler*) blunder; ～ei′ *f* carved work.

schnö′de (shnöd⁶) base, vile.

Schnö′rkel (shnörk⁶l) *m* flourish.

schnü′ff|eln (shnüf⁶ln) sniff (*nach*
after, for); *fig.* F snoop;
2ler(in *f*) *m fig.* spy, F snooper.

Schnu′pf|en[1] (shnŏŏpf^en) *m* cold (in the head), catarrh; *den ~ be-kommen* catch cold; **₂en**[2] (take) snuff; **~er** *m* snuffer; **~tabak** *m* snuff.

Schnu′pp|e (shnŏŏp^e) *f am Licht:* snuff; (*Stern₂*) shooting star; **₂ern** sniff.

Schnur (shnŏŏr) *f* cord, string; line.

Schnü′r|band (shnür-) *n* lace; **~chen** *n: wie am ~* like clock-work; **₂en** *lace; (₂ubinden)* cord, tie up.

schnu′rgerade straight.

Schnu′rr|bart (shnŏŏr-) *m* mous-tache; **₂en** hum, buzz; *Räder:* whir(r); *Katze:* purr; **₂ig** droll, funny; (*wunderlich*) queer.

Schnü′r|senkel (shnürzĕn_gk^el) *m* lace, *Am.* shoe-string; **~stiefel** (-shteef^el) *m* lace-boot.

schnu′rstracks (shnŏŏrshträ/hks) directly, straight.

Scho′ber (shŏb^er) *m* stack, rick.

Schock (shŏk) *n* threescore; *m* ⚡ shock; **₂′weise** by threescores.

Schö′ffe (shŏf^e) *m* juror, juryman; **~ngericht** *n* jury-court.

Schoffőr s. *Chauffeur.* [late.)

Schokola′de (shŏkŏlähd^e) *f* choco-)

Scho′lle (shŏl^e) *f* glebe; clod; *fig.* soil; (*Eis₂*) flake, floe; (*Fisch*) plaice.

schon (shŏn) already; *~ gut!* all right!; *~ der Gedanke* the very idea; *~ um 8 Uhr* as early as eight o'clock.

schön (shŏn) beautiful; (*ansehn-lich*) handsome; *bsd. Frau:* fair; *bsd. Wetter;* *a. iro.:* fine.

scho′nen (shŏn^en) spare; (*sorgfältig behandeln*) take care of.

Schö′nheit *f* beauty; **~s-pflege** (-pflég^h^e) *f* beauty treatment.

schö′ntun (shŏntŏŏn) flatter (*j-m* a p.); flirt.

Scho′nung (shŏnŏŏn_g) *f* sparing; forbearance; *im Wald:* nursery; **₂slos** unsparing, relentless.

Schopf (shŏpf) *m* bob, tuft.

schö′pfen (shŏpf^en) scoop; draw (water); *Atem:* draw; *Verdacht, Hoffnung:* conceive.

Schö′pfer *m* creator; **~in** *f* creatress; **₂isch** creative.

Schö′pfung *f* creation.

Schorf (shŏrf) *m* scurf, scab.

Scho′rnstein (shŏrnshtin) *m* chim-ney; ♓, 🚂 funnel; **~feger** (-fég^h^er) *m* chimney-sweep.

Schoß (shŏs) *m* lap; (*Mutterleib*) womb; (*Rock₂*) flap, tail, skirt.

Schö′ßling (shŏsslĭn_g) ♀ *m* shoot.

Scho′te (shŏt^e) *f* cod, pod, husk, shell; **~n** *pl.* green peas.

Scho′tt|e (shŏt^e) *m* Scotchman; *die* **~en** *pl.* the Scotch; **~er** *m* metal; **~in** *f* Scotchwoman; **₂isch** Scotch.

schräg (shräk) oblique, sloping.

Schra′mm|e (shrähm^e) *f*, **₂en** scratch, scar; *Haut:* graze.

Schrank (shrähn_gk) *m* cupboard.

Schra′nke *f* barrier; 🚂 bar; ⚖ gate; **~n** *pl.* lists; *fig.* bounds; **₂n-los** boundless; **~nwärter** (-vĕrt^er) 🚂 *m* gateman.   [vice.)

Schra′nkkoffer *m* wardrobe trunk.)

Schrau′be (shrowb^e) *f*, **₂n** screw.

Schrau′ben|mutter (-mŏŏt^er) *f* nut; **~schlüssel** *m* wrench, span-ner; **~zieher** (-tsee^er) *m* screw-driver.   [vice.)

Schrau′bstock (shrowpshtŏk) *m*)

Schreck (shrĕk) *m* fright, **~en**[1] *m* fright, terror; **~′bild** *n* fright, bugbear; **₂′en**[2] frighten, scare; **~ensherr-schaft** *f* reign of terror; **₂′haft** timid; **₂′lich** terrible (*a. fig.*); dreadful; **~′schuß** (-shŏŏs) *m* shot in the air.

Schrei (shri) *m* cry; *lauter:* shout.

schrei′ben (shrib^en) 1. write; (*mit der*) *Maschine ~* type(write); 2. ⚡ *n* writing; (*Brief*) letter.

Schrei′ber *m*, **~in** *f* writer; (*An-gestellter*) clerk.

schrei′b|faul (shripfowl) lazy in writing; **₂feder** (-féd^er) *f* pen; **₂-fehler** *m* slip of the pen; **₂heft** *n* copy-book; **₂mappe** *f* writing-case; **₂maschine** (-mähsheen^e) *f* typewriter; **₂papier** (-päh_peer) *n* writing-paper; **₂schrift** *f* script; **₂tafel** (-tähf^el) *f* tablet; **₂tisch** *m* writing-table; **₂-unterlage** (-ŏŏn-t^erlähg^h^e) *f* blotting-pad; **₂waren** (-vähr^en) *f/pl.* stationery *sg.*; **₂-warenhändler** *m* stationer; **₂zeug** (-tsŏik) *n* inkstand.

schrei′en (shri^en) cry (*um, nach* for); *laut:* shout; **~′d** *Farbe:* loud.

schrei′ten (shrit^en) (sn) step, stride; *~ zu* proceed to.

Schrift (shrĭft) *f* writing; (*Hand₂*) hand(writing); *typ.* type; *die Heilige ~* the Holy Scripture(s *pl.*); **~führer(in** *f*) *m* secretary; **~leiter** (-lit^er) *m* editor; **₂′lich** written; in writing; ~'satz (-zähts) m memorandum; ~'setzer m type--setter; ~'sprache (-shprä̈hᵉ) f literary language; ~'steller (-shtĕlᵉr) m author, writer; ~'stellerin f author(ess); ~'stück n writing, document; ~'tum n literature; ~'wechsel (-vĕksᵉl) m exchange of letters; ~'zeichen (-tsi-çᵉn) n character.

schrill (shril) shrill.

Schritt (shrit) m step (a. fig.); (a. Gangart, Tempo, Maß) pace; fig. ~e unternehmen take steps; ~'macher (-mähᴋᵉr) m pace--maker; 2'weise by steps.

schroff (shröf) abrupt; steep; fig. harsh, gruff.   [fleece.

schrö'pfen (shröpfᵉn) cup; fig.

Schrot (shröt) m u. n zum Schießen: small shot; (Korn) bruised grain; ~'brot (-bröt) n whole-meal bread; ~'flinte f shotgun.

Schrott (shröt) m scrap(metal).

schru'bben (shrŏŏbᵉn) scrub.

Schru'lle (shrŏŏlᵉ) f whim.

schru'mpfen (shrŏŏmpfᵉn) (sn) shrink, shrivel.

Schub (shŏŏp) m push; v. Broten, Briefen usw.: batch; ~'fach (-fähᴋ) n, ~'kasten m, ~'lade (-lähdᵉ) f drawer; ~'karren m wheelbarrow, Am. pushcart.

schü'chtern (shüçtᵉrn) shy, bashful.   [ful, timid.

Schuft (shŏŏft) m rascal; 2'en drudge, slave; 2'ig knavish.

Schuh (shŏŏ) m shoe; ~'-anzieher (-ähntseeᵉr) m shoehorn; ~'band n boot-lace, Am. shoe-string; ~'krem (-krém) m shoe-cream; ~'macher (-mähᴋᵉr) m shoemaker; ~'putzer (-pŏŏtsᵉr) m shoeblack; ~'sohle f sole; ~'werk, ~'zeug (-tsŏik) n footwear.

Schu'l|-amt (shŏŏlähmt) n (Lehramt) teacher's post; (Behörde) school board; ~'arbeit f task, lesson; ~bank f form; ~besuch (-bᵉzŏŏᴋ) m attendance at school; ~bildung f education.

Schuld (shŏŏlt) f (Vergehen) guilt; (Geld2) debt; ~en m. contract debts; es ist s-e ~ it is his fault; he is to blame for it; 2en (-dᵉn) owe.

Schu'ldiener (shŏŏldeenᵉr) m school attendant.

schu'ldig (shŏŏldiç) (strafbar) guilty; Geld: owing; (gebührend) due;

j-m et. ~ sn od. bleiben owe a p. a sum; der, die 2e (-dῑgʰᵉ) the culprit; 2keit f duty.

Schu'ldirektor (shŏŏldῑrĕktŏr) m headmaster, Am. principal.

schu'ld|los guiltless, innocent; 2ner (-in f) m debtor; 2schein (-shīn) m, 2verschreibung (-fĕrshrībŏŏr̩) f promissory note; IOU (= I owe you); öffentliche(r): debenture.

Schu'le (shŏŏlᵉ) f school; auf (od. in) der ~ at school; in die ~ gehen go to school; 2n school, train.

Schü'ler (shülᵉr) m schoolboy; pupil; höherer: Am. student; ~in f schoolgirl; sonst = ~

Schu'l|ferien (shŏŏlférⁱᵉn) pl. holidays, Am. vacations pl.; ~geld n school fee(s pl.), tuition; ~hof (-höf) m playground; ~kamerad m schoolfellow; ~lehrer m schoolmaster; 2lehrerin f schoolmistress; ~mann m pedagogue; ~mappe f satchel; 2meistern (-mistᵉrn) censure; ~ordnung f school regulations pl.; ~pferd (-pfért) n trained horse; 2pflichtig (-pflĭçtiç) schoolable; ~rat m supervisor; ~schiff n training-ship; ~schluß (-shlŏŏs) m breakup; ~speisung (-shpizŏŏr̩) f school relief meal; ~stunde (-shtŏŏndᵉ) f lesson.

Schu'lter (shŏŏltᵉr) f shoulder; ~blatt n shoulder-blade; 2n shoulder.

Schu'l|-unterricht (-ŏŏntᵉrĭçt) m school-instruction; ~versäumnis (-fĕrzŏimnis) f non-attendance; ~wesen (-vézᵉn) n educational system; ~zeugnis (-tsŏiknis) n- school record.

Schund (shŏŏnt) m trash; ~'literatur (-lῑtᵉrähtŏŏr) f trashy literature.

Schu'pp|e (shŏŏpᵉ) f scale; (Kopf2n) dandruff; 2en¹ (un)scale; (kratzen) scrape; ~en² m shed; mot. garage; ℀ hangar; 2ig scaly.

Schü'r|-eisen (shürizᵉn) n poker; 2en poke, stir (up fig.).

Schu'rk|e (shŏŏrkᵉ) m scoundrel; ~erei' (-ᵉrī) f rascality; 2isch (-ish) rascally.

Schurz (shŏŏrts) m apron. [rascally.]

Schü'rze (shürtsᵉ) f apron; 2n tie up, tuck up.

Schuß (shŏŏs) m shot; (Knall) report; (Ladung) charge; = ~wunde; ℀ (Trieb) shoot.

Schü′ssel (shŭsᵉl) f dish.

schu′ß|fertig ready to fire; 2**waffe** f fire-arm; 2**weite** (-vitᵉ) f range; 2**wunde** (-vōōndᵉ) f gunshot wound. [2n cobble.|

Schu′ster (shōōstᵉr) m shoemaker;|

Schutt (shŏŏt) m rubbish; (Stein2) rubble. [ing fit; 2n shake.|

Schü′ttel|frost (shŭtᵉl-) m shiver-

schü′tten (shŭtᵉn) pour; shoot.

Schutz (shŏŏts) m protection; defence; (Obdach) shelter; (sicheres Geleit) safeguard; ～′brille f (eine a pair of) safety goggles.

Schü′tze (shŭtsᵉ) m marksman; shot; ✕ rifleman; 2n protect; guard; defend; shelter (from).

Schu′tz-engel m guardian angel.

Schü′tzengraben (shŭtsᵑgrähbᵉn) m trench.

Schu′tz|geleit (-gʰᵉlit) n safe-conduct; ～**haft** f preventive arrest; ～**herr** m patron; ～**herrin** f patroness; ～**insel** (-ĭnzᵉl) f auf der Straße: refuge. [tégé(e f).|

Schü′tzling (shŭtslĭᵑ) m pro-

schu′tz|los unprotected; 2**mann** m constable, policeman, Am. patrolman; 2**marke** f trade-mark; 2**mittel** n preservative; 2**patron(in** f) (-pähtrōn) m patron saint; 2**-pocken-impfung** (-pŏkᵉnimpfōōᵑ) f vaccination; 2**wehr** f bulwark; 2**zoll** m protective duty.

Schwa′be (shvähbᵉ) m Swabian.

Schwä′b|in (shväbĭn) f Swabian (woman); 2**isch** Swabian.

schwach (shvähᵡk) feeble, weak; Ton, Licht: faint; (hinfällig) infirm; ～e Seite fig. weak point.

Schwä′che (shvèᶜᵉ) f weakness; fig. foible; infirmity; 2n weaken.

Schwa′ch|heit f weakness; moralische: frailty; ～**kopf** m simpleton; 2**köpfig** (-köpfĭç) weak-headed.

schwä′ch|lich (shvèçlĭç) feeble; weakly; (empfindlich) delicate; 2**ling** (-lĭᵑ) m weakling.

schwa′ch|sinnig (-zĭnĭç) weak--minded; 2**strom** (-shtrōm) ⚡ m weak current.

Schwadro′n (shvähdrōn) f squadron; 2ie′ren swagger.

Schwa′ger (shvähgʰᵉr) m brother--in-law. [-in-law.|

Schwä′gerin (shvägᵉrĭn) f sister-

Schwa′lbe (shvählbᵉ) f swallow.

Schwall (shvähl) m swell, flood.

Schwamm (shvähm) m sponge; ♀ mushroom; (Haus2) dry rot; 2′ig spongy.

Schwan (shvähn) m swan.

schwa′nger (shvähᵑᵉr) pregnant.

schwä′ngern (shvèᵑᵉrn) get with child, (a. fig.) impregnate.

Schwa′ngerschaft f pregnancy.

schwa′nk|en (shvähᵑkᵉn) totter; stagger; ✝ Preise: fluctuate; fig. waver, vacillate; 2**ung** f oscillation; ✝ fluctuation. [train.|

Schwanz (shvähnts) m tail; (Gefolge)

schwä′nz|eln (shvèntsᵉln) wag one's tail; ～**en** Schule usw.: shirk, play truant. [suppurate.|

Schwä′re (shvärᵉ) f abscess; 2n

Schwarm (shvährm) m swarm.

schwä′rmen (shvèrmᵉn) (h. u. sn) swarm; (schwelgen) revel; ～ für be enthusiastic about.

Schwä′rmer(in f) m reveller; (Begeisterter) enthusiast; Feuerwerk: cracker; ～**ei** f enthusiasm (for); 2**isch** enthusiastic.

Schwa′rte (shvährtᵉ) f rind, skin.

schwarz (shvährts) 1. black; ～er Mann fig. bog(e)y; 2. 2 n black (colour); 3. 2′e(r) m black; 2′-arbeit (-ährbīt) f illicit work; 2′blech n black sheet; 2′brot (-brōt) n brown bread. [2n blacken.|

Schwä′rze (shvèrtsᵉ) f blackness;|

Schwa′rz|fahrt f mot. joy-ride; ～**handel** m black market(ing); ～**händler** m black-marketeer; ～**hörer** m wireless pirate.

schwä′rzlich (shvèrtslĭç) blackish.

Schwa′rz|seher(in f) (shvährts-zéᵉr) m pessimist; ～**sender** (-zèndᵉr) m pirate transmitter.

schwa′tzen (shvähtsᵉn) chatter.

Schwä′tzer (shvètsᵉr) m, ～**in** f|

schwa′tzhaft talkative. [tattler.|

Schwe′be (shvébᵉ) f: in der ～ in suspense; 2**bahn** f suspension railway; 2n (h. u. sn) be suspended; Vogel: hover; Prozeß: be pending; (leicht gehen) swim.

Schwe′d|e (shvédᵉ) m, ～**in** f Swede; 2**isch** Swedish.

Schwe′fel (shvéfᵉl) m sulphur; ～**äther** (-ätᵉr) m sulphuric ether; ～**säure** (-zöirᵉ) f sulphuric acid.

Schweif (shvīf) m tail; fig. train; 2′en (h. u. sn) rove, ramble.

schwei′gen (shvīgʰᵉn) 1. be silent; 2. 2 n silence; ～**d** silent.

schwei'gsam (shvikzähm) taciturn; 2keit f taciturnity.

Schwein (shvin) n pig, hog (a. fig.); F (Glück) fluke, lucky hit.

Schwei'ne|braten m roast pork; ~fleisch (-flish) n pork; ~rei' f (Zustand) mess; (Handlung) dirty trick; (Unzüchtigkeit) smut(ty joke); ~stall m pigsty.

schwei'nisch swinish.

Schwei'nsleder n pigskin.

Schweiß (shvis) m sweat, perspiration; ~'blatt n dress-shield; 2'en ⊕ weld; 2'ig perspiring.

Schwei'zer (shvits⁵r) m Swiss (a. ~in f); (Milch2) dairyman.

schwe'len (shvél⁵n) smoulder.

schwe'lge|n (shvĕlg⁴⁵n) revel; 2rei' f revelry; ~risch luxurious.

Schwe'll|e (shvĕlᵉ) f (Tür2) threshold; ⛴ sleeper; 2en v/t., v/i. (sn) swell; ~ung f swelling.

Schwe'ngel (shvĕrg⁴) m handle.

schwe'nk|en (shvĕrₖk⁵n) v/t. swing; Stock usw.: flourish, brandish; Hut, Tuch: wave; v/i. turn; ✗ wheel; 2ung f✗ wheel; fig. change of mind.

schwer (shvér) heavy; (schwierig) difficult, hard; Krankheit, Wunde: serious; Strafe: severe; Verbrechen usw.: grave; Wein, Zigarre: strong; ~e Zeiten hard times; es fällt mir ~ I find it hard; zwei Pfund ~ weighing two pounds; 2'e f heaviness, seriousness; severity; ~'fällig heavy, slow; 2'gewicht n Boxen: heavy-weight; ~'hörig (-höriç) hard of hearing; 2'-industrie (-indöostree) f heavy industry; 2'kraft f (force of) gravity; ~'lich hardly, scarcely; 2'mut (-möot) f, ~'mütig (-mütiç) melancholy; 2'-punkt (-pöoₙkt) m centre of gravity.

Schwert (shvért) n sword.

schwe'r|verständlich (-fĕrshtĕndliç) difficult to understand; ~ver-wundet (-fĕrvöond⁴t) severely wounded; ~wiegend (-veegʰ⁴nt) weighty.

Schwe'ster (shvĕst⁴r) f sister; (Kranken2) nurse; 2lich sisterly.

Schwie'ger... (shveegʰ⁴r-) ...in-law, z.B. ~sohn m son-in-law.

Schwie'l|e (shveel⁴) f callosity; (Strieme) wale; 2ig callous.

schwie'rig (shveeriç) difficult, hard; 2keit f difficulty.

Schwi'mm|bad (shvimbäht) n swimming-bath; (swimming) pool; 2en (h. u sn) swim; S.: float; fig. im Gelde ~ be rolling in money; ~gürtel m life-belt; ~haut (-howt) f web; ~lehrer m swimming-master; ~weste f life-jacket.

Schwi'ndel (shvind⁴l) m giddiness; dizziness; (Betrug) swindle, humbug; ~anfall (-ähnfähl) m fit of dizziness; ~firma ✝ f long firm.

schwi'nd(e)lig giddy, dizzy.

schwi'ndeln: es schwindelt mir I feel giddy; v/i. swindle, humbug.

schwi'nden (shvind⁴n) (sn) dwindle; (ver~) disappear, vanish.

Schwi'ndler(in f) m swindler.

Schwi'nd|sucht (shvintzöokt) f consumption; 2süchtig (-züçtiç) consumptive.

Schwi'ng|e (shvirₖ⁴) f wing; 2en v/t. swing; Speer usw.: brandish; v/i. swing; oscillate; Ton usw.: vibrate; ~ung f oscillation; vibration. [whiz(z), whir; Insekt: buzz.]

schwi'rren (shvir⁴n) (h. u. sn)

Schwi'tz|bad (shvitsbäht) n Turkish bath; 2en sweat; feiner: perspire.

schwö'ren (shvör⁴n) swear (bei, auf acc. by). [ness.]

schwül (shvül) sultry; 2'e f sultri-

Schwulst (shvöolst) m bombast.

schwü'lstig (shvülstiç) bombastic.

Schwund (shvöont) m dwindling; (Aussickern) leakage; Radio: fading.

Schwung (shvöoŋ) m swing; fig. verve, vim; der Phantasie: flight; des Geistes: buoyancy; 2'haft flourishing; ~'kraft f centrifugal force; fig. buoyancy; ~'rad (-räht) n fly-wheel; 2'voll full of verve.

Schwur (shvöor) m oath; ~'gericht n jury.

sechs (zĕks) 2 f six; ~'monatig lasting six months; ~'monatlich six-monthly; adv. every six months; 2ta'gerennen (-tähgʰ⁴rĕn⁴n) n six-day (cycling) race.

se'chst|e (zĕl6 sixth; ~ens sixthly.

se'chzehn (zĕçtsén) sixteen.

se'chzig (zĕçtsiç) sixty.

See (zé) m lake; f sea; an die ~ gehen go to the seaside; in ~ gehen put to sea; ~'bad (-bäht) n (Ort) seaside resort; ~'fahrer m sailor; ~'fahrt f navigation; = ~reise; 2'fest seaworthy; P.: 2 sn be a good sailor; ~'gang m (motion of the) sea; ~'hafen (-hähf⁶n) m seaport; ~'handel m maritime trade; ~'herrschaft f naval supremacy; ~'hund (-hoont) m seal; 2'krank seasick; ~'krankheit f sea-sickness; ~'krieg (-kreek) m naval war(fare).

See'le (zél⁶) f soul (a. fig.); mit ganzer ~ with all one's heart.

See'len|größe (zél'ngröß⁶) f greatness of mind; ~heil (-hil) n salvation, spiritual welfare; 2los soulless; ~qual (-kvähl) f mental agony; ~ruhe (-röö⁶) f calmness.

See'leute (zélöit⁶) pl. seamen, mariners.

see'lisch psychic(al)

See'lsorge (zélzörg'⁶) f cure of souls; ~r m pastor, minister.

See'|macht (zémä⁄kt) f maritime power; ~mann m seaman; ~meile (-mil⁶) f nautical mile; ~not (-nöt) f distress at sea; ~offizier (-öfitseer) m naval officer; ~räuber (-róib⁶r) m pirate; ~räuberei (-röib⁶rï) f piracy; ~recht n maritime law; ~reise (-riz⁶) f voyage; ~schiff n sea-going vessel; ~schlacht f naval battle; ~schlange f sea-serpent; ~sieg (-zeek) m naval victory; ~soldat (-zöldäht) m marine; ~stadt f seaside town; ~streitkräfte (-shtritkrêft⁶) f/pl. naval forces; 2tüchtig seaworthy; ~warte f naval observatory; ~weg (-vék) m sea-route; auf dem ~e by sea; ~wesen (-véz⁶n) n naval affairs pl.

Se'gel (zég⁶l) n sail; unter ~ gehen set sail; ~boot (-böt) n sailing-boat, Am. sailboat; Sport: yacht; ~flug (-flöök) m soar(ing) flight; einzelner: glide; ~flugzeug (-flööktsöik) n sail-plane, glide; 2n (h. u. sn) sail; sportlich: yacht; ~schiff n sailing-vessel; ~sport m yachting; ~tuch (-töök) n sail-cloth, canvas.

Se'gen (zég⁶n) m blessing; eccl. benediction; 2sreich blessed.

Se'gler (zégl⁶r) m yachtsman; Schiff: sailing-vessel, good, fast, etc. sailer.

se'gn|en (zégn⁶n) bless; 2ung f = Segen.

se'hen (zé[⁶]n) see; (hin~) look; nach et. ~ (sorgen für) look after; ~swert (-vért) worth seeing; 2s-würdigkeit (-vürdiçkit) f object

of interest, curiosity; pl. e-r Stadt: sights pl.

Se'her (zé⁶r) m, ~in f seer; ~blick m, ~gabe (-gähb⁶) f prophetic eye od. gift.

Se'hkraft f vision, visional power.

Se'hne (zén⁶) f sinew, tendon; e-s Bogens: string; ⅄ chord.

se'hnen: sich ~ nach long for.

Se'h-nerv (zénêrf) m optic nerve.

se'hn|ig sinewy; Fleisch: stringy; ~lich ardent; longing; 2sucht (-zöökt) f, ~süchtig (züçtiç) longing. [vb. much, greatly.]

sehr (zér) vor adj. u. adv. very; beim]

Se'h|rohr ⚓ n periscope; ~weite (-vit⁶) f range of sight; in ~ within]

seicht (ziçt) shallow. [sight.]

Sei'de (zid⁶) f silk.

sei'den silk(en); 2flor (-flör) m silk gauze; 2glanz m silky lustre; 2händler m (silk-)mercer; 2papier (-pähpeer) n tissue-paper; 2raupe (-rowp⁶) f silkworm; 2spinnerei (-shpin⁶rï) f silk-spinning mill; 2stoff m silk cloth od. fabric.

sei'dig silky.

Sei'fe (zif⁶) f, 2n soap.

Sei'fen|behälter m soap-dish; ~blase (-blähz⁶) f soap-bubble; ~kistenrennen (-kist⁶nrên⁶n) n soap-box derby; ~schaum (-showm) m lather.

sei'fig soapy.

sei'hen (zi⁶n) strain, filter.

Seil (zil) n rope; ~bahn f rope railway; ~er m rope-maker; ~tänzer (-in f) m rope-dancer.

sein¹ (zin) 1. (sn) be; (vorhanden ~) exist; 2. 2 n being; existence.

sein² his; its; = seinige.

seinesglei'chen (-glïç⁶n) his equal(s pl.). [family.]

sei'nige (zinïg⁶) his; die 2n pl. his]

seit (zit) since; ~ drei Wochen for the last three weeks; ~de'm (-dém) adv. since (that time); cj. since.

Sei'te (zit⁶) f side; im Buch: page.

Sei'ten|-ansicht (-ähnzïçt) f profile; side-view; ~blick m side-glance; ~flügel △ m side-aisle; ~hieb (-heep) m fig. sly hint; 2s (gen.) on the part of; ~schwimmen (-shvïm⁶n) n side-stroke; ~sprung (-shpröör⁾) m fig. escapade; ~straße (-shträhs⁶) f by-street; ~stück n (zu et.) counterpart (of); ~weg (-vék) m by-way.

sei'tlich lateral.

sei'twärts (-vĕrts) sideways, aside.

Sekret|ä'r (zĕkrĕtǎr) m, ~ä'rin f secretary; ~aria't (-ǎhr¹ǎht) n secretariate.

Sekt (zĕkt) m champagne.

Se'kte (zĕkt⁵) f sect.

Seku'nd|e (zĕkŏónd⁵) m second; ~enzeiger (-tsig^ʰᵉr) m second-hand.

se'lber (zĕlb⁵r): ich ~ I myself.

selbst (zĕlpst) 1. pron. self; ich ~ I myself; von ~ of one's own accord; of itself; 2. adv. even.

se'lbständig (zĕlpshtĕndĭç) independent; 2keit f independence.

Se'lbst|-anlasser m automatic starter; ~-anschluß (-ǎ/nshlŏós) m teleph. automatic telephone; ~beherrschung (-b⁵ʰĕrshŏór₂) f self--control; ~bestimmung (-b⁵shtimŏór₂) f self-determination; 2bewußt (-b⁵vŏóst) self-assertive; ~bewußtsein (-b⁵vŏóstzin) n self--assertion; ~binder m open--end tie; ~erhaltung (-ĕrhǎhltŏór₂) f self-preservation; 2gefällig self-complacent; ~gefälligkeit f self-complacency; ~gefühl n self--reliance; 2gemacht (-g^ʰĕmǎhkt) home-made; 2gerecht self-right-eous; ~gespräch (-g^ʰᵉshprǎç) n monologue, soliloquy; 2herrlich (-hĕrliç) high-handed; ~hilfe f self-help; ~kostenpreis (-kŏst⁵npris) m prime cost; 2los unselfish, disinterested; ~mord, ~mörder m suicide; 2mörderisch suicidal; 2sicher self-sure, ~sucht (-zŏókt) f selfishness; 2süchtig (-zûçtiç) selfish; 2tätig self-acting, automatic; ~verleugnung (-fĕrlŏignŏór₂) f self-denial; ~versorger (-fĕrzórg^ʰᵉr) m self-supporter od. -supplier; ~versorgung f self--sufficiency; 2verständlich (-fĕrshtĕndliç) self-evident; adv. of course; ~! by all means!; ~verständlichkeit f self-evidence; e-e ~ a matter of course; ~vertrauen (-fĕrtrow⁵n) n self-confidence; ~verwaltung (-fĕrvǎhltŏór₂) f self--government; 2zufrieden (-tsŏófreed⁵n) self-satisfied; ~zufriedenheit f self-satisfaction; ~zweck m end in itself.

se'lig (zéliç) blessed, blissful; (verstorben) deceased, late; 2keit f happiness, bliss.

Se'llerie (zĕl⁵ree) m, f celery.

se'lten (zĕlt⁵n) rare; adv. seldom, rarely; 2heit f rarity. [(water).]

Se'lterwasser (zĕlt⁵r-) n Seltzer]

se'ltsam (zĕltzǎhm) strange, odd.

Seme'ster (zĕmĕst⁵r) n term.

Semina'r (zĕmĭnǎhr) n training-]

Se'mmel (zĕm⁵l) f roll. [-college.]

Sena't (zĕnǎht) m senate.

se'nd|en (zĕnd⁵n) send (nach j-m, et. for); tel., Radio: transmit, broadcast, Am. radio(broadcast); 2er m tel., Radio: transmitter.

Se'nde|raum (-rowm) m Radio: broadcasting studio; ~stelle f transmitting station; ~zeichen (-tsiç⁵n) n call-sign.

Se'ndung (zéndŏór₂) f sending; fig. mission; v. Waren: consignment, Am. shipment; tel., Radio: transmission, broadcast.

Senf (zĕnf) m mustard.

se'ngen (zĕ₂⁵n) singe; scorch; ~de Hitze parching heat.

se'nior (zén¹ór) senior.

Se'nk|blei (zĕ₂kbli) n plummet; ~el m lace; 2en sink, let down, Preis, Stimme: lower; sich ~ sink; ~fuß (-fŏós) m flat foot; ~fuß--einlage (-fŏós-inlǎhg^ʰᵉ) f arch support; 2recht vertical, bsd. & perpendicular; ~ung f sinking; lowering; (Vertiefung) depression.

Sensatio'n (zĕnzǎhts¹ón) f sensation; 2e'll, ~s... sensational; ~slust (-lŏóst) f sensationalism.

Se'nse (zĕnz⁵) f scythe.

sentimenta'l (zĕntimĕntǎhl) sentimental; 2itä't f sentimentality.

Septe'mber (zĕptĕmb⁵r) m September.

Sergea'nt (sĕrGǎhnt) m sergeant.

Se'rie (zér¹ᵉ) f series; Billard: break; ~nherstellung (-hĕrshtĕlŏór₂) f series (od. multipla) production.

Servi'ce (zĕrvees) n service, set.

Servie'r|brett (zĕrveerbrĕt) n tray; 2en v/t. serve; v/i. wait (at table); ~tisch m side-table.

Servie'tte (zĕrv'ĕt⁵) f (table--) napkin. [chair.]

Se'ssel (zĕs⁵l) m arm- (od. easy-)]

se'ßhaft (zĕshǎht) settled; established; (ansässig) resident.

Se'tz-ei (zĕts-i) n fried egg.

se'tzen (zĕts⁵n) v/t. set; place; put; typ., ♪ compose, (pflanzen) plant;

Denkmal: erect; *bei Wetten usw.*: stake; *sich ~* sit down; *Vogel*: perch; *Haus, Bodensatz*: settle; *v/i.* (sn) *~ über* (acc.) leap over; *e-n Strom*: cross; (h.) *beim Wetten*: *~ auf* (acc.) back. [*~ei′ f* composing room.]

Se′tzer *m* compositor, type-setter;

Seu′che (zóiçᵉ) *f* epidemic.

seu′fz|en (zöifts⁴n), 2er *m* sigh.

sexue′ll (zĕksōŏĕl) sexual.

sezie′ren (zĕtseerᵉn) dissect.

sich (zĭç) oneself; himself, herself, itself; themselves; (*einander*) each other, one another.

Si′chel (zĭç⁴l) *f* sickle, reaping-hook; (*Mond*2) crescent.

si′cher (zĭç⁴r) secure, safe (*vor dat.* from); *Hand*: steady; (*gewiß*) certain, sure; (*überzeugt*) positive.

Si′cherheit *f* security (*a. Pfand, Wertpapier*), safety; certainty; positiveness; *des Auftretens*: assurance; *in ~ bringen* secure; *~nadel* (-nāh-d⁴l) *f* safety-pin; *~schloß* (-shlós) *n* safety-lock.

si′cher|lich surely, certainly; *~n* secure (*a. sich et. ~*); (*schützen*) protect; safeguard; *~stellen =* sichern; 2ung *f* securing; *⨍* fuse, cut-out.

Sicht (zĭçt) *f* sight; *= ~igkeit*; *⊤ auf ~ bei ~* at sight; 2′bar visible; 2′en sift; *⊕* (*erblicken*) sight; *~′ig-keit f* visibility; 2′lich visible; *~′vermerk* (-fĕrmĕrk) *m* visé, visa.

si′ckern (zĭk⁴rn) (sn *u. h.*) trickle, ooze, leak, *Am.* seep.

sie (zee) *sg.* she; *Sache*: it; *pl.* they; *acc. sg.* her; it; *acc. pl.* them; *Sie* you. [sift, bolt; *fig.* screen.]

Sieb (zeep) *n* sieve; 2′en¹ (zeeb⁴n)|

sie′ben², 2 *f* seven; *~fach* sevenfold; 2sachen (-zähk⁴n) F *f/pl.* traps; *~t* seventh.

sie′b|zehn (zeeptsén) seventeen; *~zig* (·tsĭç) seventy.

siech (zeeç) sickly; 2′tum *n* sickliness, lingering illness.

Sie′dehitze *f* (zeed⁴hĭtsᵉ) *f* boiling-|

sie′deln (zeed⁴ln) settle. [-heat.]

Sie′d|e)lung *f* settlement; colony.

sie′de|n (zeed⁴n) boil; *gelind*: simmer (*a. fig.*); 2punkt (~pōōŋkt) *m* boiling-point.

Sie′dler (zeedl⁴r) *m* settler; (*Arbeiter~*) homecrofter, *Am.* homesteader; *~stelle f* settler's holding, homecroft *Am.* homestead.

Sieg (zeek) *m* victory; *den ~ davon-tragen* carry the day.

Sie′gel (zeeg⁴l) *n* seal; *~lack* (-lähk) *m, n* sealing-wax; 2n seal; *~ring m* signet-ring.

sie′g|en (zeeg⁴ᵉn) be victorious (*über acc.* over), conquer (*a p.*); *Sport*: win; 2er(in *f*) *m* conqueror, victor; *Sport*: winner. [trophy.|

Sie′geszeichen (zeeg⁴ᵉstsĭç⁴n) *n|*

sie′greich (zeekrĭç) victorious.

Signa′l (zĭgnāhl) *n*, 2isie′ren (-īzeer⁴n) signal.

Signata′rmächte (zĭgnăhtärmĕçt⁴) *f/pl. pol.* signatory powers (*gen.* to).

Si′lbe (zĭlb⁴) *f* syllable; *~ntrennung f* syllabication.

Si′lber (zĭlb⁴r) *n* silver; *~geschirr* (-g⁴ᵉshĭr) *n* (silver) plate, *Am.* silver (-ware); 2n (of) silver; *~schrank* (-shrähŋk) *m* plate-cupboard; *~zeug* (-tsōik) *n = ~geschirr*.

Silve′ster(-abend) (zĭlvĕst⁴rāhb⁴nt) *m* New Year's Eve.

si′mpel (zĭmp⁴l) simple, plain.

Sims (zĭms) *m* (*n*) ledge; (*Wandbrett*) shelf; *⚒* moulding, cornice.

simulie′ren (zĭmōōleer⁴n) feign, sham; *bsd.* ⚔, *⚓* malinger.

si′ng|en (zĭŋ⁴n) sing; 2sang (-zähŋ) *m* singsong; 2spiel (-shpeel) *n* musical comedy; 2stimme *f* vocal part; 2vogel (-fōg⁴l) *m* singing bird.

si′nken (zĭŋk⁴n) (sn) sink; *die Stimme ~ l.* lower one's voice.

Sinn (zĭn) *m* sense (*für* of); (*Verstand*; *Meinung*) mind; (*Vorliebe*) taste (*für* for); (*Trachten*) tendency; (*Bedeutung*) sense, meaning; *bei* (*von*) *~en sn* be in (out of) one's senses; *im ~ h.* have in mind.

Si′nnbild (zĭnbĭlt) *n* symbol, emblem; 2lich symbolic(al), emblematic.

si′nnen (zĭn⁴n) (*über dat.*) ponder (over), muse ([up]on); *~ auf* (acc.) meditate; *b.s.* plot, scheme.

Si′nnen|lust *f* (-lōōst) *f* sensuality; *~rausch* (-rowsh) *m* intoxication of the senses; *~welt f* material world.

Si′nnes|-änderung (zĭn⁴sĕnd⁴rōōŋ) *f* change of mind; *~art f* temper, character; *~organ* (-ŏrgāhn) *n* sense-organ; *~täuschung* (-töi-shōōŋ) *f* illusion, hallucination.

si′nn|lich sensual; (*Ggs. geistig*) material; 2lichkeit *f* sensuality;

~los senseless; ~reich (-riç) ingenious; ~verwandt (-fĕrvăhnt) synonymous.

Si'ntflut (zĭntflōōt) f flood, deluge.

Si'pp|e (zĭpᵉ), ~schaft f kin(dred); fig. iro. clan, clique, set.

Sire'ne (zĭrénᵉ) f siren.

Si'rup (zeerōōp) m treacle, syrup.

Si'tte (zĭtᵉ) f custom; (Brauch) usage; ~n pl. manners; morals.

Si'tten|gesetz (-gʰᵉzĕts) n moral law; ~lehre (-lérᵉ) f ethics pl.; 2los immoral; ~losigkeit (-lŏzĭç-kit) f immorality; ~polizei (-pŏlĭtsi) f control of public morals; ~prediger (-prédĭgʰᵉr) m moralizer; ~richter m censor; 2-streng (-shtrĕŋ) austere.

si'ttlich (zĭtlĭç) moral; 2keit f morality; 2keitsvergehen (zĭtlĭç-kitsfĕrgʰéᵉn) n indecent assault.

si'ttsam (zĭtzăhm) modest; 2keit f modesty.

situie'rt (zĭtŏŏeert): gut ~ well-off.

Sitz (zĭts) m seat; (Wohnort) residence; e-s Kleides: fit.

si'tzen (zĭtsᵉn) sit; Kleid: fit; im Gefängnis: be imprisoned; ~bleiben (-blĭbᵉn) (sn) remain seated, keep one's seat; Mädchen: get on the shelf; Schüler: not to get one's remove; ~d: ~e Lebensweise sedentary life; ~lassen fig. abandon, let a.p. down.

Si'tz|gelegenheit (-gʰᵉlégʰᵉnhit) f seating accommodation; ~platz m seat.

Si'tzung (zĭtsōōŋ) f sitting, session.

Ska'la (skăhlăh) f scale.

Ska'lenscheibe (skăhlᵉnshĭbᵉ) f Radio usw.: dial.

Skanda'l (skăhndăhl) m scandal; (Lärm) row; 2ö's (-ŏs) scandalous.

Skele'tt (skĕlĕt) n skeleton.

Ske'p|sis (skĕpzĭs) f scepticism; ~tiker m sceptic; 2tisch sceptical.

Ski (shee) m usw. s. Schi.

Ski'zz|e (skĭts⁴)| f, 2ie'ren sketch.

Skla'v|e (skăhvᵉ) m, ~in f slave; 2isch slavish.

~enhandel m slave-trade; ~erei (-ᵉri) f slavery; 2isch slavish.

Sko'nto (skŏntŏ) m, n discount.

Skru'pel (skrōōpᵉl) m scruple; 2los unscrupulous.

Skulptu'r (skŏŏlptōŏr) f sculpture.

Sla'w|e (slăhvᵉ) m, ~in f Slav; 2isch Slav(ic).

Smara'gd (smăhrăhkt) m emerald.

Smo'king (smōkĭŋ) m dinner-jacket, Am. tuxedo.

so (zō) so, thus; like that; ~ ein such a; ~ ... wie as ... as; nicht ~ ... wie not so ... as; ~ba'ld (-băhlt) (als) as soon as.

So'cke (zŏkᵉ) f sock; ~l m socle; ~nhalter m suspender, Am. garter.

soda'nn (zōdăhn) then. [burn.\

So'dbrennen (zōtbrĕnᵉn) n heart-\

so-e'ben (zōébᵉn) just now.

sofe'rn cj. so (od. as) far as.

sofo'rt at once, directly; ~ig immediate, prompt.

Sog (zōk) m suction; ⊕, ☇ wake.

so|ga'r (zōgăhr) even; ~'genannt (-gʰᵉnăhnt) so-called; ~glei'ch (-gliç) (= sofort) at once.

So'hle (zōlᵉ) f sole; e-s Tals usw.: bottom; ☼ floor.

Sohn (zŏn) m son. [long as.\

sola'nge (zōlăhŋ⁴) (als) so (od. as)\

solch (zŏlç) such.

Sold (zŏlt) m pay; fig. wages pl.

Solda't (zŏldăht) m soldier.

Sö'ldner (zŏldnᵉr) m mercenary.

So'le (zōlᵉ) f brine.

solida'risch (zŏlĭdăhrĭsh): sich mit j-m ~ erklären declare one's solidarity with a p.

soli'd|(e) (zōleed[ᵉ]) solid; Preis: reasonable; ⊕ sound; fig. steady, respectable; 2itä't f solidity; fig. respectability.

Soli'st (zŏlĭst) m, ~in f soloist.

Soll (zŏl) n debit; (Lieferungs2) fixed quota.

so'llen (zŏlᵉn) 2. u. 3. P. shall; sonst: be to; angeblich: be said to; ich sollte es (eigentlich) tun I ought to do it.

somi't (zōmĭt) consequently.

So'mmer (zŏmᵉr) m summer; ~frische f summer resort; 2lich summer-like, summer(l)y; ~sprosse (-shprŏsᵉ) f freckle; 2sprossig freckled; ~wohnung (-vōnōōŋ) f summer residence, Am. cottage.

So'nde (zŏndᵉ) f ⚕ probe.

so'nder (zŏndᵉr) without; 2-angebot (-ăhngʰᵉbŏt) n special offer, bargain; 2-ausgabe (-owsgăhbᵉ) f special (edition); ~bar singular, strange, odd; 2barkeit f strangeness, oddity; 2beilage (-bilăgʰᵉ) f Zeitung: inset; 2bericht-erstatter (-bᵉriçt-ĕrshtăht⁴r) m special corres-

pondent; ~lich special, particular; ~ling m odd person; ~n 1. cj. but; 2. v/t. separate, sever; 2recht n privilege; 2ung f separation; 2zug (-tsōōk) 🐟 m special (od. extra) train.		[sound (a. fig.).]
sondie'ren (zŏndeer⁴n) ⚓ probe; ⚓
So'nn|-abend (zŏnăhb⁴nt) m Saturday; ~e (zŏn⁴) f, 2en sun.
So'nnen|-au'fgang (-owfgăhŋ) m sunrise; ~brand (-brăhnt) m sunburn; ~brille f sun glasses; ~finsternis (-finst⁴rnĭs) f solar eclipse; ~fleck m sun-spot; 2klar (-klāhr) (as) clear as daylight; ~licht n sunlight; ~schein (-shīn) m sunshine; ~schirm (-shĭrm) m sunshade; parasol; ~segel (-zēgh⁴l) n awning; ~seite (-zīt⁴) f sunny side; ~stich (-shtĭc̨) m sun stroke; ~strahl (-shtrāhl) m sunbeam; ~uhr (-ōōr) f sun-dial; ~u'ntergang (-ōōnt⁴rgăhŋ) m sunset, bsd. Am. sundown; 2verbrannt (-fĕrbrăhnt) sunburnt; ~wende f solstice.
so'nnig sunny.
So'nntag (zŏntăhk) m Sunday.
So'nntags|-anzug (-ăhntsōōk) m Sunday best; ~fahrkarte (-fāhrkăhrt⁴) f week-end ticket; ~ruhe (-rōō⁴) f Sunday rest.
sonor (-zŏnōr) sonorous.
sonst (zŏnst) else, otherwise; (ehemals) formerly; (außerdem) besides; ~ nichts nothing else; ~ig other; ~'wo (-vō) elsewhere.
Sopra'n (zŏprăhn) m soprano.
So'rge (zŏrgh⁴) f care; (Kummer) sorrow; (Unruhe) uneasiness; ~ tragen für take care of; sich ~ n m. worry (um about.
so'rgen: a) ~ für care for; provide for; dafür ~ daß take care that; b) (in Sorge sn) sich ~ be anxious (um about); ~frei (-frī), ~los carefree; ~voll (-fŏl) full of cares; worried.
So'rg|falt (zŏrkfăhlt) f care(fulness); 2fältig (-fĕltĭc̨), 2sam careful; 2lich careful, anxious; 2los careless; (sorgenfrei) carefree.
So'rt|e (zŏrt⁴) f sort; 2ie'ren (as)sort.		[ment.]
Sortime'nt (zŏrtĭmĕnt) n assort-
So'ße (zōs⁴) f sauce; (Bratensaft) gravy.
Souffl|eu'r (zōōflŏr) m, ~eu'se (-ŏz⁴) f prompter; 2ie'ren prompt (j-m a p.).

Souverä'n (sōōv⁴răn) m, 2 adj. sovereign; ~itä't f sovereignty.
sowei't (zŏvīt) cj. as (od. so) far as.
sowieso' (zŏveezō) in any case.
So'wjet (sŏv'ĕt) m Soviet.
sowo'hl (zŏvōl): ~ ... als (auch) ... as well as ..., both ... and ...
sozia'l (zŏts'āhl) social; 2demokrat (-in f) (-démōkrăht) m social democrat; ~isie'ren (-īzeer⁴n) socialize; 2isie'rung f socialization.
So'zius (zŏts'ōōs) m partner; ~sitz (-zĭts) m mot. pillion.
sozusa'gen (zŏtsōōzăhgh⁴n) so to speak, as it were.
spä'hen (shpä⁴n) spy; (lugen) peer.
Spä'her(in f) m spy; ✖ scout.
Spalie'r (shpăleer) n trellis; fig. lane; ~ bilden form a lane.
Spalt (shpăhlt) m, ~e f split, cleft, crevice, fissure; nur ~e: typ. column; 2'en (a. sich) split (a. fig.), cleave; ~ung f splitting bsd. fig.
Span (shpāhn) m chip.		[split.]
Spa'nge (shpăhŋ⁴) f clasp; clip; (Arm2) bracelet; am Schuh: strap.
Spa'n|ier (shpăhn'⁴r) m, ~ierin f Spaniard; 2isch Spanish.
Spann (shpăhn) m instep; ~e f span; ✝ margin, Am. spread; 2'en stretch, (a. fig.) strain; Gewehr: cock; Bogen: bend; Feder: tighten; Neugier usw.: excite; vor den Wagen ~put to the carriage; s. gespannt; 2'end (-t) thrilling; gripping; ~kraft (-krăhft) f elasticity; ~ung f allg. tension; ⚡ voltage; bsd. ⊕ strain; △ span; (Aufmerksamkeit) close attention.
Spa'r|büchse (shpăhrbūks⁴) f money-box; 2en save; (sparsam anwenden) economize, spare.
Spa'rgel (shpăhrgh⁴l) m asparagus.
Spa'rkasse (shpăhrkăhs⁴) f savings--bank.		[streu: sparse.]
spä'rlich (shpărlĭc̨) scanty; (zer-
Spa'rren (shpăhr⁴n) m spar, rafter.
spa'rsam (shpăhrzăhm) saving, economical; 2keit f economy.
Spaß (shpāhs) m fun; (Scherz) joke, jest; zum ~ for fun; j-m ~ m. amuse a p.; 2'en joke, jest; 2'haft, 2'ig jocose; funny; ~'macher (-măhк⁴r) m wag, joker.
spät (shpăt) late; zu ~ kommen be late (zu for); wie ~ ist es? what time is it?
Spa'ten (shpăht⁴n) m spade.

spä'testens (shpät⁴st⁴ns) at (the) latest.

spazie'ren (shpä*h*tseer⁴n) (sn) walk, stroll; **~fahren** (sn) take a drive; **~gehen** (-g*h*é⁴n) (sn) take a walk.

Spazie'r|gang (shpä*h*tseergä*h*n₂) *m* walk; **~gänger** (-g*h*ĕn₂⁴r) *m* walker; **~stock** *m* walking-stick.

Speck (shpĕk) *m* bacon; *weit S.* fat.

sped|ie'ren (shpédeer⁴n) dispatch, forward; **₂iteu'r** (-ïtör) *m* forwarding agent; (furniture) remover.

Speditio'n (shpédïts⁵ön) *f* forwarding, **~sgeschäft** (-g*h*éshĕft) forwarding agency.

Speer (shpér) *m* spear; **~'werfen** *n Sport:* throwing the javelin.

Spei'che (shpïç⁴) *f* spoke.

Spei'chel (shpïç⁴l) *m* spittle; saliva; **~lecker** *m* toady.

Spei'cher (shpïç⁴r) *m* (*Getreide-* ₂) granary; (*Waren*₂) warehouse.

spei'en (shpï⁴n) spit; ([*sich*] *erbrechen*) vomit.

Spei'se (shpïz⁴) *f* food; (*Gericht*) dish; *s. Süß*₂; **~haus** (-hows) *n* eating-house; **~eis** (-ïs) *n* ice--cream; **~kammer** *f* larder; **~karte** *f* bill of fare, *Am. mst* menu; **₂n** *v/i. s.* essen; *im Gasthaus:* take one's meals; *v/t.* feed (*a.* ⊕); **~nfolge** *f* menu; **~röhre** *f anat.* gullet; **~saal** (-zähl) *m,* **~zimmer** *n* dining--room; **~schrank** (meat-)safe; **~wagen** (-vähg*h*⁴n) *m* dining-car, *bsd. Am.* diner.

Spekta'kel (shpĕktäbk⁴l) *m u. n* noise, uproar; row.

Spekul|a'nt (shpĕkööläbnt) *m* speculator; **₂ie'ren** speculate.

Spe'nde (shpĕnd⁴) *f* gift; (*Almosen*) alms, charity; **₂n** give; (*austeilen*) dispense; (*beitragen*) contribute; **~r(in** *f*) *m* giver, donor.

spendie'ren (shpĕndeer⁴n) *v/t.* stand; *v/i.* stand treat.

Spe'rling (shpĕrliŋ) *m* sparrow.

Spe'rr|e (shpĕr⁴) *f* (*Versperrung*) block(ing); ⚓ embargo; blockade; (*Eingang*) gate; 🚉 barrier, *Am.* gate; (*Straßen*₂) barricade; **₂en** (*ver-*) bar, stop; (*schließen*) close; *Straße:* block (up); barricade; (*blockieren*) blockade; *Warenverkehr:* embargo; *Lohn usw.:* stop; *Gas usw.* cut off; *Sport: j-n:* disqualify; **~holz** *n* plywood; **~konto** (-köntö) *n* blocked account; **~kreis** (-krïs) *m Radio:*

stopper (*od.* rejector) circuit; **~sitz** (-zïts) *m thea.* stall, *Am.* orchestra (-seat); **~ung** *f* barring; stoppage; blocking; *s. Sperre*; **~zone** (-tsön⁴) *f* prohibited area.

Spe'sen (shpéz⁴n) *f/pl.* charges, expenses.

spezi|a'l (shpĕts¹ähl), **~e'll** special.

Spezia'l|-arzt (-äbrtst) *m* specialist; **~fach** (-fäbk) *n* speciality; **~geschäft** (-g*h*éshĕft) *n* one-line shop; **₂isie'ren** (-ïzeer⁴n) specialize; **~lität** *f* speciality.

Sphä're (sfär⁴) *f* sphere.

Spi'ck|-aal (shpïk-ähl) *m* smoked eel; **₂en** lard; F (*bestechen*) F grease.

Spie'gel (shpeeg*h*⁴l) *m* (looking-) glass, mirror; **₂bild** (-bïlt) *n* reflected image; **₂blank** (-bläbnk) mirror-like; **~-ei** (-ï) *n* fried egg; **₂glatt** dead-smooth; **₂n** *v/t.* shine; *v/t.* reflect; *sich* **~** be reflected; (*sich besehen*) look at o.s. in the glass; **~scheibe** (-shïb⁴) *f* (pane of) plate--glass; **~ung** *f* reflection; (*Luft*₂) mirage.

Spiel (shpeel) *n* play; (*Karten*₂, *Billard*₂, *Sport*) game; *körperliches:* sport; (*Wettkampf*) match; *thea.* performance; ♪ playing; *ein* **~** *Karten* a pack of cards, *Am.* deck; *auf dem* **~** *stehen* be at stake; *aufs* **~** *setzen* stake; **~'art** *f* ♀, *zo.* variety; **~'ball** *m fig.* sport, plaything; **₂'en** play; *um Einsatz:* gamble; *thea.* play, act; **~** *mit* (*j-s Gefühlen*) trifle with; *den Höflichen* **~** do the polite; **₂'end** (-t) *fig.* easily.

Spie'ler(in *f*) *m* player; (*Glücks*₂) gambler; **~ei'** (-ï) *f* play, sport.

Spie'l|-ergebnis (-ĕrg⁴épnïs) *n Sport:* score; **~feld** *n Sport:* field, ground; *Tennis:* court; **~film** *m* feature film; **~gefährte** (-g*h*⁴fäbrt⁴) *m* playfellow; **~karte** *f* playing--card; **~leiter** (-lït⁴r) *m thea.* stage-manager; *Film:* director; **~marke** *f* counter; **~plan** (-pläbn) *m thea.* repertory; **~platz** *m* playground; **~raum** (-rowm) *m* (free) play; scope; **~regel** (-rég*h*⁴l) *f* rule (of the game); **~schuld** (-shöölt) *f* gambling-debt; **~schule** (-shööl⁴) *f* infant-school; **~tisch** *m* card-table; **~uhr** (-öör) *f* musical clock; **~verderber(in** *f*) *m* spoil-sport; **~waren** (-väbr⁴n) *f/pl.* toys; **~zeug** (-tsöik) *n* toy(s), plaything(s).

Spieß (shpees) *m* spear, pike; (*Brat-*⚲) spit; den ~ umdrehen turn the tables (gegen on); ~'bürger *m* bourgeois, *Am.* Babbit; ~'gesell (-gʰézěl) *m* accomplice; ~'ruten (-rōōtᵉn) *f|pl.*: ~ laufen run the gauntlet.

Spina't (shpĭnäʰt) *m* spinach.

Spind (shpĭnt) *n* wardrobe, press.

Spi'ndel (shpĭndᵉl) *f* spindle; ⚲dürr (as) lean as a rake.

Spi'nn|e (shpĭnᵉ) *f* spider; ⚲en spin; ~gewebe (-gʰévébᵉ) *n* cobweb; ~erei (-ᵉri) *f* spinning; (*Fabrik*) spinning-mill; ~maschine (-mäʰsheenᵉ) *f* spinning-machine.

Spio'n (shpĭōn) *m*, ~in *f* spy, intelligencer; ~a'ge (-äʰ Q̱ᵉ) *f* espionage; ⚲ie'ren (-eerᵉn) spy.

Spira'l|e (shpĭräʰlᵉ) *f* spiral (line); ⚲ig spiral.   [spirits.]

Spirituo'sen (shpĭrĭtōōzᵉn) *pl.|*

Spi'ritus (shpeerĭtōōs) *m* spirit, alcohol; ~kocher (-kōкᵉr) *m* spirit stove.

Spita'l (shpĭtäʰl) *n* hospital.

spitz (shpĭts) pointed; *Winkel* acute; ~ zulaufen taper; ⚲'bube (-bōōbᵉ) *m* thief; *weitS.* rogue; ⚲'büberei (-bûbʰrĭ) *f* roguery; ~'bübisch (-bûbĭsh) roguish.

Spi'tz|e (shpĭtsᵉ) *f* point; *Berg⚲, Baum⚲*: top; (*Finger⚲, Zungen⚲ usw.*) tip; (*Feder⚲*) nib; (*Turm⚲*) spire; *e-s Unternehmens usw.*: head; (~gewebe) lace; *j-m die* ~ *bieten* make head against; *auf die* ~ *treiben* carry to extremes; ~el *m* informer; ⚲en point, sharpen; *den Mund* ~ *purse* (up) one's lips; *die Ohren* ~ prick up one's ears.

Spi'tzen|leistung (-lĭstōōŋ) *f* peak performance; *e-r Fabrik*: peak capacity; peak output; peak power; ~lohn (-lōn) *m* peak wage(s *pl.*).

spi'tz|findig (-fĭndĭç) subtle, captious; ⚲findigkeit *f* subtlety, captiousness; ⚲hacke *f* pick(-axe); ~ig pointed; ⚲marke *f* head(ing); ⚲-name (-näʰmᵉ) *m* nickname.

Spli'tter (shplĭtᵉr) *m* splinter; ⚲frei (-frī) splinter-proof; ⚲ig splintery; ⚲n splinter; ⚲nackt stark naked.

Sporn (shpȯrn) *m* spur; 灷 skid; ⚲'en spur.

Sport (shpȯrt) *m* sport; ~ *treibend* sporting; ~'ausrüstung (-ows-rûstōōŋ) *f* sports kit; ~'geschäft (-gʰéshέft) *n* sporting-goods store;

~'kleidung (-klĭdōōŋ) *f* sports wear; ~'lehrer(in *f*) *m* (-lérᵉr) trainer; ~'ler(in *f*) *m* sportsman, sportswoman; ⚲'lich, ⚲'mäßig (-mäsĭç) sportsmanlike, sporting; ~'nachrichten (-näʰкrĭçtᵉn) *f|pl.* sporting news; ~'platz *m* athletic (*od.* sports) ground.

Spott (shpȯt) *m* mockery; (*s-n*) ~ *treiben mit* make sport of; ⚲'billig (-bĭlĭç) dirt-cheap.

Spötte|lei' (shpȯtᵉlī) *f* mockery; sneer; ⚲'ln (shpȯtᵉln) sneer (*über acc.* at). [*acc.* at); *fig.* (*gen.*) defy.\ **spo'tten** (shpȯtᵉn) mock, scoff (*über*|

Spö'tter (shpȯtᵉr) *m*, ~in *f* scoffer, mocker; ~ei' (-ī) mockery.

spö'ttisch mocking; ironical.

Spo'tt|name (-näʰmᵉ) *m* nickname; ~preis (-prīs) *m* ridiculous price, trifling sum; ~schrift *f* satire, lampoon.

Spra'che (shpräʰкᵉ) *f* language; (*Sprechfähigkeit*) speech; (*Stil*) diction; (*Aussprache*) articulation.

Spra'ch|eigenheit (-ĭgʰᵉnhĭt) *f* idiom; ~fehler (-félᵉr) *m* grammatical mistake; *anat.* defect of speech; ~führer *m* phrase-book; ~gebrauch (-gʰᵉbrowк) *m* usage; ~gefühl *n* linguistic instinct; ⚲kundig (-kōōndĭç) versed in languages; ~lehre (-lérᵉ) *f* grammar; ~lehrer(in *f*) *m* teacher of languages; ⚲lich lingual; grammatical; ⚲los speechless; ~rohr (-rōr) *n* speaking-trumpet; *fig.* mouthpiece; ~schatz *m* vocabulary; ~störung (-shtȯrōōŋ) *f* speech disorder; ~werkzeug (-vếrktsȯĭk) *n* organ of speech; ~wissenschaft (-vĭsᵉnshäʰft) *f* science of language, philology; ~wissenschaftler *m* philologist; ⚲wissenschaftlich philological.

Spre'ch|chor (shpréçkȯr) *m* speaking chorus; ⚲en speak (*mit* to; *über acc.*, *von* of, about); (*sich unterhalten*) talk (*mit* to, with; *über acc.*, *von* about, of, over); *er ist nicht zu* ~ *you cannot see him now*; *j-n zu* ~ *wünschen* wish to see a p.; *j-n schuldig* ~ pronounce a p. guilty; ~er(in *f*) *m* speaker; *Radio*: announcer; ~fehler (-félᵉr) *m* slip of the tongue; ~film *m* talking film; ~stunde (-shtōōndᵉ) *f* *ärztliche*: consultation hour; (*Bürostunde*) office hour; ~übung (-übōōŋ) f exercise in speaking; ~zimmer n parlour; e-s Arztes: consulting-room.

sprei′zen (shprīts⁰n) spread; Beine: straddle; sich ~ mit boast of.

Spre′ng|bombe (shprĕŋ₂bōmb⁰) f demolition bomb; ~el m diocese; parish; ℒen Flüssigkeit: sprinkle; Garten, Pflanze: water; (auf~) burst open; (in die Luft ~) blow up, blast; Mine usw.: spring; Versammlung usw.: break up; Bank: break; ~stoff m explosive; ~ung f blowing-up; breaking; ~wagen (-vähgʰ⁰n) m water(ing)-cart.

spre′nkeln (shprĕŋ₂k⁰ln) speckle.

Spreu (shprōi) f chaff.

Spri′ch|wort (shpriçvŏrt) n proverb; ℒwörtlich proverbial.

sprie′ßen (shprees⁰n) sprout.

Spri′ng|brunnen (shpriŋ₂brōōn⁰n) m fountain; ℒen (sn) jump; a. Wasser, Blut usw.: spring; elastisch, bsd. Ball: bound; beim Schwimmen: dive; (zer~) burst, crack, break; in die Augen ~ strike the eye; Seil ~ skip; ~er m jumper (a. ~ in f); Schach: knight; ~flut (-flōōt) f Sprit (shprīt) m spirit. [spring tide.]

Spri′tz|e (shprīts⁰) f syringe, squirt; (Feuer℥) fire-engine; ℱ e-e ~ geben administer an injection; ℒen v/t. squirt; syringe; ₰ inject; Schmutz: splash; v/i. spirt, spurt; Feuer-spritze usw.: play; Feder: splutter; ~enschlauch (-shlowk) m fire-hose; ~er m splash; ~fahrt F f (pleasure-)trip.

sprö′de (shprōd⁰) brittle; Haut: chapped; Mädchen: coy, prudish.

Sproß (shprŏs) m sprout; scion.

Spro′ss|e (shprŏs⁰) f rung; round; step; ℒen (h. u. sn) sprout.

Sprö′ßling (shprŏsliŋ) m = Sproß.

Spruch (shprōōk) m (Urteils℥) sentence; (Aussprach) saying; (Weis-heits℥) maxim; ~′band (-bähnt) n banner; ℒ′reif (-rīf) ripe for decision.

Spru′del (shprōōd⁰l) m mineral water; ℒn (sn u. h.) bubble; (hastig reden) sputter.

sprü′h|en (shprü⁰n) v/i. (sn u. h.) u. v/t. Wasser: spray, sprinkle; Funken, Witz: spark(le); Regen: drizzle; ℒregen (-régʰ⁰n) m drizzling rain.

Sprung (shprōōŋ) m jump, bound; beim Schwimmen: dive; (Riß) crack, fissure; ~′brett n diving-board; spring-board; fig. stepping-stone; ~′feder (-féd⁰r) f (elastic) spring.

Spu′ck|e (shpōōk⁰) f spittle; ℒen v/i. spit; v/t. spit out; ~napf m spittoon, Am. cuspidor.

Spuk (shpōōk) m apparition, spook, ghost; ℒ′en haunt a place.

Spu′l|e (shpōōl⁰) f spool, reel; bobbin; ₰ coil; ℒen reel, spool.

spü′len (shpūl⁰n) rinse; wash.

Spund (shpōōnt) m bung, plug.

Spur (shpōōr) f trace (a. fig.); track; (Abdruck) print; (Wagen℥) rut.

spü′r|en (shpür⁰n) trace (a. fig.); track; (empfinden) feel; perceive; ℒsinn (-zīn) m flair.

Spu′rweite (shpōōrvīt⁰) f ⊞ gauge.

spu′ten (shpōōt⁰n): sich ~ make haste.

Staat (shtäht) m (Aufwand) state; (Putz) finery; (~wesen) State; ~ machen mit make a show of; ~′en-bund (shtäht⁰nbōōnt) m confederation; ℒ′enlos stateless; ℒ′lich state-...; national; political; public.

Staa′ts|-angehörige(r) (shtähts-ähngʰhörigʰ⁰[r]) m subject (of a State), Am. citizen; ~angehörig-keit (shtähtsähngʰʰhöriçkīt) f nationality; ~anwalt m public prosecutor, Am. district attorney; ~be-amte(r) m civil servant; ~bürger m citizen; ~bürgerschaft f citizenship; ~dienst (-deenst) m civil service; ℒ-eigen (-igʰ⁰n) State-owned; ~feind (-fīnt) m public enemy; ~gewalt f supreme power; ~haushalt (-howshählt) m budget; ~hoheit (-hōhit) f sovereignty; ~kasse f exchequer; ~klugheit (-klōōkhīt) f policy; ~kunst (-kōōnst) f statesmanship; ~mann m statesman; ℒmännisch (-mĕnish) statesmanlike; ~papiere (-pähpeere) n/pl. government stocks; ~rat (-räht) m Privy Council; ~recht n public law; ~schatz m public treasury; ~schuld (-shōōlt) f national debt; ~sekretär (-zĕkrĕ-tär) m Secretary of State; ~streich (-shtriç) m (fr.) coup d'état; ~wesen (-véz⁰n) n political system; ~wirt-schaft f political economy; ~wissenschaft (-vĭs⁰nshähft) f political science; ~wohl n public weal.

Stab (shtä*h*p) *m* staff, stick; *Gitter*♀ *usw.*, *Metall*: bar; ✕, *Mitarbeiter*♀: staff.

stabi'l (shtä*h*beel) stable; ~**isie'ren** (-izeer*e*n) stabilize.

Stabilisie'rung (shä*h*bĭlĭzeerōŏ*r*g) *f* stabilization.

Stabs...: ✕ *mst* staff-...

Sta'chel (shtä*h*x*e*l) *m* prickle; (*Insekten*♀) sting; *unter Rennschuhen*: spike; *fig.* goad; ~**beere** (-bér*e*) *f* gooseberry; ~**draht** *m* barbed wire.

sta'ch(e)lig prickly, thorny.

sta'cheln (shtä*h*x*e*ln) sting, prick; *fig.* goad. [~**um** (-ōŏm) *n* stage.]

Sta'di|on (shtä*h*d'ŏn) *n* stadium;]

Stadt (shtä*h*t) *f* town; (*Groß*♀)city; ~**bahn** (-bä*h*n) *f* city-railway; *in London*: metropolitan railway.

Stä'dt|chen (shtätç*e*n)*n* small town; ~**er** *m* townsman, *pl.* townspeople; ~**erin** *f* townswoman.

Sta'dt|gemeinde (shtä*h*tg*he*mĭnd*e*) *f* township, *Am.* city; ~**gespräch** (-g*he*shpräç) *n* town talk.

stä'dtisch (shtätĭsh) municipal.

Sta'dt|plan (-plä*h*n) *m* map of the city; ~**rat** (-rä*h*t)*m* town-councillor; ~**recht** *n* freedom of the city; ~**reisende(r)** (riz*e*nd*e*[r]) *m* town-traveller; ~**ver-ordnete(r)** (-fér-ördn*e*t*e*[r])*m* town-councillor; ~**ver-ordnetenversammlung**(-férörd-n*e*t*e*nfärzä*h*mlŏŏr*g*) *f* town council, city assembly; ~**viertel** (-feert*e*l) *n* quarter. [relay race.]

Stafe'ttenlauf (shtä*h*fět*e*nlowf) *m*]

Sta'ffel|ei' (shtä*h*f*e*li) *f* easel; ♀n *Steuern usw.*: graduate; *Arbeitszeit usw.* stagger.

Stahl (shtä*h*l) *m* steel.

stä'hlen (shtä*h*l*e*n) *fig.* steel.

Sta'hl|feder (-féd*e*r) *f* steel pen; ~**kammer** (-kämm*e*r) *f* strong-room, *Am.* steel vault; ~**stich** *m* steel engraving.

Stall (shtä*h*l) *m* stable; (*Kuh*♀) cowshed; (*Schweine*♀) pig-sty, *Am.* hogpen; (*Hunde*♀) kennel; (*Schuppen*) shed; ~**knecht** *m* groom, ostler; ~**ung** *f* stabling; ~**en** *pl.* stables.

Stamm (shtä*h*m) *m* stem (*a. gr.*), trunk; (*Volks*♀ *usw.*) race; (*Geschlecht*) stock; (*Familie*) family; (*Eingeborenen*♀) tribe; (*Bestand*) stock; ~**-aktie** (-ä*h*kts'*e*) *f* ordinary share; ~**baum** (-bowm) *m* family tree; *v. Tieren*: pedigree; ~**buch**

(-bōōx) *n* album; ♀'**eln** stammer; ~'**-eltern** *pl.* progenitors; ♀'**en** (sn): ~ **von** be descended from; *zeitlich*: date from; *gr.* be derived from; ~'**gast** *m* regular guest *od.* customer.

stä'mmig (shtěmĭç) stalwart, sturdy, *Am.* husky.

Sta'mmkapital (shtä*h*mkä*h*pĭtä*h*l) *n* original capital.

Sta'mm|[m]utter(shtä*h*mmōŏt*e*r)*f* ancestress; ~**tisch** *m* table reserved for regular guests; ~**vater** (-fä*h*t*e*r) *m* ancestor; ♀**verwandt** (-fěrvä*h*nt) kindred, cognate.

sta'mpfen (shtä*h*mpf*e*n) stamp.

Stand (shtä*h*nt) *m* (*Stehen*) stand (-ing); (*Halt für den Fuß*) foot hold; = *Standplatz*; (*Niveau*) level; (*Verkaufs*♀, *Pferde*♀) stall; (~ *e-r Sache*) state; condition; (*soziale Stellung*) status, station; rank, class; (*Beruf*) profession; *des Thermometers usw.*: reading; *ast.* position; *Sport*: (~ *e-s Spieles*) score; *j-n in den* ~ *setzen, et. zu tun* enable a p. to do a th. [dard.]

Standa'rte (shtä*h*ndä*h*rt*e*) *f* stan-]

Sta'ndbild (shtä*h*ntbĭlt) *n* statue.

Stä'ndchen (shtěntç*e*n) *n* serenade; *j-m ein* ~ *bringen* serenade a p.

Stä'nder (shtěnd*e*r) *m* (*Gestell*) stand; (*Pfosten*) standard, post, pillar.

Sta'ndes|-amt (shtä*h*nd*e*s-ä*h*mt) *n* registrar's office; ♀-**amtlich**: ~**e** *Trauung* civil ceremony; ~**be-amte(r)** *m* registrar; ♀**gemäß** (-g*he*mäs) in accordance with one's rank; ~**person** (-pěrzŏn) *f* person of rank.

sta'ndhaft firm, steadfast; ~**igkeit** (-hähftĭçkĭt) *f* constancy, firmness.

sta'ndhalten (-hä*h*lt*e*n) hold one's ground; *j-m usw.* ~ resist a p., *etc.*

stä'ndig (shtěndĭç) permanent.

Sta'nd|-ort (shtä*h*nd-ort) *m* stand(ing-place); station; ~**punkt** (-pōŏr̨kt) *m* point of view, standpoint, *Am.* slant, angle; = ~**ort**; ~**quartier** (-kvä*h*rteer) *n* fixed quarters *pl.*; ~**recht** ✕ *n* martial law.

Sta'nge (shtä*h*r̨g*e*) *f* pole; *Eisen usw.*: bar, rod; *Siegellack usw.*: stick.

Stä'nker (shtěr̨k*e*r) F *m* *fig.* squabbler; ♀n *fig.* squabble.

Stannio'l (shtä*h*n'ŏl) *n* tinfoil.

Sta'nze (shtä*h*nts*e*) *f* ⊕ stamp, die; ♀n stamp, punch.

Sta'pel (shtäḣp^el) *m* pile; ⚓ stocks *pl.*; vom ~ l. launch; vom ~ laufen be launched; ~lauf (-lowf) *m* launch(ing); ℒn pile up; ~platz † *m* emporium.

sta'pfen (shtäḣpf^en) plod.

Star (shtähr) *m* starling; *thea.* star; ⚕ cataract; j-m den ~ stechen open a p.'s eyes.

stark (shtäḣrk) **1.** strong; (dick) stout; (intensiv) intense; (beträchtlich) large; ~e Erkältung bad cold; ~e Seite *fig.* strong point; **2.** *adv.* very much; hard; ~ rauchen smoke heavily.

Stä'rke (shtĕrk^e) *f* **1.** (s. stark) strength; stoutness; intensity; largeness; *fig.* forte, strong point; **2.** ^ℱₙ starch; ℒn strengthen; Wäsche: starch; sich ~ fig. take some refreshment. [power current.]

Sta'rkstrom (shtäḣrkshtrŏm) ⚡ *ml*

Stä'rkung (shtĕrkŏŏᴎ) *f* strengthening; (Erfrischung) refreshment; ~smittel *n* restorative.

starr (shtäḣr) rigid (a. fig.), stiff; Blick: fixed; vor Entsetzen: transfixed; vor Staunen: dumbfounded; ~en stare (auf acc. at); von Waffen usw.: bristle (with); von Schmutz usw.: be covered with; ℒ'heit *f* stiffness, rigidity; ~'köpfig stubborn, obstinate; ℒ'krampf *m* tetanus; ℒ'sinn (-zĭn) *m* obstinacy, stubbornness.

Start (shtäḣrt) *m* start; ✈ take-off; ~'bahn ✈ *f* runway; ℒ'bereit (-b^erĭt) ready to start; ℒ'en (h. u. sn) start; ✈ take off; ~'platz *m* starting-place.

Statio'n (shtäḣts^ōn) *f* station; im Krankenhaus: ward; (gegen) freie ~ board and lodging (found); ~svorsteher (-fôrshté^er) ⚙ *m* stationmaster, Am. station agent.

Stati'st (shtäḣtĭst) *m*, ~in *f thea.* super(numerary); Film: extra; ~ik *f* statistics *pl.*; ℒisch statistical.

Stati'v (shtäḣteef) *n* stand, support; phot. tripod.

statt (shtäḣt) instead of; an Eides ℒ in lieu of an oath; an Kindes ℒ annehmen adopt.

Stä'tte (shtĕt^e) *f* place; spot.

sta'tt|finden, **~haben** (-hähb^en) take place; ~haft admissible; legal.

Sta'tthalter *m* governor.

sta'ttlich stately; considerable.

Sta'tue (shtäḣtŏŏ^e) *f* statue.

Statu'r (shtäḣtŏŏr) *f* stature, size.

Statu't (shäḣtŏŏt) *n* statute; ~en *pl.* † usw.: articles *pl.* of association.

Staub (shtowp) *m* dust; powder.

Stau'-becken (shtowbĕk^en) *n* catchment basin.

stau'ben (shtowb^en) give off dust; es staubt it is dusty. [keit: spray.]

stäu'ben (shtŏib^en) dust; Flüssig-]

Stau'b|faden (shtowpfähd^en) ♀ *m* filament; ℒig (shtowbĭç) dusty; ~sauger (-zowgʰ^er) *m* vacuum cleaner; ~tuch (-tŏŏk) *n* duster.

stau'chen (shtowk^en) jolt ⊕ upset.

Stau'damm (stowdähm) *m* dam.

Stau'de (shtowd^e) *f* shrub, bush.

stau'en (shtow^en) Wasser: dam up; Güter: stow (away); sich ~ be jammed.

stau'nen (shtown^en) **1.** be astonished (über acc. at); **2.** ℒ *n* astonishment; ~swert (-vért) amazing.

Stau'pe (shtowp^e) *f vet.* distemper.

Stau'ung (shtowŏŏᴎ) *f* damming up; (Stockung) stoppage; (Gedränge) jam.

ste'chen (shtĕç^en) prick; Insekt: sting; (durch~) pierce; (er~) stab; Floh: bite; Karten: trump; Sonne: burn; in Kupfer: engrave; j-m in die Augen ~ fig. strike a p.'s eyes.

Ste'ck|brief (shtĕkbreef) *m* warrant of apprehension; ~dose (-dōz^e) ♀ *f* wall (od. plug) socket, wall plug; ℒen **1.** v/t. stick; (wohin tun) put; (fest~) fix; (mit Nadeln ~) pin; **2.** v/i. (sich befinden) be; (festsitzen) stick (fast); ~ in Schulden usw.: be involved in; ℒenbleiben (-blĭb^en) (sn) stick; ~enpferd (-pfért) *n* hobby-horse; fig. hobby; ~er ⚡ *m* plug; ~kontakt *m* plug-contact; ~nadel (-nähd^el) *f* pin.

Steg (shtĕk) *m* path; (Brücke) foot-bridge; ~'reif (shtĕgrĭf) *m*: aus dem ~ extempore, off-hand. [pub.]

Ste'hbierhalle (-beerhähl^e) *f* bar,]

ste'h(e)n (shtĕ[^e]n) stand; (sein, sich befinden) be; (kleiden) suit (j-m a p.); fig. vor et. ~ be faced with; gut ~ mit be on good terms with; teuer zu ~ kommen cost dear; wie steht's mit ...? what about ...? ~bleiben (-blĭb^en) (sn) remain standing; (nicht ~eitergehen) stand still, stop; beim Lesen: leave off; ~lassen leave.

Ste'her *m Rennsport*: stayer.
Ste'hkragen(shtékrähg^{h é}n) *m* stand-
-up collar. [lamp.]
Ste'hlampe(shtélähmp^e) *f* standard/
ste'hlen (shtél^en) steal.
Ste'hplatz *m* standing-place *od.*
steif (shtif) stiff. [-room.]
Steig (shtik) *m* path; ~'bügel
(-büg^{h e}l) *m* stirrup; ♀'en (shtig^{h e}n)
1. (sn) mount, ascent; *Wasser,
Temperatur, Barometer, Preis*: rise;
(anwachsen) increase; *auf e-n Baum*
~ climb a tree; **2.** ~en rise, increase; ♀'ern raise; *(vermehren)*
increase; *(verstärken)* enhance; ~'e-
rung *f* raising; rise, increase;
~'ung *f* rise, ascent; 🚢 usw.:)
steil (shtil) steep. [gradient.]
Stein (shtin) *m* stone (*a.* ♟); *(Fels)*
rock; ♀'-alt very old; ~'bruch
(-brōōk) *m* quarry; ~'druck
(-drōōk) *m* lithography; *Bild*:
lithograph; ~'drucker *m* lithographer; ♀'ern of stone; *fig.* stony;
~'gut (-gōōt) *n* earthenware; ♀'ig
(stiniç) stony; rocky; ♀'igen
(shtinig^{h e}n) stone; ~'kohle *f*
(mineral) coal, pit-coal; ~'kohlen-
bergwerk (-kōl^enbĕrkvĕrk) *n* col-
liery; ~'metz *m* stone-mason;
~'salz (-zählts) *n* rock-salt; ~'-
setzer (-zĕts^er) *m* paviour; ~'wurf
(-vŏŏrf) *m* stone's throw; ~'zeit
(-tsit) *f* stone age.
Steiß (shtis) *m* buttocks *pl.*; rump.
Ste'lldich-ein (shtéldiçin) *n* meeting, rendezvous, *Am.* F date.
Ste'lle (shtél^e) *f* place; *(Arbeits♀)*
job, situation, place, post; *(Behörde)*
agency; *(Buch♀)* passage; *freie* ~
vacancy; *an deiner* ~ in your place;
auf der ~ on the spot; *zur* ~ *sn*
be present.
ste'llen (shtél^en) put; place, set,
stand; *(richtig ein~)* regulate, adjust; *Wecker; Aufgabe*: set; *(anhalten)* stop; *(liefern)* furnish, supply;
sich (wohin) ~ place o.s.; *sich ein-
finden)* present o.s.; give o.s. up
to the police; fig. sich krank usw. ~
feign, pretend to *be od.* do; *Bedingungen* ~ make conditions; *e-e
Falle* ~ set a trap, lay a snare; *der
Preis stellt sich auf ... the price is ...
Ste'llen|gesuch (shtél^eng^{h e}zōōk) *n*
application for a job; ~'vermitt-
lung(sbüro*n*)(-fĕrmitlōōr_n[sbürō])
f employment-agency, *Am.* employ-

ment bureau; *für Hausangestellte*:
registry-office; ♀weise here and
there, sporadically.
Ste'llung (shtélōōr_n) *f* position;
(Berufs♀) a. situation; *(Körper-
haltung) a.* posture; *fig.* ~ nehmen
give one's opinion; ~nahme *f*
opinion, attitude; comment; ♀slos
unemployed.
ste'll|vertretend (shtélfĕrtrét^ent)
vicarious; *amtlich*: acting, deputy;
~er Vorsitzender vice-chairman;
♀vertreter(in *f*) *m* representative;
amtlich: deputy; *(Bevollmächtigter)*
proxy; ♀vertretung *f* representa-
tion.
Ste'lz|bein (shtĕltsbin) *n* wooden
leg; ~e *f* stilt; ♀en (sn) stalk.
ste'mmen (shtĕm^en) prop; *Gewicht*: lift; *sich* ~ resist, oppose.
Ste'mpel (shtĕmp^el) *m* stamp; ♀n
stamp; F ~ gehen be on the dole.
Ste'ngel (shtĕr_n^el) *m* stalk, stem.
Stenogra'|mm (shtĕnōgrähm) *n*
shorthand report *od.* notes *pl.*;
~ph (-f) *m*, ~phin *f* shorthand
writer, *Am.* stenographer; ~phie'
(-fee) *f* shorthand; ♀phie'ren
write (in) shorthand ♀phisch
(-fish) (in) shorthand.
Stenotypi'st (shtĕnōtüpist) *m*, ~in *f*
shorthand typist.
Ste'pp|decke (shtĕp-) *f* quilt; ~e *f*
steppe; ♀en quilt.
Ste'rbe|bett (shtĕrb^ebĕt) *n* death-
-bed; ~fall *m* death; ~kasse *f*
burial-fund; ♀n (sn) die (an *dat.* of);
im ♀n liegen be dying.
ste'rblich (shtĕrpliç) mortal; ~ verliebt desperately in love (*in acc.*
with); ♀keit *f* mortality.
stereoty'p (shtérēōtüp) stereotype(d
fig.); ~ie'ren (-eer^en) stereotype.
steri'l (shtéreel) sterile; ~isie'ren
(-izeer^en) sterilize.
Stern (shtĕrn) *m* star; ~'bild *n*
constellation; ~'deuter (-dŏit^er) *m*
astrologer; ~'enbanner *n* stars
and stripes *pl.*; ♀'hell starlight,
starry; ~'himmel *m* starry sky;
~'kunde (-kōōnd^e) *f* astronomy;
~'schnuppe (-shnōōp^e) *f* shooting
star; ~'warte *f* observatory.
stet (shtét), ~'ig steady *(fortwährend)*
continual; ♀'igkeit *f* steadiness;
continuity; ~s always, constantly.
Steu'er (shtŏi^er) **1.** ⚓ *n* rudder (*a.
✈*), helm; **2.** ~ *f* tax; *bsd. indirekte*:

duty; *städtische:* rate; ~be-amte(r) *m* revenue-officer; ~berater (-b⁶râht⁶r) *m* tax-expert; ~bord ⚓ *n* starboard; ~erhebung (-črhé-bōŏɳ) *f* levy(ing of taxes); ~erklärung (-črklärōŏɳ) *f* (income-) tax return; ~ermäßigung (-črmäsĭgōŏɳ) *f* allowance; ⚛frei (-frī) tax-free; *Ware:* duty-free; ~freiheit *f* exemption from taxation; ~hinterziehung (-hĭntⁱrtseeōŏɳ) *f* tax evasion; ~kasse *f* tax-collector's office; ~mann *m* helmsman; ⚛n steer, *bsd.* pilot; *mot.* drive; ⊕ control; e–r S. ~ check a th.; ⚛pflichtig (-pflĭctⁱc) taxable; *Sache:* dutiable; ~politik (-pōlĭteek) *f* fiscal policy; ~rad (-râht) *n* (steering)wheel; ~ruder (-rōōd⁶r) *n* rudder, helm; ~satz (-zähts) *m* rate of assessment; ~ver-anlagung (-fčrähnlähgōŏɳ) *f* assessment; ~zahler (-tsähl⁶r) *m* taxpayer; ratepayer.

Ste'ven (shtév⁶n) ⚓ *m* stem.

Stich (shtĭç) *m* (*Nadel⚛*) prick; *e-s Insekts:* sting; (*Dolch⚛*) stab; (*Näh⚛*) stitch; *Karten:* trick; (*Kupfer⚛*) engraving; 🌿 (*Seiten⚛*) stitch; ~ halten hold good; *im ~ l.* desert; forsake. [sneer.] Stichel|ei' (shtĭç⁶lī) *f,* ⚛'n taunt,] Sti'ch|flamme *f* darting flame; ⚛haltig valid, sound; ~probe (-prōb⁶) *f* random test *od.* sample; ~tag (-tähk) *m* fiexd day, key-day; ~wahl *f* second ballot; ~wort *n* catchword; *thea.* cue; ~wunde (-vōōnd⁶) *f* stab.

sti'cken (shtĭk⁶n) embroider.

Stickerei' (shtĭk⁶rī) *f* embroidery.

Sti'ck|garn *n* embroidery-cotton; ~husten (-hōōst⁶n) *m* (w)hooping-cough; ⚛ig suffocating; *Luft:* close, stuffy; ~stoff 🜂 *m* nitrogen.

stie'ben (shteeb⁶n) (sn) fly (about).

Stie'f... (shteef-): *mst* step ...; *z. B.* ~bruder (-brōōd⁶r) *m* stepbrother.

Stie'fel (shteef⁶l) *m* boot; ~bürste *f* boot-brush; ~knecht *m* boot-jack; ~putzer (-pōōts⁶r) *m* in Hotels: boots; *auf der Straße:* shoeblack; ~schaft *m* leg of a boot; ~wichse (-vĭks⁶) *f* blacking, boot-polish.

Stie'f|mutter (steefmōōt⁶r) *f* stepmother; ~mütterchen (-mŭt⁶rₑⁿ) 🌿 *n* pansy; ~vater (-fäht⁶r) *m* stepfather.

Stiel (shteel) *m* handle, helve, haft; (*Besen⚛*) stick; 🌿 stalk.

Stier (shteer) *m* bull; ⚛'en stare (*auf acc. nach at*).

Stift (shtĭft) 1. *m* pin; peg; (*Zwecke*) tack; (*Zeichen⚛*) pencil, *farbiger:* crayon; F (*Lehr⚛*) youngster; 2. ~ n (charitable) foundation; ⚛'en found; establish; (*spenden*) give, *Am.* donate; (*verursachen*) cause; *Frieden:* make; ~'er(in *f*) *m* founder; donor; (*Urheber*) author.

Sti'ftung (-ōŏɳ) *f* foundation; establishment; ~fest *n* founder's day.

Stil (shteel) *m* style; ⚛'gerecht stylish; ⚛isie'ren (-ĭzeer⁶n) compose, word, stylize; ⚛i'stisch stylistic.

still (shtĭl) still, quiet; (*schweigend*) silent; *Luft, See, Gefühl:* calm; 🜂 dull, flat; (*heimlich*) secret; ~l silence!; *im ~en in secret;* 🜂 ~er *Gesellschafter* sleeping (*Am.* silent) partner; *der* ⚛e *Ozean* the Pacific (Ocean); ⚛'e *f* stillness; silence, calm(ness); ~egen (shtĭl-lég⁶n) *Betrieb:* shut down; ~en *Schmerz:* still; *Zorn, Hunger:* appease; *Blut:* stanch; *Durst:* quench; *Kind:* nurse; *Begierde:* gratify; ~halten keep still; (*einhalten*) stop; ~iegen (shtĭl-leeg⁶n) lie still; *Betrieb:* be|| sti'llos (stullōs) without style. [idle.] sti'll|schweigend (shtĭlshvīg⁶nt) silent, *fig.* tacit; ⚛stand *m* standstill; ~stehen (-shté⁶n) stand still; *fig.* be at a standstill; 🜂 ⚛gestanden! attention!

sti'lvoll (shteelfŏl) stylish.

Sti'mm|band (shtĭmbähmt) *n* vocal c(h)ord; ⚛berechtigt (-b⁶rĕçtĭht) entitled to vote; ~e *f* voice; (*Wahl⚛*) vote; (*Presse⚛*) comment; ♪ (*Noten*) part; ⚛en v/t. tune; *fig. günstig usw.:* dispose; v/i. agree; *bei der Wahl:* vote; F *das stimmt* (that is) all right; ~enmehrheit *f* majority (*Am.* plurality) of votes; ~enthaltung *f* abstinence from voting; ~enzählung *f* counting of votes; ~gabel (-gähb⁶l) *f* tuning-fork; ~recht *n* right of voting; ~ung *f* ♪ tune; *fig.* mood, humour; ⚛ungsvoll (shtĭmōŏɳsfŏl) impressive; ~zettel *m* voting-paper.

sti'nken (shtĭɳk⁶n) stink.

Stipe'ndium (shtĭpĕnd'ōŏm) *n* scholarship; exhibition.

sti'ppen (shtĭp'ĕn) F steep, dip.

Stirn (shtĭrn) f forehead; fig. face; e-r S. die ~ bieten make head against; ~'runzeln (-rŏŏnts'ln) n frown (-ing).

stö'bern (shtŏb'ĕrn) rummage.

sto'chern (shtŏk'ĕrn) (~ in dat.) Feuer: poke; Zähne, Essen: pick.

Stock (shtŏk) m stick; (~werk) story, floor; 2'dunkel (-dŏŏnk'ĕl) pitch-dark.

sto'cken (h. u. sn) stop; Flüssigkeit, a. fig.: stagnate; Gespräch: flag; Stimme: falter; (schimmeln) turn mouldy; Zahn: decay.

Sto'ck|-engländer m thorough Englishman; 2'finster pitch-dark; ~fleck m damp-stain; 2fleckig foxed, (a. 2) mildewy; 2ig fusty; Zahn: decayed; ~schnupfen (-shnŏŏpf'n) m chronic cold in the nose; 2taub (-towp) stone-deaf; ~ung f stoppage; stagnation; flagging; ~werk n stor(e)y, floor.

Stoff (shtŏf) m matter, substance; (Zeug) material, stuff, fabric; (Thema) subject; 2'lich material.

stö'hnen (shtŏn'ĕn) groan.

Sto'llen (shtŏl'ĕn) m tunnel; ✕ gallery.

sto'lpern (shtŏlp'ĕrn) (sn) stumble.

stolz (shtŏlts) 1. proud (auf acc. of); 2. 2 m pride.   [flaunt.]

stolzie'ren (shtŏltseer'ĕn) (sn) strut,)

sto'pfen (shtŏpf'ĕn) v/t. stuff; Pfeife, Loch: fill; (voll~) cram; ⚕ constipate; mit der Nadel: darn; j-m den Mund ~ stop a p.'s mouth; v/i. ⚕ cause constipation.

Sto'pf|garn n darning-cotton; ~nadel (nähd'l) f darning-needle.

Sto'ppel (shtŏp'ĕl) f stubble; 2ig stubbly.   [(-ōōr) f stop-watch.)

sto'pp|en (shtŏp'ĕn) stop; 2-uhr)

Stö'psel (shtŏps'ĕl) m; 2n stopper,)

Storch (shtŏrç) m stork.   [plug.)

stö'ren (shtŏr'ĕn) disturb, trouble; Radio: jam; 2fried (-freet) m marplot.

stö'rr|ig (shtŏrĭç), ~isch stubborn, obstinate; Pferd: restive.

Stö'rung (shtŏrŏŏng) f disturbance; (a. ⊕) trouble; (Betriebs2) breakdown; Radio: jamming, interference; geistige ~ mental disorder.

Stoß (shtōs) m push; thrust; (Fuß2) kick; (Faust2) punch; mit dem

Kopf: butt; (Erschütterung) shock; (Schlag) blow; des Wagens: jolt; (Schwimm2) stroke; (Haufen) pile, heap; ~'dämpfer m mot. shock-absorber.

sto'ßen (shtōs'ĕn) v/t. push, thrust; mit dem Fuß: kick; mit der Faust: punch; mit den Hörnern, dem Kopf: butt; schlagend: knock, strike; Pfeffer usw.: pound; sich ~ an (dat.) strike (od. knock) against; fig. take offence at; v/i. a) thrust, kick; butt (s. v/t.); alle: nach at); Wagen: jolt; an et. (acc.) ~ (grenzen) adjoin, border on; b) (sn) ~ auf (acc.) meet with, come across; c) (h. u. sn) ~ gegen od. an (acc.) knock (od. strike) against.

Sto'ß|seufzer (shtōszŏiftsĕr) m ejaculation; ~stange f mot. bumper; 2weise by fits and starts; ~zahn m tusk.   [mer.)

sto'ttern (shtŏt'ĕrn) stutter, stam-)

Stra'f|-anstalt (shträhfähnshtählt) f penal institution; ~arbeit (-ärbīt) f Schule: imposition, Am. extra work; 2bar punishable; (schuldig) culpable; ~e f punishment; gesetzliche ~ (bsd. Geld2), Sport, fig.: penalty; (Geld2) fine; bei ~ von on pain of; 2en punish; um Geld ~ fine.

straff (shträf) tight; ⚓ taut; fig. rigid, strict.

stra'f|fällig (shträf-fĕlĭç) punishable; 2gesetz (-gʰĕzĕts) n penal law; 2gesetzbuch (-gʰĕzĕtsbōōk) n penal code.

strä'flich (shträflĭç) punishable.

Strä'fling (shträflĭ̄ŋ) m convict.

stra'f|los (shträhflōs) unpunished; 2losigkeit (-lōzĭçkīt) f impunity; 2porto (-pŏrtō) n surcharge; 2predigt (-prédĭkt) f severe lecture; 2prozeß (-prŏtsĕs) m criminal case; 2stoß (-shtōs) m Fußball: penalty kick; 2verfahren n criminal procedure.

Strahl (shträhl) m ray, beam; (Blitz2) flash; (Wasser2 usw.) jet; 2'en radiate; (a. fig.) beam, shine.

Strä'hne (shträn'ĕ) f strand; Garnmaß: hank, skein; Haar: lock.

stramm (shträhm) (straff) tight; (kräftig) stalwart; (scharf) stiff.

stra'mpeln (shträhmp'ln) kick.

Strand (shträhnt) m beach; ~'anzug (-ähntsōōk) m beach suit; 2'en

14*

(-dᵉn) (sn) strand; ~'gut (-gōōt) n
stranded goods pl.; ~'korb m
(canopied)beach-chair.

Strang (shträŋ) m rope; zum Anschirren: trace; zum Hängen: halter;
§§ (Gleis) track.

Strapa'z|e (shträhpähts⁶) f fatigue;
toil; 2ie'ren (-eer⁶n) fatigue;
(plagen) harass; Stoff: wear out;
2ie'rfähig (-eerfälç) for hard wear.

Stra'ße (shträ/s⁶) f road, highway;
e-r Stadt: street; (Meerenge) strait;
auf der ~ in the street.

Stra'ßen|-anzug (-ähntsōōk) m
lounge-suit; Am. business suit;
~bahn f tram(way), Am. street
railway; ~bahnhaltestelle (-bähn-
hählt⁶shtěl⁶) f tramway stop; ~
bahnwagen (-bähnvähg⁶ᵇⁿ) m
tram(-car), Am. streetcar; ~be-
leuchtung (-b⁶lȯiçtōōŋ) f lighting of the streets; ~damm m
roadway; ~händler m street-
-vendor; Am. corner faker; ~junge
(-yōōŋ⁶) m street arab; ~kehrer m
scavenger; ~kreuzung (-krȯitsōōŋ)
f (street-)crossing; ~reinigung
(-rínigōōŋ) f street-cleaning; ~
rennen n road-race.

sträu'ben (shtrȯib⁶n) ruffle; bristle;
sich ~ bristle; fig. struggle.

Strauch (shtrowx) m shrub.

strau'cheln (shtrowx⁶ln) (sn)
strumble.

Strauß (shtrows) m (Vogel) ostrich;
(Blumen2) bunch (of flowers); bouquet.

Stre'be (shtréb⁶) f strut, support;
2n 1. strive, aspire (nach after);
2. ~n n striving, aspiration; tendency; ~r m pusher; careerist.

stre'bsam (shtrépzähm) assiduous;
2keit f assiduity.

Stre'cke (shtrěk⁶) f stretch; (Gegend) tract, extent; (Entfernung)
distance; §§ section, line; hunt. bag;
zur ~ bringen bag; fig. finish off; 2n
stretch, extend; Vorräte: lengthen;
die Waffen ~ lay down one's arms;
2nweise here and there.

Streich (shtriç) m stroke, blow; fig.
trick, prank; 2'eln stroke, (a. fig.)
caress; 2'en v/t. stroke; rub; Butter:
spread; Messer: whet; (an~) paint;
(aus~) strike out, bsd. fig. cancel;
Flagge, Segel: strike lower; Sport:
scratch; Ziegel: make; v/i. a) (sn)
Gebirge: run; (vorbei~) pass, move;

(fliegen) fly, sweep; (wandern)
ramble; b) (h.) mit der Hand über
et. ~ pass one's hand over a th.;
~'holz n match; ~'-instrument
(-ínstrōōměnt) ∫ n stringed instrument; ~'-orchester (-ȯrkěst⁶r)
n stringband; ~'riemen (-reem⁶n)
m razor-strop.

Streif (shtrif), ~'en¹ m stripe,
streak; Land usw.: strip; ~'band n
(postal) wrapper, cover; ~'e f raid;
(Polizei2) patrol; 2'en² v/t. stripe,
streak; (berühren) graze, brush,
Thema: touch; v/i. (sn) (wandern)
rove, ramble; (h.) fig. ~ an (acc.)
border upon; 2'ig striped; ~'licht n
side-light; ~'schuß (-shōōs) m
grazing shot; ~'zug (-tsōōk) m raid.

Streik (shtrik) m strike, Am. walk-
-out; in (den) ~ treten go on strike;
~'brecher m strike-breaker, black-
leg; 2'en (be on) strike; ~'ende(r)
m striker; ~'posten m picket; ~
stehen picket.

Streit (shtrit) m dispute, quarrel;
(Kampf) fight, combat; (Wider2)
conflict; 2'bar pugnacious; 2'en
(a. sich) dispute, quarrel; fight; ~'-
frage (-frāh⁶⁶) f point of con-
troversy, Am. issue; 2'ig contested;
debatable; ~'igkeit f difference,
quarrel; ~'kräfte f/pl. military
forces; 2'lustig (-lōōstiç) pugnacious; ~'punkt (-pōōŋkt) m
point in dispute; 2'süchtig (-züç-
tiç) quarrelsome.

stre'ng|e(⁶¹)(shtrěŋ⁶[⁶])severe; Sitte:
austere; (bestimmt) strict; Geschmack: sharp; 2e² f severity,
austerity; ~gläubig (-glȯibiç)
orthodox.

Streu (shtrȯi) f litter; 2'en strew,
scatter; ~'zucker (-tsōōk⁶r) m
casto sugar.

Strich (shtriç) m stroke; (Linie) line;
(Gedanken2) dash; (Land2) tract;
j-m e-n ~ durch die Rechnung m.
upset a p.'s plans; ~'vogel (-fōg⁶l)
m bird of passage; 2'weise here
and there.

Strick (shtrik) m cord; rope; zum
Hängen: halter; fig. (young) rogue;
2'en knit; ~'garn n knitting-yarn;
~'leiter (-lit⁶r) f rope-ladder; ~'-
nadel (-nähd⁶l) f knitting-needle;
~'waren (-vähr⁶n) f/pl. knit(ted)
goods pl.; ~'zeug (-tsȯik) n knit-
ting things pl.

Strie′me (shtreem^e) f stripe, streak; *in der Haut*: wale, weal.

Stri′ppe (shtrĭp^e) F f string.

stri′ttig (shtrĭtĭç) s. streitig.

Stroh (shtrō) n straw; (*Dach*♀) thatch; ~′**dach** (-dä/ɲk) n thatch (-ed roof); ~′**decke** f straw-mat; ~′**halm** m straw; ~′**hut** (-hōōt) m straw hat; dummy; ~′**sack** (-zä/ɲk) m palliasse; ~′**witwe**(r m) (-vĭtv^e[r]) f grass-widow(er).

Strolch (shtrŏlç) m vagabond; ♀′**en** (sn) roam about.

Strom (shtrōm) m stream; (large) river; (*Strömung*) current (*a.* ⚡). **strö′men** (shtröm^{e}n) (h. *u.* sn) stream, flow; *Regen*: pour; (*sich drängen*) flock, crowd.

Stro′m|kreis (shtrōmkrĭs) ⚡ m circuit; ~**linienform** (-leen$^i e$n-förm) f stream-line shape; ~**sperre** f stoppage of corrent.

Strö′mung (shtrömōōɲ) f current; *fig.* trend.

Stro′phe (shtrōf^e) f stanza.

stro′tzen (shtröts^{e}n) exuberate; ~ *von*, *vor* (*dat.*) abound in.

Stru′del (shtrōōd^{e}l) m whirlpool, eddy; ♀n (h. *u.* sn) whirl, eddy.

Strumpf (shtrōōmpf) m stocking; (*Glüh*♀) mantle; ~′**band** n garter; ~′**halter** m suspender, *Am.* garter; ~′**waren** (-vāhr^{e}n) f/pl. hosiery.

stru′ppig (shtrōōpĭç) shaggy; rough; unkempt.

Stu′be (shtōōb^e) f room; ~**nhocker** m stay-at-home; ~**nmädchen** (-mätç^{e}n) f parlourmaid.

Stück (shtŭk) n piece; (*Bruch*♀) fragment; *Vieh*: head; *Zucker*: lump; *aus freien* ~**en** of one's own accord; *in* ~**e** *gehen od. schlagen* break to pieces; ~′**-arbeit** (-ä/ɲrbĭt) f piece-work; ~′**enzucker** (-tsōō-k^{e}r) m lump-sugar; ♀′**weise** by the piece, piecemeal; ~′**werk** n *fig.* patchwork.

Stude′nt (shtōōdĕnt) m, ~**in** f (f woman) student, (f girl) undergraduate.

Stu′die (shtōōd$^i e$) f *paint.* study; *literarisch*: sketch, essay; ~**ndirektor(in** f) (-dĭrĕktŏr) m headmaster (chief mistress) of a secondary school, *Am.* high-school principal; ~**nrat** (-räht) (~**nrätin** [-rätĭn] f) m assistant master (mistress) of a secondary school; ~**nreise** (-rĭz^e) f educational trip.

studie′r|en (shtōōdeer^{e}n) study; *engS.*: be at college; ♀**zimmer** n study.

Stu′dium (shtōōd′ōōm) n study.

Stu′fe (shtōōf^e) f step; *fig.* degree; (*Entwicklungs*♀) stage; ~**nfolge** f gradation; ~**nleiter** (-lĭt^{e}r) f scale; ♀**nweise** gradually.

Stuhl (shtōōl) m chair; seat; 🪑 ~′**gang** m stool.   [cock.|

stü′lpen (shtŭlp^{e}n) turn up; *Hut*:

Stü′lpnase (shtŭlpnähz^e) f turn(ed)-up nose.

stumm (shtōōm) dumb, mute; *fig.* silent.   [stub.|

Stu′mmel (shtōōm^{e}l) m stump,

Stü′mper (shtŭmp^{e}r) m bungler; ~**ei′** (-ī) f bungling; ♀**haft** bungling; ♀**n** bungle, botch.

stumpf¹ (shtōōmpf) blunt; *Winkel*: obtuse; *Geist, Auge usw.*: obtuse, dull; (*teilnahmslos*) apathetic.

Stumpf² m stump; *mit* ~ *und Stiel* root and branch; ~′**sinn** (-zĭn) m stupidity, dullness; ♀′**sinnig** stupid, dull.

Stu′nde (shtōōnd^e) f hour; (*Unterricht*) lesson; ♀n grant respite for *payment*; ♀**nlang** for hours; ~**nplan** (-plähn) m time-table, *Am.* schedule; ♀**nweise** by the hour; ~**nzeiger** (-tsig$^h e$r) m hour-hand.

stü′ndlich (shtŭntlĭç) hourly.

Stu′ndung (shtōōndōōɲ) f respite.

Sturm (shtōōrm) m storm.

stü′rm|en (shtŭrm^{e}n) storm; (sn) (*rennen*) rush; ♀er m *Fußball*: forward.

stü′rmisch stormy (*a. fig.*); *fig.* (*ungestüm*) unpetuous.

Stu′rm|schritt m double quick step; ~**trupp** (-trōōp) m storming-party; ~**wind** (-vĭnt) m stormy wind.

Sturz (shtōōrts) m fall, crash; (*Untergang*) ruin; *e-r Regierung usw.*: overthrow; *Börse*: slump; ~′**bach** (-bäh/ɲk) m torrent.

stü′rzen (shtŭrts^{e}n) v/i. (sn) fall, tumble; (*vorwärts*~) plunge; v/t. precipitate; plunge; *Regierung usw.*: overthrow; *ins Elend* ~ ruin; *sich in Schulden usw.* ~ plunge into.

Stu′rz|flug (shtōōrtsflōōk) m nose-dive; ~**helm** m crash helmet.

Stu′te (shtōōt^e) f mare.   [stay.|

Stü′tze (shtŭts^e) f support; prop,|

stu′tzen (shtŏŏts^en) v/t. cut short; *Ohren*: crop; *Flügel*: clip; *Bart*: trim; *Schwanz*: dock; *Baum*: lop; v/i. stop short; (*stutzig werden*) be startled, start.

stü′tzen (shtŭts^en) support (a. fig.); prop, stay; fig. ~ auf (acc.) base on; sich ~ auf (acc.) lean upon; fig. rely on.

Stu′tz|er (shtŏŏts^er) m fop, dandy, *Am.* dude; ℒig startled, taken aback; ~ m. startle, puzzle.

Stü′tzpunkt (shtŭtspŏŏŋ̣kt) m point of support; fig. footing, (*bsd.* ℵ) base.

Subje′kt (zŏŏpyĕkt) n gr. subject; P fellow; ℒi′v subjective.

Substa′nz (zŏŏpstäⁿts) f substance.

subtra|hie′ren (zŏŏpträhheer^en) subtract; ℒktio′n (zŏŏpträⁿkts′ön) f subtraction.

Su′ch|dienst (zŏŏkdeenst) m tracing service; ~e f search; *auf der* ~ *nach* in search of; ℒen v/t. seek (a. sich bemühen zu), search (out) (*beide a.* v/i. ~ nach); *schauend*: look for; s. gesucht; et. darin ~ zu ... make it a point to ...; *Sie h. hier nichts zu* ~ you have no business to be here; ~er m phot. view-finder.

Sucht (zŏŏkt) f mania, passion, rage (*nach* for), addiction (to).

Süd (züt) m south.

su′deln (zŏŏd^eln) daub; *beim Schreiben*: scribble.

Sü′den (züd^en) m south.

Sü′d|früchte (zütfrü̆çt^e) f/pl. fruit(s) from the South; ℒlich south(ern), southerly; ~o′st(en) (-öst[^en]) m south-east; ~pol (-pōl) m South Pole; ℒwärts (-vĕrts) southward(s); ~we′st(en)(-vĕst[^en]) m south-west.

suggerie′ren (zŏŏgh^ereer^en) suggest.

Sü′hn|e (zün^e) f expiation, atonement; ℒen expiate, atone for; ~ung f s. *Sühne*.

Sü′lze (zŭlts^e) f aspic; jellied meat.

summa′risch (zŏŏmäⁿrish) summary.

Su′mm|e (zŏŏm^e) f sum; ℒen hum; buzz; ~ie′ren (-eer^en) sum up; *sich* ~ run up.

Sumpf (zŏŏmpf) m swamp, bog, marsh; fig. morass; ℒ′ig boggy, marshy, swampy.

Sü′nd|e (zŭnd^e) f sin; ~enbock m scapegoat; ~er(in f) m sinner; ~flut (-flŏŏt) f = *Sintflut*; ℒhaft, ℒig sinful; ℒigen (-igh^en) sin.

Superlati′v (zŏŏp^erläⁿteef) m superlative.

Su′ppe (zŏŏp^e) f soup; ~nlöffel m *zum Auffüllen*: soup-ladle; *zum Essen*: table-spoon; ~nschüssel f (soup-)tureen.

su′rren (zŏŏr^en) whiz(z); *Insekt usw.*: buzz.

Surroga′t (zŏŏrōgäⁿt) n substitute.

suspendie′ren (zŏŏspĕndeer^en) suspend.

süß (züs) sweet; ℒ′e f sweetness; ~′en sweeten; ℒ′igkeit f sweetness; ~en pl. sweets, *Am.* candies; ~′lich sweetish; fig. mawkish; ℒ′stoff m saccharin(e); ℒ′wasser n fresh water.

Symbo′l|ik (zŭmbōlĭk) f symbolism; ℒisch symbolic(al).

Symmetr|ie′ (zŭmĕtree) f symmetry; ℒ′isch (-é-) symmetrical.

Sympath|ie′ (zŭmpähtee) f sympathy; ℒ′isch (-päh-) sympathetic; *er ist mir* ~ I like him; ~isie′ren (-ĭzeer^en) sympathize.

Sympto′m (zŭmptöm) n symptom.

Synago′ge (zŭnähgōgh^e) f synagogue.　　　[synchronize.|

synchronisie′ren (zŭnkrönĭzeer^en)

Syndika′t (zŭndĭkäⁿt) n syndicate.

Sy′ndikus (zŭndĭkŏŏs) m syndic.

synkopie′ren (zŭnköpeer^en) syncopate.

synony′m (zŭnōnüm) synonymous.

synthe′|tisch (zŭntétĭsh) synthetic.

Sy′r|(i)er (zür[′]^er) m, ~(i)erin f, ℒisch Syrian.

Syste′m (züstém) n system; ℒa′tisch (-ähtĭsh) systematic.

Sze′n|e (stsén^e) f scene; *in* ~ *setzen* stage; ~erie′ (-^eree) f scenery.

T

Ta'bak (tăhbăhk) m tobacco; **~händ-ler** m tobacconist; **~sdose** (-dōz⁴) f snuff-box; **~waren** (-vāh₁e'n) f/pl. smokes.

tabella'risch (tăhbělāhrĭsh) tabular; adv. in tabular form.

Tabe'lle (tăhbĕl⁴) f table, schedule.

Table'tt (tăhblĕt) n tray; **~e** f tablet.

Ta'del (tāhd⁴l) m blame; (Rüge) censure; Schule: bad mark; 2los faultless, blameless; F fig. ripping; 2n blame, find fault with; censure; 2nswert (tāhd⁴lnsvért) blame-worthy.

Ta'fel (tāhf⁴l) f table; Schokolade usw.: tablet, cake; (Schiefer2) slate; (Wand2) blackboard; (das Speisen) dinner; 2förmig tabular; **~ge-schirr** n dinner-service; **~land** (-lāhnt) n tableland; 2n dine, banquet; **~silber** (-zĭlb⁴r) n table-plate; **~tuch** (-tōōk) n table-cloth.

Tä'felung (tăf⁴lōōɳ) wainscot(ing).

Ta'f(fe)t (tăhf[⁴]t) m taffeta.

Tag (tăhk) m day; bei **~e** by day; e-s **~es** one day; den ganzen **~** all day long; guten **~!** allg. how do you do?; engS.: good morning; good afternoon; bei Verabschiedung: good day; es wird **~** it dawns; an den **~ kommen** (bringen) come (bring) to light.

Ta'ge|blatt (tăhgʰe⁴blăht) n daily (paper); **~buch** (-bōōk) m journal, diary; 2lang for days; **~lohn** m daily wages pl.; **~löhner** m day-labourer; 2n (tăhgʰe'n) dawn; (beraten) meet, sit; **~reise** (-riz⁴) f day's journey.

Ta'ges|-anbruch (tăhgʰe'săhn-brōōk) m daybreak; **~befehl** m order of the day; **~gespräch** (-gʰe⁴shprăǫ) n topic of the day; **~kurs** (-kōōrs) ⨉ m rate of the day; **~licht** n daylight; **~ordnung** f order of the day, agenda pl.; **~presse** f daily press; **~zeit** (-tsit) f time of day; (Ggs. Nachtzeit) day-time; zu jeder **~** at any hour.

ta'ge|weise (tăhgʰe⁴viz⁴) by the day; 2werk n day's work; als Arbeits-einheit: man-day.

tä'glich (tăhlĭǫ) daily.

Ta'g-undna'chtgleiche (tăhkŏŏnt-năhktglĭǫ⁴) f equinox.

Tai'lle (tăhl¹⁴) f waist; des Kleides: bodice.

Ta'kel (tāhk⁴l) ⨀ n tackle; **~werk** n rigging; 2n rig.

Takt (tăhkt) ♩ m time, measure; fig. tact; **~ halten** keep time; den **~ schlagen** beat the time; 2fest steady in keeping time; fig. firm; 2ie'ren (-eer⁴n) beat the time; **~ik** f tactics pl. u. sg.; **~iker** m tactician; 2isch tactical; 2los tactless; **~stock** m baton; 2voll (-fŏl) tactful.

Tal (tāhl) n valley.

Tala'r (tăhlāhr) m gown, robe.

Tale'nt (tăhlĕnt) n talent, gift; 2voll (-fŏl) talented, gifted.

Talg (tăhlk) m roh: suet; ausgelassen: tallow, 2ig (tāhlgʰĭǫ) suety; tallowy; **~licht** n tallow-candle.

Ta'lsperre (tăhlshpĕr⁴) f dam, barrage.

Ta'mbour (tăhmbōōr) m drummer.

Ta'mtam (tăhmtăhm) n tomtom.

Tand (tăhnt) m trumpery; trifles pl.; bauble, gewgaw.

tä'ndeln (tĕnd⁴ln) trifle, dally; fig. flirt; (trödeln) dawdle.

Tang (tăhɳ) m seaweed.

Tank (tăhɳk) m tank; **~dampfer** m tanker; 2'en tank, refuel, petrol; **~stelle** f filling station, Am. gas (-oline) station.

Ta'nne (tăhn⁴) f fir(-tree).

Ta'nnen|zapfen (tăhn⁴ntsăhpf⁴n) m fir-cone; **~baum** (-bowm) m fir-tree.

Ta'nte (tăhnt⁴) f aunt.

Tantie'me (tǫt¹ăm⁴) f royalty, percentage, share in profits.

Tanz (tăhnts) m dance; **~diele** (-deel⁴) f dancing-saloon, Am. dancehall.

tä'nzeln (tĕnts⁴ln) (sn) trip, skip.

ta'nzen (tăhnts⁴n) (h. u. sn) dance.

Tä'nzer (tĕnts⁰r) *m*, **~in** *f* dancer; (*Mit~*) partner.
Ta'nz|lehrer *m* dancing-master; **~musik** (-mōōzeek) *f* dance-music; **~saal** (-zāhl) *m* dancing-room; **~stunde** (-shtōōnd⁰) *f* dancing-lesson.
Tape'te (tăhpét⁰) *f* wall-paper.
Tapezie'r (tăhpĕtseer), **~er** *m* paper-hanger; (*Polsterer*) upholsterer; **~en** paper.
ta'pfer (tăhpf⁰r) brave, valiant; **~keit** *f* bravery, valour.
ta'ppen (tăhp⁰n) (sn) grope (about).
tä'ppisch (tĕpĭsh) awkward, clumsy.
Tari'f (tăhreef) *m* tariff; **~lohn** *m* standard wages *pl.*
ta'rn|en (tăhrn⁰n), **~ung** *f* camouflage.
Ta'sche (tăhsh⁰) *f* pocket; (*Hand~ usw.*) (hand)bag; (*Beutel*) pouch.
Ta'schen|dieb (tăhsh⁰ndeep) *m* pickpocket; **~geld** *n* pocket-money; **~lampe** *f* pocket lamp, *Am.* flashlight; **~messer** *n* pocket-knife; **~spielerei** (-shpeel⁰rī) *f* jugglery; **~tuch** (-tōōk) *n* pocket handkerchief; **~uhr** (-ōōr) *f* (pocket) watch; **~wörterbuch** (-vŏrt⁰rbōōk) *n* pocket-dictionary.
Ta'sse (tăhs⁰) *f* cup.
Tast|atu'r (tăhstăhtōōr) *f* key-board; **~e** *f* key; **~en** touch; (*tappen*) grope.
Tat (tăht) *f* deed, act, action; *in der* indeed; in fact; **~bestand** (-b⁰shtăhnt) *m* facts *pl.* of the case.
ta'tenlos (-tăh⁰nlōs) inactive.
Tä'ter (tăt⁰r) *m*, **~in** *f* doer; (*Übeltäter*) perpetrator.
tä'tig (-tătĭç) active; busy; **~keit** *f* activity.
Ta't|kraft *f* energy; **~kräftig** energetic.
tä'tlich (tătlĭç) violent; **~keit** *f* (act of) violence.
tätowie'ren (tĕtōveer⁰n) tattoo.
Ta't|sache (tăhtzăhk⁰) *f* fact; **~sächlich** (-zĕçlĭç) actual, real.
Ta'tze (tăhts⁰) *f* paw, claw.
Tau (tow) *n* cable, rope; *m* dew.
taub (towp) deaf (gegen to); *Nuß*: empty; *Gestein*: dead.
Tau'be (towb⁰) *f* pigeon; **~nschlag** (-shlăhk) *m* dovecot.
Tau'b|heit (towphit) *f* deafness; **~stumm** (-shtōōm) deaf and dumb.

tau'ch|en (towĸ⁰n) *v/t.* plunge, dip; *v/i.* (h. *u.* sn) dive (*bsd. Schwimmer, ~boot*), plunge, dip; **~er** *m* diver.
tau'en (tow⁰n): *es taut* a) *Schnee*: (h. *u.* sn) it is thawing; b) *Tau*: (h.) dew is falling.
Tau'f|e (towf⁰) *f* baptism, christening; **~en** baptize, christen.
Täu'fling (tŏifling) *m* child (*od.* person) to be baptized.
Tau'f|name (towfnăhm⁰) *m* Christian name; **~pate** (-păht⁰) *m* gobfather; *f* godmother; **~schein** (-shin) *m* certificate of baptism.
tau'g|en (towgʰ⁰n) be of use, be good (zu for); **~enichts** (towgʰ⁰nĭçts) *m* good-for-nothing; **~lich** (towklĭç) fit; (*fähig*) able; **~** able-bodied.
Tau'mel (towm⁰l) *m* giddiness; (*Überschwang*) ecstasy; **~ig** reeling; (*schwindlig*) giddy; **~n** (sn) reel, stagger; (*schwindlig sn*) be giddy.
Tausch (towsh) *m* exchange; (**~handel**) barter; **~en** exchange; barter.
täu'schen (tŏish⁰n) deceive, delude; *in Hoffnungen usw. getäuscht w.* be disappointed; **~d** delusive; *Ähnlichkeit*: striking.
Tau'sch|handel (towshhăhnd⁰l) *m* barter.
Täu'schung (tŏishōōŋ) *f* delusion, deception.
tau'send (towz⁰nt) (a) thousand; **~fach** thousandfold.
tau'sendst (-tst), **~el** *n* thousandth.
Tau'|tropfen (towtröpf⁰n) *m* dew-drop; **~wetter** *n* thaw.
Taxame'ter (tăhksăhmét⁰r) *m* taximeter; **~droschke** *f* taxi(cab).
Tax|a'tor (tăhksăhtōr) *m* appraiser, valuer; **~e** *f* rate; (*Gebühr*) fee; (*Schätzung*) estimate; **~ie'ren** (-eer⁰n) rate, estimate; *amtlich*: value, appraise.
Te'chnik (tĕçnĭk) *f* technics *pl.*; engineering; (*Fertigkeit*) skill; *in der Kunst*: technique; **~er** *m* technician; engineer; **~um** (-ōōm) *n* technical school.
te'chnisch technical; **~e Hochschule** technical college.
Tee (té) *m* tea; **~büchse** (-bŭks⁰) *f* tea-caddy; **~kanne** *f* teapot; **~maschine** (-măhsheen⁰) *f* tea-urn.
Teer (tér) *m*, **~en** tar.
Tee'sieb (tézeep) *n* tea-strainer.

Teich (tīç) *m* pond.

Teig (tik) *m* dough, paste; **♀'ig** (tig^ḫlç) doughy, pasty.

Teil (til) *m u. n* part; (*Anteil*) share; (*Abteilung*) division; zum ~ partly, in part, *ich für mein* ~ I for my part; **♀'bar** divisible; **~'chen** *n* particle; **♀'en** divide: (*teilhaben an*) share; **♀'haben** (-hāhb^én) participate, (have a) share (*an dat.* in); **~'haber** (-in *f*) *m ✝* partner; **~'nahme** *f* participation (*an dat.* in); *fig.* interest (in), sympathy (with); **♀'nahmslos** indifferent; apathetic; **~'nahmslosigkeit** (tĭlnāhmlōzĭç-kit) *f* indifference; apathy; **♀'nehmen** *an* (*dat.*) take part (*od.* participate) in); *fig.* sympathize with; **~'nehmer(in** *f*) *m* participator; *teleph.* subscriber; *Sport:* competitor; **♀s** partly; **~'strecke** *f* section; **~'ung** *f* division; **♀'weise** partial; *adv.* in part; **~'zahlung** *f* part--payment.

Teint (tǟ, tĕr₂) *m* complexion.

Telegra'mm (tĕlĕgrǟhm) *n* telegram, wire.

Telegra'ph (tĕlĕgrǟhf) *m* telegraph; **~en-amt** *n* telegraph office; **♀ie'ren** (-eer^én) telegraph, wire; *adv.* by wire; **♀isch** telegraphic; **~i'st(in** *f*) *m* telegraphist, telegraph operator.

Telepho'n (tĕlĕfōn) *n* telephone, F phone; **~-anschluß** (-āhnshlōōs) *m* telephone-connexion; **~buch** (-bōōk) *n* telephone directory; **~gespräch** (-g^ḫéshprǟç) *n* telephone call; **♀ie'ren** (-eer^é n)telephone, F phone; **♀isch** telephonic; *adv.* by telephone; **~i'st(in** *f*) *m* telephonist, operator; **~zelle** *f* telephone box *od.* booth.

Te'ller (tĕl^ér) *m* plate.

Te'mpel (tĕmp^él) *m* temple; **~schändung** (-shĕndōōr₂) *f* sacrilege.

Temperame'nt (tĕmp^érǟhmĕnt) *n* temper(ament); (*Feuer*) spirits *pl.*; **♀los** spiritless; **♀voll** (-fōl) spirited.

Temperatu'r (tĕmp^érǟhtōōr) *f* temperature.

Tempere'nzler (tĕmp^érĕntsl^ér) *m* abstemious person.

Te'mpo (tĕmpō) *n* time; pace.

Tenden'z (tĕndĕnts) *f* tendency; **♀iö's** (-'ös) tendentious.

Te'nne (tĕn^é) *f* (threshing) floor.

Te'nnis *n* (lawn-)tennis; **~platz** *m* tennis-court; **~schläger** (-shlǟg^ér) *m* tennis-racket.

Teno'r (tĕnōr) *♪ m* tenor.

Te'ppich (tĕpĭç) *m* carpet.

Termi'n (tĕrmeen) *m* term; time; **♂½**, **✝** date; *Sport:* fixture; **~geschäfte ✝** *n*/*pl.* futures; **♀weise** terminally; by instalments.

Terpenti'n (tĕrpĕnteen) *m* turpentine.

Terrai'n (tĕrǟ, -ĕr₂) *n* ground.

Terra'sse (tĕrǟhs^é) *f* terrace.

Terri'ne (tĕreen^é) *f* tureen.

terrorisie'ren (tĕrōrĭzeer^én) terrorize.

Testame'nt (tĕstǟhmĕnt) *n* testament, will; *eccl.* Testament; **♀a'risch** (-āh-) testamentary; **~svollstrecker** (-fōlshtrĕk^ér) *m* executor.

teu'er (tŏi^ér) dear (*a.fig.*), expensive; *wie* ~ *ist es?* how much is it?; **♀ung** *f* dearness; dearth, scarcity.

Teu'fel (tŏif^él) *m* devil; F *zum* ~ *!* dickens!; *der* ~ *ist los* the fat is in the fire; **~ei'** (-ī) *f* devilry; **~skerl** *m* devil of a fellow.

teu'flisch (tŏiflĭsh) devilish, diabolical.

Text (tĕkst) *m* text; (*Lied♀*) words *pl.*; (*Opern♀*) book.

Texti'l... (tĕksteel) textile; **~ien** (-'^é n) *pl.* textiles *pl.*

te'xtlich (tĕkstlĭç) textual.

Thea'ter (tĕǟh^ér) *n* theatre; (*Bühne*) stage; **~besucher(in** *f*) (-b^ézōōk^ér) *m* playgoer; **~kasse** *f* box-office; **~stück** *n* play; **~vorstellung** (-fōrshtĕlōōr₂) *f* theatrical performance; **~zettel** *m* play-bill.

theatra'lisch (tĕǟhtrǟhlĭsh) theatrical.

The'ma (tĕmǟh) *n* theme, subject.

Theolo'g (tĕōlōk) *m*, **~e** (-g^ḫé) *m* theologian; **~ie'** (-ee) *f* theology.

Theore'tiker (tĕōrétĭk^ér) *m* theorist; **♀isch** theoretic(al).

Theorie' (tĕōree) *f* theory.

Thron (trōn) *m* throne; **~'besteigung** (-b^éshtigōōr₂) *f* accession to the throne; **♀'en** be enthroned; **~'-erbe** *m* heir to the throne; **~'-folge(r** *m*) *f* succession (successor) to the throne; **~'rede** (-réd^é) *f parl.* King's Speech.

ti'cken (tĭk^én) tick.

tief (teef) 1. deep; *Wissen, Geheimnis usw.:* profound; (*niedrig*) low; *im*

..sten Winter in the dead of winter;
2. 2 n barometrisches: low; 2'blick
m bird's eye view; fig. penetration;
2'druck(gebiet n)(-drŏŏk[gʰᵉbeet])
m low-pressure (area); 2'e f depth;
fig. profundity; 2'gang (-gāhᵣɡ) ⚓
m draught; ..'gekühlt fresh-frozen;
2'land (-lăʰnt) n lowland(s pl.);
2'schlag (-shlă/k) m Boxen: deep
hit; 2'see (-zé) f deep sea; ..'sinnig
(-ziniç) pensive, melancholy; 2'-
stand (-shtă/nt) m low level.

Tie'gel (teegʰᵉl) m saucepan, stew-
pan; (Schmelz2) crucible.

Tier (teer) n animal; (Ggs. Mensch)
beast; (unvernünftiges Wesen) brute;
F fig. großes ~ bigwig; ..'-arzt m
veterinary (surgeon); ..'heilkunde
(-hĭlkŏŏndᵉ) f veterinary science;
2'isch animal; fig. bestial, brutish;
..'kreis (-kris) m ast. zodiac; ..'-
quälerei (-kvăl'rī) f cruelty to
animals; ..'reich (-riç) n animal
kingdom; ..'schutzverein (-shŏŏts-
fĕr-in) m Society for the Prevention
of Cruelty to Animals.

Ti'ger (teegʰᵉr) m tiger; ..in f
tigress.

ti'lg|en (tĭlgʰᵉn) extinguish; (strei-
chen) blot out; (aufheben) cancel;
Schuld: discharge; Staatsschuld:
redeem; 2ung f extermination;
2ungsfond (tĭlgŏŏᵣsfo, -fŏᵣ) m
sinking-fund.

Tinktu'r (tĭᵣktŏŏr) f tincture.

Ti'nte (tĭntᵉ) f ink; ..nfaß (-fāhs) n
inkpot; ..nfleck, ..nklecks m ink-
-blot; ..nstift m copying-ink
pencil; ..nwischer m penwiper.

ti'ppen (tĭpᵉn) tap; F (Maschine
schreiben) type; F (wetten) bet.

Tiro'l|er (tĭrŏl'ᵉr) m, ..erin f,
2(er)isch Tyrolese.

Tisch (tĭsh) m table; (Kost) board;
bei ..e at table; ..'gast (-gāhst) m
guest; ..'gebet (-gʰᵉbét) n: das ..
sprechen say grace; ..'gesellschaft
(-gʰᵉzĕlshă/ft) f dinner-party; ..'-
kasten m table-drawer.

Ti'schler (tĭshl'ᵉr) m joiner; (Kunst2)
cabinet-maker; ..ei' (-ī) f joinery;
(Werkstatt) joiner's shop.

Ti'sch|platte f table-top; ..rede
(-rédᵉ) f toast, afrer-dinner speech;
..tuch (-tŏŏk) n table-cloth; ..zeit
(-tsit) f dinner-time.

tita'nisch (tĭtăʰnĭsh) titanic.

Ti'tel (teetᵉl) m title; ..blatt n title-
-page; ..halter m Sport: title-
-holder; ..kopf m heading.

titulie'ren (tĭtŏŏleerᵉn) style, call.

to'b|en (tŏbᵉn) rage, bluster; Kin-
der: romp; 2sucht (tŏpzŏŏkt) f
frenzy, delirium; ..süchtig (-zŭc-
tĭç) raving mad, frantic.

To'chter (tŏktᵉr) f daughter; ..ge-
sellschaft (-gʰᵉzĕlshă/ft) f subsid-
iary company.

Tod (tŏt) m death.

To'des|-angst (-d-) f agony; fig.
mortal dread; ..anzeige (-ăʰn-
tsigʰᵉ) f obituary (notice); ..fall m
(case of) death; ..kampf m death-
-struggle; ..strafe (-shtră/fᵉ) f
capital punishment; ..urteil (-ŏŏr-
til) n capital sentence.

To'd|feind (tŏtfint) m deadly
enemy; 2krank dangerously ill.

tö'dlich (tŏtlĭç) mortal, deadly.

to'd|mü'de (tŏtmüdᵉ) dead tired;
2sünde (-zŭndᵉ) f deadly (od.
mortal) sin.

Toile'tte (tŏălhlĕtᵉ) f (Ankleiden,
Anzug) toilet; (Abort) lavatory, Am.
toilet; ~ m. make one's toilet;
..npapier (-pähpeer) n toilet-
paper.

toll (tŏl) mad; (wild) wild; (unsinnig)
extravagant; es ~ treiben come it
strong; ..'en F fool about; Kinder:
romp, rag; 2'haus (-hows) n mad-
house; 2'heit f madness; (toller
Streich) mad trick; ..'kühn fool-
hardy; 2'wut (-vŏŏt) f rabies.

To'lpatsch (tŏlpăhtsh), Tö'lpel
(tŏlpᵉl) m awkward fellow, booby.

Tölpel|ei' (tŏlpᵉlī) f awkwardness,
clumsiness; 2haft awkward, clumsy.

Toma'te (tŏmăht') f tomato.

Ton (tŏn) m 1. sound; ♪ tone (a.
~ der Sprache); note; (Betonung)
accent, stress; paint. tone, tint;
guter ~ good form; den ~ angeben
fig. set the fashion; 2. (..erde) clay;
2'-angebend (-ăhngʰébᵉnt) leading; ..'-art ♪ f key.

tö'nen (tŏnᵉn) v/i. sound; v/t.
(färben) tint, tone; shade.

tö'nern (tŏnᵉrn) (of) clay, earthen.

To'n|fall m beim Sprechen: intona-
tion, accent; film m sound film;
..leiter (-lit'ᵉr) f scale, gamut.

To'nne (tŏnᵉ) f barrel, cask;
(großes Faß) tun; ⚓, Gewicht: ton;
..ngehalt m tonnage.

To′nsilbe (tŏnzĭlb^e) f accented syllable.

Tonsu′r (tŏnzōōr) f tonsure.

Tö′nung (tŏnōōn͡g) f tint; tinge.

To′nwaren (tŏnvā*h*r^en) f/pl. earthenware.

Topf (tŏpf) m pot.

Tö′pfer (tŏpf^er) m potter; (Ofensetzer) stove-fitter; ~ei′ (-ī) f pottery; ~ware (-vā*h*r^e) f pottery.

topp!¹ (tŏp) done!, agreed!

Topp² ⚓ m top.

Tor (tōr) 1. n gate; Fußball: goal;⟩

Torf (tŏrf) m peat.   [2. m fool.⟨

To′rheit (tŏrhĭt) f folly.

tö′richt (tŏrĭçt) foolish, silly.

Tö′rin (tŏrĭn) f fool(ish woman).

to′rkeln (tŏrk^eln) (sn) reel, stagger.

To′r|latte f Fußball: cross-bar; ~lauf (-lowf) m Ski: slalom.

Torni′ster (tŏrnĭst^er) m knapsack.

torpedie′ren (tŏrpĕdeer^en) torpedo.

To′r|schütze m Sport: scorer; ~stoß (-shtōs) m Fußball: goal-kick.

To′rte (tŏrt^e) f fancy cake; (Frucht♀) tart, Am. pie.

Tortu′r (tŏrtōōr) f torture.

To′r|wächter (tŏrvěçt^er), ~wart m Fußball: goal-keeper; ~weg (-věk) m gateway.

to′sen (tōz^en) roar, rage.

tot (tōt) dead; ~er Punkt ⊕ dead centre; fig. deadlock; ~′-arbeiten (-ā*h*rbĭt^en) (sich) work o.s. to death; ♀e(r) dead person; die ~n pl. the dead.

tö′ten (tŏt^en) kill; Nerv: deaden.

To′ten|bett n deathbed; ♀blaß (-blā*h*s) deadly pale; ~blässe f deadly pallor; ~gräber (-grāb^er) m grave-digger; ~hemd n shroud; ~kopf m death's-head; ~maske f death-mask; ~messe f mass for the dead; ~schein (-shĭn) m certificate of death; ♀still as still as death; ~stille f dead(ly) silence.

to′t|geboren (tŏtg^{he}bōr^en)stillborn; ~lachen (-lā*h*k^en) (sich) die of laughing; ~schießen (-shees^en) shoot dead; ♀schlag (-shlā*h*k) m manslaughter; ~schlagen (-shlā*h*g^{he}n) kill; ~schweigen (-shvig^{he}n) hush up; ~sicher (-zĭç^er) cocksure; ~stechen stab to death; ~stellen (sich) feign death.

Tour (tōōr) f tour; (Umdrehung) turn, revolution; (Ausflug) trip; auf

~en kommen mot. pick up; ~′enwagen (-vā*h*g^{he}n) m mot. touring car.

Touri′st(in f) (tōōrĭst) m tourist.

Tournee′ (tōōrné) f tour.

Trab (trā*h*p) m, ♀′en (trā*h*b^en) (sn) trot; ~′rennen n trotting match.

Tracht (trā*h*kt) f dress, costume; fashion; (Last) load; e-e ~ Prügel a sound thrashing; ♀′en nach et. strive for (od. after); j-m nach dem Leben ~ seek a p.'s life.

trä′chtig (trěçtĭç) pregnant.

Tra′g|bahre(trā*h*kbā*h*r^e)f stretcher, litter; ♀bar portable; Kleid: wearable; fig. bearable.

Tra′ge (trā*h*g^{he}) f hand-barrow.

trä′ge (trā*h*g^{he}) lazy, indolent.

tra′gen (trā*h*g^{he}n) v/t. carry (a. v/i. Gewehr, Stimme) Kosten, Namen, Verantwortung usw.; (ertragen) bear (a. v/i. Eis); (stützen) support; (hervorbringen) bear, yield; (am Körper ~) wear; bei sich ~ have about one; sich gut ~ (Stoff) wear well; sich mit et. fig. ~ have one's mind occupied with.

Trä′ger (trā*h*g^{he}r) m, ~in f carrier; (Gepäck♀) porter; (Inhaber) holder, bearer; von Kleidern: wearer; ⊕ support; △ girder.

Tra′g|fähigkeit (trā*h*kfäĭçkĭt) f carrying (od. load) capacity; ⚓ tonnage; ~fläche ✈ f wing, plane.

Trä′gheit (trā*h*khĭt) f laziness, indolence; phys. inertia.

tra′gisch (trā*h*gĭsh) tragic(al fig.).

Tragö′die (trā*h*gŏdi^e) f tragedy.

Tra′g|riemen (trā*h*kreem^en) m strap; ~weite (-vīt^e) f range; fig. import(ance).

Trai′n|er (trén^er) m trainer, coach; ♀ie′ren (-eer^en) train, coach (for).

traktie′ren (trā*h*kteer^en) treat.

trä′llern (trěl^ern) hum.

tra′mpeln (trā*h*mp^eln) trample.

Tran (trā*h*n) m train(-oil).

Trä′ne (trān^e) f tear; ♀n run with tears; ~ngas (-gā*h*s) n tear-gas.

Trank (trā*h*n͡gk) m drink, beverage.

Trä′nke (trěn͡gk^e) f watering-place; ♀n water; (durchtränken) soak.

Trans|forma′tor(trā*h*nsfŏrmā*h*tŏr) ⚡ m transformer; ~pare′nt (-pāhrěnt) n transparency; ♀pirie′ren (-pĭeer^en) perspire.

Transpo′rt (trā*h*nspŏrt) m, ♀ie′ren (-eer^en), ~schiff n transport.

Trape'z (trăhpéts) *n* ⚹ trapezium; *Gymnastik*: trapeze.

tra'ppeln (trăhpᵉln) (h. *u.* sn) tramp; *Kind usw.*: patter.

Trass|a't (trăhsăhnt) *m* drawer; ~a't (-ăht) *m* drawee; ⅋ie'ren (-eeren) draw.

Tra'tte (trăht^e) *f* draft.

Trau'be (trowb^e) *f* bunch of grapes; *weitS.* cluster; ~nsaft (-zăhft) *m* grape-juice.

trau'en (trow^en) **1.** *v/t.* marry; *sich* ~ *lassen* get married; **2.** *v/i.* trust (*j-m* a p.), confide (*dat.* in).

Trau'er (trow^er) *f* affliction; (*um e-n Toten*) mourning; ~botschaft (-bōtshăhft) *f* sad news; ~fall *m* death; ~flor (-flōr) *m* mourning-crape; ~geleit (-gʰᵉlit) *n* funeral train; ~kleid (-klit) *n* mourning (-dress); ~marsch *m* funeral march; ⅋n mourn (*um for*); ~spiel (-shpeel) *n* tragedy; ~zeit (-tsit) *f* time of mourning; ~zug (-tsŏŏk) *m* funeral procession.

Trau'fe (trowf^e) *f* eaves *pl.*

träu'feln (trŏifᵉln) drip, trickle.

trau'lich (trowlĭç) (*vertraut*) familiar; (*gemütlich*) cosy, snug.

Traum (trowm) *m* dream; ~'bild *n* vision; ~'deuter(in *f*) (-dŏit^er) *m* interpreter of dreams.

träu'm|en (trŏim^en) dream; ⅋erei' (-^eri) *f* *fig.* reverie; ~erisch dreamy.

Trau'mzustand (trowmtsŏŏshtăhnt) *m* trance.

trau'rig (trowrĭç) sad (*über acc.* at).

Trau'|ring (trowrĭng) *m* wedding-ring; ~schein (-shin) *m* marriage lines *pl.*; ~ung *f* wedding; ~zeuge (-tsŏigʰᵉ) *m* witness to a marriage.

Tre'cker (trĕk^er) ⊕ *m* tractor.

Treff (trĕf) *n* *Karten*: club(s *pl.*).

tre'ffen (trĕf^en) **1.** *v/t.* hit (*a. fig.*); (*befallen*) befall; (*begegnen*) meet (*with*); *zu Hause*: find at home; *sich* ~ (*geschehen*) happen; *sich getroffen fühlen* feel hurt; *nicht* ~ miss; *das Los traf ihn* the lot fell on him; *v/i.* hit; **2.** ⅋ *n* meeting, *Am.* rally; ✘ encounter; ~d (*auffallend*) striking; (*angemessen*) appropriate.

Tre'ff|er *m* hit; (*Gewinnlos*) prize; ⅋lich excellent; ~punkt (-pŏŏngkt) *m* meeting place.

Trei'b-eis (tripis) *n* drift-ice.

trei'b|en (trīb^en) **1.** *v/t.* drive;

Blätter usw.: put forth; *Pflanzen*: force; *Sport* ~ engage in sports; *Sprachen* ~ study languages; *v/i.* (h. *u.* sn) drive, float, drift; (*keimen*) shoot forth; **2.** ⅋ *n* (*Tun*) doings *pl.*; ⅋haus (trip-hows) *n* hothouse; ⅋-riemen (-reem^en) *m* driving-belt; ⅋stoff *m* fuel.

tre'nn|en (trĕn^en) separate; *Naht*: rip; *teleph.* disconnect; *sich* ~ separate (*von* from), part (*P.*: from, with; *S.*: with); ⅋schärfe *f* *Radio*: selectivity; ⅋ung *f* separation.

Tre'nse (trĕnz^e) *f* snaffle.

Tre'ppe (trĕp^e) *f* staircase, (*eine a flight of*) stairs *pl.*; *2* ~ *hoch* on the second floor; ~n-absatz (-ăhpzăhts) *m* landing; ~ngeländer *n* banisters *pl.*; ~nhaus (-hows) *n* staircase, *Am.* stairway; ~nstufe (-shtŏŏf^e) *f* stair.

Treso'r (trĕzōr) *m* safe.

tre'ten (trét^en) *v/i.* (h. *u.* sn) tread; (*gehen*) step; *Radfahren*: pedal; *ins Haus* ~ enter the house; *in Verbindung* ~ enter into connexion; *j-m zu nahe* ~ offend; *v/t.* tread; (*e-n Fußtritt geben*) kick; *mit Füßen* ~ trample upon.

treu (trŏi) faithful; (*wahr*) true; ⅋'bruch (-brŏŏk) *m* breach of faith; ⅋'e *f* fidelity, faith(fulness); ~'händer *m* trustee; ~'herzig simple-minded; ~'los faithless.

Tribü'ne (trĭbün^e) *f* (*Redner2*) platform; (*Zuschauer2*) stand.

Tribu't (trĭbŏŏt) *m* tribute.

Tri'chter (trĭçt^er) *m* funnel; (*Granat2*) crater.

Trieb (treep) *m* ♀ sprout, shoot; (*Antrieb*) impulse; (*Neigung*) inclination; ~'feder (-féd^er) *f* spring; *fig.* motive; ~'kraft *f* motive power; ~'wagen (-văhg^en) *m* rail(way) motor car.

trie'fen (treef^en) drip (*von* with); *Auge*: run.

tri'ftig (trĭftĭç) valid; ⅋keit *f* validity.

Triko't (trĭkō) *m* *u.* *n* (~stoff) stockinet; *im Zirkus*: tights *pl.*; ~a'gen (trĭkōtăhⱩ^en) *pl.* hosiery.

Tri'ller (trĭl^er) *m,* ⅋n trill; ♩ shake, quaver; *Vogel*: warble.

tri'nk|bar (trĭngkbăhr) drinkable; ⅋becher *m* drinking-cup; ~en drink (*auf acc.* to); *Tee usw.*: take, have; ⅋er(in *f*) *m* drinker; *b.s.*

drunkard; ♀gelage (-gʰᵉlähgʰᵉ) n drinking-bout; ♀geld n gratuity, F tip; ♀glas (-glähs) n drinking-~glass; ♀spruch (-shpröŏk) m toast; ♀wasser n drinking-water.

tri′ppeln (trĭp′ᵉln) (sn) trip.

Tritt (trĭt) m tread, step; (~spur) footprint; (Geräusch des ~es) footfall; (Fuß♀) kick; ⊕ treadle; s. ~brett, ~leiter; im ~ in step; ~ halten keep step; ~′brett n foot-~board; mot. running-board; ~′leiter (-lĭt′ᵉr) f (eine a pair of) steps pl.

Triu′mph (trĭōͦmf) m triumph; ~bogen (-bŏgʰᵉn) m triumphal arch; ♀ie′ren (-eer′ᵉn) triumph.

tro′cken (trŏk′ᵉn) dry; (dürr) arid; ♀batterie (-bäht′ᵉree) ⚡ f dry (cell) battery; ♀heit f dryness; aridity; ~legen (-lég′ʰᵉn) dry up; Land: drain; Säugling: change.

tro′cknen v/i. (sn) u. v/t. dry.

Tro′ddel (trŏd′ᵉl) f tassel.

Trö′del (trŏd′ᵉl) m second-hand articles pl.; (Gerümpel) lumber, Am. junk; ♀n dawdle, loiter.

Trö′dler (trŏdl′ᵉr) m second-hand dealer; fig. dawdler, loiterer.

Trog (trŏk) m trough.

Tro′mmel (trŏm′ᵉl) f drum; ~fell n drumskin; anat. eardrum; ♀n drum; ~schlag (-shlähk) m beat of the drum.

Tro′mmler m drummer.

Trompe′te (trŏmpét̃ᵉ) f, ♀n trumpet; ~r m trumpeter.

Tro′pen (trŏp′ᵉn) pl. tropics.

Tropf (trŏpf) m simpleton.

trö′pfeln (trŏpf′ᵉln) v/i. (h. u. sn) drip, trickle; Wasserhahn: leak.

tro′pfen (trŏpf′ᵉn) 1. drop; s. tröpfeln; 2. ♀m drop; ~weise by drops.

Trophä′e (trŏfä̃ᵉ) f trophy.

tro′pisch (trŏpĭsh) tropical.

Tro′sse f cable, ⚓ hawser.

Trost (trŏst) m comfort, consolation; nicht (recht) bei ~e sein not to be in one's senses.

trö′sten (trŏst′ᵉn) console, comfort; sich ~ take comfort.

tro′st|los disconsolate; desolate; ♀losigkeit (-trŏstlŏzĭçkĭt) f desolation; ~reich (-rĭç) consolatory, comforting.

Trott (trŏt) m trot; ~′el m idiot, ninny; ♀′en (sn) trot.

trotz (trŏts) 1. in spite of; ~ alledem

for all that; 2. ♀ m defiance; (Störrigkeit) obstinacy; ~′dem (-dém) adv. nevertheless; cj. (al)though; ~′en defy (j-m a p.); Gefahren: brave; (schmollen) sulk; (eisensinnig sn) be obstinate; ~′ig defiant; sulky; obstinate.

trüb (trüp), ~′e (trüb̃ᵉ) Flüssigkeit: muddy, turbid; (glanzlos) dim, dull; Wetter, a. fig.: gloomy; Erfahrung: sad.

Tru′bel (trōŏb′ᵉl) m bustle.

trü′b|en (trüb̃ᵉn) (s. trüb) make muddy; (a. sich) dim; Freude usw.: spoil; Sinn: blur; ♀sal (trüpzähl) f affliction; ~selig (-zéli̇̃ç) sad, dreary; ♀sinn (-z̃ĭn) m, ~sinnig melancholy; ♀ung f Flüssigkeit: turbidity; Glas: blur.

Trug (trōŏk) m deceit; der Sinne: delusion; ~′bild n phantom.

trü′g|en (trü̃gʰᵉn) deceive; ~erisch deceptive; (unzuverlässig) treacherous.

Tru′he (trō̃ŏᵉ) f trunk, chest.

Trü′mmer (trüm̃ᵉr) n/pl. ruins; (Schutt) rubble; gröber: debris.

Trumpf (trōŏmpf) m, ♀′en trump.

Trunk (trō̃ŏŋk) m drink; (Schluck) draught; (das Trinken) drinking; ♀′en drunken; pred. drunk (a. fig. von with); ~′enbold (-bŏlt) m drunkard; ~′enheit f drunkenness; fig. elation; ~′sucht (-zōŏkt) f drinking-habit.

Trupp (trōŏp) m troop, band, gang.

Tru′ppe f ✖ troop; ~n pl. forces, troops; thea. troupe; ~ngattung f arm; ~n-übungsplatz (-übōŏ̃ŋs-plähts) m trooptraining grounds pl.

Tru′thahn (trōŏthä̃hn) m turkey (-cock).

Tsche′ch|e (tshẽç̃ᵉ) m, ~in f, ♀isch Czech.

Tu′be (tōŏb̃ᵉ) f tube.

tuberk|ulo′s (tōŏb̃ĕrkōŏ̃lōs) tuberculous; ♀ulo′se (tōŏb̃ĕrkōŏlōz̃ᵉ) f tuberculosis.

Tuch (tōŏk) n (Stoff) cloth; (Umschlage♀) shawl; ~′händler m draper, cloth-merchant; ~′handlung f draper's shop.

tü′chtig (tü̃çtĭç) able, fit; clever; proficient; excellent; (gründlich) thorough; ♀keit f ability; proficiency; excellency.

Tu′chware(n pl.) (tōŏkvährᵉ[n]) f drapery.

Tü′ck|e (tŭkᵉ) f malice; (Streich) trick; 2isch malicious.

tü′fteln (tŭftᵉln) puzzle (an over).

Tu′gend (tōōgʰᵉnt) f virtue; 2haft virtuous.

Tüll (tŭl) m tulle; ~′e f socket; (Gießröhre) spout.

Tu′lpe (tōōlpᵉ) & f tulip.

tu′mmel|n (tōōmᵉln): sich ~ hurry; (sich rühren) bestir o.s.; 2platz m playground.

Tü′mpel (tŭmpᵉl) m pool.

tun (tōōn) 1. do; (wohin ~) put (to school, into the bag, etc.); so ~ als ob make as if; es tut nichts it doesn't matter; es ist mir darum zu ~ I am anxious about (it); ich kann nichts dazu ~ I cannot help it; das tut gut! that is a comfort; zu ~ haben have to do; (beschäftigt sn) be busy; 2. 2 n: ~ und Treiben ways and doings pl.

Tü′nche (tŭnçᵉ) f, 2n whitewash.

Tu′nichtgut (tōōnĭçtgōōt) m ne'er--do-well.

Tu′nke (tōōŋkᵉ) f sauce; 2n dip, steep.

tu′nlich (tōōnlĭç) feasible, practicable; ~st if possible.

Tü′pfel (tŭpfᵉl) m, n, 2n dot,spot.

tu′pfen (tōōpfᵉn) dab; = tüpfeln.

Tür (tŭr) f door; ~′flügel (-flŭgʰᵉl) m leaf of a door; ~′hüter (-hŭtᵉr) m doorkeeper.

Tü′rk|e (tŭrkᵉ) m Turk; ~in f Turk(ish woman); 2isch Turkish.

Tü′rklinke (tŭrklĭŋkᵉ) f latch.

Turm (tōōrm) m tower; (Kirch2) steeple; Schach: castle, rook.

tü′rmen (tŭrmᵉn) pile up; sich ~ tower.

Tu′rm|spitze f spire; ~springen n high diving; ~uhr (-ōōr) f church--clock.

tu′rn|en (tōōrnᵉn) 1. do gymnastics; 2. 2 n gymnastics pl.; 2er(in f) m gymnast; 2gerät(e pl.) (-gʰᵉrät[ᵉl]) n gymnastic apparatus; 2halle f gym(nasium).

Turnie′r (tōōrneer) tournament.

Tu′rn|lehrer(in f) m teacher of gymnastics; ~schuh (-shōō) m gym(nasium)-shoe; ~unterricht (-ōōntᵉr-rĭçt) m instruction in gymnastics; ~verein (fĕr-ĭn) m gymnastic club.

Tü′r|pfosten m door-post; ~rahmen m door-frame.

Tu′sch|e (tōōshᵉ) f Indian ink; 2′eln whisper; 2′en wash; ~′farbe f water-colour; ~′kasten m paint--box.

Tü′te (tŭtᵉ) f paper-bag.

tu′ten (tōōtᵉn) toot; mot. honk.

Typ (tŭp) m, ~′e f type.

Ty′phus (tŭfōōs) m typhoid fever.

ty′pisch (tŭpĭsh) typical (für of).

Ty′pus (tŭpōōs) m type.

Tyra′nn (tŭrản) m, ~in f tyrant; ~ei′ (-ī) f tyranny; 2isch tyrannical; 2isie′ren (-īzeerᵉn) tyrannize over a p., billy a p.

U

ü'bel (üb⁴l) 1. evil, bad, *adv.* ill; badly; (*krank*) sick, *pred. a.* ill; *nicht* ~ not bad; *mir ist* ~ I feel sick; 2. ⅃ *n* evil; (*Krankheit*) malady; = ⅃stand; ⅃befinden (-b⁴fínd⁴n) *n* indisposition; ~gelaunt (-g⁴ʰᵉ‐ lownt) ill-humoured; ⅃keit *f* sickness; ~nehmen take *a th.* ill *od.* amiss; ⅃stand *m* inconvenience; grievance; ⅃täter(in *f*) *m* evil--doer; ⅃wollen *n* ill-will; ~wollend malevolent.

ü'ben (üb⁴n) exercise; practise; ✕ drill; *Sport:* train; geübt skilled, experienced.

ü'ber (üb⁴r) 1. *prp.* (*wo*? *dat.*; *wohin*? *acc.*) over, above; *gehen usw.*: across *a river, etc.*; via *a town*; *sprechen usw.* ~: about, of; *schreiben usw.* ~ (up)on; ~ ... (*hinaus*) beyond; *zehn Minuten* ~ *zwölf* 10 minutes past 12; 2. *adv.* over.

über|-a'll everywhere, *Am.* all over; ~a'nstrengen over-exert; ~a'r‐ beiten (-ährbit⁴n) do over again; *sich* ~ overwork *o.s.*; ~bie'ten (-beet⁴n) *Auktion:* outbid; *fig.* outdo, surpass.

Ü'ber|bleibsel (-blĭps⁴l) *n* remainder, *Am.* holdover; *pl.* remains *pl.*; ~blick *m* survey.

über|bli'cken survey; ~bri'ngen deliver; ⅃bri'nger(in *f*) *m* bearer; ~brü'cken (-brük⁴n) bridge; ~bürdung *f* overburdening; ~dau'ern (-dow⁴rn) outlast; ~de'nken think *a th.* over; ~die's (-dees) moreover.

Ü'ber|druß (-drŏŏs) *m* disgust, (*bis zum* ~ to) satiety; ⅃drüssig (-drüsiç) (*gen.*) disgusted with, weary of; ⅃-eifrig (-ífriç) too eager.

über-ei'l|en (-íl⁴n) precipitate; ~t precipitate; *su. f* precipitance.

über-eina'nder (-in-äʰnd⁴r) one upon another.

über-ei'n... (üb⁴r-ín...): ~kommen (sn) agree; ⅃kommen *n*, ⅃kunft (-kŏŏnft) *f* agreement; ~stimmen agree (with); ⅃stimmung *f* agree‐ ment, conformity; *in* ~ *mit* in accordance with.

überfa'hren run over *a p.*; *Signal:* overrun.

Ü'ber|fahrt *f* passage; ~fall *m* sudden attack, surprise; (*Raub*⅃) hold-up, (*Einfall*) raid.

überfa'llen attack suddenly, surprise; *räuberisch:* hold up; *Nacht, Krankheit usw.*: overtake.

ü'berfällig overdue.

Ü'berfallkommando (üb⁴rfäʰl‐ kŏmäʰndö) *n* flying (*Am.* riot) squad.

überflie'gen (-fleeg⁴ʰn) fly over *od.* across; *mit dem Auge:* glance over, skim.   [over.]

ü'berfließen (-flees⁴n) (sn) flow)

überflü'geln (-flüg⁴ʰln) ✕ out‐ flank; *fig.* surpass.

Ü'ber|fluß (-flŏŏs) *m* abundance; (*unnötiger*) superfluity; ~ *h. an* (*dat.*) abound in; ⅃flüssig super‐ fluous.   [flood.]

überflu'ten (-flŏŏt⁴n) overflow,)

Ü'berfracht *f* overweight; *vom Gepäck:* excess luggage.

Über|fre'mdung *f* foreign in‐ filtration; ⅃fü'hren transport; (*überzeugen*) convince; *Schuldige:* convict; ~fü'hrung *f* transport‐ ation; conviction; *Straßenbau,* 6₈ road-bridge, viaduct, *Am.* over‐ pass.

Ü'berfülle *f* superabundance.

überfü'llen overfill, cram; *mit Menschen:* overcrowd; *Magen:* glut; *den Markt:* overstock.

Ü'ber|gabe (-gäʰb⁴) *f* delivery; ✕ surrender; ~gang *m* passage; 6₈ crossing; *fig.* transition; ~gangs‐ stadium (-shtäʰd'ŏŏm) *n* tran‐ sition stage.

überge'ben (-g⁴éb⁴n) deliver (up), give up; (*einhändigen*) hand over; ✕ surrender; *sich* ~ (*erbrechen*) vomit.

ü'bergeh(e)n (-g⁴é[⁴]n) 1. *v/i.* (sn) pass over; ~ *in* (*acc.*) pass into; *zu et.* ~ proceed to; 2. überge'hen *v/t.* pass over.

Ü′ber|gewicht n overweight; fig. preponderance; 2greifen (-grīf⁵n) overlap; fig. ~ auf od. in (acc.) encroach on; ~griff m encroachment.

überha′ndnehmen prevail.

ü′berhängen overhang.

über|häu′fen (-hȯif⁵n) overwhelm; ~hau′pt (-howpt) generally; ~ nicht not at all; ~he′ben (-héb⁵n) exempt (gen. from); e-r Mühe: spare a p. a trouble; sich ~ fig. be overbearing; ~he′blich overbearing, presumptuous; ~hi′tzen (-hits⁵n) overheat; ~ho′len (-hōl⁵n) (out)distance, outstrip; (nachsehen u. ausbessern) overhaul, bsd. Am. service; ~t (veraltet) out of date; ~hö′ren miss; absichtlich: ignore; j-n ~ hear a p.'s lesson.

ü′ber-irdisch supernatural.

ü′berkippen tilt over. [over.]

ü′berkle′ben (-kléb⁵n) paste a th.]

Ü′ber|kleidung (-klídȯŋg) f outer wear; 2klug (-klōōk) overwise; 2kochen (sn) boil over.

über|ko′mmen be seized with fear, etc.; ~la′den (-lāhd⁵n) overload (a. den Magen); ⚡; Gewehr, Bild usw.: overcharge.

Überla′nd|flug (-lǎɴtflōōk) m cross-country flight; ~zentrale ⚡ f long-distance power station.

über|la′ssen let a p. have a th.; (anheimstellen) leave; (preisgeben) abandon; ~la′sten overload; fig. overburden.

ü′ber|laufen (-lowf⁵n) 1. v/i. (sn) run over; ⚔ desert, weitS. go over; 2. überlau′fen v/t. overrun; (belästigen) pester; 2läufer (-lȯi-f⁵r) m deserter; pol. turncoat; ~′-laut (-lowt) too noisy.

überle′b|en (-léb⁵n) outlive, survive; 2ende(r) survivor; ~t disused, out of date.

ü′berlegen (~ ~ 'n) lay over.

überle′g|en a) v/t. consider, reflect upon; ich will es mir ~ I will think it over; es sich anders ~ change one's mind; b) adj. superior; 2enheit f superiority; ~t considerate; deliberate; 2ung f consideration, reflection.

überle′sen (-léz⁵n) read a th. over.

überlie′fer|n (-leef⁵rn) deliver; der Nachwelt: hand down; ⚔ surrender; 2ung f delivery; ⚔ surrender; fig. tradition.

überli′sten (-līst⁵n) outwit.

Ü′bermacht f superior force; fig. predominance.

ü′bermächtig overwhelming.

überma′nnen (-mǎhn⁵n) overpower.

Ü′ber|maß (-māhs) n excess; im ~ in excess; 2mäßig (-māsiç) excessive. [superhuman.]

Ü′bermensch m superman; 2lich]

übermi′tt|eln (-mit⁵ln) transmit; 2(e)lung f transmission.

ü′bermorgen the day after tomorrow. [2ung f overfatigue.]

übermü′d|et (-mǖd⁵t) overtired;]

Ü′ber|mut (-mōōt) m wantonness; (Anmaßung) insolence; 2mütig (-mǖtiç) wanton; insolent.

überna′chten (-nǎhɴt⁵n) pass the night.

Ü′bernahme (-nāhm⁵) f taking over, etc. s. übernehmen.

ü′bernatürlich supernatural.

überne′hmen take over; Arbeit, Verantwortung usw.: undertake; Befehl, Führung, Risiko: take; sich ~ overstrain o.s.; im Essen: surfeit (o.s.).

ü′ber-ordnen place (od. set).

ü′berparteilich (-pǎhrtīliç) non-partisan.

Ü′berproduktion (-prōdōōkts'ōn) f over-production. [check.]

überprü′fen (-prǖf⁵n) examine,]

überque′ren (-kvér⁵n) cross.

überra′gen (-rāhg⁵n) overtop; fig. surpass.

überra′sch|en (-rǎsh⁵n) surprise; 2ung f surprise.

überre′d|en (-réd⁵n) persuade, talk a p. into a th.; 2ung f persuasion.

überrei′ch|en (-riç⁵n) hand over, present; 2ung f presentation.

überrei′zen (-rits⁵n) over-excite; Nerven: overstrain.

Ü′berrest m remainder, remains pl.

überru′mpel|n (-rōōmp⁵ln) surprise; ⚔ take by surprise; 2ung f surprise.

übersä′en (-zǎ⁵n) fig. dot, stud.

übersä′ttig|en (-zétīgh⁵n), 2ung f surfeit. [mate.]

überschä′tzen overrate, overesti-]

ü′berschießend (-shees⁵nt) Betrag: surplus. [estimate.]

Ü′berschlag (-shlǎk) m (rough)]

ü′berschlagen (-shlǎgh⁵n) 1. Bein: cross; 2. überschla′gen (weglassen)

omit; (*rechnend*) estimate; *sich* ~
tumble over; *beim Landen*: nose-
-over.

ü'berschnappen (sn) *Stimme*:
squeak; F (*verrückt w.*) turn crazy.

über|schnei'den (-schnid⁶n) (*a.
sich*) overlap; **~schrei'ben** (-schri-
b⁶n) superscribe; (*übertragen*) transfer; **~schrei'ten** (-schrit⁶n) cross;
fig. transgress; *Gesetz*: infringe;
Maß: exceed; *Kredit*: overdraw.

Ü'ber|schrift *f* heading, title; **~
schuh** (-sch⁵⁵) *m* overshoe; **~
schuß** (-sch⁵⁵s) *m*, **2schüssig**
(-sh⁵sị͡c) surplus.

überschü'tten *fig.* overwhelm.

überschwe'mm|en inundate,
flood; **2ung** *f* inundation, flood.

ü'berschwenglich (-shvĕñ͡glị͡c) ef-
fusive.

Ü'bersee (-zé) *f* oversea(s); **~...,
2isch** (-zéish) transoceanic; over-
sea; transmarine (*cable*).

überse'hen (-zé⁶n) survey; (*nicht
bemerken*) overlook; (*nicht beachten*)
disregard, ignore.

überse'nd|en (-zĕnd⁶n) send, trans-
mit; **2ung** *f* transmission; **✝** consignment.

ü'bersetzen (-zĕts⁶n) **1.** *v/i.* (sn)
cross; *v/t.* ferry a p. over; **2.** *überse'tzen* translate; ⊕ gear, transmit.

Überse'tz|er(in *f*) *m* translator;
~ung *f* translation; ⊕ gear(ing),
transmission. [clear.]

Ü'bersicht (-zị͡ct) *f* survey; **2lich**]

ü'bersiedel|n (-zéd⁶n) (sn) re-
move; (*auswandern*) emigrate; **2ung**
f removal; emigration.

überspa'nnt eccentric, extravagant;
2heit *f* eccentricity, extra-
vagance.

überspri'ngen jump; *fig.* skip.

ü'bersteh|e(n (-shté[⁶]n) **1.** jut
out, project; **2.** *überste'hen* endure;
get over a th.

ü'bersteigen (-shtīg⁶n) **1.** *v/i.* (sn)
step over; **2.** *v/t. überstei'gen*
cross; *fig.* surmount; (*hinausgehen
über*) exceed.

übersti'mmen outvote.

ü'berströmen (-shtröm⁶n) *v/i.* (sn)
overflow.

Ü'berstunde (-sht⁵⁵nd⁶) *f*, **~n** *pl.*
overtime; ~ *m.* work overtime.

überstü'rz|en precipitate; *sich* ~
Ereignisse: press one another; **~t**
precipitate; **2ung** *f* precipitancy.

überteu'ern (-tŏi⁶rn) overcharge.

übertö'lpeln (-tŏlp⁶ln) dupe.

übertö'nen (-tŏn⁶n) drown.

Ü'bertrag (-trähk) **✝** *m* carrying
over; (*Posten*) sum carried over.

übertra'g|bar transferable; 📧
communicable; **~en** (-trähgʰ⁶n) **1.**
carry over (a. **✝**); *Besitz*: transfer
(*auf j-n to*); *Amt*: confer (upon);
j-m e-e Besorgung ~ charge a p.
with; *sprachlich*: translate; *Kurzschrift*: transcribe; ⊕, *phys.*, 📧,
Radio: transmit; *Am.* put on the
air; **2.** *adj.* figurative; **2ung** *f*
transfer, transmission; conferring;
translation; transcription.

übertre'ffen excel, exceed, surpass.

übertrei'b|en (-trib⁶n) exaggerate;
2ung *f* exaggeration.

ü'bertreten (-trét⁶n) **1.** *v/i.* (sn)
step over; *fig.* go over; **2.** *übertre'ten* *v/t.* transgress, infringe.

Übertre't|er(in *f*) *m* transgressor;
~ung *f* transgression, trespass.

Ü'bertritt *m* going over.

übervö'lker|n (-fŏlk⁶rn) over-po-
pulate; **2ung** *f* over-population.

übervo'rteilen (-fŏrtīl⁶n) over-
reach, do down.

überwa'ch|en (-văh⁡ĸ⁶n) watch;
(*beaufsichtigen*) superintend, control; **2ung** *f* supervision, control.

überwä'ltigen (-vĕltīgʰ⁶n) overcome, overpower.

überwel's|en (-vīz⁶n) assign, trans-
fer; *zur Entscheidung*: refer, remit;
Geld: remit; **2ung** *f* assignment,
transfer; reference; (*Geld~*) remittance; **2ungsscheck** (-vīzŏⁱ͡r͡gs-
shĕk) *m* transfer-cheque.

ü'berwerfen 1. throw over; **2.** *über-
we'rfen*: *sich* ~ *mit* fall out with.

überwie'gen (-veegʰ⁶n) *v/t.* outweigh; *v/i.* preponderate, prevail.

überwi'nden overcome, subdue.

überwi'ntern (-vĭnt⁶rn) winter.

Ü'berwurf (-vŏⁱ͡rf) *m* shawl, wrapper.

Ü'berzahl *f* numerical superiority.

ü'berzählig (-tsälị͡c) supernumer-
ary, odd. [subscribe.]

überzei'chnen (-tsị͡cn⁶n) **✝** over-]

überzeu'g|en (-tsŏigʰ⁶n) convince,
satisfy; **2ung** *f* conviction.

überzie'hen (-tsee⁶n) coat; *Bett*:
put fresh linen on; *Konto*: overdraw.

Ü'berzieher *m* overcoat, topcoat.

U'berzug (-tsōōk) *m* cover; coat (-ing); (Bett2) case, tick.

ü'blich (üpliç) usual, customary.

ü'brig (übriç) left (over), remaining; die ~en *pl.* the rest; ~ens by the way; ~ haben have *a th.* left; spare; ~bleiben (-blib^en) (sn) be left; *fig.* es blieb ihm nichts anderes übrig he had no alternative; ~lassen leave.

U'bung (übōōŋ) *f* exercise, practice; (Gewohnheit) use; ⚔ drill(ing).

U'fer (ōōf^er) *n* (Meer2, See2) shore; (Fluß2) bank; ~mauer (-mow^er) *f* quay.

Uhr (ōōr) *f* (Turm2 *usw.*) clock; (Taschen2, Armband2) watch; Stunde, Zeit) hour, time (of the day); um vier ~ at four o'clock; ~'-armband (-ãhrmbãhnt) *n* watch bracelet; ~'feder (-féd^er) *f* watch-~spring; ~'macher (-mãhк^er) *m* watchmaker; ~'werk *n* clockwork; ~'zeiger (-tsigh^er) *m* hand.

Ulk (ōōlk) *m* fun, F spree, lark; 2'en joke, lark; 2'ig funny.

U'ltimo (ōōltimō) *m* last day of the month; ~... monthly.

um (ōōm) 1. *prp.* (*acc.*) about; (~ ... herum) (a)round; Lohn, Preis: for; Maß: by; ~ vier (Uhr) at four (o'clock); ~ so besser so much the better; ~ so mehr (weniger) all the more (less); ~ ... (gen.) willen for the sake of; 2. *cj.* ~ zu (in order) to; 3. *adv.* ~ sein be over, be up.

u'm-ändern alter, change.

u'm-arbeiten (-ãhrbit^en) recast; Kleid: make over; ~ zu *et.* make into.   [embrace, hug.]

um-a'rm|en (-ãhrm^en), 2ung *f|*

u'm|bauen (-bow^en) rebuild; ~biegen (-beegh^en) bend (over); ~bilden transform; reorganize; ~binden Schürze *usw.*: put on; ~blättern turn over; ~brechen 1. break down; 2. umbre'chen *typ.* make up; ~bringen kill; 2bruch (-brōōk) *m typ.* make-up; *fig.* upheaval; ~drehen (-dré^en) turn (round, *a. sich*); 2drehung *f* phys. rotation, revolution.

u'm|fahren 1. *v/t.* run down; 2. umfa'hren drive (*od.* sail) round *a th.*; ~fallen (sn) fall (down *od.* over); 2fang (-fãhŋ) *m* circumference; (Ausdehnung) extent; ♪ compass; (Bereich) range; ~fang-

reich (-fãhŋriç) extensive; voluminous.

umfa'ss|en embrace; *fig.* comprehend; ~end comprehensive; 2ung *f* (Einfriedigung) enclosure.

u'mform|en transform, remodel; 2er ♂ *m* transformer.

U'mfrage (-frãhg^e) *f* inquiry (all round).

U'mgang (-gãhŋ) *m* (Verkehr) intercourse; ~ *h.* mit associate with.

u'mgänglich (-g^eŋliç) sociable.

U'mgangs|formen *f|pl.* manners *pl.*; ~sprache (-shprãhк^e) *f* colloquial speech.

umga'rnen (-gãhrn^en) ensnare.

umge'b|en (-g^éb^en) surround; 2ung *f* surroundings; environs *pl.*

U'mgegend (-g^ég^ent) *f* environs *pl.*

u'mgeh(e)n (-ghé[^e]n) 1. (sn) go round; (Umweg *m.*) make a detour; Geist: walk, ~ an *od.* in e-m Ort haunt a place; mit j-m ~ keep company with; (behandeln) deal with; mit *et.* ~ (sich befassen mit) deal with, (vorhaben) intend, plan; 2. umge'hen go round; Verkehr: by-pass; (vermeiden) evade, elude; ⚔ outflank.

Umge'hungsstraße (-g^eōōŋshtrãhs^e) *f* by-pass.

u'mgekehrt (-g^ekért) reverse; vice versa; (entgegengesetzt) opposite.

u'mgraben (-grãhb^en) dig up.

umgre'nzen bound; encircle.

u'mgruppieren (-grōōpeer^en) shift, regroup.

umgü'rten gird.

U'mhang (-hãhŋ) *m* wrap; shawl.

u'mhängen Schal *usw.*: put on.

u'mhauen (-how^en) cut down.

umhe'r (-hér) about; ~streifen (-shtrif^en) rove.

umhü'llen wrap up, envelop.

U'mkehr (-kér) *f* return; 2en *v/i.* (sn) return; *v/t.* turn round; reverse; (umstoßen) overturn; Tasche *usw.*: turn out; ~ung *f* reversal.   [over.]

u'mkippen *v/t.* upset; *v/i.* (sn) tilt

umkla'mmer|n clasp; Boxen: clinch; 2ung *f* Boxen: clinch.

u'mkleid|en (-klid^en): 1. sich ~ change one's dress; 2. umklei'den cover; 2eraum (-rowm) *m* dressing-room.

u'mkommen (sn) perish.

U'mkreis (-krīs) m: im ~ von within a radius of. [tranship.]

u'mladen (-lāhdᵉn) reload; ⚓|

U'mlauf (-lowf) m circulation; phys. rotation; in ~ bringen od. sein circulate; ℒen v/t. run down; v/i. (sn) circulate.

U'mleg|(e)kragen (-légʰ[ᵉ]krāh-gᵉⁿ) m turn-down collar; ℒen Kragen: put on; (umkniffen, umdrehen) turn down; (zum Liegen bringen) lay (down); (anders legen) shift; Schienen usw.: relay.

u'mleit|en (-lītᵉn) Verkehr: divert, by-pass; ℒung f diversion, Am. detour.

u'm|lernen learn anew; ~liegend (-leegʰᵉnt) surrounding; ~packen repack; ~pflanzen transplant; ~pflügen (-pflūgʰᵉn) plough up.

umra'hmen (-rāhmᵉn) frame.

u'mrechn|en convert; ℒung f conversion; ℒungskurs (-rĕçⁿȫⁿgs-kōōrs) m rate of exchange.

u'mreißen (-rīsᵉn) 1. pull down; (umstoßen) knock down; 2. umrei'ßen outline.

umri'ßen surround.

U'm|riß (-rīs) m outline, contour; ~rühren stir up; ~satz (-zähts) † m turnover; (Absatz) sales pl.; (Einnahme) returns pl.

u'mschalt|en ⚡ switch over; ℒer ⚡ m switch, commutator; ℒung f commutation.

u'mschicht|ig (-shĭçtĭç) in turns; ℒung f regrouping, shifting.

U'mschlag (-shlähk) m (Änderung) turn, change; (Briefℒ) envelope; (Hülle) cover, wrapper; an der Hose: turn-up; 🩹 poultice; ℒen (-shlähgʰᵉn) v/i. (sn) upset, fall down; ⚓ capsize; (sich ändern) turn, change; v/t. knock down; Blatt usw.: turn over; Saum: turn up; ~(e)tuch (-tōōx) n shawl; ~hafen (-hāhfᵉn) m port of transhipment.

umschlie'ßen (-shleesᵉn) enclose.

umschli'ngen embrace.

u'mschnallen buckle on.

u'mschreib|en (-shrībᵉn) 1. rewrite; (abschreiben) transcribe; Besitz: transfer (auf acc. to); 2. umschrei'ben durch Worte: paraphrase; ℒung f 1. transcription; transfer; 2. paraphrase.

U'mschrift f e-r Münze: legend.

u'mschütteln shake (up).

U'mschweif (-shvīf) m circumlocution; ℒig roundabout.

U'mschwung (-shvōōŋg) m revolution; change.

umse'geln (-zégʰᵉln) sail round; Kap: double; Welt: circumnavigate.

u'msehen (-zéᵉn): sich ~ look round (nach at); fig. look out (nach for); an e-m Ort: take a view of.

u'msetzen (-zĕtsᵉn) transpose; 🌱 transplant; ₰ (zu Geld m.) realize; Geld(eswert): turn over; in die Tat, Musik usw. ~ translate into.

U'msicht (-zĭçt) f circumspection; ℒig circumspect.

u'msiedeln (-zeedᵉln) resettle.

umso'nst (ōōmzónst) gratis; (vergebens) in vain.

u'mspann|en 1. ⚡ transform; 2. umspa'nnen span, encompass; ℒer ⚡ m transformer.

u'mspringen (sn) Wind: change; ~ mit manage, treat.

U'mstand (-shtähnt) m circumstance; unter keinen Umständen on no account; ohne Umstände without ceremony; Umstände m. be formal.

u'mständlich (-shtĕntlĭç) circumstantial; (förmlich) ceremonious; ℒkeit f circumstantiality; formality (a. pl.).

u'mstehend (-shtéᵉnt): die ℒen pl. the bystanders; Seite: next; adv. overleaf.

U'msteige|karte (-shtīgʰᵉkährtᵉ) f transfer-ticket; ℒn (sn) change (nach for).

u'mstell|en 1. transpose; Betrieb, Währung: convert; sich ~ adapt o.s. (auf acc. to); 2. umste'llen surround, encircle; ℒung f transposition; conversion; fig. adaptation. [overthrow; fig. annul.]

u'mstoßen (-shtōsᵉn) knock down,|

umstri'cken ensnare. [subversion.]

U'msturz (-shtōōrts) m overturn;|

u'mstürz|en v/t. upset, overturn; fig. subvert; v/i. (sn) fall down; ~lerisch subversive. [change.]

U'mtausch (-towsh) m, ℒen ex-|

U'mtriebe (-treebᵉ) m/pl. machinations, intrigues.

u'mtun (-tōōn) Tuch usw.: put on; sich ~ nach look about for.

u'mwälz|en (-vĕltsᵉn) revolutionize; ℒung f revolution.

u'mwand|eln (-vä*h*nd*e*ln) change; ✝ convert; 2lung *f* change; ✝ conversion.

u'm|wechseln (-vĕks*e*ln) (ex-) change; 2weg (-vék) *m* roundabout way, detour; 2welt *f* environment; **~wenden** turn over; *sich* ~|

umwe'rben court. [turn round.|

u'mwerfen overthrow, upset.

u'mwert|en (-vért*e*n) revalue; 2ung *f* revaluation.

um|wi'ckeln wrap up; **~wö'lken** (-vŏlk*e*n) (*a. sich*) cloud (over); **~zäu'nen** (-tsŏin*e*n) fence in.

u'mziehen (-tsee*e*n) *v/i.* (sn) move; *v/t. Kleidung*: change; *sich* ~ change (one's clothes).

umzi'ngeln (-tsĭn₂*e*ln) encircle.

U'mzug (-tsŏŏk) *m* procession; (*Wohnungswechsel*) move, removal.

u'n-ab|·ä'nderlich (ōōnä*h*pĕnd*e*r-lĭç) unalterable; **~hängig** independent (*von* of); 2hängigkeit *f* independence; **~kömmlich** (-kŏmlĭç) indispensable; **~lässig** incessant; **~sehbar** (-zébä*h*r) *fig.* not to be foreseen; **~sichtlich** (-zĭçtlĭç) unintentional.

u'n-achtsam (-ä*h*ktzä*h*m) careless.

u'n-ähnlich (-änlĭç) unlike, dissimilar.

u'n-an|-fe'chtbar (ōōnä*h*nfĕçtbä*h*r) incontestable; **~gefochten** (-g*h*e-fŏkt*e*n) unmolested; **~gemessen** unsuitable; (*unschicklich*) improper; **~genehm** disagreeable; **~ne'hmbar** (némbä*h*r) unacceptable; 2nehmlichkeit *f* (-némlĭçkīt) *f* inconvenience; raw deals; **~ständig** (-shtĕndĭç) indecent; 2ständigkeit *f* indecency. [savoury.|

u'n-appetitlich (-ä*h*péteetlĭç) un-|

U'n-art *f* bad habit *od.* trick; *Kind*: naughtiness; 2ig ill-bred; *Kind*: naughty.

u'n-auf|-fi'ndbar (-owffĭntbä*h*r) undiscoverable; **~ha'ltsam** (-hä*h*ltzä*h*m) irresistible; **~hö'rlich** (-hŏr-lĭç) incessant; **~merksam** (-mĕrkzä*h*m) inattentive; 2merksamkeit *f* inattention.

u'n-aus|blei'blich (ōōnowsblīplĭç) inevitable; **~fü'hrbar** (-fürbä*h*r) impracticable; **~lö'schlich** (-lŏsh-lĭç) inextinguishable; **~spre'chlich** (-shprĕçlĭç) inexpressible; **~ste'h-lich** (-shtélĭç) insupportable.

u'n|barmherzig (-bä*h*rmhĕrtsĭç)

unmerciful; **~be-a'chtet** (-b*e*ä*h*k-t*e*t) unnoticed; **~be-a'nstandet** (-b*e*ä*h*nshtä*h*nd*e*t) not objected to; **~bebaut** (-b*e*bowt) *Gelände*: undeveloped; **~bedacht(sam)** (-b*e*-dä*h*kt[zä*h*m]) inconsiderate; **~bedeutend** (-b*e*dŏit*e*nt) insignificant; **~bedi'ngt** unconditional; **~befa'hrbar** impracticable; **~befangen** (*unparteiisch*) unbiassed; (*offen, arglos*) ingenuous; (*nicht verlegen*) unembarrassed; **~befriedigend** (-b*e*freedĭg*e*nt) unsatisfactory; **~befriedigt** (-b*e*freedĭçt) unsatisfied; **~befugt** (-b*e*fōōkt) incompetent; **~begabt** (-b*e*gä*h*pt) untalented; **~begrei'flich** (-b*e*-grīflĭç) inconceivable; **~begrenzt** unlimited; **~begründet** unfounded; 2behagen (-b*e*hä*h*g*e*n) *n* uneasiness; **~behaglich** (-b*e*hä*h*klĭç) uneasy; **~behe'lligt** (-b*e*hĕlĭçt) unmolested; **~behi'ndert** unrestrained; **~beholfen** (-b*e*hŏlf*e*n) clumsy, awkward; **~be-i'rrt** (-beĭrrt) unswerving; **~bekannt** unknown; **~belebt** (-b*e*lépt) *Straße*: unfrequented; **~beliebt** (-b*e*leept) disliked; unpopular (*bei* with); **~bemittelt** without means; **~bequem** (-b*e*-kvém) inconvenient; uncomfortable; 2bequemlichkeit *f* inconvenience; **~berechtigt** (-b*e*-rĕçtĭçt) unauthorized; **~bescha'det** (-b*e*shä*h*d*e*t) (*gen.*) without prejudice to; **~beschädigt** (-b*e*-shädĭçt) uninjured; ✝ undamaged; **~bescholten** (-b*e*shŏlt*e*n) irreproachable; **~beschränkt** (-b*e*-shrĕnkt) unrestricted; **~beschrei'blich** (-b*e*-shriplĭç) indescribable; **~besehen** (-b*e*zé*e*n) unseen; **~besie'gbar** (-b*e*zeekbä*h*r) invincible; **~besonnen** (-b*e*zŏn*e*n) thoughtless; **~beständig** (-b*e*shtĕndĭç) inconstant; 2beständigkeit *f* inconstancy; **~bestätigt** (-b*e*shätĭçt) unconfirmed; **~beste'chlich** incorruptible; **~bestellbar** (-b*e*shtĕlbä*h*r) ✝ undeliverable; **~bestimmt** (*undeutlich*) indeterminate; (*unsicher*) uncertain; 2bestimmtheit *f* uncertainty; **~bestrei'tbar** (-b*e*shrīt-bä*h*r) incontestable; **~bestri'tten** (-b*e*shtrīt*e*n) uncontested; **~beteiligt** (-b*e*tīlĭçt) not concerned; **~beträchtlich** inconsiderable;

~beu'gsam (-bŏikzāhm) inflexible; ~bewacht (-bᵉvähκt) unwatched; *fig.* unguarded; ~bewaffnet unarmed; *Auge*: naked; ~bewe'glich (-bᵉvéklïç) immovable; ~bewohnt (-bᵉvōnt) uninhabited; ~bewußt (-bᵉvōōst) unconscious; ~bezä'hmbar (bᵉtsämbāhr) indomitable.

U'n|bildung *f* lack of education; ~bill *f* injury; 2billig unfair; 2blutig (-blŏōtïç) bloodless.

u'nbotmäßig (-bŏtmäsïç) insubordinate; 2keit *f* insubordination.

u'nbrauchbar (-browkbāhr) useless.

u'nchristlich(-krïstlïç) unchristian.

und (ŏönt) and.

U'ndank (-dähnk) *m* ingratitude; 2bar ungrateful (*gegen* to); *Aufgabe*: thankless; ~barkeit *f* ingratitude.

u'n|denkbar unthinkable; ~deutlich (-dŏitlïç) indistinct; *Laut*: inarticulate; ~deutsch (-dŏitsh) un-German; ~dicht untight; leaky; 2ding *n* absurdity.

u'nduldsam (-dŏōltzähm) intolerant; 2keit *f* intolerance.

u'ndurch|dri'nglich (-dŏōrçdrïⁿglïç) impenetrable (*für* to); ~lässig impervious (*für* to); ~sichtig (-zïçtïç) opaque.

u'n|-eben (-ébᵉn) uneven; ~echt not genuine, false; *Farbe*: not fast; ~ehelich (-éᵉlïç) illegitimate.

U'n-ehr|e *f* dishonour; 2enhaft dishonourable; 2lich dishonest; ~lichkeit *f* dishonesty.

u'n|-eigennützig (-ïgʰᵉn-nütsïç) disinterested; ~einig (-inïç) disagreeing; ~ *sn* be at variance; 2- -einigkeit *f* disagreement; ~ -empfänglich insusceptible (*für* to); ~empfindlich insensible; ~ *gegen* insensitive to; ~e'ndlich infinite; 2-e'ndlichkeit *f* infinity; ~entbe'hrlich indispensable; ~ -entge'ltlich (-éntgʰéltlïç) gratuitous; *adv.* gratis.

u'n|-entri'nnbar (-éntrïnbāhr) ineluctable; ~entschieden (-éntsheedᵉn) undecided; *Sport*: drawn; ~entschlossen irresolute; ~entschu'ldbar (-éntshŏōltbāhr) inexcusable; ~entwe'gt (-éntvékt) unswerving; ~entwi'rrbar (-éntvïrbāhr) inextricable; ~erbi'ttlich (érbïtlïç) inexorable; ~erfahren

inexperienced; ~erfreulich (-érfrŏilïç) unpleasant; ~erfü'llbar (-érfülbāhr) unrealizable; ~erheblich (-érhéplïç) irrelevant (*für* to); ~erhö'rt (-érhŏrt) unheard-of; (*empörend*) shocking; ~erka'nnt (-érkähnt) unrecognized; ~erklärlich inexplicable; ~erlä'ßlich (-érléslïç) indispensable; ~erlaubt (-érlowpt) illicit; ~erle'digt (-érlédïçt) unsettled; ~erme'ßlich (-érméslïç) immeasurable; ~ermü'dlich (-érmütlïç) *P.*: indefatigable; *Bemühen*: untiring; ~erquicklich (-érkvïklïç) unpleasant; ~ersä'ttlich (-érzétlïç) insatiable; ~erschö'pflich (-érshŏpflïç) inexhaustible; ~erschrocken intrepid; 2-erschrokkenheit *f* intrepidity; ~erschü'terlich (-érshütᵉrlïç) imperturbable; ~erse'tzlich (-érzétslïç) irreparable; ~erträ'glich intolerable; ~erwa'rtet unexpected; ~erwü'nscht undesirable.

u'nfähig (-fäïç) incapable (*zu* of); (*außerstande*) unable (*to* do); 2keit *f* incapacity (of); inability (for).

U'nfall *m* accident; ~station (-shtähts'ŏn) *f* first-aid station; ~versicherung (-férzïçᵉrŏōⁿg) *f* accident insurance. [libility.]

unfe'hlbar infallible; 2keit *f* infal-)

u'n|fein (-fin) indelicate; ~fertig unfinished; ~flätig (-flätïç) dirty, filthy; 2fleiß (-flis) *m* want of application; ~folgsam (-fŏlkzähm) s. *ungehorsam*; ~förmig (-fŏrmïç) misshapen; shapeless; ~frankiert (-frähnkeert) not prepaid; ~freiwillig (-frïvïlïç) involuntary; ~freundlich (-frŏintlïç) unkind; *Wetter*: inclement; 2friede (-freedᵉ) *m* discord.

u'nfruchtbar (-frŏōktbāhr) unfruitful, sterile; 2keit *f* sterility.

U'nfug (-fŏōk) *m* mischief; nuisance. [sable.]

unga'ngbar (-gähⁿgbāhr) impas-)

U'ngar (ŏōⁿggähr) *m*, ~in *f*, 2isch Hungarian.

u'ngastlich inhospitable.

u'nge|-achtet (ŏōⁿgᵉähκtᵉt) *prp.* (*gen.*) notwithstanding; ~ahnt unexpected; ~bärdig (-bärdïç) unruly; ~bildet uneducated; ill-bred; ~bräuchlich (-brŏiçlïç) unusual.

U'|ngebühr *f* indecorum; impropriety; ℒ**lich** improper, unseemly. [unrestrained.|
u'ngebunden (-gʰᵉbōōndᵉn) *fig.*|
U'ngeduld (-gʰᵉdōōlt) *f* impatience; ℒ**ig** (-gʰᵉdōōldĭç) impatient.
u'nge-eignet (-gʰᵉignᵉt) unfit (*zu* for).
u'ngefähr (-gʰᵉfär) **1.** *adj.* approximate; **2.** *adv.* about, *Am.* around; *von* ~ by chance; ~**det** out of danger; ~**lich** harmless.
u'nge|fällig disobliging; ~**halten** *fig.* displeased (*über acc.* at); ~**hemmt** unchecked; ~**heuchelt** (-hòĭçᵉlt) unfeigned.
u'ngeheuer (-gʰᵉhŏĭᵉr) **1.** vast, huge, enormous; **2.** ℒ *n* monster; ~**lich** monstrous.
u'ngehobelt (-gʰᵉhŏbᵉlt) *fig.* rough.
u'ngehörig (-gʰᵉhŏrĭç) undue; ℒ**keit** *f* impropriety.
u'ngehorsam (-gʰᵉhŏrzähm) **1.** disobedient; **2.** ℒ *m* disobedience.
u'ngekünstelt unaffected.
u'ngelegen (-gʰᵉlégʰᵉn) inopportune, inconvenient; ℒ**heit** *f* inconvenience; trouble.
u'n|gelernt *Arbeit(er):* unskilled; ~**gemütlich** (-gʰᵉmütlĭç) uncomfortable; *P.:* unpleasant; ~**genannt** (-gʰᵉnä/nt) anonymous; ~**genau** (-gʰᵉnow) inaccurate, inexact.
ungenie'rt (-Ğeneert) free and easy, unceremonious.
u'nge|nie'ßbar (-gʰᵉneesbähr) not eatable; ~**nügend** (-nügʰᵉnt) insufficient; ~**rade** (-rähde) *Zahl:* odd; ~**raten** (-rähtᵉn) *Kind:* spoilt.
u'ngerecht unjust; ℒ**igkeit** *f* in-|
u'ngern unwillingly. [justice.|
u'ngeschehen (-shéᵉn): ~ *m.* undo.
U'ngeschick *n,* ~**lichkeit** *f* clumsiness; ℒt clumsy; maladroit.
u'nge|schliffen (-shlĭfᵉn) *fig.* rude; ~**schminkt** unpainted; *fig.* unvarnished. [ℒ**keit** *f* illegality.|
u'ngesetzlich (-gʰᵉzētslĭç) illegal;|
u'nge|sittet (-zĭtᵉt) unmannerly; ~**stö'rt** (-shtŏrt) undisturbed; ~**straft** (-shträhft) *adv.* with impunity.
u'ngestüm (-shtüm) **1.** impetuous; **2.** ℒ *m, n* impetuosity.
u'nge|sund (-zŏōnt) *P.:* unhealthy; *S.:* unwholesome; ~**teilt** (-tīlt) undivided; ~**trübt** (-trŭpt) un-

troubled; ℒ**tüm** (-tüm) *n* monster; ~**übt** (-üpt) untrained; ~**wandt** unskilful.
u'ngewiß (-gʰᵉvĭs) uncertain; ℒ**heit** *f* uncertainty.
u'nge|wöhnlich uncommon; ~**wohnt** unaccustomed; ℒ**ziefer** (-tseefᵉr) *n* vermin; ~**zogen** (-tsŏgʰᵉn) illbred, rude; *Kind:* naughty; ~**zügelt** (-tsügʰᵉlt) unbridled.
u'ngezwungen (-gʰᵉtsvŏōngᵉn) easy; ℒ**heit** *f* ease.
U'n|glaube (-glowbᵉ) *m* unbelief; ℒ**gläubig** (-glŏĭbĭç) incredulous; *eccl.* unbelieving.
u'nglau'b|lich (-glowplĭç) incredible; ~**würdig** untrustworthy.
u'ngleich (-glīç) unequal; (*uneben*) uneven; (*unähnlich*) unlike; ~**artig** heterogeneous; ℒ**heit** *f* inequality; ~**mäßig** (-mäsĭç) uneven.
U'nglück *n* misfortune; *beim Spiele:* ill luck; *schweres:* disaster; (*Unfall*) accident; (*Elend*) misery; ℒ**lich** unfortunate, unhappy, unlucky; ℒ**licherweise** unfortunately; ℒ**selig** (-zélĭç) unfortunate; *S.:* disastrous; ~**sfall** *m* misadventure; (*Unfall*) accident.
U'n|gnade (-gnähdᵉ) *f* disgrace; ℒ**gnädig** (-gnädĭç) ungracious, unkind.
u'ngültig invalid; *Fahrkarte:* not available; *Münze:* not current; ℒ**keit** *f* invalidity, nullity.
U'n|gunst (-gōōnst) *f* disfavour; *des Wetters:* inclemency; ℒ**günstig** (-günstĭç) unfavourable; ℒ**gut** (-gōōt): *nichts für* ~*l* no offence*l*
unha'ltbar untenable.
u'nhandlich unwieldy.
U'nheil (-hīl) *n* mischief; ℒ**bar** incurable; ℒ**voll** (-fŏl) disastrous.
u'nheimlich (-hĭmlĭç) uncanny; sinister.
u'nhöflich (-hŏflĭç) uncivil, impolite; ℒ**keit** *f* incivility, impoliteness.
U'nhold *m* monster, fiend.
unhö'rbar (-hŏrbähr) inaudible.
u'nhygienisch (-hügʰĭénĭsh) insanitary.
U'nikum (ōŏnĭkŏōm) *n* unique.
Universitä't (ōŏnĭvĕrzĭtät) *f* university. [verse.|
Unive'rsum (ōŏnĭvĕrzŏōm) *n* uni-|
u'nkennt|lich unrecognizable; ℒ**nis** *f* ignorance.

u'nklar (-klä*h*r) not clear; *fig.* vague; obscure; *im unklaren sn* be in the dark (*über acc.* about); 2-heit *f* want of clearness; obscurity.

u'nklug (-klōōk) imprudent; 2heit *f* imprudence. [expenses.]

U'nkosten (-kŏst⁰n) *pl.* costs,

U'nkraut (-krowt) *n* weed(s *pl.*).

u'n|kündbar *Stellung:* permanent; ~kundig (-kōōndĭç) ignorant (*gen.* of); ~längst (-lĕ*ŋ*₅st) lately, recently; ~lauter (-lowt⁰r) impure; *Wettbewerb:* unfair; ~leserlich (-léz⁰rlĭç) illegible; ~leu'gbar (-lŏikbä*h*r) undeniable; ~logisch (-lōgʰĭsh) illogical; ~lösbar (-lōsbä*h*r) insoluble; 2lust *f* listlessness; ~maßgeblich (-mä*h*sgʰéplĭç) not authoritative; ~mäßig (-mäsĭç) immoderate; intemperate; 2menge vast quantity *od.* number, lots (*pl.*) of. [inhumanity.]

U'nmensch *m* brute; ~lichkeit *f*

u'n|mittelbar immediate; ~modern unfashionable, out-moded; ~möglich (mŏklĭç) impossible; 2möglichkeit *f* impossibility; ~moralisch (-mŏrä*h*lĭsh) immoral; ~mündig under age; 2mündigkeit *f* minority; 2mut (-mōōt) *m* ill humour; ~nach-ahmlich (-nä*h*kä*h*mlĭç) inimitable; ~na'hbar (-nä*h*bä*h*r) unapproachable; ~natürlich (-nä*h*türlĭç) unnatural; ~nötig (-nōtĭç) unnecessary; ~nütz (-nüts) useless; idle; ~ordentlich disorderly; 2-ordnung *f* disorder.

u'npartei|isch (-pä*h*rtī-ĭsh) impartial, unbias(s)ed; 2ische(r) *m* umpire; 2lichkeit *f* impartiality.

u'n|passend unsuitable; (*unschicklich*) improper; ~päßlich (-pĕslĭç) indisposed; 2päßlichkeit *f* indisposition; ~persönlich (-pĕrzŏnlĭç) impersonal; ~politisch (-pŏleetĭsh) non-political; ~praktisch unpractical; 2rat (-rä*h*t) *m* rubbish.

u'nrecht, 2 *n* wrong; *j-m* 2 *tun* wrong a p.; *im* ~ *sn,* 2 *h.* be (in the) wrong; *j-m* 2 *geben* decide against a p.; ~mäßig (-mäsĭç) unlawful, illegal.

u'nregelmäßig (-régʰᵉlmäsĭç) irregular; 2keit *f* irregularity.

u'n|reif (-rīf) unripe; *fig.* immature; ~rein (-rīn) impure; unclean;

~re'ttbar past recovery; ~ *verloren* irretrievably lost; ~richtig incorrect, wrong.

U'nruh|e (ōōnrōōᵉ) *f* unrest; *bsd. fig.* disquiet(ude); (*nervöse* ~) flurry; (*Besorgnis*) alarm; ~n *pl.* (*Aufstand*) disturbances; 2ig uniet, restless; *fig.* uneasy (*über acc.* about).

u'nrühmlich inglorious. [ves.]

uns (ōōns) (to) us; *refl.* (to) oursel-

u'n|sachgemäß (ōōnzä*h*kgʰᵉmäs) improper; ~sachlich (-zä*h*klĭç) not objective; (*nicht zur S. gehörig*) impertinent; ~säglich (-zäklĭç) unspeakable; ~sanft (-zä*h*nft) ungentle; ~sauber (-zowb⁰r) unclean; ~schädlich (-shätlĭç) harmless; ~schätzbar inestimable; ~scheinbar (-shinbä*h*r) unpretending, plain. [impropriety.]

u'nschicklich improper; 2keit *f*

u'nschlüssig (-shlüsiç) irresolute; 2keit *f* irresolution.

u'nschmackhaft insipid.

U'nschuld (-shōōlt) *f* innocence; 2ig innocent (*an dat.* of).

u'nselbständig (-zĕlpshtĕndĭç) dependent (on others); 2keit *f* dependence.

u'nser (ōōnz⁰r) ours; *der* ~ ours.

u'nsicher (-zĭç⁰r) (unstet) unsteady; (*gefährlich*) unsafe; (*ungewiß*) uncertain; 2heit *f* uncertainty.

u'nsichtbar (-zĭçtbä*h*r) invisible.

U'nsinn (-zĭn) *m* nonsense; 2ig nonsensical; (*närrisch*) foolish.

U'nsitt|e (-zĭtᵉ) bad habit; (*Mißbrauch*) abuse; 2lich immoral; ~lichkeit *f* immorality.

u'n|sozial (-zŏts'ä*h*l) unsocial; ~sportlich unsportsmanlike.

u'nsrige (ōōnzrĭgʰᵉ): *der usw.* ~ ours; *die* ~n our people.

u'nstatthaft inadmissible.

u'nsterblich immortal; 2keit *f* immortality.

u'n|stet (-shtét) unsteady; 2-stimmigkeit (ōōnshtĭmĭçkit) *f* discrepancy.

unsträ'flich (-shträflĭç) blameless.

unstrei'tig (-shtrītĭç) incontestable.

u'n|sympathisch (-zümpä*h*tĭsh) unpleasant; *er ist mir* ~ I don't like him; ~tätig (-tätĭç) inactive, idle; ~tauglich (-towklĭç) unfit (*s.* ✕), useless.

untei'lbar (-tilbăhr) indivisible.

u'nten (ŏŏnt‛n) below; im Hause: downstairs; von oben bis ~ from top to bottom.

u'nter (ŏŏnt‛r) 1. prp. under, below; (zwischen) among; ~ 10 Mark for less than 10 marks; ~ aller Kritik beneath contempt; 2. adj. ~(e) low(er), inferior.

U'nter|-abteilung (-ăhptilŏŏng) f subdivision; ~arm m forearm; ~beinkleid (-binklīt) n (ein a pair of) drawers pl., (Männer2) pants pl., (Frauen2) knickers pl.

unterbie'ten (-beet‛n) underbid; ✝ undercut, undersell; Rekord: lower.

unterblei'ben (-blib‛n) (sn) remain undone, not to take place.

unterbre'ch|en interrupt; Reise: break, Am. stop over; 2ung f interruption; break, Am. stopover.

u'nterbring|en place; (beherbergen) lodge, house; 2ung f accommodation.

unterde'ssen (-děs‛n) meanwhile.

unterdrü'ck|en suppress; 2ung f suppression.

u'nter-ernähr|t underfed, undernourished; 2ung f underfeeding.

Unterfü'hrung f subway (crossing), Am. underpass.

U'ntergang (ŏŏnt‛rgăhng) m ast. setting; fig. ruin, destruction; ⚓ shipwreck.

unterge'ben (-g‛éb‛n), 2e(r) m inferior, subordinate.

u'ntergeh(e)n (-ghé[‛]n) (sn) ⚓ go down; ast. set; fig. perish.

u'nterge-ordnet (-g‛éŏrdn‛t), 2e(r) m subordinate.

U'ntergewicht n underweight.

untergra'ben (-grăhb‛n) sap, undermine.

U'ntergrund (-grŏŏnt) m subsoil; ~bahn f underground (railway), in London mst tube, Am. subway.

u'nterhalb (gen.) below.

U'nterhalt m maintenance; (Lebens2) subsistence, livelihood.

unterha'lt|en maintain; ergötzlich: entertain, amuse; sich ~ converse, talk; enjoy; 2ung f (Vergnügung) entertainment; (Gespräch) conversation; (Aufrechterhaltung)maintenance.   [negotiation.]

unterha'nd|eln negotiate; 2lung f}

U'nterhemd n vest.

U'nterhosen (-hŏz‛n) f/pl. = Unterbeinkleid.

u'nter-irdisch subterranean.

unterjo'chen (-yŏk‛n) subjugate.

U'nter|kiefer (-keef‛r) m lower jaw; ~kleid (-klīt) n slip; ~kleidung (-klidŏŏrg) f underwear; 2kommen 1. (sn) find accommodation od. (Anstellung) employment; 2. ~kommen n, ~kunft (-kŏŏnft) f accommodation; (Anstellung) place, situation; ~lage (-lăhg‛ᵉ) f ⊕ base; (Beleg) proof, voucher; (Schreib2) (blotting-)pad; fig. ~n documents; (Angaben) data.

unterla'ss|en omit (to do); (sich enthalten) abstain from; 2ung f omission.

u'nterlegen (-lég‛ᵉn) 1. put under; e-n Sinn: give; 2. unterle'gen adj. inferior.

U'nterleib (-līp) m abdomen.

unterlie'gen (-leeg‛ᵉn) (sn) be overcome; (verpflichtet sn) be liable to.

U'nterlippe f lower lip.

U'ntermieter(in f) (-meet‛r) m subtenant, Am. roomer.

unterne'hm|en 1. undertake; 2. 2 n s. Unternehmung; ~end enterprising; 2er m vertraglicher: contractor; (Arbeitgeber) employer; 2ung f enterprise, undertaking; ~ungslustig (-lŏŏstiç) enterprising.

U'nter|offizier (-ŏfītseer) m non--commissioned officer, corporal; 2-ordnen subordinate; sich ~ submit (to).

Unterre'dung (-rédŏŏrg) f conference.

U'nterricht (-rīçt) m instruction, lessons pl.

U'nterrichts|ministerium (-mĭnĭstér'ŏŏm) n Ministry of Education; ~stunde (-shtŏŏnd‛ᵉ) f lesson, Am. period; ~wesen (-véz‛n) n public instruction.

U'nterrock m petticoat.

untersa'gen (-zăhg‛ᵉn) forbid (a p. to do a th.).

U'ntersatz (-zăhts) m support; (Gestell) stand; für Blumentopf usw.: saucer.   [rate.]

unterschä'tzen undervalue, under-}

unterschei'd|en (-shīd‛n) distinguish; sich ~ differ; 2ung f distinction.

U'nterschenkel m shank.

u'nterschieben (-sheeb⁶n) put under; *als Ersatz*: substitute.

U'nterschied (-sheet) *m* difference, distinction; **Qlich** different; **Qslos** indiscriminate.

unterschla'g|en (-shlähgʰ⁶n) *Geld*: embezzle; *Brief*: intercept; **Qung** *f* embezzlement; interception.

U'nterschlupf (-shlōopf) *m* shelter, refuge.   [subscribe.|

unterschrei'ben (-shrīb⁶n) sign,|

U'nterschrift *f* signature.

U'ntersee|boot (-zébōt) *n* submarine; **~kabel** (-kähb⁶l) *n* submarine cable.

unterse'tzt (-zĕtst) square-built.

u'ntersinken (-zȋrᵍk⁶n) (sn) sink.

u'nterst (ōŏnt⁶rst) lowest.

Unterstaa'tssekretär (-shtähts-zĕkrĕtär) *m* undersecretary of state.   [-out.|

U'nterstand (-shtäⁿt) ⋊ *m* dug-|

unterste'h|(e)n (-shté[⁶]n): *j-m ~* be subordinate to; *sich ~* dare, venture.

u'nterstell|en 1. place under; *mot.* garage; park; *sich ~* take shelter; **2.** *unterste'llen* (*zuschreiben*) impute; *Truppen usw.*: *j-m ~* put under a p.'s command; **Qung** *f zu* **2.** imputation.   [line.|

unterstrei'chen (-shtrȋç⁶n) under-|

unter|stü'tzen support; back; assist; *Arme*: relieve; **Qstützung** *f* support; assistance; relief; **~su'chen** (-zōōk⁶n) (*prüfen*) examine (*a. ⚕*); (*erforschen*) investigate; explore; ♁ try; 🜍 analyse. **Untersu'chung** (-zōōkōōrᵍ) *f* examination (*a. ⚕*); inquiry; ♁ trial; 🜍 analysis; **~sgefangene(r)** (-gʰᵉ-fährᵍ⁶nᵉ[r]) *m* prisoner at the bar *od.* on trial; **~s-haft** *f* imprisonment on remand; **~srichter** *m* examining magistrate.

U'nter|tan (-täⁿn) *m* subject; **Q-tänig** (-tänïç) subject; *fig.* submissive; **~tasse** *f* saucer; **Qtauchen** (-towk⁶n) *v/i.* (sn) dive, (*a. v/t.*) dip, immerse; **~teil** (-tīl) *m* (*n*) lower part; **Qteilen** subdivide; **~titel** (-teet⁶l) *m* subtitle; **Qtreten** (-trét⁶n) (sn) take shelter; **Qvermieten** (-fĕrmeet⁶n) sublet; **~wäsche** (-vĕshᵉ) *f* s. *Unterkleidung*.

unterwe'gs (-véks) on the way.

unterwei's|en (-vȋz⁶n) instruct; **Qung** *f* instruction.

U'nterwelt *f* underworld.

unterwe'rf|en subdue; *e-r Herrschaft, e-m Verhör usw.*: subject to; *sich ~* submit; **Qung** *f* subjection; *fig.* submission (*unter acc.* to).

unterwü'rfig (-vūrfïç) submissive.

unterzei'chn|en (-tsȋç⁶n) sign; **Qer** *m* signer; **Qete(r)** *m* undersigned; **Qung** *f* signature.

unterzie'hen (-tsee⁶n) (*dat.*) subject to; *sich e-r Operation usw. ~* undergo.

U'ntiefe (-teef⁶) *f* shallow, shoal.

U'ntier (-teer) *n* monster.

unti'lgbar indelible; *Anleihe*: irredeemable.

u'ntreu (-trŏi) unfaithful, faithless.

untrö'stlich (-trŏstlïç) disconsolate.

untrü'glich (-trüklïç) infallible.

U'ntugend (-tōōgʰ⁶nt) *f* vice, bad habit.

u'n-über|legt (-üb⁶rlĕkt) inconsiderate; **~sichtlich** (-zȋçtlïç) badly arranged; difficult to survey; *mot.* blind *corner*; **~trefflich** unsurpassable; **~windlich** (-vȋntlïç) invincible; *Schwierigkeit usw.*: insuperable.

un-um|gä'nglich (-ŏŏmgʰärᵍlïç) indispensable; **~schrä'nkt** (-shrĕrᵍkt) unlimited; *pol.* absolute; **~stŏ'ßlich** (-shtŏslïç) irrefutable; **~ wu'nden** (-vōōnd⁶n) plain.

u'n-unterbrochen (-ōŏnt⁶rbrŏk⁶n) uninterrupted.

u'nver|-ä'nderlich (-fĕrĕnd⁶rlïç) unchangeable; **~-a'ntwortlich** (-ähntvörtlïç) irresponsible; (*unentschuldbar*) inexcusable; **~be'sserlich** (-bĕs⁶rlïç) incorrigible; **~bi'ndlich** (-bȋntlïç) not obligatory; (*unfreundlich*) disobliging; **~bürgt** (-bürkt) *Nachricht*: unconfirmed; **~dau'lich** (-dowlïç) indigestible; **~dient** (-deent) undeserved; **~drossen** (-drŏs⁶n) indefatigable; **~ei'nbar** (-ȋnbähr) incompatible; **~fälscht** (-fĕlsht) unadulterated; *fig.* genuine; **~fä'nglich** (-fĕrᵍlïç) harmless; **~froren** (-frōr⁶n) unabashed; **~gä'nglich** (-gʰĕrᵍlïç) imperishable; **~ge'ßlich** (-gʰĕslïç) unforgettable; **~glei'chlich** (-glïçlïç) incomparable; **~hä'ltnismäßig** (-hĕltnïsmäsïç) disproportionate; **~hofft** unexpected; **~ho'hlen** (-hōl⁶n) unconcealed; **~ke'nnbar** (-kĕnbähr) unmistakable; **~kürzt**

uncurtailed; *Text*: unabridged; ~le′tzbar (-lĕtsbähr) invulnerable; *fig.* inviolable; ~lie′rbar (-leerbähr) never lost; ~mei′dlich (-mĭtlĭç) inevitable; ~mittelt abrupt.

U′nvermögen (ŏŏnfĕrmŏghᵉn) *n* inability; impotence; 2d unable; (*kraftlos*) impotent; (*arm*) impecunious. [expected.]

u′nvermutet (ŏŏnfĕrmŏŏtᵉt) un-]

U′nver|nunft (-nŏŏnft) *f* unreasonableness; absurdity; 2nünftig (-nŭnftĭç) unreasonable; absurd; 2richtet: ~erdinge unsuccessfully; 2schämt (-shämt) impudent; *Preis* unconscionable; ~schämtheit *f* impudence.

u′nver|schuldet (-fĕrshŏŏldᵉt) undeserved; ~se′hens (-zéᵉns) unawares; ~se′hrt (-zért) uninjured; ~sö′hnlich (-zŏnlĭç) irreconcilable; ~sorgt (-zŏrkt) unprovided for; 2stand (-shtä*h*nt) *m* want of judgment; (*Torheit*) folly; ~ständig (-shtĕndĭç) injudicious; ~tilgbar ineradicable; ~wandt (-vä*h*nt) *Blick*: steadfast; ~wu′ndbar (-vŏŏntbä*h*r) invulnerable; ~wü′stlich (-vŭstlĭç) indestructible; *Stoff*: untearable; ~zagt (-tsä*h*kt) undaunted; ~zi′nslich (-tsĭnslĭç) bearing no interest; ~es *Darlehen* free loan; ~zü′glich (-tsŭklĭç) immediate.

u′nvoll|endet unfinished; ~kommen imperfect; 2kommenheit *f* imperfection; ~ständig incomplete.

u′nvor|bereitet (-fŏrbᵉrītᵉt) unprepared; ~eingenommen (-fŏringʰᵉnŏmᵉn) unbiassed; ~he′rgesehen (-fŏrhérghᵉzéᵉn) unforeseen.

u′nvorsichtig (-fŏrzĭçtĭç) incautious; imprudent; 2keit *f* imprudence. [profitable.]

u′nvorteilhaft (-fŏrtīlhä*h*ft) un-]

u′nwahr untrue; 2heit *f* untruth.

u′nwahrscheinlich (-vährshĭnlĭç) improbable, unlikely; 2keit *f* improbability.

u′nwegsam (-vékzä*h*m) impassable. [from.]

u′nweit (-vīt) *prp.* (*gen.*) not far]

U′nwesen (-vézᵉn) *n* nuisance; *sein* ~ *treiben* be up to one's tricks; 2tlich unessential, immaterial (*für*)

U′nwetter *n* tempest. [to).]

u′nwichtig unimportant.

u′nwider|legbar (-veedᵉrlékbä*h*r) irrefutable; ~ruflich (-rŏŏflĭç) irrevocable; ~stehlich (-veedᵉrshtélĭç) irresistible.

u′nwiederbringlich (-veedᵉrbrĭnₙlĭç) irretrievable.

U′nwill|e *m* indignation; 2ig indignant (*über acc.* at); 2kürlich (-kŭrlĭç) involuntary.

u′nwirk|lich unreal; ~sam ineffective, ineffectual.

u′nwirsch (-vīrsh) cross, testy.

u′nwirt|lich inhospitable; ~schaftlich uneconomic.

u′nwissen|d (-vĭsᵉnt) ignorant; 2heit *f* ignorance. [disposition.]

u′nwohl unwell; 2sein (-zīn) *n* in-]

u′nwürdig unworthy.

unzä′hlig (-tsälĭç) innumerable.

u′nzart indelicate.

U′nzeit (ŏŏntsīt) *f*: *zur* ~ inopportunely; 2ig untimely.

u′nzer|rei′ßbar (-risbä*h*r) untearable; ~stö′rbar (-shtŏrbä*h*r) indestructible; ~tre′nnlich (-trĕnlĭç) inseparable.

u′nziemlich (-tseemlĭç) unseemly.

U′nzucht (ŏŏntsŏŏkt) *f* prostitution.

u′nzüchtig (ŏŏntsŭçtĭç) unchaste, lascivious.

u′nzufrieden (ŏŏntsŏŏfreedᵉn) discontented, dissatisfied; 2heit *f* discontent.

u′nzugänglich inaccessible.

u′nzulänglich insufficient; 2keit *f* insufficiency, shortcoming.

u′nzulässig inadmissible.

u′nzurechnungsfähig (ŏŏntsŏŏrĕçnŏŏnₙsfäĭç) irresponsible; (*blödsinnig*) imbecile; 2keit *f* irresponsibility; imbecility.

u′nzuständig incompetent.

u′nzuträglich disadvantageous; unhealthy; 2keit *f* inconvenience.

u′nzuverlässig unreliable; (*unsicher*) uncertain.

u′nzweckmäßig (ŏŏntsvĕkmäsĭç) inexpedient; 2keit *f* inexpediency.

u′nzweideutig (ŏŏntsvĭdŏĭtĭç) unequivocal. [dubitable.]

unzwei′felhaft (ŏŏntsvīfᵉlhä*h*ft) in-]

ü′ppig (ŭpĭç) luxurious; 2, *Sprache*: exuberant; (*sinnlich*) voluptuous; 2keit *f* luxury; exuberance.

U′r|-ahn (ŏŏr-ä*h*n) *m* ancestor; ~-ahne *f* ancestress; 2-alt very old; ~aufführung (-owf-fŭrŏŏrₙ) *f* first night; *Film*: release.

Ura'n (ōōrāhn) ⚗ *n* uranium.

u'r|bar (ōōrbähr) arable; ~ *m.* cultivate; **2bild** *n* original, prototype; **2-enkel** *m* great-grandson; **2großeltern** *pl.* great-grandparents; **2heber** (-hé'b'r) *m* author; **2heberrecht** *n* copyright.

Uri'n *m* (ōōreen) urine.

U'r|kunde (ōōrkōōnd') *f* document, deed; **2kundlich** (-kōōntlĭç) documentary; (*verbürgt*) authentic; **~laub** (-lowp) *m* leave (of absence); (*Ferien*) vacation, holidays *pl.*; **~lauber** (-lowb'r) *m* man on leave; *Zivilist:* holiday-maker, *Am.* vacationist.

U'rne (ōōrn') *f* urn.

U'r|sache (ōōrzähκ') *f* cause; *keine* **~!** don't mention it!; **2sächlich**

(-zĕçlĭç) causal; **~schrift** *f* original (text); **~sprung** (-shprōōr̩) *m* origin; **2sprü'nglich** (-shprür̩lĭç) original; **~stoff** *m* primary matter.

U'rteil (ōōrtil) *n* judgment; (*Festsetzung der Strafe*) sentence; *meinem ~ nach* in my judgment; **2en** judge (*über acc.* of; *nach* by); **~s-kraft** *f* (power of) judgment.

U'r|text (ōōrtekst) *m* original (text); **~wald** *m* primeval forest; jungle; **2weltlich** primeval; **2wüchsig** (-vŭksĭç) original; *fig.* rough-and--ready; **~zeit** (-tsit) *f* primitive times *pl.*

usurpie'ren (ōōzōōrpeer'n) usurp.

Utensi'lien (ōōtĕnzeel'i'n) *pl.* uten-⟩ **Utopie'** (ōōtōpee) *f* utopia. [sils.⟩

u'zen (ōōts'n) F tease, quiz⹁

V

Vagabu′nd (văhgăhbŏōnt) *m* vagabond, vagrant, tramp; 2ie′ren (-eer⁴n) tramp about.

Valu′ta (văhlōōtăh) *f* (*Wert*) value; (*Währung*) currency.

Vani′lle (văhnil¹⁴⁵) *f* vanilla.

Varieté′ (văhr¹été) *n* music-hall; *Am.* burlesque, vaudeville theater.

variie′ren (vărieer⁴n) vary.

Vasa′ll (văhzăhl) *m* vassal.

Va′se (văhz⁴) *f* vase.

Va′ter (făht⁴r) *m* father; ⁓land *n* native country; ⁓landsliebe (-lăhmtsleeb⁴) *f* patriotism.

vä′terlich (făt⁴rlĭç) fatherly; pater-⏐ **Va′terschaft** *f* paternity. [nal.⏐

Va′ter(s)name (făht⁴r[s]năhm⁴ *m* surname.

Va′ter-u′nser (făht⁴rŏōnz⁴r) *n* Lord's Prayer.

Vegetabi′lien (vĕg⁴ĕtăhbeel¹⁴n) *pl.* vegetables.

Veget|a′rier (vĕg⁴ĕtăhr¹⁴r) *m*, 2a′-risch vegetarian; 2ie′ren (-eer⁴n) vegetate.

Vei′lchen (fĭlç⁴n) *n* violet.

Ve′ne (vén⁴) *f* vein.

Venti′l (vĕnteel) *n* valve; 2ie′ren (-eer⁴n) ventilate.

ver-a′b|-folgen (fĕrăhp-) deliver; ⁓reden (-réd⁴n) *et.* agree upon; *sich* ⁓ make an appointment, *Am.* have a date; 2redung *f* agreement; appointment, *Am.* date; ⁓säumen (-zöim⁴n) neglect, omit; ⁓scheuen (-shŏi⁴n) hate, abhor, detest; ⁓schieden (-sheed⁴n) dismiss; *Gesetz*: pass, ratify; *sich* ⁓ take leave (von of); 2schiedung *f* dismissal.

ver|-a′chten (-ăhχt⁴n) despise; ⁓ä′chtlich (-ĕçtlĭç) contemptuous; (*verachtungswert*) contemptible; 2-a′chtung *f* contempt; ⁓allgemei′nern (-ăhlg⁴ʰmīn⁴rn) generalize; ⁓a′lten (sn) grow obsolete; ⁓a′ltet antiquated, obsolete; ⁓ inveterate.

ver-ä′nder|lich (-ĕnd⁴rlĭç) changeable; (*a.* Ⱥ) variable; ⁓n (*a. sich*) alter, change; (*abwechseln*) vary; 2ung *f* change; variation.

ver-a′nlag|en (-ăhnlăhg⁴ʰⁿ) (*steuerlich*) assess; ⁓t *adj.* talented; 2ung *f* assessment; *fig.* talent(s *pl.*).

ver-a′nlass|en (-ăhnlăhs⁴n) cause, occasion; 2ung *f* occasion.

ver-a′nschaulichen (-ăhnshowlĭ-ç⁴n) illustrate.

ver-a′nschlagen (-ăhnshlăhg⁴ʰⁿ) rate, value, estimate (*auf acc.* at).

ver-a′nstalt|en arrange; organize; 2ung *f* arrangement; *Sport*: event.

ver-a′ntwort|en answer for; *sich* ⁓ justify o.s.; ⁓lich responsible; 2lichkeit *f*, 2ung *f* responsibility; *zur* ⁓ ziehen call to account.

ver-a′rbeit|en (-ăhrbĭt⁴n) work up, *Am.* process (zu into); manufacture; *fig.* digest; (*abnutzen*) wear (out).

ver-a′rgen (-ăhrg⁴ʰⁿ): *j-m et.* ⁓ blame a p. for a th.

ver-a′rm|en (-ăhrm⁴n) (sn) become poor; ⁓t impoverished.

ver-au′sgaben (-owsgăhb⁴n) spend; *sich* ⁓ run short of money; *fig.* spend o.s.

ver-äu′ßern (-öis⁴rn) alienate.

Verba′nd *m* ⁓ dressing, bandage; = *Verein*; Ⱥ formation, unit; ⁓kasten *m* first-aid box.

verba′nn|en banish, exile; 2ung *f* banishment. [r⁴n) barricade.⏐

verbarrikadie′ren (-băhrĭkăhdee-⏐ **verbe′rgen** conceal, hide.

verbe′sser|n improve; (*berichtigen*) correct; 2ung *f* improvement; correction.

verbeu′g|en (-bŏig⁴ʰⁿ): *sich* ⁓ bow (vor *dat.* to); 2ung *f* bow.

ver|bie′gen (-beeg⁴ʰⁿ) bend; ⁓bie′-ten (beet⁴n) forbid; ⁓bi′lligen (-bĭlĭg⁴ʰⁿ) bring down the price of.

verbi′nd|en (-bĭnd⁴n) bind; (*vereinigen*; *a. sich*) join; unite; connect; 🜛 combine; ♣ dress; *teleph.* put a p. through (*mit* to, *Am.* with); *j-m die Augen* ⁓ blindfold; *ich bin Ihnen sehr verbunden* I am greatly obliged to you; ⁓lich (-bĭntlĭç) obligatory; (*höflich*) obliging; 2-lichkeit *f* obligation, liability; (*Höflichkeit*) obligingness, civility;

Ꝟung f union; (Beziehung) relation; (Zs.-hang) a. teleph. connexion; (Verkehr) communication; ⚘ compound; sich in ~ setzen mit communicate with, bsd. Am. contact; teleph. ~ bekommen get through; die ~ verlieren mit lose touch with.

ver|bi'ssen (-bĭs⁼n) crabbed; (zäh) dogged; ~bi'tten: das verbitte ich mir! I won't suffer that!

verbi'tter|n (-bĭt⁼rn) embitter; Ꝟung f bitterness (of heart).

verbla'ssen (-blähs⁼n) (sn) fade.

Verblei'b (-blīp) m whereabouts; Ꝟen (-blīb⁼n) (sn) remain.

verbli'chen (-blĭç⁼n) Farbe: faded.

verblü'ff|en (-blüf⁼n) amaze, puzzle; Ꝟung f perplexity.

verblü'hen (-blü⁼n) (sn) fade, wither. [death.]

verblu'ten (-blōōt⁼n) (sn) bleed to|

verbo'rgen (-bŏrgʰ⁼n) 1. v/t. lend (out); 2. adj. hidden; Ꝟheit f concealment; secrecy.

Verbo't (-bōt) n prohibition.

Verbrau'ch (-brọwк) m consumption; Ꝟen consume, use up; (abnutzen) wear out; ~er m consumer; Ꝟt Luft: stale.

verbre'ch|en 1. commit; 2.2 n crime; Ꝟer m, Ꝟerin f, ~erisch criminal; Ꝟertum n outlawry.

verbrei't|en (-brīt⁼n) (a. sich) spread, diffuse; sich ~ über e. Thema enlarge upon; Ꝟung f spread(ing), diffusion. [widen, broaden.]

verbrei'tern (-brīt⁼rn) (a. sich)|

verbre'nn|en v/t. u. v/i. (sn) burn (up); Leiche: cremate; Ꝟung f burning, combustion; (Leichen 2) cremation; (Brandwunde) burn.

verbri'ngen spend, pass.

verbrü'der|n (-brüd⁼rn): sich ~ fraternize; Ꝟung f fraternization.

verbrü'h|en (-brü⁼n), Ꝟung f scald.

verbu'chen (-bōōк⁼n) book. [ally.]

verbü'nd|en (-bünd⁼n), Ꝟete(r) m|

verbü'rgen (-bürgʰ⁼n) guarantee.

verbü'ßen (-büs⁼n): seine Strafe ~ serve one's time.

Verda'cht (-däкt) m suspicion.

verdä'chtig (-dĕçtĭç) suspected (gen. of); suspicious; ~en (-dĕçtĭgʰ⁼n) cast suspicion on; Ꝟung f insinuation.

verda'mm|en (-dähm⁼n) condemn; ~enswert (-vért) damnable; ~t damned; ~! confound it!; Ꝟung f condemnation.

verda'mpfen (sn) evaporate.

verda'nken: j-m et. ~ owe a th. to a p., be indebted to a p. for a th.

verdau'|en (-dow⁼n) digest; Ꝟung f digestion; Ꝟungsstörung (-dow-ŏōrꜩsshtöröōrꜩ) f indigestion.

Verde'ck n ⚓ deck; mot. hood; top of a bus; Ꝟen cover.

verde'nken s. verargen.

Verde'rb (-dĕrp) m ruin; Ꝟen (-b⁼n) 1. v/i. (sn) spoil; (zugrunde gehen) perish; v/t. spoil; sittlich: corrupt; (zugrunde richten) ruin; sich den Magen ~ upset one's stomach; 2. ~en (-b⁼n) n ruin; Ꝟlich pernicious; Ware: perishable; ~nis f corruption; Ꝟt corrupted.

ver|deu'tlichen (-döĭtlĭç⁼n) make plain; ~di'chten (-dĭçt⁼n) (a. sich) condense; ~di'cken (-dĭk⁼n) (a. sich) thicken.

verdie'n|en (-deen⁼n) merit, deserve; Geld: earn; sich ~t m. um deserve well of.

Verdie'nst (-deenst) 1.m gain, profit; earnings pl.; 2. fig. n merit; Ꝟvoll meritorious; ~spanne f margin, Am. spread.

ver|die'nt (-deent) Person: deserving; Strafe: well-deserved; ~do'l-metschen (-dŏlmĕtsh⁼n) interpret; ~do'ppeln (-dŏp⁼ln) double; ~do'rren (sn) dry up; ~drä'ngen displace; ~dre'hen (-drē⁼n) distort, twist (a. fig.); Augen: roll; ~dre'ht (verrückt) crazy; ~drei'fachen (-drīfähк⁼n) treble.

verdrie'ß|en (-drees⁼n) vex; sich keine Mühe ~ l. spare no pains; ~lich vexed (über acc. by); (schlecht gelaunt) sulky; S.: annoying; Ꝟlichkeit f sulkiness; konkret: vexation.

verdro'ssen (-drŏs⁼n) sulky.

verdru'cken (-drōōк⁼n) typ. misprint.

Verdru'ß (-drōōs) m vexation.

verdu'mmen (-dōōm⁼n) v/t. make (od. [v/i.; sn] become) stupid.

verdu'nkel|n (-dōōnꜩk⁼ln) darken (a. sich), obscure (a. fig.); Luftschutz: black-out; Ꝟung f darkening; obscuration; black-out.

ver|dü′nnen (-dün̈ᵉn) thin; *Flüssiges*: dilute; ‿du′nsten (-dŏŏnstᵉn) (sn) evaporate; ‿du′rsten (-dŏŏrstᵉn) (sn) die with thirst; ‿du′tzen (-dŏŏtsᵉn) nonplus.

ver-e′del|n (-édᵉln) ennoble; (*verfeinern*) refine; improve; *Rohstoff*: finish; 2ung *f* refinement; improvement; finishing.

ver-e′hr|en (-érᵉn) revere, venerate; (*anbeten*) worship; *fig.* adore; 2er(in *f*) *m* worshipper; *fig.* adorer; 2ung *f* veneration; worship, adoration. [(in *bei Amtsantritt*).]

ver-ei′d(ig)en (-id̵[ig̵]ᵉn) swear a *p.*|

Ver-ei′n (f-īn) *m* society, association, union; *geselliger*: club.

ver-ei′nbar compatible; ‿en agree upon, arrange; 2ung *f* agreement.

ver-ei′nfach|en (-īnfähᵉn) simplify; 2ung *f* simplification.

ver-ei′nheitlichen (-inhit̵liᵉn) unify, standardize.

ver-ei′n(ig)|en (-īn[ig̵]ᵉn) unite (*a. sich*); (*in Einklang bringen*) reconcile; 2ung *f* union = Verein.

ver-ei′n|samen (-īnzähmᵉn) *v/i.* (sn) become solitary; ‿zelt single; sporadic.

ver-ei′teln (-ītᵉln) frustrate; ‿e′keln (-ékᵉln): *j-m* et. ‿ disgust a p. with a th.; 2-e′lendung (-élén̈dŏŏr̵) *f* pauperization; ‿e′nden (sn) perish; ‿e′nge(r)n narrow.

ver-e′rb|en leave; *♂* transmit; *sich* ‿ be hereditary; 2ung *f* physiol. heredity; 2ungslehre *f* genetics.

ver-e′wig|en (-évig̵ʰᵉn) perpetuate; ‿t (-çt) deceased, late.

verfa′hren 1. *v/i.* (sn) proceed; ‿ *mit* deal with; *v/t.* (*verpfuschen*) mismanage; 2. 2 *n* proceeding(s *pl.* r̵⁺₄); ⊕ process; r̵⁺₄ procedure.

Verfa′ll *m* decay, decline; r̵⁺₄ forfeiture; *e-s Wechsels*: maturity; 2en 1. *v/i.* (sn) decay; *Haus*: dilapidate; (*ablaufen*) expire; *Pfand*: become forfeited; *Recht*: lapse; *Wechsel*: fall due; ‿ *auf* (*acc.*) hit upon; ‿ *in* (*acc.*) fall into; 2. *adj.* ruinous; *e-m Laster* ‿ addicted to; ‿tag (-tähk) *m* day of payment.

ver|fä′lschen (-félshᵉn) falsify; *Wein usw.*: adulterate; 2fä′nglich (-fér̵liç) *Frage*: captious, insidious; *Lage*: risky; ‿fä′rben (-férbᵉn): *sich* ‿ change colour.

verfa′ss|en compose; 2er(in *f*) *m* author.

Verfa′ssung *f* state, condition; (*Staats*2) constitution; (*Gemüts*2) disposition; 2smäßig (-mäsiç) constitutional; 2swidrig (-veedriç) unconstitutional.

verfau′len (-fowlᵉn) (sn) rot, decay.

verfe′chten defend, advocate.

verfe′hl|en miss; 2ung *f* offence.

verfei′ner|n (-fīnᵉrn) (*a. sich*) refine; 2ung *f* refinement.

verfe′rtigen make, manufacture.

verfi′lm|en film, screen; 2ung *f* film-version.

ver|fla′chen (-flähkᵉn) *v/i.* (sn) (*a. sich*) become shallow (*a. fig.*); ‿fle′chten interlace; *fig.* involve; ‿flie′ßen (-fleesᵉn) (sn) *Zeit*: elapse; ‿flo′ssen *Zeit*: past; *Freund usw.*: late, ex-...; ‿flu′chen (-flŏŏkᵉn) curse; *verflucht!* confound it!

verfo′lg|en (-fólg̵ᵉn) pursue; *grausam*: persecute; *gerichtlich* ‿ prosecute; 2er(in *f*) *m* pursuer; persecutor; 2ung *f* pursuit; persecution; (*Fortführung*) pursuance; *gerichtliche* ‿ prosecution; 2ungswahn (-fólgŏŏr̵svä̈hn) *m* persecution mania.

verfra′chten (-frähktᵉn) freight, ⊕ ship.

verfrü′ht (-früt) premature.

verfü′g|bar (-fükbähr) available; ‿en (-fügʰᵉn) *v/t.* decree, order; *v/i.* ‿ *über* (*acc.*) dispose of; 2ung *f* decree; (‿*srecht*) disposal; *j-m zur* ‿ *stehen* (*stellen*) be (place) at a p.'s disposal.

verfü′hr|en seduce; ‿erisch seductive; 2ung *f* seduction.

verga′ngen (-gä̈hr̵ᵉn) gone, past; *im* ‿en *Jahre* last year; 2heit *f* past.

vergä′nglich (-gʰén̵r̵liç) transitory.

verga′s|en (-gähzᵉn) gasify; *mot.* carburet; (*durch Gas töten usw.*) gas; 2er *m mot.* carburettor.

verge′b|en (-gʰébᵉn) give away (*an j-n* to); (*verzeihen*) forgive; *sich et.* ‿ compromise one's dignity; ‿ens in vain; ‿lich (-gʰépliç) vain; 2lichkeit *f* uselessness; 2ung *f* giving (away); forgiveness, pardon.

vergegenwä′rtigen (-gʰégʰᵉnvér̵tigʰᵉn): *sich et.* ‿ realize a th.

verge′h(e)n (-gʰé[ᵉ]n) 1. (sn) pass (away); (*allmählich verschwinden*)

fade; *fig.* vor *et.* ⁓ die of; *sich* ⁓
commit an offence; *sich* ⁓ *an j-m,*
gegen Gesetz: violate; 2. 2 *n* offence.
verge'lt|en (-g⁸ĕs⁸n) repay, requite; *b.s.* re-
taliate; 2ung *f* requital; *b.s.* retal-
iation.
verge'ssen (-g⁸ĕs⁸n) forget; (*liegen*
l.) leave; 2heit *f* oblivion.
verge'ßlich (-g⁸ĕslĭç) forgetful.
vergeu'd|en (-gŏid⁸n) squander,
waste; 2ung *f* waste.
vergewa'ltig|en (-g⁸ᵉvältĭg⁸ⁿ)
violate; rape; 2ung *f* violation; rape.
vergewi'ssern (-g⁸ᵉvĭs⁸rⁿ): *sich* ⁓
make sure (*e-r S.* of a th.).
vergie'ßen (-g⁸ees⁸n) shed, spill.
vergi'ft|en (-g⁸ĭft⁸n) poison; 2ung
f poisoning.
vergi'ttern (-g⁸ĭt⁸rn) grate (up).
Verglei'ch (-glĭç) *m* comparison;
gütlicher: arrangement; 2bar com-
parable; 2en compare; *sich* ⁓
come to terms; *verglichen mit* as
against, compared to.
vergnü'g|en (-gnüg⁸n) **1.** amuse;
sich ⁓ enjoy o.s.; **2.** 2en *n* pleasure,
enjoyment; ⁓ *finden an* (*dat.*) take
pleasure in; ⁓t (*über acc.*) pleased
(with; (*froh*) glad; merry.
Vergnü'gung *f* pleasure, amuse-
ment; ⁓sreise (-rĭz⁸) *f* pleasure-
trip; 2ssüchtig (-züçtĭç) pleasure-
seeking.
ver|go'lden (-gŏld⁸n) gild; ⁓
gö'ttern (-gŏt⁸rn) *fig.* idolize; ⁓
gra'ben (-grähb⁸n) bury; ⁓**grei'fen**
(-grĭf⁸n): *sich* ⁓ mistake; *sich* ⁓ *an*
(*dat.*) lay (violent) hands on; ⁓**grif-
fen** *Ware:* sold out; *Buch:* out of
print.
vergrö'ßer|n (-grös⁸rn) (*a. sich*)
enlarge (*a. phot.*); *Lupe:* magnify;
2ung *f* enlargement; 2ungsglas
(-grös⁸rŏŋₛglähs) *n* magnifying-
glass. [permission, privilege.]
Vergü'nstigung (-günstĭgŏŋₛ) *f*⎰
vergü't|en (-güt⁸n) compensate;
Auslagen: reimburse; 2ung *f* compensation; reimbursement.
verha'ft|en, 2ung *f* arrest.
verha'lten 1. keep back; *Atem:*
hold in; *sich* ⁓ *S.:* be; *P.:* behave;
sich ruhig ⁓ keep quiet; **2.** 2 *n*
behaviour, conduct.
Verhä'ltnis (-hĕltnĭs) *n* proportion,
rate; *pl.* (*Umstände*) circumstances *pl.*; (*Mittel*) means *pl.*;
(*Beziehung*) relation; (*Liebes*2) li-

aison; (*Geliebte*) mistress; 2mäßig
(-mäsĭç) proportional; comparative.
Verhaltu'ngsmaßregeln (-hählt-
tŏŋₛsmähsrég⁸ᵉln) *f|pl.* instruc-
tions.
verha'nd|eln *v/i.* negotiate, treat;
z̄ₜ try (*über et.* a th.); *v/t.* (*erörtern*) discuss; 2ung *f* discussion;
negotiation; z̄ₜ trial, proceedings *pl.*
verhä'ng|en cover (over) (*über acc.*
inflict (*über acc.* upon); 2nis *n*
fate; ⁓nisvoll fatal; disastrous.
verhä'rmt (-hĕrmt) care-worn.
verha'rren (-hähr⁸n) (*auf, bei, in*
dat.) persist (in).
verhä'rten (*a. sich*) harden.
verha'ßt (-hăst) hateful, odious.
verhä'tscheln (-hätsh⁸ln) coddle,
spoil. [waste; 2ung *f* devastation.⎰
verhee'r|en (-hér⁸n) devastate, lay⎱
verhe'hl|en, **verhei'mlich|en**
(-hĭmlĭç⁸n) hide, conceal; 2ung *f*
concealment.
verhei'raten (-hĭrăht⁸n) (*a. sich*)
marry (to).
verhei'ß|en (-hĭs⁸n), 2ung *f*
promise.
verhe'lfen: *j-m* ⁓ *zu* help a p. to.
verhe'rrlich|en (-hĕrlĭç⁸n) glorify;
2ung *f* glorification.
verhe'tzen instigate.
verhe'xen (-hĕks⁸n) bewitch.
verhi'nder|n prevent (*an dat.*
from); 2ung *f* prevention.
verhö'hn|en deride, mock (at),
taunt; 2ung *f* derision, mockery.
Verhö'r (-hör) *n* examination;
trial; *v. Zeugen:* interrogation; 2en
examine, try, hear; *sich* ⁓ mis-⎰
verhü'llen veil. [understand.⎱
verhu'ngern (-hŏŋₛᵉrn) (*sn*) starve.
verhü'ten (-hüt⁸n) = *verhindern.*
ver-i'rr|en (*sich*) go astray, lose
one's way; 2ung *f fig.* error.
verja'gen (-yähg⁸n) drive away.
verja'hr|en (-yăr⁸n) (*sn*) become
prescriptive; 2ung *f* limitation.
verjü'ngen (-yüŋₛ⁸n) (*a. sich*): rejuvenate; (*spitz zulaufen*) taper;
Maßstab: reduce.
Verkau'f (-kowf) *m* sale; 2en sell
(*a. sich*).
Verkäu'f|er(in *f*) (-kŏif⁸r) *m* seller;
im kleinen: retailer; (*Ladengehilfe*)
salesman, *f* saleswoman, *Am.* clerk;
2lich sal(e)able, for sale.
Verke'hr (-kér) *m* traffic; (*Handel*) trade; (*persönlicher od. ge-*

schlechtlicher) intercourse; (*Verbindung*) communication; 2en *v/t.* (*verwandeln*) convert (*in acc.* into); *v/i. Fahrzeug:* run, ply (between); (*Handel treiben*) traffic, trade; ~ *in e-m Haus usw.:* frequent; *mit j-m:* associate with, *bsd. geschlechtlich:* have (sexual) intercourse with.

Verke'hrs|-ader (-āhdᵉr) *f* arterial road; **~ampel** *f* traffic light; **~flugzeug** (-flööktsöik) *n* air-liner; **~-insel** (-inzᵉl) *f* refuge; **~minister** *m* Minister of Transport; **~mittel** *n* conveyance; 2reich (-rīç) frequented; **~schutzmann** (-shööts-māhn) *m* traffic constable; **~stockung** (-shtököörℓ) *f* block, *Am.* blockade; **~störung** (-shtöröörℓ) *f* interruption of traffic; break-down; **~straße** (-shtrāhsᵉ) *f* thoroughfare; **~wesen** (-vézᵉn) *n* (system of) traffic.

verke'hrt (-kért) inverted; (*falsch*) wrong; *fig.* perverse.

verke'nnen *Person:* mistake; *Sache:* misunderstand.

verke'tt|en *fig.* link together; 2ung *f fig.* concatenation.

verkla'g|en (-klāhgᵉn) accuse; ⅟₃ sue; 2te(r) *m* accused; ⅟₃ defendant. [guard by clauses.]

verklausulie'ren (-klowzööleerᵉn)|

verkle'ben (-klébᵉn) paste *a th.* over *od.* up.

verklei'd|en (-klīdᵉn) disguise; ⊕ line, face; 2ung *f* disguise; ⊕ lining, facing.

verklei'ner|n (-klīnᵉrn) reduce; (*vermindern*) diminish; *fig.* belittle; 2ung *f* reduction; diminution; *fig.* detraction.

ver'kli'ngen (sn) die away; 2-kna'ppung** (-knǎhpöörℓ) *f* shortage; **~knö'chern** (-knöçᵉrn) *fig.* fossilize.

verknü'pf|en tie (together); *fig.* connect; 2ung *f* connexion.

verko'hlen (sn) carbonize; chan.

verko'mmen 1. (sn) decay; *P.*: come down in the world; **2.** *adj.* decayed; *sittlich:* depraved.

verko'rken cork (up).

verkö'rper|n (-körpᵉrn) embody; 2ung *f* embodiment.

verkrie'chen (-kreeçᵉn): *sich ~* hide.

verkrü'mmt crooked.

verkrü'ppelt (-krüpᵉlt) crippled; (*verkümmert*) stunted.

verkü'mmer|n *v/i.* (sn) become stunted; (*dahinsiechen*) waste away;

v/t. Recht: curtail; *Vergnügen:* spoil; ~t stunted.

verkü'nd(ig)|en (-kündᵉ[igʰ]ᵉn) announce; *öffentlich:* publish, proclaim; 2ung *f* announcement; proclamation.

ver|ku'ppeln (-köppᵉln) pander; ⊕ couple; **~kü'rzen** shorten; abridge; **~la'chen** (-lāhkᵉn) laugh at; **~la'den** (-lāhdᵉn) load, ship; 🚂 entrain.

Verla'g (-lāhk) *m Tätigkeit:* publication; *Firma:* the publishers; s. **~sbuchhandlung;** *im ~ von* published by; 2ern (-lāhgʰᵉrn) displace, (*a. sich*) shift; (*überführen*) transfer; **~sbuchhändler** (-böökhěndlᵉr) *m* publisher; **~sbuchhandlung** (-böökhǎhndlöörℓ) *f* publishing-house, *Am.* book concern; **~s-recht** *n* copyright.

verla'ngen (-lǎhngʰᵉn) **1.** *v/t.* demand; *v/i. ~ nach* ask for; (*sich sehnen*) long for; **2.** 2 *n* demand; longing (*nach* for); *auf ~* on demand.

verlä'nger|n (-lěngᵉrn) lengthen; *Frist usw.:* prolong, extend; 2ung *f* lengthening; prolongation.

verla'ngsamen (-lǎhngzāhmᵉn) (*a. sich*) slacken (down), slow down.

verla'ssen leave; (*im Stich lassen*) abandon, desert; *sich ~ auf (acc.)* rely on; 2heit *f* abandonment.

Verlau'f (-lowf) *m der Zeit:* lapse, course; *e-s Vorgangs:* course; *e-n schlimmen ~ nehmen* take a bad turn; 2en (sn) *Zeit:* pass, elapse; *Vorgang:* take a ... course; *sich ~ go* astray; *Menge:* disperse.

verlau'ten (-lowtᵉn) be reported; *~ l.* give to understand.

verle'b|en (-lébᵉn) spend, pass; **~t** (-pt) worn out, decrepit.

verle'g|en (-légʰᵉn) **1.** *v/t.* misplace; (*anderswohin*) transfer; shift; *Buch usw.:* publish; ⊕ lay; *Weg (versperren):* bar; *zeitlich:* put off; *sich ~ auf (acc.)* apply o.s. to; **2.** *adj.* embarrassed; *~ um* at a loss for; 2enheit *f* embarrassment; (*Klemme*) difficulty; 2er *m* publisher; 2ung *f* transfer; *zeitlich:* postponement. [a p. with a th.]

verlei'den (-līdᵉn): *j-m et. ~* disgust]

verlei'h|en (-līᵉn) lend (out). *Am.* loan; *Recht usw.:* bestow (*j-m* on); *Auszeichnung:* award; 2ung *f* lending out; bestowal.

verlei't|en (-lit⁶n) mislead; (ver-
führen) seduce; Qung f seduction.
verle'rnen unlearn, forget.
verle'sen (-léz⁶n) call over; Gemüse
usw.: pick; sich ~ read wrong.
verle'tz|en (-lĕts⁶n) hurt, injure;
fig. violate; ~end offensive; Qung f
hurt, injury; violation.
verleu'gn|en (-lŏign⁶n) deny;
Grundsatz usw.: renounce; sich ~
l. have o.s. denied; Qung f denial;
renunciation.
verleu'md|en (-lŏimd⁶n) slander;
~erisch slanderous; Qung f
slander.
verlie'b|en (-leeb⁶n): sich ~ in (acc.)
fall in love with; ~t (-pt) enamoured
(of); Qtheit f amorousness.
verlie'ren (-leer⁶n) lose; Blätter,
Haar usw.: shed.
verlo'b|en (-lŏb⁶n) engage (mit to);
Qte(r) su. fiancé(e f); Qung f
engagement.
verlo'ck|en allure, entice; Qung f
allurement, enticement.
verlo'gen (-lŏg⁶n) mendacious;
Qheit f mendacity.
verlo'hnen: es verlohnt sich der
Mühe it is worth while.
verlo'ren (-lŏr⁶n) lost; ~gehen
(gʰᵉⁿ) (sn) be lost.
verlo's|en (-lŏz⁶n), Qung f raffle.
verlö'ten (-lŏt⁶n) solder up.
verlo'tter|n (-lŏt⁶rn) go to the
bad; ~t dissolute; S.: ruined.
Verlu'st (-lŏŏst) m loss; ~e pl.
⚔ casualties; Qig (gen.): e-r S. ~
gehen lose a th.
ver|ma'chen bequeath; Qmä'cht-
nis (-mĕçtnĭs) n legacy.
vermä'hl|en (-mäl⁶n) (a. sich)
marry (mit to); Qung f marriage.
verme'hr|en (a. sich) augment, in-
crease; Qung f increase.
vermei'd|en (-mĭd⁶n) avoid; Qung
f avoidance.
vermei'ntlich (-mĭntlĭç) supposed.
verme'ngen mix (up), mingle; (verwechseln) confound.
Verme'rk m note, entry; Qen note
down, record.
verme'ss|en 1. v/t. measure; Land:
survey; 2. adj. presumptuous;
Qenheit f presumption; Qung f
measurement; survey.
vermie't|en (-meet⁶n) let, bsd. Am.
rent; hire (out); Qer m letter, ⚔
lessor; hirer (out).

vermi'nder|n diminish; Qung f
diminution.
vermi'sch|en mix (up), mingle;
Qung f mixture.
vermi'|ssen miss; ~ßt missing.
vermi'tt|eln (-mĭt⁶ln) v/t. mediate
(a. v/i.); Frieden, Anleihe: negotiate; (beschaffen) procure;
~els(t) (gen.) by means of; Qler(in
f) m mediator; (oft b.s.) go-
-between; ⚔ agent; Qlung f me-
diation; Qlungs-amt n teleph.
exchange. [der, rot.]
vermo'dern (-mŏd⁶rn) (sn) moul-|
vermö'gen (-mŏgʰᵉⁿ) 1. ~ zu tun
be able to; et. ~ bei j-m have influence with a p.; 2. Q n ability,
power; (Besitz) property; (Geld-
besitz) fortune; ⚔ (Aktiva) assets;
~d rich, well off; Qsverhältnisse
n/pl. pecuniary circumstances.
vermu't|en (-mŏŏt⁶n) suppose,
guess; ~lich presumable; adv. I
suppose; Qung f supposition.
verna'chlässig|en (-nähklĕsĭgʰᵉⁿ)
neglect; Qung f neglect(ing).
verna'rrt (-nährt) in (acc.) in-
fatuated with.
verne'hm|en (-ném⁶n) perceive;
(erfahren) hear, learn; ⚖ interrogate; ~lich audible; Qung f interrogation.
vernei'g|en (-nĭgʰᵉⁿ) (sich), Qung
f bow.
vernei'n|en (-nĭn⁶n) answer in the
negative, deny; ~end negative;
Qung f negation, denial.
verni'cht|en (-nĭçt⁶n) annihilate;
(zerstören) destroy; Qung f an-
nihilation; destruction.
verni'ckeln (-nĭk⁶ln) nickel(-plate).
vernie'ten (-neet⁶n) rivet.
Vernu'nft (-nŏŏnft) f reason; ~
annehmen listen to reason.
vernü'nftig (-nünftĭç) rational;
(vernunftgemäß) reasonable; (verständig) sensible.
ver-ö'd|en (-ŏd⁶n) v/t. desolate;
v/i. (sn) become desolate; Qung f
desolation.
ver-ö'ffentlich|en (-ŏf⁶ntlĭç⁶n)
publish; Qung f publication.
ver-o'rdn|en decree; ⚕ prescribe;
Qung f decree; ⚕ prescription.
verpa'chten lease.
Verpä'chter(in f) m lessor.
verpa'ck|en pack (up); Qung f
packing.

ver|pa′ssen miss; ~pe′sten (-pĕstᵉn) infect; ~pfä′nden pawn, pledge; ~pfla′nzen transplant.

verpfle′g|en (-pfléghᵉn) board; = verproviantieren; Qung f board; victualling.

verpfli′cht|en (-pflïçtᵉn) oblige, engage; Qung f obligation, duty; übernommene: engagement; commitment.

ver|pfu′schen (-pfōŏshᵉn) bungle, botch; ~pö′nt (-pŏnt) tabooed; ~proviantie′ren (-prŏv′ăhnteerᵉn) victual; ~prü′geln (-prŭghᵉln) thrash, wallop; ~pu′ffen (-pōŏfᵉn) (sn) fig. fizzle out.

verpu′tzen (-pōŏtsᵉn) plaster.

verqui′cken (-kvikᵉn) mix up.

verra′mmeln bar(ricade).

Verra′t (-rǎht) m treason (an dat. to); Qen betray.

Verrä′ter (-rǎtᵉr) m traitor; ~ei′ (-ī) f treachery; ~in f traitress; Qisch treacherous.

verre′chn|en reckon up; sich ~ miscalculate; fig. sich ~et h. be out in one's reckoning; Qung f clearing, accounting; Qungsscheck m crossed cheque.

verre′gnen (-régnᵉn) spoil by rain(ing). [journey.|

verrei′sen (-rïzᵉn) (sn) go on a| verre′nk|en (-rĕŋkᵉn) dislocate; Qung f dislocation.

verri′cht|en do, perform; execute; s-e Andacht ~ be at prayers; Qung f performance; function.

verrie′geln (-reeghᵉln) bolt, bar.

verri′nger|n (-rīŋᵉrn) diminish, reduce; Qung f diminution, re-|

verro′sten (sn) rust. [duction.|

verro′tten (sn) rot.

verrü′ck|en (-rŭkᵉn) displace; ~t mad (fig. nach on), crazy (for); j-n ~ m. drive a p. mad; Qte f madwoman; Qte(r) m madman; Qtheit f madness; Handlung: foolish action.

Verru′f (-rōŏf) m: in ~ bringen (kommen) bring (get) into discredit; adj. ill-reputed.

Vers (fĕrs) m verse.

versa′g|en (-zăhghᵉn) v/t. refuse, deny; ~t sein be engaged; sich et. ~ deny o.s. a th.; v/i. fail; Gewehr: misfire; Qer m misfire; fig. failure, Am. wash-out; Qung f refusal, denial. [spoil.|

versa′lzen (-zăhltsᵉn) oversalt; fig.|

versamm|eln (a. sich) assemble; Qlung f assembly, meeting.

Versa′nd (-zăhnt) m dispatch, Am. shipment; durch Post: mailing; ins Ausland: export(ation); ~geschäft n export (od. mail-order) business; ~papiere (-păhpeerᵉ) n/pl. shipping papers pl.

versäu′m|en (-zŏïmᵉn) Pflicht usw.: neglect; Stunde, Gelegenheit: miss; Qnis f, n neglect; (ZeitQ) loss of time.

ver|scha′chern barter away; ~scha′ffen procure; ~schä′mt (-shämt) bashful; ~scha′nzen entrench; ~schä′rfen intensify; (verschlimmern) aggravate; ~sche′nken give away; ~scheu′chen (-shŏïçᵉn) frighten away; fig. banish; ~schi′cken send away, dispatch.

verschie′b|en (-sheebᵉn) shift, displace; 🚋 shunt; zeitlich: postpone; black-market; ~ung f shifting; postponement.

verschie′den (-sheedᵉn) different (von from); pl. various; ~artig of a different kind, various; Qheit f difference; diversity.

verschie′ßen (-sheesᵉn) v/t. expend; v/i. (sn) fade. [ment.|

verschi′ff|en ship; Qung f ship-|

verschi′mmeln (sn) get mouldy.

verschla′fen (-shlǎhfᵉn) 1. miss by sleeping; sleep away; (die Zeit) ~ oversleep o.s.; 2. adj. sleepy.

Verschla′g (-shlǎhk) m partition; box; Qen (-shlǎhghᵉn) 1. mit Brettern: board; ~ w. 🐟 be driven out of one's course; 2. adj. cunning; Wasser: lukewarm; ~enheit f cunning.

verschle′chter|n (-shlĕçtᵉrn) deteriorate (a. sich); Qung f deterioration; change for the worse.

verschlei′ern (-shlïᵉrn) veil.

Verschlei′ß (-shlis) m wear and tear; Qen wear out (a. sich).

ver|schle′ppen Menschen: displace; (entführen) abduct; (verlegen) misplace; (in die Länge ziehen) delay, protract; ~schleu′dern (-shlŏïdᵉrn) waste; 🕇 sell at a loss; ~schlie′ßen (-shleesᵉn) shut, close; mit Schlüssel: lock (up).

verschli′mmer|n (-shlĭmᵉrn) make worse; fig. aggravate; sich ~ get worse; Qung f aggravation.

verschli′ngen devour; (in-ea.~schlingen) intertwine, interlace.

verschlo'ssen (-shlŏs⁶n) *fig.* reserved; ♀heit *f* reserve.

verschlu'cken (-shlŏŏk⁶n) swallow; *sich* ⁓ swallow the wrong way.

Verschlu'ß (-shlŏŏs) *m* fastener; *phot.* shutter; *unter* ⁓ under lock and key.

verschma'chten (-shmằнкt⁶n) (sn) languish, pine away; die (*od.* be dying) of thirst.   [scorn.]

verschmä'hen (-shmằ⁶n) disdain.

verschme'lz|en *v/t. u. v/i.* (sn) melt into one another; (*a. fig.*) fuse; *fig.* amalgamate; *Farben usw.:* blend; ♀ung *f* fusion; amalgamation.

ver|schme'rzen get over (the loss of); ⁓schmi'tzt (-shmĭtst) crafty; ⁓schmu'tzen (-shmŏŏts⁶n) *v/t.* soil; *v/i.* (sn) get dirty; ⁓schnau'fen (-shnowf⁶n) stop for breath; ⁓schnei'den (-shnīd⁶n) *Wein usw.:* blend; ♀schni'tt *m* blend.

verschnu'pf|en (-shnŏŏpf⁶n) *fig.* nettle, pique; *wörtlich:* ⁓t *sn* have a cold.

verschnü'ren (-shnür⁶n) cord; lace.

verscho'llen (-shŏl⁶n) not heard of (again); ♂⁄₂ presumed dead.

verscho'nen (-shōn⁶n) spare; *j-n mit et.* ⁓ spare a p. a th.

verschö'ner|n (-shōn⁶rn) embellish; ♀ung *f* embellishment.

verscho'ssen (-shŏs⁶n) *Farbe:* faded.

verschrä'nken (-shrĕ₂k⁶n) cross.

verschrei'b|en (-shrīb⁶n) use (in writing); ♂* prescribe (for a p.); ♂⁄₂ assign; *sich* ⁓ make a slip of the pen; ♀ung *f* assignment.

verschro'ben (-shrōb⁶n) eccentric.

verschro'tten (-shrŏt⁶n) scrap.

verschru'mpfen (-shrŏŏmpf⁶n) (sn) shrink.

verschu'ld|en (-shŏŏld⁶n) **1.** be guilty of; **2.** ♀ *n.* fault; ⁓et indebted; involved in debts; ♀ung *f* indebtedness.

verschü'tten *Flüssigkeit:* spill; (*versperren*) block; *Person:* bury alive.

verschwä'gert (-shvằg⁶rt) related by marriage.

verschwei'gen (-shvīg⁶n) conceal.

verschwe'nd|en waste, squander; lavish; ♀er *m* spendthrift, prodigal; ⁓erisch prodigal, lavish (*mit* of); ♀ung *f* waste, extravagance.

verschwie'gen (-shveeg⁶n) discreet; ♀heit *f* discretion.

verschwi'mmen (sn) become indistinct *od.* blurred.

verschwi'nden **1.** (sn) disappear, vanish; **2.** ♀ *n* disappearance.

verschwi'stert (-shvĭst⁶rt) brother and sister; *fig.* closely united.

verschwo'mmen vague; *paint.* woolly; *phot.* blurred.

verschwö'r|en (-shvŏr⁶n) forswear; *sich* ⁓ conspire; ♀er *m* conspirator; ♀ung *f* conspiracy.

verse'hen (-zé⁶n): **1.** *Amt usw.:* perform; (*übersehen*) overlook; *sich* ⁓ make a mistake; ⁓ *mit et.* provide with; **2.** ♀ *n* oversight, mistake; ⁓tlich inadvertently.

verse'nd|en (-zĕnd⁶n) send, dispatch, *bsd. Am.* ship; ♀ung *f* dispatch, shipment.

verse'ngen (-zĕ₂⁶n) singe, scorch.

verse'nk|en (-zĕ₂k⁶n) sink; ♀ung *f* sinking.

verse'ssen (-zĕs⁶n): ⁓ *auf* (*acc.*) mad after.

verse'tz|en (-zĕts⁶n) *v/t.* displace, *a. Schüler:* remove; *bsd. Am. Schüler:* promote; (*mit ea. vertauschen*) transpose; *Beamte:* transfer; (*verpfänden*) pawn, pledge; (*vermischen*) mix, *Schlag:* give, deal; *in e-e Lage, e-n Zustand* ⁓ put into; *v/i.* (*antworten*) reply; ♀ung *f* transfer; *Schule:* remove, *bsd. Am.* promotion.

verseu'ch|en (-zŏiç⁶n) infect; ♀ung *f* infection.

versi'cher|n (-zĭç⁶rn) assure (*a. Leben*); (*beteuern*) affirm; *Eigentum:* insure; ♀ung *f* assurance; affirmation; insurance; ♀ungsschein (-zĭç⁶rŏŏr₂s-shīn) *m* insurance-policy.

ver|sie'geln (-zeeg⁶ln) seal (up); ⁓sie'gen (-zeeg⁶n) (sn) dry up; ⁓si'lbern (-zĭlb⁶rn) silver; ⊕ silverplate; *fig.* realize; ⁓si'nken (-zĭ₂k⁶n) (sn) sink down; ⁓si'nnbildlichen (-zĭnbĭltlĭç⁶n) symbolize.

Ve'rsmaß (fĕrsmằhs) *n* metre.

versö'hn|en (-zŏn⁶n) reconcile (*mit* to); *sich* (*wieder*) ⁓ be reconciled; ⁓lich conciliatory; ♀ung *f* reconciliation.

verso'rg|en (-zŏrg⁶n) provide, supply; *Kind:* provide for; ♀ung *f* supply, provision; (*Brotstelle*) situation; ♀ungsbetrieb (-zŏrgŏŏr₂s-b⁶treep) *m* public utility.

*16**

verspä′t|en (-shpät⁵n): sich ~ be late; ~et belated, Am. tardy; 2ung f lateness, Am. tardiness; ~ h. be late.
verspei′sen (-shpiz⁵n) eat up.
verspe′rren bar, block up.
verspie′len (-shpeel⁵n) lose (at play).
verspo′tten scoff at, mock, deride.
verspre′chen 1. promise; sich ~ make a mistake in speaking; 2. 2 n promise.
verstaa′tlich|en (-shtäħtlĭç⁵n) nationalize; 2ung f nationalization.
Versta′nd (-shtäħnt) m understanding; (Erkenntnis) intellect; (Urteilsfähigkeit) judgment.
Versta′ndes|kraft f intellectual faculty; 2mäßig (-mäsĭç) rational; ~mensch m matter-of-fact person.
verstä′nd|ig (-shtĕndĭç) intelligent; (vernünftig) sensible; (richtig urteilend) judicious; ~igen (-ĭgʰ⁵n) inform (von of); sich ~ mit come to an understanding with; 2igung f information; (Übereinkunft) understanding; teleph. communication; ~lich (-t-) intelligible; sich ~ m. make o.s. understood (j-m by a p.).
Verstä′ndnis n comprehension, understanding; ~ h. für be appreciative of; 2los unappreciative; 2voll appreciative, knowing.
verstä′rk|en strengthen, (a. ✕) reinforce; (steigern) intensify; 2er (-röhre f) m Radio: amplifier (valve); 2ung f strengthening, reinforcement; intensification.
verstau′ben (-shtowb⁵n) get dusty.
verstau′ch|en (-shtowk⁵n), 2ung f sprain.
verstau′en (-shtow⁵n) stow away.
Verste′ck n hiding-place; 2en hide, conceal.
verste′h|e(n)n (-shtĕ[⁵]n) understand; (es) ~ zu inf. know (how) to ...; sich ~ auf (acc.) know well; sich ~ zu agree to; zu ~ geben intimate; ich verstehe! I see!; (das) versteht sich! that's understood!; was ~ Sie unter (dat.) ...? what do you mean by ...?; es versteht sich von selbst it stands to reason.
verstei′fen (-shtif⁵n) stiffen; ⊕ strut; sich ~ auf (acc.) make a point of. [auction.|
verstei′gern (-shtigʰ⁵rn) sell by|
verste′ll|bar (-shtĕl-) adjustable; ~en misplace; (versperren) block;

Stimme usw.: disguise; ⊕ shift; sich ~ dissemble; 2ung f dissimulation.
versteu′ern (-shtöi⁵rn) pay duty on.
verstie′gen (-shteegʰ⁵n) eccentric.
versti′mm|en put out of tune; fig. put out of humour; ~t out of tune; fig. cross; 2ung f ill-humour; zwischen zweien: ill-feeling.
versto′ckt (-shtökt) obdurate; 2-heit f obduracy.
versto′hlen (-shtöl⁵n) furtive.
versto′pf|en stop (up); clog; obstruct; ✍ constipate; 2ung f ✍ constipation.
versto′rben (-shtörb⁵n), 2e(r) m deceased, defunct, Am. decedent.
verstö′rt (-shtört) bewildered, scared; 2heit f bewilderment.
Versto′ß (-shtös) m offence; (Schnitzer) blunder; 2en v/t. expel (aus from); Frau: repudiate; Kind: disown; v/i. ~ gegen offend against; ~ung f expulsion.
verstrei′chen (-shtriç⁵n) v/i. (sn) elapse.
verstreu′en (-shtröi⁵n) scatter.
verstü′mmel|n (-shtüm⁵ln) mutilate; 2ung f mutilation.
Versu′ch (-zōōx) m attempt, trial; phys. usw. experiment; 2en try, attempt; (kosten) taste; j-n: tempt; es ~ mit give a p. od. a th. a trial; ~sballon (-bălörŋ) m fig. kite; 2s-weise by way of trial; ~ung f temptation. [sin (against).|
versü′ndigen (-zündĭgʰ⁵n): sich ~|
versu′nken (-zōōrŋk⁵n) fig.: ~ in absorbed (od. lost) in.
versü′ßen (~zŭs⁵n) sweeten.
verta′g|en (-tåħgʰ⁵n) (a. sich) adjourn; 2ung f adjournment.
vertau′schen (-towsh⁵n) exchange (gegen for).
vertei′dig|en (-tīdĭgʰ⁵n) defend; 2er(in f) m defender; ↗, fig. advocate; Fußball: back, Am. quarterback; 2ung f defence.
vertei′l|en (-til⁵n) distribute; 2er m distributor; 2ung f distribution.
verteu′ern (-töi⁵rn) raise the price of.
vertie′f|en (-teef⁵n) (a. sich) deepen; sich ~ in (acc.) plunge into; vertieft in (acc.) absorbed in; 2ung f (Höhlung) hollow, cavity.
verti′lg|en exterminate; Vorräte: consume; 2ung f extermination.

verto'nen (-tōnᵉn) set to music.

Vertra'g (-trǎhk) m contract; pol. treaty; 2en (-trǎhgʰᵉn) (aushalten) endure, stand; (dulden) bear; diese Speise kann ich nicht ~ this food does not agree with me; sich ~ Sachen: be compatible; Personen: agree; sich wieder ~ make it up; 2lich contractual, (adv. as) stipulated.

verträ'glich (-trǎklĭç) sociable.

vertrau'en (-trowᵉn) 1. trust (j-m a p.); ~ auf (acc.) trust (od. confide) in; 2. 2 n confidence, trust; im ~ confidentially; 2s-mann m man of confidence; confidential agent; 2s-sache (-zǎhκᵉ) f confidential matter; 2s-stellung f position of trust; ~s-voll trustful; 2s-votum (-vōtōōm) n vote of confidence; ~s--würdig trustworthy.

vertrau'lich (-trowlĭç) confidential; Verkehr: intimate, familiar; 2keit f confidence; intimacy, familiarity.

vertrau't (-trowt) intimate; familiar; 2e(r) m confidant(e f); 2heit f familiarity.

vertrei'b|en (-trībᵉn) drive away; expel; Ware: distribute; (sich) die Zeit ~ pass away; 2ung f expulsion.

vertre't|en (-trétᵉn): sich den Fuß ~ sprain; die Beine ~ stretch; j-m den Weg ~ stop a p.; j-n ~ represent; Ansicht: advocate; (verantworten) answer for; j-s Interesse ~ attend to; 2er(in f) m representative; † agent; (Fürsprecher) advocate; 2ung f representation; † agency; in ~ by proxy.

Vertrie'b (-treep) m sale, distribution; ~ene(r) (-treebᵉnᵉ[r]) expellee.

ver|tro'cknen (sn) dry (up); ~trö'deln (-trödᵉln) idle away; ~trö'sten (-trōstᵉn) put off; ~tu'schen (-tōōshᵉn) hush up; ~ü'beln (-übᵉln) take amiss; j-m et.: blame a p. for a th. ~-ü'ben commit, perpetrate.

ver-u'n|-einigen (-ōōnīnigʰᵉn): sich ~ fall out; ~glimpfen (-glimpfᵉn) disparage; ~glücken (-glükᵉn) (sn) meet with an accident; ~reinigen (-rīnĭgʰᵉn) soil; Wasser usw.: pollute; fig. defile; ~stalten (-shtǎhltᵉn) disfigure.

ver-u'ntreu|en (-trōiᵉn) embezzle; 2ung f embezzlement.

ver-u'rsachen (-ōōrzǎhκᵉn) cause.

ver-u'rteil|en (-ōōrtĭlᵉn) condemn (a. fig.); sentence; 2ung f condemnation.

vervie'lfältigen (-feelfĕltĭgʰᵉn) (a. sich) multiply; Schriftsatz: manifold; (nachbilden) reproduce.

vervo'llkommn|en (-fölkŏmnᵉn) perfect; 2ung f perfection.

vervo'llständig|en (-fölshtĕndĭgʰᵉn) complete; 2ung f completion.

verwa'chsen (-vǎhksᵉn) 1. (sn) grow together; 2. adj. deformed.

verwa'hren keep; fig. sich ~ protest (gegen against).

verwa'hrlos|en (-vǎhrlōzᵉn) (sn) be neglected; ~t (-st) uncared-for; P.: unkempt; 2ung f neglect.

Verwa'hrung f keeping; (Obhut) custody; fig. protest; in ~ geben give into charge; in ~ nehmen take charge of.   [deserted.|

verwai'st (-vist) orphan(ed); fig.|

verwa'lt|en (-vǎltᵉn) administer; manage; 2er (-vǎhltᵉr) m administrator; manager; (Guts~) steward; 2ung f administration; management.

verwa'nd|eln change, transform; 2lung f change; transformation.

verwa'ndt (-vǎhnt) related (mit to); fig. kindred, cognate (to, with); 2e(r) relative; 2schaft f relationship; (die 2en) relations pl.

verwa'rn|en, 2ung f caution.

verwä'ssern water (down).

verwe'chs|eln (-vĕksᵉln) mistake (mit for); (durch-ea.-bringen) confound (with); 2lung f mistake; confusion.

verwe'gen (-végʰᵉn), 2heit f daring.

ver|we'hren j-m et.: keep (od. debar) a p. from; et.: bar; ~wei'chlicht (-viçlĭçt) effeminate.

verwei'ger|n (-vigʰᵉrn) deny, refuse; 2ung f denial, refusal.

ver'weilen (-vilᵉn) stay, linger; fig. ~ bei et.: dwell on.

Verwei's (-vis) m reprimand; 2en (-vizᵉn) (verbannen) banish; Sport: warn (von der Bahn off the track); j-m et. ~ reprimand a p. for; ~ auf od. an (acc.) refer to; 2ung f banishment; reference (to).

verwe'lken (sn) fade, wither.

ver'wend|en m employ, use; apply (auf acc. to); Zeit, Mühe: spend; sich ~ für intercede for; 2ung f use, employment; intercession.

verwe'rf|en reject; ϝϊ quash; **~lich** objectionable.

verwe'rt|en (-vért⁴n) turn to account, utilize; (*zu Geld m.*) realize; **ℒung** *f* utilization; realization.

verwe's|en (-véz⁴n) *v/i.* (sn), **ℒung** *f* decay.

verwi'ckel|n entangle (*in acc.* in); **~t** *fig.* complicated; **ℒung** *f* entanglement; complication.

verwi'ldern (sn) run wild.

verwi'nden overcome, get over.

verwi'rklich|en realize; **ℒung** *f* realization.

verwi'rr|en (-vĭr⁴n) entangle; *fig. j-n:* perplex; **~t** confused; **ℒung** *f* entanglement; *fig.* confusion.

verwi'schen (-vĭsh⁴n) wipe (*od.* blot) out; (*a. fig.*) efface; (*undeutlich m.*) blur.

verwi'ttern (sn) weather.

verwi'twet (-vĭtv⁴t) widowed.

verwö'hn|en (-vŏn⁴n) spoil; coddle; **~t** (*wählerisch*) fastidious.

verwo'rfen (-vŏrf⁴n) depraved.

verwo'rren (-vŏr⁴n) *Gedanken:* confused; *Zustand:* intricate.

verwu'nden (-vŏŏnd⁴n) wound.

verwu'nder|n (-vŏŏnd⁴rn) astonish; *sich ~* wonder; **ℒung** *f* astonishment.

verwü'nsch|en, **ℒung** *f* curse.

verwü'st|en (-vüst⁴n) lay waste, devastate; **ℒung** *f* devastation.

verza'g|en (-tsähg⁴⁴n) despond; **~t** (-tsähkt) despondent; **ℒtheit** *f* despondency.

verzä'hlen (*sich*) miscount.

verzä'rteln (-tsärt⁴ln) pamper.

verzau'bern (-tsowb⁴rn) enchant, charm.   [sumption.]

verze'hr|en consume; **ℒung** *f* consumption.]

verzei'ch|nen (-tsiçn⁴n) note down, record; **~net** *paint.* out of drawing; **ℒnis** *n* list, catalogue; *amtlich:* register; *im Buch:* index.

verzei'h|en (-tsī⁴n) pardon (*j-m* a p.); **~lich** pardonable; **ℒung** *f* pardon.   [tion.]

verze'rr|en distort; **ℒung** *f* distor-]

verze'tteln (-tsĕt⁴ln) fritter away.

Verzi'cht (-tsiçt) *m* renunciation (*auf acc.* of); **ℒen** (*auf acc.*) renounce.

verzie'hen (-tsee⁴n) *v/i.* (sn) remove; *v/t.* (*verzerren*) distort; *Kind:* spoil.

verzie're|n (-tseer⁴n) adorn, decor-

---

ate; **ℒung** *f* decoration; (*Schmuck*) ornament.

verzi'ns|en (-tsĭnz⁴n) pay interest for; *sich ~* yield interest; **~lich** (-slĭç) bearing interest; **ℒung** *f* interest.

verzö'ger|n (-tsŏg⁴⁴rn) delay, retard; **ℒung** *f* delay, retardation.

verzo'llen pay duty on; *haben Sie et. zu ~?* have you anything to declare?

verzü'ck|t ecstatic; **ℒung** *f* ecstasy; *in ~ geraten* go into ecstasies.

Verzu'g (-tsŏŏk) *m* delay.

verzwei'f|eln (-tsvīf⁴ln) (h. *u.* sn) despair (*an dat.* of); **~elt** despairing; (*aussichtslos*) desperate; **ℒung** *f* despair.

verzwei'g|en (-tsvīg⁴⁴n) (*a. sich*) ramify; **ℒung** *f* ramification.

verzwi'ckt (-tsvĭkt) intricate.

Vestibü'l (vĕstībül) *n* vestibule.

Vetera'n (vĕtĕrä⁴n) *m* veteran, ex-service man.

Ve'to (vétō) *n* veto; *ein ~ einlegen gegen* put a veto upon.

Ve'tter (fĕt⁴r) *m* cousin; **~nwirtschaft** *f* nepotism.

vibrie'ren (vībreer⁴n) vibrate.

Vieh (fee) *n* cattle *pl.*; *weitS.*, *a. fig.* brute, beast; **~'händler** *m* cattle-dealer; **~'hof** (-hŏf) *m* stockyard.

vie'hisch (feeish) bestial, beastly, brutal.

Vie'h|stand (-shtähnt) *m* live stock; **~treiber** (-trĭb⁴r) *m* (cattle-) drover; **~wagen** (-vähg⁴⁴n) *m* livestock-wagon, *Am.* cattle box; **~weide** (-vīd⁴) *f* pasturage; **~zucht** (-tsŏŏkt) *f* cattle-breeding; **~züchter** *m* cattle-breeder.

viel (feel) much, *pl.* many; *sehr ~* a great deal; *sehr ~e pl.* a great many; *ziemlich ~ a* good deal (of); *ziemlich ~e pl.* a good many; **~'beschäftigt** (-b⁴shĕftĭçt) very busy; **~'deutig** (-dŏitĭç) ambiguous; **~'erlei** (-⁴rlī) of many kinds; **~'fach**, **~'fältig** (-fĕltĭç) multiple, manifold; *adv.* frequently; **ℒ'heit** *f* multiplicity; (*Menge*) multitude; **~lei'cht** (-līçt) perhaps, *bsd. Am.* maybe; **~'mals** (-mähls): *ich danke Ihnen ~* many thanks; **~'mehr** rather; **~'sagend** (-zähg⁴⁴nt) significant, suggestive; **~'seitig** (-zītĭç) many-sided; **~'versprechend** (-fĕr-shprĕç⁴nt) (very) promising; **ℒ'weiberei'** (-vīb⁴rī) *f* polygamy.

vier (feer) four; *unter* ～ *Augen* confidentially; ～'**beinig** (-bīnĭç) four--legged; 2'-**eck** n square; ～'-**eckig** square, quadrangular; 2'**er** m *Rudern*: four; ～'**fach,** ～'**fältig** (-fĕltĭç) fourfold, quadruple; ～'**füßig** (-fūsĭç) four-footed; 2'**füß(l)er** (-füs[l]ᵉr) m quadruped; ～'**händig** (-hĕndĭç) four-handed; ～'**jährig** (-yãrĭç) four-years-old; 2**mä'chtebesprechung** (-mĕçtᵉbᵉshprĕçōōrg) f four-power talk; ～'**motorig** (-mŏtōrĭç) four-engined; ～'**schrötig** (-shrŏtĭç) square-built; ～'**seitig** (-zītĭç) four-sided; ♃ quadrilateral; 2'**sitzer** (-zĭtsᵉr) m four-seater; 2'**spänner** (-shpĕnᵉr) m, ～'**spännig** four-in-hand; ～'**stöckig** (-shtŏkĭç) four-storied; 2'**taktmotor** (-tăhktmōtōr) m mot. four-stroke engine; ～'**te(r)** fourth; ～'**teilen** (-tīlᵉn) quarter.

Vie'rtel (fīrtᵉl) n fourth (part); (*Maß*; *Stadt2*; *Mond2*) quarter; *ein* ～ (*auf*) *fünf* a quarter past four; ～**ja'hr** n three months, quarter (of a year); 2**jä'hrlich** (-yãrlĭç) every three months, quarterly; 2**pfu'nd** (-pfōōnt) n quarter of a pound; ～**stu'nde** (-shtōōndᵉ) f quarter of an hour.

vie'r|tens (feertᵉns) fourthly; 2-**teltakt** m common time; ～**zehn** fourteen; ～ *Tage* a fortnight.

vie'rzig (fīrtsĭç) forty; ～**ste(r)** fortieth.

Vi'lla (vīlăh) f villa; ～**enkolonie** (-ᵉnkōlōnee) f garden-city.

viole'tt (vĭōlĕt) violet.

Violi'ne (vĭōleenᵉ) ♃ f violin.

Virtuo'|se (vīrtōōōzᵉ) m, ～**sin** f virtuoso; ～**sitä't** f virtuosity.

Visie'r (vĭzeer) n am *Helm*: visor; *am Gewehr*: sight; 2en v/t. Paß: visé; v/i. (take) sight.

Visit|atio'n (veezĭtăhts'ōn) f (*Durchsuchung*) search; (*Besichtigung*) inspection; ～**enkarte** (-vĭzeetᵉn-) f visiting-card, *Am.* calling card.

Vi'sum (veezōōm) n visé, visa.

Vi'ze.. (veetsᵉ-) *meist* vice...; ～**könig** (-kōnĭç) m viceroy.

Vo'gel (fōgᵉl) m bird; F *fig.* e-n ～ *h.* have a bee in one's bonnet; *fig. den* ～ *abschießen* steal the show; ～**bauer** (-bowᵉr) n (m) bird-cage; ～**flinte** f fowling-piece; 2**frei** (-frī) outlawed; ～**futter** (-fōōtᵉr) n bird--seed; ～**händler** m bird-seller; ～**liebhaber(in** f) (-leephãhbᵉr) m bird-fancier; ～**nest** n bird's nest; ～**perspektive** (-pĕrspĕkteevᵉ), ～**schau** (-show) f bird's-eye view; ～**scheuche** (-shŏiçᵉ) f scarecrow; ～**Strau'ß-Politik** (-shtrowspōlīteek) f: ～ *betreiben* stick one's head in the sand; ～**zug** (-tsōōk) m passage of birds.

Vogt (fōkt) m bailiff.

Voka'bel (vōkăhbᵉl) f word.

Voka'l (vōkăhl) m vowel.

Vola'nt (vōlãrg) m *Schneiderei*: flounce; *mot.* steering-wheel.

Volk (fōlk) n people, nation; *contp.* mob; (*Bienen2*) swarm.

Vö'lker|friede (fōlkᵉrfreedᵉ) m international peace; ～**kunde** (-kōōndᵉ) f ethnology; ～**recht** n law of nations, international law; ～**wanderung** f migration of nations.

vo'lkreich (fōlkrĭç) populous.

Vo'lks|-abstimmung f plebiscite; ～**bibliothek** (-beeblĭōték) f people's (free) library; ～**dichter** m popular (*od.* national) poet; ～**fest** n public merry-making; national festival; ～**gunst** (-gōōnst) f popularity; ～**herrschaft** f democracy; ～**hochschule** (-hōkshōōlᵉ) f University Extension; adult education courses *pl.*; ～**justiz** (-yōōsteets) f lynch law; ～**küche** (-kūçᵉ) f (public) soup-kitchen; ～**lied** (-leet) m folk--song; ～**menge** f multitude; ～**partei** (-pãhrtī) f people's party; ～**redner** (-rédnᵉr) m popular speaker; (*Agitator*) mob (*od.* stump) orator; ～**schicht** f stratum of (the) people; ～**schule** (-shōōlᵉ) f elementary school; ～**schullehrer** (-shōōlérᵉr) m elementary (*Am.* grade) teacher; ～**sprache** (-shprãhkᵉ) f vernacular; ～**stamm** m tribe; ～**stimmung** f public feeling; ～**tanz** m folk-dance; ～**tracht** f national costume; ～**tum** n nationality; 2**tümlich** (-tŭmlĭç) national; (*beim Volke beliebt*) popular; ～**versammlung** (-fĕrzăhmlōōrg) f public meeting; ～**vertretung** (-fĕrtrétōōrg) f representation of the people; ～**wirt** m economist; ～**wirtschaft** f political economics *pl. od.* economy; ～**zählung** f census.

voll (fōl) full; (*ganz*) whole, entire; *mit* ～**em** *Rechte* with perfect right;

aus ~em Herzen from the bottom of one's heart; *j-n für ~ ansehen* take a p. seriously; *~er Knospen usw.* full of; *~'-auf* (-owf) abundantly; 2'**bad** (-bāʌt) *n* ordinary bath; 2'-**bart** (-bāʌrt) *m* full beard; *~'*be**schäftigt** (-bᵉshěftĭçt) fully employed; 2'**blut**(-pferd) (-blōōt [-pfért]*n* thoroughbred (horse); *~'-*blütig (-blütĭç) full-blooded; *ꝟ* plethoric; *~*bri'ngen accomplish, achieve; 2bri'ngung *f* accomplishment, achievement; 2'**dampf** *m* full steam; *fig. mit ~ at* full blast; *~e'nden* finish; *(vervollständigen)* complete; *~e'ndet* perfect; *~'*ends (fōlᵉnts) altogether; 2e'**ndung** *f* finishing; *Zustand:* perfection.

Völlerei' (fōlᵉrī) *f* gluttony.

vo'll|**fü'hren** execute; 2gas (-gāʌs) *n mot.* full throttle; *~*gepfropft (-gᵉpfröpft) crammed; *~*gießen (-gees⁴n) fill (up); 2gummireifen (-gŏŏmeerif⁴n) *m* solid tyre.

vö'llig (fōlĭç) entire; complete.

vo'll|jährig (-yärĭç) of age; 2jährigkeit *f* full age; *~*ko'mmen perfect; 2ko'mmenheit *f* perfection; 2-kornbrot (-körnbrōt) *n* wholemeal bread; *~*machen fill (up); *(be-schmutzen)* dirty; 2macht *f* full power; *ꝶꝶ* power of attorney; 2-matrose (-māʌtrōz⁴) *m* able-bodied seaman; 2milch *f* rich milk; 2-mond (-mōʌnt) *m* full moon; *~*spurig (-shpōōrĭç) *ꝸꝸ* standard-gauge; 2ständig complete; *~*stopfen stuff, cram; *~*stre'cken execute; 2stre'ckung *f* execution; *~*tönend sonorous; 2treffer *m* direct hit; 2versammlung (-fěrzăʌmlōōr̩) *f* plenary meeting; *~*wertig (-vértĭç) full; *~*zählig (-tsălĭç) complete; *~*zie'hen (-tsee⁴n) execute; *die ~de Gewalt* the executive; *sich ~* take place; 2zie'hung *f* execution. [clerk.]

Volontä'r (vōlŏtär) *m ꝸꝸ* unsalaried/

Volu'men (vōlōōm⁴n) *n* volume.

von (fön) *örtlich:* from; *für den Genitiv:* of; *beim Passiv:* by; *~ ... an* from; *~ Holz* (made) of wood; *~ sich aus* of oneself; *~*sta'tten (-shtăʌt⁴n): *~ gehen* proceed.

vor (fōr) *zeitlich u. räumlich:* before; *räumlich:* in front of; *(~ soundso langer Zeit)* ago; *(früher als)* prior to; *(schützen usw. ~)* from, against;

(~ Freude, Kälte usw.) with; *~ e-m Hintergrund* against; *~ Hunger sterben* die of hunger; *~ acht Tagen* a week ago; *5 Minuten ~ 9* five minutes to *(Am.* of) 9; *~ allen Dingen* above all; *~ sich gehen* take place, pass off; *fig. et. ~ sich h.* be in for a th.

Vo'r|-**abend** (-āʌb⁴nt) *m* eve; *~*-**ahnung** *f* presentiment, foreboding.

vora'n (fōrăʌn) before, at the head *(dat.* of); *~*geh(e)n (-gʰé[⁴]n) (sn) lead the way; *fig.* take the lead; *zeitlich u. räumlich:* precede (*j-m usw.* a p., *etc.*).

Vo'r-anschlag (-ăʌnshlāʌk) *m* (rough) estimate.

Vo'r-anzeige (-ăʌntsigʰᵉ) *f* previous notice. [man; *Am.* gangboss.]

Vo'r-arbeiter (-āʌrbīt⁴r) *m* fore-/

vorau'f (fōrowf) = voran.

vorau's (fōrows) in front, ahead *(dat.* of); *im ~* beforehand, in advance; *~*bestellen order in advance; *~*bezahlen pay in advance, prepay; *~*geh(e)n (-gʰé[⁴]n) (sn) walk on in advance; s. *a. vorange-hen*; 2sage (-zāʰgʰᵉ), 2sagung *f* prediction; *(Wetter*2) forecast; *Sport:* tip; *~*sagen foretell, predict; *~*sehen (-zé⁴n) foresee; *~*setzen (pre)suppose, presume; *~*gesetzt, *daß* provided that; 2setzung *f* (pre)supposition; *s.* Vorbedingung; 2sicht *f* foresight; *~*sichtlich presumable, likely; 2zahlung *f* advance instalment.

Vo'rbedacht 1. *m: mit ~* deliberately; **2.** 2 premeditated.

Vo'rbedeutung (-bᵉdŏĭtōōr̩) *f* foreboding, omen.

Vo'rbedingung *f* pre-condition, pre-requisite.

Vo'rbehalt (-bᵉhăʌlt) *m* reservation; reserve; 2en: *sich ~ reserve* to o.s.

vorbei' (fōrbī) along, by; *zeitlich:* over, past; *~*geh(e)n (-gʰé[⁴]n) (sn) pass by (*an j-m* a p.); *~*lassen let pass; 2marsch *m* march(ing) past.

Vo'rbemerkung *f* preliminary remark *od.* notice.

vo'rbereit|en (-bᵉrīt⁴n) prepare; 2ung *f* preparation.

Vo'rbesprechung (-bᵉshprěçōōr̩) *f* preliminary discussion.

vo'rbestraft(-bᵉshträʌft) previously convicted.

vo'rbeugen (-bŏigʰᵉn) *v/i.* (*dat.*) prevent, obviate; *v/t.* (*a. sich*) bend forward; ∼d preventive; ⁂ prophylactic.

Vo'rbild *n* model; prototype; 2lich exemplary, typical; ∼ung *f* preparatory training.

vo'rbringen produce; *Meinung:* advance; (*aussprechen*) utter.

vo'rdatieren (-dăhteerᵉn) antedate.

vo'rder (fŏrdᵉr) front, fore; 2bein (-bĭn) *n* foreleg; 2grund (-grŏŏnt) *m* foreground; 2haus (-hows) *n* front building; 2mann ⋈ *m* front-rank man; 2rad (-răht) *n* front wheel; 2seite (-zītᵉ) *f* front (side); ∼st foremost; 2teil (-tīl) *m* (*n*) front; 2tür (-tür) *f* front door; 2zimmer *n* front room.

vo'rdrängen (*sich*) push forward.

vo'rdring|en (sn) advance; ∼lich urgent; (*zudringlich*) intrusive.

Vo'rdruck (-drŏŏk) *m amtlicher:* form.

vo'r-eilig (-īlĭç) hasty, rash, precipitate.

vo'r-eingenommen (-ĭngᵉⁿnŏmᵉn) prejudiced, biassed; 2heit *f* prejudice, bias.

Vo'r|eltern *pl.* ancestors; 2-enthalten (-ĕnthähltᵉn) withhold (*j-m* from a p.); 2-erwähnt (-ĕrvänt) before-mentioned.

Vo'rfahr (-fähr) *m* ancestor; 2en (sn) drive up (*bei* to); ∼trecht *n* right of way, priority.

Vo'rfall *m* occurrence, incident; 2en (sn) happen, occur.

vo'rführ|en produce, present; demonstrate; *Film:* project; 2er *m* *Kino:* projectionist; 2ung *f* production; demonstration; projection.

Vo'rgabe (-gähbᵉ) *f Sport:* points (*od.* odds) *pl.* given; handicap.

Vo'rgang *m* occurrence, event; (*Hergang*) proceedings *pl.*

Vo'rgänger (-gᵉⁿᵉr) *m,* ∼in *f* predecessor.

vo'rgeben (-gᵉⁿᵉn) **1.** *v/t.* (*behaupten*) pretend; *v/i. Sport:* give odds; **2.** 2 *n* pretence, pretext.

Vo'rgebirge *n* promontory.

vo'rgeblich (-gᵉⁿᵉⁿᵉⁿ) pretended.

Vo'rgefühl *n* presentiment.

vo'rgeh(e)n (-gᵉⁿᵉⁿᵉⁿ) **1.** (sn) advance; *Uhr:* be fast; *nach Rang od.* *Wichtigkeit:* precede; (*handeln*) take action; (*verfahren*) proceed (*a.* ᵍⁿ);

(*sich ereignen*) occur, happen; **2.** 2 *n* proceeding.

Vo'rgeschmack *m* foretaste.

Vo'rgesetzte(r) (-gᵉⁿᵉⁿzĕtstᵉ[r]) *m* superior.

vo'rgestern the day before yesterday.

vo'rgreifen (-grĭⁿᵉⁿ) anticipate (*j-m* a p.).

vo'rhaben (-hähbᵉn) **1.** (*beabsichtigen*) intend; (*beschäftigt sn mit*) be busy with; *nichts* ∼ (*Zeit h.*) be at a loose end; **2.** 2 *n* intention, purpose.

Vo'rhalle *f* (entrance)hall, lobby.

vo'rhalt|en *v/t. j-m et.* ∼ hold a th. before a p.; *fig.* reproach a p. with a th.; *v/i.* last; 2ung *f* remonstrance.

vorha'nden (-hähndᵉn) at hand; ✝ on hand; (*bestehend*) existing; 2sein *n* existence.

Vo'rhang *m* curtain, *Am.* shade.

Vo'rhängeschloß (-hĕⁿᵉⁿshlŏs) *n* padlock.

vo'rhe'r (fŏrhér) before, previously; (*voraus*) beforehand; ∼bestellen book; ∼bestimmen determine beforehand; ∼geh(e)n (-gᵉⁿᵉⁿ) (sn; *dat.*) precede (*acc.*).

vorhe'rig preceding, previous.

Vo'rherr|schaft *f* predominance; 2schen predominate, prevail.

vorhe'r|sagen (-zähgᵉⁿᵉⁿ) foretell; ∼sehen (-zéᵉⁿ) foresee; ∼wissen (-vĭsᵉn) foreknow.

vo'rhi'n a little while ago.

Vo'rhof (-hŏf) *m* outer (*ed.* fore-) court.

Vo'rhut (-hŏŏt) ⋈ *f* vanguard.

vo'rig (fŏrĭç) last.

vo'rjährig (-yärĭç) of last year.

Vo'rkämpfer(in *f*) *m* champion.

Vo'rkehrung *f* precaution.

Vo'rkenntnisse *f/pl.* preliminary knowledge, elements.

vo'rkomm|en **1.** (sn) occur; *es kommt mir vor* it seems to me; **2.** 2en *n,* 2nis *n* occurrence.

Vo'rkriegs... (-kreeks...) pre-war.

vo'rlad|en (-lähdᵉn) summon; 2ung *f* summons *sg.*

Vo'rlage (-lähgᵉ) *f* copy; pattern; *parl.* bill.

vo'rlass|en let pass before; (*zulassen*) admit; 2ung *f* admittance.

Vo'rläuf|er (-lŏifᵉr) *m,* ∼erin *f* forerunner; 2ig provisional.

vo'rlaut (-lowt) forward, pert.

Vo'rleben (-lébᵉn) *m* antecedents *pl.*

vo'rlegen (-légʰᵉn) put before *a p.*, *a th.*; *zur Prüfung*: submit; (*vorbringen*) produce; *Schloß*: put on; *bei Tisch*: help *a p.* to *a th.*; *sich ~* lean forward.

Vo'rleger *m* (*Bett2 usw.*) rug.

vo'rles|en (-lézᵉn) read (*j-m* to *a p.*); **2ung** *f* lecture (*über acc.* on).

vorle'tzt last but one.

Vo'rliebe (-leebᵉ) *f* predilection, preference.

vorlie'bnehmen (förleep-): *~ mit* be satisfied with, put up with.

vo'rliegen (-leegʰᵉn) lie before; *~d* present, in question, in hand.

vo'rlügen (-lügʰᵉn): *j-m et. ~* tell *a p.* lies.

vo'rmachen put before; *j-m et. ~* show *a p.* how to do *a th.*; *zur Täuschung*: impose upon *a p.*

Vo'rmarsch *m* advance.

vo'rmerken note (down); (*bestellen*) book; *bsd. Am.* reserve.

Vo'rmittag (-mitāhk) *m* morning, forenoon; **2s** in the morning.

Vo'rmund (-mōont) *m* guardian, trustee; **~schaft** *f* guardianship.

vorn (förn) in front; *von ~ from* (*od.* at) the beginning.

Vo'rname (-nāhmᵉ) *m* Christian name, *Am.* first name.

vo'rnehm (förném) of (superior) rank, distinguished; noble; *S.*: fashionable; *~ tun* give o.s. airs; *~en* (*beginnen*) undertake; (*sich*) *j-n ~* take *a p.* to task; *sich et. ~* resolve (up)on *a th. od.* to *inf.*; *~st fig.* principal.

vo'rnherein (förnhĕrīn): *von ~* from the first.

Vo'r|-ort *m* suburb; *~(orts...)* suburban; *~posten* *m* outpost; *~rang* *m* precedence (*vor dat.* of); priority; *~rat* (-räht) *m* store, stock; **2-rätig** (-rätiç) on hand, in stock; **2rechnen** reckon up (to *a p.*); *~recht* *n* privilege; *~rede* (-rédᵉ) *f* preface; **2reden** *j-m et.*: tell *a p.* tales; *~redner* *m* previous speaker; *~richtung* *f* contrivance, device; *~rücken* *v/t.* put forward; *v/t.* (sn) advance; *~runde* (-rōondᵉ) *f Sport*: preliminary round; **2sagen** (-zähgʰᵉn) *j-m*: prompt *a p.*; *~saison* (-zĕzg) *f* pre-season; *~satz* (-zähts) *m* design, purpose; **2sätzlich** intentional, deliberate.

Vo'r|schein (-shīn) *m*: *zum ~ bringen* (kommen) bring (come) forward; **2schieben** (-sheebᵉn) *Riegel*: slip; *als Entschuldigung usw.*: plead, pretend; **2schießen** (-sheesᵉn) *Summe*: advance; *~schlag* (-shlāhk) *m* proposition, proposal; *parl.*motion; **2schlagen**(-shlāhgʰᵉn) propose; *~schlußrunde* (-shlōosrōondᵉ) *f Sport*: semifinal; **2schnell** hasty; rash; **2schreiben** (-shrībᵉn) prescribe; *~schrift* *f* (*bsd. 𝕛*) prescription; direction, instruction; (*Dienst2*) regulation(s *pl.*); *~schriftsmäßig* (-shrīftsmäsiç) according to regulations; *~schub* (-shōōp) *m* assistance; *~schule* (-shōōlᵉ) *f* preparatory school; *~schuß* (-shōōs) *m* advance(d money); *f. d. Anwalt*: retaining fee; **2schützen** pretend, plead; **2sehen** (-zéᵉn) provide for *a th.*; *sich ~* take care; *~sehung* *f* Providence; **2-setzen** (*dat.*) place, put *od.* set before.

Vo'rsicht (förzíçt) *f* caution; *~!* look out!; *Aufschrift*: with care!; **2ig** cautious; *~smaßregel* (-māhsrégʰᵉl) *f* precautionary measure.

Vo'rsitz (förzīts) *m* presidency, chair; *den ~ h.* be in the chair, preside (*bei* over); *~ende* *f* chair woman; *~ende(r)* *m* chairman, president.

Vo'rsorg|e (förzórgᵉ) *f* providence; *~ treffen* make provision; **2en** provide; **2lich** (-klí̦) provident.

vo'rspiegel|n (-shpeegʰᵉln) *j-m et.*: delude a p (with false hopes); **2ung** *f* pretence

Vo'rspiel (förshpeel) *n* prelude.

vo'r|sprechen: *bei j-m ~* call on; *~springen* (sn) jump forward; △ project; **2sprung** (-shprōo₍) *m* △ projection; *fig* start, advantage (*vor dat.* of); **2stadt** *f* suburb; *~städtisch* suburban; **2stand** *m* board of directors, managing (*od.* executive) committee.

vo'rsteh|en (-shtéᵉn) project, protrude; *e-r S.*: direct; manage; **2er** (-in *f*) *m* director, manager(ess *f*).

vo'rstell|en put before; *Uhr*: put on; *j-n j-m*: introduce; (*bedeuten*) stand for; (*dar.'tel:en*) represent; *j-m et. ~* remonstrate with a p. about a th.; *sich et. ~* imagine, fancy; **2ung** *f* introduction;

thea. performance; (*Begriff*) idea, conception; (*~svermögen*) imagination; (*Mahnung*) remonstrance.

Vo'r|stoß (-shtōs) *m* ✕ push, dash (*a. fig.*); **~strafe** (-shträ*h*fᵉ) *f* previous conviction; **2strecken** stretch forward; protrude; *Geld:* advance; **2täuschen** (-tōish*ᵉ*n) feign.

Vo'rteil (fōrtīl) *m* advantage, profit; *Tennis:* (ad)vantage; **2haft** advantageous, profitable (*für* to).

Vo'rtrag (fōrträ*h*k) *m* performance, *bsd.* ♪ execution; *Gedicht:* recitation; (*Vorlesung*) lecture; (*Bericht*) report; ✝ balance carried forward; **2en** (-trä*h*g*ʰᵉ*n) (*berichten*) report on; (*hersagen*) recite; (*Vortrag halten*) lecture on; ♪ execute; ✝ carry forward; **~ende(r)** performer; lecturer.

vortre'fflich excellent; **2keit** *f* excellence.

vo'rtreten (-trét*ᵉ*n) (sn) come forward; (*vorragen*) protrude.

Vo'rtritt *m* precedence.

vorü'ber (fōrǖb*ᵉ*r) by, past; *zeitlich:* over, past; **~geh(e)n** (-g*ʰ*é[*ᵉ*]n) (sn) pass; go by; **~gehend** passing; (*zeitweilig*) temporary; **2gehende(r)** passer-by.

Vo'r|-übung (-übōō*ŋ*) *f* preliminary practice; **~untersuchung** (-ōōnt*ᵉ*rzōōkōō*ŋ*) *f* preliminary trial; **~urteil** (-ōōrtīl) *n* prejudice; **~verkauf** (-fĕrkowf) *m* advance sale; *thea.* booking in advance; **2verlegen** (-fĕrlég*ʰᵉ*n) advance; **~wand** (-vä*h*nt) *m* pretext, pretence.

vo'rwärts (fōrvĕrts) forward, on-ward, on; **~!** go ahead!; **~kommen** (sn) make headway; *fig.* get on.

vorwe'g (fōrvĕk) beforehand; **~nehmen** anticipate.

vo'rwerfen *fig.* *j-m et.*: reproach a p. with a th.

vo'rwiegen (-veeg*ʰᵉ*n) preponderate; **~d** preponderant.

vo'rwitzig inquisitive; (*vorlaut*) forward.

Vo'rwort *n* foreword.

Vo'rwurf (fōrvōōrf) *m* reproach; *Kunst:* subject; **~** *m. s. vorwerfen*; **2voll** reproachful.

vo'rzählen enumerate.

Vo'rzeichen (fōrtsiç*ᵉ*n) *n* omen.

vo'rzeichnen (*angeben*) indicate.

vo'rzeig|en (-tsig*ʰᵉ*n) produce, show; **2er** *m:* **~** *dieses* the bearer of this.

vo'rzeitig (-tsītiç) premature.

vo'rziehen (-tsee*ᵉ*n) draw forth; *fig.* prefer.

Vo'rzimmer *n* antechamber.

Vo'rzug (fōrtsōōk) *m* preference; (*Vorteil*) advantage; (*gute Eigenschaft*) merit; (*Vorrang*) priority; 🚂 relief train.

vorzü'glich (-tsüklíç) excellent, superior, exquisite; **2keit** *f* excellence, superiority.

Vo'rzugs... preferential; **~aktien** (-ä*h*kts*ⁱᵉ*n) *f/pl.* preference shares; **~preis** (-pris) *m* special price; **2weise** preferably.

Vo'tum (vōtōōm) *n* vote.

vulgä'r (vōōlgä̀r) vulgar.

Vulka'n (vōōlkä*h*n) *m* volcano; **2isch** volcanic.

W

Waa'g|e (vähg⁴ᵉ) f balance; *die* ~ *halten* (*dat.*) counterbalance; **2e-recht** horizontal, level; **~schale** (-shähl⁴) f scale.

Wa'be (vähb⁴) f honeycomb.

wach (vähκ) *pred.* awake; ~ *w.* awake; **2'e** (vähκ⁴) f watch, guard; (*Wachtlokal*) guardroom; (*Schild2*) sentry; ~ *h.* be on guard *od.* on duty; ~ *halten* keep watch; **~'en** be awake; (*achtgeben*) watch; *bei j-m* ~ sit up with a p.

Wachs (vähks) *n* wax.

wa'chsam watchful, vigilant; **2keit** f vigilance.

wa'chsen (vähksᵉn) *v/i.* (sn) grow; *fig.* increase; *v/t.* wax.

wä'chsern (věks⁴rn) *fig.* waxen.

Wa'chs|licht *n* wax candle; **~tuch** (-tōōk) *n* oilcloth.

Wa'chstum (vähkstōōm) *n* growth.

Wacht (vähκt) f guard, watch.

Wä'chter (věçt⁴r) *m* watchman.

Wa'cht|feuer (-fôi⁴r) *n* watch-fire; **2habend** (-hähb⁴nt) on duty; **~meister** (-mist⁴r) *m* (*Am.* first) sergeant; **~turm** (-tōōrm) *m* watch-tower.

wa'ck(e)lig shaky, tottery; loose.

wa'ckeln (vähk⁴ln) shake; totter; *Zahn*: be loose; ~ *mit* wag *a th.*

wa'cker (vähk⁴r) brave, gallant.

Wa'de (vähd⁴) f calf (of the leg).

Wa'ffe (vähf⁴) f weapon, arm.

Wa'ffel (vähf⁴l) f wafer, waffle.

Wa'ffen|fabrik (-fähbreek) f (manu)factory of arms, *Am.* armory; **~gattung** f arm; **~gewalt** f force of arms; **2los** unarmed; **~schein** (-shin) *m* licence for carrying arms; *Am.* gun license; **~stillstand** (-shtilchtähnt) *m* armistice, truce.

wa'ge|halsig (vähg⁴ehählzïç) foolhardy, daring; **2mut** (~mōōt) *m* daring (courage).

wa'gen¹ (vähg⁴ᵉn) venture (*a. sich*); risk; (*sich getrauen*) dare.

Wa'gen² (vähg⁴ᵉn) *m* carriage (*a. ⑤, Am.* car); (*Fracht* 2) wag(g)on; (*Karren*) cart; (*Kraft2*) car; (*Gepäck~, Möbel2*) van.

wä'gen (vähg⁴ᵉn) weigh (*a. fig.*).

Wa'gen|führer *m* driver; **~heber** (-héb⁴r) *m* (lifting-)jack; **~schmiere** (-shmeer⁴) f cart-grease; **~spur** (-shpōōr) f rut.

Waggo'n (vähgōrᵍ) *m* railway carriage, *Am.* railroad car.

Wa'gnis (vähknïs) *n* venture.

Wahl (vähl) f choice; (*Auslese*) selection; *pol.* election; *fig. die* ~ *h.* have one's choice. [eligibility.]

wä'hlbar (vählbähr) eligible; **2keit**

wa'hl|berechtigt (-b⁴rěçtïkt) entitled to vote; **2beteiligung** (-b⁴tïlïgōōrᵍ) f voting; **2bezirk** *m* electoral district.

wä'hlen (väl⁴n) choose; (*auslesen*) select; *pol.* elect; (*s-e Stimme abgeben*) vote; *teleph.* dial.

Wa'hl-ergebnis (vählěrg⁴épnïs) *n* election result *od.* return.

Wä'hler|(in f) *m* elector, voter; **2isch** particular, fastidious; **~schaft** f constituency; **~scheibe** (-shïb⁴) f *teleph.* selector dial.

Wa'hl|fach *n* Schule, *univ.* optional (*Am.* elective) subject; **2fähig** (-fäïç) *aktiv:* having a vote; *passiv:* eligible; **~kampf** *m* electoral contest; **~kreis** (-kris) *m* constituency; **~lokal** (-lōkähl) *n* polling-place, *Am.* wardroom; **2los** (-lōs) indiscriminate; **~recht** *n* franchise; **~rede** (~réd⁴) f election-speech; **~spruch** (-shprōōk) *m* device, motto; **~stimme** f vote; **~urne** (-ōōrn⁴) f voting-box; **~versammlung** (-fěrzähmlōōrᵍ) f electoral assembly, *Am.* caucus; **~zelle** f polling-booth; **~zettel** *m* voting-paper.

Wahn (vähn) *m* delusion.

wä'hnen (vän⁴n) *v/i.* fancy.

Wa'hn|sinn (-zïn), **~witz** *m* madness; *fig.* frenzy; **2sinnig**, **2witzig** insane, mad; *fig.* frantic; **~sinnige** (-zïnïg⁴) f madwoman; **~sinnige(r)** *m* madman.

wahr (vähr) true; **~'en** take care of, preserve; maintain; *den Schein* ~ keep up appearances.

wä'hren (vär⁴n) continue, last; ⸗d
1. *prp.* (*gen.*) during; 2. *cj.* while,
whilst; *Gegensatz*: whereas.

wa'hrhaft, ⸗'ig true; truthful,
veracious; *adv.* truly, really.

Wa'hrheit (vä*h*rhit) f truth; F j-*m*
die ⸗ sagen (*schelten*) give a p. a
piece of one's mind; ⸗sgetreu
(-gʰᵉtröi) truthful; ⸗sliebend (-lee-
bᵉnt) truthful, veracious.

wa'hr|lich truly; ⸗nehmbar
(-ném-) perceptible; ⸗nehmen
perceive, notice; *Gelegenheit*: make
use of; *Interesse*: look after; *Termin*:
follow; ⸗nehmung f perception,
observation; (*Sorge für et.*) care
(of); ⸗sagen (-zähgʰᵉn) tell fortunes; ⸗2'sager(in f) m fortune-
-teller; ⸗schein'lich (-shinlïç)
probable, likely; ⸗schei'nlichkeit
f probability, likelihood; ⸗spruch
(-shpröok) m verdict.

Wa'hrung (vä*h*röör̪) f maintenance.

Wä'hrung (vär̄öör̪) f currency.

Wa'hrzeichen (vä*h*rtsiç⁴n) n landmark; distinctive mark *od.* sign.

Wai'se (viz⁴) f orphan; ⸗nhaus
(-hows) n orphan-asylum.

Wal (vä*h*l) m whale.

Wald (vä*h*lt) m wood, forest; ⸗'-
brand m forest-fire; ⸗'hüter m
forest ranger; 2'ig woody, wooded;
2'reich (-riç) rich in forests;
⸗'ung f forest.

Wa'lfisch (vä*h*l-) m whale; ⸗fänger
m whaler; ⸗tran (⸗trä*h*n) m train-
-oil.

wa'lken (vä*h*lk⁴n) full.

Wall (vä*h*l) m ✕ rampart; (*Damm*)
dam; (*Erd*2) mound.

Wa'llach (vä*h*lä*h*k) m gelding.

wa'llen (vä*h*l⁴n) (sn *u.* h.) wave,
undulate; (*sieden*) boil.

Wa'll|fahrer(in f) m pilgrim; ⸗
fahrt f pilgrimage; 2fahr(t)en (sn)
go on a pilgrimage.

Wa'llung f boiling, (*a. fig.*) ebullition.

Wa'l|nuß (vä*h*lnöös) f walnut; ⸗roß
n walrus; ⸗statt f battle-field.

wa'lten (vä*h*lt⁴n) 1. govern, rule;
2. 2 n rule.

Wa'lze (vä*h*lts⁴) f cylinder; ⊕ roll;
(*Straßen*2) roller; ♪ barrel; 2n v/t.
roll; v/i. (*Walzer tanzen*) waltz.

wä'lzen (vëlts⁴n) (*a. sich*) roll; *fig.*
von sich ⸗ release o.s. from *a th.*

Wa'lzer (vä*h*lts⁴r) ♪ m waltz.

Wand (vä*h*nt) f wall; (*Scheide*2)
partition; (*Seitenfläche*) side.

Wa'ndel (vä*h*nd⁴l) m change; 2bar
changeable, variable; ⸗gang m,
⸗halle f lobby; 2n v/i. (sn) walk;
v/t. (*a. sich*) change; ⸗stern m
planet.

Wa'nder|er(in f) m wanderer, tra-
veller; ⸗leben (-lébᵉn) n vagrant
life; 2n (vä*h*nd⁴rn) (sn) wander,
travel; *bsd. sportlich*: hike; ⸗pre-
diger (-prédigʰᵉr) m itinerant
preacher; ⸗preis (-prïs) m challenge
trophy; ⸗schaft f travelling, travels
pl.; auf die ⸗ gehen go on one's
travels; ⸗stab (-shtä*h*p) m (walk-
ing-)stick; ⸗truppe (⸗trööp⁴) f
thea. strolling company; ⸗ung f
walking-tour; hike; ⸗vögel (-fögʰᵉl)
m/pl. birds of passage; *fig.*
Ramblers, Hikers *pl.*

Wa'nd|kalender m sheet-almanac;
⸗karte f wall-map.

Wa'ndlung (vä*h*ndlöör̪) f change.

Wa'nd|schirm m folding-screen;
⸗schrank m cupboard, *bsd. Am.*
closet; ⸗spiegel (-shpeegʰᵉl) m
pier-glass; ⸗tafel (-tä*h*fᵉl) f blackboard; ⸗uhr (-öör) f wall-clock.

Wa'nge (vä*h*r̪⁴) f cheek.

Wa'nkel|mut (vä*h*r̪k⁴lmööt) m
fickleness, inconstancy; 2mütig
(-mütiç) fickle, inconstant.

wa'nken (vä*h*r̪k⁴n) (h. *u.* sn) totter,
stagger; *fig.* waver.

wann (vä*h*n) when.

Wa'nne (vä*h*n⁴) f tub; (*Bade*2) bath;
⸗nbad (-bä*h*t) n tub-bath, tubbing.

Wa'nze (vä*h*nts⁴) f (*Am.* bed-) bug.

Wa'ppen (vä*h*p⁴n) n (coat of) arms
pl.; ⸗bild n heraldic figure; ⸗schild
m, n escutcheon.

wa'ppnen (vä*h*pn⁴n) arm.

Wa're (vä*h*r⁴) f ware, commodity;
(*a. ⸗n pl.*) merchandise; ⸗n *pl.*
(*Güter*) goods *pl.*

Wa'ren|bestand m stock (on
hand); ⸗haus (-hows) n stores *pl.*,
Am. department store; ⸗lager
(-lä*h*gʰᵉr) n *Vorrat*: stock-in-trade;
Raum: warehouse; ⸗probe (-prôb⁴)
f sample; ⸗zeichen (⸗tsiç⁴n) n
trade-mark.

warm (vä*h*rm) warm; *stärker*: hot.

Wä'rme (vérm⁴) f warmth; *phys.*
heat; ⸗grad (-grä*h*t) m degree of
heat; 2n warm.

Wä'rmflasche f hot-water bottle.

Warmwa'sserversorgung (vährm-vähs⁴rfĕrzōrgōōṛ) f hot-water supply.

wa'rn|en (vährn⁴n) warn (vor of, against); 2ung f warning.

Wa'rnungs|signal (vährnŏōṛs-zignähl) n danger-signal; ~tafel (-tähf⁴l) f notice-board.

Wa'rte (vährt⁴) f look-out; observatory; ~geld ✕ n half-pay.

wa'rten (vährt⁴n) v/i. wait (auf acc. for); ~ lassen keep a p. waiting; v/t. nurse, tend.

Wä'rter (vĕrt⁴r) m attendant; (Hüter) keeper; (Pfleger) (male) nurse; ~in f (female) attendant; nurse.

Wa'rte|saal (-zähl) m, ~zimmer n waiting-room.

Wa'rtung (vährtōōṛ) f attendance; nursing; ⊕ maintenance.

waru'm (vährōōm) why, wherefore.

Wa'rze (vährts⁴) f wart; (Brust2) nipple.

was (vähs) what; Satzinhalt aufnehmend: which; F something; ~ für (ein)? what (sort on)?; ~ für (ein)! what (a)!; F ich will dir mal ~ sagen I'll tell you what.

Wa'sch|-anstalt f laundry; 2bar washable; ~becken n wash- (od. hand-)basin, Am. washbowl.

Wä'sche (vĕsh⁴) f wash, (zu waschendes Zeug) a. washing, laundry, clothes pl.; (Leib2, Tisch2, Bett2) linen; in die ~ geben send to the wash.

wa'sch-echt fast; fig. true-born.

Wä'sche|geschäft (vĕshⁱgʰⁱshĕft) n linen warehouse; ~leine (~lin⁴) f clothes-line.

wa'schen (vähsh⁴n) (a. sich) wash.

Wäscher|ei' (vĕsh⁴ri) f laundry; ~in f washerwoman, laundress.

Wä'scheschrank m linen-press.

Wa'sch|faß (-fähs) n wash-tub; ~frau (-frow) f s. Wäscherin; ~kessel m wash boiler; ~korb m clothes-basket; ~küche (-küҫⁱ) f wash-house; ~lappen m face cloth, Am. washrag; für Geschirr: wash-cloth; ~maschine (-mähsheen⁴) f washingmachine; ~mittel n washing material; ~raum (-rowm) m lavatory, Am. washroom; ~schüssel f == ~becken; ~seide (-zid⁴) f washing silk; ~tisch m, ~toilette

(-tŏählĕt⁴) f washing-stand, Am. washstand; ~wanne f wash-tub.

Wa'sser (vähs⁴r) n water; ~ lassen make water; ~ball m Sport: water polo; ~behälter m reservoir; tank; ~blase (-blähz⁴) f bubble; ⚕ blister; ~dampf m steam; 2dicht waterproof; bsd. ⚓ watertight; ~-eimer (-im⁴r) m (water-)pail, bucket; ~fahrt f boating; ~fall m waterfall; ~fläche (-flĕҫⁱ) f surface of water; (weite Strecke) sheet of water; ~flugzeug (-flŏōktsŏīk) n seaplane, hydroplane; ~flut (-flōōt) flood; ~fracht f water-carriage; ~graben (-grähb⁴n) m ditch; ~hahn m water-tap, Am. w. faucet; ~heil-anstalt (-hil-äⁿnshtählt) f hydropathic establishment; ~hose (~hōz⁴) f waterpout.

wä'sserig (vĕs⁴riҫ) watery; j-m den Mund ~ m. make a p.'s mouth water.

Wa'sser|kanne f water-jug, ⚓ ewer; ~kraft f water-power; ~kran ⚙ m feeding crane; ~krug (-krŏōk) m water-jug, pitcher; ~kur (-kōōr) f watercure; ~lauf (-lowf) m watercourse; ~leitung (-litōōṛ) f water-supply od. -service, F the main; ~leitungsrohr (-litōōṛs-rōr) n water-pipe; ~mangel m scarcity of water; 2n ✕ alight on water. [(einweichen) soak, steep.\

wä'ssern (vĕs⁴rn) water, irrigate;\

Wa'sser|pflanze f aquatic plant; ~rinne f gutter; ~schaden (-shäh-d⁴n) m damage caused by water; ~scheide (-shid⁴) f watershed, Am. divide; 2scheu (-shŏi) afraid of water; ~schlauch (-shlowk) m water-hose; ~snot (-nōt) f distress caused by water; ~spiegel (-sheegʰⁱl) m water-surface; water-level; ~sport m aquatic sports pl.; ~spülung f water flushing; ~stand m height of level, water-level; ~standsanzeiger (-shtähnts-äⁿhntsigʰⁱr) m water-gauge; ~stiefel (-shteef⁴l) m/pl. waterproof boots; ~stoff ⚗ m hydrogen; ~strahl m jet of water; ~straße (-shträhs⁴) f water-way; ~sucht (-zōōkt) f dropsy; 2süchtig (-zú҃҉҉ti҃) dropsical; ~suppe (-zŏōp⁴) f water-gruel; ~tier (-teer) n aquatic animal; ~verdrängung (-fĕr-drĕⁿ҉̃ōōṛ) f displacement of water; ~versorgung (-fĕrzŏr-

gŏŏrᵣ) f water supply; ~waage
(-vähgʰᵉ) f water-level; ~werk(e
pl.) n waterworks; ~zeichen
(-tsiçᵉn) n watermark.
wa'ten (väht⁵ᵉn) (sn) wade.
wa'tscheln (vähtsh⁵ᵉln) (sn) waddle.
Watt ∮ (väht) n watt; ~e f wadding,
cotton wool, Am. cotton; ~e-
bausch (-bowsh) m cotton plug;
∫ie'ren wad.
we'ben (véb⁵n) weave.
We'ber m weaver; ~ei' (~ᴵ) f weav-
ing; Gebäude: weaving-mill.
We'b|stuhl (vépshtŏŏl) m (wea-
ver's) loom; ~waren f/pl.textiles pl.
We'chsel (věks⁵l) m change; (Tausch)
exchange; † bill of exchange; hunt.
runway, Am. trace; ~beziehung
(-b⁵tseeŏŏrᵣ) f mutual (od. cor-
relation; ~fälle (-fěl⁵) m/pl. vicis-
situdes; ~fieber (-feeb⁵r) n inter-
mittent fever; ~frist f usance;
~geld n change; ~gläubiger
(-glöibĭgʰᵉr), ~inhaber (-inhähbᵉr)
m holder of a bill of exchange;
~kurs (-kŏŏrs) m rate of exchange;
~makler (-mähkl⁵r) m bill-broker;
∫n change; (austauschen) exchange;
(ab.) alternate; vary; hunt. pass;
die Kleider ~ change (one's clothes);
~nehmer (-ném⁵r) m taker of a
bill; ∫seitig (-zitĭç) mutual, re-
ciprocal; ~strom (-shtröm) ∮ m
alternating current; ~stube
(~shtŏŏb⁵) f exchange-office; ∫-
weise alternately, by turns; (gegenseitig) mutually; ~wirkung f re-
ciprocal effect, interaction.
we'ck|en (věk⁵n) awake, waken (a.
fig.); call; ∫'er m alarm-clock.
we'deln (véd⁵ln) fan; wag (mit dem
Schwanz the tail).   [nor.]
we'der (véd⁵r) ... noch neither ...⌡
Weg¹ (vék) m way (a.fig.Art, Mittel);
(Straße) road; (Reise∫) route;
(Gang) walk; (Durchgang) passage;
auf halbem ~e halfway; am ~e by
the roadside; verbotener ~! no thor-
oughfare!; aus dem ~e räumen remove; in die ~e leiten initiate.
weg² (věk) away; off; (~gegangen)
verschwunden) gone; ~ da! be off
there!; ich muß ~ I must be off;
~'bleiben (-blĭb⁵n) (sn) stay away;
(ausgelassen w.) be omitted; ~'-
bringen take away; (beseitigen)
remove.
We'ge|bau (végʰᵉbow) m road-

making; ~lagerer (-lähgʰᵉrᵉr) m
highwayman.
we'gen (végʰᵉn) (gen.) because of;
(um ... willen) for (the sake of).
we'g|fahren (sn) drive away; ∫fall
m omission; ~fallen (sn) be omitted; (abgeschafft w.) be abolished;
~führen lead away; ∫gang m departure; ~geh(e)n (~gʰé[ᵉ]n) (sn)
go away, leave; ~ über (acc.) pass
over; ~haben (-hähb⁵n) have re-
ceived (one's share); fig. have got
the knack of; ~jagen (-yähgʰᵉn)
drive away; ~kommen (sn) get
away; fig. come off well, etc.; (ab-
handen kommen) be lost; ~lassen let
go; S.: omit; ~legen (-légʰᵉn) lay
(od. put) aside; ~machen remove;
∫nahme (-nähm⁵) f taking (away);
~nehmen take away (j-m from
a p.); Platz, Zeit: take up; ⅗, ⚓
capture; ~packen pack away;
~räumen (-röim⁵n) clear away;
~schaffen remove; ~schicken send
away; ~sehen (-zé⁵n) look away;
~setzen put away; ~streichen
(-shtriç⁵n) strike out; ~tun (-tŏŏn)
put away od. aside.
We'gweiser (vékvĭz⁵r) m signpost,
finger-post; Person, Buch: guide.
we'g|wenden (a. sich) turn away;
~werfen throw away; ~werfend
disparaging; ~wischen wipe away;
~ziehen (-tsee⁵n) v/t. pull away; v/i.
(sn) aus der Wohnung: (re-)move.
weh (vé) 1. sore, painful; ~ tun ache;
j-m cause a p. pain; sich ~ tun hurt
o.s.; 2. ∫ n pain.
We'hen (vé⁵n) 1. f/pl. labour(-pains);
2. ∫ blow.
We'h|klage (-klähgʰᵉ) f lamenta-
tion; ∫klagen lament (um for);
∫leidig (-lĭdĭç) lackadaisical; ~mut
(-mŏŏt) f sadness; ∫mütig (-mütĭç)
sad.
Wehr (vér) 1. f defence; sich zur ~
setzen show fight; 2. n weir; ∫'en:
sich ~ defend o.s.; ∫'fähig (-fäĭç)
able-bodied; ∫'los defenceless;
~'macht f fighting forces pl.;
~'pflicht f conscription;∫'pflichtig
(-pflĭçtĭç) liable to military service.
Weib (vĭp) n woman; (Gattin) wife;
~'chen n zo. female.
Wei'ber|-art (-b⁵r-) f women's ways
pl.; ~feind (-fĭnt) m woman-hater;
~held m lady-killer; ~volk F n
womenfolk.

wei′b|isch (vībĭsh) womanish, effiminate; **~lich** (-plĭç) female; *gr.* feminine; *fig.* womanly.

weich (vĭç) soft; ~ *w.* soften; **~ge-kocht** soft-boiled; 2′**bild** *n* precincts *pl.*; 2′e *f* **1.** *anat.* flank, side; **2.** ‡ points *pl.*, *bsd. Am.* switch; ~n *stellen* throw the switch; **~en** *v/i.* (sn) give way, yield; *Preise*: decline; *von j-m* ~ leave, abandon; 2′**en-steller** *m* pointsman, *bsd. Am.* switchman; **~′herzig** soft-hearted; **~′lich** soft; *Nahrung*: sloppy; (*verweichlicht*) effeminate; 2**ling** *m* molly(-coddle); 2′**tier** (-teer) *n* mollusc.

Wei′de (vīdᵉ) *f* ♀ willow; **♪′** pasture; *auf der* ~ at grass; **~land** *n* pasture-land; 2n graze, pasture; *sich* ~ *an* (*dat.*) gloat (up)on.

Wei′den|korb *m* wicker-basket; **~rute** (-rōōtᵉ) *f* osier switch.

wei′ger|n (vīgʰᵉrn) (*sich*) refuse; 2**ung** *f* refusal.

Wei′he (vīᵉ) *f* consecration; *e-s Priesters*: ordination; 2n consecrate; *Priester*: ordain; (*widmen*) devote; *dem Tode usw.* geweiht doomed to death, *etc.*

Wei′her (vīᵉr) *m* pond.

wei′hevoll (vīᵉfŏl) solemn, pathetic.

Wei′hnachten (vīnähктᵉn) *f|pl.* Christmas, Xmas.

Wei′hnachts... Christmas, **~abend** (-ähbᵉnt) *m* Christmas Eve; **~fest** *n* Christmas; **~lied** (-leet) *n* Christmas carol; **~mann** *m* Old Father Christmas; **~markt** *m* Christmas fair; **~zeit** (-tsit) *f* Christmas-tide.

Wei′h|rauch (virowк) *m* incense; **~wasser** *n* holy water.

weil (vīl) because, since.

Wei′l|chen (vīlçᵉn) *n* little while; **~e** *f* while, (space of) time; 2en stay, tarry.

Wein (vīn) *m* wine; (*~stock*) vine; *wilder* ~ Virginia creeper; **~′bau** (-bow) *m* vine-growing; **~′beere** (-bérᵉ) *f* grape; **~′berg** *m* vineyard; **~′blatt** *n* vine-leaf.

wei′n|en (vīnᵉn) weep (*um*; *vor dat.* for), cry; **~erlich** whining.

Wei′n|-ernte *f* vintage; **~essig** (-ĕsĭç) *m* wine vinegar; **~faß** (-fähs) *n* wine-cask; **~geist** (-gist) *m* spirit of wine; **~handlung** *f* wine-merchant′s shop; **~karte** *f* wine-list; **~keller** *m* wine-cellar; **~kelter** *f* winepress; **~krampf** *m* crying fit; **~lese** (-lézᵉ) *f* vintage, grape-gathering; **~ranke** *f* vine-tendril; **~rebe** (-rébᵉ) *f* vine; **~stock** *m* vine; **~stube** (-shtōōbᵉ) *f* wine-shop; **~traube** (-trowbᵉ) *f* bunch of grapes.   [sage.]

wei′se¹ (vīzᵉ) wise; 2(r) *m* wise man,]

Wei′se² (vīzᵉ) *f* manner, way; ♪ melody, tune; *auf diese* ~ in this way; 2n *v/t.* point out, show; ~ *an* (*acc.*) refer to; *j-n* ~ *nach* direct to; *von sich* ~ reject; *v/i.* ~ *auf* (*acc.*) point at *od.* to.

Wei′s|heit (vishīt) *f* wisdom; 2**machen** *j-m et.*: make a p. believe a th., stuff a p. up with a th.

weiß (vīs) white.

wei′s|sagen (-zähgʰᵉn) prophesy; 2**sager(in** *f*) *m* prophet(ess *f*); 2**sagung** *f* prophecy.

Wei′ß|blech *n* tin(plate); **~brot** (-brōt) *n* white bread; 2en whiten; (*tünchen*) white-wash; 2**glühend** (-glüᵉnt) white-hot; **~kohl** *m* white cabbage; 2**lich** whitish; **~waren** (-vährᵉn) *f|pl.* linen goods *pl.*; **~wein** (-vīn) *m* white wine.

Wei′sung (vīzōōn) *f* direction.

weit (vīt) (*Ggs. nah*) distant, far (off); (*Ggs. eng*) wide, large; ~ *und breit* far and wide; **~es** Gewissen elastic conscience; *bei* ~em by far; *von* ~em from afar; **~a′b** far away; **~au′s** (-ows) by far; 2′**blick** *m* far-sightedness; **~′blickend** far-sighted; 2′e *f* width, largeness; (*Ferne*) distance; **~′en** (*a. sich*) widen.

wei′ter (vītᵉr) wider; more distant; farther, (*bsd.fig.*) further; **~l** go on!; *und so* ~ and so on; *bis auf* ~es until further notice; *ohne* ~es offhand; **~befördern** forward (on); **~e(s)** *n the rest*; (*Genaueres*) further details *pl.*; 2**bestand** *m* survival; **~bilden** develop; **~führen** *v/t.* carry on; *v/i.* help things on; **~geh(e)n** (-gʰé[′]n) (sn) walk *od.* pass on; (*fortfahren*) continue; **~hin** further (farther) on; **~kommen** (sn) get on; **~können** be able to go on; **~lesen** (-lézᵉn) continue reading; 2**ungen** *f|pl.* complications.

wei′t|gehend (-gʰéᵉnt) large(ly *adv.*); **~he′r** from afar; **~he′r-geholt** (-hérgʰᵉhōlt) far-fetched;

~'herzig large-hearted; ~hi'n far off; ~'läufig (-lŏiﬁç) distant; (*ausgedehnt*) spacious; (*ausführlich*) detailed; s. ~schweifig; (*zerstreut*) straggling; ~'reichend (-riç'nt) far-reaching; ~'schweifig (-shvîﬁç) diffuse, lengthy; ~'sichtig (-zíçtíç) long-sighted; ♀'sprung (-shprŏŏṟg) m long jump; ~'tragend (-trähgh ᵉnt) long-range; *ﬁg.* far-reaching.

Wei'zen (vits ᵉn) m wheat; ~mehl n wheaten flour.

welch (vèlç) *interr. pron.* what; *auswählend*: which; *rel. pron.* who, which, that; (*etwas, einige*) some, any.

welk (vèlk) withered, faded; (*schlaff*) flabby; ~'en (sn) fade, wither.

We'llblech n corrugated sheet.

We'lle (vèl ᵉ) f wave; ⊕ shaft.

We'llen|bereich (-b ᵉriç) m Radio: wave-range; ♀förmig (-förmíç) undulating; ~länge f Radio: wave-length; ~linie (-leen¹ᵉ) f wavy line; ~schlag (-shlähk) m dashing of the waves.

we'llig wavy.   [board.]

We'll|pappe f corrugated paste-|

Welt (vèlt) f world; *auf der* ~ in the world; *zur* ~ *bringen* bring into the world; ~'-all n universe; ~'-alter n age; ~'-anschauung (-ähnshowŏŏṟg) f Weltanschauung; ideology; ~'-ausstellung (-owsshtēlŏŏṟg) f international exhibition; ♀be-kannt, ♀berühmt world-renown-ed; ~'bürger m cosmopolite; ♀'-erschütternd world-shaking; ♀'-fremd worldly innocent; ~'frie-de(n) (-freed ᵉ[n]) m universal peace; ~'geschichte f universal history; ♀gewandt versed in the ways of the world; ~'handel m international trade; ♀'klug (-klŏŏk) worldly-wise, politic; ~'klugheit f worldly wisdom; ~'krieg (-kreek) m world-war; ~'kugel (-kŏŏg ʰ ᵉl) f globe; ~'lage (-lähg ʰ ᵉ) f inter-national situation; ~'lauf (-lowf) m course of the world.

we'ltlich worldly; (*Ggs. geistlich*) secular, temporal.

We'lt|literatur (-lît ᵉrähtŏŏr) f uni-versal literature; ~macht f world--power; ~mann m man of the world; ♀männisch (-mènîsh) gen-tlemanly; ~markt m international market; ~meer (-mér) n ocean;

~meister(in f) (-mîst ᵉr) m champion of the world; ~meister-schaft f world's championship; ~raum (-rowm) m interstellar space; ~reich (-riç) n universal empire; ~reise (-riz ᵉ) f journey round the world; ~rekord m world's record; ~ruf (-rŏŏf) m world-wide renown; ~schmerz m world-weariness; ~sprache (-shprähk ᵉ) f universal language; ~stadt f metropolis; ~wunder (-vŏŏnd ᵉr) n wonder of the world.

We'nde (vènd ᵉ) f turn(ing); s. ~punkt; ~kreis (-kris) m tropic; ~ltreppe f (e-e a flight of) wind-ing stairs *pl.*

we'nd|en (vènd ᵉn) (*a. sich*) turn; *bitte* ~*l* please turn over!; *sich* ~ *an* j-n address o.s. to a p.; *um Auskunft usw.*: apply to a p.; ♀epunkt (-pŏŏṉkt) m turning-point; ~ig nimble; manœuvrable; ⊕, *mot.* easily steered; ♀ung f turn(ing); change; = *Redensart.*

we'nig (vénìç) little; *pl.* few; ~er less; *pl.* fewer; *am* ~sten least; ♀-keit f small quantity; *meine* ~ my humble self; ~stens at least.

wenn (vèn) *zeitlich*: when; *bedin-gend*: if; ~ *nicht* if not, unless; ~ *auch* (al)though; ~ *auch noch so ...* however.

wer (vér) *rel. pron.* who, he who; *interr. pron.* who?; *auswählend*: which?; ~ *auch* who(so)ever.

We'rbe... *mst* advertising; *a.* propa-ganda, publicity; ~abteilung (-ahptîlŏŏṟg) f advertising (*od.* publicity) department.

we'rb|en (vèrb ᵉn) *v/t.* ✗ enlist, recruit; *v/i.* make propaganda; advertise; ~ *um* sue for; court; ~des *Kapital* working capital; ♀er m suitor; ✗ recruiting officer; ♀ung f recruiting; courting; ⊹ propa-ganda.   [career.]

We'rdegang m development;|

we'rden (vérd ᵉn) 1. *v/i.* (sn) become, get; *allmählich:* grow; *plötzlich:* turn; 2. *v/aux. ich werde fahren* I shall drive; *geliebt* ~ be loved; 3. ♀ n growing; *im* ♀ *sn* be preparing.

we'rfen (vèrf ᵉn) throw (*nach* at); *Anker, Blick, Licht, Schatten:* cast; *Junge:* bring forth.

Werft (vèrft) f dockyard.

Werg (věrk) *n* tow.

Werk (věrk) *n* work; (*Tat*) action; (*Getriebe*) works *pl.*; ✗ work(s *pl.*); (*Fabrik*) works *pl. od. sg.*; ins ~ setzen set going; zu ~e gehen proceed; ~'**führer**, ~'**meister** (-mistᵉr) *m* foreman; ~'**statt** *f* workshop; ~'**tag** (-tăhk) *m* work (-ing)-day; ~'**tätig** (-tătiç) working; (*praktisch*) practical; ~'**zeug** (-tsŏik) *n* instrument, tool.

We'rmut (věrmŏŏt) *m* verm(o)uth.

wert (vért) **1.** worth (e-r S. a th.); (*würdig*) worthy (*gen.* of); (*lieb*) dear; *Ihr* ~es *Schreiben* your favour; **2.** ♀ *m* worth, value.

We'rt|brief (-breef) *m* money--letter; ♀**en** value, appraise; ~**gegenstand** (-gʰégʰᵉnshtăhnt) *m* article of value; ♀**los** (-lōs) worthless; ~**papiere** (-păhpeerᵉ) *n/pl.* securities *pl.*; ~**sachen** (-zăhkᵉn) *f/pl.* valuables *pl.*; ~**ung** *f* valuation; ♀**voll** valuable.

We'sen (vézᵉn) *n* being; (*Ggs. Schein*) essence; (*Natur*) nature; (*Betragen*) manners *pl.*; *in Zssgn:* system; (*Getue*) fuss, ado; ♀**los** (-lōs) unreal; ♀**tlich** essential, substantial.

wesha'lb (věs-hăhlp) wherefore, why.

We'spe (věspᵉ) *f* wasp.

West (věst), ~'**en** *m* west.

We'ste *f* waistcoat, *Am.* vest.

we'stlich west(ern), westerly.

We'tt|bewerb (větbᵉvěrp) *m* competition; ~**büro** (-bürŏ) *n* betting office; ~**e** *f* bet, wager; e-e ~ eingehen make a bet; ~**eifer** (-ifᵉr) *m* emulation; ♀-**eifern** emulate, vie; ♀**en** bet, wager (*mit j-m* a p.; *um et.* a th.).

We'tter (větᵉr) *n* weather; (*Un*♀) tempest; ~**bericht** *m* weather report; ♀**fest** weather-proof; ~**karte** *f* weather-chart; ~**lage** (-lăhgʰᵉ) *f* weather conditions *pl.*; ~**leuchten** (-lŏiçtᵉn) *n* sheet-lightning; ~**voraussage** (fŏrowszăhgʰᵉ) *f* weather forecast; ~**warte** *f* weather station, *Am.* weather bureau.

We'tt|kampf *m* contest, match; ~**kämpfer(in** *f*) *m* competitor; ~**rennen** *n* race; ~**rudern** (-rŏŏdᵉrn) *n* boat-race; ~**streit** (-shtrit) *m* contest.

we'tzen (větsᵉn) whet.

Wi'chse (vĭksᵉ) *f* blacking, polish; F (*Prügel*) thrashing; ♀**n** black.

wi'chtig (vĭçtiç) important; ♀**keit** *f* importance; ♀**tu-er** (-tŏŏᵉr) *m* pompous fellow.

Wi'ckel|gamasche (vĭkᵉlgăhmăhsh ᵉ) *f* puttee; ♀**n** wind, roll; *Haar:* curl; (*ein*~) wrap up.

Wi'dder (vĭdᵉr) *m* ram.

wi'der (veedᵉr) (*acc.*) against, contrary to; ~**fa'hren** (sn) *j-m:* happen to a p.; ♀**haken** (-hăhkᵉn) *m* barb (-ed hook); ♀**hall** *m* echo; ~**ha'llen** (re-)echo; ♀**le'gen** (-légᵉn) refute; ~**lich** repulsive; disgusting; ~**rechtlich** illegal; ♀**rede** (-rédᵉ) *f* contradiction; ♀**ruf** (-rŏŏf) *m* revocation; ~**ru'fen** revoke; ~**ru'flich** (-rŏŏfliç) revocable; ♀**schein** (-shin) *m* reflection; *sich* ~**se'tzen** (-zětsᵉn) (*dat.*) oppose; ~**se'tzlich** refractory; ~**sinnig** (-zĭniç) absurd; ~**spenstig** (-shpěn-stiç) obstinate; ♀**spenstigkeit** *f* obstinacy; ~**spiegeln** (-shpeegʰᵉln) reflect; ~**spre'chen** (*dat.*) contradict; oppose; ~**spre'chend** contradictory; ♀**spruch** (-shprŏŏк) *m* contradiction; opposition; ♀**stand** *m* resistance; ~**standsfähig** (-shtăhntsfăiç) resistant; ~**ste'h(e)n** (-shté[ᵉ]n) (*dat.*) resist; *fig.* be repugnant to; ~**stre'ben** (-shtré-bᵉn) (*dat.*) oppose; *fig.* be repugnant to; ~**stre'bend** reluctant; ♀**streit** (-shtrit) *m* conflict; ~**strei'ten** (*dat.*) conflict with; ~**wärtig** (-věrtiç) adverse; (*ekelhaft*) disgusting; ♀**wille** *m* aversion (*gegen* to); ~**willig** unwilling.

wi'dm|en (vĭdmᵉn) dedicate; (*weihen*) devote; ♀**ung** *f* dedication.

wi'drig (veedriç) adverse; ~**enfalls** (-gʰ-) failing which; ♀**keit** *f* adversity.

wie (vee) *Frage, Ausruf:* how; *Vergleich:* as; like; *zeitlich:* as.

wie'der (veedᵉr) again, anew; (*zurück*) back; *immer* ~ again and again; ♀-**au'fbau** (-owfbow) *m* reconstruction; ~**au'fbauen** rebuild; ~**au'fleben** (-owflébᵉn) **1.** (sn) revive; **2.** ~ *n* revival; ~**au'fnehmen** (-owfnémᵉn) resume; ♀**beginn** *m* recommencement; reopening; ~**bekommen** recover; ~**beleben** (-bᵉlébᵉn) revive; ♀**belebungsversuch** (-bᵉ=

lébōōr̄sfĕrzōōk) *m* attempt at resuscitation; **~bringen** bring back; (*zurückgeben*) restore; **~'ei'nnehmen** (-ĭn-ném^en) recapture; **~-ei'nsetzen** (-ĭn-zĕts^en) *fig.* restore; **~ei'nstellen** (-ĭn-shtĕl^en) *j-n*: re-engage; **~ergreifen** (-ĕrgrĭf^en) *Flüchtling*: reseize; **♀-ergreifung** *f* reseizure; **~erkennen** recognize; **♀-erkennung** *f* recognition; **~erstatten** restore; *Kosten*: reimburse; **~geben** (-géb^en) give back, return; (*übersetzen usw.*) render, reproduce; **♀gu'tmachung** (-gōōtmähкōōr̄g) *f* *pol.* reparation; **~he'rstellen** (-hérshtĕl^en) restore; **♀he'rstellung** *f* restoration; **~ho'len** (-hōl^en) repeat; **♀ho'lung** *f* repetition; **♀kehr** (-kér) *f* return; **~kehren** (sn) return; **~sehen** (-zé^en) **1.** (*a. sich*) see (*od.* meet) again; **2.** ♀ *n* meeting again; *auf* ♀! till we meet again!, *Am.* see (you) again!; **~tun** (-tōōn) do again, repeat; **~um** (-ōōm) again; **~ver-einigen** (-fĕr-ĭnĭgʰe^en) reunite; **♀ver-einigung** *f* reunion; **♀verkäufer** (-fĕrköĭf^er) *m* retailer; **♀wahl** *f* re-election; **~wählen** re-elect; **♀zu'lassung** (-tsōōlähsōōr̄g) *f* readmission.

Wie'ge (veegʰe) *f* cradle; **♀n** weigh; (*schaukeln*) rock; *sich* ~ *in* (*acc.*) lull o.s. into; **~nlied** (-leet) *n* lullaby.

wie'hern (vee^ern) neigh.

Wie'ner (veen^er) *m*, **~in** *f*, **♀isch** Viennese.

Wie'se (veez^e) *f* meadow.

wieso' (veezō) why so?

wievie'lte (veefeelt^e) *den* **~n** *haben wir?* what day of the month is it?

wild (vĭlt) **1.** wild; (*unzivilisiert, grimmig*) savage; **⚕** **~es** *Fleisch* proud flesh; **~e** *Ehe* concubinage; **~er** *Streik* lightning-strike; **2.** ♀ *n* game.

Wi'ld|dieb (-deep) *m* poacher; **~e(r)** (-d-) savage; **♀ern** poach; **~fleisch** (-flĭsh) *n* venison; **♀fre'md** quite strange; **~leder** (-léd^er) *n*, **♀ledern** buckskin; doeskin, suède; **~nis** *f* wilderness; **~schwein** (-shvĭn) *n* wild boar.

Wi'lle (vĭl^e), **~n** *m* will; *guter* ~ good intention; *mit* ~*n* on purpose; *wider* ~*n* unwillingly; **♀n** *s-n* be willing; *j-m* *s-n* ~*n* *lassen* let a p. have his own way; **♀nlos** (-lōs) lacking will.

Wi'llens|freiheit (-frĭhīt) *f* freedom

of the will; **~kraft** *f* will-power; **~schwäche** *f* weak will; **~stärke** *f* strong will.

wi'll|fahren (vĭlfähr^en) (*dat.*) comply with; gratify *a p.*; **~fährig** (-fährĭç) compliant; **♀fährigkeit** *f* compliance; **~ig** willing; **~ko'mmen** welcome; **♀'kür** (-kür) *f* arbitrariness; **~kürlich** arbitrary.

wi'mmeln (vĭm^eln) swarm (*von* with).

wi'mmern (vĭm^ern) whimper.

Wi'mpel (vĭmp^el) *m* pennon.

Wi'mper (vĭmp^er) *f* eyelash.

Wind (vĭnt) *m* wind; **~'beutel** (-boĭt^el) *m* cream puff (-paste); *fig.* windbag.

Wi'nde (vĭnd^e) *f* windlass; reel.

Wi'ndel (vĭnd^el) *f* (baby's) diaper *od.* napkin; *pl.* swaddling-clothes.

wi'nden (vĭnd^en) (*a. sich*) wind; *Kranz*: make, bind.

Wi'nd|hose (-hōz^e) *f* whirlwind, tornado; **~hund** (-hōont) *m* greyhound; **♀ig** windy; **~mühle** *f* windmill; **~pocken** *f/pl.* chicken-pox; **~richtung** *f* direction of the wind; **~rose** (-rōz^e) *f* compass-card; **~(schutz)scheibe** (-[shōōts]-shĭb^e) *f* wind-screen, *Am.* windshield; **~seite** (-zīt^e) *f* weather-side; **~stärke** *f* wind velocity; **♀still**, **~stille** *f* calm; **~stoß** (-shtōs) *m* gust (of wind).

Wi'ndung (vĭndōōr̄g) *f* winding, turn; *e-s Weges, Stromes*: bend; *e-r Taurolle, Schlange*: coil.

Wink (vĭr̄gk) *m* sign; *durch Nicken*: nod; *fig.* hint; tip.

Wi'nkel (vĭr̄gk^el) *m* angle; (*Ecke*) corner, nook.

wi'nk(e)lig angular.

Wi'nkelzug (vĭr̄gk^eltsōōk) *m* subterfuge, shift.

wi'nk|en (vĭr̄gk^en) make a sign; *Hand*: beckon; wave (*mit* a th.); *Kopf*: nod; *Augen*: wink; **♀er** *m mot.* direction indicator.

wi'nseln (vĭnz^eln) whimper.

Wi'nter (vĭnt^er) *m* winter; **♀lich** wintry; **~schlaf** (-shlähf) *m* hibernation; **~sport** *m* winter sports *pl.*

Wi'nzer (vĭnts^er) *m* vine-dresser; (*Traubenleser*) vintager.

wi'nzig (vĭntsĭç) tiny, diminutive.

Wi'pfel (vĭpf^el) *m* top (of a tree).

Wi'ppe (vĭp^e) *f*, **♀n** seesaw.

wir (veer) we.

Wi'rbel (virbᵉl) m (Drehung) whirl; anat. vertebra; (Wasser♀) eddy; (Rauch♀) wreath; ♀ig whirling; ♀n whirl; Trommel: roll; ~säule (-zöil°) f vertebral column; ~sturm (-shtŏŏrm) m cyclone, tornado; ~tier (-teer) n vertebrate; ~wind m whirlwind.

wi'rk|en (virkᵉn) v/t. work, effect; v/i. work, operate; (treffen) tell; auf den Geist usw. ~ affect; ~lich real; ♀lichkeit f reality; ~sam effective, efficacious; ♀samkeit f efficacy.

Wi'rkung f effect; (Tätigkeit) operation; ~skreis (-kris) m sphere of action; ♀slos (-lōs) ineffective, inefficacious; ♀svoll = wirksam.

wirr (vir) confused; Haar: dishevelled; ♀'en f/pl. disorders; ♀'warr m muddle.

Wi'rsingkohl (virzin͜köl) m savoy.

Wirt (virt) m host; (Haus♀, Gast♀) landlord; (Gast♀) innkeeper; ~'in f hostess; (Haus♀, Gast♀) landlady.

Wi'rtschaft f (Haushaltung) housekeeping; e-s Gemeinwesens: economy; (Wirtshaus) public house; ♀en keep house; gut usw.: manage; (umherhantieren) bustle about; ~er (-in f) m housekeeper; ♀lich economic; (haushälterisch) economical; ~s-politik (-pŏliteek) f economic policy; ~s-prüfer m chartered accountant.

Wi'rtshaus (virtshows) n public house. [paper; ♀'en wipe.] **Wisch** (vish) m wisp; contp. scrap of] **wi'spern** (vispᵉrn) whisper.

Wi'ß|begierde (visbᵉgᵉheerdᵉ) f desire of knowledge; ♀begierig (-bᵉgᵉbeeriç) eager for knowledge.

wi'ssen (visᵉn) 1. know; man kann nie ~ you never can tell; 2. ♀ n knowledge; meines ~s to my knowledge. [scientist; ♀lich scientific.] **Wi'ssenschaft** f science; ~ler m] **Wi'ssens|drang** m desire of knowledge; ♀wert (-vért) worth knowing. [ing.] **wi'ssentlich** knowing. **wi'ttern** (vitᵉrn) scent. **Wi'tterung** f weather; (Geruch) scent; ~sverhältnisse n/pl. meteorological conditions.

Wi'twe (vitᵛᵉ) f widow. **Wi'twer** m widower.

Witz (vits) m wit; (Spaß) joke; ~e reißen crack jokes; ~'blatt n comic paper; ♀'ig witty.

wo (vō) where; ~bei' (vōbī) at what?; at which. [kommen be confined.] **Wo'che** (vŏkᵉ) f week; in die ~n] **Wo'chen|bett** n childbed; ~blatt n weekly (paper); ~end..., ~ende n week-end; ♀lang for weeks; ~lohn m weekly pay; ~markt n weekly market; ~schau (-show) f Film: news reel; ~tag (-tāhk) m week-day.

wö'chentlich (vŏçᵉntliç) weekly. **Wö'chnerin** f woman in childbed. **wo|dur'ch** (vōdŏŏrç) by what?; by which; ~fü'r for what?; for which. **Wo'ge** (vōgʰᵉ) f billow; wave. **wo'gen** surge; billow; heave. **wo|he'r** (vōhér) from where; ~hi'n where (... to).

wohl (vōl) 1. well; vermutend: I suppose; er wird ~ reich sn he is rich, I suppose; 2. ♀ n welfare; auf Ihr ~! your health!

wo'hl|-a'n now then!; ♀befinden n good health; ♀behagen (-bᵉhāhgʰᵉn) n comfort; ~behalten safe; ~bekannt well known; ~erzogen (-értsōgʰᵉn) well-bred; ♀fahrt f welfare; ♀fahrtspflege (-fāhrtspflégʰᵉ) f welfare work; ~feil (-fil) cheap; ♀gefallen n pleasure, delight (an dat. in); ~gemeint (-gʰᵉmint) well-meant; ~gemut (-gʰᵉmŏŏt) cheerful; ♀geruch (-gʰᵉrŏŏk) m sweet scent, perfume; ♀geschmack m agreeable taste, flavour; ~gesinnt (-gʰᵉzint) well-meaning; ~habend (-hāhbᵉnt) well-to-do; ~ig comfortable; ♀klang, ♀laut (-lowt) m melodious sound; ~klingend melodious; ♀leben (-lébᵉn) n luxury; ~riechend (-reeçᵉnt) fragrant; ~schmeckend savoury; ♀sein (-zin) n well-being; good health; ♀stand m prosperity; ♀tat (-tāht) f benefit; fig. comfort; ♀täter m benefactor; ♀täterin f benefactress; ~tätig beneficent; charitable; ♀tätigkeit f charity; ~tuend (tŏŏᵉnt) pleasant; ~tun (-tōōn) do good; ~verdient (-férdeent) well-deserved; ♀wollen n goodwill, benevolence; ~wollen j-m: wish a p. well; ~wollend benevolent.

wo'hn|en (vōnᵉn) live; reside; ♀haus (-hows) n dwelling-house; ~haft resident; ~lich comfortable; ♀-ort, ♀sitz (-zits) m dwelling-place, residence.

Wo'hnung f dwelling, habitation; *engS.* lodgings, rooms *pl.*; (*Miet*2) flat, *Am.* apartment; ~s-amt *n* housing office; ~snot (-nōt) f housing shortage.

Wo'hn|wagen (vōnvä*h*g*ʰᵉ*n) *m* caravan; ~zimmer *n* sitting-room, *Am.* living room.

wö'lb|en (vŏlb*ᵉ*n) vault; *sich* ~ arch; 2ung f vault.

Wolf (vŏlf) *m* wolf; 𝔰̂ chafe.

Wo'lke (vŏlk*ᵉ*) f cloud; ~nbruch (-brŏŏk) *m* cloud-burst; ~nkratzer *m* skyscraper; 2nlos (-lōs) cloudless.

wo'lkig cloudy, clouded.

Wo'll|decke f blanket; ~e f wool.

wo'llen[1] woollen.

wo'llen[2] (vŏl*ᵉ*n) **1.** wish, want; (*bereit sn*) be willing; (*beabsichtigen*) intend; (*im Begriff sn*) be going to; *lieber* ~ prefer; *ich will es tun* I will do it; *er weiß, was er will* he knows his mind; *wir* ~ *gehen* let us go; **2.** 2 *n* will.

wo'llig woolly.

Wo'll|stoff *m* woollen (fabric).

Wo'll|ust (vŏlōŏst) f voluptuousness; 2üstig voluptuous.

Wo'llwaren (vŏlvä*h*r*ᵉ*n) f|*pl.* woollen goods *pl.*; ~händler *m* woollen-draper.

womi't (vōmĭt) with what?; with which.

Wo'nne (vŏn*ᵉ*) f delight, bliss.

wo'nnig delightful, blissful.

wor|a'n (vōrä*h*n) at what?; at which; ~ *denken Sie?* what are you thinking of?; ~au'f (-owf) on what?; on which; (*und danach*) whereupon; ~au's (-ows) out of (*od.* from) what?; out of (*od.* from) which; ~i'n in what?; in which.

Wort (vŏrt) *n* word; (*Ausdruck*) term; (*Ausspruch*) saying; *ums* ~ *bitten* ask permission to speak; *das* ~ *ergreifen* begin to speak; *parl.* rise to speak, *Am.* take the floor; *das* ~ *führen* be the spokesman; ~ *halten* keep one's word; 2'brüchig false to one's word.

Wö'rter|buch (vŏrt*ᵉ*rbŏŏk) *n* dictionary; ~verzeichnis (-fĕrtsĭçnĭs) *n* list of words.

Wo'rt|führer spokesman; 2getreu (-g*ʰᵉ*trŏĭ) literal; 2karg (-kä*h*rk) taciturn; ~klauberei (-klowb*ᵉ*rĭ) f hair-splitting; ~laut (-lowt) *m* wording; (*Inhalt*) text.

wö'rtlich (vŏrtlĭç) verbal, literal.

Wo'rt|schwall *m* verbiage; ~schatz *m* stock of words; ~spiel (-shpeel) *n* play on words; ~stellung f order of words; ~streit (-shtrīt), ~wechsel (-vĕks*ᵉ*l) *m* dispute.

wor|ü'ber (vōrüb*ᵉ*r) over (*od.* on) what?; over (*od.* on) which; ~u'm (-ōŏm) about what?; about which.

wo|vo'n (vōfŏn) of (*od.* from) what?; of (*od.* from) which; ~zu' (-tsōō) for what?; for which.

Wrack (vrä*h*k) *n* wreck.

wri'ng|en (vrĭ*h*g*ᵉ*n) wring; 2-maschine (-mä*sh*een*ᵉ*) f wringing-machine.

Wu'cher (vōōk*ᵉ*r) *m* usury; ~er *m* usurer; ~gewinn *m* excess profit; 2n practise usury; ♀ grow exuberantly; ~ung f ♀ exuberance; ♀ growth; ~zinsen (-tsinz*ᵉ*n) *pl.* usurious interest.

Wuchs (vōōks) *m* growth; (*Gestalt*) figure, shape, stature.

Wucht (vōōkt) f weight; (*Gewalt*) force; 2'ig weighty, heavy.

Wü'hl|-arbeit (vülä*h*rbīt) f *fig.* insidious agitation; 2en dig; *Tier:* burrow; *Schwein:* root; *fig.* agitate; ~er *m* *fig.* agitator.

Wulst (vōōlst) *m* bulge; roll; pad; 2'ig bulging; *Lippen:* protruding.

wund (vōŏnt) sore; (*verwundet*) wounded; ~e *Stelle* sore; 2'-arzt *m* surgeon; 2'e (-d*ᵉ*) f wound.

Wu'nder (vōŏnd*ᵉ*r) *n* wonder, marvel (*a. fig.*); (*übernatürlich:*) miracle; ~ *tun* work wonders; 2bar wonderful, marvellous; miraculous; ~kind *n* infant prodigy; 2lich queer; odd; 2n: *ich wundere mich* (*über acc.*), *es wundert mich* I wonder, I am surprised (at); 2schö'n (-shōn) exceedingly beautiful; ~täter(in f) *m* wonder-worker; 2tätig wonder-working; 2voll wonderful; ~werk *n* miracle.

Wu'nd|fieber (vōŏntfeeb*ᵉ*r) *n* wound-fever; ~liegen (-leeg*ʰᵉ*n) *n* being bedsore.

Wunsch (vōŏnsh) *m* wish, desire; *auf* ~ by request; *nach* ~ as desired; *mit den besten Wünschen zum Fest* with the compliments of the season.

Wü'nschelrute (vünsh*ᵉ*lrōōt*ᵉ*) f divining-rod.

wü'nschen (vünsh*ᵉ*n) wish, desire; ~swert (-vért) desirable.

wu'nsch|gemäß (vŏŏnshgʰᵉmäs) as requested; Qzettel *m* list of things desired.
Wü'rde (vŭrdᵉ) *f* dignity; *unter aller* ~ beneath contempt; Qlos undignified; ~nträger *m* dignitary; Qvoll dignified; grave.
wü'rdig worthy; = *würdevoll*; ~en (vŭrdigʰᵉn) appreciate; *j-n e-s Blickes* ~ deign to look at a p.; Qkeit *f* worthiness; (*Verdienst*) merit; Qung *f* appreciation.
Wurf (vŏŏrf) *m* throw, cast.
Wü'rfel (vŭrfᵉl) *m* die; ⅍ cube; ~becher *m* dice-box; Qn *v/i.* play (at) dice; *v/t.* Stoff: chequer; ~spiel (-shpeel) *n* game at dice; ~zucker (-tsŏŏkᵉr) *m* cube-sugar.
Wu'rf|geschoß (vŏŏrfgʰᵉshŏs) *n* missile; ~spieß (-shpees) *m* javelin, dart. [*brechen*: retch.]
wü'rgen (vŭrgʰᵉn) choke; *beim Er-*∫
Wurm (vŏŏrm) *m* worm; Q'en fret, vex; Q'förmig (-fŏrmiç) worm-

-shaped; Q'stichig (-shtiçiç) worm-eaten.
Wurst (vŏŏrst) *f* sausage.
Wü'rstchen (vŭrstᶜᵉn) *n*: *warme* ~ hot sausages, *Am.* F hot dogs.
wu'rsteln (vŏŏrstᵉln) F muddle.
Wü'rze (vŭrts²) *f* seasoning, flavour; (*Gewürz*) spice; condiment.
Wu'rzel (vŏŏrts²l) *f* root; Qn take root; be rooted (*in dat.* in).
wü'rz|en (vŭrtsᵉn) season, spice; ~ig aromatic; spicy.
Wust (vŏŏst) *m* confused mass.
wüst (vŭst) desert, waste; (*wirr*) confused; (*liederlich*) wild; (*roh*) rude; Q'e *f* desert, waste; Q'ling *m* debauchee, libertine, rake.
Wut (vŏŏt) *f* rage, fury; *in* ~ in a rage; ~'-anfall *m* fit of rage.
wü'ten (vŭt²n) rage; ~d furious; enraged, *Am.* mad (*auf acc.* at, with).
Wü'terich (vŭtᵉriç) *m* Tartar.
wu'tschnaubend (vŏŏtshnowbᵉnt) breathing rage.

X/Y

X-|Beine (iks-bin²) *n/pl.* knock-knees; ~'beinig (-biniç) knock-kneed.
x-mal (iks-mähl) F umpteen times.
X-Strahlen *m/pl.* X-rays.
Yacht (yähкt) *f* Yacht.

Z

(Vgl. auch C und K)

Za'cke (tsäнkᵉ) *f*, ~n¹ *m* (sharp) point; (*Zinke*) prong; (*Fels*Q) jag; Qn² indent, tooth; jag.
za'ckig pointed; indented, notched; *Felsen*: jagged.
za'g|en (tsäнgʰᵉn) quail; ~haft timid; Qhaftigkeit *f* timidity.
zäh|(e) (tsä[ᵉ]) tough; tenacious; *Flüssigkeit*: viscous; Qigkeit *f* tenacity; viscosity; toughness.
Zahl (tsäнl) *f* number; (*Ziffer*) figure; Q'bar payable.
Za'hl|brett *n* counter; Qen pay; *im Gasthaus*: ~! the bill, please!
zä'hlen (tsäлᵉn) count, number (*unter acc.*, *zu* among, with).
za'hlenmäßig (tsäнlᵉnmäsiç) numerical.
Zä'hler *m* counter; ⅍ numerator; (*Gas*Q *usw.*) meter.
Za'hl|karte *f* paying-in form; Qlos numberless; ~meister (-mistᵉr) *m* paymaster; Qreich (-riç) numerous; ~tag (-täнk) *m* pay-day; ~ung *f* payment.
Za'hlungs|bedingungen (tsäнlŏŏŋsbᵉdiŋŏŏŋᵉn) *f/pl.* terms of payment; ~befehl *m* writ of execution; ~einstellung (-inshtĕlŏŏŋ) *f* suspension of payment; Qfähig (-fäiç) solvent; ~fähigkeit *f* solvency; ~frist *f* term of payment; ~schwierigkeiten (-shveeriçkitᵉn) *f/pl.* pecuniary difficulties; Q-unfähig (-ŏŏnfäiç) insolvent; ~unfähigkeit *f* insolvency.
zahm (tsäнm) tame (*a. fig.*), domestic.

zä'hm|en tame (*a. fig.*), domesticate; **♫ung** *f* taming.

Zahn (tsähn) *m* tooth; **~'-arzt** *m* dental surgeon; dentist; **~'bürste** *f* tooth-brush; **♫'en** *v/i.* teethe; *v/t.* indent; tooth; **~'fäule** (-föil^e) *f* decay of teeth; **~'fleisch** (-flish) *n* gums *pl.*; **~'füllung** *f* filling; **~'-geschwür** (-g^heshvür) *n* gumboil; **~'heilkunde** (-hilköönd^e) *f* dentistry; **~'rad** (-räht) ⊕ *n* cog-wheel; **~'schmerz** *m* toothache; **~'stocher** (shtčk^er) *m* toothpick.

Za'nge (tsähn̥g^e) *f* (e-e **~** a pair of) tongs, pliers *pl.*; **⚡, ♂**, *zo.* forceps.

Zank (tsähn̥k) *m* quarrel; **~'-apfel** *m* bone of contention; **♫'en** (*a. sich*) quarrel, wrangle.

Zä'nker (tsčn̥k^er) *m*, **~in** *f* quarreller, wrangler; *f*: scold.

zä'nkisch quarrelsome.

Zä'pfchen (tsčpf̥ç^en) *n anat. uvula.*

Za'pfen (tsähpf^en) 1. *m* plug; peg, pin; (*Faß♫*) bung; (*Dreh♫*) pivot; ⚡ cone; 2. ♫ tap; **~'streich** (-shtriç) *m* tattoo, retreat.   [faucet.|

Za'pfhahn (tsähpfhähn) *m* tap, *Am.|*

za'ppel|ig (tsähp^eliç) fidgety; **~n** struggle; *vor Unruhe:* fidget.

zart (tsährt) tender; delicate; **~'fühlend** delicate; **♫'gefühl** *n* delicacy of feeling.

zä'rtlich (tsärtliç) tender, fond.

Zau'ber (tsowb^er) *m* spell, charm, glamour; **~ei'** (-ī) *f* magic, sorcery; **~er** *m* sorcerer, magician; **~'formel** *f* spell; **♫haft** magical, enchanting; **~in** *f* sorceress, enchantress; **~'kraft** *f* magic power; **♫n** conjure; **~'stab** (-shtähp) *m* magic wand; **~'wort** *n* magic word.

zau'dern (tsowd^ern) linger, delay; (*schwanken*) hesitate; ♫ *n* lingering; hesitation.   [keep in check.|

Zaum (tsowm) *m* bridle; *im ~ halten|*

zäu'men (tsöim^en) bridle.

Zaun (tsown) *m* fence; **~'gast** *m* deadhead; **~'pfahl** *m* pale.

Ze'ch|e *f* score, reckoning; ⚒ mine; coal-pit, colliery; *die ~ bezahlen* stand treat; **♫en** tipple; **~'gelage** (-g^helähg^e) *n* carouse; **~'preller** *m* bilk(er).

Zeh (tsé) *m*, **~'e** *f* toe; **~'enspitze** (tsé^enshpïts^e) *f* point of the toe; *auf den ~n* on tiptoe.

zehn (tsén), ♫ *f* ten; **~'fach** tenfold; **~'jährig** ten-years-old.

ze'hnt|e (tsént^e) 1. tenth; 2. ♫ *m* (*Abgabe*) tithe; **♫el** *n* tenth (part); **~en ✗** decimate; **~ens** tenthly.

ze'hren (tsér^en): **~** *von* live on; *fig.* gnaw (*an dat.* at); **~d ✗** consumptive.

Zei'chen (tsiç^en) *n* sign; (*Merk♫*) mark; (*Signal*) signal; *zum ~* (*gen.*) in sign of; **~'brett** *n* drawing-board; **~lehrer** *m* drawing-master; **~papier** (-pähpeer) *n* drawing-paper; **~setzung** (-zětsöön̥g) *f gr.* punctuation; **~sprache** (-shprähk^e) *f* language of signs; **~stift** *m* crayon.

zei'chn|en (tsiç^en) *v/t.* (*be~*) mark; (*unter~*) sign; *Beitrag:* subscribe (*für* to); *Anleihe:* subscribe for; (*a. v/i.*) *paint.* draw, *Muster usw.*: design; **♫er** *m* draughtsman, *Am.* draftsman; designer; subscriber (*gen.* to); **♫ung** *f* drawing, design; subscription (to; for).

Zei'gefinger (tsig^hefin̥g^er) *m* forefinger, index.

zei'gen (tsig^hen) show; (*deuten auf*) point out *od.* at; *sich ~* appear.

Zei'ge|r *m* (*Uhr♫*) hand; **~stock** *m* pointer.

Zei'le (tsil^e) *f* line; (*Reihe*) row.

Zeit (tsit) *f* time; *mit der ~* in the course of time; *zur ~* (*gen.*) in the time of; (*jetzt*) at present; *zu s-r ~* in due course of time; *das hat ~* there is plenty of time for that; *laß dir ~!* take your time!

Zei't|-abschnitt *m* epoch, period; **~alter** *n* age; **~angabe** (-ähngähb^e) *f* date; **~aufnahme** (-owfnähm^e) *f* time exposure; **~dauer** (-dow^er) *f* length of time, duration; **♫gemäß** (-g^hemäs) seasonable; up-to-date; actual; **~genosse** *m*, **~genossin** *f*, **♫genössisch** (-g^henösish) contemporary; **~geschichte** *f* contemporary history; **♫ig** early; **~karte** *f* season-ticket, *Am.* commutation ticket; **♫le'bens** (-léb^ens) for life, during life; **♫lich** temporal; **♫los** timeless; **~lupen-aufnahme** (-lōōp^enowfnähm^e) *f* slow-motion picture; **~nah** current; **~ordnung** *f* chronological order; **~punkt** (-pōōn̥kt) *m* moment; **~raffer-aufnahme** (-rähf^erowfnähm^e) *f* quick-motion picture; **~raum** (-rowm) *m* period; **~rechnung** *f* chronology; era; **~schrift** *f* journal, periodical, magazine; **~umstände** (-ōōmshtěnd^e) *m/pl.* circumstances.

Zei′tung (tsitōōrg) f (news)paper.
Zei′tungs|-abonnement (-ă/bŏnĕma̱) n subscription to a paper; **~expedition** (-ĕkspédīts′ōn) f newspaper office; **~kiosk** (-kĭōsk) m news-stand; **~notiz** (-nōteets) f press item; **~papier** (-pă/pēer) n newsprint; **~verkäufer** (-fĕrkŏif′r) (**-in** f) m newsvendor; newsboy; **~wesen** (-véz′n) n journalism.
Zei′t|vertreib (-fĕrtrīp) m pastime; **Ǫweilig** (-vīliç) temporary; **Ǫweise** at times; for a time; **~zeichen** (-tsiç′n) n time signal.
Ze′lle (tsĕl′) f cell.
Ze′llstoff m cellulose.
Zelt (tsĕlt) n tent; **~′bahn** f tent square, Am. shelter half; **Ǫ′en** tent; **~′leinwand** (-līnvă/nt) f tentcloth.
Zeme′nt (tsĕmĕnt) m u. n, **Ǫie′ren** (-eer′n) cement.
zensie′ren (tsĕnzeer′n) censor; Schule: mark, Am. grade.
Ze′nsor (tsĕnzŏr) m censor.
Zensu′r (tsĕnzōōr) f censorship; Schule: mark(s pl.); report.
Zentime′ter (tsĕntĭmét′r) n (m) centimetre. [weight.]
Ze′ntner (tsĕntn′r) m hundred-]
zentra′l (tsĕntră̱hl) central; **Ǫe** f central office od. station; **Ǫheizung** (-hītsōōrg) f central heating.
Ze′ntrum (tsĕntrōōm) n centre.
Ze′pter (tsĕpt′r) n sceptre.
zerbei′ßen (-bīs′n) bite to pieces.
zerbe′rsten (sn) burst asunder.
zerbre′ch|en v/t. u. v/i. (sn) break to pieces; **~sich den Kopf ~** rack one's brains; **Ǫlich** breakable, fragile.
zerbrö′ckeln crumble (away).
zerdrü′cken crush.
Zeremon|ie′ (tsĕrĕmōnee) f ceremony; **Ǫie′ll, ~ie′ll** n ceremonial; **Ǫiös** ceremonious.
zerfa′hren Weg: rutted; fig. giddy; scatter-brained.
Zerfa′ll m decay; disintegration; **Ǫen** (sn) fall to pieces, decay; disintegrate; **~in mehrere Teile:** fall into; fig. **~ sn mit** be at variance with.
zer|fe′tzen tear in (od. to) pieces; **~flei′schen** (-flīsh′n) lacerate; **~flie′ßen** (-flees′n) (sn) dissolve, melt (away); **~fre′ssen** eat away; **~glie′dern** (gleed′rn) fig. analyse; **~ha′cken** chop; mince; **~klei′nern**

(-klīn′rn) Holz: chop; s. zermahlen; **~kni′cken** break. [contrition.)
zerkni′rsch|t contrite; **Ǫung** f]
zer|kni′ttern (c)rumple; **~kra′tzen** scratch; **~le′gen** (-lég^h^n) take to pieces; Braten: carve; **♫, fig.** analyse; **~lu′mpt** (-lōōmpt) ragged, tattered; **~ma′hlen** grind, crush; **~ma′lmen** crush; **~mü′rben** wear (down); **~que′tschen** (-květsh′n) crush, squash.
Ze′rrbild n caricature.
zer|rei′ben (-rīb′n) pulverize; **~rei′ßen** (-rīs′n) tear (in Stücke to pieces).
ze′rren (tsĕr′n) tug, pull; ♫ strain.
zerri′nnen (sn) melt away.
zerrü′tt|en (-rŭt′n) derange; disorganize; Gesundheit, Nerven: shatter; **Ǫung** f disorganization; derangement.
zerschla′gen (-shlă̱hg^h^n) **1.** break (to pieces); **sich ~** fig. come to nothing; **2.** adj. battered; fig. knocked up.
zerschme′ttern smash, shatter.
zerschnei′den (-shnīd′n) cut up.
zerse′tz|en (-zěts′n) (a. sich) decompose; **Ǫung** f |decomposition.)
zer|spa′lten cleave, split; **~spli′t-tern** split (up), splinter; Zeit, Kraft: fritter away; **~spre′ngen** burst; fig. disperse; **~spri′ngen** (sn) burst; crack; **~sta′mpfen** crush.
zerstäu′b|en (-shtōib′n) pulverize; Flüssigkeit: spray; **Ǫer** m pulverizer; spray(er), bsd. Am. atomizer.
zerstö′r|en (-shtŏr′n) destroy; **Ǫer** m destroyer (a. ♣.); **Ǫung** f destruction.
zerstreu′|en (-shtrŏi′n) disperse, scatter (a. sich); (belustigen) divert; **~t** fig. absent(-minded); **Ǫtheit** f absent-mindedness; **Ǫung** f dispersion; diversion.
zerstü′ckel|n (-shtŭk′ln) dismember; **Ǫung** f dismemberment.
zer|tei′len (-tīl′n) (a. sich) divide; **~tre′nnen** Kleid: rip up; **~tre′ten** (-trét′n) tread down, fig. stamp out; **~trü′mmern** smash.
Zerwü′rfnis (-vürfnis) n dissension.
Ze′ter|geschrei (tsét′rgh^e^shrī) n loud outcry; **Ǫn** clamour; brawl.
Ze′ttel (tsět′l) m slip (of paper); note; ticket; label; placard, bill, poster; **~ankleber** (-ă/nkléb′r) m billsticker.

Zeug (tsöik) *n* stuff (*a. fig. contp.*); material; (*Tuch*) cloth; (*Sachen*) things *pl.*

Zeu'ge (tsöigʰᵉ) *m* witness; ⌂n *v/i.* witness; *v/t.* beget; ⌐n-aussage (-owszähgʰᵉ) *f* deposition (of a witness); ⌐nbank *f* witness-box.

Zeu'ghaus (tsöikhows) ✕ *n* arsenal.

Zeu'gin (tsöigʰⁱn) *f* (female) witness.

Zeu'gnis (tsöiknis) *n* testimony, evidence; (*Bescheinigung*) certificate; (*Schul*⌂) report.

Zeu'gung (tsöigöörg) *f* procreation; ⌂sfähig (-fäiç) capable of begetting; ⌐skraft *f* generative power; ⌂s-un-fähig (-öonfäiç) impotent.

Zicho'rie (tsiçör'ⁱᵉ) *f* chicory.

Zi'ckzack (tsiktsáhk) *m* zigzag.

Zie'ge (tseegʰᵉ) (she-)goat.

Zie'gel (tseegʰᵉl) *m* brick; (*Dach*⌂) tile; ⌐dach (-dähk) *n* tiled roof; ⌐ei' *f* brickworks *pl.*; ⌐stein (-shtīn) *m* brick.

Zie'gen|bock *m* he-goat; ⌐fell *n* goatskin; ⌐hirt *m* goatherd; ⌐leder (-léd'ʳr) *n* kid(-leather).

Zie'hbrunnen (tseebröön'ᵉn) *m* draw-well.

zie'hen (tseeᵉn) **1.** *v/t.* pull, draw; (*züchten*) ⚘ cultivate, *zo.* breed; *Graben usw.:* make; *Hut:* take off; *Zahn,* ⚘ *Wurzel:* extract; *Blasen:* raise; *Nutzen:* derive; *an sich* ⌐ draw (to one); *in Erwägung* ⌐ take into consideration; *in die Länge* ⌐ draw out; *fig.* protract; *et. nach sich* ⌐ entail; **2.** *v/i.* (h.) pull (*an dat.* at); *Schach:* move; *Ofen, Pfeife, Tee, Theaterstück, Ware:* draw; *an der Zigarette usw.:* puff at; *es zieht* there is a draught (*Am.* draft); (sn) (*sich bewegen*) move; go; march; (*ausziehen*) (re)move, quit; *Dienstbote:* go out of service; **3.** *v/refl.* extend, stretch; *sich in die Länge* ⌐ drag on.

Zie'hharmonika (tseehährmōnī-kāh) *f* accordion. [lots).\

Zie'hung (tseeöörg) *f* drawing (of/

Ziel (tseel) *n* aim; (*Reise*⌂) destination; *des Strebens:* end, target, object; *Rennsport:* winning-post; (*Termin*) term; ⌂'bewußt (-bᵉvŏŏst) purposeful; ⌂en (take) aim (*auf acc.* at); ⌂'los purposeless; ⌐'richter *m Sport:* judge; ⌐'scheibe (-shib⁰) *f* target.

zie'men (tseem⁰n) (*a. sich*) (*dat. od. für*) become, suit.

zie'mlich (tseemlïç) **1.** *adj.* (*passend*) fit, suitable; (*leidlich*) fair, tolerable; **2.** *adv.* pretty, fairly, tolerably; rather.

Zier (tseer) ⌐'de *f* ornament; *fig. a.* honour (*für* to); ⌂'en ornament, adorn; decorate; *sich* ⌐ *fig.* be affected; *Frau:* be prim; ⌐erei' (-ᵉrī) *f* affectation; ⌂'lich elegant; neat; fine; ⌐'lichkeit *f* elegance; ⌐'pflanze *f* ornamental plant.

Zi'ffer (tsif⁰r) *f* figure; ⌐blatt *n* dial-plate, face.

Zigare'tte (tsigährĕt⁰) *f* cigarette.

Ziga'rre (tsigähr⁰) *f* cigar; ⌐nkiste *f* cigar-box; ⌐nspitze *f* cigar-holder; ⌐ntasche *f* cigar-case.

Zigeu'ner (tsigöin⁰r) *m,* ⌐in *f* gipsy.

Zi'mmer (tsim⁰r) *n* room; *vornehmer:* apartment; ⌐antenne *f* indoor aerial; ⌐einrichtung (-in-riçtöörg) *f* furniture; ⌐mädchen (-mätç⁰n) *n* chambermaid; ⌐mann *m* carpenter; ⌂n carpenter; *fig.* frame; ⌐pflanze *f* indoor plant; ⌐vermieter(in *f*) (-fĕrmeet⁰r) *m* lodging-housekeeper.

zi'mperlich (tsimp⁰rlïç) prim; prudish; ⌂keit *f* primness; prudery.

Zimt (tsimt) *m* cinnamon.

Zink (tsirgk) *n u. m* zinc; ⌐'blech *n* sheet zinc.

Zi'nke (tsirgk⁰) *f* prong; *e-s Kammes:*\

Zinn (tsin) *n* tin. [tooth.\

Zi'nne (tsin⁰) *f* ⚘ pinnacle; ✕ (*Mauer*⌂) battlement.

Zinno'ber (tsinōb⁰r) *m* cinnabar; ⌐rot (-rōt) *n,* ⌂rot vermilion.

Zins (tsīns) *m* (*Miete, Pacht*) rent; (*Abgabe*) tribute; (*Geld*⌂, *mst Zinsen pl.*) interest; ⌂'bringend bearing interest; ⌐eszins (tsinz⁰stsīns) *m* compound interest; ⌐'fuß (-fōōs) *m* rate of interest.

Zi'pfel (tsipf⁰l) *m* tip; (*Tuch*⌂) corner; (*Rock*⌂) lappet; ⌂ig pointed; ⌐mütze *f* tassel(l)ed cap.

Zi'rkel (tsirk⁰l) *m* (*Kreis*) circle; *Gerät:* (ein ⌐ a pair of) compasses.

zirkulie'ren (tsirkōōleer⁰n) circu-/

Zi'rkus (tsirkōōs) *m* circus. [late.\

zi'rpen (tsirp⁰n) chirp.

zi'sch|eln (tsïsh'ln) whisper; ⌐en hiss; (*schwirren*) whiz(z).

ziselie'ren (tseez⁰leer⁰n) chase.

Zita't (tsītáht) *n* quotation.

zitie'ren (tsīteer⁰n) (*vorladen*) summon; (*anführen*) quote.

Zitro'ne (tsĭtrōn^e) f lemon; ~n-presse f lemon-squeezer.
zi'ttern (tsĭt^ern) tremble, shake (vor dat. with).
Zi'tze (tsĭts^e) f teat, nipple.
zivi'l (tsĭveel) 1. civil; Preis: reasonable; 2. ♀ n civilians pl.; s. ♀kleidung; ~isie'ren (-izeer^en) civilize; ♀i'st m civilian; ♀kleidung (-klidō͝oŋ) f plain clothes.
Zo'fe (tsōf^e) f lady's maid.
zö'gern (tsȫg^hern) 1. linger; hesitate; 2. ♀ n delay; hesitation.
Zö'gling (tsȫklĭŋ) m pupil.
Zoll (tsŏl) 1. m (Maß) inch; 2. (Abgabe) custom, duty; fig. tribute; ~'-abfertigung f clearance; ~'-amt n custom-house; ~'be-amte(r) m custom-house officer; ♀'en give, pay; ~'erklärung f (custom--house) declaration; ♀'frei (-frī) duty-free; ~'kontrolle f customs examination; ♀'pflichtig (-pflĭçtĭç) liable to duty; ~'politik (-pŏlĭteek) f customs policy; ~'stock m footrule; ~'tarif (-tähreef) m tariff (of duties); ~'verschluß (-fĕrshlō͝os) m bond.
Zo'ne (tsōn^e) f zone.
Zoolo'g|e (tsō͝olōg^he) m zoologist; ~ie' (-ee) f zoology; ♀isch zoological.
Zopf (tsŏpf) m plait of hair, tress; pigtail; fig. pedantry; ♀'ig fig. pedantic.
Zorn (tsŏrn) m anger; ♀'ig angry (auf et. at, j-n with).
Zo't|e (tsōt^e) f smutty jest, obscenity; ~n reißen talk smut; ♀ig obscene, smutty.
Zo'tt|e(l) (tsŏt^e[l]) f tuft (of hair); ♀(el)ig shaggy.
zu (tsō͝o) 1. prp. Bewegung: to; Ruhe: at; in; on; hinzutretend: in addition to; ~ Anfang in the beginning; zum ersten Mal for the first time; ~ e-m ... Preise at a ... price; ~ Tausenden by thousands; ~ Wasser by water; ~ zweien by twos; 2. adv. (allzu) too; Richtung: to(wards); (geschlossen) closed, shut.
zu'bauen (-bow^en) build up od. over.
Zu'behör (-b^e hȫr) m, n appurtenances, accessories pl. [snap(at).]
zu'beißen (-bīs^en) bite; Hund:)
zu'berei't|en (-b^erīt^en) prepare; ♀ung f preparation.
zu'|billigen grant; ~binden tie up; ~bringen Zeit: pass, spend.

Zucht (tsō͝okt) f (Tätigkeit) breeding; v. Kleinwesen: culture; v. Pflanzen: cultivation; (Rasse) breed; (Manns♀) discipline.
zü'cht|en (tsûçt^en) Tiere: breed; Pflanzen: grow, cultivate; ♀er(in f) m breeder; grower.
Zu'cht|haus (-hows) n gaol, penitentiary; Strafe: penal servitude; ~häusler (-hȯisl^er) m convict.
zü'chtig (tsûçtĭç) chaste, modest; ~en (-ĭg^h-) punish; körperlich: flog; ♀ung f punishment; flogging.
zu'cht|los undisciplined; ♀losigkeit (-lōzĭçkĭt) f want of discipline; ♀-mittel n means of correction.
zu'cken (tsō͝ok^en) jerk; krampfhaft: twitch; vor Schmerzen: wince; Blitz: flash.
zü'cken (tsûk^en) draw.
Zu'cker (tsō͝ok^er) m sugar; ~dose (-dōz^e) f sugar-basin, Am. -bowl; ~hut (-hō͝ot) m sugar-loaf; ♀ig sugary; ♀krank diabetic; ♀n sugar; ~rohr n sugar-cane; ~rübe (-rüb^e) f sugar-beet; ♀süß (-züs) (as) sweet as sugar; ~wasser n sugared water; ~werk n confectionery, sweetmeats pl.; ~zange f sugar-tongs pl.
Zu'ckung (tsō͝okō͝oŋ) f convulsion.
zu'decken cover (up). [(dat. on).]
zu'diktieren (-dikteer^en) inflict)
Zu'drang m rush; (zu) run (on).
zu'drehen (-drē^en) turn off; j-m den Rücken ~ turn one's back on a p.
zu'dringlich obtrusive.
zu'drücken close, shut.
zu'-eignen (-ign^en) dedicate.
zu'erkennen award, adjudge.
zu-e'rst at first; (als erster) first.
zu'fahren (sn) drive on; ~ auf (acc.) drive to; fig. rush at a p.
Zu'fall m chance; accident; ♀en (sn) close, shut; j-m ~ fall to a p.'s share.
zu'fällig (-fĕlĭç) accidental; casual, by chance. [set to work.]
zu'fassen seize (hold of) a th.; fig.)
Zu'flucht (-flō͝okt) f refuge; resort; s-e ~ nehmen zu have recourse to.
Zu'fluß (-flō͝os) m afflux; (Nebenfluß) affluent; ♀ supply.
zu'flüstern j-m: whisper to.
zufo'lge (gen. u. dat.) according to.
zufrie'den (-freed^en) content(ed), satisfied; ~ lassen let a p. alone; ♀heit f contentment, satisfaction; ~stellen satisfy; ~stellend satisfactory.

zu'frieren (-freer⁴n) (sn) freeze up *od.* over.

zu'fügen (-füg⁴⁴n) add; (*antun*) do, cause; *Böses*: inflict (*j-m* [up]on *a p.*).

Zu'fuhr (-fōōr) *f* supply, supplies *pl.*

zu'führ|en (*dat.*) lead to, bring to; *Waren*: supply.

Zug (tsōōk) *m* draw, pull; (*Marsch*) march; (*Kriegs*Ջ, *Forschungs*Ջ) expedition; (*Um*Ջ) procession; 🚂 train; (*Feder*Ջ) stroke; (*Gesichts*Ջ) feature; (*Charakter*Ջ): trait; (*Neigung*) bent; (*Luft*Ջ) draught; *Schach usw.*: move; *Trinken*: draught; *Rauchen*: puff; *der Vögel*: passage.

Zu'gabe (-gåhb⁴) *f* addition; extra; *thea.* encore.

Zu'gang *m* access, approach.

zu'gänglich (-g⁴ᵉᴺᵍᵚᵢᵗ) accessible.

zu'geben (-g⁴éb⁴n) add; *fig.*: allow; admit.

zuge'gen (-g⁴ég⁴é⁴n) present.

zu'geh(e)n (-g⁴é[⁴]n) (sn) *Tür usw.*: close; *P.*: go on, walk faster; (*geschehen*) happen; *auf j-n* ⁓ move towards; *j-m* ⁓ come to a p.'s hand; *j-m* ⁓ *lassen* forward to a p.

zu'gehörig (-g⁴ᵉᵸᵚᵣᵢᵗ) belonging to ...; Ջkeit *f* membership (zu of).

Zü'gel (tsüg⁴ᵉᴸ) *m* rein; bridle (*fig.*); Ջlos unbridled; *fig.* licentious; Ջn rein (in). [concession.]

Zu'geständnis (-g⁴ᵉ⁴shtä́ndnis) *n*] zu'gestehen (-g⁴ᵉshté⁴n) concede.

zu'getan(-g⁴ᵉtä́hn)(*dat.*)attached to.

Zu'g|führer *m* chief guard, *Am.* conductor; Ջig (-g⁴ᵸᵢ̗ᵗ) draughty; ⁓kraft *f* traction; *fig.* attraction.

zuglei'ch (-glī̗ᵗ) at the same time, together.

Zu'g|luft (-lōōft) *f* draught; ⁓pferd (-pfért) *n* draught-horse; ⁓pflaster *n* blister.

zu'greifen (-grī̗f⁴n) grasp (*od.* grab) at *a th.*: *bei Tisch*: help o.s.; *helfend*: lend a hand.

zugru'nde (-grōōnd⁴): ⁓ *gehen* perish; ⁓ *richten* ruin.

zugu'nsten (-gōōnst⁴n) (*gen.*) in favour of.

zugu'te (-gōōt⁴): *j-m et.* ⁓ *halten* account to a p. for a th.; ⁓ *kommen* (*dat.*) be for the benefit of; *sich et. auf e-e S.* ⁓ *tun* pique o.s. on a th.

Zu'gvogel (-fōg⁴ᴸ) *m* bird of passage.

zu'halten keep ... shut; close.

---

zu'heilen (-hīl⁴n) (sn) heal up, skin (over).

zu'hören (*dat.*) listen (to).

Zu'hörer *m*, ⁓in *f* hearer, listener; ⁓schaft *f* audience.

zu'jubeln (-yōōb⁴ln) (*dat.*) cheer.

zu'kleben (-kléb⁴n) paste (*od.* glue)\
zu'knöpfen button (up). [up.]

zu'kommen (sn) *auf j-n*: come up to a p.; (*gebühren*) be due to; *j-m et.* ⁓ *lassen* let a p. have a th.

zu'korken cork (up).

Zu'kunft (-kōōnft) *f* future.

zu'künftig future; *adv.* in future.

zu'lächeln (*dat.*) smile at *od.* (up)on.

Zu'lage (-låhg⁴ᵉ) *f* increase, extra pay; rise.

zu'langen *bei Tisch*: help o.s.

zu'|lassen *Tür*: leave shut; *j-n*: admit; *behördlich*: license; *Arzt usw.*: qualify; (*dulden*) suffer; *Deutung usw.*: admit of; ⁓lässig admissible, allowable; Ջlassung *f* admission; permission.

Zu'lauf (-lowf) *m*: *großen* ⁓ *h.* be much run after; Ջen (sn) *j-m*: flock to.

zulei'de (-līde): *j-m et.* ⁓ *tun* do a p. harm, harm (*od.* hurt) a p.

zu'leiten (-līt⁴n) *Wasser usw.*: let in; (*dat.*) lead to; (*weitergeben*) pass to.

zu'le'tzt finally, at last; (*als letzter*) last; ⁓lie'be (-leeb⁴): *j-m* ⁓ for a p.'s sake.

zu'machen shut, close; fasten.

zuma'l (-måhl) especially, particularly.

zu'mauern (-mow⁴rn) wall up.

zu'messen measure out; allot.

zumu'te (-mōōt⁴): *mir ist ...* ⁓ I feel ...

zu'mut|en (-mōōt⁴n): *j-m et.* ⁓ expect a th. of a p.; Ջung *f* exaction.

zunä'chst (-nǎ̗çst) *prp.* next to; *adv.* first of all; (*vorläufig*) for the present.

zu'|nageln (-någh⁴ln) nail up; ⁓nähen (-nä́⁴n) sew up; Ջnahme *f* increase; Ջname (-nähm⁴) *m* surname.

zü'nd|en (tsünd⁴n) kindle, ignite; *fig.* take; Ջer *m* fuse; Ջholz *n* match; Ջkerze *f* *mot.* spark(ing) plug; Ջschnur (-shnōōr) *f* match; Ջstein (-shtīn) *m* flint; Ջstoff *m* inflammable matter; Ջung *f* ignition.

zu'nehmen increase; *an Gewicht*: put on weight; *Mond*: wax; *Tage*: grow longer.

zu'neig|en (-nī͡gʰᵉn) (a. sich) (dat.) incline to; sich dem Ende ~ draw to a close; 2ung f affection.

Zunft (tsŏŏnft) f guild.

zü'nftig (tsŭnftiç) skilled; F proper.

Zu'nge (tsŏŏr͡gᵉ) f tongue.

zü'ngeln (tsŭr͡gᵉln) Flamme: lick.

zu'ngen|fertig voluble; 2fertigkeit f volubility; 2spitze f tip of the tongue.

zuni'chte (-nīçtᵉ): ~ m. (od. w.) bring (od. come) to nought od. nothing.

zu'nicken (dat.) nod to.

zunu'tze (-nŏŏtsᵉ): sich et. ~ m. turn a th. to account, utilize a th.

zu-o'berst (-ōbᵉrst) at the top, uppermost.

zu'pfen (tsŏŏpfᵉn) pull, twitch.

zu'rechnungsfähig (tsŏŏrȩçnŏŏr͡gsfäiç) responsible, of sound mind; 2keit f responsibility.

zure'cht|finden: sich ~ find one's way; ~kommen (sn) arrive in time; ~ (mit) get on well (with); ~legen (-légʰᵉn) lay in order; fig. sich e-e S. ~ figure out a th.; ~machen get ready, prepare; für e-n Zweck: adapt to od. for; sich ~ Frau: make (o.s.) up; ~weisen (-vīzᵉn), 2weisung f reprimand.

zu'|reden (-rédᵉn) j-m: encourage; ~reichen (-rīçᵉn) v/t. reach; v/i. be sufficient; ~reiten (-rītᵉn) v/t. break in; ~richten prepare; bsd. ⊕ dress; übel ~ use badly; ~riegeln (-reegʰᵉln) bolt (up).

zü'rnen (tsŭrnᵉn) be angry.

Zurschau'stellung (tsŏŏrshowshtĕlŏŏr͡g) f display.

zurü'ck (tsŏŏrŭk) back; (rückwärts) backward(s); (hinten) behind; ~behalten keep back, retain; ~bekommen get back; ~bleiben (-blībᵉn) (sn) remain (od. fall) behind, lag; ~datieren (-dähteerᵉn) date back; antedate; ~drängen drive back; fig. repress; ~erobern (-ĕrōbᵉrn) reconquer; ~erstatten restore; Ausgaben: refund; ~fahren drive back; fig. start back; ~fordern reclaim; 2forderung f reclamation; ~führen lead back; fig. ~ auf (acc.) refer to; ~geben (-gᵉébᵉn) give back, return, restore; ~gezogen (-gᵉtsōgᵉn) retired; 2gezogenheit f retirement, privacy; ~greifen (-grīfᵉn): fig. ~ auf (acc.) fall back (up)on; ~halten hold back;

~ mit keep back; ~haltend reserved; 2haltung f reserve; ~kehren (sn) return; ~kommen (sn) come back; return (auf acc. to); ~lassen leave (behind); ~legen (-légʰᵉn) lay aside; Weg: cover; 2nahme f taking back; withdrawal, retrac(ta)tion; ~nehmen take back; Gesagtes usw.: withdraw, retract; ~prallen (sn) rebound; vor Schreck: start back; ~rufen (-rōōfᵉn) call back; ins Gedächtnis: recall; ~schlagen (-shlähgʰᵉn) strike back; Feind usw.: repel; Decke: turn down; ~schrecken (sn) shrink (back) (vor dat. from); ~setzen (-zĕtsᵉn) place back; fig. slight, neglect; 2setzung f slight, neglect; ~steh(e)n (-shté[ᵉ]n) (sn) stand back; fig. be inferior (hinter dat. to); ~stellen put back; fig. put aside, (a. ✗) defer; ~strahlen v/t. reflect; v/i. be reflected; ~streifen (-shtrīfᵉn) Ärmel: tuck up; ~treten (-trétᵉn) (sn) stand back; fig. recede; ~übersetzen (-übᵉrzĕtsᵉn) retranslate; ~verweisen (-fĕrvīzᵉn) parl. refer back (an acc. to); ~weichen (-vīçᵉn) (sn) fall back; (a. fig.) recede; ~weisen (-vīzᵉn) send back; fig. reject; Angriff: repel; ~wirken react (auf acc. upon); ~ziehen (-tseeᵉn) v/t. draw back; fig. (a. sich) withdraw; sich ~ retire; v/i. move back; 2ziehung f withdrawal.

Zu'ruf (tsŏŏrōōf) m call; (Beifalls2) acclamation; 2en j-m: call to, acclaim.

Zu'sage (tsŏŏzāhgʰᵉ) f promise; (Zustimmung) assent; 2n promise (to come v/i.); j-m ~: (bekommen) agree with a p.; (gefallen) suit a p.

zusa'mmen (tsŏŏzähmᵉn) together; ~ballen form into a ball, conglomerate; die Zähne ~beißen (-bīsᵉn) set one's teeth; ~brechen (sn) break down; collapse; 2bruch (-brōōk) m breakdown; collapse; ~drehen (-dréᵉn) twist (together); ~drücken compress; ~fahren (sn) fig. start; ~fallen fall in, collapse; zeitlich: coincide; ~falten fold up; ~fassen comprehend; (kurz ~) summarize; 2fassung f e-s Inhalts: summary; ~fügen (-fŭgʰᵉn) join; ~geraten (sn) (-gʰᵉrāhtᵉn) fig. collide; ~halten hold together; 2hang m coherence, connection; des Textes:

context; ~hängen cohere; *fig.* be connected; ~hang(s)los incoherent, disconnected; ~klappen fold up; ~kommen (sn) meet; 2kunft (-kŏonft) *f* meeting; *zweier Personen*: interview; ~laufen (-lowfᵉn) (sn) run (*od.* crowd) together; 2~ converge; (*gerinnen*) curdle; (*einschrumpfen*) shrink; ~legen (-légʰᵉn) lay together; fold up; *Geld*: club (together); ~nehmen gather (up); *sich* ~ collect o.s.; *im Benehmen*: be on one's good behaviour; ~packen pack up; ~passen be matched, harmonize; ~raffen snatch up; *sich* ~ pull o. s. together; ~rechnen add up *od.* together; ~rollen coil (up); *sich* ~rotten (-rótᵉn) band o. s.; ~rükken (sn) close up; ~schlagen (-shlähgʰᵉn) *v/t.* smash (up); *die Hände*: clap; *v/i.* (sn) (*über dat.*) dash over; (*sich*) ~schließen (-shleesᵉn) join (closely), unite; 2schluß (-shlŏos) *m* union; ~schrumpfen (-shrŏompfᵉn) (sn) shrivel (up), shrink; ~setzen (-zěts·ᵉn) put together; *zu e-m Ganzen*: compose; compound; *sich* ~ aus be composed of; 2setzung *f* composition; compound; ~stellen put together; *aus Einzelteilen*: make up; *Wörterbuch usw.*: compile; 2stellung *f* konkret: compilation; synopsis; 2stoß (-shtös) *m* collision; ✕ encounter; ~stoßen *v/i.* knock together; *v/i.* (sn) collide; (*an-ea.-grenzen*) adjoin; ~stürzen (sn) tumble down; collapse; ~suchen (-zŏokᵉn) gather, collect; ~tragen (-trähgʰᵉn) carry together; *Notizen usw.*: compile; ~treffen 1. (sn) meet; *zeitlich*: coincide; 2. 2 *n* meeting; coincidence; ~treten (-trétᵉn) (sn) meet; ~wirken 1. co--operate; 2. 2 *n* co-operation; ~zählen add up; ~ziehen (-tseeᵉn) draw together, contract; ✕ concentrate.

Zu'satz (tsŏozähts) *m* addition; (*Beimischung*) admixture, *metall.*: alloy; (*Ergänzung*) supplement.

zu'sätzlich (-zětslič) additional.

zuscha'nden (-shähndᵉn): ~ *m.* ruin; *Plan.*: frustrate, thwart.

zu'schau|en (-showᵉn) look on (e-r S. at a th.); *j-m*: watch a p.; 2er (in *f*) *m* spectator, looker-on, onlooker.

---

zu'schicken send (*dat.* to).

Zu'schlag (-shlähk) *m* addition; (*Preis*2) extra charge; *Auktion*: knocking down; 2en (-shlähgʰᵉn) *v/i.* strike; *v/t. Tür usw.*: slam (*a. v/i.*); *Auktion*: knock down; ~(s)karte *f* extra ticket.

zu'|schließen (-shleesᵉn) lock up, close; ~schnallen buckle (up); ~schnappen (h.) snap; (sn) *Schloß*: snap to, catch.

zu'schneid|en (-shnídᵉn) cut (to size); 2er(in *f*) *m* cutter.

Zu'|schnitt *m* cut; *weitS.* style; 2~ schnüren lace up; cord up; 2~ schrauben (-shrowbᵉn) screw up *od.* tight; 2schreiben (-shríbᵉn) ascribe, attribute; ~schrift *f* letter.

zuschu'|den (-shŏoldᵉn): *sich et.* ~ kommen *l.* make o.s. guilty of a th.

Zu'|schuß (-shŏos) *m* allowance; 2~ schütten add; *Graben usw.*: fill up; 2sehen (-zéᵉn) = zuschauen; (*sorgen*) see to it (*daß* that); 2sehends visibly; 2senden send; 2setzen add; *Geld*: lose; *j-m* ~ press a p.

zu'sicher|n (-zičᵉrn) *j-m et.*: assure a p. of a th.; 2ung *f* assurance.

zu'|siegeln (-zeegʰᵉln) seal (up); ~ spitzen point; *sich* ~ taper (off); *fig.* come to a crisis; 2stand *m* condition, state.

zusta'nde (-shtähndᵉ): ~ bringen bring about; ~ kommen come about.

zu'ständig competent; 2keit *f* competence.

zusta'tten (-shtähtᵉn): *j-m* ~ kommen stand a p. in good stead.   [to.)

zu'steh(e)n (-shté[ᵉ]n) (*dat.*) be due to a p.)

zu'stell|en deliver, hand; ⅀ serve (on a p.); 2ung *f* delivery; service.

zu'stimm|en agree (to a *th.*; with a *p.*); consent; 2ung *f* consent.

zu'stoßen (-shtösᵉn) (sn) happen (to a *p.*).

zu'stutzen (-shtŏotsᵉn) trim; fit; adapt.

zuta'ge (-tähgʰᵉ) to light.

Zu'taten (-tähtᵉn) *f/pl.* ingredients *pl.*; *e-s Kleides*: trimmings *pl.*

zutei'l (-til): *j-m* ~ werden fall to a p.'s share.

zu'teil|en allot, allocate; apportion; 2ung *f* allotment, allocation.

zu'tragen (-trähgʰᵉn) (*sich*) happen.

Zu'träger(in *f*) *m* talebearer.

zu'träglich (-träklič) conducive.

zu'trau|en (-trow⁰n) **1.** *j-m et.* ~ credit a p. with a th.; **2.** **Ω** *n* confidence (zu in); **~lich** confiding, trustful.

zu'treffen (sn) prove right; ~ *auf* be true of; **~d** right; *(anwendbar)* applicable.

zu'trinken *j-m:* drink to a p.

Zu'tritt *m* access, admittance.

zu-u'nterst (-ŏŏnt⁰rst) quite at the bottom.

zu'verlässig (-fĕrlĕsiç) reliable; certain; **Ωkeit** *f* reliability; certainty.

Zu'versicht (-fĕrzïct) *f* confidence; **Ωlich** confident.

zuvo'r (tsŏŏfŏr) before, previously; **~kommen** (sn) *j-m:* anticipate; *e-r S.:* prevent; **~kommend** obliging.

Zu'wachs (-vähks) *m* increment; **Ωen** (sn) get overgrown; *j-m:* accrue to a p.

zuwe'ge (-vég^hê) *s. zustande.*

zuwei'len (-vïl⁰n) sometimes.

zu'|weisen (-vïz⁰n) assign; **~wenden** *(dat.)* turn towards; *fig.* give; bestow on; **~werfen** *Grube:* fill up; *Tür:* slam.

zuwi'der (-veed⁰r) *(dat.)* contrary to *od.* against; *(verhaßt)* repugnant; **~handeln** *(dat.)* counteract; *fig.* contravene; **Ωhandlung** *f* contravention.

zu'|winken *(dat.)* wave to; beckon to; **~zahlen** pay extra; **~zählen** add; **~ziehen** (-tsee⁰n) *v/t.* draw together; *Vorhang:* draw; *als Beirat:* consult; *sich et.* ~ incur; **catch**; *v/i.* (sn) move in; **~züglich** (-tsüklïç) plus.

Zwang (tsvähŋ) *m* compulsion; constraint, *(Gewalt)* force; *sich* ~ *antun* restrain o.s.

zwä'ngen (tsvĕŋ⁰n) press, force.

zwa'nglos (-lōs) *fig.* free and easy, informal; **Ωigkeit** (-lōziçkït) *f* ease, informality.

Zwa'ngs- *mst* compulsory, forced; **~arbeit** (-ährbït) *f* hard labour; **~jacke** (-yähk⁰) *f* strait-waistcoat; **~lage** (-lähg^hê) *f* embarrassing situation; **Ωläufig** (-lŏifiç) *fig.* necessary; **~maßregel** (-mähsrég^hⁱl) *f* coercive measure; **~mittel** *n* means of coercion; **~vollstreckung** (-fŏlshtrĕkŏŏŋ) *f* distraint, execution; **~vorstellung** (-fŏrshtĕlŏŏŋ) *f* hallucination; **Ωweise** by force; **~wirtschaft** *f* Government control.

zwa'nzig (tsvähntsïç) twenty; **~st** twentieth. **[~** and that.**)**

zwar (tsvähr) indeed, it is true; *und* **Zweck** (tsvĕk) *m* aim, end, object, purpose; *(Absicht)* design; *(keinen)* ~ *h.* be of (no) use; *zu dem* ~ *(gen. od. inf.)* for the purpose of; **Ω'dienlich** (-deenlïç) serviceable, expedient.

Zwe'cke (tsvĕk⁰) *f* tack.

zwe'ck|los (-lōs) aimless; *(unnütz)* useless; **~mäßig** (-mĕsiç) expedient, suitable; **Ωmäßigkeit** expediency.

zwecks *(gen.)* for the purpose of.

zwei (tsvï) two; **~'deutig** (-doitïç) ambiguous; **Ω'deutigkeit** *f* ambiguity; **~erlei'** (-⁰rlï) of two kinds; **~'fach** twofold.

Zwei'fel (tsvïf⁰l) *m* doubt; **Ωhaft** doubtful; dubious; **Ωlos** doubtless; **Ωn** doubt *(an dat.* a th., a p.).

Zweig (tsvïk) *m* branch *(a. fig.)*, bough; **~'bahn** *f* branch-line; **~'geschäft** (-g^hⁱshĕft) *n,* **~'niederlassung** (-need⁰rlähsŏŏŋ), **~'stelle** *f* branch(-establishment, -office), *Am.* local.

zwei'|gleisig (-glïziç) double-track; **~jährig** (-yäriç) two-years-old; **Ωkampf** *m* single combat, duel; **~mal** (-mähl) twice; **~malig** (-mählïç) done twice; **~motorig** (-mōtōriç) twin-engined; **Ωrad** (-räht) *n* bicycle; **~reihig** (-rïiç) *Jacke:* double-breasted; **~schläf(e)rig** (-shläf[e]-rïç) *Bett:* double; **~schneidig** (-shnïdiç) two-edged; **~seitig** (-zïtiç) two-sided; *Stoff:* reversible; **Ωsitzer** (-zïts⁰r) *m* two-seater; **Ωspänner** (-shpĕn⁰r) *m* carriage-and-pair; **~sprachig** (-shprähkiç) bilingual; **~stöckig** (-shtŏkiç) two-stor(e)y; **~stündig** (-shtündiç) of two hours.

zweit (tsvït) second; *ein* ~**er** another; *wir sind zu* ~ we are two of us; **~be'st** second-best.

Zwe'rchfell (tsvĕrçfĕl) *n* diaphragm.

Zwerg (tsvĕrk) *m,* **~'in** (-g^hïn) *f* dw'arf; **Ω'enhaft** (-g^h-) dwarfish.

Zwi'ck|el (tsvïk⁰l) *m am Strumpf:* clock; *Näherei:* gusset; **Ωen** pinch, tweak; **Ωer** *m (fr.) pincenez.*

Zwie'back (tsveebähk) *m* biscuit, rusk, *Am.* cracker.

Zwie'bel (tsveeb⁰l) *f* onion; *(Blumen* **Ω**) bulb.

Zwie'|gespräch (tsveegʰᵉshprǎç) dialogue; **⁓licht** n twilight; **⁓spalt** m disunion; **⁓spältig** (-shpĕltĭç) disunited; **⁓tracht** f discord.

Zwi'lling (tsvĭliᵑg) m, **⁓s...** twin.

Zwi'ng|e (tsvĭᵑgᵉ) f (Stock⁓) ferrule; ⊕ clamp; **⁓en** constrain; force, compel; **⁓end** Grund: cogent; **⁓er** m tower; (Hunde⁓) kennel; (Bären⁓) bear-pit.

zwi'nkern (tsvĭᵑgkᵉrn) wink, blink.

Zwirn (tsvĭrn) m thread; twine; **⁓'en** twist; **⁓'sfaden** (-fǎhdᵉn) m thread.

zwi'schen (tsvĭshᵉn) zweien: between; mehreren: among; **⁓bilanz** f interim balance; **⁓deck** n steerage; **⁓du'rch** (-dööɾç) through; zeitlich: between whiles; **⁓fall** m incident; **⁓händler** m middleman; **⁓handlung** f episode; **⁓landung** ≽ f intermediate landing; **⁓pause** (-powzᵉ) f, **⁓raum** (-rowm) m interval; **⁓ruf** (-rōōf) m interruption; **⁓spiel** (-shpeel) n interlude; **⁓staat-**

lich (-shtǎhtlĭç) international, Am. interstate; **⁓station** (-shtǎhts'ön) f intermediate (Am. way) station; **⁓stecker** m Radio: adapter; **⁓stück** n inset; **⁓träger**(in f) m talebearer; **⁓wand** f partition (wall); **⁓zeit** (-tsīt) f interval; in der ⁓ in the meantime.

Zwist (tsvĭst) m, **⁓'igkeit** f discord; disunion; quarrel. [chirp.]

zwi'tschern (tsvĭtshᵉrn) twitter,|

Zwi'tter (tsvĭtᵉr) m, **⁓haft** hybrid; Mensch: hermaphrodite.

zwölf (tsvŏlf) twelve; **⁓t** twelfth.

Zyanka'li (tsūǎhnkǎhlĭ) n cyanide of potassium.

Zy'klus (tsüklōōs) m cycle; von Vorlesungen usw.: course, set.

Zyli'nder (tsĭlĭndᵉr) m cylinder; (Lampen⁓) chimney; Hut: high hat. zyli'ndrisch cylindrical.

Zy'n|iker (tsünĭkᵉr) m cynic; **⁓isch** cynical; **⁓i'smus** (-ĭsmōōs) m cynicism.

Zypre'sse (tsŭprĕsᵉ) f cypress.

PART II
ENGLISH∮GERMAN
DICTIONARY

THE PHONETIC SYMBOLS OF ENGLISH PRONUNCIATION
see PAGES 12-13

A

a (eⁱ, ᵉ) *Artikel*: ein(e); *20 miles a day* täglich 20 Meilen.

A 1 (eⁱʷᵃ'n) F Ia, prima, ff.

aback (ᵉbä't) rückwärts.

abandon (ᵉbä'nⁿdᵉn) auf-, preisgeben; verlassen; überla'ssen; ~ed verworfen; ~ment (~mᵉnt) Auf-, Preis-gabe f. [Erniedrigung f.|

abase (ᵉbeⁱ'ß) erniedrigen; ~ment|

abash (ᵉbä'ſch) verlegen m.; ~ment (~mᵉnt) Verlegenheit f.

abate (ᵉbeⁱ't) v/t. verringern; *Mißstand* abstellen; v/i. abnehmen, nachlassen; ~ment (~mᵉnt) Verminderung; Abstellung f.

abattoir (ä'bᵉtwā) Schlachthaus n.

abb|ess (ä'bⁱß) Äbtissin f; ~ey (ä'bⁱ) Abtei f; ~ot (ä'bᵉt) Abt m.

abbreviat|e (ᵉbri'wⁱeⁱt) (ab)kürzen; ~ion (ᵉbriwⁱeⁱ'ſchᵉn) Abkürzung f.

abdicat|e (ä'bdⁱfeⁱ't) entsagen (dat.); abdanken; ~ion (äbdⁱfeⁱ'ſchᵉn) Verzicht m. [Bauch m.|

abdomen (äbdoᵘ'mᵉn) Unterleib, |

abduct (äbdᵃ'ft) entführen.

abed F (ᵉbe'd) zu Bett.

aberration (äbᵉreⁱ'ſchᵉn) Abweichung; *ast. u. fig.* Abirrung f.

abet (ᵉbe't) aufhetzen; anstiften; ~tor (~ᵉ) Anstifter m.

abeyance (ᵉbeⁱ'ᵉnß) Unentschiedenheit f; ɟɫ *in* ~ in der Schwebe.

abhor (ᵉbhō') verabscheuen; ~rence (ᵉbhō'rᵉnß) Abscheu m (of vor dat.); ~rent □ (~ᵉnt) zuwider (to dat.).

abide (ᵉbaⁱ'b) [irr.] v/i. bleiben (by bei); v/t. ertragen.

ability (ᵉbⁱ'lⁱtⁱ) Fähigkeit f.

abject □ (ä'bdℨᵉtt) gemein.

abjure (ᵉbdℨuᵉ') abschwören; entsagen (dat.).

ablaze (ᵉbleⁱ'ℨ) in Flammen.

able □ (eⁱ'bl) fähig; *be* ~ imstande sn; ~bodied (~bŏdⁱb) vollkräftig.

abnegat|e (ä'bnⁱgeⁱt) ableugnen; verzichten auf (acc.); ~ion (äbnⁱgeⁱ'ſchᵉn) Ableugnung f; Verzicht m.

abnormal □ (äbnō'mᵉl) abnorm.

aboard ⚓ (ᵉbō'b) an Bord (gen.).

abode (ᵉboᵘ'b) 1. wohnte, gewohnt; 2. Aufenthalt m; Wohnung f.

aboli|sh (ᵉbŏ'lⁱſch) abschaffen, aufheben; ~tion (äbᵒlⁱ'ſchᵉn) Abschaffung, Aufhebung f.

abomina|ble □ (ᵉbŏ'mⁱnᵉbl) abscheulich; ~te (~neⁱt) verabscheuen; ~tion (ᵉbŏmⁱneⁱ'ſchᵉn) Abscheu m.

aboriginal □ (äbᵉrⁱ'bℨᵉnl) einheimisch; Ur...

abortion (ᵉbō'ſchᵉn) Fehlgeburt f.

abound (ᵉbaᵘ'nb) reichlich vorhanden sn; Überfluß h. (in an dat.).

about (ᵉbaᵘ't) 1. prp. um (...herum); ungefähr um; über (acc.); *I had no money* ~ *me* ich hatte kein Geld bei mir; *what are you* ~? was macht ihr da?; 2. adv. herum, umher; etwa; *be* ~ *to do im Begriff sn zu tun.

above (ᵉbᵃ'w) 1. prp. über; fig. erhaben über; ~ *all* vor allem; 2. adv. oben; darüber; 3. adj. obig.

abreast (ᵉbre'ßt) nebeneinander.

abridg|e (ᵉbrⁱ'bℨ) (ver)kürzen; ~(e)ment (~mᵉnt) (Ver-)Kürzung f; Auszug m.

abroad (ᵉbrō'b) im (ins) Ausland; *there is a report* ~ es geht das Gerücht.

abrogate (ä'broᵍeⁱt) aufheben.

abrupt □ (ᵉbrᵃ'pt) jäh; zs.-hangslos; schroff.

abscond (ᵉbßfŏ'nb) sich drücken.

absence (ä'bßᵉnß) Abwesenheit f; Mangel m; ~ *of mind* Zerstreutheit f.

absent 1. □ (ä'bßᵉnt) abwesend; nicht vorhanden; 2. (äbße'nt): ~ o.s. fernbleiben; ~minded □ zerstreut.

absolut|e □ (ä'bßᵉlüt) unabhängig; unumschränkt; vollkommen; unvermischt; unbedingt; ~ion (äbßᵉlü'ſchᵉn) Lossprechung f.

absolve (ᵉbℨŏ'lw) frei-, los-sprechen.

absorb (ᵉbℨō'b) aufsaugen; ganz in Anspruch nehmen.

absorption (ᵉbℨō'pſchᵉn) Aufsaugung f; fig. Vertieftsein n.

abstain (ᵉbßteⁱ'n) sich enthalten.

abstemious □ (äbßtⁱ'mⁱᵉß) enthaltsam. [tung f.|

abstention (äbßte'nſchᵉn) Enthal-|

abstinen|ce (ä'bßtⁱnᵉnß) Enthaltsamkeit f; ~t □ (~ⁿᵉnt) enthaltsam.

abstract 1. (ă'bβträkt) □ abstra'kt;
2. (ˌ) Auszug; Inbegriff *m*; *gr.* Abstra'ktum *n*; 3. (äbβträ'ɪt) abstra-
hieren; ablenken; entwenden; *Inhalt:* ausziehen; ˌed □ (ˌʰb) zerstreut; ˌion (ˌɪʃdʰⁿ) Abstraktio'n
f; (abstrakter) Begriff.
abstruse □ (äbβtrü'β) *fig.* dunkel.
abundan|ce (ᵉbɑ'ndᵉnβ) Überfluß
m; Fülle *f*; Überschwang *m*; ˌt □
(ˌbᵉnt) reich(lich).
abus|e 1. (ᵉbjü'β) Mißbrauch *m*;
Beschimpfung *f*; 2. (ᵉbjü'β) miß-
brauchen; beschimpfen; ˌive □
(ᵉbjü'βɪw) schimpfend; Schimpf...
abut (ᵉbɑ't) (an)grenzen (*upon* an).
abyss (ᵉbi'β) Abgrund *m*.
academic (ăᵗᵉdᵉ'mɪɪ) (*od.* ˌal □,
ˌᵉl) akademisch; ˌian (ˌᵗädᵉmɪ'-
ʃdʰⁿ) Akade'miker *m*.
accede (ăɪ̄βɪ'ᵒb): ˌ *to* beitreten (*dat.*);
Amt antreten; *Thron* besteigen.
accelerat|e (ăɪ̄βᵉ'lᵉʳeɪᵗ) beschleu-
nigen; ˌor (ăɪ̄βᵉ'lᵉʳeɪᵗᵉʳ) Gas-
peda'l *n*.
accent 1. (ä'ɪ̄βᵉnt) Akze'nt *m*;
2. (äɪ̄βᵉ'nt) *v/t.* akzentuieren; betonen; ˌuate (äɪ̄βᵉ'ntɪuᵉɪᵗ) akzentuieren, betonen *f*.
accept (ᵉɪ̄βᵉ'pt) annehmen; ✝ ak-
zeptieren; hinnehmen; ˌable □
(ᵉɪ̄βᵉ'ptᵉbl) annehmbar; ˌance (ᵉɪ̄-
βᵉ'ptᵉnβ) Annahme *f*; ✝ Akze'pt *n*.
access (ä'ɪ̄βᵉβ) Zugang; ✝ Anfall *m*;
easy of ˌ zugänglich; ˌary (äɪ̄-
βᵉ'βᵉrɪ) Mitwisser(in); ˌible □
(äɪ̄βᵉ'βᵉbl) zugänglich; ˌion (äɪ̄-
βᵉ'ʃdʰⁿ) Zugang; Antritt (*to gen.*);
Eintritt (*to* in *acc.*); ˌ *to the throne*
Thronbesteigung *f*.
accessory (ăɪ̄βᵉ'βᵉrɪ) 1. □ hinzu-
kommend; 2. Zubehörteil *m*.
accident (ä'ɪ̄βɪᵒᵉnt) Zufall; Un-
(glücks)fall *m*; ˌal □ (äɪ̄βɪᵒᵉ'ntl)
zufällig.
acclaim (ᵉɪ̄leɪ'm) *j-m* zujubeln.
acclamation(äɪ̄lᵉmeɪ'ʃdʰⁿ)Zurufm.
acclimatize (ᵉɪ̄läɪ'mᵉtäɪβ) akklima-
tisieren, eingewöhnen.
acclivity (ᵉɪ̄lɪ'wɪtɪ) Steigung *f*.
accommodat|e (ᵉɪ̄ᵒ'mᵒᵒeɪᵗ) an-
passen; unterbringen; *Streit*
schlichten; versorgen; ˌion (ᵉɪ̄ᵒmᵒ-
oᵉɪ̄'ʃdʰⁿ) Anpassung *f usw.*
accompan|iment (ᵉɪ̄a'mpᵉnɪmᵉnt)
Begleitung *f*; ˌy (ˌpᵉnɪ) begleiten.
accomplice(ᵉɪ̄ᵒ'mpɪβ)Kompli'cem.
accomplish (ˌplɪʃ) volle'nden;

ausbilden; ˌment (ˌmᵉnt) Voll-
e'ndung *f*; Talente *n/pl.*
accord (ᵉɪ̄ᵒ'b) 1. Überei'nstimmung
f; *with one* ˌ einstimmig; *v/i.*
überei'nstimmen; *v/t.* gewähren;
ˌance (ˌᵉnβ) Überei'nstimmung *f*;
ˌant □ (ˌᵉnt) übereinstimmend;
ˌing (ˌɪnᵍ): ˌ *to* gemäß (*dat.*);
ˌingly (ˌɪnᵍlɪ) demgemäß.
accost (ᵉɪ̄ᵒ'βt) anreden.
account (ᵉɪ̄äu'nt) 1. Rechnung; Berechnung *f*; ✝ Konto *n*; Rechenschaft *f*; Bericht *m*; *of no* ˌ ohne
Bedeutung; *on no* ˌ auf keinen Fall;
on ˌ *of* wegen; *take into* ˌ, *take* ˌ *of*
in Rechnung (*od.* Betracht) ziehen;
turn to ˌ ausnutzen; *call to* ˌ zur
Rechenschaft ziehen; *make* ˌ *of*
Wert auf *et.* (*acc.*) legen; 2. *v/i.*
ˌ *for* Rechenschaft über *et.* (*acc.*)
ablegen; (sich) erklären; *be much*
ˌed *of* hoch geachtet sn; *v/t.* ansehen als; ˌable □ (ᵉɪ̄äu'ntᵉbl) verantwortlich; erklärlich; ˌant (ˌᵉnt)
Rechnungsführer; (*chartered, Am.
certified public* ˌ vereidigter) Bü-
cherrevisor *m*; ˌing (ˌɪnᵍ) Buchführung *f*.
accredit (ᵉɪ̄rᵉ'bɪt) beglaubigen.
accrue (ᵉɪ̄rü') erwachsen (*from* aus).
accumulat|e (ᵉɪ̄jü'mɪuleɪt) (sich)
(an)häufen; ˌion (ᵉɪ̄jümɪuleɪ'ʃdʰⁿ)
Anhäufung *f*.
accura|cy (ä'ɪ̄ɪuʳᵉbɪ) Genauigkeit *f*;
ˌte (ˌrɪt) genau; richtig.
accurs|ed (ᵉɪ̄ᵉ'βɪb), ˌt (ˌβt) ver-
flucht, verwünscht.
accus|ation (äɪ̄ɪuᵉɪ'ʃdʰⁿ) Anklage,
Beschuldigung *f*; ˌe (ᵉɪ̄jü'β) anklagen, beschuldigen; ˌer (ˌᵉ) Klä-
ger(in).
accustom (ᵉɪ̄a'βtᵉm) gewöhnen (*to*
an *acc.*); ˌed (ˌᵒb) gewohnt.
ace (eɪβ) As *n*; *sl. fig.* Kano'ne *f*.
acerbity (ᵉβᵒ'bɪtɪ) Herbheit *f*.
acet|ic (ᵉβɪ'tɪɪ) essigsauer; ˌify
(ᵉβᵉ'tɪfäl) säuern.   [*m.*]
ache (eɪᵗ) 1. schmerzen; 2. Schmerz╎
achieve (ᵉɪ̄ɪʃɪ'w) ausführen; erreichen; ˌment (ˌmᵉnt) Ausfüh-
rung; Leistung *f*.
acid (ä'βɪb) 1. sauer; 2. Säure *f*;
ˌity (ˌɪtɪ) Säure *f*.
acknowledge (ᵉɪ̄nᵒ'lɪbᵍ) anerkennen; zugeben; ✝ bestätigen;
ˌ(e)ment (ˌmᵉnt) Anerkennung *f*;
Bestätigung *f*.
acme (ä'ɪmɪ) Gipfel *m*; Krisis *f*.

acorn ꝗ (eⁱ'ĭŏn) Eichel f.

acoustics (eĭū'ᵴtĭᵮᵴ) Akustik f.

acquaint (eᵭwe'nt) bekannt m.; be ~ed with kennen; ~ance (~enᵴ) Bekanntschaft f; Bekannte(r).

acquiesce (äᵏwⁱe'ᵴ) (in) sich beruhigen (bei); einwilligen (in acc.).

acquire (eᵭwāⁱe') erwerben; ~ment (~ment) Fertigkeit f.

acquisition (äᵏwⁱᶻⁱ'ᵴʰen) Erwerbung; Errungenschaft f.

acquit (eᵭwⁱ't) freisprechen; ~ o.s. of sich entledigen (gen.); ~ o.s. well seine Sache gut m.; ~tal (~l) Freisprechung; ~tance Tilgung f.

acre (eⁱ'te) Morgen m (40,47 Ar).

acrid (ä'trĭd) scharf, beißend.

across (eᵏrŏ'ᵴ) 1. adv. hin-, herüber; 2. prp. quer über (acc.); jenseits (gen.).

act (äᵏt) 1. v/i. tätig sn, handeln; sich benehmen; wirken, funktionieren; thea. spielen; v/t. thea. spielen; 2. Handlung, Tat f; thea. Akt m; Gesetz n; Akte f; ~ing (~ĭnᵍ) 1. Handeln; thea. Spiel(en) n; 2. tätig, amtierend.

action (äᵏ'ᵴʰen) Handlung (a. thea.); Tätigkeit; Tat; Wirkung; Klage f, Prozeß; Gang m (Pferd usw.); Gefecht n; Mechanismus; take ~ Schritte unterne'hmen.

activ|e (ä'ᵏtĭw) aktiv: tätig; rührig, wirksam; ✝ lebhaft; ~ity (äᵏtĭ'wⁱtᵎ) Tätigkeit f usw.

act|or (ä'ᵏte) Schauspieler m; ~ress (~trĭᵴ) Schauspielerin f.

actual ☐ (ä'ᵏtⁱuel) wirklich.

actuate (~tⁱueⁱt) in Gang bringen.

acute☐ (eᵏⁱū't) spitz; scharf(sinnig); brennend (Frage); ⚕ akut.

adamant (ä'demänt) fig. steinhart.

adapt (eᵈä'pt) anpassen (to, for dat.); zurechtmachen; ~ation (äᵈäpteⁱ'ᵴʰen) Anpassung, Bearbeitung f.

add (äᵈ) v/t. hinzufügen; addieren; v/i. ~ to vermehren.

addict ☐ (ä'ᵈĭᵏt) Süchtige(r); ~ed (eᵈĭ'ᵏtⁱᵈ) ergeben (to dat.).

addition (eᵈⁱ'ᵴʰen) Hinzufügen n; Zusatz m; Additio'n f; in ~ außerdem; in ~ to außer, zu; ~al ☐ (~l) zusätzlich.

address (eᵈrᵉ'ᵴ) 1. adressieren; Worte richten (to an acc.); sprechen zu; 2. Adresse; Ansprache f: ~ee (äᵈrᵉᵴⁱ') Adressa't, Empfänger m.

adept (ä'ᵈᵉpt) Eingeweihte(r).

adequa|cy (ä'ᵈⁱᵏweᵴᵎ) Angemessenheit f; ~te ☐ (~ᵏwⁱt) angemessen.

adhere (eᵈʰⁱe') (to) anhaften (dat.); fig. festhalten (an dat.); ~nce (~rᵉnᵴ) Anhaften, Festhalten n; ~nt (~rᵉnt) Anhänger(in).

adhesive ☐ (eᵈʰⁱ'ᵴⁱw) anklebend; ~ plaster, ~ tape Heftpflaster n.

adjacent ☐ (eᵈGeⁱ'ᵴᵉnt) (to) anliegend (dat.); anstoßend (an acc.).

adjoin (eᵈGŏⁱ'n) angrenzen an (acc.).

adjourn (eᵈGȫ'n) aufschieben; (sich) vertagen; ~ment (~ment) Aufschub m. [verurteilen.]

adjudge (eᵈGä'ᵈG) zuerkennen;]

adjunct (ä'ᵈGäᵑᵶt) Zusatz m.

adjust (eᵈGä'ᵴt) in Ordnung bringen; anpassen; Mechanismus u. fig. einstellen (to auf acc.); ~ment (~ment) Anordnung; Ausgleichung; Einstellung f.

administ|er (eᵈmĭ'nⁱᵴte) verwalten; spenden, verabfolgen; ~ justice Recht sprechen; ~ration (eᵈmĭnⁱᵴtreⁱ'ᵴʰen) Verwaltung; Regierung f; ~rative (eᵈmĭ'nⁱᵴtretⁱw) Verwaltungs...; ~rator (eᵈmĭ'nⁱᵴtreⁱt) Verwalter m.

admir|able ☐ (ä'ᵈmᵉrᵉbl) bewundernswert; ~ation (äᵈmᵉreⁱ'ᵴʰen) Bewunderung f; ~e (eᵈmāⁱe') bewundern; verehren.

admiss|ible ☐ (eᵈmĭ'ᵴᵉbl) zulässig; ~ion (eᵈmĭ'ᵴʰen) Zulassung f; Eintritt(sgeld n) m; Zugeständnis n.

admit (eᵈmĭ't) v/t. zulassen (fig. ~ of); (hin)einlassen; zugeben; ~tance (~tᵉnᵴ) Einlaß, Zutritt m.

admixture (eᵈmĭ'ᵏᵴtᵴʰe) Beimischung f, Zusatz m.

admon|ish (eᵈmŏ'nⁱᵴʰ) ermahnen; warnen (of vor dat.); ~ition (äᵈmoⁿⁱ'ᵴʰen) Ermahnung; Warnung f.

ado (eᵈū') Getue, Wesen n; Mühe f.

adolescen|ce (äᵈoˡᵉ'ᵴᵉnᵴ) Jünglings-, Backfischalter n; ~t (~ᵴᵉnt) jugendlich(e Person).

adopt (eᵈŏ'pt) adoptieren; sich aneignen;~ion (eᵈŏ'pᵴʰen) Annahme f.

ador|ation (äᵈᵒreⁱ'ᵴʰen) Anbetung f; ~e (eᵈŏ') anbeten.

adorn (eᵈŏ'n) schmücken, zieren; ~ment (~ment) Schmuck m.

adroit ☐ (eᵈrŏⁱ't) gewandt.

adult (eᵈä'lt) 1. erwachsen; 2. Erwachsene(n).

adulter|ate (eᵈä'ltᵉreⁱt) (ver)fälschen; ~er (eᵈä'ltᵉre) Ehebrecher *m*; ~ess (ʌrⁱß) Ehebrecherin *f*; ~ous □ (ʌrᵉß) ehebrecherisch; ~y (ʌrⁱ) Ehebruch *m*.

advance (ᵉᵇwāᵉnß) 1. *v/i.* vorrücken, -gehen; steigen; Fortschritte m.; *v/t.* vorrücken; vorbringen; vorausbezahlen; vorschießen; (be)fördern; *Preis* erhöhen; beschleunigen; 2. Vorrücken *n*; Fortschritt *m*; Angebot *n*; Vorschuß *m*; Erhöhung *f*; in ~ im voraus; ~d (ʌt) vor-, fort-geschritten; ~ment Förderung *f*; Fortschritt *m*.

advantage (ᵉᵇwāᵉntⁱᵇG) Vorteil *m*; take ~ of ausnutzen; ~ous □ (ǎᵈwǎntⁱᵇGᵉß) vorteilhaft.

adventur|e (ᵉᵇwᵉⁿntⁱᶜᵉ) Abenteuer, Wagnis *n*; Spekulatioᵉn *f*; ~er (ʌrᵉ) Abenteurer; Spekulaᵉnt *m*; ~ous □ (ʌrᵉß) abenteuerlich; wagemutig.

advers|ary (ǎᵈwᵉᵇᵉᵗⁱ) Gegner, Feind *m*; ~e □ (ǎᵈwōß) widrig; feindlich; gegenüberliegend; ~ity (ᵉᵇwōᵇᵗᵗⁱ) Unglück *n*.

advertis|e (ǎᵈwᵉᵗāᵗⁱ) ankündigen; inserieren; benachrichtigen; ~ement (ᵉᵇwōᵗⁱ̃ßmᵉnt) Ankündigung, Anzeige *f*, Inseraᵗ *n*; ~ing (ʌⁱßⁿⁱᵉ) Reklame...

advice (ᵉᵇwāⁱᵇ) Rat(schlag) *m*; (*mst pl.*) Nachricht, Meldung *f*.

advis|able □ (ᵉᵇwāⁱᵇⁱᵉᵇⁱ) ratsam; ~e (ᵉᵇwāⁱᵗⁱ) *v/t.* j. beraten; *j-m* raten; benachrichtigen; † avisieren; *v/i.* (sich) beraten; ~er (ʌᵉ) Ratgeber(in).

advocate 1. (ǎᵈwᵉᵗⁱᵗ) Anwalt; Fürsprecher *m*; 2. (ʌᵗⁱeⁱᵗ) verteidigen, befürworten.

aerial (āᵉᵉrⁱᵉᵗ) 1. □ luftig; Luft...; ~ view Luftaufnahme *f*; 2. *Radio*: Antenne *f*; *outdoor* ~ Dachantenne *f*.

aero... (āᵉᵉroᵘ) Luft...; ~drome (āᵉᵉᵣᵇdroᵘᵐ) Flugplatz *m*; ~naut (ʌⁿōt) Luftschiffer *m*; ~nautics (ʌⁿōᵗⁱ̃ß) *s/pl.* Luftschiffahrt *f*; ~plane (ʌⁱeⁱⁿ) Flugzeug *n*; ~stat (ʌßtǎt) Luftballon *m*.

æsthetic (ⁱ̃ßᵗⁱ̃ᵉᵗⁱᵗ) ästhetisch; ~s (ʌß) *su/sg.* Ästhetik *f*.

afar (ᵉᵗāᵉ) fern, weit (weg).

affable □ (ǎᵉᶠᵇⁱ) leutselig.

affair (ᵉᵗāᵉᵉ) Geschäft *n*; Angelegenheit; Sache *f*; F Ding *n*.

affect (ᵉᵗᵉᵗⁱ) (ein- *od.* sich aus-) wirken auf (*acc.*); (be)rühren; *Gesundheit* angreifen; gern mögen; (er)heucheln; ~ation (ǎᵉfĕᵗᵗᵉⁱᶜⁱᵉⁿ)

Ziererei, Pose *f*; ~ed □ (ᵉᶠĕᵗⁱᵗⁱᵇ); geziert, affektiert; ~ion (ᵉᶠᵉᵗⁱᶜⁱᵉⁿ) Gemütszustand *m*; (Zu-)Neigung; Erkrankung *f*; ~ionate □ liebevoll.

affidavit (ǎᶠⁱᵇᵉⁱᵗwⁱt) schriftliche Eideserklärung.

affiliate (ᵉᶠⁱᵗⁱⁱᵉⁱᵗ) *als Mitglied* aufnehmen; angliedern.

affinity (ᵉᶠⁱᵗⁿⁱᵗⁱ) Verwandtschaft *f*.

affirm (ᵉᶠᵉᵗm) bejahen; behaupten; bestätigen; ~ation (ǎᶠᵉᵐᵉᵗⁱᶜⁱᵉⁿ) Behauptung; Bestätigung *f*; ~ative (ᵉᶠᵉᵗmᵉᵗⁱw) □ bejahend.

affix (ᵉᶠⁱᵗⁱ̃ß) (*to*) anheften (an *acc.*); befestigen (an *dat.*); *Siegel* aufdrücken; bei-, zu-fügen (*dat.*).

afflict (ᵉᶠᵗⁱᵗⁱᵗ) betrüben; plagen; ~ion (ᵉᶠᵗⁱᵗⁱᶜᵉⁿ) Betrübnis; Pein *f*.

affluen|ce (ǎᶠᵗⁱ̃ᵘᵉⁿß) Überfluß *m*; ~t (ʌᵉnt) 1. □ reich(lich); 2. Nebenfluß *m*.

afford (ᵉᶠōᵇᵈ) liefern; erschwingen; *I can* ~ *it* ich kann es mir leisten.

affront (ᵉᶠᵣʌᵗnt) 1. beschimpfen; trotzen (*dat.*); 2. Beleidigung *f*.

afield (ᵉᶠⁱᵗⁱᵇᵈ) im Felde; (weit) weg.

afloat (ᵉᶠˡoᵘᵗ) ♣ *u. fig.* flott; schwimmend; umlaufend; *set* ~ flottmachen; *fig.* in Umlauf setzen.

afraid (ᵉᶠreⁱᵈ) bange; *be* ~ *of* sich fürchten (*od.* Angst h.) vor (*dat.*).

afresh (ᵉᶠᵣᵉᵗⁱᶜⁱ) von neuem.

African (ǎᵉᶠrⁱᵗⁱᵉⁿ) afrikaᵉnisch; Afrikaᵉner(in).

after (āᵉᶠᵗᵉ) 1. *adv.* hinterher; nachher; 2. *prp.* nach; hinter (... her); ~ *all* schließlich (doch); 3. *cj.* nachdem; 4. *adj.* später; Nach...; ~crop Nachlese *f*; ~math (ʌᵐǎᵗⁱ̃ß) Nachwirkung(en *pl.*) *f*; ~noon (ʌⁿōⁿ) Nachmittag *m*; ~season Nachsaisoᵉn *f*; ~taste Nachgeschmack *m*; ~thought nachträglicher Einfall; ~wards (ʌⁿᵉᵇß) nachher; später.

again (ᵉgeⁱⁿ, ᵉgĕⁿ) wieder(um); zurück; ferner; dagegen; ~ *and* ~ *time and* ~ immer wieder; *as much* ~ noch einmal soviel.

against (ᵉgeⁱⁿßᵗ, ᵉgĕⁿßᵗ) gegen; *fig.* in Erwartung (*gen.*); *as* ~ verglichen mit; ~ *the wall* an der Wand.

age (eⁱᵇG) 1. *Lebens*-Alter *n*; Zeit (-alter *n*) *f*; Menschenalter *n*; Ewigkeit *f*; (*old*) ~ Greisenalter *n*; *of* ~ mündig; *over* ~ zu alt; *under* ~ unmündig; 2. alt w. *od.* m.; ~d (eⁱᵇGⁱᵇᵈ) alt; (eⁱᵇGᵒ̀): ~ *twenty* 20 Jahre alt.

agency (eᶦˀðꞬᵉñₑ̣̃ɪ) Tätigkeit; Vermittlung; Agentu'r *f*, Büro *n*.

agent (eᶦˀðꞬᵉnt) Handelnde(r); Age'nt *m*; wirkende Kraft, A'gens *n*.

agglomerate (ᵉɡlöˀmᵉreᶦt) (sich) zs.-ballen; (sich) (an)häufen.

agglutinate (ᵉɡlüˀtᶦneᶦt) zs.-, an-, ver-kleben. [erhöhen.|

aggrandize (ăˀɡrᵉndaɪ̯ſ) vergrößern;|

aggravate (ăˀɡrᵉweᶦt) erschweren; verschlimmern; F ärgern.

aggregate 1. (ăˀɡrᶦɡeᶦt) (sich) anhäufen; zs.-tun (to mit); sich belaufen auf (*acc.*); 2. □ (₌ɡᶦt) gehäuft; gesamt; 3. (₌) Anhäufung *f*.

aggress|ion (ᵉɡreˀɪ̇̌ꭢᵉn) Angriff *m*; ₌or (ᵉɡreˀꞧᵉ) Angreifer *m*.

aghast (ᵉɡāˀꞧt) entgeistert, entsetzt.

agil|e (ăˀðꞬăɪ̯l) flink, behend; ₌ity (ᵉðꞬɪˀlᶦtɪ) Behendigkeit *f*.

agitat|e (ăˀðꞬᶦteᶦt) *v/t.* bewegen, schütteln; *fig.* erregen; erörtern; *v/i.* agitieren; ₌ion (ăðꞬᶦteᶦˀꞧᵉn) Bewegung *f* usw.

agnail ₌ (ăˀɡneᶦl) Niednagel *m*.

ago (ᵉɡoᵘˀ): *a year* ₌ vor e-m Jahre.

agonize (ăˀɡᵉnaɪ̯ſ) (sich) quälen.

agony (ăˀɡᵉnɪ) Qual, Pein *f*; *fig.* Ringen *n*; Todeskampf *m*.

agree (ᵉɡrɪˀ) *v/i.* überei'nstimmen; sich vertragen; einig werden ([up]on über *acc.*); überei'nkommen, ₌ to zustimmen (*dat.*); einverstanden sn mit; ₌able □ (₌ᵉbl) (to) angenehm (für); überei'nstimmend (mit); ₌ment (₌mᵉnt) Überei'nstimmung *f*; Vereinbarung *f*, Abkommen *n*; Vertrag.

agricultur|al (ăɡrᶦˀtⁱᵃˀtⁱꭢᵉrᵉl) landwirtschaftlich; ₌e (ăˀɡrᶦˀtⁱᵃltⁱꭢᵉ) Landwirtschaft *f*; ₌ist (ăɡrᶦˀtⁱᵃˀltⁱꭢᵉrɪꭢt) Landwirt *m*.

ague (eᶦˀɡjü) Fieber(frost *m*) *n*.

ahead (ᵉhᵉˀd) vorwärts; voraus; vorn; *straight* ₌ geradeaus.

aid (eᶦd) 1. helfen (*dat.*; in bei *et.*); fördern; 2. Hilfe *f*.

ail (eᶦl) *v/t. what* ₌s *him?* was fehlt ihm?; ₌ing (eᶦˀlɪn) leidend; ₌ment (eᶦˀlmᵉnt) Leiden *n*.

aim (eᶦm) 1. *v/i.* zielen (at auf *acc.*); *fig.* ₌ at streben nach; *v/t.* ₌ at *Waffe* usw. richten auf *od.* gegen (*acc.*); 2. Ziel *n*; Absicht *f*; ₌less □ (eᶦˀmlɪ̣ꭢ) ziellos.

air¹ (ăᵉ) 1. Luft *f*; Luftzug *m*; *by* ₌ auf dem Luftwege; *Am.* on the ₌ durch *od.* im Rundfunk; *Am.* be

(od. put) on the ₌ *Radio:* senden; *Am. be off the* ₌ *Radio:* nicht senden; 2. (aus)lüften, an die Öffentlichkeit bringen; erörtern; *Am. Radio:* über den Sender gehen.

air² (₌) Miene *f*; Aussehen *n*; *give o.s.* ₌s vornehm tun.

air³ ♩ (₌) A'rie, Weise, Melodie' *f*.

air...: ₌base Flugstützpunkt *m*; ₌brake Druckluftbremse *f*; ₌-conditioned mit automatischer Klimaanlage; ₌craft Luftfahrzeug(e *pl.*) *n*; ₌field Flugplatz *m*; ₌force Luftstreitmacht *f*; ₌jacket Schwimmweste *f*; ₌lift Luftbrücke *f*; ₌liner Verkehrsflugzeug *n*; ₌mail Luftpost *f*; ₌man (₌mᵉn) Flieger *m*; ₌plane *Am.* Flugzeug *n*; ₌port Luft-, Flughafen *m*; ₌raid ✕ Luftangriff *m*; ₌ *precautions pl.* Luftschutz *m*; ₌ *shelter* Luftschutzraum *m*; ₌route ⚐ Luftweg *m*; ₌ship Luftschiff *n*; ₌tight luftdicht; *sl.* ₌ *case* totsicherer Fall; ₌tube Luftschlauch *m*; ₌way Luftverkehrslinie *f*.

airy □ (ăᵉˀrɪ) luftig; leicht(fertig).

aisle △ (āl) Seitenschiff *n*; Gang *m*.

ajar (ᵉðꞬāˀ) halb offen, angelehnt.

akin (ᵉkɪ̣ˀn) verwandt (*to* mit).

alarm (ᵉlāˀm) 1. Alarm(zeichen *n*) *m*; Angst *f*; 2. alarmieren; beunruhigen; ₌clock Wecker(uhr *f*) *m*.

albuminous (ălbjüˀmⁱnᵉꭢ) eiweißartig; -haltig.

alcohol (ăˀlᶦᶄöl) Alkohol *m*; ₌ic (ălᶦᶄöˀlɪ̣ᶦ) alkoholisch; ₌ism (ăˀlᶦᶄölɪꭢm) Alkoholvergiftung *f*.

alcove (ăˀlᶦoᵘw) Nische; Laube *f*.

alderman (öˀlᶦ̣dᵉmᵉn) Ratsherr *m*.

ale (eᶦl) Ale *n* (*Art engl. Bier*).

alert (ᵉlᵉ̣ˀt) 1. □ wachsam; munter; 2. Alarm(bereitschaft *f*) *m*; *on the* ₌ auf der Hut.

alien (eᶦˀlⁱᵉn) 1. fremd, ausländisch; 2. Ausländer(in); ₌able (₌ᵉbl) veräußerlich; ₌ate (₌eᶦt) veräußern; *fig.* entfremden (*from dat.*); ₌ist (eᶦˀlⁱᵉnɪꭢt) Irrenarzt, Psychia'ter *m*.

alight (ᵉlaɪ̯ˀt) 1. brennend; erhellt; 2. aussteigen; ⚐ niedergehen; landen; sich niederlassen.

align (ᵉlaɪ̯ˀn) (sich) (aus)richten (with nach); *surv.* abstecken; ₌ *o.s.* with sich anschließen an (*acc.*).

alike (ᵉlaɪ̯ˀk) 1. *adj.* gleich, ähnlich; 2. *adv.* ebenso.

aliment (ǎ'lᵢmᵉnt) Nahrung f; **~ary** (ǎlᵢmᵉ'ntᵉrᵢ) nahrhaft; **~ canal** Verdauungskanal m.

alimony (ǎ'lᵢmᵉnᵢ) Alime'nte n/pl.

alive (ᵉlǎᵢ'w) lebendig; empfänglich (to für); belebt (with von); be ~ to sich e-r S. bewußt sn.

all (ōl) 1. adj. all; ganz; jede(r, s); for ~ that dessenungeachtet, trotzdem; 2. alles; alle pl.; at ~ gar, überhaupt; not at ~ durchaus nicht; for ~ (that) I care meinetwegen; for ~ I know soviel ich weiß; 3. adv. ganz, völlig; ~ at once auf einmal; ~ the better desto besser; ~ but beinahe, fast; ~ right (alles) in Ordnung.

allay (ᵉlēᵉ') beruhigen; lindern.

alleg|ation (ǎlᵢgeᵉ'ᵢchᵉn) Angabe; bsd. unerwiesene Behauptung f; **~e** (ᵉlᵉ'ᵈᴳ) anführen; behaupten.

allegiance (ᵉlᵢ'ᵈᴳᵉnᵇ) Lehnspflicht; (Untertanen-)Treue f.

alleviate (ᵉlᵢ'wᵢeᵢt) erleichtern, lindern.   [Gang m.]

alley (ǎ'lᵢ) Allee' f; Gäßchen n;

alliance (ᵉlǎᵢ'ᵉnᵇ) Bündnis n.

allocat|e (ǎ'lᵒᵏeᵢt) zu-teilen, -weisen; **~ion** (ǎlᵒᵏeᵢ'ᵢchᵉn) Zuweisung f.

allot (ᵉlᵒ't) zuweisen; **~ment** (~mᵉnt) Zuweisung; Parzelle f.

allow (ᵉlǎu') erlauben; bewilligen, gewähren; zugeben; ab-, anrechnen; vergüten; Am. meinen; ~ for berücksichtigen; **~able** □ (~ᵇl) erlaubt, zulässig; **~ance** (~ᵉnᵇ) Erlaubnis; Bewilligung f; Taschengeld n, Zuschuß m; Vergütung; Nachsicht f; make ~ for a th. et. in Betracht ziehen.

alloy (ᵉlōᵢ') 1. Legierung f; 2. legieren; fig. verunedeln.

allround zu allem brauchbar.

allude (ᵉlū'ᵈ) anspielen (to auf acc.).

allure (ᵉljuᵉ') (an-, ver-)locken; **~ment** (~mᵉnt) Verlockung f.

allusion (ᵉlū'ᴳᵉn) Anspielung f.

ally 1. (ᵉlǎᵢ') (sich) ver-einigen, -bünden (to, with mit); 2. (ǎ'lǎᵢ) Verbündete(r), Bundesgenosse m.

almanac (ō'lmᵉnǎk) Almanach m.

almighty (ōlmǎᵢ'tᵢ) 1. □ allmächtig; 2. ♀ Allmächtige(r) m.

almond (ā'mᵉnd) Mandel f.

almost (ō'lmᵒᵘst) fast, beinahe.

alms (āmz) sg. u. pl. Almosen n; **~house** Armenhaus n.

aloft (ᵉlō'ft) (hoch) (dr)oben.

alone (ᵉlᵒᵘn) allein; let (od. leave) ~ in Ruhe od. bleiben l.; let ~ ... abgesehen von ...

along (ᵉlō'nᵍ) 1. adv. längs, der Länge nach; vorwärts; weiter; all ~ schon immer; durchweg; ~ with (zs.) mit; F get ~ with you! pack dich!; 2. prp. längs, entlang; **~side** (~bǎld) Seite an Seite; neben.

aloof (ᵉlū'f) fern; weitab; stand ~ abseits stehen.

aloud (ᵉlǎu'ᵈ) laut; hörbar.

alp (ǎlp) Alp(e) f; ♀s Alpen f/pl.

already (ōlrᵉ'ᵈᵢ) bereits, schon.

also (ō'lᵇᵒᵘ) auch; ferner.

alter (ō'ltᵉ) (sich) (ver)ändern; ab-, um-ändern; **~ation** (ōltᵉreᵢ'ᵢchᵉn) Änderung f (to an dat.).

alternat|e 1. (ō'ltᵉneᵢt) abwechseln (l.); ⚡ alternating current Wechselstrom m; 2. □ (ōltᵉ'nᵢt) abwechselnd; **~ion** (ōltᵒneᵢ'ᵢchᵉn) Abwechselung f; Wechsel m; **~ive** (ōltᵉ'nᵉtᵢw) 1. □ nur eine Möglichkeit lassend; 2. Alternati've; Wahl; Möglichkeit f.

although (ōlᵈǒu'') obgleich.

altitude (ǎ'ltᵢtjūᵈ) Höhe f.

altogether (ōltᵉgē'ᵈʰᵉ) zusammen; alles in allem; gänzlich.

alumin(i)um (ǎljumᵢ'nᵢᵉm, ǎljú'mᵢnᵉm) Aluminium n.

always (ō'lᵘᵉᵢ) immer, stets.

am (ǎm; im Satz ᵉm) [irr.] bin.

amalgamate (ᵉmǎ'lgᵉmeᵢt) amalgamieren; (sich) verschmelzen.

amass (ᵉmǎ'ᵇ) (an-, auf-)häufen.

amateur (ǎ'mᵉtᵒ̈, ǎ'mᵉtjuᵉ) Amateu'r; Liebhaber; Dilettant m.

amaz|e (ᵉmeᵢ'ᶠ) in Staunen setzen, verblüffen; **~ement** (~mᵉnt) Staunen n; Verblüffung f; **~ing** □ (ᵉmeᵢ'ᵢnᵍ) erstaunlich.

ambassador (ǎmbǎ'ᵇᵈᵉ) Botschafter, Gesandte(r) m.

amber (ǎ'mbᵉ) Bernstein m.

ambigu|ity (ǎmbᵢgjuᵢ'tᵢ) Zweideutigkeit f; **~ous** □ (~ᵇᵢ'gᵢuᵉᵇ) zweideutig; doppelsinnig.

ambitio|n (ǎmbᵢ'ᵢchᵉn) Ehrgeiz m; Streben n (of nach); **~us** □ (~ᵢchᵉᵇ) ehrgeizig; anspruchsvoll.

amble (ǎ'mbl) 1. Paßgang m; 2. im Paßgang gehen od. reiten.

ambulance (ǎ'mbiʉᵉnᵇ) Feldlazarett n; Krankenwagen m.

ambuscade (ǎmbᵉᵇkeᵢ'ᵈ), **ambush** (ǎ'mbūᵢch) 1. Hinterhalt m; 2. auflauern (dat.); überfa'llen.

ameliorate (ᵉmīˈlⁱᵉreⁱt) (sich) verbessern.

amend (ᵉmĕˈnd) (sich) (ver-)bessern; berichtigen; *parl.* ändern; **~ment** (~mᵉnt) Besserung; *parl.* Berichtigung *f*; *parl.* Änderungsantrag *m*; **~s** (ᵉmĕˈndⁱ) Ersatz *m*.

amenity (ᵉmīˈnⁱtⁱ) Freundlichkeit *f*.

American (ᵉmĕˈrⁱᵏᵉn) 1. amerika'nisch; 2. Amerika'ner(in); **~ism** (~ⁱʃm) Amerikani'smus *m*; **~ize** (~äⁱf) (sich) amerikanisieren.

amiable □ (eⁱˈmⁱᵉbl) liebenswürdig, freundlich. [schaftlich; gütlich.|

amicable (äˈmⁱᵏᵉbl) freund-|

amid(st) (ᵉmīˈd[ᵇt]) inmitten (*gen.*); (mitten) unter; mitten in (*dat.*).

amiss (ᵉmīˈb) verkehrt; übel; ungelegen; *take* ~ übelnehmen.

amity (äˈmⁱtⁱ) Freundschaft *f*.

ammonia (ᵉmou̯ˈnⁱᵉ) Ammonia'k *n*.

ammunition (ämⁱu̯nⁱˈʃᵉn) 1. Munitio'n *f*; 2. Kommiß...

amnesty (äˈmnĕbtⁱ) 1. Amnestie' *f* (*Strafcrlaß*); 2. begnadigen.

among(st) (ᵉmᵃˈŋ[bt]) (mitten) unter, zwischen.

amorous □ (äˈmᵉrᵉb) verliebt (*of in acc.*).

amount (ᵉmäu̯ˈnt) 1. ~ *to* sich belaufen auf (*acc.*); hinauslaufen auf (*acc.*); 2. Betrag *m*, (Gesamt-) Summe; Menge; Bedeutung *f*, Wert *m*. [räumig.|

ample □ (äˈmpl) weit, groß; ge-|

ampli|fication (ämplⁱfⁱᵗeⁱˈʃᵉn) Erweiterung; *phys.* Verstärkung *f*; **~fier** (äˈmplⁱᵗäⁱᵉ) *Radio*: Verstärker *m*; **~fy** (äˈmplⁱᵗäⁱ) erweitern; verstärken; weiter ausführen; **~tude** (~ᵗᵗⁱüd) Umfang *m*, Weite, Fülle *f*.

amputate (äˈmpⁱuᵗeⁱt) amputieren.

amuse (ᵉmjūˈf) amüsieren; unterha'lten; belustigen; **~ment** (~mᵉnt) Unterha'ltung *f*; Belustigung *f*.

an (än, ᵉn) *Artikel:* ein(e).

anaemia (ᵉnīˈmⁱᵉ) Blutarmut *f*.

an(a)esthetic (änⁱbthĕˈtⁱᵏ) unempfindlich machend(es Mittel).

analog|ous □ (ᵉnäˈlᵉgᵉb) analo'g, ähnlich; **~y** (ᵉnäˈlᵉᴅgⁱ) Ähnlichkeit, Analogie' *f*.

analys|e (äˈnᵉläⁱf) analysieren; zerlegen; **~is** (ᵉnäˈlᵉbⁱb) Analy'se *f*.

anarchy (äˈnᵉbⁱ) Anarchie', Gesetzlosigkeit; Zügellosigkeit *f*.

anatom|ize(ᵉnäˈtᵉmäⁱf) zergliedern; **~y** Anatomie', Zergliederung *f*.

ancest|or (äˈnbĕ̄btᵉ) Stammvater, Ahn *m*; **~ral** (änbĕˈbtrᵉl) angestammt; **~ress** (äˈnbⁱbtrⁱb) Ahne *f*; **~ry** (äˈnbⁱbtrⁱ) Abstammung *f*; Ahnen *m/pl.*

anchor (äˈŋᵏᵉ) 1. Anker *m*; *at* ~ vor Anker; 2. (ver)ankern.

anchovy (äntʃou̯ˈwⁱ) Sardelle *f*.

ancient (eⁱˈnʃᵉnt) 1. alt; 2. *the* **~s** *pl. hist.* die Alten.

and (änd, ᵉnd, F ᵉn) und.

anew (ᵉnjūˈ) von neuem.

angel (eⁱˈndᴅgᵉl) Engel *m*; **~ic(al** □) (änbᴅgĕˈlⁱᵏ, ~ⁱᵗᵉl) engelgleich.

anger (äˈŋgᵉ) 1. Zorn, Ärger *m* (*at* über *acc.*); 2. erzürnen, ärgern.

angle (äˈŋgl) 1. Winkel *m*; *fig.* Standpunkt *m*; 2. angeln (*for* nach).

Anglican (äˈŋglⁱᵗᵉn) 1. anglika'nisch; 2. Anglika'ner(in).

Anglo-Saxon (äˈŋglou̯bäˈᵏbᵉn) 1.Angelsachse *m*; 2. angelsächsisch.

angry (äˈŋgrⁱ) zornig, böse (*a.* ✿) (*with a p.*, *at* a *th.* über, auf *acc.*).

anguish (äˈŋgᴅwⁱʃ) Pein, Qual *f*, (Seelen-)Schmerz *m*.

angular □ (äˈŋgⁱu̯lᵉ) winkelig; Winkel...; *fig.* eckig. [risch.|

animal (äˈnⁱmᵉl) 1. Tier *n*; 2. tie-|

animat|e (äˈnⁱmeⁱt) beleben; beseelen; aufmuntern; **~ion** (änⁱmeⁱˈʃᵉn) Belebung; Munterkeit *f*.

animosity (änⁱmöˈbⁱtⁱ) Feindseligkeit *f*.

ankle (äˈŋᵗl) Fußknöchel, Enkel *m*.

annals (äˈnⁱb) *pl.* Jahrbücher *n/pl.*

annex 1. (änĕˈᵏb) anhängen; annektieren; 2. (äˈnĕᵏb) Anhang; Anbau *m*; **~ation** (änĕᵏbeⁱˈʃᵉn) Annexio'n *f* *usw.* [= *annul.*]

annihilate (ᵉnäˈⁱᵉleⁱt) vernichten;|

anniversary (änⁱvᵉˈbᵉrⁱ) Jahrestag *m*; Jahresfeier *f*.

annotat|e (äˈnoteⁱt) mit Anmerkungen versehen; **~ion** (änoteⁱˈʃᵉn) Kommentieren *n*; Anmerkung *f*.

announce (ᵉnäu̯ˈnb) ankündigen; ansagen; **~ment** (~mᵉnt) Ankündigung; Ansage; Anzeige *f*; **~r** (~ᵉ) *Radio*: Ansager *m*.

annoy (ᵉnöⁱˈ) ärgern; belästigen; **~ance** (~ᵉnb) Ärger *m*; Schikane *f*.

annual (äˈnⁱuᵉl) 1. □ jährlich; Jahres...; 2. einjährige Pflanze; Jahrbuch *n*.

annuity (ᵉnjūˈⁱtⁱ) (Jahres-)Rente.

annul (ᵉnᵃˈl) ungültig erklären; **~ment** (~mᵉnt) Aufhebung *f*.

anoint (ᵉnŏiʹnt) salben.

anomalous □ (ᵉnŏʹmᵉlᵉß) anomaʹl.

anon (ᵉnŏʹn) sogleich, sofort; bald.

anonymous □ (ᵉnŏʹnⁱmᵉß) anonyʹm, ungenannt.

another (ᵉnɑʹđhᵉ) ein anderer; ein zweiter; noch ein.

answer (āʹnßᵉr) 1. v/t. et. beantworten, j-m antworten; entsprechen (dat.); ~ the bell od. door (die Haustür) aufmachen; v/i. antworten (to a p. j-m; to a question auf e-e Frage); entsprechen (to dat.); Erfolg haben; sich lohnen; ~ for Rede stehen für; bürgen für; 2. Antwort f (to auf acc.); ~able □ (āʹnßᵉrᵉßl) verantwortlich.

ant (änt) Ameise f.

antagonis|m (äntäʹgᵉnⁱßm) Widerstreit; Widerstand m; Feindschaft f; ~t (~ⁱßt) Gegner(in).

antagonize (äntäʹgᵉnāⁱß) ankämpfen gegen; (ea.) gegenüberstellen.

antecedent (äntⁱßiʹdᵉnt) 1. □ vorhergehend; früher (to als); 2. Vorhergehende(s) n.

anterior (äntiʹrⁱᵉ) vorhergehend; früher (to als); vorder.

ante-room (äʹntⁱrum) Vorzimmer n.

anthem (äʹnthᵉm) Hymne f.

anti... (äʹntⁱ...) Gegen...; gegen ... eingestellt od. wirkend; ~aircraft (äʹntⁱäᵉʹkräft): ~ alarm Fliegeralarm m; ~ defence Fliegerabwehr f.

antic (äʹntⁱk) 1. □ närrisch; 2. Posse f; ~s pl. Mätzchen n/pl.

anticipat|e (äntⁱʹßⁱpeⁱt) vorwegnehmen; zuvorkommen (dat.); voraussehen; erwarten; ~ion (äntⁱßⁱpeⁱʹschᵉn) Vorwegnahme f; Zuvorkommen n; Voraussicht; Erwartung f; in ~ im voraus.

antidote (äʹntⁱdouᵗt) Gegengift n.

antipathy (äntⁱʹpᵃthⁱ) Abneigung f.

antiqua|ry (äʹntⁱkwᵉrⁱ) Antiquaʹr; Altertumsforscher m; ~ted (~twᵉⁱtⁱd) veraltet, überleʹbt.

antiqu|e (äntiʹk) 1. □ antik, alt (-modisch); 2. alter Kunstgegenstand; ~ity (äntⁱʹtwⁱtⁱ) Altertum n.

antlers (äʹntlᵉʳ) pl. Geweih n.

anvil (äʹnwⁱl) Amboß m.

anxiety (ängßaⁱʹetⁱ) Angst; fig. Sorge (for um); ⁂ Beklemmung f.

anxious □ (äʹngßchᵉß) ängstlich, besorgt (about um, wegen); begierig, gespannt (for auf acc.); bemüht (for um).

any (äʹnⁱ) 1. pron. (irgend)einer; einige pl.; (irgend)welcher; (irgend) etwas; jeder (beliebige); not ~ keiner; 2. adv. irgend(wie); ~body, ~one (irgend) jemand; jeder; ~how irgendwie; jedenfalls; ~thing (irgend)etwas, alles; ~ but alles andere als; ~way = anyhow; ohnehin; ~where irgendwo(hin).

apart (ᵉpāʹt) einzeln, getrennt; für sich; beiseite; ~ from abgesehen von; ~ment (~mᵉnt) Zimmer n; pl. ~s Wohnung f; Am. ~ house Miethaus n.

ape (eⁱp) 1. Affe m; 2. nachäffen.

aperient (ᵉpiᵉʹrⁱᵉnt) Abführmittel n.

aperture (äʹpᵉtiuᵉ) Öffnung f.

apiculture (eⁱʹpⁱtʃaltⁱschᵉ) Bienenzucht f.

apiece (ᵉpiʹß) (für) das Stück; je.

apish □ (eⁱʹpⁱʃch) affig; äffisch.

apolog|etic (ᵉpŏlᵉᵈGéʹtⁱk) (~ally) verteidigend; rechtfertigend; entschuldigend; ~ize (~ᵈGaⁱß) Abbitte tun, sich entschuldigen (for wegen; to bei); ~y (~ᵈGⁱ) Entschuldigung; Abbitte; Rechtfertigung f.

apoplexy (äʹpᵉplékßⁱ) Schlag(anfall) m.

apostate (ᵉpŏʹßtⁱt) Abtrünnige(r) m.

apostle (ᵉpŏʹßl) Apostel m.

apostroph|e (ᵉpŏʹßtrᵉfⁱ) Anrede f; Apostroʹph m; ~ize (~fal) anreden, sich wenden an (acc.).

appal (ᵉpŏʹl) erschrecken.

apparatus (äpᵉreⁱʹtᵉß) Apparat m, Vorrichtung f, Gerät n.

apparel (ᵉpäʹrᵉl) Kleidung f.

appar|ent □ (ᵉpäʹrᵉnt) anscheinend; scheinbar; ~ition (äpᵉrⁱʹschᵉn) Erscheinung f.

appeal (ᵉpiʹl) 1. ᵗ⁴⁄₄ appellieren (to an acc.); sich berufen (to auf e-n Zeugen); sich wenden an (acc.); wirken auf (acc.); Anklang finden bei; 2. Berufung(sklage) f; fig. Appell m (to an acc.); Wirkung f, Reiz m; ~ing □ (~ⁱnᵍ) flehend; ansprechend.

appear (ᵉpiᵉʹ) (er)scheinen; sich zeigen; öffentlich auftreten; ~ance (ᵉpiᵉʹrᵉnß) Erscheinen, Auftreten n; Äußere(s) n, Erscheinung f; Anschein m; ~s pl. äußerer Schein.

appease (ᵉpiʹß) beruhigen; stillen; mildern; beilegen.

appellant (ᵉpéʹlᵉnt) Appellaʹnt(in), Berufungskläger(in).

append (ᵉpĕ'nd) anhängen; hinzu-, bei-fügen; ~age (~'ᵢᵈG) Anhang *m*; Anhängsel *n*; Zubehör *m u. n*; ~ix (ᵉpĕ'nᵈᵢᵏs) Anhang *m*.

appertain (ăpᵉteⁱ'n) gehören (to zu).

appetite (ă'pⁱtäIt) for Appetiᵗ *m* (auf *acc.*); *fig.* Verlangen (nach).

appetizing (ă'pⁱtäIsiⁿᵍ) appetitlich.

applaud (ᵉplô'ᵈ) Beifall spenden.

applause (ᵉplô'ᶻ) Applaus, Beifall *m*.

apple (ä'pl) Apfel *m*; ~sauce A.mus *n*; *Am.* Schmus; *sl.* Quatsch *m*.

appliance (ᵉplä'ᵉnᵇ) Vorrichtung *f*; Gerät; Mittel *n*.

applica|ble (ä'plⁱᵗᵉbl) anwendbar (to auf *acc.*); ~nt (~ᵗᵉnt) Bittsteller(in); Bewerber(in) (for um); ~tion (äplⁱᵗᵉⁱ'ᶜʰᵉn) (to) Auf-, An-legung (auf *acc.*); Anwendung *f* (auf *acc.*); Gesuch *n* (for um); Bewerbung *f*.

apply (ᵉplä'ⁱ) *v/t.* (to) an-, auf-legen; anwenden (auf *acc.*); verwenden (für); ~ o.s. to sich legen auf (*acc.*); *v/i.* (to) passen, sich anwenden l. (auf *acc.*); gelten (für); sich wenden (an *acc.*); sich bewerben (for um); ~ for nachsuchen um.

appoint (ᵉpôⁱ'nt) bestimmen; fest-setzen; verabreden; ernennen (*a p. governor* j-n zum ...); berufen (to auf *e-n Posten*); well ~ed gut ausgerüstet; ~ment (~ᵐᵉnt) Bestimmung *f usw.*; *pl.* ~s Ausrüstung, Einrichtung *f*.

apportion (ᵉpô'ᶜʰᵉn) ver-, zu-teilen; ~ment Verteilung *f*.

apprais|al (ᵉpreⁱ'ᵉl) Abschätzung *f*; ~e (ᵉpreⁱ'ᶻ) abschätzen, taxieren.

apprecia|ble (ᵉprⁱ'ᶜʰᵉbl) (ab-)schätzbar; merkbar; ~te (~ᶜʰⁱeⁱt) *v/t.* schätzen; würdigen; wahrnehmen; *v/i.* im Werte steigen; ~tion (ᵉprⁱᶜʰᵢᵉⁱ'ᶜʰᵉn) Schätzung *f usw.*; Verständnis *n* (of für).

apprehen|d (äprⁱʰᵉ'nd) ergreifen; fassen, begreifen; befürchten; ~sion (~ʰᵉ'nᶜʰᵉn) Ergreifung, Festnahme; Fassungskraft; Auffassung; Besorgnis *f*; ~sive □ (~ʰᵉ'nᶜⁱw) schnell fassend (of *acc.*); besorgt.

apprentice (ᵉpre'nᵗⁱᶜ) 1. Lehrling *m*; 2. in die Lehre geben (to bei, zu); ~ship (~ᶜʰⁱp) Lehrzeit; Lehre *f*.

approach (ᵉproᵘ'tᶜʰ) 1. *v/i.* näher-kommen, sich nähern; *v/t.* sich nähern (*dat.*), heran-gehen od. -treten an (*acc.*), 2. Annäherung *f*; *fig.*: Herangehen *n*; Zutritt *m*.

approbation (äproᵇeⁱ'ᶜʰᵉn) Billigung *f*, Beifall *m*.

appropriat|e 1. (ᵉproᵘ'prⁱeⁱt) sich aneignen; verwenden; *parl.* bewilligen; 2. □ (~'ⁱt) (to) angemessen (*dat.*); passend (für); eigen; ~ion (ᵉproᵘprⁱeⁱ'ᶜʰᵉn) Aneignung; Verwendung *f*.

approv|al (ᵉprᵘ'wᵉl) Billigung *f*, Beifall *m*; ~e (ᵉprᵘ'w) billigen, anerkennen; (~ o.s. sich) erweisen als; ~ed □ (~ᵈ) bewährt.

approximate 1. (ᵉproᵘ'tᵇⁱmeⁱt) (sich) nähern; 2. □ (~mⁱt) annähernd; ungefähr.

apricot (eⁱ'prⁱᵏôt) Apriko'se *f*.

April (eⁱ'prⁱl) Apri'l *m*.

apron (eⁱ'prᵉn) Schürze *f*.

apt □ (äpt) geeignet, passend; be-gabt; ~ to geneigt zu; ~itude (ä'pⁱtⁱjūᵈ), ~ness (~ⁿⁱᵇ) Geeignetheit; Neigung (to zu); Befähigung *f*.

aquatic (ᵉᶦⁱωä'tⁱᵏ) Wasserpflanze *f*; ~s *pl.* Wassersport *m*.

aque|duct (ä'ᵏωⁱbᵃᵏt) Wasserleitung *f*; ~ous □ (eⁱ'ᵏωⁱᵉᵇ) wässerig.

Arab (ä'rᵉb) A'raber(in);! ~ic (ä'rᵉbⁱᵏ) 1. ara'bisch; 2. Ara'bisch *n*.

arable (ä'rᵉbl) pflügbar; Acker...

arbit|er (ā'bⁱtᵉ) Schiedsrichter; *fig.* Gebieter *m*; ~rariness (ā'bⁱtrᵉrⁱnⁱᵇ) Willkür *f*; ~rary □ (~trᵉrⁱ) willkürlich; eigenmächtig; ~rate (ā'bⁱtreⁱt) entscheiden; ~ration (āᵇⁱtreⁱ'ᶜʰᵉn) Schiedsspruch *m*; Entscheidung *f*; ~rator z̄ᵢ (ā'bⁱtreⁱtᵉ) Schiedsrichter *m*.

arbo(u)r (ā'bᵉ) (Wein-)Laube *f*.

arc (āt) *ast.*, ʎ *phys.* (⚡ Licht-) Bogen *m*; ~ade (āᵏeⁱ'ᵈ) Arkade *f*; Bogen-, Lauben-gang *m*.

arch¹ (ātᶜʰ) 1. Bogen *m*; Gewölbe *n*; 2. (sich) wölben; überwö'lben.

arch² (~) 1. □ schelmisch; 2. erst; schlimmst; Haupt...; Erz...

archaic (āᵏeⁱ'ⁱᵏ) (~ally) veraltet.

archbishop (ā'tᶜʰbⁱ'ᶜʰᵉp) Erzbischof *m*.

archery (ā'tᶜʰᵉrⁱ) Bogenschießen *n*.

archipelago (ātⁱpe'lᵍoᵘ) Archipe'l *m*; Insel-meer *n*; -gruppe *f*.

architect (ā'ᵗⁱtᵉt̄t) Archite'kt *m*; Urheber(in), Schöpfer(in); ~onic (~'ⁿⁱt) (~ally) architektonisch; *fig.* aufbauend; ~ure (ā'ᵗⁱtᵉtᶜʰᵉ) Architektu'r.

archway (ā'tᶜʰωeⁱ) Bogengang *m*.

arc-lamp ⚡ (ā'tlämp) Bogenlampe *f*.

arctic (āˈtĭtĭk) arktisch, nördlich; Nord..., Polaˈr...

arden|cy (āˈdˀnɞĭ) Hitze, Glut; Innigkeit f; ~t □ (āˈdˀnt) mst fig. heiß, glühend; fig. feurig; eifrig.

ardo(u)r (āˈdˀ) fig. Glut f; Eifer m.

arduous □ (āˈdĭuˀɞ) mühsam.

are (ā; im Satz a) sind; seid.

area (āˀrĭˀ) Areaˈl n; (Boden-)Fläche f; Flächenraum m; Gegend f; Gebiet n; Bereich m.

Argentine (āˈdQˀntāĭn) argentiˈnisch; Argentiˈnier(in).

argue (āˈgjū) v/t. erörtern; beweisen; begründen; einwenden; ~ a p. into j. zu et. bereden; v/i. streiten; Einwendungen machen.

argument (āˈgĭumˀnt) Beweis (-grund) m; Beweisführung; Erörterung f; Hauptinhalt m; ~ation (āˈgĭumˀnteˈĭʃˀn) Beweisführung f.

arid (āˈrĭd) dürr, trocken (a. fig.).

arise (ˀrāˈĭ) [irr.] fig. sich erheben; ent-, er-stehen (from aus).

aristocra|cy (ārˈĭɞtˑ̄ˈtrˀɞĭ) Aristokratie' f (a. fig.); ~t (āˈrĭɞtˀtrāt) Aristokraˈt(in); ~tic(al □) (ārˈĭɞtˀ-trāˈtĭt, ~tˀĭ) aristokratisch.

arithmetic (ˀrĭˈĭ̄mˈtĭk) Rechnen n.

ark (āk) Arche f.

arm¹ (ām) Arm m; Armlehne f.

arm² (~) 1. Waffe (mst pl.); Waffengattung f; 2. (sich) (be)waffnen; (aus)rüsten.

armada (āmeˈĭˀdˀ) Kriegsflotte f.

arma|ment (āˈmˀmˀnt)(Kriegsaus-)Rüstung; Kriegsmacht f; ~ture (āˈmˀtĭuˀ) Rüstung; △, phys. Armatuˈr f.

armchair Lehnstuhl, Sessel m.

armistice (āˈmĭɞtĭɞ) Waffenstillstand m (a. fig.).

armo(u)r (āˈmˀ) 1. Rüstung f, Panzer m; 2. panzern; ~ed car Panzerwagen m; ~y (~rĭ) Rüstkammer f (a. fig.); Am. Rüstungsbetrieb m.

armpit (āˈmpĭt) Achselhöhle f.

army (āˈmĭ) Heer n; fig. Menge f; ~ chaplain Feldgeistliche(r) m.

arose (ˀrouˈr) er-, ent-stand.

around (ˀrāuˈnd) 1. adv. rund(her)um; 2. prp. um ... her(um).

arouse (ˀrāuˈɞ) (auf-, er)wecken.

arraign (ˀreˈrˀn) vor Gericht stellen, anklagen; fig. rügen.

arrange (ˀreˈndQ) (an)ordnen, (bsd. ♪) einrichten; festsetzen; Streit

schlichten; vereinbaren; erledigen; ~ment (~mˀnt) Anordnung; Dispositioˈn; (bsd. ♪) Einrichtung f; Übereiˈnkommen n; Vorkehrung f.

array (ˀreˈĭˀ) 1. (Schlacht-)Ordnung f; fig. Aufgebot n; 2. ordnen, aufstellen; aufbieten; kleiden, putzen.

arrear (ˀrĭˀ) Rückstand m.

arrest (ˀrēˈɞt) 1. Verhaftung f; Haft; Beschlagnahme f; 2. verhaften; beschlagnahmen; anhalten, hemmen.

arriv|al (ˀrāĭˈwˀl) Ankunft f; Auftreten n; Ankömmling m; ~s pl. angekommene Perso'nen f/pl., Züge m/pl. usw.; ~e (ˀrāĭˈw) (an)kommen, eintreffen; erscheinen; eintreten (Ereignis); ~ at erreichen (acc.).

arroga|nce (āˈrˑ̄gˀnɞ) Anmaßung f; ~nt □ (~gˀnt) anmaßend; ~te (~geˈt) sich et. anmaßen.

arrow (āˈroˀ) Pfeil m.

arsenal (āˈɞ̄nˀl) Zeughaus n.

arsenic (āˈɞ̄nĭk) Arseˈn(ik) n.

arson (āˈɞ̄n) Brandstiftung f.

art (āt) Kunst; fig. List; Kniff m.

arter|ial (ātĭˀrĭˀl): ~ road Ausfallstraße f; ~y (āˈtˀrĭ) Arteˈrie, Puls-ader; fig. Verkehrs-ader f.

artful □ (āˈtĭuˀl) schlau, verschmitzt.

article (āˈtĭtĭl) Artiˈkel; fig. Punkt m; ~d to in der Lehre bei.

articulat|e 1. (ātĭˈtĭuˀl) deutlich (aus)sprechen; Knochen zs.-fügen; 2. □ (~lˀt) deutlich; gegliedert; ~ion (ātĭtĭuˀˈlˀĭʃˀn) deutliche Aussprache; anat. Gelenkfügung f.

artifice (āˈtĭfĭɞ) Kunstgriff m, List f; ~ial □ (ātĭfĭˈʃˀl) künstlich; Kunst...

artillery (āˈtĭˈlˀrĭ) Artilleriˈe f; ~man (~mˀn) Artilleriˈst m.

artisan (ātĭˈɞ̄ˈn) Handwerker m.

artist (āˈtĭɞt) Künstler(in); ~e (ātĭˈɞt) Artist(in); ~ic(al □) (ātĭˈɞ̄-tĭt, ~tˀĭ) künstlerisch; Kunst...

as (āɞ) adv. u. cj. als, wie; so, sowie, ebenso; als, während, da, weil, indem; sofern; ~ it were gleichsam; ~ well ebensogut; auch; ~ well ... sowohl ... als auch; such ~ to derart, daß; prp. ~ for, ~ to was betrifft; ~ from von ... an.

ascend (ˀɞēˈnd) v/i. (auf-, empor-, hinauf-)steigen; zeitlich: zurückgehen (to bis zu); v/t. be-, er-steigen; hinauf-steigen; Fluß usw. hinauffahren; ~ancy (~ˀnɞĭ) (Vor-)Herrschaft f.

ascension (ᵉఠĕ'nᵢʃⁱᵗ͡ʃᵉn) Aufsteigen n
(bsd. ast.); ♀ (Day) Himmelfahrt(s-
tag m) f.

ascent (ᵉఠĕ'nt) Aufstieg m; Boden-
Steigung f; Treppen-Aufgang m.

ascertain (ăఠᵗteⁱ'n) ermitteln.

ascribe (ᵉఠⁱrāᵢ'b) zuschreiben.

aseptic (eⁱఠĕ'ptⁱᵗ) aseptisch(es Mittel).

ash[1] (ăⁱʃ) ♀ Esche f; Eschenholz n.

ash[2] (˷), mst pl. ˷es (ă'ʃⁱᵗ) Asche f;
♀ Wednesday Aschermittwoch m.

ashamed (ᵉⁱʃeⁱ'mᵈ) beschämt.

ash-can Am. Mülleimer m.

ashen (ă'ʃᵈn) aschgrau, aschfahl.

ashore (ᵉⁱʃŏ') am od. ans Ufer od.
Land; run ˷, be driven ˷ stranden.

ash-tray Asch-schale f, -becher m.

ashy (ă'ʃⁱ) aschig; aschgrau.

Asiatic (eⁱʃⁱăⁱ'tⁱᵗ) 1. asiatisch;
2. Asiat(in).

aside (ᵉⁱāⁱ'b) 1. beiseite; abseits;
seitwärts; 2. thea. Apa'rte n.

ask (āⁱᵗ) v/t. fragen (a th. nach et.);
verlangen (of, from a p. von j-m);
bitten (a p. [for] a th. j. um et.;
that darum, daß); erbitten; ˷ (a p.)
a question (j-m) e-e Frage stellen;
v/i.: ˷ for bitten um, fragen nach.

askance (ᵉⁱʃkă'nఠ), askew (ᵉⁱʃtⁱū')
von der Seite, seitwärts; schief.

asleep (ᵉⁱʃlⁱ'p) schlafend; in den
Schlaf; eingeschlafen.

aslope (ᵉⁱʃlŏᵘ'p) abschüssig; schräg.

asparagus ♀ (ᵉⁱʃpă'rᵉrᵍᵉఠ) Spargel m.

aspect (ă'ʃpĕtⁱ) Anblick m; Aussehen n; Seite f e-r Angelegenheit;
Gesichtspunkt m.

asperity (ăʃpᵉ'rⁱtⁱ) Rauheit f.

asphalt (ă'ʃfălt) 1. A'sphalt m;
2. asphaltieren.

aspic (ă'ʃpⁱⁱ) Gallert n, Sülze f.

aspir|ant (ᵉⁱʃpăⁱ'rᵉrⁿt) Bewerber(in);
Strebende(r); ˷ate (ă'ʃpᵉrᵉⁱt) aspi-
rieren; ˷ation (ăⁱʃpᵉreⁱ'ʃⁱᵗ͡ʃᵉn) Aspi-
ratio'n; Bestrebung f; ˷e (ᵉⁱʃpăⁱ')
streben, trachten (to, after, at).

ass (ăⁱ) Esel m.

assail (ᵉⁱeⁱ'l) angreifen, überfa'llen
(a. fig.); befallen (Zweifel usw.);
˷ant (˷ᵉnt) Angreifer(in).

assassin (ᵉⁱʃăⁱ'ⁱⁱn) Meuchelmörder
(-in); ˷ate (˷ⁱneⁱt) meucheln, mor-
den; ˷ation (ᵉⁱʃăⁱⁱneⁱ'ʃⁱᵗ͡ʃᵉn) Meu-
chelmord m.

assault (ᵉⁱఠŏ'lt) 1. Angriff (a. fig.);
2. anfallen; ఠᵗఠ tätlich angreifen od.
beleidigen; bestürmen (a. fig.).

assay (ᵉⁱఠĕⁱ') 1. (Erz-, Metall-)Probe
f; 2. prob(ier)en.

assembl|age (ᵉⁱఠĕ'mఠlⁱᵇᏀ) (An-)
Sammlung; ⊕ Monta'ge f; ˷e
(ᵉⁱఠĕ'mఠl) (sich) versammeln; zs.-,
ein-berufen; ⊕ montieren; ˷y (˷ⁱ)
Versammlung; Gesellschaft f; ⊕
Montage f.

assent (ᵉⁱఠĕ'nt) 1. Zustimmung f;
2. (to) zustimmen (dat.); billigen.

assert (ᵉⁱఠŏ'ᵗ) (sich) behaupten;
˷ion (ᵉⁱఠŏ'ʃⁱᵗ͡ʃᵉn) Behauptung; Erklärung; Geltendmachung f.

assess (ᵉⁱఠĕ'ఠ) besteuern; zur Steuer
einschätzen (alle: in, at mit);
˷able ☐ (˷ᵉఠl) steuerpflichtig;
˷ment (˷mᵉnt) (Steuer-)Veran-
lagung; Steuer f.

asset (ă'ఠĕt) † Akti'vposten (a. fig.)
m; ˷s pl. Vermögenswerte m/pl.

assiduous ☐ (ᵉⁱఠⁱ'bⁱᵘᵉఠ) emsig,
fleißig; aufmerksam.

assign (ᵉⁱఠāⁱ'n) an-, zu-weisen;
bestimmen; zuschreiben; ˷ment
(ᵉⁱఠāⁱ'nmᵉnt) An-, Zu-weisung; ఠᵗఠ
Übertra'gung f.

assimilat|e (ᵉⁱఠⁱ'mⁱleⁱt) (sich) an-
gleichen (to, with dat.); ˷ion
(ᵉⁱఠⁱmⁱleⁱ'ʃⁱᵗ͡ʃᵉn) Assimilatio'n, Angleichung f.

assist (ᵉⁱఠⁱ'ఠt) j-m beistehen, helfen;
unterstü'tzen; ˷ance (˷ᵉnఠ) Beistand m; Hilfe f; ˷ant (˷ᵉnt) 1. be-
hilflich; 2. Assiste'nt(in).

associa|te 1. (ᵉⁱఠŏᵘ'ʃⁱeⁱt) (sich) zu-
gesellen (with dat.), (sich) vereinigen; Umgang h. (with mit); 2. (˷
ʃⁱⁱt) a) verbunden; b) (Amts-)
Genosse; Teilhaber m; ˷tion
(ᵉⁱఠŏᵘ'ᵇⁱeⁱ'ʃⁱᵗ͡ʃᵉn) Vereinigung, Verbindung; Handels- usw. Gesellschaft f; Genossenschaft f.

assort (ᵉⁱఠŏ'ᵗ) v/t. sortieren; zs.-
stellen; v/i. passen (with zu);
˷ment (˷mᵉnt) Sortieren; † Sortime'nt n.

assum|e (ᵉⁱఠⁱū'm) annehmen; über-
'nehmen; sich anmaßen; ˷ption
(ᵉⁱఠa'mpʃⁱᵗ͡ʃᵉn) Annahme; Über-
nahme; Anmaßung; eccl. ♀ Mariä
Himmelfahrt f.

assur|ance (ᵉⁱʃⁱᵘᵉ'rᵉnఠ) Zu-, Ver-
sicherung; Zuversicht; Sicherheit;
Dreistigkeit f; ˷e (ᵉⁱʃⁱᵘᵉ') (ver-)
sichern; sicherstellen; ˷ed (˷ᵈ)
1. (adv. ˷edly, ˷rⁱᵇlⁱ) sicher;
dreist; 2. Versicherte(r).

astir (ᵉⁱఠtŏ') auf (den Beinen).

astonish (ᵉß̱tŏ'nĭʃ) in Erstaunen setzen; be ~ed erstaunt sn (at über acc.); ~ing □ (~ĭʃĭnᵍ) erstaunlich; ~ment (ᵉß̱tŏ'nĭʃĕm̃nt) Erstaunen; Staunen n; Verwunderung f.
astound (ᵉß̱táŭ'nd) verblüffen.
astray (ᵉß̱treᵉ') vom (rechten) Wege ab; go ~ sich verlaufen, fehlgehen.
astride (ᵉß̱trā'ĭ'd) mit gespreizten Beinen; rittlings (of auf dat.).
astringent □ ⚕ (ᵉß̱trĭ'ndG̃nt) zusammenziehend(es Mittel).
astro|logy (ᵉß̱trŏ'lᵒ̆Đᵵ) Astrologie f; ~nomer (ᵉß̱trŏ'nᵉmᵉ) Astrono'm m; ~nomy (ᵉß̱trŏ'nᵉmĭ) Astronomie' f.
astute □ (ᵉß̱tjū't) scharfsinnig; schlau; ~ness (~nĕß̱) Scharfsinn m.
asunder (ᵉß̱ᵃ'nᵒ̆') auseinander; entzwei.
asylum (ᵉß̱āĭ'lᵉm) Asy'l n. [zwei.]
at (ᵃ̆t, unbetont ᵉt) prp. an; auf; aus; bei; für; in; mit; nach; über; um; von; vor; zu; ~ school in der Schule; ~ the age of im Alter von.
ate (ᵉt, eᵉt) aß.
atheism (eᵉ'ᵗʰĭĭ̃ʃm) Athei'smus m.
athlet|e (ᵃ̆ᵗʰlīt) Athle't m; ~ic (ᵃ̆ᵗʰlĕ'tĭˌ), ~ical □ (~ĭᵗˈᵉl) athletisch; ~ics pl. (ᵃ̆ᵗʰlĕ'tĭˌß̱) Athletik f.
Atlantic (ᵉt̑lᵃ̆'ntĭˌt) 1. atlantisch; 2. (a. ~ Ocean) Atlantisches Meer.
atmospher|e (ᵃ̆'tmᵒ̆ß̱fĭᵉ') Atmosphä're f (a. fig.); ~ic(al □) (ᵃ̆tmᵒ̆ß̱fĕ'rĭˌ, ~ĭᵗˈl) atmosphärisch.
atom ⚛ (ᵃ̆'tᵒ̆m) Ato'm n (a. fig.); ~ (a. ~ic) bomb A.bombe f; ~ic (ᵉtŏ'mĭˌt) atomartig, Atom...; atomi'stisch; ~ pile A.batterie f; ~ smashing A.zertrümmerung f; ~izer (ᵃ̆'tᵉmāĭz̑ᵉ) Zerstäuber m (Gerät).
atone (ᵉtoᵘ'n): ~ for büßen für et.; ~ment (~mᵉnt) Buße; Sühne f.
atroci|ous □ (ᵉtroᵘ'ʃᵉß̱) scheußlich, gräßlich, ~ty (ᵉtrŏ'ß̱ĭtĭ) Scheußlichkeit, Gräßlichkeit f.
attach (ᵉtᵃ̆'tʃ) v/t. (to) anheften (an acc.), befestigen (an dat.); Wert, Wichtigkeit usw. beilegen (dat.); ⚖ j. verhaften; et. beschlagnahmen; ~ o.s. to sich anschließen an (acc.); ~ment (~mᵉnt) Befestigung; (to, for) Bindung (an acc.); Anhänglichkeit f (an acc.); Anhängsel n (to gen.); ⚖ Verhaftung; Beschlagnahme f.
attack (ᵉtᵃ̆'t) 1. angreifen (a. fig.); befallen (Krankheit); Arbeit in Angriff nehmen; 2. Angriff; ⚔ Anfall m; Inangriffnahme f.

attain (ᵉteᵉ'n) 1. v/t. Ziel erreichen; 2. v/i. ~ to: gelangen zu; ~ment (~mᵉnt) Erreichung; fig. Aneignung f; ~s pl. Fertigkeiten f/pl.
attempt (ᵉtĕ'mpt) 1. versuchen; ein Attenta't machen auf (acc.); 2. Versuch m; Attenta't n.
attend (ᵉtĕ'nd) v/t. begleiten; bedienen; warten, pflegen; ⚕ behandeln; j-m aufwarten; beiwohnen (dat.); Vorlesung usw. besuchen; v/i. achten, hören (to auf acc.); anwesend sn (at bei); ~ to Geschäft usw. besorgen; ~ance (ᵉtĕ'ndᵉnß̱) Begleitung; (Auf-)Wartung, Pflege; ⚕ Behandlung f; Gefolge n; (at) Anwesenheit f (bei); Besuch m (gen.; Schule usw.); Besucher(zahl f) m/pl., Publikum n; ~ant 1. (~ᵉnt) 1. begleitend ([up]on acc.); anwesend (at bei); 2. Diener(in); Begleiter(in); Wärter(in); Besucher(in) (at gen.); ⊕ Bedienungsmann m.
atten|tion (ᵉtĕ'nʃᵉn) Aufmerksamkeit f; ~ive □ (~tĭw) aufmerksam.
attest (ᵉtĕ'ß̱t) bezeugen; beglaubigen; bsd. ✕ vereidigen.
attic (ᵃ̆'tĭˌt) Dachstube f.
attire (ᵉtāĭ'ᵉ) 1. (an)kleiden; schmücken; 2. Gewand n.
attitude (ᵃ̆'tĭtjūb) Stellung; Haltung; fig. Stellungname f.
attorney (ᵉtᵉ̆'nĭ) Anwalt m; power of ~ Vollmacht f; ♀ General Oberstaatsanwalt m.
attract (ᵉtrᵃ̆'t) anziehen; fig. reizen; ~ion (ᵉtrᵃ̆'tʃᵉn) Anziehung(skraft) f; fig. Reiz; Zugartikel m; thea. Zugstück n; ~ive □ (~tĭw) anziehend; reizend; zugkräftig; ~iveness (~tĭwnĭß̱) Reiz m.
attribute 1. (ᵉtrĭ'bjūt) beilegen, zuschreiben; 2. (ᵃ̆'trĭbjūt) Attribu't n, Eigenschaft f; Merkmal n.
attune (ᵉtjū'n) (ab)stimmen.
auburn (ŏ'b̑ᵉn) kastanienbraun.
auction (ŏ'tʃᵉn) 1. Auktio'n f; sell by ~ put up for ~ versteigern, verauktionieren; 2. versteigern (mst ~ off); ~eer (ŏtʃᵉnĭᵉ') Auktiona'tor m.
audaci|ous □ (ŏdeᵉ'ʃᵉß̱) kühn, keck; b. s. dreist; ~ty (ŏdᵃ̆'b̑ĭtĭ) Kühnheit; b. s. Dreistigkeit f.
audible □ (ŏ'b̑ᵉbl) hörbar.
audience (ŏ'bĭᵉnß̱) Gehör n (An-hören); Audie'nz f (of, with bei); Zuhörer(schaft f) m/pl., Publikum n.

audit (ŏ'ðĭt) 1. Rechnungsprüfung f; 2. *Rechnungen* prüfen; **~or** (ŏ'ðĭtᵉ) Hörer; Rechnungs-, Buchprüfer m.

auger ⊕ (ŏ'gᵉ) *großer* Bohrer m.

aught (ŏt) (irgend) etwas.

augment (ŏgmĕ'nt) vergrößern; **~ation** (ŏgmĕntē'ʃᶜhᵉn) Vermehrung, -größerung f; Zusatz m.

augur (ŏ'gᵉ) 1. Augur m; 2. weis-, voraus-sagen (*well* Gutes, *ill* Übles); **~y** (ŏ'gⁱᵘrⁱ) Prophezeiung f; An-, Vor-zeichen n; Vorahnung f.

August (ŏ'gᵇᵉt) *Monat* Augu'st m.

aunt (änt) Tante f.

auspic|e (ŏ'ᵇpĭß) Vorzeichen n; **~s** pl. Auspi'zien n/pl. (*Schutz, Leitung*); **~ious** (ŏᵇpⁱ'ʃᶜhᵉß) günstig.

auster|e (ŏßtī'ᵉ) streng; herb; hart; einfach; **~ity** (ŏßtē'rⁱtⁱ) Strenge; Härte; Einfachheit f.

Australian (ŏßtrⁱᵉⁱ'ljᵉn) 1. australisch; 2. Australier(in).

Austrian (ŏ'ßtrⁱᵉn) 1. österreichisch; 2. Österreicher(in).

authentic (ŏthĕ'ntĭt) (**~ally**) authentisch: glaubwürdig; zuverlässig.

author (ŏ'thᵉ) Urheber(in); Autor (-in); Verfasser(in); **~itative** □ (ŏthŏ'rⁱtᵉⁱtĭw) maßgebend; behördlich; **~ity** (ŏthŏ'rⁱtⁱ) Autoritä't: (Amts-)Gewalt, Vollmacht f; Einfluß m (*over* auf acc.); Ansehen n; Glaubwürdigkeit; Quelle; Fachgröße; Behörde f (*mst pl.*); on the ~ of auf j-s Zeugnis hin; **~ize** (ŏ'thᵉrāⁱ) j. autorisieren, bevollmächtigen; et. gutheißen, billigen.

autocar (ŏ'tᵒᵗā) Kraftwagen m.

autocra|cy (ŏtŏ'trᵇⁱ) Autokratie' f; **~tic(al** □) (ŏtᵉträ'tⁱᵗ[ⁱ]) autokratisch. [schrauber m.]

autogiro ⚒ (ŏ'tᵒᵈOāl'roᵘ) Hub-]

autograph (ŏ'tᵉgräf) Autogra'mm n.

automat|ic (ŏtᵉmä'tĭt) (**~ally**) automatisch; **~** *machine* Verkaufsautomat m; **~on** (ŏtŏ'mᵉtᵉn) Automa't m. [Automobi'l n.]

automobile bsd. Am. (ŏtᵉmoᵘ'bĭl)]

autonomy (ŏtŏ'nᵉmⁱ) Autonomie' f (*Selbstregierung*).

autumn (ŏ'tᵉm) Herbst m; **~al** □ (ŏtᵉ'mnᵉl) herbstlich; Herbst...

auxiliary (ŏgʒĭ'lⁱᵉrⁱ) helfend; Hilfs...

avail (ᵉwēⁱ'l) 1. nützen, helfen; ~ o.s. of sich e-r S. bedienen; 2. Nutzen m; of no ~ nutzlos; **~able** □ (ᵉwēⁱ'lᵉbl) benutzbar; verfügbar; pred. erhältlich, vorhanden; gültig.

avalanche (ä'wᵉlänʃᶜh) Lawine f.

avaric|e (ä'wᵉrĭß) Geiz m; Habsucht f; **~ious** □ (äwᵉrⁱ'ʃᶜhᵉß) geizig; habgierig.

aveng|e (ᵉwĕ'nðO) rächen, et. ahnden; **~er** (~ᵉ) Rächer(in).

avenue (ä'wⁱnjū) Zugang m (*mst fig.*); Allee'; Am. Promena'de f.

aver (ᵉwŏ') behaupten.

average (ä'wᵉrĭðO) 1. Durchschnitt m; 2. □ durchschnittlich; Durchschnitts..; 3. durchschnittlich schätzen (*at* auf acc.); durchschnittlich betragen, arbeiten usw.

avers|e □ (ᵉwŏ'ß) abgeneigt (*to, from* dat.); widerwillig; **~ion** (ᵉwŏ'ʃᶜhᵉn) Widerwille m.

avert (ᵉwŏ't) abwenden (a. fig.).

aviat|ion ⚒ (ᵉⁱwⁱᵉⁱ'ʃᶜhᵉn) Fliegen; Flugwesen n; **~or** (ᵉⁱwⁱᵉⁱtᵉ) Flieger m.

avoid (ᵉwŏl'ð) (ver)meiden; j-m ausweichen; **~ance** (~ᵉnß) Meiden n.

avow (ᵉwāū') bekennen, (ein)gestehen; anerkennen; **~al** (~ᵉl) Bekenntnis, (Ein-)Geständnis n.

await (ᵉwēⁱ't) erwarten (a. fig.).

awake (ᵉwēⁱ'k) 1. wach, munter; ~ to sich e-r S. bewußt; 2. [*irr.*] v/t. (*mst* **~n,** ᵉwē'ᵗn) (er)wecken; v/i. erwachen; gewahr w. (*to a th.* et.).

award (ᵉwŏ'ð) 1. Urteil n, Spruch m; Zuerkennung f; 2. zuerkennen, *Orden usw.* verleihen.

aware (ᵉwä̆ᵉ'): be ~ wissen (*of* von od. acc.), sich bewußt sn (*of* gen.); become ~ of et. gewahr w., merken.

away (ᵉwēⁱ') (hin)weg; fort; immer weiter, darauflos.

awe (ŏ) 1. Ehrfurcht, Scheu f (*of* vor dat.); 2. (Ehr-)Furcht einflößen (dat.).

awful □ (ŏ'fᵘl) ehrfurchtgebietend; furchtbar; F fig. schrecklich.

awhile (ᵉwāl'l) e-e Weile.

awkward □ (ŏ'tᵘᵒð) ungeschickt, unbeholfen; linkisch; unangenehm.

awl (ŏl) Ahle f, Pfriem m.

awning (ŏ'nĭnⁿ) Wagendecke, Plane f.

awoke (ᵉwoᵘ't) (er)weckte; erwachte.

awry (ᵉrāl') schief; fig. verkehrt.

axe (ä̆ß) Axt f.

axis (ä'ᵇᵇß), pl. **axes** (~ᵇⁱß) Achse f.

axle ⊕ (ä'ᵇᵇl) Achsschenkel m; **~-tree** = ~-tree (Wagen-)Achse f.

ay(e) (āl) Ja n; parl. Stimme f für.

azure (ä'Oᵉ) 1. azu'rn, azu'rblau; 2. Azu'r(blau n) m.

B

babble (bă′bl) 1. plappern; schwatzen; 2. Geplapper; Geschwätz *n*.

baboon (bĕbū′n) *zo.* Pavian *m*.

baby (be′bĭ) 1. Säugling *m*, kleines Kind, Kindchen *n*; 2. Kinder...; klein; ~hood (be′bĭhŭd) früheste Kindheit.

bachelor (bă′tʃĕlĕ) Junggeselle; *univ.* Bakkalau′re-us *m* (*Grad*).

back (băk) 1. Rücken *m*; Rückseite; Rücklehne *f*; Hinterende *n*; *Fußball*: Verteidiger *m*; 2. *adj.* Hinter..., Rück...; hinter; rückwärtig; entlegen; rückläufig; rückständig; 3. *adv.* zurück; 4. *v/t.* mit e-m Rücken versehen; unterstü′tzen; hinten anstoßen an (*acc.*); *Pferd usw.* besteigen; zurückbewegen; wetten (*od.* setzen) auf (*acc.*); † indossieren; *v/i.* rückwärts (*od.* zurück-)treten, (-)gehen *usw.*; ~bone Rückgrat *n*; ~er (bă′tĕ) Unterstü′tzer(in); † Indossie′rer *m*; Wetter(in); ~ground Hintergrund *m*.

backing (bă′tĭŋĕ) Unterstützung *f*; † Indossame′nt *n*; ~pedal rückwärtstreten (*Radfahren*); ~ing brake Rücktrittbremse *f*; ~side Hinter-, Rückseite *f*; ~slide [*irr.* (slide)] rückfällig w.; ~stairs Hintertreppe *f*; ~stroke Rückenschwimmen *n*; ~talk *Am.* freche Antworten *f/pl.*

backward (bă′kwĕd) 1. *adj.* Rück(wärts)...; saumselig; zurückgeblieben, rückständig; zurückhaltend; 2. *adv.* (a. ~s, ~) rückwärts, zurück; ~water Stauwasser *n*; ~wheel Hinterrad *n*.

bacon (be′kĕn) Speck *m*.

bacteri|ologist (băttī′ĕr′ŏ̆′lĕdGĭst) Bakteriolo′ge *m*; ~um (~tī′ĕr′ĭĕm), *pl.* ~a (~rĭĕ) Bakte′rie *f*.

bad ☐ (băd) schlecht, böse, schlimm; falsch (*Münze*); faul (*Schuld*); he is ~ly off er ist übel dran; ~ly wounded schwerverwundet; F *want* ~ly dringend brauchen.

bade (băd) hieß, befahl.

badge (bădG) Ab-, Kenn-zeichen *n*.

badger (bă′dGĕ) 1. *zo.* Dachs *m*; 2. hetzen, plagen, quälen.

badness (bă′dnĭß) schlechte Beschaffenheit; Schlechtigkeit *f*.

baffle (bă′fl) *j.* narren; *Plan usw.* vereiteln; hemmen.

bag (băg) 1. Beutel, Sack *m*; Tüte *f*; 2. in e-n Beutel *usw.* tun, einsacken; *hunt.* zur Strecke bringen; (sich) bauschen.

baggage (bă′gĭdG) Gepäck *n*; ~ check *Am.* Gepäckschein *m*.

bagpipe (bă′gpaĭp) Dudelsack *m*.

bail (be′l) 1. Bürge *m*; Bürgschaft; Kautio′n *f*; *st* admit to ~ gegen Bürgschaft freilassen; 2. bürgen für; ~ out *j.* freibürgen.

bailiff (be′lĭf) Gerichtsdiener; (Guts-)Verwalter; Amtmann *m*.

bait (be′t) 1. Köder *m*; *fig.* Lockung *f*; 2. *Falle usw.* beködern; *hunt.* hetzen; *fig.* quälen; reizen; ~ing (be′tĭŋ) Hetze *f*.

bak|e (be′k) backen; braten; *Ziegel* brennen; (aus)dörren; ~er (be′kĕ) Bäcker *m*; ~ery (~rĭ) Bäckerei *f*; ~ing-powder Backpulver *n*.

balance (bă′lĕnß) 1. Waage *f*; Gleichgewicht *n* (*a. fig.*); Ausgleich *m*; Unruhe *der Uhr*; † Bila′nz *f*; Saldo; *sl.* Rest *m*; ~ of power politisches Gleichgewicht; ~ of *trade* Handelsbilanz *f*; 2. *v/t.* (ab-, er-)wägen; im Gleichgewicht halten; ausgleichen; † bilanzieren; saldieren; *v/i.* balanzieren; sich ausgleichen.

balcony (bă′lkĕnĭ) Balko′n *m*.

bald (bô̆ld) kahl; *fig.* nackt; dürftig.

bale † (be′l) Ballen *m*.

balk (bô̆k) 1. (Furchen-)Rain; Balken *m*; Hemmnis *n*; 2. *v/t.* (ver)hindern; enttäuschen; vereiteln.

ball¹ (bô̆l) 1. Ball *m*; Kugel *f*; (Hand-, Fuß-)Ballen *m*; keep the ~ *rolling* das Gespräch in Gang halten; 2. (sich) (zs.-)ballen.

ball² (~) Ball *m*, Tanzgesellschaft *f*.

ballad (bă′lĕd) Balla′de *f*; Lied *n*.

ballast (bă′lĕst) 1. Ballast; ⚏ Schotter *m*; 2. mit Ballast belasten; ⚏ beschottern, betten.

ball-bearing(s *pl.*) ⊕ Kugellager *n*.

ballet (bä′le⁴) Balle′tt *n*.

balloon (bᵉlū′n) 1. Ballon *m*; ∼ist (∼i̱ßt) Luft(ballon)-schiffer, -fahrer *m*.

ballot (bä′le⁴) 1. Wahlzettel *m*; (geheime) Wahl, Wahlergebnis *n*; 2. (geheim) abstimmen; ∼-box Wahlurne *f*.   [schreiber *m*.]

ballpoint (*a*. ∼pen) Kugel-]

ball-room Ball-, Tanz-saal *m*.

balm (bäm) Balsam; *fig*. Trost *m*.

balmy □ (bä′mi̱) balsa′misch (*a. fig*.).

baloney (bᵉlo⁰′ni̱) *Am. sl*. Quatsch *m*.

balsam (bô′lß̱ᵐm) Balsam *m*.

balustrade (bäl∼ßtre¹′d) Balustrade, Brüstung *f*; Geländer *n*.

bamboo (bämbū′) Ba′mbus *m*.

bamboozle F (∼ß̱l) beschwindeln.

ban (bän) 1. Bann *m*; Acht *f*; (amtliches) Verbot; 2. verbieten.

banana (bᵉnä′nᵉ) Banane *f*.

band (bänd) 1. Band *n*; Streifen *m*; Schar; ♪ Kapelle *f*; 2. bändern; binden; ∼ o.s. sich zs.-tun.

bandage (bä′nd¹d₲) 1. Binde *f*; Verband *m*; 2. bandagieren; verbinden.

bandbox (bä′ndbô̱ß̱) Hutschachtel *f*.

bandit (bä′nd¹t) Bandi′t *m*.

band-master (bä′ndmäß̱tᵉ) Kapellmeister *m*.

bandy (bä′nd¹) *Worte usw*. wechseln.

bane (be¹n) *fig*. Gift; Verderben *n*.

bang (bäŋ) 1. Knall *m*; Ponyfrisur *f*; 2. dröhnend (zu)schlagen.

banish (bä′ni̱ß̱) verbannen; ∼ment (∼mᵉnt) Verbannung *f*.

banisters (bä′n¹ß̱tᵉß̱) *pl*. Treppengeländer *n*.

bank (bäŋ⁴) 1. Damm *m*; Ufer *n*; Bank *f*; ∼ of issue Notenbank; ∼ of circulation Girobank *f*; 2. *v/t*. eindämmen; ✝ *Geld* in die Bank legen; ⚡ in die Kurve bringen; *v/i*. Bankgeschäfte m.; ein Bankkonto h.; ⚡ in die Kurve gehen; ∼ on sich verlassen auf (*acc*.); ∼er (∼e¹tᵉ) Bankie′r *m*; ∼ing (bä′ŋ⁴i̱ŋ) 1. Bankgeschäft; Bankwesen *n*; 2. Bank...; ∼rupt (bä′n⁴rᵃpt) 1. Bankrottierer *m*; 2. bankro′tt; 3. Bankrott m.; ∼ruptcy (∼rᵉptß̱) Bankro′tt, Konku′rs *m*.

banner (bä′nᵉ) Banner *n*; Fahne *f*.

banns (bänß̱) *pl*. Aufgebot *n*.

banquet (bä′n⁴w¹t) 1. Festmahl *n*; 2. festlich bewirten; tafeln.

banter (bä′ntᵉ) necken, hänseln.

baptism (bä′pti̱ßm) Taufe *f*.

baptize (bäptä¹′) taufen.

bar (bä) 1. Stange *f*; Stab; Barren; Riegel; ♪ Takt(strich) *m*; Spange; Bar *f*, Schenktisch *m*; Sandbank; z̄₂̄ Schranke *f*; Gericht *n*; Advokatu′r *f*; *fig*. Hindernis *n*; 2. verriegeln; (ver-, ab-)sperren; verwehren; einsperren; (ver)hindern; ausnehmen.

barb (bäb) Widerhaken *m*; ∼ed wire Stacheldraht *m*.

barbar|ian (bäbä′′r¹ᵉn) 1. barba′risch; 2. Barba′r(in); ∼ous □ (∼rᵉß̱) barba′risch; roh; grausam.

barbecue (bä′b¹⁴iū) 1. Ganzbraten *m*; 2. im ganzen braten.

barber (bä′bᵉ) Barbie′r *m*.

bare (bäᵉ) 1. nackt, bloß; kahl; bar, leer; arm, entblößt; 2. entblößen; ∼faced □ (bäᵉ′fe¹ß̱t) frech; ∼foot, ∼footed barfuß; ∼headed barhäuptig; ∼ly (bäᵉ′li̱) kaum.

bargain (bä′g¹n) 1. Geschäft *n*: Handel, Kauf *m*; vorteilhafter Kauf; 2. handeln, überei′nkommen.

barge (bäd₲) Flußkahn *m*; Hausboot *n*; ∼man (bä′d₲mᵉn) Kahnführer *m*.

bark¹ (bä⁴) 1. Borke, Rinde *f*; 2. abrinden; *Haut* abschürfen.

bark² (∼) 1. bellen; 2. Bellen *n*.

bar-keeper Schankwirt *m*.

barley (bä′li̱) Gerste; Graupe *f*.

barn (bän) Scheune *f*.

baron (bä′rᵉn) Baro′n, Freiherr *m*; ∼ess (∼tß̱) Baro′nin *f*.

barrack(s *pl*.) (bä′rᵉt, ∼ß̱) Kase′rne *f*.

barrage (bä′rä₲) Staudamm *m*.

barrel (bä′rᵉl) 1. Faß *n*, Tonne *f*; *Gewehr- usw*. Lauf *m*; ⊕ Trommel; Walze *f*; 2. in Fässer füllen.

barren □ (bä′rᵉn) unfruchtbar; dürr, trocken; tot (*Kapital*).

barricade (bär¹ke¹′d) 1. Barrikade *f*; 2. verbarrikadieren; sperren.

barrier (bä′r¹ᵉ) Schranke (*a. fig*.); Barrie′re, Sperre *f*; Hindernis *n*.

barrister (bä′r¹ß̱tᵉ) (plädierender) Rechtsanwalt, Barrister *m*.

barrow (bä′ro⁰) Trage; Karre *f*.

barter (bä′tᵉ) 1. Tausch(handel) *m*; 2. tauschen (*for* gegen); schachern.

base¹ □ (be¹ß̱) gemein; unecht.

base² (∼) 1. Basis: Grundlage *f*; Fundame′nt *n*; Fuß *m*; ⚓ Base *f*; Stützpunkt *m*; 2. gründen, stützen.

base...: ~ball *Am. Art* Schlagballspiel; ~less (be¹'b̶ĭ¹ß̶) grundlos; ~ment (~m°nt) Fundame'nt; Kellergeschoß *n.*

baseness (be¹'b̶n¹ß̶) Gemeinheit *f.*

bashful □ (bä'ʃch͡fᵘl) schüchtern.

basic (be¹'b̶ĭͭ) (~ally) grund-legend, -ständig; Grund...; ~ basisch.

basin (be¹'b̶n) Becken *n;* Schüssel *f;* Tal-, Wasser- *usw.* becken *n.*

bas|is (be¹'b̶ĭß̶), *pl.* ~es (~b̶ĭ̶) Basis; Grundlage *f;* ✕, ⚓ Stützpunkt *m.*

bask (bäᵴt) sich wärmen.

basket (bä'b̶ĭ¹t) Korb *m;* ~ball Korbball(spiel *n*) *m.*

bass ♩ (be¹ß̶) Baß *m.*

basso ♩ (bä'b̶oᵘ) Baß(sänger) *m.*

bastard (bä'b̶t°ð) 1. □ unehelich; unecht; Bastard...; 2. Bastard *m.*

baste¹ (be¹ß̶t) *Braten* begießen.

baste² (~) lose nähen, (an)heften.

bat¹ (bät) Fledermaus *f.*

bat² (~) *Sport:* 1. Schlagholz *n;* Schläger *m;* 2. *den Ball* schlagen.

batch (bätich) Schub *Brote (a. fig.);* Stoß *m Briefe usw. (a. fig.).*

bath (bäth) 1. Bad *n;* 2. baden.

bathe (be¹ðh) baden.

bathing (b̶ᵃ¹'ðhĭn⁹) Baden, Bad *n;* Bade...; ~hut Strandkorb *m;* ~suit Badeanzug *m.*

bath...: ~room Badezimmer *n;* ~sheet Badelaken *n;* ~towel Badetuch *n.*

batiste ✝ (bät¹'b̶t) Batist *m.*

baton (bä't¹n) Stab; Taktstock *m.*

battalion (b°tä'li°n) Bataillo'n *n.*

batter (bä't°) 1. *Sport:* Schläger; Schlagteig *m;* 2. heftig schlagen; verbeulen; ~ down *od. in Tür* einschlagen; ~y (~rĭ) Schlägerei; Batterie' *f; assault and* ~ tätlicher Angriff.

battle (bä'tl) 1. Schlacht *f (of bei);* 2. streiten, kämpfen; ~axe Streitaxt; *Am. fig.* Xanti'ppe *f.*

battle...: ~field Schlachtfeld *n;* ~plane ✕ Kampfflieger *m;* ~ship ✕ Schlachtschiff *n.*

bawdy (bô'ðĭ) unzüchtig.

bawl (bôl) brüllen; johlen, grö(h)len; ~ out auf-, los-brüllen.

bay¹ (be¹) 1. rotbraun; 2. Braune(r) *(Pferd)*.

bay² (~) Bai, Bucht *f.*

bay³ (~) Lorbeer *m.*

bay⁴ (~) 1. bellen, anschlagen; 2. *bring to* ~ *Wild usw.* stellen.

bayonet ✕ (be¹'e n¹t) 1. Bajone'tt *n;* 2. mit dem B. niederstoßen.

bay-window (be¹'wĭ'nðoᵘ) Erkerfenster *n; Am.* Vorbau *m (Bauch).*

baza(a)r (b°ʃä') Basar *m.*

be (bĭ) [*irr.*]: a) sein; *there is, are* es gibt; *here you are again!* da haben wir's wieder!; ~ *about* beschäftigt sn mit; ~ *at s. th. et.* vorhaben; ~ *off* aus sn; sich fortmachen; b) *v/aux.* ~ *reading* beim Lesen sn, gerade lesen; *I am to inform you* ich soll Ihnen mitteilen; c) *v/aux. mit p.p. zur Bildung des Passivs:* werden.

beach (bĭtich) 1. Strand *m;* 2. ⚓ auf den Strand setzen *od.* ziehen.

beacon (bĭ't°n) Feuerzeichen; Leuchtfeuer *n,* Leuchtturm *m.*

bead (bĭð) Perle *f;* Tropfen *m;* Kügelchen *n;* ~s *pl. a.* Rosenkranz *m.*

beak (bĭt) Schnabel *m;* Tülle *f.*

beam (bĭm) 1. Balken; Waagebalken; Strahl; *Radio:* Richtstrahl *m;* 2. (aus)strahlen.

bean (bĭn) Bohne *f.*

bear¹ (bä°) Bär; ✝ *sl.* Baissie'r *m.*

bear² (~) [*irr.*] *v/t.* tragen; hervorbringen, gebären; *Liebe usw.* hegen; ertragen; ~ *down* überwä'ltigen; ~ *out* unterstü'tzen, bestätigen; *v/i.* tragen; fruchtbar, trächtig sn; leiden, dulden; ~ *up* standhalten, fest bleiben; ~ *(up)on* einwirken auf *(acc.); bring to* ~ zur Anwendung bringen, einwirken lassen, *Druck usw.* ausüben.

beard (bĭ°ð) 1. Bart *m;* ♀ Granne *f;* 2. *v/t. j-m* entgegentreten, trotzen.

bearer (bä°'r°) Träger(in); Überbri'nger(in), *Wechsel-*Inhaber(in).

bearing (bä°'rĭn⁹) Tragen; Ertragen; Betragen *n;* Beziehung; Richtung *f.*

beast (bĭß̶t) Vieh, Tier *n;* Bestie *f;* ~ly (~lĭ) viehisch; scheußlich.

beat (bĭt) 1. [*irr.*] *v/t.* schlagen; prügeln; besiegen, übertre'ffen; ~ *a retreat* den Rückzug antreten; ~ *up* auftreiben; *v/i.* schlagen; ~ *about the bush* auf den Busch klopfen; 2. Schlag; Takt- *usw.* schlag *m;* Runde *f,* Revier *n e-s Schutzmannes usw.;* ~en (bĭ'tn) geschlagen; (aus)getreten *(Weg).*

beatitude (b¹ä't¹tjūð) (Glück-)Seligkeit *f.*

beau (boᵘ) Stutzer; Anbeter *m.*

beautiful □ (bjuˈtiful) schön.
beautify (ˌˈfai) verschönern.
beauty (bjuˈti) Schönheit f.
beaver (biˈwᵉ) Biber m.
because (biˈtôˀ) weil; ~ of wegen.
beckon (běˀkˀn) (j-m zu)winken.
become|e (biˈtaˀm) [irr. (come)] v/i. werden (of aus); v/t. anstehen, ziemen (dat.); sich passen (od. schikken) für; ~ing □ (ˌˈinᵍ) passend; schicklich; kleidsam.
bed (běd) 1. Bett; Lager e~s Tieres; ⚔ Beet n; Schicht f; 2. betten.
bed-clothes pl. Bettücher m/pl.
bedding (běˈdinᵍ) Bettzeug n.
bedevil (biˈděˀwl) behexen; quälen.
bed...: ~rid(den) bettlägerig; ~room Schlafzimmer n; ~spread Zier-Bettdecke f; ~stead Bettstelle f; ~time Schlafenszeit f.
bee (bi) Biene f; F have a ~ in one's bonnet e-n Vogel haben.
beech ⚔ (biˈtʃ) Buche f; ~nut Buchecker f.
beef (bif) Rindfleisch n; ~tea Fleischbrühe f; ~y (biˈfi) fleischig; kräftig. [~line Luftlinie f.]
bee...: ~hive Bienen-korb, -stock m;]
been (bin, bin) gewesen.
beer (biᵉ) Bier n; small ~ Dünnbier n.
beet ⚔ (bit) (Runkel-)Rübe, Beete f.
beetle (biˈtl) Käfer m.
befall (biˈfôˀl) [irr. (fall)] v/t. zustoßen (dat.); v/i. sich ereignen.
befit (biˈfiˀt) sich schicken für.
before (biˈfôˀ) 1. adv. Raum: vorn; voran; Zeit: vorher, früher; schon (früher); 2. cj. bevor, ehe, bis; 3. prp. vor; ~hand zuvor; voraus (with dat.). [lich erweisen.]
befriend (biˈfrěˀnd) sich j-m freund-]
beg (běg) v/t. et. erbetteln; erbitten (of von); j. bitten; ~ the question um den Kern der Frage herumgehen; v/i. betteln; bitten; betteln gehen; sich gestatten.
began (biˈgăˀn) begann.
beget (biˈgěˀt) [irr. (get)] (er)zeugen.
beggar (běˈgᵉ) 1. Bettler(in); F Kerl m; 2. zum Bettler machen; fig. übertre'ffen; it ~s all description es spottet jeder Beschreibung.
begin (biˈgin) [irr.] beginnen (at bei; mit); ~ner (~ᵉ) Anfänger(in); ~ning (ˌˈinᵍ) Beginn, Anfang m.
begot(ten) (biˈgôˀt[n]) erzeugte; erzeugt.
begrudge (biˈgrăˀdᴅ) mißgönnen.

beguile (biˈgăˀl) täuschen; betrügen ([out] of um); Zeit vertreiben.
begun (biˈgăˀn) begonnen.
behalf (biˈhăˀf): on od. in ~ of im Namen von; um ... (gen.) willen.
behav|e (biˈhěˀw) sich benehmen; ~iour (ˌˈjᵉ) Benehmen, Betragen n.
behead (biˈhěˀd) enthaupten.
behind (biˈhăˀnd) 1. adv. hinten; dahinter; zurück; 2. prp. hinter.
behold (biˈhoᵘˀld) [irr. (hold)] 1. erblicken; 2. siehe (da)!
behoof (biˈhüˀf): to (for, on) (the) ~ of in j-s Intere'sse, um j-s willen.
being (biˈinᵍ) (Da-)Sein; Wesen n; in ~ lebend; wirklich (vorhanden).
belated (biˈlěˀtd) verspätet.
belch (běltʃ) 1. rülpsen; ausspeien; 2. Rülpsen n; Ausbruch m.
belfry (běˈlfri) Glocken-turm, -stuhl m. [2. Belgier(in).]
Belgian (běˈlbGᵉn) 1. belgisch;]
belief (biˈliˀf) Glaube m (in an acc.).
believable (biˈliˀwᵉbl) glaubhaft.
believe (biˈliˀw) glauben (in an acc.); ~r (ˌˈᵉ) Gläubige(r).
belittle (biˈliˀtl) fig. verkleinern.
bell (běl) Glocke; Klingel f.
belle (běl) Schöne, Schönheit f.
belles-lettres (běˈllěˀtr) s/pl. Belletri'stik, schöne Literatu'r f.
bellied (běˈlid) bauchig.
belligerent (biˈlidᴅᵉrᵉnt) 1. kriegführend; 2. Kriegführende(r) m.
bell-mouth Schalltrichter m.
bellow (běˈloᵘ) 1. brüllen; 2. Gebrüll n; ~s (ˌ) pl. Blasebalg m.
belly (běˈli) 1. Bauch m; 2. (sich) bauchen; (an)schwellen.
belong (biˈlôˀnᵍ) (an)gehören; ~ to sich gehören für; j-m gebühren; ~ings (ˌˈinᵍ) pl. Habseligkeiten f/pl.
beloved (biˈlăˀwd, pred. biˈlaˀwd) 1. geliebt; 2. Geliebte(r).
below (biˈloᵘ) 1. adv. unten; 2. prp. unter.
belt (bělt) 1. Gürtel m; ⚔ Koppel n; Zone f, Bezirk; ⚙ Treibriemen m; 2. umgü'rten. [klagen.]
bemoan (biˈmoᵘˀn) betrauern, be-]
bench (běntʃ) Bank; Richterbank f; Gerichtshof; Arbeitstisch m.
bend (běnd) 1. Biegung, Kurve f; ⚓ Stich m; 2. [irr.] (sich) biegen; Geist usw. richten (to, on auf acc.); (sich) beugen; sich neigen (to vor dat.).
beneath (biˈniˀθ) = below.

19*

benediction (bĕnˈdĭˈĭˈ tʃᵉn) Segen m.

benefact|ion (ˌbĕˈtĭˈtʃᵉn) Wohltat f; **~or** (bĕˈnⁱfäktᵉ) Wohltäter m.

benefice|nce (bⁱnĕˈfⁱßnß) Wohltätigkeit f; **~nt** □ (~ßnt) wohltätig.

beneficial □ (bĕnⁱfⁱˈlʃᵉl) wohltuend; zuträglich, nützlich.

benefit (bĕˈnⁱfĭt) 1. Wohltat f; Nutzen, Vorteil m; Wohltätigkeitsveranstaltung; Wohlfahrts-Unterstützung f; 2. nützen; begünstigen; Nutzen ziehen.

benevolen|ce (bⁱnĕˈwᵉlᵉnß) Wohlwollen n; **~t** □ (ˌlᵉnt) wohlwollend; gütig, mildherzig.

benign □ (bⁱnäⁱn) freundlich: gütig; zuträglich, ⚕ gutartig.

bent (bĕnt) 1. bog; gebogen; **~ on** versessen auf (acc.); 2. Hang m; Neigung f.

benz|ene, ~ine (bĕˈnſĭn) Benzin n.

bequeath (bⁱˈkᵘⁱ ĭ dh) vermachen.

bequest (bⁱkᵘⁱ ĕßt) Vermächtnis n.

bereave (bⁱrⁱˈw) [irr.] berauben.

berry (bĕˈrĭ) Beere f.

berth (bŏ̈rᵗh) ⚓ Ankergrund m; Koje f; fig. (gute) Stelle.

beseech (bⁱßⁱ ˈtʃ) [irr.] ersuchen; bitten; um et. bitten; flehen.

beset (bⁱßĕˈt) [irr. (set)] besetzen; umlaˈgern; bedrängen.

beside (bⁱßäⁱˈd) prp. neben; weitab von; **~ o.s.** außer sich (with vor); **~ the question** nicht zur Sache gehörig; **~s** (ˌß) 1. adv. außerdem; 2. prp. abgesehen von, außer.

besiege (bⁱßⁱ ˈdG) belagern.

besmear (bⁱßmⁱ ˈᵃ) beschmieren.

besom (bⁱ ˈ[ᵉ]m) (Reisig-)Besen m.

besought (bⁱß ŏ̈ˈt) ersuchte; ersucht.

bespatter (bⁱßpäˈtᵉ) (be)spritzen.

bespeak (bⁱßpⁱ ˈt) [irr. (speak)] vorher bestellen; verraten; ankündigen; bespoke tailor Maßschneider m.

best (bĕßt) 1. adj. best; **~ man** Brautführer m; 2. adv. am besten, aufs beste; 3. Beste m, n, f, Besten pl.; to the **~** of ... nach bestem ...; make the **~** of tun, was man kann, mit; at **~** im besten Falle.

bestial □ (bĕˈßtⁱᵉl) tierisch, viehisch.

bestow (bⁱßtoᵘˈ) geben, schenken, verleihen ([up]on dat.).

bet (bĕt) 1. Wette f; 2. [irr.] wetten.

betake (bⁱtⁱ ˈ) [irr. (take)]: **~ o.s. to** sich begeben nach; fig. s-e Zuflucht nehmen zu.

bethink (bⁱ thⁱˈnᵒt) [irr. (think)]: **~ o.s.** sich besinnen (of auf acc.); **~ o.s. to inf.** sich in den Kopf setzen zu inf.

betray (bⁱtreⁱˈ) verraten; verleiten; **~er** (ˌᵉ) Verräter(in).

betrothal (bⁱtroᵘˈdhᵉl) Verlobung f.

better (bĕˈtᵉ) 1. adj. besser; **he is ~** es geht ihm besser; 2. Bessere(s) n, Vorteil m; **~s** pl. Höherstehende(n) pl.; **get the ~ of** die Oberhand gewinnen über (acc.); 3. adv. besser; mehr; **so much the ~** desto besser; **you had ~ go** du tätest besser zu gehen; 4. v/t. (ver)bessern; v/i. sich bessern; **~ment** f Verbesserung f.

between (bⁱtᵘⁱˈn) 1. adv. dazwischen; 2. prp. zwischen, unter.

beverage (bĕˈwᵉrⁱdG) Getränk n.

bevy (bĕˈwⁱ) Schwarm m; Schar f.

bewail (bⁱweⁱ ˈl) beklagen.

beware (bⁱwᵉᵃ ˈ) sich hüten (of vor).

bewilder (bⁱwⁱˈldᵉ) irremachen; verwirren; bestürzt m.; **~ment** (ˌmᵉnt) Verwirrung; Bestürzung f.

bewitch (bⁱwⁱ ˈtʃ) bezaubern, b. s. behexen.

beyond (bⁱjŏ̈ˈnd) 1. adv. darüber hinaus; 2. prp. jenseits, über (... hinaus); mehr als; außer.

bias (bäⁱˈᵉß) 1. schief, schräg; 2. Schräge; Neigung f; Vorurteiln; 3. neigen; beeinflussen.

bib (bĭb) (Sabber-)Lätzchen n.

Bible (bäⁱˈbl) Bibel f.

biblical □ (bⁱˈblⁱ tᵉl) biblisch; Bibel...

bicarbonate ⚗ (bäⁱkäˈbᵉnⁱt): **~ of soda** doppeltkohlensaures Natron.

bicker (bⁱˈtᵉ) zanken; flackern; plätschern; prasseln.

bicycle (bäⁱˈßⁱtl) 1. Fahrrad n; 2. radfahren, radeln.

bid (bĭd) 1. [irr.] heißen, befehlen; bieten; **~ fair** versprechen; **~ farewell** Lebewohl sagen; 2. Gebot, Angebot n; Am. F Einladung f.

bide (bäⁱd) **~ s-e Zeit** abwarten.

biennial (bäⁱˈenⁱᵉl) zweijährig.

bier (bⁱ ᵉ) (Toten-)Bahre f.

big (bĭg) groß; dick; schwanger; F fig. wichtig(tuerisch); F fig. **~ shot** Kanoˈne f; Bonze m; **talk ~** große Reden schwingen.

bigamy (bⁱˈgᵉmⁱ) Doppelehe f.

bigot (bⁱˈgᵉt) Blindgläubige(r); blinder Anhänger m; **~ry** (ˌrⁱ) Blindgläubigkeit f.

bigwig F (bĭ'gwĭg) hohes Tier (P.).
bike F (bāĭk) (Fahr-)Rad n.
bile (bāĭl) Galle f (fig. = Ärger).
bilious □ (bĭ'lĭe͡s) fig. gallig.
bill¹ (bĭl) Schnabel m; Spitze f.
bill² (‿) 1. Klage-, Rechts-schrift f, Schriftstück n; Gesetzentwurf; † Wechsel (a. ‿ of exchange); Zettel m; Rechnung f; ‿ of fare Speisekarte f; ‿ of lading Seefrachtschein m; ‿‿ of sale Verkaufsbrief m; 2. ankündigen.
billfold Zahlschein-, Brief-tasche f.
billiards (bĭ'lĭe͡dʒ) pl. Billard(spiel)n.
billion (bĭ'lĭe͡n) Billio'n; Am. Millia'rde f.
billow (bĭ'lo͡u) 1. Woge f (a. fig.); 2. wogen; ‿y (bĭ'lo͡ĭ) wogend.
bin (bĭn) Kasten, Behälter m.
bind (bāĭnd) [irr.] 1. v/t. (an-, ein-, um-, auf-, fest-, ver-)binden; verpflichten; Handel abschließen; † Saum einfassen; 2. v/i. binden; ‿er (bāĭ'nde͡) Binder m; Binde f; ‿ing (‿ĭŋ) 1. bindend; 2. Binden n; Einband m; Einfassung f.
binocular (bĭno͡'kĭu̯le͡) Fern-, Opernglas n.
biography (bāĭo͡'gre͡fĭ) Biographie'f.
biology (bāĭo͡'le͡dʒĭ) Biologie' f.
birch (bốẗʃ) 1. ♀ (od. ‿tree) Birke, Rute f; 2. mit der Rute züchtigen.
bird (bốẗd) Vogel m; ‿'s-eye (bốẗdĭ'āĭ): ‿ view Vogelperspekti've f.
birth (bốẗθ) Geburt f; Ursprung m; Entstehung; Herkunft f; bring to ‿ entstehen lassen, veranlassen; ‿day Geburtstag m; ‿place Geburtsort m.
biscuit (bĭ'skĭt) Zwieback m; Keks m (n); Art Porzella'n n.
bishop (bĭ'ʃe͡p) Bischof; Läufer m im Schach; ‿ric (‿rĭk) Bistum n.
bison (bāĭ'sn) zo. Wi'sent m.
bit (bĭt) 1. Bißchen, Stückchen; Gebiß n am Zaum; Schlüsselbart m; zäumen; zügeln; 2. biß.
bitch (bĭtʃ) Hündin; V Hure f.
bite (bāĭt) 1. Beißen n; Biß; Bissen m; ⊕ Fassen n; 2. [irr.] (an)beißen; brennen (Pfeffer); schneiden (Kälte); ⊕ fassen; fig. verletzen.
bitten (bĭ'tn) gebissen.
bitter (bĭ'te͡) □ bitter; streng; fig. verbittert; ‿s pl. (‿ʃ) Magenbitterm.
blab F (blāb) (aus)schwatzen.
black (blāk) 1. □ schwarz: dunkel; finster; 2. schwärzen; wichsen; ‿

out verdunkeln; 3. Schwarz n; Schwärze f; Schwarze(r) m (Neger); ‿berry Brombeere f; ‿bird Amsel f; ‿board Wandtafel f; ‿en (blā'tn) v/t. schwärzen; anschwärzen; v/i. schwarz w.; ‿guard (blā'gād) 1. Lump, Schuft m; 2. □ schuftig; ‿head ♪̂ Mitesser m; ‿ing (blā'kĭŋ) Schuhwichse f; ‿ish □ (blā'kĭʃ) schwärzlich; ‿leg Betrüger m; ‿letter typ. Fraktu'r f; ‿mail 1. Erpressung f; 2. j-n erpressen; ‿ness (‿nĭʃ) Schwärze f; ‿out Verdunkelung f; ‿smith Grobschmied m.
bladder (blā'de͡) anat. Blase f.
blade (blāĭd) Blatt n, ♀ Halm m; Säge-, Schulter- usw. Blatt n; Klinge f.
blame (blāĭm) 1. Tadel m; Schuld f; 2. tadeln; be to ‿ for schuld sn an (dat.); ‿ful (blāĭ'mfu̯l) tadelnswert; ‿less □ (‿lĭʃ) tadellos.
blanch (blāntʃ) bleichen; erbleichen (m.); ‿ over beschönigen.
bland □ (blānd) mild, sanft.
blank (blāŋk) 1. □ blank; leer; unausgefüllt; unbeschrieben; † Blanko...; reimlos; verdutzt; ✗ ‿ cartridge Platzpatro'ne f; 2. Weiße n; Leere f; leerer Raum; Lücke f; unbeschriebenes Blatt, Blankoformular n; Niete f.
blanket (blā'ngkĭt) 1. Wolldecke f; 2. (mit e-r Wolldecke) zudecken.
blare (blā͡e) schmettern; ausposaunen.
blaspheme (blāsfĭ'm) lästern (against über acc.); ‿y (blā'sfĭmĭ) Gotteslästerung f.
blast (blāst) 1. Windstoß; Luftzug; Trompetenstoß m; ⊕ Gebläse(luft f) n; Luftdruck e-r Explosion; ♀ Meltau m; 2. (in die Luft) sprengen; ver-trocknen, -sengen; fig. vernichten; ‿furnace ⊕ Hochofen m.
blaze (blāĭz) 1. lodernde Flamme, Lohe f; Ausbruch m; Licht(schein m) n; Blesse f (des Pferdes); 2. v/i. flammen, lodern; leuchten; v/t. ausposaunen; ‿r (blāĭ'ze͡) Sportjacke f.
blazon (blāĭ'zn) Wappen(kunde f) n.
bleach (blĭtʃ) bleichen.
bleak □ (blĭk) öde, kahl; rauh.
blear (blĭe͡) 1. trüb; 2. trüben; ‿eyed (blĭe͡'rāĭd) triefäugig.
bleat (blĭt) 1. Blöken n; 2. blöken.

bleb (blĕb) Bläs-chen n, Pustel f.

bleed (blīd) [irr.] 1. v/i. bluten; 2. v/t. zur Ader lassen; ~ing (blī'dīŋ) Bluten n; Aderlaß m.

blemish (blĕ'mïsch) 1. Fehler; Makel m, Schande f; 2. verunstalten; brandmarken.

blench (blĕntsch) zurückschrecken.

blend (blĕnd) 1. (sich) (ver)mischen; Wein usw. verschneiden; 2. Mischung f; † Verschnitt m.

bless (blĕß) segnen; preisen; beglücken; ~ed □ (p.p. blĕßt; adj. blĕ'b̌ïd) glückselig; gesegnet; ~ing (~ïŋ) Segen m.

blew (blū) blühte; blies.

blight (blāit) 1. ♀ Meltau; fig. Gifthauch m; 2. vernichten.

blind □ (blāind) 1. blind (fig. to gegen); geheim; nicht erkennbar; ~ alley Sackgasse f; ~ly fig. blindlings; 2. Blende f; (Fenster-)Vorhang m, Jalousie f; Vorwand m; 3. blenden; verblenden (to gegen); abblenden; ~fold (blāi'ndfoulld) j-m die Augen verbinden.

blink (blïŋk) 1. Blinzeln n; Schimmer m; 2. v/i. blinzeln; blinken; schimmern; v/t. absichtlich übersehen.

bliss (blïß) Seligkeit, Wonne f.

blister (blï'b̌t͟ʳ) 1. Haut-Blase f; Zugpflaster n; 2. Blasen bekommen od. ziehen (at dat.).

blizzard (blï'z̧ʳd) Schneesturm m.

bloat (blout) aufblasen; aufschwellen; ~er (blou'tʳ) Bückling m.

block (blŏk) 1. (Häuser-, Schreibusw.) Block; Klotz m; Hindernis n, Stockung; Sperrung f; 2. ~ in entwerfen, skizzieren; (mst ~ up) (ab-, ver-)sperren; blockieren.

blockade (blŏkei'd) 1. Blockade f; 2. blockieren.

blockhead (blŏ'ķhĕd) Dummkopf m.

blond(e f) (blŏnd) 1. blond; 2. Blondine f.

blood (blʌd) Blut n; in cold ~ kalten Blutes; ~horse Vollblutpferd n; ~shed Blutvergießen n; ~shot blutunterlaufen; ~thirsty blutdürstig; ~vessel Blutgefäß n; ~y □ (blʌ'dï) blutig; blutdürstig.

bloom (blūm) 1. Blume, Blüte f; Reif auf Früchten, fig. Schmelz m; 2. (er)blühen.

blossom (blŏ'ß̧m) 1. Blüte f; 2. blühen.

blot (blŏt) 1. Klecks; fig. Makel m; 2. beklecksen, beflecken; klecksen; (ab)löschen; ausstreichen.

blotch (blŏtsch) Pustel f; Fleck m.

blotter (blŏ'tʳ) Löscher m.

blotting-paper Löschpapier n.

blouse (blauz) Bluse f.

blow¹ (blou) Schlag, Stoß m.

blow² (~) [irr.] 1. blühen; 2. Blüte f.

blow³ (~) [irr.] 1. v/i. blasen; wehen; schnaufen; (er)schallen; ~ up in die Luft fliegen; ~ (an-, auf-)blasen; wehen; ⚡ durchbrennen; ~ one's nose sich die Nase putzen; ~ up sprengen; 2. Blasen, Wehen n; ~er (blou'ʳ) Bläser m; ~out mot. Reifenpanne f; ~pipe Lötrohr n.

bludgeon (blʌ'ḑĢʳn) Knüppel m.

blue (blū) 1. blau; F trüb, schwermütig; 2. Blau n; ~s pl. Trübsinn m; 3. blau färben; blauen.

bluff (blʌf) 1. □ schroff; steil; derb; 2. Steilufer n; Irreführung f; 3. bluffen, irreführen.

bluish (blū'ïsch) bläulich.

blunder (blʌ'ndʳ) 1. Fehler, Schnitzer m; 2. e-n Fehler machen; stolpern; stümpern; verpfuschen.

blunt (blʌnt) 1. □ stumpf (a. fig.); plump, grob, derb; 2. abstumpfen.

blur (blʌʳ) 1. Fleck(en) m; fig. Verschwommenheit f; 2. v/t. beflecken; verwischen; Sinn trüben.

blush (blʌsch) 1. Schamröte f; Erröten n; flüchtiger Blick; 2. erröten; (sich) röten.

bluster (blʌ'ß̧tʳ) 1. Brausen, Getöse n; Prahlerei f; 2. brausen; prahlen.

boar (bō) Eber m; hunt. Keiler m.

board (bōd) 1. Brett n; Pappe f; Tisch m; Tafel, Beköstigung f; Rat, Ausschuß m, Behörde f, Amt n; ⚓ Bord m; Am. ♀ of Trade Industrie- und Handelskammer f; 2. v/t. dielen, verschalen; beköstigen; an Bord gehen; ⚓ entern; v/i. in Kost sn; ~er (bō'dʳ) Kostgänger(in); ~ing-house Pension f.

boast (boust) 1. Prahlerei f; 2. (of, about) sich rühmen (gen.), prahlen (mit); ~ful □ (bou'ß̧tful) prahlerisch.

boat (bout) Boot; Dampfboot n; ~ing (bou'tïŋ) Bootfahrt f.

bob (bŏb) 1. Quaste f; Ruck; Knicks; Bubikopf m; 2. v/t. Haar stutzen; v/i. springen, tanzen; knicksen.

bobbin (bŏ'bïn) Spule f (a. ⚡).

bode — 295 — **bound**

bode (boᵘd) prophezeien.
bodice (bŏ′dĭß) Mieder *n*; Taille *f*.
bodily (bŏ′dĭlĭ) körperlich.
body (bŏ′dĭ) Körper, Leib; Leichnam *m*; Körperschaft *f*; Hauptteil *m*; *mot.* Karosserie′ *f*; ✕ Korps *n*.
bog (bŏg) **1.** Sumpf *m*, Moor *n*; **2.** im Schlamm versinken.
boggle (bŏ′gl) stutzen; pfuschen.
bogus (boᵘ′g°ß) unecht; Schwindel...
boil (bŏĭl) **1.** *vb.* kochen, sieden; (sich) kondensieren; *su.* Sieden *n*; **2.** Beule *f*, Geschwür *n*; **~er** (bŏĭ′l°) (Dampf-)Kessel *m*.
boisterous (bŏĭ′ßt°r°ß) ungestüm; heftig; lärmend.
bold (boᵘld) kühn, keck; dreist; steil; *typ.* fett; **~ness** (boᵘ′lŏn′ß) Kühnheit *usw.*; Dreistigkeit *f*.
bolster (boᵘ′lßt°) **1.** Kissen *n*; Unterlage *f*; **2.** polstern; (unter-)stützen.
bolt (boᵘlt) **1.** Bolzen; Riegel; Blitz(strahl) *m*; Ausreißen *n*; **2.** *v/t.* verriegeln; F hinunterschlingen; *v/i.* eilen; durchgehen (*Pferd*); **3.** *vb.* sieben; **~er** (boᵘ′lt°) Ausreißer(in). [Bomben belegen.]
bomb (bŏm) **1.** Bombe *f*; **2.** mit
bombard (bŏmbā′d) bombardieren.
bombastic (bŏmbă′ßtĭk) schwülstig.
bomb-proof bombensicher.
bond (bŏnd) Band *n*; Fessel *f*; Schuldschein *m*; † Obligatio′n *f*; † *in* ~ unter Zollverschluß; **~age** (bŏ′ndĭdʒ) Hörigkeit; Knechtschaft *f*; **~(s)man** (~[ß]m°n) Leibeigene(r) *m*.
bone (boᵘn) **1.** Knochen *m*; Gräte *f*; ~ *of contention* Zankapfel *m*; F *make no* ~*s about* nicht lange fackeln mit; **2.** die Knochen auslösen; aus-, ent-gräten.
bonfire (bŏ′nfaĭ°) Freudenfeuer *n*.
bonnet (bŏ′nĭt) Kappe; Mütze; *mot.* Haube *f*. [fikatio′n; Zulage *f*.]
bonus † (boᵘ′n°ß) Prämie; Grati-]
bony (boᵘ′nĭ) knöchern; knochig.
booby (bū′bĭ) Tölpel *m*.
book (būk) **1.** Buch, Heft *n*; Liste *f*; Block *m*; **2.** buchen; eintragen; *Fahrkarte usw.* lösen; *e-n* Platz *usw.* bestellen; *Gepäck* aufgeben; **~case** Bücherschrank *m*; **~ing-clerk** (bū′kĭɳklɑ̄k) Schalterbeamte(r) *m*; **~ing-office** Fahrkarten-ausgabe *f*, -schalter *m*; *thea.* Kasse *f*; **~keeping** Buchführung *f*; **~let** (~lĭt)

Büchlein *n*; Broschüre *f*; **~seller** Buchhändler *m*.
boom[1] (būm) **1.** ✝ Aufschwung *m*, Hochkonjunktu′r, Hausse; Mache *f*, Rummel *m*; **2.** in die Höhe treiben *od.* gehen.
boom[2] (~) brummen; dröhnen.
boon[1] (būn) Segen *m*, Wohltat *f*.
boon[2] (~) freundlich, munter.
boor (bu°) *fig.* Bauer, Lümmel *m*; **~ish** ☐ (bu°′rĭʃ) bäuerisch, lümmel-, flegel-haft.
boost (būßt) heben; Reklame *m*.
boot[1] (būt): *to* ~ obendrein.
boot[2] (~) Stiefel *m*.
booth (būð) (Markt- *usw.*) Bude *f*.
bootlegger (bū′tlĭg°) *Am.* Alkoholschieber *m*.
booty (bū′tĭ) Beute *f*, Raub *m*.
border (bŏ′d°) **1.** Rand, Saum *m*; Grenze; Einfassung *f*; **2.** einfassen; grenzen (*upon an acc.*).
bore[1] (bō) **1.** Bohrloch; Kaliber *n*; *fig.* langweiliger Mensch; Plage *f*; **2.** bohren; langweilen; plagen.
bore[2] (~) trug.
born (bŏn) geboren; **~e** (~) getragen.
borough (bʌ′r°) Marktflecken *m*; *municipal* ~ Stadtgemeinde *f*.
borrow (bŏ′roᵘ) borgen, entleihen.
bosom (bu′[ᵉ]m) Busen; *fig.* Schoß *m*.
boss (bŏß) **1.** F Meister, Chef; *pol.* Bonze *m*; **2.** leiten; **~y** (bŏ′ßĭ) *fig.* tonangebend.
botany (bŏ′t°nĭ) Bota′nik *f*.
botch (bŏtʃ) **1.** Flicken *m*; Flickwerk *n*; **2.** flicken; verpfuschen.
both (boᵘð) beide(s); ~ ... *and* sowohl ... als (auch).
bother F (bŏ′ð°) **1.** Plage *f*; **2.** (sich) plagen, (sich) quälen.
bottle (bŏ′tl) **1.** Flasche *f*; **2.** auf Flaschen ziehen.
bottom (bŏ′t°m) **1.** Boden; Grund *m*; Grundfläche *f*, Fuß *m*, Ende *n*; F Hosenboden *m*; *fig.* Wesen *n*, Kern *m*; *at the* ~ ganz unten; *fig.* im Grunde; **2.** unterste.
bough (baᵘ) Ast, Zweig *m*.
bought (bŏt) kaufte, gekauft.
boulder (boᵘ′ld°) Geröllblock *m*.
bounce (baᵘnß) **1.** Sprung, Rückprall *m*; F Aufschneiderei *f*; Auftrieb *m*; **2.** (hoch)springen; abprallen; F aufschneiden.
bound[1] (baᵘnd) **1.** band; gebunden; **2.** *adj.* verpflichtet; bestimmt, unterwegs (*for nach*).

bound² (‿) 1. Grenze, Schranke *f*; 2. begrenzen; beschränken.

bound³ (‿) 1. Sprung *m*; 2. (hoch-) springen; an-, ab-prallen.

boundary (baͧu'ndᵉri) Grenze *f*.

boundless □ (‿lᴵß) grenzenlos.

bounteous □ (baͧu'ntᴵᵉß), **bountiful** □ (‿tᴵfᵘl) freigebig; reichlich.

bounty (baͧu'ntᴵ) Freigebigkeit; Spende; ✝ Prämie *f*.

bouquet (bū'teᴵ) Buke'tt *n*: Strauß *m*; Blume *f des Weines*.

bout (baͧut) *Fecht*-Gang *m*; *Tanz*-Tour *f*; ✗ Anfall *m*; Kraftprobe *f*.

bow¹ (baͧu) 1. Verbeugung *f*; ⚓ Bug *m*; 2. *v/i.* sich (ver)beugen; *v/t.* biegen; beugen.

bow² (boͧu) 1. Bogen *m*; Schleife *f*; 2. geigen.

bowels (baͧu'ᵉlß) *pl.* Eingeweide; *das* Innere; *fig.* Herz *n*.

bower (baͧu'ᵉ) Laube *f*.

bowl¹ (boͧul) Schale, Schüssel *f*; *Pfeifen*-Kopf *m*.

bowl² (‿) 1. Kugel *f*; 2. *v/t. Ball usw.* werfen; *v/i.* rollen; kegeln.

box¹ (bŏßß) 1. Buchsbaum *m*; Büchse, Schachtel *f*, Kasten; Koffer *m*; ⊕ Gehäuse *n*; *thea.* Loge; Abteilung *f*; 2. in Kästen *usw.* tun.

box² (‿) 1. boxen; 2. ~ *on the ear* Ohrfeige *f*.

box...: ~**keeper** Logenschließer (-in); ~**office** Thea'terkasse *f*.

boy (bŏᴵ) Knabe, Junge; Bursche *m*; ~**hood** (bŏᴵ'hŭd) Knabenalter *n*; ~**ish** □ (bŏᴵ'ᴵʃ) knabenhaft.

brace (breᴵß) 1. ⊕ Strebe *f*; Stützbalken *m*; Klammer *f*; Paar *n* (*Wild*, *Geflügel*); Hosenträger *m*/*pl.*; 2. absteifen; verankern; (an)spannen; *fig.* stärken.

bracelet (breᴵ'ßᴵlt) Armband *n*.

bracket (brä'kᴵt) 1. △ Konso'le *f*; Wandbrett *n*; *typ. u.* △ Klammer *f*; *Leuchter*-Arm *m*; 2. einklammern; *fig.* gleichstellen.

brag (bräg) 1. Prahlerei *f*; 2. prahlen.

braggart (brä'gᵉt) 1. Prahler *m*; 2. □ prahlerisch.

braid (breᴵd) 1. *Haar*-Flechte *f*; Borte *f*; 2. flechten; mit Borte besetzen.

brain (breᴵn) 1. Gehirn *n*; Kopf *m* (*fig. mst* ~s); 2. *j-m* den Schädel einschlagen; ~**pan** Hirnschale *f*.

brake (breᴵk) 1. ⊕ Bremse *f*; 2. bremsen.

bramble (brä'mbl) Brombeer-
bran (brän) Kleie *f*. [strauch *m*.]

branch (bräntʃ) 1. Zweig *m*; Fach *n*; Zweigstelle *f*; 2. (sich) ver-, ab-zweigen.

brand (bränd) 1. (*Feuer*-)Brand *m*; Brandmal *n*; Marke; Sorte *f*; 2. einbrennen; brandmarken.

brandish (brä'ndᴵʃ) schwingen.

bran(d)new F (brä'n[d]njū') nagelneu.

brandy (brä'ndᴵ) Kognak *m*.

brass (bräß) Messing *n*; F Unverschämtheit *f*; ~ *band* Blechbläserkapelle *f*.

brassière (brä'ßᴵᵉᵉ) Büstenhalter *m*.

brave (breᴵw) 1. tapfer; prächtig; 2. trotzen; mutig begegnen (*dat.*); ~**ry** (breᴵ'wᵉrᴵ) Tapferkeit; Pracht *f*.

brawl (brŏl) 1. Krakeel, Krawa'll *m*; 2. krakeelen, Krawall *m*.

brawny (brŏ'nᴵ) muskulö's.

bray¹ (breᴵ) 1. Eselsschrei *m*; 2. schreien; schmettern; dröhnen.

bray² (‿) (zer)stoßen, kleinreiben.

brazen □ (breᴵ'ʃn) ehern, unverschämt (*a.* ~**faced**).

Brazilian (brᵉʒᴵ'liᵉn) 1. brasilia'nisch; 2. Brasilia'ner(in).

breach (brītʃ) 1. Bruch *m*; *fig.* Verletzung; ✗ Bresche *f*; 2. e-e Bresche legen in (*acc.*).

bread (brĕd) Brot *n*.

breadth (brĕdᴵͪ) Breite, Weite, Größe *des Geistes*; *Tuch*-Bahn *f*.

break (breᴵk) 1. Bruch *m*; Lücke; Pause *f*; Absatz; *Tages*-Anbruch *m*; F *a bad* ~ e-e Dummheit; 2. [*irr.*] *v/t.* (zer)brechen; unterbre'chen; übertre'ten; abrichten; *Bank* sprengen; *Brief, Tür* erbrechen; abbrechen; *Vorrat* anbrechen; ruinieren; ~ *up* zerbrechen; auflösen; *v/i.* (zer)brechen; aus-, los-, an-, auf-, hervor-brechen; ~ *away* sich losreißen; ~ *down* steckenbleiben; versagen; ~**able** (breᴵ'kᵉbl) zerbrechlich; ~**age** (breᴵ'kᴵdᴳ) (*a.* ✝ *Waren*-) Bruch *m*; ~**down** Zs.-bruch *m*; Betriebsstörung; *mot.* Panne *f*; ~**fast** (brĕ'kfᵉßt) 1. Frühstück *n*; 2. frühstücken; ~**up** Verfall *m*; Auflösung *f*; Schulschluß *m*; ~**water** Wellenbrecher *m*.

breast (brĕßt) Brust *f*; Busen *m*; Herz *n*; *make a clean* ~ *of a th.* sich et. vom Herzen reden; ~**-stroke** Brustschwimmen *n*.

breath (breth) Atem(zug); Hauch *m*;
~e (bridh) *v/i.* atmen; *fig.* leben; *v/t.*
(aus-, ein-)atmen; hauchen; flüstern, verlauten lassen; ~less □
(bre'thlß) atemlos.

bred (bred) erzeugte; erzeugt.

breeches (brī'tidh'ß) *pl.* Kniehosen
f/pl.; F Beinkleider *n/pl.*

breed (brīd) 1. Zucht; Rasse; Herkunft *f*; 2. [*irr.*] *v/t.* erzeugen; auf-,
er-ziehen; züchten; *v/i.* sich fort-
pflanzen; ~er (brī'dᵉ) Erzeuger(in);
Züchter(in); ~ing (~dïnᵍ) Erziehung; Bildung; Zucht *f*.

breez|e (brīf) Brise *f*; ~y (brī'fï)
windig, luftig; frisch, flott.

brethren (bre'dhrᵉn) Brüder *m/pl.*

brevity (bre'wᵉtï) Kürze *f*.

brew (brū) 1. *v/t. u. v/i.* brauen;
zubereiten; *fig.* anzetteln; 2. Gebräu *m*; ~ery (brū'ᵉrï) Brauerei *f*.

brib|e (brāïb) 1. Bestechung *f*;
2. bestechen; ~ery (brāïb'ᵉrï) Bestechung *f*.

brick (brïf) 1. Ziegel(stein) *m*;
2. mauern; ~layer **J**ayer Maurer *m*.

bridal (brāï'dᵊl) 1. □ bräutlich;
Braut...; ~ procession Brautzug *m*.

bride (brāïd) Braut, Neuvermählte *f*;
~groom Bräutigam, Neuvermähl-
te(r) *m*; ~smaid Brautjungfer *f*.

bridge (brïdG) 1. Brücke *f*; 2. e-e
Brücke schlagen über (*acc.*); *fig.*
überbrü'cken.

bridle (brāï'dᵊl) 1. Zaum; Zügel *m*;
2. *v/t.* (auf)zäumen; zügeln; *v/i.*
den Kopf zurückwerfen (*a.* ~ up);
~path Reitweg *m*.

brief (brīf) 1. □ kurz, bündig; 2. ₂℩ℨ
schriftliche Instruktio'n; hold a ~
for einstehen für; ~case Akten-
mappe *f*.

brigade ✕ (brïᵍeï'd) Brigade *f*.

bright □ (brāït) hell, glänzend,
klar; lebhaft; gescheit; ~en (brāï'tn)
v/t. auf-, er-hellen; polieren; aufheitern; *v/i.* sich aufhellen; ~ness
(~nᵗß) Helligkeit *f*; Glanz *m usw.*

brillian|ce, ~cy (brï'lᵊnß, ~ßï)
Glanz *m*; ~t (~jᵉnt) 1. □ glänzend;
prächtig; 2. Brilla'nt *m*.

brim (brïm) 1. Rand *m*; Krempe *f*;
2. bis zum Rande füllen *od.*
voll sn.

brine (brāïn) Salzwasser *n*, Sole *f*.

bring (brïnᵍ) [*irr.*] bringen; *j.* veranlassen; Klage erheben; Grund
usw. vorbringen; ~ about zustande

bringen; ~ down Preis herabsetzen;
~ forth hervorbringen; gebären;
~ home to *j-m et.* beibringen; ~ round
wieder zu sich bringen; ~ up auf-,
er-ziehen.

brink (brïnᵍt) Rand *m*.

brisk (brïßt) 1. □ lebhaft, munter;
frisch; flink; belebend.

bristl|e (brï'ßl) 1. Borste *f*; 2. (sich)
sträuben; *im Zorn* die Borsten sträuben; ~ with starren von; ~ed (~d),
~y (~ï) gesträubt; struppig.

British (brï'tidh) britisch; *the* ~ die
Briten *pl.*

brittle (brï'tl) zerbrechlich, spröde.

broach (brouᵗdh) Faß anzapfen;
vorbringen; *Thema* anschneiden.

broad □ (brōd) breit; weit; hell
(Tag); deutlich (Wink usw.); derb
(Witz); allgemein; weitherzig, libera'l; ~cast 1. weitverbreitet; 2. (*irr.*
[cast] weit verbreiten; *Radio:* senden; 3. Rundfunk(sendung *f*) *m*;
~cloth feiner (Baum-)Wollstoff.

brocade ✝ (broᵗeï'd) Broka't *m*.

broil (brōïl) 1. Lärm, Streit *m*; 2. auf
dem Rost braten; *fig.* kochen.

broke (brouᵗ) brach.

broken (brouᵗtᵉn) gebrochen; ~
health zerrüttete Gesundheit.

broker (brouᵗtᵉ) Trödler; Makler *m*.

bronc(h)o *Am.* (brō'nᵍfouᵘ) (halb-)
wildes Pferd; ~buster Zureiter *m*.

bronze (brōnᵍ) 1. Bronze *f*; 2. bron-
zen, bronzefarbig; 3. bronzieren.

brooch (brouᵗtdh) Brosche; Spange *f*.

brood (brūd) 1. Brut *f*; Zucht...;
2. (aus)brüten.

brook (brūt) Bach *m*.

broom (brūm) Besen *m*; ~stick Be-
senstiel *m*.

broth (brōth) Fleischbrühe *f*.

brothel (brō'thl) Borde'll *n*.

brother (bra'dhᵉ) Bruder *m*; ~hood
(~hᵘd) Bruderschaft *f*; ~-in-law
(-rïnlō) Schwager *m*; ~ly (~lï)
brüderlich.

brought (brōt) brachte; gebracht.

brow (brāu) (Augen-)Braue; Stirn *f*;
Rand *m* e-s Steilhanges; ~beat
(brāu'bït) [*irr.* (beat)] einschüchtern.

brown (brāun) 1. braun; brüne'tt;
2. Braun *n*; 3. (sich) bräunen.

browse (brāuf) 1. junge Sprossen
f/pl.; 2. fressen, weiden.

bruise (brūf) 1. Brüsche, Quet-
schung *f*; 2. (zer)quetschen.

brunt (brant) Hauptstoß *m*, (volle) Wucht; *das* Schwerste.

brush (braſch) 1. Bürste *f*; Pinsel *m*; *Fuchs*-Rute *f*; Scharmützel *n*; *Am.* ⸗ ‿*wood*; 2. *v/t.* (ab-, aus-)bürsten; streifen; *j.* abbürsten; ‿ *up* wieder aufbürsten, *fig.* auffrischen; *v/i.* bürsten; (davon)stürzen; ‿ *against a p. j.* streifen; ‿*wood* (bra'ſch‿wûd) Gestrüpp; Reisig(holz) *n*.

brusque ☐ (brüßt) brüsk, barsch.

brut|al ☐ (brü'tl) viehisch; roh; ‿ality (brütä'l⸗tî) Brutalitä't, Roheit *f*; ‿e (brüt) 1. tierisch; unvernünftig; gefühllos; 2. Vieh; F Untier *n*.

bubble (ba'bl) 1. Blase *f*; Schwindel *m*; 2. sieden; sprudeln.

buccaneer (bak⸗niⁱ') Freibeuter *m*.

buck (bak) 1. *zo.* Bock; Stutzer *m*; 2. bocken; F ‿ *up* sich zs.-reißen.

bucket (ba'k⸗t) Eimer, Kübel *m*.

buckle (ba'kl) 1. Schnalle *f*; 2. *v/t.* (an-, auf-, um-, zu-)schnallen; *v/i.* ⊕ sich (ver)biegen; ‿ *to* sich rüsten zu; sich dranhalten.

buckshot (ba'kſchot) *hunt.* Rehposten *m*.

bud (bad) 1. Knospe *f*; *fig.* Keim *m*; 2. *v/t.* ✍ veredeln *v/i.* knospen.

budge (badG) (sich) bewegen.

budget (ba'dG⸗t) Vorrat; Staatshaushalt; *draft* ‿ Haushaltsplan *m*.

buff (baf) 1. Ochsenleder *n*; Lederfarbe *f*; 2. leder-, rötlich-gelb.

buffalo (ba'f⸗loᵘ) *zo.* Büffel *m*.

buffer ↫ (ba'f⸗) Puffer; Prellbock *m*; Stoßkissen *n*.

buffet[1] (ba'f⸗t) 1. Puff, Stoß, Schlag *m*; 2. puffen, schlagen; kämpfen.

buffet[2] (‿) Büfe'tt *n*: Anrichte-tisch, -schrank; (bü'f⸗t) Schenktisch *m*.

buffoon (ba'fu'n) Possenreißer *m*.

bug (bag) Wanze *f*; *Am.* Inse'kt *m*.

bugle (bjü'gl) (Wald-)Horn *n*.

build (bild) 1. [*irr.*] bauen (*a. fig.*); errichten; 2. Bauart *f*; Schnitt *m*; ‿er (bi'ld⸗) Erbauer, Baumeister *m*; ‿ing (‿dⁱᵑ) Erbauen *n*; Bau *m*, Gebäude *n*; Bau...

built (bilt) baute; gebaut.

bulb (balb) ♣ Zwiebel, Knolle; (Glüh-)Birne *f*.

bulge (baldG) 1. (Aus-)Bauchung; Anschwellung *f*; 2. sich (aus)bauchen; (an)schwellen; hervorquellen.

bulk (balk) Umfang *m*; Masse *f*; Hauptteil *m*; ↫ Ladung *f*; *in* ‿ lose;

in the ‿ im ganzen; ‿*y* (ba'lkⁱ) umfangreich; unhandlich.

bull[1] (bûl) 1. Bulle, Stier *m*; ✝ *sl.* Haussie'r *m*; 2. *die Kurse* treiben.

bull[2] (‿) *päpstliche* Bulle.

bulldog (bû'ldog) Bulldogge *f*.

bullet (bû'l⸗t) Kugel *f*, Geschoß *n*.

bulletin (bû'l⸗tîn) Tagesbericht *m*.

bullion (bû'li⸗n) Gold-, Silberbarren *m*.

bully (bû'lî) 1. Tyra'nn *m*; 2. prahlerisch; *Am.* F prima; 3. einschüchtern; tyrannisieren.

bulwark (bû'lwo⸗k) *mst fig.* Bollwerk *n*.

bum *Am.* F (bam) 1. Bummler; Bummel *m*; 2. bummeln.

bumble-bee (ba'mblbî) Hummel *f*.

bump (bamp) 1. Schlag *m*; Beule *f*; *fig.* Sinn *m* (*of* für); 2. (zs.-)stoßen; holpern; *Rudern:* überho'len.

bumper (ba'mp⸗) 1. Humpen *m*; *sl.* Fülle *f*; F ‿ *crop* Reko'rdernte *f*; 2. *Am. mot.* Stoßstange *f*.

bun (ban) Kuchenbrötchen *n*.

bunch (bantſch) 1. Bund; Büschel *n*; Haufen *m*; 2. (zs.-)bündeln; bauschen.

bundle (ba'ndl) 1. Bündel, Bund *n*; 2. *v/t.* (zs.-)bündeln (*a.* ‿ *up*).

bungalow (ba'ⁿg⸗loᵘ) Sommerhaus *n*.

bungle (ba'ⁿgl) 1. Pfuscherei *f*; 2. (ver)pfuschen.

bunion ✗ (ba'ni⸗n) Ballen *m*.

bunk[1] *Am.* (baⁿgt) Quatsch *m*.

bunk[2] (‿) Schlafkoje *f*.

bunny (ba'nî) Kaninchen *n*.

buoy ⚓ (bôl) 1. Boje *f*; 2. *Fahrwasser* betonnen; (*mst* ‿ *up*) *fig.* aufrechterhalten; ‿*ant* ☐ (bôl'⸗nt) schwimmfähig; hebend; spannkräftig; heiter.

burden (bö'dn) 1. Last, Bürde; ⚓ Ladung; ⚓ Tragfähigkeit *f*; 2. beladen; belasten; ‿*some* (‿ß⸗m) lästig; drückend.

bureau (bjuⁱeʳoᵘ', bjuⁱeʳoᵘ) Büro', Geschäftszimmer; Schreibpult *n*; *Am.* Kommode *f*; ‿*cracy* (bjuⁱeʳro'r'tⁱ⸗ßⁱ) Bürokratie' *f*.

burgess (bö'dG⸗ß) Bürger *m*.

burglar (bö'gl⸗) Einbrecher *m*; ‿*y* (‿rî) Einbruch(sdiebstahl) *m*.

burial (be'r⸗l) Begräbnis *n*.

burlap (bö'l⸗p) Sackleinwand *f*.

burlesque (bölé'ßt) 1. possenhaft; 2. Burleske *f u. n*, Posse *f*; 3. parodieren.

burly (bö'lî) stämmig, kräftig.

burn (bö̈n) 1. Brandwunde f; Brandmal n; 2. [irr.] (ver-, an-)brennen; **~er** (bö̈'nᵉ) Brenner m.

burnish (bö̈'nĭſch) 1. polieren, glätten; 2. Politu̇r f; Glanz m.

burnt (bö̈nt) brannte; gebrannt.

burrow (ba'roᵘ) 1. Kaninchen-Bau m; 2. (sich ein-, ver-)graben.

burst (bö̈ſt) 1. Bersten n; Krach; Riß; Ausbruch m; 2. [irr.] v/i. bersten, platzen; zerspringen; explodieren; ~ from sich losreißen von; ~ forth od. out hervorbrechen; ~ into tears in Tränen ausbrechen; v/t. (zer)sprengen.

bury (bĕ'rĭ) be-, ver-graben; beerdigen; verbergen.

bus ᶠ (baß) Omnibus m.

bush (bŭſch) Busch m; Gebüsch n.

bushel (bŭ'ſchl) Scheffel m (36,35)

bushy (bŭ'ſchĭ) buschig. [Liter.)

business (bĭ'znĭß) Geschäft n; Beschäftigung f; Beruf m; Angelegenheit; Aufgabe f; ✝ Handel m; ~ of the day Tagesordnung f; ~ od. professional discretion Schweigepflicht f; have no ~ to inf. nicht befugt sn zu inf.; **~like** (~lăĭk) geschäftsmäßig; sachlich.

bust (baßt) Büste f.

bustle (ba'ßl) 1. Geschäftigkeit f; geschäftiges Treiben; 2. v/i. (umher)wirtschaften; hasten; v/t. hetzen, jagen.

busy □ (bĭ'ſĭ) 1. beschäftigt; geschäftig, fleißig (at bei, an dat.); lebhaft; Am. teleph. besetzt; 2. (mst ~ o.s. sich) beschäftigen (with, in, at, about, ger. mit).

but (bat) 1. cj. aber, jedoch, sondern; (a. ~ that) wenn nicht; indessen; the last ~ one der vorletzte; ~ for wenn nicht ... gewesen wäre; ohne; 3. adv. nur; ~ just soeben, eben erst; ~ now erst jetzt; all ~ fast, nahe daran; nothing ~ nichts als; I cannot ~ inf. ich kann nur inf.

butcher (bŭ'tſchᵉ) 1. Schlächter, Fleischer; fig. Mörder m; 2. (fig.

ab-, hin-)schlachten; **~y** (~rĭ) Schlächterei f; Schlachthaus n.

butler (ba'tlᵉ) Kellermeister; Haushofmeister m.

butt (bat) 1. Stoß m; (a. ~ end) (dickes) Ende e-s Baumes usw.; Gewehr-Kolben m; pl. ~s Schießstand m; (End-)Ziel n; fig. Zielscheibe f; 2. (mit dem Kopf) stoßen.

butter (ba'tᵉ) 1. Butter f; 2. mit Butter bestreichen; **~cup** Butterblume f; **~fly** Schmetterling m; **~y** (ba'tᵉrĭ) 1. butter(art)ig; Butter...; 2. Speisekammer f.

buttocks (ba'tᵉkß) pl. Hintere(r) m.

button (ba'tn) 1. Knopf m; Knospe f; 2. an-, zu-knöpfen.

buttress (ba'trĭß) 1. Strebepfeiler m; fig. Stütze f; 2. (unter)stützen.

buxom (ba'kßᵉm) drall, stramm.

buy (băĭ) [irr.] v/t. (an-, ein-)kaufen (from bei); **~er** (băĭ'ᵉ) (Ein-)Käufer(in).

buzz (baß) 1. Gesumm; Geflüster n; 2. v/i. summen; surren; (zu)flüstern.

buzzard (ba'ᵉᵈ) orn. Bussard m.

by (băĭ) 1. prp. Raum: bei; an, neben; Richtung: durch, über; an (dat.) entlang od. vorbei; Zeit: an, bei; spätestens bis, bis zu; Urheber, Ursache: von, durch (bsd. beim pass.); Mittel, Werkzeug: durch, mit; Art u. Weise: bei; Schwur: bei; Maß: um, bei; Richtschnur: gemäß, bei; ~ the dozen dutzendweise; ~ o.s. allein; ~ land zu Lande; ~ rail per Bahn; day ~ day Tag für Tag; 2. adv. dabei; vorbei; beiseite; ~ and ~ nächstens, bald; nach und nach; ~ the ~ nebenbei bemerkt; Am. ~ and large im großen und ganzen; 3. adj. Neben...; Seiten...; **~-election** (băĭ'ĭlĕ̆kſchᵉn) Ersatzwahl f; **~-gone** vergangen; **~-law** Ortsstatut n; **~-path** Seitenpfad m; **~-product** Nebenprodu̇kt n; **~-stander** Zuschauer m; **~-street** Neben-, Seiten-straße f; **~-way** Seitenweg m; **~-word** Sprichwort n.

C

cab (kăb) Droschke *f*; 🚋 Führerstand *m*.

cabbage (kă'bĭdG) Kohl *m*.

cabin (kă'bĭn) 1. Hütte; ⚓ Kajüte *f*; 2. (in e-e Hütte) einsperren.

cabinet (kă'bᵻnĭt) Kabine'tt: Zimmerchen *n*; Vitrine *f*; Schrank *m*; Ministe'rium *n*; ♀Council Kabine'ttsrat *m*: **~-maker** Kunsttischler *m*.

cable (keᶦ'bl) 1. Kabel; Ankertau *n*; 2. *tel.* kabeln; **~gram** (~grăm) Kabeltelegra'mm *n*.

cabman (kă'bmᵉn) Droschkenkutscher *m*. [-bohne *f*.]

cacao (kᵉlă'oᵘ) Kakao-baum *m*,}

cackle (kă'kl) 1. Gegacker, Geschnatter *n*; 2. gackern, schnattern.

cad F (kăd) Prole't *m*.

cadaverous □ (kᵉðă'wᵉrᵉẞ) leichenhaft; leichenblaß.

cadence ♪ (keᶦ'ðᵉnẞ) Kade'nz *f*; Tonfall; Rhythmus *m*.

cadet (kᵉðĕ't) Kadett *m*.

cafe (kă'feᶦ) Café *n*.

cafeteria (kăfᵻtĭᵉ'rᶦᵉ) Restaura'nt *n* mit Selbstbedienung.

cage (keᶦðG) 1. Käfig *m*; *Vogel-*Bauer *n* (*m*); ⚒ Förderkorb *m*; 2. einsperren. [beschwatzen.]

cajole (kᵉðGoᵘ'l) *j-m* schmeicheln; *j.*}

cake (keᶦk) 1. Kuchen; Riegel *m* *Seife usw.*; 2. zs.-backen.

calami|tous □ (kᵉlă'mᶦtᵉẞ) elend; katastropha'l; **~ty** (~tĭ) Elend, Unglück *n*.

calcify (kă'lẞᶦfaᶦ) (sich) verkalken.

calculat|e (kă'lkᶦᵘleᶦt) *v/t.* kalkulieren: be-, aus-, er-rechnen; *v/i.* rechnen ([up]on auf *acc.*); **~ion** (kălkᶦᵘleᶦ'ᶦꭍᵉn) Kalkulatio'n, Berechnung *f usw.*

caldron (kŏ'ldrᵉn) Kessel *m*.

calendar (kă'lĭndᵉr) 1. Kale'nder *m*; Liste *f*; 2. registrieren.

calf (kăf), *pl.* **calves** (kăwf) Kalb; (*od.* ~-)**leather** Kalbleder *n*; Wade *f*; **~-skin** Kalbfell *n*.

calibre (kă'lĭbᵉr) Kali'ber *n*.

calico † (kă'lᶦkoᵘ) Kattu'n *m*.

call (kŏl) 1. Ruf; *teleph.* Anruf *m*,

Gespräch *n*; *fig.* Berufung *f* (to in ein Amt; auf e-n Lehrstuhl); Aufruf *m*; Aufforderung *f*; Signa'l *n*; Forderung *f*; Besuch *m*; Nachfrage (for nach); Kündigung *f v. Geldern*; ♱ on ~ auf Abruf; 2. *v/t.* (herbei-)rufen; (an)rufen; (ein)berufen; *fig.* berufen (to in ein Amt); nennen; wecken; *Aufmerksamkeit* lenken (to auf *acc.*); ~ in Geld kündigen; ~ over Namen verlesen; ~ up aufrufen; *teleph.* anrufen; *v/i.* rufen; *teleph.* (an)rufen; vorsprechen (at an e-m Ort; on a p. bei j-m); ~ at a port e-n Hafen anlaufen; ~ for rufen nach; *et.* fordern; ~ for a p. j. abholen; F ~ in mit herankommen; ~ on sich an *j.* wenden (for wegen); *j.* berufen, auffordern (to inf. zu); **~-box** (tŏ'lbŏtẞ) Fernsprechzelle *f*; **~er** (tŏ'lᵉ) Rufer(in) *usw.* [*f*; Beruf *m*.}

calling (tŏ'lĭnᵍ) Rufen *n*; Berufung]

call-office (tŏ'lŏfĭẞ) Fernsprechstelle *f*. [dickfellig.)

callous □ (kă'lᵉẞ) schwielig; *fig.*}

calm (kăm) 1. □ still, ruhig; 2. (Wind-)Stille, Ruhe *f*; 3. (~ down sich) beruhigen, stillen.

calori|c (kᵉlŏ'rĭk) *phys.* Wärme *f*; **~e** (kă'lᵉrĭ) *phys.* Wärmeeinheit *f*.

calumn|iate (kᵉlă'mnᶦeᶦt) verleumden; **~iation** (kᵉlᵃmnᶦeᶦ'ꭍᵉn); **~y** (kă'lᵉmnĭ) Verleumdung *f*.

calve (kăw) kalben; **~s** *s. calf*.

cambric † (keᶦ'mbrĭk) Bati'st *m*.

came (keᶦm) kam.

camera (kă'mᵉrᵉ) Kamera *f*; ⯑ in ~ unter Ausschluß der Öffentlichkeit.

camomile ♀ (kă'mᵉmaᶦl) Kami'lle *f*.

camouflage ⯑ (kă'mᵘflăG) 1. Tarnung *f*; 2. tarnen.

camp (kămp) 1. Lager *n*; ~ bed Feldbett *n*; 2. lagern; ~ out zelten.

campaign (kămpeᶦ'n) 1. Feldzug *m*; 2. e-n Feldzug mitmachen.

camphor (kă'mfᵉ) Kampfer *m*.

campus *Am.* (kă'mpᵉẞ) Schulhof *m*.

can¹ (kăn) [*irr.*] kann *usw.*

can² (~) 1. Kanne *f*; *Am.* Büchse *f*; 2. *Am.* in Büchsen konservieren.

canal (tᵉnä'l) Kanal m (a. 🖉).

canard (tᵉnä'b) (Zeitungs-)Ente f.

canary (tᵉnäᵉ'rĭ) Kanarienvogel m.

cancel (tä'nᵍᵉl) (durch)strei'chen; entwerten; fig. (a. ~ out) aufheben.

cancer (tä'nᵍᵉ) ast. Krebs m (a. 🖉); ~ous (~rᵍᵇ) krebsartig.

candid □ (tä'nŏĭb) aufrichtig; offen.

candidate (tä'nŏĭbⁱt) Kandida't (for für), Bewerber m (um).

candied (tä'nŏĭb) kandiert.

candle (tä'nŏl) Licht n, Kerze f; ~stick (~ḣtĭf) Leuchter m.

cando(u)r (tä'nŏᵗ) Aufrichtigkeit f.

candy (tä'nŏĭ) 1. Kandis(zucker) m; Am. Zuckerwerk n, Süßigkeiten f/pl.; 2. v/t. kandieren.

cane (tᵉᵗn) 1. ♀ Rohr n; (Rohr-) Stock m; 2. prügeln.

canker (tä'nᵍᵗᵉ) 🖉, ♀ Krebs m.

canned Am. (tänŏ) Büchsen...

cannibal (tä'nⁱbᵉl) Kanniba'le m.

cannon (tä'nᵉn) Kano'ne f.

cannot (tä'nŏt) kann nicht.

canoe (tᵉnü) Kanu; Paddelboot n.

canon (tä'nᵉn) Kanon m; Regel f; Richtschnur f; ~ize (tä'nᵉnäĭᵗ) heiligsprechen.

canopy (tä'nᵉpĭ) Ba'ldachin m; fig. Dach n; ⚠ Überda'chung f.

cant[1] (tänt) 1. Schrägung f; Stoß m; 2. kippen; kanten.

cant[2] (~) 1. Zunftsprache f; scheinheiliges Gerede; 2. zunftmäßig od. scheinheilig reden.

can't F (tänt) kann nicht usw.

canteen (tä'ntĭ'n) ✕ Feldflasche; Kanti'ne f; ✕ Kochgeschirr n.

canton 1. (tä'ntŏn) Bezirk m; 2. ✕ (tᵉntü'n) (sich) einquartieren.

canvas (tä'nwᵉᵇ) Segeltuch n; Zelt(e pl.) n; Zeltbahn f; Segel n/pl.; paint. Leinwand f, Gemälde n.

canvass (~) 1. (Stimmen-)Werbung f; 2. v/t. erörtern; v/i. (Stimmen, a. Kunden) werben. [m u. n.]

caoutchouc (tä'ū'tᶜħūₜ) Kautschuk]

cap (täp) 1. Kappe; Mütze; Haube f; ⊕ Aufsatz m; Zündhütchen n; set one's ~ at a p. nach j-m angeln (Frau); 2. mit e-r Kappe usw. versehen; fig. krönen; F übertre'ffen; die Mütze abnehmen.

capab|ility (tᵉĭpᵉbⁱl'lⁱtĭ) Fähigkeit f; ~le □ (tᵉᵗpᵇl) fähig (of zu).

capaci|ous □ (tᵉpeⁱ'ᶜħᵇ) geräumig; ~ty (tᵉpä'ḣⁱtĭ) Inhalt m; Aufnahmefähigkeit; geistige (od. ⊕

Leistungs-)Fähigkeit (for ger. zu inf.); Stellung f; in my ~ as in meiner Eigenschaft als.

cape[1] (tᵉⁱp) Kap, Vorgebirge n.

cape[2] (~) Cape n, Umhang m.

caper (tᵉⁱ'pᵉ) 1. Kaprio'le f, Luftsprung m; cut ~s = 2. Kapriolen od. Sprünge machen.

capital (tä'pⁱtl) 1. □ Kapita'l... (crime); todeswürdig, Todes... (sentence, punishment); hauptsächlich, Haupt...; vortre'fflich; 2. Hauptstadt f; Kapita'l n; (od. ~ letter) Großbuchstabe m; ~ism (tä'pⁱtⁱ|ĭ'ism) Kapitali'smus m; ~ize (tᵉpⁱ'tᵉläḣ) kapitalisieren.

capitulate (tᵉpⁱ'tⁱᵘⁱeⁱt) kapitulieren (to vor dat.).

capric|e (tᵉprⁱ'b) Laune f; ~ious □ (tᵉprⁱ'ᶜħᵇ) kapriziö's, launisch.

capsize (täpᵇä'ĭ) v/i. kentern; v/t. zum Kentern bringen.

capsul (tä'pḣⁱūl) Kapsel f.

captain (tä'ptⁱn) Führer; Feldherr; ⚓ Kapitä'n; ✕ Hauptmann m.

caption bsd. Am. (tä'pᵉħᵗn) Überschrift f; Titel; Film: Untertitel m.

captious □ (tä'pⁱᶜħᵇ) krittelig.

captiv|ate (tä'ptⁱweⁱt) fig. gefangennehmen, fesseln; ~e (tä'ptĭw) 1. gefangen, gefesselt; 2. Gefangene(r); ~ity (~ⁱtĭ) Gefangenschaft f.

capture (tä'ptᶜħᵉ) 1. Wegnahme; Gefangennahme f; 2. (ein)fangen; wegnehmen; erbeuten; ⚓ kapern.

car (tä) Wagen m; Ballon-Gondel f.

caramel (tä'rᵉmĕl) Karamel'l m (gebrannter Zucker); Karame'lle f.

caravan (tä'rᵉwä'n) Karawa'ne f; Reise-, Wohn-wagen m.

caraway ♀ (tä'rᵉwᵉⁱ) Kümmel m.

carbine (tä'bäĭn) Karabi'ner m.

carbohydrate 🔺 (tä'bouħä'ⁱdreⁱt) Kohlehydra't n.

carbon (tä'bᵉⁿ) 🔺 Kohlenstoff; ~ copy Durchschlag m; (od. ~ paper) Kohlepapier n. [gaser m.]

carburet(t)or (tä'bⁱᵘrĕtᵉ) mot. Vergaser]

carcas|e, -s mst ~s (tä'tᵉᵇ) (Tier-) Kadaver; Fleischerei: Rumpf m.

card (täb) Karte f; ~board (tä'ᵇbŏb) Karto'npapier n; Pappe f.

cardigan (tä'ᵇĭgᵉn) Wolljacke f.

cardinal □ (tä'ᵇĭnᵉl) 1. Haupt...; hochrot; ~ number Grundzahl f; 2. Kardina'l m.

card-index (tä'ᵇĭndĕḣ) Kartei f.

card-sharper (tā'ᵈſचāpᵉ) Falsch-
spieler *m.*

care (fāᵉ) 1. Sorge; Sorgfalt; Obhut, Pflege *f*; *medical* ~ ärztliche
Behandlung; ~ *of (abbr. c/o)* ... per
Adresse, bei ...; *take* ~ of acht(ge-
b)en auf *(acc.)*; *with* ~! Vorsicht!;
2. Lust h. *(to inf. zu)*; ~ *for:* a) sorgen, sich kümmern um; b) sich
etwas machen aus; F *I don't* ~!
meinetwegen!; *well* ~d-*for* gepflegt.

career (fᵉri'ᵇ) 1. Karrie're; *fig.*
Laufbahn *f*; 2. *fig.* rasen.

carefree (fāᵉ'fri) sorgenfrei.

careful □ (fāᵉ'fᵘl) besorgt *(for* um),
achtsam *(of* auf *acc.)*; vorsichtig;
sorgfältig; ~ness (~nᵗ฿) Sorgsam-
keit; Vorsicht; Sorgfalt *f.*

careless □ (~lᵗ฿) sorglos; nachlässig;
unachtsam; ~ness (~nᵗ฿) Sorglosigkeit; Nachlässigkeit *f.*

caress (fᵉre'฿) 1. Liebkosung *f*;
2. liebkosen; *fig.* schmeicheln.

caretaker (fāᵉ'te¹tᵉ) Wärter(in),
Wächter(in); (Haus-)Verwalter(in).

carfare *Am.* (fā'fāᵉ) Fahrgeld *n.*

cargo ⚓ (fā'goᵘ) Ladung *f.*

caricature (fārᵗtᵉtjuᵉ') 1. Karikatu'r *f*; 2. karikieren.

carn|al □ (fā'nl) fleischlich; sinn-
lich; ~ation (fāneᵉ'ſचᵉn) Fleisch-
ton *m*; Nelke *f.*

carnival (fā'nᵗwᵉl) Karneval *m.*

carnivorous (fānī'wᵉrᵉ฿) fleisch-
fressend.

carol (fā'rᵉl) 1. (Jubel-)Lied *n*;
2. jubilieren.

carous|e (fᵉraᵘ'l) 1. *a.* ~al (~ᵉl)
(Trink-)Gelage *n*; 2. zechen.

carp (fāp) Karpfen *m.*

carpent|er (fā'pᵗntᵉ) Zimmermann
m; ~ry (~trī) Zimmer(hand)werk *n.*

carpet (fā'pᵗt) 1. Teppich *m*; 2. mit
e-m Teppich belegen.

carriage (fā'rᵗbᴳ) 1. Beförderung *f*,
Transpo'rt *m*; Fracht *f*; Wagen *m*;
Fuhr-, Fracht-lohn *m*; Haltung *f*;
Benehmen *n*; ~drive Anfahrt *f*
(vor e-m Hause); ~free, ~paid
frachtfrei.

carrier (fā'rᵗᵉ) Fuhrmann; Spedi-
teu'r; Träger; Gepäckhalter *m.*

carrot (fā'rᵗᵉ) Mohrrübe *f.*

carry (fā'rī) 1. *v/t. wohin* bringen,
führen, tragen *(a. v/i.)*, fahren, befördern; *Maßregel* du'rchsetzen;
Gewinn, Preis davontragen; *Zahlen*
übertra'gen; *Ernte, Zinsen* tragen;

Mauer usw. weiterführen; *Benehmen* fortsetzen; *Antrag, Kandidaten*
durchbringen; ✕ erobern; *be carried* angenommen w. *(Antrag)*;
durchkommen *(Kandidat)*; ✝ ~
forward od. over übertragen; ~ *on*
fortsetzen, weiterführen; *Geschäft
usw.* betreiben; ~ *out od. through*
durchführen; 2. Trag-, Schußweite *f.*

cart (fāt) 1. Karren; Wagen *m*;
2. karren, fahren; ~age (fā'tᵇᴳ)
Fahren *n*; Fuhrlohn *m.*

carter (fā'tᵉ) Fuhrmann *m.*

cartilage (fā'tᵗlᵇᴳ) Knorpel *m.*

carton (fā'tᵉn) Karto'n *m.*

cartoon (fātū'n) *paint.* Karto'n *m*;
⊕ Musterzeichnung; Karikatu'r *f.*

cartridge (fā'trᵗbᴳ) Patro'ne *f.*

carve (fāw) *Fleisch* vorschneiden,
zerlegen; schnitzen; meißeln; ~r
(fā'wᵉ) (Bild-)Schnitzer(in); Vor-
schneider *m*; Vorlegemesser *n.*

carving (fā'wᵗnᴳ) Schnitzerei *f.*

cascade (fā฿ke¹'b) Wasserfall *m.*

case¹ (te¹฿) 1. Behälter *m*; Kiste *f*;
Etui; Gehäuse *n*; Schachtel *f*;
Fach *n*; *typ.* Setzkasten *m*; 2. (ein-)
stecken; ver-, um-klei'den.

case² (~) Fall *m (a.* ❀, *gᴢ̆)*; *gᴢ̆*
Schriftsatz *m*; Hauptargume'nt *n*;
Sache, Angelegenheit *f.*

case-harden ⊕ (te¹'฿hābn) hart-
gießen; *fig.* ~ed hartgesotten.

casement (te¹'฿mᵉnt) Fensterflügel
m.

cash (tāſच) 1. Bargeld *n*, Kasse *f*;
~ *down, for* ~ gegen bar; ~ *on
delivery* Lieferung *f* gegen bar;
(per) Nachnahme *f*; ~ *register* Regi-
strie'rkasse *f*; 2. ein-kassieren,
-lösen; ~book Kassabuch *n*; ~ier
(tāſchiᵉ') Kassierer(in).

casing (te¹'฿ᵗnᴳ) Überzug *m*, Gehäuse, Futtera'l *n*; ⚠ Verkleidung *f.*

cask (tāſ฿t) Faß *n.*

casket (fā'฿tᵗt) Kasse'tte *f*; *Am.*
Sarg *m.*

casserole (fā'฿roᵘl) Kassero'lle *f.*

cassock (fā'฿ᵉt) Priesterrock *m.*

cast (fāſ฿t) 1. Wurf *m*; Guß(form *f*);
Ab-guß, -druck *m*; Schattierung *f*,
Anflug *m*; Form, Art *f*; ⚕ Auswer-
fen *n von Senkblei usw.*; *thea.* (Rol-
len-)Besetzung *f*; ✝ Aufrechnung *f*;
2. *[irr.] v/t.* (ab-, aus-, hin-, um-,
weg-)werfen; *Haut usw.* abwerfen;
Zähne usw. verlieren; verwerfen;

gestalten; ⊕ gießen; (∼ *up*) aus-, zs.-rechnen; *thea. Rolle* besetzen; *Rolle* übertra'gen (*to dat.*); ∼ *iron* Gußeisen *n*; ∼ *lots* (*for*) losen (um); be ∼ *down* niedergeschlagen sn; *v/i.* sich gießen l.; ⊕ sich (ver)werfen; ∼ *about for* sinnen auf (*acc.*); sich *et.* überle'gen.

castanet (täͨß'nē't) Kastagne'tte *f*.

castaway (tā'ßtᵉαοeᵗ) 1. verworfen, ♨ schiffbrüchig; 2. Verworfene(r); Schiffbrüchige(r).

caste (tāßt) Kaste *f* (*a. fig.*).

castigate (tä'ßtᵗgeᵗ) züchtigen; *fig.* geißeln.

cast-iron gußeisern (*a. fig.*).

castle (tā'ßl) Burg *f*, Schloß *n*; *Schach*: Turm *m*.

castor¹ (tā'ßtᵉ): ∼ *oil* Ri'zinusöl *n*.

castor² (∼) Laufrolle *unter Möbeln*; Streubüchse *f für Gewürz usw.*

castrate (täßtreᵗᵗt) kastrieren.

casual (tä'Gᵘᵉl) ☐ zufällig; gelegentlich; F lässig; ∼ty (∼tᵗ) Unfall; ✕ Verlust *m*.   [kletterer *m.*]

cat (tät) Katze *f*; ∼ *burglar* Fassaden-⌐

catalogue, *Am.* **catalog** (tä'tᵉlŏg) 1. Katalo'g *m*; 2. katalogisieren.

cataract (tä'tᵉrätt) Katara'kt *m* (*Wassersturz*; *a. fig.*); 💥 grauer Star.

catarrh (tᵉtä') Kata'rrh; Schnupfen *m*.   [stro'phe *f.*]

catastrophe (tᵉtä'ßtrᵉfᵗ) Kata-⌐

catch (tätᶜch) 1. Fang *m*; Beute *f*, *fig.* Vorteil; ♩ Rundgesang; Kniff; ⊕ Haken, Griff, Schnäpper *m*; 2. [*irr.*] *v/t.* fassen, F kriegen; fangen, ergreifen; ertappen; *Blick usw.* auffangen; *Zug usw.* erreichen; bekommen; sich *Krankheit* zuziehen, holen; *fig.* erfassen; ∼ *cold* sich erkälten; ∼ *a p.'s eye* j-m ins Auge fallen; ∼ *up* auffangen; F *j.* unterbre'chen; einholen; 3. *v/i.* sich verfangen, hängenbleiben; fassen, einschnappen (*Schloß usw.*); F ∼ *on* Anklang finden; ∼ *up with j.* einholen; ∼er (tä'tᶜchᵉ) Fänger(in); ∼ing (tä'tᶜchĭng) packend; *a.* ansteckend; ∼line Schlagzeile *f*; ∼word Schlagwort; Stichwort *n*.

catechism (tä'tᵗᶜĭßm) Katechi'smus *m*.

categor|ical (tä'tᵗgŏ'rᵗᵉl) kategorisch; ∼y (tä'tᵗgᵉrᵗ) Kategorie' *f*.

cater (feᵗᵗtᵉ): ∼ *for* Lebensmittel liefern für; *fig.* sorgen für.

caterpillar (tä'tᵉpĭlᵉ) *zo.* Raupe *f*.

catgut (tä'tgαt) Darmsaite *f*.

cathedral (tᵉthĭ'drᵉl) Dom *m*.

Catholic (tä'thᵉlĭᶜk) 1. katho'lisch; 2. Katholi'k(in).

cattle (tä'tl) Vieh *n*; ∼breeding Viehzucht *f*; ∼plague Rinderpest *f*.

caught (tŏt) fing; gefangen.

cauldron (tŏ'ldrᵉn) Kessel *m*.

cauliflower ⚜ (tŏ'lᵗflãuᵉ) Blumenkohl *m*.

caulk ♨ (tŏt) kalfa'tern (*abdichten*).

caus|al ☐ (tŏ'ᵉl) ursächlich; ∼e (tŏt) 1. Ursache *f*, Grund *m*; *z̄t* Klage(-grund *m*) *f*; Proze'ß *m*; Angelegenheit, Sache *f*; 2. verursachen, veranlassen, ∼eless ☐ (tŏ'ᵗlᵗᵦ) grundlos.

caution (tŏ'ᶜchᵉn) 1. Vorsicht; Warnung; Verwarnung *f*; ∼ *money* Kautio'n *f*; 2. warnen; verwarnen.

cautious ☐ (tŏ'ᶜchᵉᵦ) vorsichtig; ∼ness (∼nᵗᵦ) Behutsamkeit, Vorsicht *f*.

cavalry ✕ (tä'wᵉlrᵗ) Reiterei *f*.

cave (feᵗw) 1. Höhle *f*; 2. ∼ *in*: *v/i.* einstürzen; klein beigeben.

cavil (tä'wᵗl) 1. Krittelei *f*; 2. kritteln (*at*, *about an dat.*).

cavity (tä'wᵗtᵗ) Höhle *f*; Loch *n*.

caw (tŏ) 1. krächzen; 2. Krächzen *n*.

cease (ßĭ̄ᵦ) *v/i.* (*from*) aufhören (mit), ablassen (von); *v/t.* aufhören mit; ∼less ☐ (ßĭ'ßlᵗᵦ) unaufhörlich.

cede (ßĭd) abtreten, überla'ssen.

ceiling (ßĭ'lĭng) Zimmer-Decke; *fig.* Höchstgrenze *f*; ∼ *price* Höchstpreis *m*.

celebrat|e (ßĕ'lᵉbreᵗt) feiern; ∼ed (∼ᵗd) gefeiert, berühmt; ∼ion (ßĕlᵉbreᵗ'ᶜchᵉn) Feier *f*.

celebrity (ßᵗlĕ'brᵗtᵗ) Berühmtheit *f*.

celerity (∼rᵗtᵗ) Geschwindigkeit *f*.

celery ⚜ (ßĕ'lᵉrᵗ) Sellerie *m* (*f*).

celestial ☐ (ßᵗlĕ'ßtᵗᵉl) himmlisch.

celibacy (ßĕ'lᵗbᵉßᵗ) Ehelosigkeit *f*.

cell (ßĕl) *allg.* Zelle *f*; ⚡ Eleme'nt *n*.

cellar (ßĕ'lᵉ) Keller *m*.

cement (ßᵗmĕ'nt) 1. Zement *m u. n*; Kitt *m*; 2. zementieren; (ver-) kitten.

cemetery (ßĕ'mᵗtrᵗ) Friedhof *m*.

censor (ßĕ'nßᵉ) 1. Zensor *m*; 2. zensieren; ∼ious ☐ (ßĕnßŏ'rᵗᵉᵦ) kritisch; kritt(e)lig; ∼ship (ßĕ'nßᵉᶜchĭp) Zensu'r *f*; Zensoramt *n*.

censure (ßĕ'nᶜchᵉ) 1. Tadel; Verweis *m*; 2. tadeln.

census (ßĕ'nᵦᵉᵦ) Volkszählung *f*.

cent (ßént) Hundert n; Am. Cent m; per ~ Proze'nt n.

centennial (ßěntě'ni̯ el) hundertjäh-rig(es Jubila'um).

centi|grade (ßě'ntigrei̯d) hundert-gradig; ~metre (~mīte) Zenti-me'ter n (m); ~pede (~pīd) zo. Tausendfuß m.

central (ßě'ntrel) □ zentra'l; ~office, & ~ station Zentra'le f; ~ize (~läi̯) zentralisieren.

centre (ßě'ntr) 1. Zentrum n, Mittel-punkt m; 2. (sich) konzentrieren; zentralisieren, zentrieren.

century (ßě'ntšuri̯) Jahrhundert n.

cereal (ßi̯e'ri̯el) 1. Getreide...; 2. Getreide(pflanze f) n.

ceremon|ial (ßěri̯mou̯'ni̯el) 1. □ (a. ~ious □, ~ni̯ eß) zeremonie'll; förmlich; 2. Zeremonie'll n; ~y (ßě'rimēnl) Zeremonie': Feierlich-keit; Förmlichkeit(en pl.) f.

certain □ (ßö̂'tn) sicher, gewiß; zuverlässig; bestimmt; gewisse(r, s); ~ty (~tl) Sicherheit, Gewißheit; Zuverlässigkeit f.

certi|ficate (ßö̂ti̯'fikit) Zeugnis n, Schein m; ~ of birth Geburtsur-kunde f; 2. (~tei̯t) bescheinigen; ~fication (ßö̂ti̯fikei̯'šn) Beschei-nigung f; (ßö̂'ti̯fai̯) et. beschei-nigen; bezeugen; ~tude (~ti̯ūd) Gewißheit f.

cessation (ßěsei̯'šn) Aufhören n.

cession (ßě'šn) Abtretung f.

cesspool (ßě'ßpūl) Senkgrube f.

chafe (tšei̯f) 1. v/t. reiben; wund-reiben; erzürnen; 2. v/i. sich scheu-ern; sich wundreiben; toben.

chaff (tšāf) 1. Spreu f; Häcksel m; F Neckerei f; 2. zu Häcksel schnei-den; F necken. [2. ärgern.|

chagrin (tšā'grin) 1. Ärger m; f

chain (tšei̯n) 1. Kette f; fig. Fessel f; 2. (an)ketten; fig. fesseln.

chair (tšǟe) Stuhl; Lehrstuhl; Vorsitz m; be in the ~ den Vorsitz führen; ~man (tšǟe'men) Vor-sitzende(r).

chalice (tšā'li̯ß) Kelch m.

chalk (tšok) 1. Kreide f; 2. mit Kreide (be)zeichnen; (mst ~ up) an-kreiden; ~ out entwerfen.

challenge (tšā'li̯ndG) 1. Heraus-forderung f; ✗ Anruf m; bsd. ⚖ Ablehnung f; 2. herausfordern; an-rufen; ablehnen; anzweifeln.

chamber (tšei̯'mbe) Kammer f;

~s pl. Geschäftsräume m/pl.; ~maid Zimmermädchen n.

chamois (išā'mwä) 1. Gemse f; (išā'mi̯) Wildleder n; 2. chamoi's (gelb-braun).

champion (tšā'mpi̯en) 1. Kämpe; Verteidiger; Sport: Meister m; 2. verteidigen; fig. stützen.

chance (tšānß) 1. Zufall m; Schick-sal; Glück(sfall m) n; Chance; Aus-sicht (of auf acc.); (günstige) Gele-genheit; Möglichkeit f; by ~ zu-fällig; take a ~ es darauf ankommen lassen; 2. zufällig; gelegentlich; 3. v/i. geschehen; sich ereignen; ~ upon stoßen auf (acc.); ⸢ v/t. wagen.

chancellor (tšā'nßel e) Kanzler m.

chandelier (šändi̯lie) Arm-, Kron-leuchter m.

chandler (tšā'ndle) Krämer m.

change (tšei̯ndG) 1. Veränderung f, Wechsel m, Abwechselung f; Tausch m; Wechselgeld n; 2. v/t. (ver)ändern; (aus)wechseln; (aus-, ver-)tauschen; v/i. sich ändern, wechseln; Am. sich u'mziehen; 🚃 (od. ~ trains) umsteigen; ~able □ (tšei̯'ndGebl) veränderlich; ~less □ (~lißß) unveränderlich.

channel (tšā'nl) 1. Kana'l m; Flußbett n; Rinne f; fig. Weg m; 2. furchen; aushöhlen.

chant (tšānt) 1. (Kirchen-)Gesang m; fig. Singsang m. 2. singen.

chaos (kē'oß) Chaos n.

chap¹ (tšāp) 1. Riß, Sprung m; 2. rissig machen od. werden.

chap² F (~) Bursche, Kerl, Junge m.

chapel (tšā'pel) Kape'lle f.

chaplain (tšā'plin) Kapla'n m.

chapter (tšā'pte) Kapi'tel n.

char (tšā) verkohlen.

character (kā'ri̯te) Chara'kter m; Merkmal n; Schrift(zeichen n) f; Sinnesart; Persönlichkeit; thea. Rolle f; Rang m, Würde f; (bsd. guter) Ruf m; Zeugnis n; ~istic (kāri̯te'ri̯ßtik) 1. (~ally) charakteri-stisch (of für); 2. Kennzeichen n; ~ize (kā'ri̯terāi̯) charakterisieren.

charcoal (tšā'fou̯l) Holzkohle f.

charge (tšādG) 1. Ladung; fig. Last (on für); Verwahrung, Obhut f; Schützling m; Mündel m, f, n; Amt n, Stelle f; Auftrag, Befehl; Angriff m; Ermahnung; Beschul-digung, Anklage f; Preis m, Forde-

rung *f*; ✝ ~s *pl.* Kosten; be in ~ of
et. in Verwahrung h.; mit *et.* beauf-
tragt sn; für *et.* sorgen; 2. *v/t* laden;
beladen, belasten; beauftragen; *j-m*
et. einschärfen, befehlen; ermahnen;
beschuldigen, anklagen (*with gen.*);
zuschreiben (*on, upon dat.*); fordern,
verlangen; an-, be-rechnen, in
Rechnung stellen (*to dat.*); angreifen (*a. v/i.*); *Am.* behaupten.

charitable □ (tʃǎ'rⁱtᵉbl) mild
(-tätig).

charity (tʃǎ'rⁱtⁱ) Nächstenliebe;
Wohl-, Mild-tätigkeit; Güte; Nachsicht; milde Gabe *f*.   [*m.*

charlatan (ʃǎ'lᵉtᵉn) Marktschreier

charm (tʃǎm) 1. Zauber; *fig.* Reiz
m; 2. bezaubern; *fig.* entzücken;
~ing] (tʃǎ'minᵍ) bezaubernd.

chart (tʃǎt) 1. ♫ Seekarte; Tabelle *f*; 2. auf e-r Karte verzeichnen.

charter tʃǎ'tᵉ) 1. Urkunde *f*; Freibrief *m*; Pate'nt *n*; Frachtvertrag *m*;
2. privilegieren; ♫ chartern, mieten.

charwoman (tʃǎ'wumᵉn) Scheu-
er-, Reinemache-frau *f*.

chary] (tʃǎ'rⁱ) vorsichtig.

chase (tʃǎᵉⁱᵌ) 1. Jagd; Verfolgung *f*;
gejagtes Wild; 2. jagen, hetzen;
Jagd m. auf (*acc.*).   [Lücke *f*.]

chasm tǎ'im) Kluft (*a. fig.*); *f*

chaste (tʃěⁱᵌt) rein; keusch.

chastity (tʃǎ'tⁱtⁱ) Keuschheit *f*.

chat (tʃǎt) 1. Geplauder *n*, Plauderei *f*; 2. plaudern.

chattels (tʃǎtlᵌ) *pl.* (*mst goods
and* ~) Hab und Gut; Vermögen *n*.

chatter (tʃǎ'tᵉ) 1. plappern;
schnattern; klappern; 2. Geplapper
n; ~er) Sc ätzer(in).

chatty tʃǎ'tⁱ) gesprächig.

chauffeur (ʃoᵘ'fᵉ) Chauffeu'r *m*.

cheap (tʃⁱp) billig; *fig. a.* gemein, ~en (tʃⁱ'ᵊⁿ) (sich) verbil-
ligen. *fig.* herabsetzen.

cheat (tʃⁱt) 1. Betrug, Schwindel
m; Betrüger(in); 2. betrügen.

check (tʃⁱk) 1. Schach(stellung *f*);
Hemmnis *n* (on für); Zwang *m*,
Aufsicht; Kontrolle (on *gen.*); Kon-
trollmarke *f*; *Am.* Gepäck-Schein;
Am. ✝ Scheck *m*; kariertes Zeug;
2. Schach bieten (*dat.*); hemmen;
kontrollieren; nachprüfen; in der
Garderobe abgeben; ~er (tʃⁱ'kᵉ)
Aufsichtsbeamte(r) *m*; ~s *pl. Am.*
Damespiel *n*; ~ing-room *Am.*
Gepäckaufbewahrung *f*; ~mate

1. Schachmatt *n*; 2. matt setzen;
~up *Am.* scharfe Kontrolle.

cheek (tʃⁱk) Backe, Wange; F Unverschämtheit *f*.

cheer (tʃⁱᵉ) 1. Stimmung, Fröhlichkeit *f*; Hoch(ruf *m*) *n*; Beifall(s-
ruf) *m*; Speisen *f/pl.*, Mahl *n*; 2. *v/t.*
aufheitern (*a.* ~ up); mit Beifall begrüßen; anspornen (*a.* ~ on); *v/i.*
hoch rufen; jauchzen; (*a.* ~ up) Mut
fassen; ~ful □ (tʃⁱ'fᵘl) heiter;
~less] (~lᵌ) freudlos; ~y □ (~rⁱ)
heiter, froh.

cheese (tʃⁱᵌ) Käse *m*.

chemical (kě'mⁱtᵉl) 1. □ chemisch;
2. ~s (~ᵌ) *pl.* Chemika'lien *pl.*

chemist (kě'mⁱᵌt) Chemiker(in);
~ry (kě'mⁱᵌtrⁱ) Chemie' *f*.

cheque ✝ (tʃⁱk) Scheck; crossed ~
Verrechnungsscheck *m*.

chequer tʃě'tᵉ) 1. *mst* ~s *pl.* Karo-
muster *n*; 2. karieren.

cherish (tʃě'rⁱʃ) hegen, pflegen.

cherry (tʃě'rⁱ) Kirsche *f*.

chess (tʃěᵌ) Schach(spiel) *n*; ~
board Schachbrett *n*; ~man
Schachfigu'r *f*.

chest (tʃěᵌt) Kiste, Lade *f*; Brust-
kasten *m*; ~ of drawers Kommode *f*.

chestnut (tʃě'ᵌnᵊt) 1. Kastanie *f*;
F alter Witz; 2. kastanienbraun.

chevy F (tʃě'wⁱ) 1. Hetziagd *f*;
Barlaufspiel *n*; 2. hetzen, iagen.

chew (tʃū) kauen; sinnen, ~ing-
gum (tʃu'inᵍᵊm) Kaugummi *m*.

chicane (ʃⁱkěⁱⁿ) 1. Schikane *f*;
2. schikanieren.

chick (tʃⁱk), ~en (tʃⁱ'fⁿ) Hühn-
chen, Küchlein *n*; ~en-pox ✝
Windpocken *f/pl.*

chief (tʃⁱf) 1. □ oberst; Ober...,
Haupt..., hauptsächlich; ~ clerk
Bürovorsteher *m*; 2. Oberhaupt *n*,
Chef, Häuptling *m*; ... -in-... Ober...;
~tain tʃⁱ'ftⁿ) Häuptling *m*.

chilblain (tʃⁱl'lblěⁿ) Frostbeule *f*.

child (tʃǎⁱld) Kind *n*; from a ~ von
Kindheit an; with ~ schwanger;
~birth Niederkunft *f*; ~hood
(~'hūd) Kindheit *f*; ~ish] (tʃǎ'l-
dⁱʃ) kindlich; kindisch; ~like
(~lǎⁱk) kindlich; ~ren (tʃⁱ'ldrᵉn)
pl. v. child.

chill (tʃⁱl) 1. eisig. frostig; 2. Frost
m, Kälte *f*; ✝ Fieberfrost *m*; Erkältung *f*; 3. *v/t.* erkalten l.; abkühlen; *v/i.* erkalten; erstarren; ~y
(tʃⁱ'lⁱ) kalt, frostig.

chime (tᵛᵃīm) 1. Glockenspiel; Geläut n; fig. Einklang m; 2. läuten; fig. harmonieren.

chimney (tᵛᵃī'mnĭ) Schornstein; Rauchfang; *Lampen-*Zyli'nder m.

chin (tᵛᵃĭn) Kinn n.

china (tᵛᵃā'nᵉ) Porzella'n n.

Chinese (tᵛᵃā'nī'ᵴ) 1. chinesisch; 2. Chinese(n pl.) m, Chinesin f.

chink (tᵛᵃĭnᵍ) Ritz, Spalt m.

chip (tᵛᵃĭp) 1. Schnitzel n; Span m; Glas-*usw.*-splitter; 2. v/t. schnitzeln; v/i. an-, ab-schlagen; ab-bröckeln.

chirp (tᵛᵃöp) 1. zirpen; zwitschern; schilpen (*Sperling*); 2. Gezirp n.

chisel (tᵛᵃĭ'ᴢĭ) 1. Meißel m; 2. meißeln; sl. (be)mogeln.

chitchat (tᵛᵃĭ'tᵛᵃät) Geplauder n.

chivalr|ous □ (tᵛᵃĭ'wᵉlrᵉᴢ) ritterlich; ~y (~rĭ) Ritterschaft f, Rittertum n; Ritterlichkeit f.

chlor|ine (flō'rĭn) Chlor n; ~oform (flō'rᵉfōm) 1. Chlorofo'rm n; 2. chloroformieren.

chocolate (tᵛᵃɔ'ᵗᵉlĭt) Schokola'de f.

choice (tᵛᵃɔĭᴢ) 1. Wahl; Auswahl f; 2. □ auserlesen, vorzüglich.

choir (twᵃlᵉ) Chor m.

choke (tᵛᵃōᵘt) 1. v/t. (er)würgen, (a. v/i.) ersticken; ⚡ (ab)drosseln; (ver)stopfen; (mst *down*) hinunterwürgen; 2. Erstickungsanfall m; ⊕ Würgung f.

choose (tᵛᵃūᵴ) [*irr.*] (aus)wählen; ~ to *inf.* vorziehen zu *inf.*

chop (tᵛᵃɔp) 1. Hieb m; Kotele'tt; ~s pl. Maul n, Rachen m; ⊕ Backen f/pl.; 2. v/t. hauen, hacken; zerhacken; austauschen; v/i. wechseln; ~per (tᵛᵃɔ'p ᵉ) Hackmesser n; ~py (tᵛᵃɔ'pĭ) unstet; hohl (*See*).

choral □ (kō'rᵉl) chormäßig; Chor...; ~(e) ♪ (ōrā'l) Choral m.

chord (tōd) Saite f; ♪ Akkor'd m.

chore *Am.* (tᵛᵃō) Hausarbeit f.

chorus (tō'rᵴ) 1. Chor; Kehrreim m; 2. im Chor singen *od.* rufen.

chose (tᵛᵃōᵘᴢ) wählte; ~n (~ᵃn) gewählt.

Christ (krāᴢt) Christus m.

christen (krĭ'ᵴn) taufen; ~ing (~ĭnᵍ) 1. Tauf...; 2. Taufe f.

Christian (krĭ'ᵴtĭᵉn) 1. □ christlich; ~ name Vor-, Tauf-name m; 2. Christ(in); ~ity (krĭᴢtĭᵃ'nĭtĭ) Christentum n.

Christmas (krĭ'ᴢmᵉᴢ) Weihnachten f.

chromium (frōᵘ'mĭᵉm) Chrom n (*Metall*); ~plated verchromt.

chronic (frō'nĭᵹ) (~ally) chronisch; (*mst* ♣⁸), dauernd; P ekelhaft; ~le (~l) 1. Chronik f; 2. aufzeichnen.

chronolog|ical □ (frōnᵉlō'ᴅᴢĭᵹᵉl) chronologisch; ~y (frᵉnō'lᵉᴅᴢĭ) Zeitrechnung f.

chubby F (tᵛᵃɔ'bĭ) plump (*a. fig.*).

chuck¹ (tᵛᵃɔt) 1. Glucken n; my ~! mein Täubchen!; 2. glucken.

chuck² (~) 1. werfen, F schmeißen; 2. (Hinaus-)Wurf m.

chuckle (tᵛᵃɔ'ᴋl) kichern, glucksen.

chum F (tᵛᵃɔm) 1. (Stuben-)Kamera'd m; 2. zs.-wohnen.

chump F (tᵛᵃɔmp) Holzklotz m.

chunk F(tᵛᵃɔnᵍ) Klotz, Runken m.

church (tᵛᵃötᵛᵃ) Kirche f; Kirch(en)...; ~ service Gottesdienst m; ~yard Kirchhof m.

churl (tᵛᵃöl) Grobian; Bauer m; ~ish □ (tᵛᵃö'lĭᵴ) grob, flegelhaft.

churn (tᵛᵃön) 1. Butterfaß n; 2. buttern; fig. aufwühlen.

cider (ᴢāĭ'dᵉ) Apfelwein m.

cigar (ᴢĭgā') Zigarre f.

cigarette (ᴢĭgᵉrȇ't) Zigarette f; ~-case Zigarettenetui n.

cigar-holder Zigarrenspitze f.

cinch *Am. sl.* (ᴢĭntᵛᵃ) sichere Sache.

cincture (ᴢĭ'nᵹtᵛᵃᵉ) Gürtel, Gurt m.

cinder (ᴢĭ'ndᵉ) Schlacke; ~s pl. Asche f; ~path *Sport:* Aschenbahn f.

cinema (ᴢĭ'nĭmᵉ) Kino n.

cinnamon (ᴢĭ'nᵉmᵉn) Zimt m.

cipher (ᴢāĭ'fᵉ) 1. Ziffer; Null (*a. fig.*); Geheimschrift, Chiffre f; 2. chiffrieren; (aus)rechnen.

circle (ᴢö'ᴢl) 1. Kreis; *Bekannten-usw.* Kreis; Kreislauf; *thea.* Rang; Ring m; 2. (um)krei'sen.

circuit (ᴢö'ᴢĭt) Kreislauf; ⚡ Stromkreis m; Rundreise f; Gerichtsbezirk; ✈ Rundflug m; ⚡ short ~ Kurzschluß m.

circular (ᴢö'ᴢĭᵘlᵉ) 1. □ kreisförmig; ~ letter Rundschreiben n; ♱ ~ note Kredi'tbrief m; 2. Rundschreiben n; Laufzettel m.

circulat|e (ᴢö'ᴢĭᵘleĭt) v/i. umlaufen, zirkulieren; v/t. in Umlauf setzen; ~ing (~ĭnᵍ): ~ library Leihbücherei f; ~ion (ᴢöᴢĭᵘleĭ'ᵴᵃn) Zirkulatio'n f, Kreislauf; fig. Umlauf m; Verbreitung; Zeitungs-Auflage f.

circum... (ḃȫ'ť'm) (her)um; **~fe-
rence** (ḃˢťa'mťⁱr'nḃ) (Kreis-)Um-
fang m; Peripherie' f; **~jacent** (ḃȫ-
ťᵉmȯQeⁱ'ȝ'nt) umliegend; **~locu-
tion** (ˌĺᵉȟȗ'ĭȟ'n) Umständlichkeit
f; Umschweif m; **~navigate**
(ˌnä'wⁱǥeⁱt) umse'geln; **~scribe**
(ḃȫ'ťᵉmẖťrãĺḃ) A̅ umschrei'ben;
fig. begrenzen; **~spect** □ (**~-**
ḃpȅⁱt) um-, vor-sichtig; **~stance**
(ḃȫ'ťᵉmẖťᵉnḃ) Umstand m; Einzelheit; Umständlichkeit f; **~stantial**
□ (ḃȫⁱmẖtä'nȟ'ĺ) umständlich;
~vent (ˌwȅ'nt) überli'sten; vereiteln.

cistern (ḃⁱ'ẖtᵉn) Wasserbehälter m.
cit|ation (ḃäĺteⁱ'ȟ'n) Vorladung;
Anführung f, Zitat n; **~e** (ḃäĺt)
zitieren; vorladen; anführen.
citizen (ḃⁱ'ťĭȟn) (Staats-)Bürger(in);
~ship (ˌȟĭp) Bürgerrecht n, Staats-
angehörigkeit f.
citron (ḃⁱ'trᵉn) Zitro'ne f.
city (ḃⁱ'ťĭ) 1. Stadt f; 2. städtisch,
Stadt...; ♀ article Börsen-, Handels-
bericht m.
civic (ḃⁱ'wⁱḽ) bürgerlich; städtisch;
~s (ˌḃ) pl. Staatsbürgerkunde f.
civil □ (ḃⁱ'wⁱĺ) bürgerlich; zivi'l;
🖾 zivilrechtlich; höflich; ~ servant
Verwaltungsbeamte(r); ~ service
Staatsdienst m; **~ian** ⋊ (ḃⁱwⁱ'ĺⁱᵉn)
Zivili'st m; **~ity** (ḃⁱwⁱ'ĺⁱtĭ) Höflichkeit f; **~ization** (ḃⁱwⁱĺäⁱ̃e⁴ȟ'n) Zi-
vilisatio'n, Kultu'r f; **~ize** (ḃⁱ'wⁱ-
ĺäĭ) zivilisieren.
clad (ḃĺäḃ) bekleidete; bekleidet.
claim (ḃĺeⁱm) 1. Anspruch m; An-
recht n (to auf acc.); Forderung f;
Am. Parzelle f; 2. beanspruchen;
fordern; sich berufen auf (acc.); ~
to be sich ausgeben für;
~ant (ḃĺeⁱ'mᵉnt) Beanspruchende(r);
🖾 Kläger m.
clairvoyant (ḃĺäᵉwȏⁱ'ᵉnt) Hellseher.
clamber (ḃĺä'mḃᵉ) klettern.
clammy □ (ḃĺä'mĭ) feuchtkalt,
klamm.
clamo(u)r (ḃĺä'mᵉ) 1. Geschrei n,
Lärm m; 2. schreien (for nach).
clamp ⊕ (ḃĺämp) 1. Klammer f;
2. verklammern; befestigen.
clandestine □ (ḃĺänḃȅ'ẖtⁱn) heimlich; Geheim...
clang (ḃĺänᵍ) 1. Klang m, Geklirr n;
2. schallen; klirren (lassen).
clank (ḃĺänᵍḟ) 1. Gerassel n; 2. rasseln.
clap (ḃĺäp) 1. Klatschen n; Schlag,

Klaps m; 2. klappen (mit); klatschen; **~trap** Effe'kthascherei f.
clarify (ḃĺä'rⁱfäĭ) v/t. (ab)klären; fig.
klären; v/i. sich klären.
clarity (ḃĺä'rⁱtĭ) Klarheit f.
clash (ḃĺäȟ) 1. Geklirr n; Wider-
streit m; 2. klirren (mit); zs.-stoßen.
clasp (ḃĺäßp) 1. Haken m, Klammer;
Schnalle; Spange f; fig. Umkla'm-
merung; Uma'rmung f; 2. v/t. an-,
zu-haken; fig. umkla'mmern; um-
fa'ssen; v/i. festhalten.
class (ḃĺäß) 1. Klasse f; Stand m;
2. (in Klassen) einteilen, einordnen.
classic (ḃĺä'ßⁱḽ) 1. Klassiker m; 2. **~(al**
□) (ˌ~, ˌⁱťᵉĺ) klassisch.
classi|fication (ḃĺäßⁱfⁱḽeⁱ'ȟᵉn) Klas-
sifizierung, Einteilung f; **~fy** (ḃĺä'ßⁱ-
fäĭ) klassifizieren, einstufen.
clatter (ḃĺä'tᵉ) 1. Geklapper n;
2. klappern (mit); fig. schwatzen.
clause (ḃĺȏ̂) Klausel, Bestimmung f.
claw (ḃĺȏ) 1. Klaue, Kralle; Pfote;
Krebs-Schere f; 2. (zer)kratzen;
(um)kra'llen.
clay (ḃĺeⁱ) Ton m; fig. Erde f.
clean (ḃĺĭn) 1. adj. □ rein; sauber;
2. adv. rein, völlig; 3. reinigen (of
von); sich waschen l. (Stoff usw.);
~ up aufräumen; **~ing** (ḃĺĭ'nĭnᵍ)
Reinigung f; **~liness** (ḃĺȅ'nĺⁱnᵉß)
Reinlichkeit f; **~ly** 1. adv. (ḃĺĭ'nĺĭ)
rein usw.; 2. adj. (ḃĺȅ'nĺĭ) reinlich;
~se (ḃĺȅnȥ) reinigen; säubern.
clear (ḃĺĭᵉ) 1. □ klar; hell; rein; fig.:
rein (from von); frei (of von); ganz,
voll; ✝ rein, netto; 2. v/t. er-, aufhellen; (auf)klären; reinigen (of,
from von); Wald lichten, roden;
wegräumen (a. ~ away, off); Hindernis nehmen; Rechnung bezahlen;
✝ (aus)klarieren, verzollen; 🖾 freisprechen; befreien; v/i. sich aufhellen (a. ~ up); sich verziehen;
~ance (ḃĺĭ'rᵉnß) Aufklärung; Reinigung; Freilegung; Räumung;
Abrechnung; Verzollung f; **~ing**
(ḃĺĭ'rⁱnᵍ) Aufklärung usw. s. clear 2;
Ab-, Ver-rechnung f; ♀ House Ab-,
Ver-rechnungsstelle f.
cleave [1] (ḃĺĭw) [irr.] (sich) spalten;
Wasser, Luft (zer)teilen.
cleave [2] (ˌ~) fig. festhalten (to an
dat.); treu bleiben (dat.).
cleaver (ḃĺĭ'wᵉ) Hackmesser n.
clef ♪ (ḃĺȅf) Schlüssel m.
cleft (ḃĺȅft) 1. Spalte f; Sprung, Riß
m; 2. spaltete; gespalten.

clemen|cy (klĕ'mᵉnßĭ) Milde *f*; ~t
□ (klĕ'mᵉnt) mild.
clench (klĕntĭch) *Lippen usw.* fest
zs.-pressen; *Zähne* zs.-beißen; *Faust*
ballen; = clinch.
clergy (klö'ᵈGĭ) Geistlichkeit *f*;
~man (͜mᵉn) Geistliche(r) *m.*
clerical (klĕ'rⁱtᵉl) 1. □ geistlich;
Schreib(er)...; 2. Geistliche(r) *m.*
clerk (klāt) Schreiber, Büroange-
stellte(r); Sekretä'r; Handlungs-
gehilfe *m; Am.* Verkäufer(in); Küster *m.*
clever □ (klĕ'wᵉ) gescheit; geschickt.
clew (klū) Knäuel *m* (*n*); *s.* clue.
click (klĭk) 1. Knacken *n;* ⊕ Sperr-
haken *m,* -klinke *f;* 2. knacken; zu-,
ein-schnappen; *Am.* klappen.
client (klāi'ᵉnt) Klie'nt(in); Kund|e
m, -in *f;* ~ele (klāi·ᵉntī'l) Kundschaft|
cliff (klĭf) Klippe *f;* Felsen *m.* [*f.*
climate (klāi'mⁱt) Klima *n.*
climax (klāi'mäĕß) 1. *rhet.* Steige-
rung *f;* höchster Punkt; 2. steigern.
climb (klāim) [*irr.*] (er)klettern,
(er)klimmen, (er)steigen; ~er (klāi'-
mᵉ) Kletterer(in); *fig.* Streber(in);
♣ Kletterpflanze *f.*
clinch (klĭntĭch) 1. ⊕ Vernietung *f;*
Festhalten *n;* 2. *v/t.* vernieten; fest-
machen; *s.* clench; *v/i.* festhalten.
cling (klĭnᵍ) [*irr.*] (to) festhalten (an
dat.), sich klammern (an *acc.*); sich
(an)schmiegen; *e-m* anhängen.
clinic (klĭ'nĭk) 1. Klinik *f;* 2. = ~al
□ (͜įtᵉl) klinisch.
clink (klĭnᵏ) 1. Geklirr *n;* 2. klingen,
klirren (l.); klimpern mit.
clip¹ (klĭp) 1. Schur *f;* 2. ab-, aus-,
be-schneiden; *Schafe usw.* scheren.
clip² (͜) Klammer; Spange *f.*
clipp|er (klĭ'pᵉ): (*a pair of* e-e) ~s
pl. Schere *f;* ♣ Schnellsegler *m;*
(*flying* ͜) Verkehrsflugzeug *n;*
~ings (͜ĭnᵍß) *pl.* Abfälle; Aus-
schnitte *m/pl.*
cloak (klouᵏ) 1. Mantel *m;* 2. mit e-m
M. bedecken; *fig.* bemänteln; ~
-room Garderobe *f;* ⚏ Gepäck-
abgabe *f.*
clock (klŏᵏ) *Schlag-, Wand-Uhr f.*
clod (klŏᵈ) Erdklumpen; Tölpel *m.*
clog (klŏᵍ) 1. Klotz *m;* Holz-, Über-
schuh *m;* 2. belasten; hemmen;
(sich) verstopfen. [Kloster *n.*\
cloister (klŏi'ßtᵉ) Kreuzgang *m;*\
close 1. □ (klouß) geschlossen; verborgen; verschwiegen; knapp, eng;

begrenzt; nah, eng; bündig; dicht;
gedrängt; schwül; knickerig; genau;
fest (*Griff*); ~ by, ~ to dicht bei; ~
fight, ~ quarters *pl.* Handgemenge *n;*
hunt. ~ season, ~ time Schonzeit *f;*
2. a) (klouß) Schluß *m;* Abschluß *m;*
b) (klouᵹ) Gehege *n;* 3. (klouⁱ) *v/t.*
(ab-, ein-, ver-, zu-)schließen; beschließen; *v/i.* (sich) schließen; abschließen; handgemein w.; ~ in her-
einbrechen; ~ on (*prp.*) sich schließen um, umfa'ssen; ~ness (klouⁱ-
nᵉß) Genauigkeit, Geschlossenheit *f.*
closet (klŏ'ĭᵗt) 1. Kabine'tt *n;*
(Wand-)Schrank *m;* Klose'tt *n;*
2. be ~ed with mit *j-m* e-e geheime
Beratung haben.
closure (klou'Gᵉ) Verschluß; *parl.*
(Antrag auf) Schluß *m e-r Debatte.*
clot (klŏt) 1. Klümpchen *n;* 2. zu
Klümpchen gerinnen (machen).
cloth (klŏth, klŏᵗh), *pl.* ~s (klŏᵈß,
klŏᵗhß) Zeug; Tuch; Tischtuch *n;*
Kleidung, *Amts-*Tracht *f;* F the ~
der geistliche Stand; ~ binding Lei-
nenband *m.*
clothe (klouᵈh) [*irr.*] (an-, be-)klei-
den; *fig.* be-, ein-kleiden.
clothes (klouᵈhᵉ) Kleider *n/pl.;*
Wäsche *f;* ~basket Waschkorb *m;*
~line Wäscheleine *f;* ~peg Klei-
derhaken *m;* Wäscheklammer *f.*
clothier (klou'ᵈhⁱᵉ) Tuchmacher;
Tuch-, Kleider-händler *m.*
clothing (klou'ᵈhĭnᵍ) Kleidung *f.*
cloud (klauᵈ) 1. Wolke (*a. fig.*);
Trübung *f;* Schatten *m;* 2. (sich)
be-, um-wö'lken (*a. fig.*); ~burst
Wolkenbruch *m;* ~less (klau'ᵈlⁱß)
wolkenlos; ~y □ (͜ⁱ) wolkig; trüb;
unklar.
clove¹ (klouw) (Gewürz-)Nelke *f.*
clove² (͜) spaltete; ~n (klouʷwn) *adj.*
gespalten.
clover ♣ (klou'wᵉ) Klee *m.*
clown (klaun) Hanswurst; Tölpel *m.*
cloy (klŏi) über-sä'ttigen, -la'den.
club (klab) 1. Keule *f; Am.* Gummi-
knüppel; Klub *m;* ~s *pl. Karten:*
Kreuz *n;* 2. *v/t.* mit e-r Keule
schlagen; *v/i.* sich zs.-tun.
clue (klū) Leitfaden; Anhaltspunkt,
Fingerzeig *m.*
clump (klamp) 1. Klumpen *m;*
*Baum-*Gruppe *f;* 2. trampeln; zs.-
drängen.
clumsy □ (kla'mßĭ) unbeholfen, ungeschickt; plump.

clung (ĭɑŋ) hielt fest, festhielt; festgehalten.

cluster (ĭɑ´b̯tᵉ) 1. Traube *f*; Büschel *m u. n*; Haufen *m*; 2. büschelweise wachsen; (sich) zs.-drängen.

clutch (ĭɑtĭ) 1. Griff *m*; ⊕ Kuppelung *f*; Klaue *f*; 2. (er)greifen.

clutter (ĭɑ´tᵉ) 1. Wirrwarr *m*; 2. durch-ea.-rennen; -ea.-bringen.

coach (ĭouᵗĭ) 1. Kutsche *f*, ⚏ Wagen; Einpauker; Trainer *m*; 2. kutschieren; (ein-)pauken; trainieren; ~**man** Kutscher *m*.

coagulate (ĭouᵃgᵢulᵉⁱt) gerinnen m.

coal (ĭouᶫ) 1. (Stein-)Kohle *f*; 2. ⚓ (be)kohlen.   [vereinigen.]

coalesce (ĭouᵗlĕ´b̯) zs.-wachsen; sich

coalition (ĭouᵗlĭ´ĭᵉn) Verbindung *f*; Bund *m*, Koalitio´n *f*.

coal-pit Kohlengrube *f*.

coarse ☐ (ĭɔb̯) grob; ungeschliffen.

coast (ĭouᵗt) 1. Küste; Talfahrt *f*; 2. an der Küste entlangfahren; abwärts gleiten; ~**er** (ĭouᵗbᵗᵉ) ⚓ Küstenfahrer *m*.

coat (ĭouᵗt) 1. (Männer-)Rock; Mantel *m*; Jackett *n*; Pelz *m*, Gefieder *n*; Überzug *m*; ~ *of arms* Wappen (-schild *m*) *n*; 2. bekleiden; überzie´hen; anstreichen; ~**hanger** Kleiderbügel *m*; ~**ing** (ĭouᵗtĭŋ) Bekleidung *f*; Überzug; Anstrich *m*.

coax (ĭouᵗb̯) schmeicheln (*dat.*); beschwatzen (*into* zu).

cob (ĭɔb) kleines starkes Pferd; Schwan; *Am.* Maiskolben *m*.

cobbler (ĭɔ´blᵉ) Schuhflicker; *fig.* Schuster *m* (*Stümper*).

cobweb (ᴋᴏᵉb) Spinnengewebe *n*.

cock (ĭɔĭ) 1. Hahn; Anführer; Heuschober *m*; 2. (*oft ~ up*) aufrichten; *Gewehrhahn* spannen.

cockade (ĭɔĭeⁱ´b) Kokarde *f*.

cockatoo (ĭɔĭᵉtū´) Ka´kadu *m*.

cockboat ⚓ (ĭɔ´ĭboᵘt) Jolle *f*.

cockchafer (ᴋᵗĭĭᵉⁱfᵉ) Maikäfer *m*.

cock-eyed *sl.* (ĭɔ´ĭaⁱb) schieläugig; *Am.* blau (*betrunken*).

cockpit (ĭɔ´ĭpĭt) Kampfplatz *m* für Hähne; ⚓ Raumdeck *n*; ✈ Führerraum, -sitz *m*.

cockroach (ĭɔ´ĭroᵘĭĭ) *zo.* Schabe *f*.

cock...: ~**sure** F todsicher; ~**tail** Halbblut *n* (*Pferd*); *fig.* Parvenü´; Cocktail *m*; ~**y** ☐ F (ĭɔ´ĭĭ) selbstbewußt; frech.

coco (ĭouᵗĭouᵗ) Kokospalme *f*.

cocoa (ĭouᵗĭouᵗ) Kaka´o *m*.

coco-nut (ĭouᵗĭᵉnɑĭ) Kokosnuß *f*.

cocoon (ĭɔtū´n) *Seiden*-Koko´n *m*.

cod (ĭɔb) *ichth.* Kabeljau *m*.

coddle (ĭɔ´bl) verhätscheln.

code (ĭouᵗb) 1. Gesetzbuch *n*; Kodex; *telegr.* Schlüssel *m*; 2. chiffrieren.

codger F (ĭɔ´bGᵉ) komischer Kauz.

cod-liver: ~ *oil* Lebertran *m*.

coerc|e (ĭouᵗb̯´b̯) (er)zwingen; ~**ion** (ᴋĭĭᵉn) Zwang *m*.   [gleichalterig.]

coeval ☐ (ĭouᵗĭ´wᵉᶫ) gleichzeitig;

coexist (ĭouᵗĭgĭĭ´b̯t) gleichzeitig vorhanden (*od.* da) sn.

coffee (ĭɔ´fĭ) Kaffee *m*; ~**pot** K.-kanne *f*; ~**room** Gastzimmer *n e-s Hotels*; ~**set** K.-servi´ce *n*.

coffer (ĭɔ´fᵉ) (Geld-)Kasten *m*.

coffin (ĭɔ´fĭn) Sarg *m*.

cogent ☐ (ĭouᵗbGᵉnt) zwingend.

cogitate (ĭɔ´bGⁱteⁱt) *v/i.* nachdenken; *v/t.* (er)sinnen.

cognate (ĭɔ´gneⁱt) verwandt.

cognition (ĭɔgnĭ´ĭĭᵉn) Erkenntnis *f*.

coheir (ĭouᵗĭ̆ä´ᵉ) Miterbe *m*.

coheren|ce (ĭouᵗĭᵗĭ´rᵉnb̯) Zs.-hang *m*; ~**t** ☐ (ᴋrᵉnt) zs.-hängend.

cohesi|on (ĭouᵗĭĭ´Gᵉn) Kohäsio´n *f*; ~**ve** (ᴋĭĭw) (fest) zs.-hängend.

coiff|eur (ĭwɑᶠöᶠ) Friseur *m*; ~**ure** (ᴋĭĭu̯ᵉ) Haartracht, Frisu´r *f*.

coil (ĭoⁱl) 1. Rolle; Schlinge; ⚡ Spule *f*; ⊕ Schlange *f*; 2. (*oft ~ up*) aufwickeln; (sich) zs.-rollen.

coin (ĭoⁱn) 1. Münze *f*; 2. prägen (*a. fig.*); münzen; ~**age** (ĭoⁱ´nᵗbG) Prägung *f*; Geld *n*, Münze *f*.

coincide (ĭouⁱnb̯ɑᶫ´b) zs.-treffen; überei´nstimmen; ~**nce** (ĭouᵢ´nb̯ⁱbᵉnb̯) Zs.-treffen *n*; *fig.* Überei´nstimmung *f*.

coke (ĭouᵗĭ) Koks *m*.

cold (ĭouᶫb) 1. ☐ kalt; ~ *meat* kalte Küche; 2. Kälte *f*, Frost *m*; Erkältung *f*; ~**ness** (ĭouᶫbnĭb̯) Kälte *f*.

colic ♂ (ĭɔ´lĭĭ) Koli´k *f*.

collaborat|e (ᵗᵉlä´bᵉreⁱt) zs.-arbeiten; ~**ion** (ᵗᵉläbᵉreⁱ´ĭĭᵉn) Zs.-, Mitarbeit *f*; *in* ~ gemeinsam.

collapse (ᵗᵉlä´pb̯) 1. zs.-, ein-fallen; zs.-brechen; 2. Zs.-bruch *m*.

collar (ĭɔ´lᵉ) 1. Kragen *m*; Halsband *n*; Kum(me)t; ⊕ Lager *n*; 2. beim Kragen packen; zs.-rollen.

collate (ĭɔlĕⁱt) *Texte* vergleichen.

collateral (ĭɔlä´tᵉrᵉl) 1. ☐ paralle´l laufend; Seiten..., Neben...; indirekt; 2. Seitenverwandte(r).

colleague (ĭɔ´lĭg) Kolle´ge *m*.

collect 1. (tŏ'lĕ't) *eccl.* Kolle'kte *f*; 2. *v/t.* (t͡ᵉlĕ'īt) (ein)sammeln; *Gedanken usw.* sammeln; einkassieren; *v/i.* sich sammeln; ~ed □ (t͡ᵉlĕ'tᵗᵢb) *fig.* gefaßt; ~ion (t͡ᵉlĕ'tᵢ͡ſᵏᵉn) Sammlung; Einziehung *f*; ~ive (~tīw) gesammelt; Sammel...; ~ively (~tīwlī) insgesamt; zs.-fassend; ~or (~t͡ᵉ) Sammler; *Steuer*-Erheber *m.*

college (tŏ'l̆b͡Q) Kolle'g(ium); College *n*; höhere Bildungsanstalt, Hochschule *f.*

collide (t͡ᵉlāi'b) zs.-stoßen.

collie (tŏ'l̆ĭ) schottischer Schäferhund.

collier (tŏ'l̆ᵢ͡ᵉ) Kohlenarbeiter *m*; ⚒ Kohlenschiff *n*; ~y (tŏ'l̆ᵢᵉrĭ) Kohlengrube *f.*

collision (tŏl̆ĭ'Ǧᵉn) Zs.-stoß *m.*

colloquial (t͡ᵉlᵒᵘ'ᵏʷᵢᵉl) Umgangs...; familiä'r.

colloquy (tŏ'l̆ᵉᵏʷĭ) Gespräch *n.*

colon (tᵒᵘ'l̆ᵉn) *typ.* Doppelpunkt *m.*

colonel ✕ (tŏ'n̆l) Oberst *m.*

coloni|al (t͡ᵉlᵒᵘ'nĭᵉl) Kolonia'l...; ~ze (tŏ'l̆ᵉnāi̯) kolonisieren: (sich) ansiedeln; besiedeln.

colony (tŏ'l̆ᵉnĭ) Kolonie'; Siedlung *f.*

colo(u)r (tᵃ'l̆ᵉ) 1. Farbe; *fig.* Färbung *f*; Anschein; Vorwand *m*; ~s *pl.* Fahne, Flagge *f*; 2. *v/t.* färben; anstreichen; *fig.* beschönigen; *v/i.* sich (ver)färben; erröten; ~ed (~b) gefärbt, farbig; ~ (wo)man Farbige(r); ~ful (~fᵘl) farbenreich; ~ing (~rĭng) Färbung *f*; Farbton *m*; *fig.* Beschönigung *f*; ~less □ (~l̆ᵢˢ) farblos.

colt (tᵒᵘlt) Füllen *n*; *fig.* Neuling *m.*

column (tŏ'l̆ᵉm) Säule; *typ.* Spalte; ✕ Kolo'nne *f*; ~ist *Am.* (~nĭ͡st) Tagesschriftsteller *m.*

comb (tᵒᵘm) 1. Kamm *m*; ⊕ Hechel; (Honig-)Wabe *f*; 2. *v/t.* kämmen; striegeln; *Flachs* hecheln.

combat (tŏ'm̆bᵉt) 1. Kampf *m*; 2. (be)kämpfen; ~ant (~ᵉnt) Kämpfer *m.*

combin|ation (tŏmbᵢnēi̯'ſᵏᵉn) Verbindung; *mst* ~s *pl.* Hemdhose *f*; ~e (t͡ᵉmbāi̯'n) (sich) ver-binden, -einigen.

combusti|ble (t͡ᵉmbᵃ'ξt͡ᵉbl) 1. brennbar; 2. ~s *pl.* Brennmateria'l *n*; *mot.* Betriebsstoff *m*; ~on (~tĭ͡ſᵏᵉn) Verbrennung *f.*

come (tᵃm) [*irr.*] kommen; to ~ künftig, kommend; ~ about sich zu-

tragen; ~ across a p. auf j-n stoßen; ~ at erreichen; ~ by vorbeikommen; zu et. kommen; ~ off davonkommen; losgehen (*Knopf*), ausfallen (*Haare usw.*); stattfinden; ~ round herumkommen (*bsd. zu Besuch*); wiederkehren; F sich erholen; *fig.* einlenken; ~ to: a) *adv.* dazukommen; ⚓ beidrehen; b) *prp.* betragen; ~ up to entsprechen (*dat.*); es *j-m* gleichtun; *Stand, Maß* erreichen.

comedian (t͡ᵉmĭ'dᵢᵉn) Schauspieler (-in); Lustspieldichter(in).

comedy (tŏ'm̆ᵢdĭ) Lustspiel *n.*

comeliness (tᵃ'm̆lᵢnᵢ͡ś) Anmut *f.*

comfort (tᵃ'm̆fᵉt) 1. Bequemlichkeit; Behaglichkeit *f*; Trost; *fig.* Beistand *m*; Erquickung *f*; 2. trösten; erquicken; beleben; ~able □ (~bl) 1. behaglich; bequem; tröstlich; *Am.* F genügend; 2. *Am.* Steppdecke *f*; ~er (~ᵉ) Tröster *m*; ~less □ (~lᶦᵍ) unbehaglich; trostlos.

comic(al) □ (tŏ'm̆ĭ(t͡ᵉl)) komisch; lustig, drollig.

coming (tᵃ'm̆ĭng) 1. kommend; künftig; 2. Kommen *n.*

command (t͡ᵉmā'nb) 1. Herrschaft, Beherrschung *f* (*a. fig.*); Befehl *m*; Kommando *n*; be (have) at ~ zur Verfügung stehen (haben); 2. befehlen; ✕ kommandieren; verfügen über (*acc.*); beherrschen; ~er (t͡ᵉmā'nb͡ᵉ) ✕ Kommandeu'r, Befehlshaber; ⚓ Fregattenkapitä'n *m*; ~er-in-chief (~rĭnt͡ſᵢ'f) Oberbefehlshaber *m*; ~ment (~mᵉnt) Gebot *n.*

commemora|te (t͡ᵉmĕ'm̆ᵉrēi̯t) gedenken (*gen.*), feiern; ~tion (t͡ᵉmĕmᵉrēi̯'ſᵏᵉn) Gedächtnisfeier *f.*

commence (t͡ᵉmĕ'nᵏ) anfangen, beginnen; ~ment (~mᵉnt) Anfang *m.*

commend (t͡ᵉmĕ'nb) empfehlen; loben; anvertrauen.

comment (tŏ'mĕnt) 1. Kommenta'r *m*: Erläuterung; An-, Be-merkung *f*; 2. (*upon*) erläutern (*acc.*); sich auslassen (über *acc.*); ~ary (tŏ'm̆ᵉntᵉrĭ) Kommenta'r *m*; ~ator (tŏ'm̆ᵉntēi̯t͡ᵉ) Kommenta'tor; *Radio:* Berichterstatter *m.*

commerc|e (tŏ'm̆ᵉξ) Handel; Verkehr *m*; ~ial □ (t͡ᵉmᵉ͡ſᵏᵉl) kaufmännisch; Handels..., Geschäfts...

commiseration (t͡ᵉmᵢ͡śᵉrēi̯'ſᵏᵉn) Mitleid *n* (*for* mit).

commissary (tŏ'm̆ᵢ͡ξᵉrĭ) Kommissa'r; ✕ Intendanturbeamte(r) *m.*

commission (fᵉmĭˈſhᵉn) 1. Auftrag m; Übertraˈgung von Macht usw.; Begehung e-s Verbrechens; Proviˈsioˈn; Kommissioˈn f; (Offizier-) Patˈnt n; 2. beauftragen; bevollmächtigen; ✕ bestallen; ⚓ in Dienst stellen; ~er (fᵉmĭˈſhᵉnᵉ) Bevollmächtigte(r); Kommissaˈr m.

commit (fᵉmĭˈt) anvertrauen; übergeˈben, überweiˈsen; Tat begehen; bloßstellen; ~ (o. s. sich) verpflichten; ~ (to prison) in Untersuˈchungshaft nehmen; ~ment (~mᵉnt), ~tal (~l) Überweisung; Verpflichtung; Begehung f; ~tee (~l) Ausschuß m.

commodity (fᵉmŏˈd�) Ware f (mst pl.), Gebrauchsartikel m.

common (fŏˈmᵉn) 1. ☐ (all)gemein; gewöhnlich; gemeinschaftlich; öffentlich; ♀ Council Gemeinderat m; ~ law Gewohnheitsrecht n; ~ sense gesunder Menschenverstand; in ~ gemeinsam; fig. in ~ with genau wie; 2. Gemeindewiese f; ~place 1. Gemeinplatz m; 2. gewöhnlich; F abgedroschen; ~s (~l) pl. das gemeine Volk; gemeinschaftliche Kost; (mst House of) ♀ Unterhaus n; ~wealth (~wĕlth) Gemeinwesen n, Staat m; bsd. Republiˈk f; the British ♀ der Britische Staatenbund.

commotion (fᵉmoʊˈſhᵉn) Erschütterung f; Aufruhr m; Aufregung f.

communal ☐ (fŏˈmiᵘnl) gemeinschaftlich; Gemeinde...

communicat|e (fᵉmjūˈnᵻˈkᵉt) v/t. mitteilen; v/i. das Abendmahl nehmen, kommunizieren; in Verbindung stehen; ~ion (fᵉmjūˈnᵻˈkeᵻˈſhᵉn) Mitteilung; Verbindung f; ~ive ☐ (fᵉmjūˈnᵻˈkeᵻtĭw) gesprächig.

communion (fᵉmjūˈnᵻˈᵉn) Gemeinschaft f; eccl. Abendmahl n.

communism (fŏˈmiᵘnĭſm) Kommuniˈsmus m.

community (fᵉmjūˈnᵻˈtᵻ) Gemeinschaft; Gemeinde f; Staat m.

commutation (fŏmiᵘteᵉˈſhᵉn) Vertauschung; Uˈmwandlung; Ablösung; Strafmilderung f.

compact 1. (fŏˈmäᵗt) Vertrag m; 2. (fᵉmpäˈt) adj. dicht, fest; knapp, bündig; v/t. fest verbinden.

companion (fᵉmpäˈnᵻᵉn) Gefährt|e m, -in f; Gesellschafter(in); ~ship (~ſhĭp) Gesellschaft f.

company (fᵊˈmpᵉnᵻ) Gesellschaft; Kompanieˈ; Handelsgesellschaft;

Genossenschaft; ⚓ Mannschaft; thea. Truppe f; have ~ Gäste haben; keep ~ with verkehren mit.

compar|able ☐ (fŏˈmpᵉʳbl) vergleichbar; ~ative (fᵉmpäˈrᵉtĭw) ☐ vergleichend; verhältnismäßig; ~e (fᵉmpäᵉˈ) 1. beyond ~ without ~ past ~ unvergleichlich; 2. v/t. vergleichen; gleichstellen (to mit); v/i. sich vergleichen (l.); ~ison (fᵉmpäˈrᵻſn) Vergleich(ung f) m.

compartment (fᵉmpäˈtmᵉnt) Abteilung f; ⚙ Fach; ⛴ Abteil f.

compass (fᵊˈmpᵉ꜀) 1. Bereich; ♪ Umfang; Kompaß; (a pair of) ~es pl. (ein) Zirkel m; 2. herumgehen um; einschließen; erreichen; planen.

compassion (fᵉmpäˈſhᵉn) Mitleid n; ~ate (~ᵻt) mitleidig.

compatible ☐ (fᵉmpäˈtᵉbl) vereinbar, verträglich; schicklich.

compatriot (~trᵻᵉt) Landsmann m.

compel (fᵉmpeˈl) (er)zwingen.

compensat|e (fᵊˈmpᵉn꜀eᵉt) v/t. f. entschädigen; et. ersetzen; ausgleichen; ~ion (fŏmpᵉn꜀eᵉˈſhᵉn) Ersatz m; Ausgleich(ung f) m.

compete (fᵉmpĭˈt) sich mitbewerben (for um); konkurrieren.

competen|ce, ~cy (fŏˈmpᵻtᵉn꜀, ~ꜱᵻ) Befugnis, Zuständigkeit f; Auskommen n; ~t ☐ (~tᵉnt) hinreichend; (leistungs)fähig; fachkundig; berechtigt, zuständig.

competit|ion (fŏmpᵻˈtĭſhᵉn) Mitbeˈwerbung f; Wettbewerb m; ✝ Konkurreˈnz f; ~or (fᵉmpeˈtᵻtᵉ) Mitbeˈwerber(in); Konkurreˈnt(in).

compile (fᵉmpäˈl) zs.-tragen, -stellen (from aus); sammeln.

complacen|ce, ~cy (fᵉmpleᵉˈſnꜱ, ~ꜱnꜱᵻ) Selbstzufriedenheit f.

complain (fᵉmpleᵉˈn) (sich be-)klagen; ~ant (~nt) Kläger(in); ~t Klage, Beschwerde f; ✠ Leiden n.

complement (fŏˈmplĭˈmᵉnt) 1. Ergänzung f; volle Anzahl; ergänzen.

complet|e (fᵉmplĭˈt) 1. ☐ vollständig, ganz; vollkommen; 2. vervollständigen; -kommen; abschließen; ~ion (~ſhᵉn) Vervollständigung; Abschluß m; Erfüllung.

complex (fŏˈmpleᵉᵏ) 1. ☐ zs.-gesetzt; fig. kompliziert; 2. Gesamtheit f, Komple'x m; ~ion (fᵉmpleᵉˈſhᵉn) Aussehen n; Charaˈkter, Zug m; Gesichtsfarbe f; ~ity (~ᵦᵻtᵻ) Kompliziertheit f.

compliance (kᵉmplᵃï'ᵉnß) Einwilligung *f*; Einverständnis *n*; *in* ~ *with* gemäß.

complicate (kŏ'mplᵢkᵉⁱt) verwickeln.

compliment 1. (kŏ'mplᵢmᵉnt) Artigkeit; Schmeichelei *f*; Gruß *m*; **2.** (~mĕnt) *v/t.* (*on*) beglückwünschen (*zu*); *j-m* Artigkeiten sagen.

comply (kᵉmplᵃï') sich fügen; nachkommen, entsprechen (*with dat.*).

component (kᵉmpou'nᵉnt) **1.** Bestandteil *m*; **2.** zs.-setzend.

compos|e (kᵉmpou'ß) zs.-setzen; komponieren, verfassen; ordnen; beruhigen; *typ.* setzen; ~ed □ (~ᵈ) ruhig, gesetzt; ~er (~ᵉ) Komponist (-in); Dichter(in); ~ition (kŏmpᵉßⁱ'-ſchᵉn) Zs.-setzung; Abfassung; Kompositio'n *f*; (Schrift)Satz; Aufsatz; † Vergleich *m*; ~ure (kᵉmpou'Gᵉ) Fassung, Gemütsruhe *f*.

compound 1. (kŏ'mpaūnd) zs.-gesetzt; ~ *interest* Zinseszinsen *m/pl.*; **2.** zs.-setzung, Verbindung *f*; **3.** (kᵉmpaū'nd) *v/t.* zs.-setzen; *Streit* beilegen; *v/i.* sich einigen.

comprehend (kŏmprⁱhĕ'nd) in sich fassen; begreifen.

comprehen|sible □ (kŏmprⁱhĕ'nßᵉbl) faßlich; ~sion (~ſchᵉn) Verständnis *n*; Fassungskraft *f*; ~sive □ (~ßⁱw) umfa'ssend.

compress (kᵉmprĕ'ß) zs.-drücken; ~ed air Druckluft *f* ~ion (kᵉmprĕ'ſchᵉn) *phys.* Verdichtung *f*; ⊕ Druck *m*.

comprise (kᵉmprᵃï'ſ) in sich fassen, einschließen, enthalten.

compromise (kŏ'mprᵉmᵃïſ) **1.** Kompromi'ß *n* (*m*); **2.** *v/t. Streit* beilegen; bloßstellen; *v/i.* e-n Kompromiß schließen.

compuls|ion (kᵉmpᵃʌ'lſchᵉn) Zwang *m*; ~ory (~ßᵉrⁱ) zwingend; Zwangs...

comput|ation (kŏmpⁱutᵉⁱ'ſchᵉn)(Be-)Rechnung *f*; ~e (kᵉmpjū't) (be-, er-)rechnen; schätzen.

comrade (kŏ'mrᵃⁱd) Kamera'd *m*.

con (kŏn) *abbr.* = *contra* wider.

conceal (kᵉnßⁱ'l) verbergen; *fig.* verhehlen, -heimlichen, -schweigen.

concede (kᵉnßⁱ'd) zugestehen; einräumen; gewähren; nachgeben.

conceit (kᵉnßⁱ't) Einbildung *f*; ~ed □ (~ⁱd) eingebildet (*of auf acc.*).

conceiv|able □ (kᵉnßⁱ'wᵉbl) denkbar; begreiflich; ~e (kᵉnßⁱ'w) *v/i.* empfangen (*schwanger w.*); sich

denken (*of acc.*); *v/t. Kind* empfangen; sich denken; aussinnen.

concentrate (kŏ'nßĕntrᵉⁱt) (sich) zs.-ziehen, (sich) konzentrieren.

conception (kᵉnßĕ'pſchᵉn) Begreifen *n*; Vorstellung *f*, Begriff *m*, Idee *f*; *biol.* Empfängnis *f*.

concern (kᵉnßö'n) **1.** Angelegenheit *f*; Intere'sse *n*; Sorge; Beziehung *f* (*with zu*); † Geschäft *n*, (industrie'l-les) Unterne'hmen; **2.** betreffen, angehen, interessieren; ~ *o. s. about*, *for* sich kümmern um; *be* ~*ed in* Betracht kommen; ~ed □ (~ᵈ) interessiert, beteiligt (*in an dat.*); bekümmert; ~ing (~ⁱnᵍ) *prp.* betreffend, über, wegen, hinsichtlich.

concert 1. (kŏ'nßᵉt) Konze'rt; Einverständnis *n*; **2.** (kᵉnßö't) sich einigen, verabreden; ♪ ~*ed* mehrstimmig.

concession (kᵉnßĕ'ſchᵉn) Zugeständnis *n*; Erlaubnis *f*.

conciliat|e (kᵉnßⁱ'lⁱᵉⁱt) aus-, söhnen; ausgleichen; ~or (~ᵉ) Vermittler *m*.

concise □ (kᵉnßᵃï'ß) kurz, bündig, knapp; ~ness (~nᵉß) Kürze *f*.

conclude (kᵉnklū'd) schließen; beschließen; abschließen; folgern; *to be* ~*d* Schluß folgt; sich entscheiden.

conclusi|on (kᵉnklū'Gᵉn) Schluß *m*; Ende *n*; Abschluß *m*; Folgerung *f*; Beschluß *m*; ~ve □ (~ßⁱw) schlüssig, endgültig.

concoct (kᵉnkŏ'kt) zs.-brauen; *fig.* aussinnen; ~ion (kᵉnkŏ'kſchᵉn) Gebräu; *fig.* Aushecken *n*.

concord (kŏ'nᵏŏd) Eintracht; Überei'nstimmung; ♪ Harmonie' *f*; ~ant □ (kᵉnᵏŏ'dᵉnt) überei'nstimmend; einstimmig; ♪ harmonisch.

concrete (kŏ'nᵏrït) **1.** □ konkre't; **2.** Beto'n *m*; **3.** (kᵉnᵏrⁱ't) *zu e-r Masse* verbinden; (kŏ'nᵏrⁱt) betonieren.

concur (kᵉnᵏö') zs.-treffen, -wirken; überei'nstimmen; ~rence (kᵉnᵏᵃ'rᵉnß) Zusammentreffen *n*; Überei'nstimmung *f*; Mitwirkung *f*.

condemn (kᵉndĕ'm) verdammen; verurteilen; verwerfen; ~ation (kŏ'ndĕmnᵉⁱ'ſchᵉn) Verurteilung; Verwerfung *f*.

condens|ation (kŏ'ndĕnßᵉⁱ'ſchᵉn) Verdichtung *f*; ~e (kᵉndĕ'nß) (sich) verdichten; ⊕ kondensieren; zs.-drängen.

condescen|d (kŏndĭßĕ'nd) sich herablassen; geruhen; **~sion** (~ßĕ'nʃchⁿn) Herablassung f.

condiment (kŏ'ndĭmⁿnt) Würze f.

condition (kⁿndĭ'ʃchⁿn) 1. Zustand, Stand m; Stellung, Bedingung f; **~s** pl. Verhältnisse n/pl.; 2. bedingen; in e-n geeigneten Zustand bringen; **~al** □ (~l) bedingt (**[up]on** durch).

condol|e (kⁿndoᵘ'l) kondolieren (**with** dat.); **~ence** (~'nß) Beileid n.

conduc|e (kⁿndjū'ß) führen, dienen; **~ive** (~ĭw) dienlich, förderlich.

conduct 1. (kŏ'ndⁿkt) Führung f; 2. (kⁿndʌ'kt) führen; **~ion** (~ʃchⁿn) Leitung f; **~or** (kⁿndʌ'ktⁿr) Führer; Leiter; Schaffner; Am. ⚒ Zugführer; ♪ Dirige'nt m.

conduit (kŏ'ndiᵘĭt, kŏ'ndĭt) Röhre f.

cone (koᵘn) Kegel; ♣ Zapfen m.

confabulation (kⁿnfäbiᵘleⁱ'ʃchⁿn) Plauderei f.

confection (kⁿnfĕ'kʃchⁿn) Konfe'kt n; **~er** (~ⁿr) Kondi'tor m; **~ery** (~ⁿri) Konditorei' f; Konditorwaren f/pl.

confedera|cy (kⁿnfĕ'dⁿrⁿßĭ) Bündnis n; **~te** 1. (~rĭt) verbündet; 2. (~rĕⁱt) Bundesgenosse m; 3. (~reⁱt) (sich) verbünden; **~tion** (kⁿnfĕdⁿreⁱ'ʃchⁿn) Bund m, Bündnis f.

confer (kⁿnfö'r) v/t. übertra'gen, verleihen; v/i. sich besprechen; **~ence** (kŏ'nfⁿrⁿnß) Konfere'nz f.

confess (kⁿnfĕ'ß) bekennen, gestehen; beichten; **~ion** (~ʃchⁿn) Bekenntnis n; Beichte f; **~ional** (~ʃchⁿnl) Beichtstuhl m; **~or** (~ßⁿ) Bekenner; Beichtvater m.

confide (kⁿnfaⁱ'd) anvertrauen; vertrauen (**in auf** acc.); **~nce** (kŏ'nfĭdⁿnß) Vertrauen n; Zuversicht f; **~nt** □ (kŏ'nfĭdⁿnt) vertrauend; dreist; **~ntial** □ (kŏnfĭdĕ'nʃchⁿl) vertraulich.

confine (kⁿnfaⁱ'n) begrenzen; beschränken; einsperren; **be ~d** niederkommen (**of** mit); **~ment** (~mⁿnt) Haft; Beschränkung; Wochenbett n.

confirm (kⁿnfö'm) (be)kräftigen; bestätigen; konfirmieren; firmen; **~ation** (kŏnfⁿmeⁱ'ʃchⁿn) Bestätigung; Konfirmatio'n, Firmung f.

confiscat|e (kŏ'nfĭßkeⁱt) beschlagnahmen; **~ion** (kŏnfĭßkeⁱ'ʃchⁿn) Beschlagnahme f.

conflagration (kŏnflⁿgreⁱ'ʃchⁿn) großer Brand, Feuersbrunst f.

conflict 1. (kŏ'nflĭkt) Konfli'kt m; 2. (kⁿnflĭ'kt) im Konflikt stehen.

conflu|ence (kŏ'nfluⁿnß) Zs.-fluß; Auflauf m; **~ent** (~fluⁿnt) 1. zs.-fließend, zs.-laufend; 2. Zu-, Neben-fluß m.

conform (kⁿnfŏ'm) (sich) anpassen; **~able** □ (~bl) (**to**) überei'nstimmend (**mit**); entsprechend (dat.), nachgiebig (dat.); **~ity** (~mĭtĭ) Überei'nstimmung f.

confound (kⁿnfaᵘ'nd) vermengen; verwechseln; j. verwirren.

confront (kⁿnfrʌ'nt) gegenüberstellen; entgegentreten (**with** dat.).

confus|e (kⁿnfjū'ß) verwechseln; verwirren; **~ion** (kⁿnfjū'G̑ⁿn) Verwirrung; Verwechselung f.

confut|ation (kŏnfiᵘteⁱ'ʃchⁿn) Widerle'gung f; **~e** (kⁿnfjū't) widerle'gen.

congeal (kⁿndG̑ī'l) erstarren (lassen).

congenial □ (kⁿndG̑ī'nⁱⁿl) (geistes-)verwandt (**with** dat.); entsprechend.

congestion (kⁿndG̑ĕ'ßtʃchⁿn) Blutandrang m; Stauung f.

conglomeration (kŏnglŏ'mⁿreⁱ''-ʃchⁿn) Anhäufung f; Konglomera'tn.

congratulat|e (kⁿngrä'tiᵘleⁱt) beglückwünschen; gratulieren; **~ion** (kⁿngrätiᵘleⁱ'ʃchⁿn) Glückwunsch m.

congregat|e (kŏ'ngrĭgeⁱt) (sich) (ver)sammeln; **~ion** (kŏnⁿgrĭgeⁱ'-ʃchⁿn) Versammlung; eccl. Gemeinde f.

congress (kŏ'nⁿgrĕß) Kongre'ß m.

congruous □ (kŏ'nⁿgruⁿß) angemessen (**to** für); überei'nstimmend; folgerichtig.

conifer (koᵘ'nĭfⁿr) Nadelholzbaum m.

conjecture (kⁿndG̑ĕ'ktʃchⁿr) 1. Mutmaßung f; 2. mutmaßen.

conjoin (kⁿndG̑ŏⁱ'n) (sich) verbinden; sich (~t) verbunden.

conjugal □ (kŏ'ndG̑ᵘgⁿl) ehelich.

conjunction (kⁿndG̑ʌ'nⁿßʃchⁿn) Verbindung f.

conjur|e 1. (kⁿndG̑uⁿ') v/t. beschwören, inständig bitten; 2. (kʌ'ndG̑ⁿ) v/t. beschwören; et. wohin zaubern; v/i. zaubern; **~er**, **~or** (~rⁿ) Beschwörer(in); Zauber|er m, -in f; Taschenspieler(in).

connect (kⁿnĕ'kt) verbinden; ⚡ schalten; **~ed** □ (~'ĭd) verbunden; zs.-hängend (Rede usw.); **be ~ with** in Verbindung stehen mit j-m; **~ion** (~ʃchⁿn) s. connexion.

connexion (kⁿnĕ'kʃchⁿn) Verbindung f; (a. ⚒, ⚡) Anschluß; Zs.-hang m; Verwandtschaft f.

connive (tᵉnāi'w): ~ at ein Auge zudrücken bei.

connoisseur (tŏnⁱᵬŏ') Kenner(in).

connubial □ (tᵉnjūᵇⁱᵉl) ehelich.

conquer (tŏ'nⁱᵉⁱᵉ) erobern; (be)sie-
gen; ~able (~rᵉbl) besiegbar; ~or
(~rᵉ) Eroberer(in); Sieger(in).

conquest (tŏ'nⁱᵘᵉ̆ʈ) Eroberung;
Errungenschaft f; Sieg m.

conscience (tŏ'nⁱᶜʰᵉᵬ) Gewissen n.

conscientious □ (tŏnⁱᶜʰⁱᵉ'nⁱᶜʰᵉᵬ)
gewissenhaft; Gewissen...; ~ness
(~nⁱᵬ) Gewissenhaftigkeit f.

conscious □ (tŏ'nⁱᶜʰᵉᵬ) bewußt;
~ness (~nⁱᵬ) Bewußtsein n.

conscript ✕ (tŏ'nᵬᵏrⁱpt) Wehr-
pflichtige(r) m; ~ion ✕ (tᵉnᵬᵏrⁱ'p-
ⁱᶜʰᵉⁿ) Wehrpflicht f.

consecrate (tŏ'nᵬᵏᵏreⁱt) weihen,
einsegnen; heiligen; widmen; ~ion
(tŏnᵬᵏᵏreⁱ'ᶜʰᵉⁿ) Weihung f usw.

consecutive □ (tᵉnᵬᵉ̆'tⁱᵘⁱw) auf-ea.-
folgend; fortlaufend; folgerichtig.

consent (tᵉnᵬᵉ̆'nt) 1. Zustimmung f;
2. einwilligen, zustimmen (dat.).

consequence (tŏ'nᵬⁱᵘᵉᵬ) (to)
Folge (für); Wirkung f (auf acc.);
Einfluß m (auf acc.); Bedeutung f
(für); ~t (~ᵘᵉnt) 1. folgend; 2. Fol-
ge(rung) f; ~tial □ (tŏnᵬⁱᵘᵉ'nⁱᶜʰᵉl)
wichtigtuend; ~tly (tŏ'nᵬⁱᵘᵉntlⁱ)
folglich, daher.

conservation (tŏnᵬᵉweⁱ'ᶜʰᵉⁿ) Erhaltung f; ~ative □ (tᵉnᵬŏ'wᵉtⁱw)
1. erhaltend (of acc.); konservati'v;
vorsichtig; 2. Konservati've(r) m;
~atory (~trⁱ) Treib-, Gewächs-
haus n; ♪ Konservato'rium n; ~e
(tᵉnᵬŏ'w) erhalten.

consider (tᵉnᵬⁱ'dᵉ) v/t. betrachten,
erwägen; überle'gen; in Betracht
ziehen; berücksichtigen; meinen,
glauben; v/i. überle'gen; ~able □
(~rᵉbl) ansehnlich, beträchtlich;
~ate □ (~rⁱt) rücksichtsvoll; ~ation
(tᵉnᵬŏrᵉⁱ'ᶜʰᵉⁿ) Betrachtung, Erwägung, Überle'gung f; (Beweg-)
Grund m; Rücksicht; Wichtigkeit
f; Entschädigung f; Entgelt n; on
no ~ unter keinen Umständen; ~ing
□ (tᵉnᵬⁱ'dᵉrⁱⁿᵬ) prp. in Anbetracht
(gen.).

consign (tᵉnᵬāⁱ'n) über-ge'ben, -lie'-
fern; anvertrauen; konsignieren;
~ment (~mᵉnt) Überse'ndung; ✝
Konsignatio'n f.

consist (tᵉnᵬⁱ'ᵬt) bestehen (of aus);
~ence, ~ency (~nᵬ, ~ⁿᵬⁱ) Festig-

keit(sgrad m), Dichtigkeit; Überei'nstimmung; Konseque'nz f; ~ent
□ (~ⁿt) fest; überei'nstimmend,
vereinbar (with mit); konseque'nt.

consolation (tŏnᵬᵉleⁱ'ᶜʰᵉⁿ) Trost
m; ~e (tᵉnᵬŏᵘ'l) trösten.

consolidate (tᵉnᵬŏ'lⁱbeⁱt) festigen;
vereinigen; zs.-legen.

consonance (tŏ'nᵬᵉⁿᵉnᵬ) Konso-
na'nz; Überei'nstimmung f; ~t
(~ⁿᵉnt) □ überei'nstimmend.

consort (tŏ'nᵬŏt) Gemahl(in).

conspicuous □ (tᵉnᵬpⁱ'tⁱᵘᵉᵬ) sichtbar; auffallend; hervorragend.

conspiracy (tᵉnᵬpⁱ'rᵉᵬⁱ) Verschwö-
rung f; ~ator (~tᵉ) Verschwörer m;
~e (tᵉnᵬpⁱᵘᵉ') sich verschwören.

constable (tᴧ'nᵬtᵉbl) Schutzmann
m; ~ulary (tᵉnᵬtᵃ'bⁱᵘᵉrⁱ) Schutz-
mannschaft, Polizei' f.

constancy (tŏ'nᵬtᵉnᵬⁱ) Standhaftig-
keit; Beständigkeit f; ~t (tŏ'nᵬtᵉnt)
□ beständig, fest; unveränderlich.

consternation (tŏnᵬtᵉneⁱ'ᶜʰᵉⁿ) Bestürzung f.

constipation ☛ (tŏnᵬtⁱpeⁱ'ᶜʰᵉⁿ)
Verstopfung f.

constituency (tᵉnᵬtⁱ'tⁱᵘᵉnᵬⁱ) Wäh-
lerschaft f; Wahlkreis m; ~t (~ᵉnt)
1. wesentlich; konstituierend; 2. we-
sentlicher Bestandteil; Wähler m.

constitute (tŏ'nᵬtⁱtjūt) ein-, errichten; ernennen; bilden, ausmachen; ~ion (tŏnᵬtⁱtjū'ᶜʰᵉⁿ) Ein-,
Er-richtung; Bildung f; Körperbau m; Verfassung f; ~ional (~l) □
konstitutione'll; natürlich; verfas-
sungsmäßig.

constrain (tᵉnᵬtreⁱ'n) zwingen; et.
erzwingen; ~t (~t) Zwang m.

constrict (tᵉnᵬtrⁱ'ᵏt) zs.-ziehen;
~ion (tᵉnᵬtrⁱ'ᶜʰᵉⁿ) Zs.-ziehung f.

construct (tᵉnᵬtrᵃ'ᵏt) bauen, errichten; fig. bilden; ~ion (~ᴧᶜʰᵉⁿ) Zs.-
setzung f; Bau m; Auslegung f;
~ive (~tⁱw) aufbauend, schöpferisch, bildend; Bau...; ~or (~tᵉ) Erbauer m.

construe (tᵉnᵬtrū') gr. konstruieren;
auslegen, auffassen; überse'tzen.

consul (tŏ'nᵬᵉl) Konsul m; ~ general Genera'lkonsul m; ~ate (tŏ'nᵬⁱᵘ-
lⁱt) Konsula't n.

consult (tᵉnᵬᵃ'lt) v/t. um Rat fragen;
v/i. sich beraten; ~ation (tŏnᵬᵉl-
teⁱ'ᶜʰᵉⁿ) Beratung; Rücksprache f;
~ative (tᵉnᵬᵃ'ltᵉtⁱw) beratend.

consum|e (tᵉnᵬjū'm) v/t. verzehren; verbrauchen; vergeuden; ~er (~ᵉ) Verbraucher; Abnehmer m.

consummate 1. □ (tᵉnᵬa'mᵗt) vollendet; 2. (tᵒ'nᵬameᵗt) vollenden.

consumpti|on (tᵉnᵬa'mpʃᵉn) Verbrauch m; ⚕ Schwindsucht f; ~ve □ (~tiw) verzehrend; schwindsüchtig.

contact (tŏ'ntäkt) 1. Berührung f; Konta'kt m; 2. Am. Fühlung nehmen mit.

contagi|on ⚕ (tᵉnteᵗ'ᵭGᵉn) Ansteckung; Verseuchung; Seuche f; ~ous □ (~ᵭGᵉʒ) ansteckend.

contain (tᵉnteᵗn) (ent)halten, (um-)fa'ssen; ~ o.s. an sich halten; ~er (~ᵉ) Behälter m.

contaminate (tᵉntä'mᵗneᵗt) verunreinigen; fig. anstecken, vergiften.

contemplat|e (tᵒ'ntĕmpleᵗt) fig. betrachten; beabsichtigen; ~ion (tŏntĕmpleᵗ'ʃᵉn) Betrachtung f; Nachsinnen n; ~ive □ (tᵉntĕ'mpleᵗtiw) beschaulich.

contempora|neous □ (tᵉntĕmpᵉreᵗ'nᵗeᵬ) gleichzeitig; ~ry (tᵉntĕ'mpᵉrᵉri) 1. zeitgenössisch; gleichzeitig; 2. Zeitgenoss|e m, -in f.

contempt (tᵉnte'mpt) Verachtung f; ~ible □ (~ᵬl) verächtlich; ~uous □ (~juᵉᵬ) geringschätzig; verächtlich.

contend (tᵉnte'nd) v/i. streiten, ringen (for um); v/t. behaupten.

content (tᵉnte'nt) 1. zufrieden; 2. befriedigen; 3. Zufriedenheit f; 4. (tŏ'ntĕnt) Umfang; Inhalt m; ~ed □ (tᵉntĕ'ntᵉd) zufrieden; genügsam.

contention (tᵉnte'nʃᵉn) (Wort-)Streit; Wetteifer m.

contentment (tᵉntĕ'ntmᵉnt) Zufriedenheit, Genügsamkeit f.

contest 1. (tŏ'ntĕʃt) Streit; Wettkampf m; 2. (tᵉntĕ'ʃt) (be)streiten; anfechten; um et. streiten.

context (tŏ'ntĕkʃt) Zusammenhang m.

contiguous □ (tᵉntí'gjuᵉᵬ) anstoßend (to an acc.); benachbart.

continent (tŏ'ntᵗnᵉnt) 1. □ enthaltsam; mäßig; 2. Erdteil m; Festlandn.

contingen|cy (tᵉntí'nᵭGᵉnᵬi) Zufälligkeit f; Zufall m; Möglichkeit f; ~t (~ᵭG'ᵉnt) 1. □ zufällig; möglich (to bei); 2. ⚔ Kontinge'nt n.

continu|al □ (tᵉntí'nᵗueᵗl) fortwährend, unaufhörlich; ~ance (~juᵉnᵬ) (Fort-)Dauer f; ~ation (tᵉntínᵗu-eᵗ'ʃᵉn) Fortsetzung f; ~e (tᵉntí'n-

jū) v/t. fortsetzen; beibehalten; to be ~d Fortsetzung folgt; v/i. fortdauern; fortfahren; ~ity (tŏntᵗ-juᵗ'tí) Zs.-hang m; ~ous □ (tᵉntí'nᵗueᵬ) ununterbro'chen.

contort (tᵉntŏ't) verdrehen; verzerren; ~ion (tᵉntŏ'ʃᵉn) Verdrehung; Verzerrung f.

contour (tŏ'ntuᵉ) Umriß m.

contraband (tŏ'ntrᵉbänd) Schmuggelware f; Schleichhandel m.

contract 1. (tᵉnträ'ʃt) v/t. zs.-ziehen; sich et. zuziehen; Schulden machen; Heirat usw. (ab)schließen; v/i. einschrumpfen; e-n Vertrag schließen; sich verpflichten; 2. (tŏ'nträkt) Kontra'kt, Vertrag m; ~ion (~ʃᵉn) Zs.-ziehung f usw.; ~or (~tᵉ) Unterne'hmer; Lieferant m.

contradict (tᵒntrᵉdí'kt) widerspre'chen (dat.); ~ion (tŏntrᵉdí'kʃᵉn) Widerspruch m; ~ory □ (~tᵉri) (sich) widerspre'chend.

contrar|iety (tŏntrᵉräí'tí) Widerspruch m; Widrigkeit f; ~y (tŏ'ntrᵉri) 1. entgegengesetzt; widrig; ~ to prp. zuwider, gegen; 2. Gegenteil n; on the ~ im Gegenteil.

contrast 1. (tŏ'nträʃt) Gegensatz m; 2. (tᵉnträ'ʃt) v/t. gegenü'berstellen; v/i. abstechen (with von).

contribut|e (tᵉntrí'bjut) v/t. u. v/i. beitragen; ~ion (tŏntrᵗbjū'ʃᵉn) Beitrag m; ~or (tᵉntrí'biuᵗᵉ) Beitragende(r); Mitarbeiter(in); ~ory □ (~tᵉri) beitragend.

contrit|e (tŏ'ntraᵗt) reuevoll; ~ion (tᵉntrí'ʃᵉn) Zerknirschung f.

contriv|ance (tᵉnträí'wᵉnᵬ) Erfindung f; Plan m; Vorrichtung f; Kunstgriff m; ~e (tᵉnträí'w) v/t. ersinnen; planen; zuwegebringen; v/i. es fertig bringen (to inf. zu); ~er (~ᵉ) Erfinder(in).

control (tᵉntroᵘ'l) 1. Kontrolle, Aufsicht; Gewalt; Zwangswirtschaft; Kontrollvorrichtung; Steuerung f; 2. einschränken; beaufsichtigen; überwa'chen; beherrschen; (nach-)prüfen; ~ler (~ᵉ) Kontrolleu'r, Aufseher; Leiter; Rechnungsprüfer m.

controver|sial □ (tŏntrᵉwŏ'ʃᵉl) streitig; ~sy (tŏ'ntrᵉwŏᵬí) Streit (-frage f) m; ~t (tŏ'ntrᵉwŏt) bestreiten.

contumacious □ (tŏntᵗumeᵗ'ʃᵉᵬ) widerspenstig; ⚖ ungehorsam.

contumely (tŏ'ntᵗumlí) Schmach f.

convalesce (kŏnwᵉlĕ'ß) genesen; ~nce (~nß) Genesung f; ~nt (~nt) 1. □ genesend; 2. Genesende(r).

convene (tᵉnwi'n) (sich) versammeln; zs.-rufen; ᵢⁱₐ vorladen.

convenien|ce (tᵉnwi'nіᵉnß) Bequemlichkeit; Angemessenheit f; at your earliest ~ umgehend; ~t □ (~jᵉnt) bequem; passend; brauchbar.

convent (kŏ'nwᵉnt) (Nonnen-)Kloster n; ~ion (~jɔ̃ʰⁿ) Versammlung f; Konventio'n f; Überei'nkommen n, Vertrag m; Herkommen n.

converg|e (tᵉnwŏ'ʤQ) konvergieren, zs.-laufen (lassen).

convers|ant (kŏnwŏ'ßᵉnt) vertraut; ~ation (kŏnwᵉkᵉⁱᶜ͡hᵉⁿ) Unterha'ltung f; ~ational (~l) Unterha'ltungs...; ~e (tᵉnwŏ'ß) sich unterha'lten; ~ion (tᵉnwŏ'ᶜ͡hᵉⁿ) Um-, Ver-wandlu'ng; ⊕, ⚡ Umformung; eccl. Bekehrung f † Konvertierung; Umstellung f e-r Währung usw.

convert 1. (kŏ'nwŏt) Bekehrte(r); 2. (tᵉnwŏ't) (sich) um-, verwandeln; ⊕, ⚡ umformen; eccl. bekehren; † konvertieren; Währung usw. umstellen; ~er (~ᵉr) ⊕, ⚡ Umformer m; ~ible (~ᵉbl) um-, ver-wandelbar; † umsetzbar; umstellbar.

convey (tᵉnweⁱ) befördern, bringen; schaffen; übermi'tteln; mitteilen; ausdrücken; übertra'gen; ~ance (~ⁿß) Beförderung; † Speditio'n; Übermi'ttlung f; Verkehrsmittel; Fuhrwerk n; Übertra'gung f; ~or ⊕ (~ᵉ) (od. ~ belt) Förderband n.

convict 1. (kŏ'nwĭtt) Sträfling m; 2. (tᵉnwi'tt) j. überfü'hren; ~ion (tᵉnwi'łᶜ͡hᵉⁿ) ᵢⁱₐ Überfü'hrung; Überzeu'gung f (of von).

convince (tᵉnwi'nß) überzeu'gen.

convocation (kŏnwᵉłeⁱᶜ͡hᵉⁿ) Einberufung; Versammlung f.

convoke (tᵉnwoᵘ't) einberufen.

convoy 1. (kŏ'nwŏl) Geleit n; (Geleit-)Zug m; 2. (tᵉnwŏl') geleiten.

convuls|ion (tᵉnwɑ'łᶜ͡hᵉⁿ) Zuckung f, Krampf m; ~ive □ (~ßiw) krampfhaft.

coo (tū) girren, gurren.

cook (tŭł) 1. Koch m; Köchin f; 2. kochen; Bericht usw. frisieren; ~ery (tŭ'łᵉrl) Kochen n; Kochkunst f; ~ie Am. (tŭ'łĭ) Keks m (n); ~ing (tŭ'fĭnɡ) Koch...

cool (tŭl) 1. □ kühl; fig. kaltblütig,

gelassen; b. s. unverfroren; 2. Kühle f; 3. (sich) abkühlen.

coolness (tū'lnⁱß) Kühle (a. fig.); Kaltblütigkeit f.

coop (tūp) 1. Hühnerkorb m; 2. ~ up od. in einsperren.

cooper (tū'pᵉ) Böttcher; Küfer m.

co-operat|e (toᵘŏ'pᵉreⁱt) mitwirken; ~ion (toᵘŏ'ᵉreⁱᶜ͡hⁿ) Mitwirkung; Zs.-arbeit f; ~ive (toᵘŏ'pᵉreⁱtĭw) zs.-wirkend; ~ society Konsumverein m; ~or (~reⁱtᵉ) Mitarbeiter m.

co-ordinat|e 1. □ (toᵘŏ'dⁱnⁱt) gleichgeordnet; 2. (~neⁱt) koordinieren; gleichordnen; auf-ea. einstellen; ~ion (toᵘŏ'dⁱneⁱ''ᶜ͡hᵉⁿ) Gleichordnung f.

cope (toᵘp): ~ with sich messen mit, fertig werden mit.

copious (tō'ᵘpⁱᵉß) reich(lich); weitschweifig; ~ness (~nⁱß) Fülle f.

copper (tō'pᵉ) 1. Kupfer n; Kupfer-münze f; 2. kupfern; Kupfer...; ~y (~rl) kupferig.

coppice, copse (tō'pĭß, tŏpß) Unterholz, Dickicht n.

copy (tō'pl) 1. Kopie'; Nachbildung; Abschrift f; Durchschlag m; Muster; Exempla'r n e-s Buches; 2. kopieren: abschreiben; nachbilden, nachahmen; ~-book Schreibheft n; ~ing (tō'pⁱⁱnɡ) Kopie'r...; ~ist (tō'pⁱ̂ißt) Abschreiber; Nachahmer m; ~right (~rᵃlt) Verlagsrecht n.

coral (tō'rᵉl) Kora'lle f.

cord (tŏd) 1. Schnur f, Strick m; anat. Strang m; 2. (zu)schnüren, binden; ~ed (tŏ'dⁱd) gerippt.

cordial (tŏ'dⁱᵉl) 1. □ herzlich; herz-stärkend; 2. Magenlikö'r m; ~ity (tŏdᵗ̂ɑ'lⁱtl) Herzlichkeit f.

cordon (tŏ'dᵉⁿ) 1. Postenkette f; 2. ~ off ab-riegeln, -sperren.

corduroy (tŏ'dᵉrŏl) Kord(stoff) m; ~s pl. Manchesterhosen f/pl.

core (tŏ) 1. Kerngehäuse n; fig.: Herz n; Kern m; 2. entkernen.

cork (tŏł) 1. Kork m; 2. (ver)korken; ~-jacket Schwimmweste f; ~screw Kork(en)zieher m.

corn (tŏn) 1. Korn; Getreide n; Am. Mais m; Hühnerauge n; 2. ein-pökeln.

corner (tŏ'nᵉ) 1. Ecke f, Winkel m; fig. Enge f; † Aufkäufer-Ring m; 2. Eck...; 3. in die Ecke (fig. Enge) treiben; † aufkaufen; ~ed (~d) ...eckig

cornet (kŏ'nĭt) ♪ (kleines) Horn.

cornice (kŏ'nĭs) △ Gesims n.

coron|ation (kŏr⁴neʰ'ʃⁱⁿⁿ) Krönung f; **~er** (kŏ'r⁴n⁴) Leichenbeschauer m; **~et** (~nⁱt) Adelskrone f.

corpor|al (kŏ'p⁴r⁴l) 1. □ körperlich; 2. ✕ Korpora'l m; **~ation** (kŏp⁴reʰ'-ʃⁱʰⁿ) Körperschaft, Innung; (Stadt-)Gemeinde; Am. Aktiengesellschaft f.

corpse (kŏp̄s) Leichnam.

corpulen|ce, ~cy (kŏ'pⁱᵘ[ⁿⁿ][ⁱ]) Beleibtheit f; **~t** (~l⁴nt) beleibt.

corral Am. (kŏrä'l) 1. Einzäunung f; 2. ein-zäunen, -schließen.

correct (t⁴rĕ'ft) 1. adj. □ korrekt, richtig; 2. v/t. korrigieren; zurechtweisen; strafen; **~ion** (t⁴rĕ'ʃ⁴n) Berichtigung f; Verweis m; Strafe; Korrektu'r f; house of **~** Besserungsanstalt f, Zuchthaus n.

correlate (kŏ'r⁴leʰt) in Wechselbeziehung stehen od. bringen.

correspond (kŏr̄ᵖ̄ō'nd) entsprechen (with, to dat.); korrespondieren; **~ence** (~nⁿ) Überei'nstimmung f; Briefwechsel m; **~ent** (~nt) 1. □ entsprechend; 2. Briefschreiber(in); Korresponde'nt(in).

corridor (kŏ'r̄ĭd̄ō) Korridor; Gang m; **~ train** D-Zug m.

corroborate (k⁴rŏ'b⁴reʰt) stärken; bestätigen.

corro|de (t⁴roᵘ'd) zerfressen; weg-ätzen; **~sion** (t⁴roᵘ'Q⁴n) Ätzen, Zerfressen n; Rost m; **~sive** (~ṣ̄ĭw) 1. □ zerfressend, ätzend; 2. Ätzmittel n.

corrugate (kŏ'r̄ᵘgeʰt) runzeln; ⊕ riefen; **~d iron** Wellblech n.

corrupt (t⁴r̄ɑ'pt) 1. □ verdorben; verderbt; bestechlich; 2. v/t. verderben; bestechen; anstecken; v/i. (ver)faulen, verderben; **~ible** □ (t⁴r̄ɑ'pt⁴b̄l) verderblich; bestechlich; **~ion** (t⁴r̄ɑ'pʃ⁴n) Verderbnis, Verdorbenheit (a. fig.); Fäulnis, Bestechung f.

corsage (kŏṣ̄ā'Q) Taille f, Mieder n.

corset (kŏ'ṣ̄ĭt) Korse'tt n.

co-signatory (toᵘ'ṣ̄ĭ'gn⁴t⁴rl) 1. mitunterzeichnend; 2. Mitunterzeichner m.

cosmetic (kŏṣ̄mĕ'tⁱk) 1. kosmetisch; 2. Schönheitsmittel n; Kosmetik f.

cosmopolit|an (kŏṣ̄mŏpŏ'lⁱt⁴n), **~e** (kŏṣ̄mŏ'p⁴läĭt) 1. kosmopoli'tisch; 2. Weltbürger(in).

cost (kŏṣ̄t) 1. Preis m; Kosten pl.; Schaden m; first od. prime **~** Anschaffungskosten pl.; 2. [irr.] kosten.

cost|liness (kŏ'ṣ̄tⁱⁿⁱ̄ṣ̄) Kostbarkeit f; **~y** (~̄lⁱ) kostbar; kostspielig.

costume (kŏ'ṣ̄tⁱⁱᵘm) Kostü'm n.

cosy (koᵘ'ṣ̄ⁱ) 1. □ behaglich, gemütlich; 2. Tee-, Kaffee-wärmer m.

cot (kŏt) Feldbett n; ♣ Hängematte mit Rahmen; Wiege f.

cottage (kŏ'tⁱd̄Q) Hütte f; (Land-)Häus-chen n; Am. Sommerwohnung f; **~ piano** Pianino n.

cotton (kŏ'tⁿ) 1. Baumwolle f; ✝ Kattu'n m; Näh-Garn n; 2. baumwollen; Baumwoll...; **~ wool** Watte f; 3. F sich vertragen; sich anschließen.

couch (kⁱᵃuⁱtⁱʃ) 1. Lager n; Chaiselongue; Schicht f; 2. v/t. Meinung usw. ausdrücken; Schriftsatz usw. abfassen; den Star stechen; v/i. sich (nieder)legen; versteckt liegen; kauern.

cough (kŏf) 1. Husten m; 2. husten.

could (kⁱᵘd) konnte, könnte.

council (kⁱᵃuⁿ̄ḡl) Rat(sversammlung f); Am. Sena't m; **~(l)or** (~ⁱᵇⁱ[⁴]) Ratsmitglied n, Ratsherr m.

counsel (kⁱᵃuⁿⁱₕ⁴l) 1. Beratung f; Rat(schlag); ᵍₜ Anwalt m; **~ for the prosecution** Anklagevertreter m; 2. j. beraten; j-m raten; **~(l)or** (~⁴ⁿᵉ) Ratgeber(in); Anwalt; Ratsherr m.

count¹ (kⁱᵃuⁿt) 1. Rechnung; Zahl f; ᵍₜ Anklagepunkt m; 2. v/t. zählen; rechnen; mit(ein)rechnen; fig. halten für; v/i. zählen; rechnen; gelten (for little wenig).

count² (kⁱᵃuⁿt) nichtenglischer Graf.

countenance (kⁱᵃuⁿtⁱⁿ̄s) 1. Gesicht n, Fassung; Unterstü'tzung f; 2. begünstigen, unterstü'tzen.

counter¹ (kⁱᵃuⁿtⁱ⁴) Zähler, Zähl-apparat m; Spielmarke f; Zahlbrett n; Ladentisch; Schalter m.

counter² (~̄) 1. (to dat.) entgegen; zuwider; Gegen...; 2. Gegenschlag m; 3. Gegenmaßnahmen treffen.

counteract (kⁱᵃuⁿtⁱräⁱt) zuwiderhandeln (dat.).

counterbalance 1. (kⁱᵃu'ⁿtⁱⁱᵇⁱäl⁴nⁿ) Gegengewicht n; 2. (kⁱᵃuⁿtⁱⁱᵇⁱäⁱl⁴nⁿ) aufwiegen; ✝ ausgleichen.

counter-espionage (kⁱᵃu'ⁿtⁱ⁴rĕṣ̄pⁱ⁴-nā'Q) Spionageabwehr f.

counterfeit (ĭău'nt⁴fīt) 1. ☐ nach-gemacht; falsch, unecht; 2. Nach-ahmung *f*; Fälschung *f*; Falsch-geld *n*; Schwindler *m*; 3. nach-machen; fälschen; heucheln.

countermand 1. (ĭău'nt⁴mā'nd) Gegenbefehl; Widerruf *m*; 2. (ĭăun-t⁴mā'nd) widerru'fen; abbestellen.

counter-move (ĭău'nt⁴müw) *fig.* Gegen-zug *m*, -maßnahme *f*.

counterpane (⸗pe⁴n) Bettdecke *f*.

counterpart (⸗păt) Gegenstück *n*.

counterpoise (⸗pŏĭſ) 1. Gegenge-wicht *n*; 2. das Gleichgewicht hal-ten (*dat.*) (*a. fig.*), ausbalancie-ren.

countersign (⸗ſăĭn) 1. Gegenzei-chen *n*; ✗ Losung(swort *n*) *f*; 2. gegenzeichnen.

countervail (⸗we⁴l) aufwiegen.

countess (ĭău'nt⁴ß) Gräfin *f*.

counting-house (ĭău'ntĭnᵍhău̟ß) Konto'r *n*.

countless (ĭău'ntl⁴ß) zahllos.

country (ĭă'ntri) 1. Land *n*; Ge-gend *f*; Heimatland *n*; 2. Land(s)..., ländlich; **~man** (⸗m⁴n) Landmann (*Bauer*); Landsmann *m*; **~side** (⸗ßăĭ'd) Land(bevölkerung *f*) *n*.

county (ĭău'ntĭ) Grafschaft *f*, Kreis *m*.

coup (ĭū) Schlag, Streich *m*.

couple (ĭă'pl) 1. Paar *n*; Koppel *f*; 2. (ver)koppeln; ⊕ kuppeln; (sich) paaren; **~r** (⸗⁴) *Radio*: Kopp-ler *m*.

coupling ⊕ (ĭă'plĭnᵍ) Kupplung; *Radio*: Kopplung *f*; Kupplungs...

coupon (ĭū'pɔn) Abschnitt *m*.

courage (ĭă'rĭⱵ) Mut *m*; **~ous** ☐ (ĭ⁴re¹Ⱶ⁴ß) mutig, beherzt.

courier (ĭū'rĭ⁴) Eilbote; Reise-führer *m*.

course (ĭŏß) 1. Lauf, Gang; Weg, ♣, *fig.* Kurs *m*; Rennbahn *f*; Gang (*Speisen*); Kursus *m*, Ordnung, Folge *f*; of ~ selbstverständlich; 2. *v/t.* hetzen; jagen; *v/i.* rennen.

court (ĭŏt) 1. Hof *m*; Hofgesell-schaft *f*; Gericht(shof *m*) *n*; ♭ay (one's) ~ *j-m* den Hof m..; 2. den Hof m.; werben um, **~eous** ☐ (ĭŏ'ĭ⁴ß) höflich; **~esy** (ĭŏ'ĭⁱßĭ) Höf-lichkeit; Gefälligkeit *f*, **~ier** (ĭŏ'tĭ⁴) Höfling *m*; **~ly** (⸗lĭ) höfisch; höf-lich; **~martial** ✗ 1. Kriegsgericht *n*; 2. vor ein K. stellen; **~ship** (⸗ſhĭp) Werbung *f*; **~yard** Hof (-raum) *m*.

cousin (ĭă'ſn) Vetter *m*; Base *f*.

cove (ĭŏᵘw) 1. Bucht *f*; *fig.* Obdach *n*.

covenant (ĭă'w⁴n⁴nt) 1. ♭ᵗ Vertrag; Bund *m*; 2. *v/t.* geloben; *v/i.* über-ei'nkommen.

cover (ĭă'w⁴) 1. Decke *f*; Deckel; Umschlag *m*; Hülle; Deckung *f*; Schutz *m*; Dickicht *n*; Deckmantel *m*; *mot.*, *Fahrrad*: Decke *f*, Mantel *m*; 2. (be)decken; ein-schlagen; -wickeln; verbergen, verdecken; schützen; *Weg* zurücklegen; ♭ decken; mit *Schußwaffe* zielen nach; *Gelände* bestreichen; um-fa'ssen; *fig.* erfassen; **~ing** (⸗rĭnᵍ) Decke *f*; *Bett*-Bezug; Überzug *m*; Bekleidung; Bedachung *f*.

covert (ĭă'w⁴t) 1. ☐ heimlich, ver-steckt; 2. Schutz *m*; Versteck; Dickicht *n*.

covet (ĭă'wⁱt) begehren; **~ous** ☐ (⸗⁴ß) (be)gierig; habsüchtig.

cow (ĭău) 1. Kuh *f*; 2. einschüch-tern.

coward (ĭău'⁴d) 1. ☐ feig; 2. Feig-ling *m*; **~ice** (⸗ĭß) Feigheit *f*; **~ly** (⸗lĭ) feig(e).

cowboy Kuhjunge; *Am.* Rinder-hirt *m*.

cower (ĭău'⁴) kauern; sich ducken.

cowl (ĭău'l) Kapuze; Kappe *f*.

coxcomb (ĭŏ'ĭßĕᵘm) Narr *m*.

coxswain (ĭŏ'ĭßwe⁴n, mst ĭŏ'ĭßn) Bootführer, Steuermann *m*.

coy (ĭŏĭ) [schüchtern; spröde.

crab (ĭrăb) Krabbe *f*, Taschenkrebs *m*; ⊕ Winde *f*; F Querkopf *m*.

crab-louse (ĭră'bĭău̟ß) Filzlaus *f*.

crack (ĭrăĭ) 1. Krach; Riß, Sprung *m*; F derber Schlag; *Am.* dreiste Bemerkung; *Am.* at ~ of day bei Tagesanbruch; 2. F erstklassig; 3. *v/t.* (zer)sprengen, knallen mit *et.*; (auf) knacken; ~ a joke e-n Witz reißen; *v/i.* platzen, springen; knal-len; umschlagen (*Stimme*); **~ed** (ĭrăĭt) geborsten; F verdreht; **~er** (ĭră'ĭ⁴) Knallbonbon, Schwärmer *m*; *Am.* Keks *m*; **~le** (ĭră'ĭl) knat-tern, knistern; **~up** Zs.-stoß *m*; ✈ Bruchlandung *f*.

cradle (ĭre¹ĭl) 1 Wiege; *fig.* Kind-heit *f*; 2. (ein)wiegen.

craft (ĭrăĭt) Geschicklichkeit; List *f*; Handwerk, Schiff(e *pl.*) *n*; **~s-man** (ĭră'ĭĭßm⁴n) (Kunst-)Hand-werker *m*; **~y** ☐ (ĭră'ĭtĭ) listig, ge-schickt.

crag (kräg) Klippe, Feldspitze f.
cram (kräm) (voll)stopfen; nudeln, mästen; F (ein)pauken.
cramp (krämp) 1. Krampf m; ⊕ Klammer; fig. Fessel f; 2. verkrampfen; einengen, hemmen.
cranberry (krä'nbᵉrĭ) Preiselbeere f.
crane (kreⁱn) 1. Kranich; ⊕ Kran m; 2. (den Hals) recken.
crank (kränᵍk) 1.Kurbel f; Schwengel m; Wortspiel n; Schrulle f; verdrehter Mensch; 2. (an)kurbeln; **~shaft** ⊕ Kurbelwelle f; **~y** (krä'nᵍkĭ) wacklig; launisch; verschroben.
cranny (krä'nĭ) Riß m, Ritze f.
crape (kreⁱp) Krepp, Flor m.
crash (kräʃ) 1. Krach (a. ✈); Zs.-stoß; ✈ Absturz m; 2. krachen; einstürzen; ✈ abstürzen, Bruch m.
crater (kreⁱ'tᵉr) Krater; Trichter m.
craunch (krȧntʃ) zermalmen.
crave (kreⁱw) v/t. dringend bitten od. flehen um; v/i. sich sehnen.
crawfish (krȧ'fĭʃ) Krebs m.
crawl (krȧl) 1. Kriechen n; 2. kriechen; schleichen; wimmeln.
crayfish (kreⁱ'fĭʃ) Fluß-Krebs m.
crayon (kreⁱ'ᵉn) Zeichenstift, bsd. Paste'llstift m; Pastell(gemälde) n.
craz|e (kreⁱz) 1. Verrücktheit f; F Fimmel m, *be the ~ Mode sn*; 2. verrückt m. od. w.; **~y** ◻ (kreⁱ'zĭ) baufällig; verrückt.
creak (krīk) knarren.
cream (krīm) 1. Rahm m, Sahne; Creme; Auslese f; *das Beste*; 2. den Rahm abschöpfen; **~ery** (krī'mᵉrĭ) Molkerei f; **~y** ◻ (krī'mĭ) sahnig; auserlesen.   [kniffen.]
crease (krīs) 1. Falte f; 2. (sich)
creat|e (krĭeⁱ't) (er)schaffen; *thea. e-e Rolle gestalten*; verursachen; erzeugen; ernennen; **~ion** (◌ʃᵉn) Schöpfung; Ernennung f; **~ive** (◌ĭw) schöpferisch; **~or** (◌tᵉ) Schöpfer m; **~ure** (krī'tʃᵉ) Geschöpf n; Kreatu'r f.
creden|ce (krī'dᵉns) Glaube m; **~tials** (krĭdᵉ'nʃᵉls) pl. Beglaubigungsschreiben n; Unterlagen f/pl.
credible ◻ (krē'dᵉbl) glaubwürdig; glaubhaft.
credit (krē'dĭt) 1. Glaube(n); Ruf m, Ansehen; Guthaben; ✝ Kre'dit n; Einfluß m; Verdienst n, Ehre f; 2. *j-m* glauben; *j-m* trauen; ✝ *j-m* gutschreiben; *~ a p. with a th.* j-m et.

zutrauen; **~able** ◻ (krē'dĭtᵉbl) achtbar; ehrenvoll (*to* für); **~or** (◌tᵉ) Gläubiger m.   [gläubig.]
credulous ◻ (krē'dĭŭlᵉs) leicht-
creed (krīd) Glaubensbekenntnis n.
creek (krīk) Bucht f; *Am.* Bach m.
creep (krīp) [*irr.*] kriechen; fig. (sich ein)schleichen; kribbeln, e-e Gänsehaut bekommen; **~er** (krī'pᵉ) Kriecher(in); Kletterpflanze f.
crept (krēpt) kroch; gekrochen.
crescent (krē'snt) 1. zunehmend; halbmondförmig; 2. Halbmond m.
crest (krēst) Hahnen-, Berg- *usw.* Kamm m; Mähne f; Federbusch m; **~fallen** (krē'stfȯln) niedergeschlagen.
crevasse (krĭwä's) (Gletscher-) Spalte f; *Am.* Deichbruch m.
crevice (krē'wĭs) Riß m, Spalte f.
crew¹ (krū) Schar; ⚓ Mannschaft f.
crew² (◌) krähte.
crib (krĭb) 1. Krippe; Kinderbettstelle; F *Schule*: Eselsbrücke f; 2. einsperren; F mausen; F abschreiben.
cricket (krĭ'kĭt) *zo.* Grille f; Kricketspiel n; F *not* ~ nicht fair.
crime (kraⁱm) Verbrechen n.
crimina|l (krĭ'mĭnl) 1. verbrecherisch; Kriminal..., Straf...; 2. Verbrecher(in); **~lity** (krĭmĭnä'lĭtĭ) Strafbarkeit f; Verbrechertum n.
crimp (krĭmp) kräuseln.
crimson (krĭ'mzn) karmesi'n(rot).
cringe (krĭndᵹ) sich ducken.
crinkle (krĭ'nᵍkl) 1. Windung; Falte f; 2. (sich) winden; (sich) kräuseln.
cripple (krĭ'pl) 1. Krüppel m; Lahme(r); 2. verkrüppeln; *fig.* lähmen.
crisp (krĭsp) 1. kraus; knusperig; frisch; klar; steif; 2. (sich) kräuseln; knusperig machen *od.* werden.
criss-cross (krĭ'skrȯs) 1. Kreuzzeichen n; 2. (durch)kreu'zen.
criteri|on (kraⁱtī'rĭᵉn), *pl.* **~a** (◌rĭᵉ) Kennzeichen n, Prüfstein m.
criti|c (krĭ'tĭk) Kritiker(in); **~cal** ◻ (krĭ'tĭkᵋl) kritisch; bedenklich; **~cism** (◌ßĭzm), **~que** (krĭtī'k) Kriti'k f (*of an dat.*); **~cize** (krĭ'tĭßaⁱz) kritisieren; beurteilen; tadeln.
croak (kroᵘk) krächzen; quaken.
crochet (kroᵘ'ʃeⁱ, ◌ʃĭt) 1. Häkelei f; 2. häkeln.
crock (krȯk) irdener Topf; **~ery** (krȯ'kᵉrĭ) Töpferware f.

crone F (trou̯n) altes Weib; Hexe f.
crony F (trou̯ni) (alter) Bekannter.
crook (trŭf) 1. Krümmung f; Haken; Hirtenstab; sl. Gauner m; 2. (sich) krümmen: (sich) (ver-)biegen; ~ed (trŭft) krumm; (trŭ'tḭ̌ŏ) □ fig. krumm: bucklig; unehrlich.
croon (trŭn) schmachtend singen; summen.
crop (trŏp) 1. Kropf; Peitschenstiel m; Ernte f; Haar-Schnitt m; 2. (ab-, be-)schneiden; (ab)ernten; Acker bebauen; ~ up auftauchen.
cross (trŏß, trŏβ) 1. Kreuz (fig. Leiden) n; Kreuzung f; 2. □ sich kreuzend; quer (liegend, laufend usw.); ärgerlich, verdrießlich; entgegengesetzt; Kreuz..., Quer...; 3. v/t. kreuzen; durchstrei'chen; fig. durchkreu'zen; überque'ren; in den Weg kommen (dat.); ~ o. s. sich bekreuzigen; v/i. sich kreuzen; ~-bar Fußball: Torlatte f; ~-breed (Rassen-)Kreuzung f; ~-examination Kreuzverhör n; ~-eyed schieläugig; ~ing (trŏ'ßḭnᵍ) Kreuzung f; Über-gang m; -fahrt f; ~-road Querstraße f; ~s pl. od. sg. Kreuzweg m; ~-section Querschnitt m; ~wise kreuzweise.
crotchet (trŏ'tſḭ⁺) Haken m; ♩ Viertelnote f; wunderlicher Einfall.
crouch (trau̯tſ) sich ducken; sich schmiegen.
crow (trou̯) 1. Krähe f; Krähen n; 2. [irr.] krähen; triumphieren; ~-bar Brechstange f.
crowd (trau̯d) 1. Haufen m, Menge f; Gedränge n; F Bande f; 2. (sich) drängen; (über)fü'llen; wimmeln.
crown (trau̯n) 1. Krone f; Kranz; Gipfel; Scheitel m; 2. krönen; Zahn überkro'nen.
cruci|al □ (trŭ'ſḭᵉl) entscheidend; kritisch; ~ble (~ḁ̌'bl) Schmelztiegel m; ~fixion (trŭß⁺fḭ'ſḭᵉn) Kreuzigung f; ~fy (trŭ'ß⁺fḁi) kreuzigen.
crude □ (trŭd) roh; unreif; Roh...; grell.
cruel □ (trŭ'ᵉl) grausam; hart; fig. blutig; ~ty (trŭ'ᵉltḭ) f Grausamkeit f.
cruet (trŭ'ḭ⁺) Öl-,Essig-Fläschchen n.
cruise ♱ (trŭf) 1. Kreuzfahrt, Seereise f; 2. kreuzen; ~r (trŭ'ḭᵉ) Kreuzer m; Jacht f; Am. Polizeistreifenwagen m.

crumb (tram) 1. Krume f; Brocken m; 2. (= ~le [tra'mbl]) (zer)bröckeln.
crumple (tra'mpl) (sich) knüllen.
crunch (trantſ) (zer)kauen; zermalmen; knirschen.
crusade (trŭße'd) Kreuzzug m (a. fig.); ~r (~ᵉ) Kreuzfahrer m.
crush (traſ) 1. Druck m; Gedränge n; 2. v/t. (zer-, aus-)quetschen; zermalmen; fig. vernichten.
crust (traß⁺) 1. Kruste; Rinde f; 2. (sich) be-, über-krusten; verharschen; ~y □ (tra'ß⁺ḭ) krustig; mürrisch.
crutch (tratſ) Krücke f.
cry (trḁi) 1. Schrei m; Geschrei n; (Auf-)Ruf m; Weinen; Gebell n; 2. schreien; (aus)rufen; weinen; ~ for verlangen nach.
crypt (trḭpt) Gruft f; ~ic (trḭ'ptḭ) verborgen, geheim.
crystal (trḭ'ß⁺l) Krista'll m; Am. Uhrglas n; ~line (~⁺ɛ'lḁin) kristalli'nen; ~lize (~⁺ᵉlḁiß) kristallisieren.
cub (tab) 1. Junge(s) n; Am. Anfänger m; 2. (Junge) werfen.
cub|e Ḁ (tjŭb) Würfel m; Kubi'kzahl f; ~ root Kubikwurzel f; ~ic(al □) (tjŭ'bḭt, ~⁺ᵉl) würfelförmig; kubisch; Kubi'k...
cuckoo (tŭ'fŭ) Kuckuck m.
cucumber (tjŭ'ḳambᵉ) Gurke f.
cud (tad) wiedergekäutes Futter; chew the ~ wiederkäuen (a. fig.).
cuddle (ta'dl) v/t. (ver)hätscheln.
cudgel (ta'dϿᵉl) 1. Knüttel m; 2. (ver)prügeln.
cue (tjŭ) Billard-Queue; Stichwort n; Wink m.
cuff (taf) 1. Manschette; Handkrause; Handfessel f; Ärmel- usw. Aufschlag; Faust-Schlag m; 2. puffen, schlagen.
culminate (ta'lmᵢne⁺) gipfeln.
culpable □ (ta'lpᵉbl) strafbar.
culprit (ta'lprḭ⁺) Angeklagte(r); Schuldige(r), Missetäter(in).
cultivat|e (ta'l⁺ḭwe⁺) kultivieren, an-, be-bauen; ausbilden; pflegen; ~ion (taltᵢwe'ḭſᵉn) (An-, Acker-)Bau m; Ausbildung; Pflege, Zucht f; ~or (ta'l⁺ḭwe⁺ᵉ) Landwirt; Züchter; Veredler m.
cultural □ (ta'ltḭſ°rᵉl) kulture'll.
culture (ta'ltſ°ᵉ) Kultu'r; Pflege; Zucht f; ~d (~ð) kultiviert.

cumber (ĭa'mbᵉ) überla'den; hemmen; ⁓some (⁓ḇᵉm), cumbrous ☐ (ĭa'mbr'ḇ) lästig; schwerfällig.

cumulative ☐ (ĭjû'mⁱᵘ[ᵉtⁱw) (an-, auf-)häufend; Zusatz...

cunning (ĭa'nin⁹) 1. ☐ schlau, listig; geschickt; Am. reizend; 2. List, Schlauheit; Geschicklichkeit f.

cup (ĭɒp) Becher m, Schale, Tasse f; Kelch; Sport: Poka'l m; ⁓board (ĭa'bᵉb) (Speise- usw.) Schrank m.

cupidity (ĭjupⁱ'bⁱtⁱ) Habgier f.

cupola (ĭjū'pᵉⁱᵉ) Kuppel f.

cur (ĭɵ) Köter; Schurke, Halunke m.

curate (ĭjuᵉ'rⁱt) Hilfsgeistliche(r) m.

curb (ĭɵb) 1. Kinnkette, Kanda're f (a. fig.); (a. ⁓stone) Bordschwelle f; 2. an die Kandare nehmen (a. fig.).

curd (ĭɵb) 1. Quark m; 2. (mst ⁓le, ĭô'ôl) käsen; gerinnen (lassen).

cure (ĭjuᵉ) 1. Kur f; Heilmittel n; Seelsorge f; 2. heilen; pökeln; räuchern; trocknen.

curio (ĭjuᵉ'rⁱoᵘ) Rarität f; ⁓sity (ĭjuᵉⁱrⁱô'ḇⁱtⁱ) Neugier; Rarität f; ⁓us ☐ (ĭjuᵉ'rⁱᵉḇ) neugierig; genau; seltsam, merkwürdig.

curl (ĭôl) 1. Locke f; 2. (sich) kräuseln; (sich) locken; (sich) ringeln; ⁓y (ĭô'lⁱ) gekräuselt; lockig.

currant (ĭa'rᵉnt) Johannisbeere; (a. dried ⁓) Kori'nthe f.

curren|cy (ĭa'rᵉnḇⁱ) Umlauf m; ↑ Lauffrist f; Kurs m, Währung f; ⁓t (⁓ᵉnt) 1. ☐ umlaufend; ↑ kursierend (Geld); allgemein (bekannt); laufend (Jahr usw.); 2. Strom m (a. ⁒); Strömung f (a. fig.); Luft-Zug m.

curse (ĭôḇ) 1. Fluch m; 2. (ver-)fluchen; strafen; ⁓d ☐ (ĭô'ḇⁱb) verflucht.

curt ☐ (ĭôt) kurz: knapp; barsch.

curtail (lôtᵉⁱ'l) beschneiden; fig. beschränken; kürzen (of um).

curtain (ĭô'tn) 1. Vorhang m; Gardine f; 2. verhängen, verschleiern.

curts(e)y (ĭô'tḇⁱ) 1. Knicks m; Verbeugung f; 2. knicksen (to vor).

curv|ature (ĭô'wᵉtⁱḉᵉ) Krümmung f; ⁓e (ĭôw) 1. Kurve; Krümmung f; 2. (sich) krümmen; (sich) biegen.

cushion (ĭu'ḉᵉn) 1. Kissen; Polster n; Billard-Bande f; 2. polstern.

custody (ĭa'ḇtᵉdⁱ) Haft; (Ob-)Hut f.

custom (ĭa'ḇtᵉm) Gewohnheit f, Brauch m; Sitte; Kundschaft f; ⁓s

pl. Zoll m; ⁓ary ☐ (⁓ᵉrⁱ) gewöhnlich, üblich; ⁓er (⁓ᵉ) Kund|e m, -in f; ⁓-house Zollamt n; ⁓-made Am. maßgearbeitet.

cut (ĭat) 1. Schnitt; Hieb; Stich m; (Schnitt-)Wunde f; Einschnitt; Graben m; Kürzung f; Ausschnitt m; Wegabkürzung f (mst short-⁓); Holz-Schnitt; Kupfer-Stich; Schliff m; Schnitte, Scheibe f; Karten-Abheben n; 2. [irr.] v/t. schneiden; schnitzen; gravieren; ab-, an-, auf-, aus-, be-, durch-, zer-, zu-schneiden; Edelstein usw. schleifen; Karten abheben; j. beim Begegnen schneiden; ⁓ teeth zahnen; ⁓ short j. unterbre'chen; ⁓back einschränken; ⁓ down fällen; mähen; beschneiden; Preis drücken; ⁓ out ausschneiden; fig. j. ausstechen; ausschalten; be ⁓ out for das Zeug zu e-r S. haben; v/i. ⁓ in sich einschneiden; 3. geschnitten usw.

cute ☐ F (ĭjüt) schlau; Am. reizend.

cuticle (ĭjû'tⁱfl) Oberhaut f.

cutlery (ĭa'tlᵉrⁱ) Messerschmiedearbeit f; Stahlwaren f/pl.; Bestecke n/pl.

cutlet (ĭa'tlᵉt) Kotele'tt n.

cut...: ⁓out mot. Auspuffklappe; ↯ Sicherung f; Ausschalter m; ⁓ter (ĭa'tᵉ) Schneider(r); Schnitzer m; Zuschneider(in); ⊕ Schneide-zeug n, -maschine f; ✿ Kutter m; Am. einspänniger Schlitten; ⁓-throat Halsabschneider; Meuchelmörder m; ⁓ting (ĭa'tⁱn⁹) 1. ☐ schneidend; scharf; ⊕ Schneid...; Fräs...; 2. Schneiden n; 🕱 usw. Einschnitt; ♣ Steckling; Zeitungs-Ausschnitt m; ⁓s pl. Schnipsel n/pl.; ⊕ Späne m/pl.

cycl|e (ḇāⁱ'tl) 1. Zyklus; Kreis(lauf) m; Perio'de f; ⊕ Arbeitsgang m; Fahrrad n; 2. radfahren; ⁓ist (⁓ⁱḇt) Radfahrer m.

cyclone (ḇāⁱ'tloᵘn) Wirbelsturm m.

cylinder (ḇⁱ'lindᵉ) Zyli'nder m, Walze; Trommel f.

cymbal ♪ (ḇⁱ'mbᵉl) Becken n.

cynic (ḇⁱ'nⁱt) 1. (a. ⁓al ☐, ⁓ⁱtᵉⁱ) zynisch; 2. Zyniker m.

cypress ♀ (ḇāⁱ'prⁱḇ) Zypre'sse f.

Czech (ĭḉḗt) 1.Tschech|e m, -in f; 2. tschechisch.

Czecho-Slovak (ĭḉḗtoᵘlouˈwāt) 1. Tschechoslowak|e m, -in f; 2. tschechoslowa'kisch.

D

dab (däb) 1. Klaps; Tupf(en), Klecks *m*; 2. klapsen; (be)tupfen.

dabble (dä'bl) bespritzen; plätschern; (hinein)pfuschen.

dad F (däd), **dy** F (dä'dĭ) Papa *m*.

daffodil (dä'fᵉdĭl) gelbe Narzi'sse.

dagger (dä'gᵉ) Dolch *m*; *be at* ~s *drawn* auf Kriegsfuß stehen.

daily (deĭ'lĭ) 1. täglich; 2. Tageszeitung *f*.

dainty (deĭ'ntĭ) 1. lecker; zart, fein; wählerisch; 2. Leckerei *f*.

dairy (dä'rĭ) Molkerei, Milchwirtschaft *f*; Milchgeschäft *n*.

daisy (deĭ'zĭ) Gänseblümchen *n*.

dale (deĭl) Tal *n*.

dal|**liance** (dä'lĭᵉnß) Tändelei *f*; **y** (dä'lĭ) (ver)tändeln; schäkern.

dam (däm) 1. Mutter *f v. Tieren*; Deich, Damm *m*; 2. (ab)dämmen.

damage (dä'mĭdĠ) 1. Schaden *m*; ~*s pl.* Schadenersatz *m*; 2. (be-)schädigen.

damask (dä'mᵉßk) Damast *m*.

dame (deĭm) Dame; *Am. sl.* Frau *f*.

damn (däm) 1. verdammen; verurteilen; 2. Fluch *m*; **ation** (dämneĭ'ʃᵉn) Verdammung *f*.

damp (dämp) 1. feucht, dunstig; 2. Feuchtigkeit *f*, Dunst *m*; Gedrücktheit *f*; 3. (*a.* **en**, dä'mpᵉn) anfeuchten; dämpfen; niederdrücken; **er** (~ᵉ) Dämpfer *m*.

danc|**e** (dänß) 1. Tanz *m*; Ball *m*; 2. tanzen (l.); **er** (dä'nßᵉ) Tänzer (-in); **ing** (~ĭnᵍ) Tanzen *n*; Tanz... [zahn *m*.]

dandelion ⚥ (dä'ndĭlaĭᵉn) Löwen-]

dander *sl.* (dä'ndᵉʳ) Zorn *m*.

dandle (dä'ndl) wiegen, schaukeln.

dandruff (dä'ndrᵉf) Schinnen *m/pl.*

dandy (dä'ndĭ) 1. Stutzer *m*; F feuda'le Sache; 2. *Am. sl.* feuda'l.

Dane (deĭn) Däne *m*, -in *f*.

danger (deĭ'ndĠᵉ) Gefahr *f*; **ous** ☐ (deĭ'ndĠrᵉß) gefährlich.

dangle (dä'nᵍgl) baumeln (l.); schlenkern (mit); *fig.* schwanken.

Danish (deĭ'nĭʃ) dänisch.

dapple (dä'pl) sprenkeln; **d** (~d) scheckig; **grey** Apfelschimmel *m*.

dar|**e** (dä'ᵉ) *v/i.* dürfen; wagen; *v/t.* herausfordern; *j-m* trotzen; **devil** Wagehals *m*; **ing** ☐ (dä'ᵉrĭnᵍ) 1. verwegen; 2. Verwegenheit *f*.

dark (dāt) 1. ☐ dunkel: schwerverständlich; geheim(nisvoll); trüb (-selig); ~ *horse* Außenseiter *m*; ~ *lantern* Blendlaterne *f*; 2. Dunkel (-heit *f*) *n*; **en** (dā'tᵉn) (sich) (ver-)dunkeln; (sich) verfinstern; **ness** (dā'tnᵉß) Dunkelheit *f* *usw.*; **y** F (dā'tĭ) Schwarze(r) *m*.

darling (dā'lĭnᵍ) 1. Liebling *m*; 2. Lieblings...; geliebt.

darn (dān) stopfen; ausbessern.

dart (dāt) 1. Wurf-spieß, -pfeil; Sprung, Sturz *m*; 2. *v/t.* schleudern; *v/i. fig.* schießen, (sich) stürzen.

dash (däʃ) 1. Schlag, (Zs.-)Stoß *m*; Klatschen *n*; Schmiß, Schwung; Ansturm; *fig.* Anflug *m*; Prise *f*; Schuß *Rum usw.*; *Feder*-Strich; Gedankenstrich *m*; 2. *v/t.* schlagen, schmeißen, schleudern; zerschmettern; vernichten; (be)spritzen; vermengen; verwirren; *v/i.* stoßen, schlagen; stürzen; stürmen; jagen; **board** *mot.*, ⚞ Instrume'ntenbrett *n*; **ing** ☐ (dä'ʃĭnᵍ) schneidig, forsch.

data (deĭ'tᵉ) *pl.*, *Am. a. sg.* Angaben; Tatsachen; Unterlagen *f/pl.*

date (deĭt) 1. Dattel *f*; Datum *n*; Zeit *f*; Termi'n *m*; *Am.* F erabredung *f*, Rendezvous *n*; *out of* ~ veraltet, u'nmode'rn; *up to* ~ zeitgemäß, mode'rn; *auf the Höhe*; 2. datieren; *Am.* F sich verabreden.

daub (dōb) (be)schmieren; (be-)klecksen.

daughter (dō'tᵉ) Tochter *f*; **in-law** (~rĭnlō) Schwiegertochter *f*.

daunt (dōnt) entmutigen; **less** (dō'ntlᵉß) furchtlos, unerschrocken.

dawdle F (dō'dl) (ver)trödeln.

dawn (dōn) 1. Dämmerung *f*; *fig.* Morgenrot *n*; 2. dämmern, tagen.

day (deĭ) Tag; Termi'n *m*; (*oft* ~s *pl.*) (Lebens-)Zeit *f*; ~ *off* dienstfreier Tag; *the other* ~ neulich;

~break Tagesanbruch *m*; **~labo(u)rer** Tagelöhner *m*; **~star** Morgenstern *m*.

daze (de̱ı̯s) blenden; betäuben.

dazzle (dä̱'śl) blenden; ⚓ tarnen.

deacon (dı̱'t̵n) Diakon(us) *m*.

dead (dĕd) 1. tot: unempfindlich (*to* für); matt (*Farbe usw.*); blind (*Fenster usw.*); erloschen (*Feuer*); schal (*Getränk*); tief (*Schlaf*); totliegend (*Kapital usw.*); **~** *bargain* Spottpreis *m*; **~** *letter* unbestellbarer Brief; *a* **~** *shot* ein Meisterschütze; **~** *wall* blinde Mauer; 2. *adv.* gänzlich, völlig, tota'l; durchaus; genau, (haar)scharf; **~** *against* gerade (*od.* ganz und gar) (ent)gegen; 3. *the* **~** der Tote; die Toten *pl.*; Totenstille *f*; **~en** (de̱'n) abstumpfen; dämpfen; (ab)schwächen; **~lock** Stockung *f*; *fig.* toter Punkt; **~ly** (~lĭ) tödlich.   [*m.*; betäuben.]

deaf □ (dĕf) taub; **~en** (dĕ'fn) taub[

deal (dīl) 1. Teil *m*; Menge *f*; Kartengeben; F Geschäft *n*; *a good* **~** ziemlich viel; *a great* **~** sehr viel; 2. [*irr.*] *v/t.* (aus-, ver-, zu-)teilen; *Karten* geben; *e-n Schlag* versetzen; *v/i.* handeln (*in* mit *e-r Ware*) verfahren; sich benehmen; verkehren; **~** *with* sich befassen mit, behandeln; **~er** (dı̱'ĕ) Händler; Kartengeber *m*; **~ing** (dı̱'lı̆ŋᵍ) (*mst* **~***s pl.*) Handlungsweise *f*; Verfahren *n*; Verkehr *m*.

dean (dīn) Deka'n *m*.

dear (dı̱'ĕ) 1. □ teuer; lieb; 2. Liebe(r); herziges Geschöpf; 3. F *o(h)* **~***l*, **~** *me!* verwünscht! ; ach herrje!

death (dĕt̵) Tod *m*; Todesfall *m*; **~bed** Sterbebett *n*; **~duty** Erbschaftssteuer *f*; **~less** (dĕ't̵lĭś) unsterblich; **~ly** (~lĭ) tödlich; **~rate** Sterblichkeitsziffer *f*; **~warrant** Todesurteil *n*.

debar (dĭbā̱') ausschließen; hindern.

debase (dĭbe̱'s) verschlechtern; erniedrigen; verfälschen.

debat|able □ (dĭbe̱'t̵bl) strittig; umstri'tten; **~e** (dĭbe̱'t) 1. Debatte *f*; 2. debattieren; erörtern; überle'gen.

debauch (dĭbō̱'t̵ś) 1. Ausschweifung *f*; 2. verderben; verführen.

debilitate (dĭbı̱'lı̆te̱t) schwächen.

debit ✝ (dĕ'bı̆t) 1. Debet *n*, Schuld *f*; 2. *j.* belasten; debitieren.

debris (dĕ'brı̱) Trümmer *pl.*

debt (dĕt) Schuld *f*; **~or** (dĕ'tĕ) Schuldner(in).

decade (dĕ'ḱĕd) Jahrzehnt *n*.

decadence (dĕ'ḱĕ⁶n̵ş) Verfall *m*.

decamp (dĭḱä̱'mp) aufbrechen; ausreißen; **~ment** (~m⁶nt) Aufbruch *m*.

decant (dĭḱä̱'nt) abgießen; umfüllen; **~er** (~⁶) Karaffe *f*.

decapitate (dĭḱä̱'pı̆te̱t) enthaupten.

decay (dĭḱe̱') 1. Verfall *m*; Fäulnis *f*; 2. verfallen; (ver)faulen.

decease *bsd.* ⚖ (dĭḱı̱'ŝ) 1. Ableben *n*; 2. sterben.

deceit (dĭḱı̱'t) Täuschung *f*; Betrug *m*; **~ful** □ (~fᵘl) (be)trügerisch.

deceiv|e (dĭḱı̱'w) betrügen; täuschen; verleiten; **~er** (~⁶) Betrüger(in).

December (dĭŝĕ'mb⁶) Dezember *m*.

decen|cy (dı̱'ŝn̵şı̱) Anstand *m*; **~t** □ (~t) anständig.

deception (dĭŝĕ'pṣḣ⁶n) Täuschung *f*.

decide (dĭŝa̱'d) (sich) entscheiden; bestimmen; **~d** (~'ı̆d) entschieden; bestimmt; entschlossen.

decimal (dĕ'ŝı̆m⁶l) 1. Dezima'l...; 2. Dezimalbruch *m*.

decipher (dĭŝa̱'f⁶) entziffern.

decisi|on (dĭŝı̱'ʒⁿn) Entscheidung *f*; ⚖ Urteil *n*; Entschluß *m*; Entschlossenheit *f*; **~ve** □ (dĭŝa̱'ŝı̆w) entscheidend.

deck (dĕk) 1. ⚓ Deck; *Am.* Pack *n* Spielkarten; 2. *rhet.* schmücken; **~chair** Liegestuhl *m*. [er)eifern.]

declaim (dĭḱle̱'m) vortragen; (sich[

declar|able (dĭḱlä̱'⁶bl) steuer-, zoll-pflichtig; **~ation** (dĕḱl⁶re̱'śḣ⁶n) Erklärung *f*; **~e** (dĭḱlä̱'⁶) *v/t.* erklären; behaupten; deklarieren.

declin|ation (dĕḱlı̆ne̱'śḣ⁶n) Neigung *f*; Abweichung *f*; **~e** (dĭḱla̱'n) 1. Abnahme *f*; Niedergang; Verfall *m*; 2. *v/t.* neigen, biegen; ablehnen; *v/i.* sich neigen; abnehmen; verfallen.

declivity (dĭḱlı̱'wı̆tı̱) Abhang *m*.

decode (dı̱'ḱoᵘd) *tel.* entschlüsseln.

decompose (dı̱'ḱmpoᵘs) zerlegen; (sich) zersetzen; verwesen.

decontrol (dı̱'ḱⁿntroᵘl) *Waren, Handel* freigeben.

decorat|e (dĕ'ḱⁿre̱t) (ver)zieren; schmücken; **~ion** (dĕḱⁿre̱'śḣⁿn) Verzierung *f*; Schmuck *m*; Orden(s-auszeichnung *f*) *m*; **~ive** (dĕ'ḱⁿre̱tı̆w) dekorati'v; Zier...

decor|ous □ (dĕ'ḱⁿrⁿş) anständig; **~um** (dı̱'ḱoᵘrⁿm) Anstand *m*.

decoy (dı̱'ḱōı̯) 1. Lockvogel (*a. fig.*); Köder *m*; 2. ködern.

decrease 1. (dĭ'trīß) Abnahme *f*; **2.** (dī'trī'ß) (sich) vermindern.

decree (dĭ'trī') **1.** Dekre't *n*, Verordnung *f*, Erlaß; ₤₤ Entscheid *m*; **2.** beschließen; verordnen, verfügen.

decrepit (dĭ'trĕ'pĭt) altersschwach.

dedicat|e (dĕ'dĭ'tĕ'ĭt) widmen; **~ion** (dĕdĭ'ĭ'ĭch°n) Widmung *f*.

deduce (dĭ'djū'ß) ableiten; folgern.

deduct (dĭ'bₐ'ĭt) abziehen; **~ion** (dĭ'bₐ'ĭ'ĭch°n) Abzug; ✝ Rabatt *m*; Schlußfolgerung *f*.

deed (bĭb) **1.** Tat; Heldentat; Urkunde *f*; **2.** *Am.* urkundlich übertra'gen.

deem (bĭm) *v/t.* halten für; *v/i.* denken, urteilen (*of* über *acc.*).

deep (bĭp) **1.** ☐ tief; gründlich; schlau; vertieft; dunkel (*a. fig.*); verborgen; **2.** Tiefe *f*; *poet.* Meer *n*; **~en** (bĭ'p°n) (sich) vertiefen; (sich) verstärken; **~ness** (~nĭß) Tiefe *f*.

deer (bĭ°) Rotwild *n*; Hirsch *m*.

deface (bĭ'fĕ'ß) entstellen; unkenntlich machen; ausstreichen.

defam|ation (dĕ'f°mĕ'ĭ'ĭch°n) Verleumdung *f*; **~e** (dĭ'fĕ'ĭm) verleumden; verunglimpfen.

default (dĭ'fō'lt) **1.** Nichterscheinen *n vor Gericht;* Säumigkeit *f*; Verzug *m; in ~ of which* widrigenfalls; **2.** Verbindlichkeiten nicht nachkommen.

defeat (dĭ'fī't) **1.** Niederlage; Besiegung *f*; Vereitelung *f*; **2.** ✗ schlagen, besiegen; vereiteln.

defect (dĭ'fĕ'ĭt) Mangel; Fehler *m*; **~ive** (~fĭw) mangelhaft; unvollständig; fehlerhaft.

defence, *Am.* **defense** (dĭ'fĕ'nß) Verteidigung; Schutzmaßnahme *f*; **~less** (~lĭß) schutzlos, wehrlos.

defend (dĭ'fĕ'nb) verteidigen; schützen (*from* vor *dat.*); **~ant** (~°nt) Beklagte(r); **~er** (~°) Verteidiger(in).

defensive (dĭ'fĕ'nßĭw) **1.** ☐ Verteidigungs...; **2.** Defensi've *f*.

defer (dĭ'fŏ') auf-, ver-schieben; *Am.* ✗ zurückstellen; sich fügen; nachgeben.

defian|ce (dĭ'fāi'°nß) Herausforderung *f*; Trotz *m*; **~t** ☐ (~nt) herausfordernd; trotzig.

deficien|cy (dĭ'fĭ'ĭch°nßĭ) Unzulänglichkeit *f*; Mangel *m*; Defizit *n*; **~t** (~nt) mangelhaft; unzureichend.

deficit (dĕ'fĭ'ßĭt) Fehlbetrag *m*.

defile (dĭ'fāi'l) beflecken; schänden.

defin|e (dĭ'fāi'n) definieren; erklären;

genau bestimmen; **~ite** ☐ (dĕ'fₐ'nĭt) bestimmt; deutlich; genau; **~ition** (dĕfĭ'nĭ'ĭch°n) (Begriffs-)Bestimmung; Erklärung *f*; **~itive** ☐ (dĭ'fĭ'nĭtĭw) bestimmt; entscheidend; endgültig.

deflect (dĭ'flĕ'ĭt) ab-lenken; -weichen.

deform (dĭ'fŏ'm) entstellen, verunstalten; **~ed** verwachsen; **~ity** (dĭ'fŏ'mĭtĭ) Unförmigkeit; Mißgestalt *f*.

defraud (dĭ'frō'b) betrügen (*of* um).

defray (dĭ'frĕi') Kosten bestreiten.

deft ☐ (dĕft) gewandt, flink.

defy (dĭ'fāi') herausfordern; trotzen.

degenerate 1. (dĭbⱼĕ'n°rĕ'ĭt) entarten; **2.** ☐ (~rĭt) entartet.

degrad|ation (dĕgr°dĕ'ĭ'ĭch°n) Absetzung *f usw.*; **~e** (dĭ'grĕi'b) *v/t.* absetzen; erniedrigen; demütigen.

degree (dĭ'grī') Grad *m; fig.* Stufe *f*, Schritt; Rang, Stand *m; by ~s* allmählich; *in no ~* in keiner Weise.

deify (dĭ'ĭ'fāi) vergöttern.

deign (bĕi'n) geruhen; gewähren.

deity (dĭ'ĭ'tĭ) Gottheit *f*.

deject (dĭbⱼĕ'ĭt) entmutigen; **~ed** ☐ (~ĭb) niedergeschlagen; **~ion** (dĭbⱼĕ'ĭch°n) Niedergeschlagenheit *f*.

delay (dĭ'lĕi') **1.** Aufschub *m*; Verzögerung *f*; **2.** *v/t.* aufschieben; verzögern; *v/i.* zögern; trödeln.

delega|te 1. (dĕ'lĭgĕ'ĭt) abordnen; übertra'gen; **2.** (~gĭt) Abgeordnete(r); **~tion** (dĕlĭgĕ'ĭch°n) Abordnung *f*.

deliberat|e 1. (dĭ'lĭ'b°rĕ'ĭt) *v/t.* überle'gen, erwägen; *v/i.* nachdenken; beraten; **2.** ☐ (~rĭt) bedachtsam; bedächtig; wohlüberle'gt; vorsätzlich; **~ion** (dĭ'lĭb°rĕ'ĭ'ĭch°n) Überlegung; Beratung *f*.

delica|cy (dĕ'lĭ'ĭ°ßĭ) Wohlgeschmack; Leckerbissen *m*; Zartheit; Schwächlichkeit; Feinfühligkeit *f*; **~te** ☐ (~fĭt) schmackhaft; lecker; zart; fein; schwach; heikel; empfindlich; feinfühlig; wählerisch; **~tessen** *Am.* (dĕ'lĭ'ĭ°tĕ'ß°n) Feinkost(geschäft *n*) *f*.

delicious (dĭ'lĭ'ĭch°ß) köstlich.

delight (dĭ'lāi't) **1.** Lust, Freude, Wonne *f*; **2.** entzücken; (sich) erfreuen (*in* an *dat.*); *~ to inf.* Freude daran finden, zu *inf.*; **~ful** ☐ (~fᵘl) entzückend. [schildern.]

delineate (dĭ'lĭ'nĭ°ĭt) zeichnen;

delinquent (dĭ'lĭ'nₜⱼ°wⁿt) **1.** pflichtvergessen; **2.** Verbrecher(in).

deliri|ous □ (dᶦlᶦ'rᶦ⁽ᵉ⁾ŝ) wahnsinnig; **~um** (~ᵉm) (Fieber-)Wahnsinn *m.*

deliver (dᶦlᶦ'wᵉ) befreien; über-, aus-, ab-liefern; *Botschaft* ausrichten; äußern; *Rede usw.* vortragen, halten; ₰ entbinden; *Schlag* führen; werfen; **~ance** (~ᵉnŝ) Befreiung; (Meinungs-)Äußerung *f;* **~er** (~ʳᵉ) Befreier(in); Überbri'nger(in); **~y** (~rᶦ) ₰ Entbindung; (Ab-)Lieferung; ₺ Zustellung; Übergabe *f;* Vortrag; Wurf *m.*

dell (dĕl) kleines (Wald-)Tal.

delude (dᶦlü'd) täuschen; verleiten.

deluge (dĕ'ljüⱪ) 1. Überschwe'mmung *f;* 2. überschwe'mmen.

delus|ion (dᶦlü'Ǥᵉn) Täuschung, Verblendung *f;* Wahn *m;* **~ive** (~ŝiw) (be)trügerisch; täuschend.

demand (dᶦmä'nd) 1. Verlangen *n;* Forderung *f;* Bedarf *m;* ₸ Nachfrage *f;* ₶ Rechtsanspruch *m;* 2. verlangen, fordern; fragen (nach).

demean (dᶦmï'n): ~ o.s. sich benehmen; sich erniedrigen; **~o(u)r** (~ᵉ) Benehmen *n.*

demented (dᶦmĕ'ntᶦd) wahnsinnig.

demilitarize (dᶦmᶦlᶦ'tᶦ⁽ᵉ⁾rᵃĩŝ) entmilitarisieren. [lisieren.]

demobilize (dᶦmoᵘ'bᶦlᵃĩŝ) demobi-]

democra|cy (dᶦmɔ'krᵉŝi) Demokrati'*f;* **~tic(al** □) (dĕmᵒkrä'tᶦk, ~tᶦᵉl) ₫emokratisch. [reißen; zerstören.]

demolish (dᶦmɔ'lᶦŝ) nieder-, ab-]

demon (dï'mᵉn) Dämon; Teufel *m.*

demonstrat|e (dĕ'mᵉnŝtreᶦt) anschaulich darstellen; beweisen; demonstrieren; **~ion** (dĕmᵉnŝtreᶦ'ŝᶦᵉn) Demonstratio'n: anschauliche Darstellung *f;* Beweis *m;* (Gefühls-)Äußerung *f;* **~ive** (dᶦmɔ'nŝtrᵉtᶦw) überzeu'gend; demonstrati'v: ausdrucksvoll; auffällig, überschwenglich.

demote *Am.* (dᶦmoᵘ't) degradieren.

demur (dᶦmᵊ') 1. Einwendung *f;* 2. Einwendungen erheben.

demure □ (dᶦmjuᵉ') ernst; spröde.

den (dĕn) Höhle; Grube; *sl.* Bude *f.*

denial (dᶦnᵃĩ'ᵉl) Leugnen *n;* Verneinung *f;* abschlägige Antwort.

denominat|e (dᶦnɔ'mᶦneᶦt) (be-)nennen; **~ion** (dᶦnɔmᶦneᶦ'ŝᶦᵉn) Benennung; Klasse; Sekte *f.* [ten.]

denote (dᶦnoᵘ't) bezeichnen; bedeu-]

denounce (dᶦnäu'nŝ) *Unheil usw.* ankündigen; androhen; anzeigen; brandmarken; *Vertrag* kündigen.

dens|e □ (dĕnŝ) dicht, dick (*Nebel*); tief (*Unwissenheit*); dumm; **~ity** (dĕ'nŝᶦtᶦ) Dichtheit, Dichtigkeit *f.*

dent (dĕnt) 1. Beule, Einbeulung *f;* 2. ver-, zer-, ein-beulen.

dentist (dĕ'ntᶦŝt) Zahnarzt *m.*

denunciat|ion (dᶦnʌnŝᶦeᶦ'ŝᶦᵉn) Anzeige *f;* **~or** (dᶦnʌ'nŝᶦeᶦtᵉ) Denunzia'nt *m.*

deny (dᶦnᵃĩ') verleugnen; verweigern, abschlagen; *j.* abweisen.

depart (dᶦpä't) *v/i.* abreisen, abfahren; abstehen, (ab)weichen; verscheiden; **~ment** (~mᵉnt) Abteilung *f;* Bezirk *m;* ₸ Branche *f; Am.* Ministe'rium; State ℒ Auswärtiges Amt; ~ store Warenhaus *n;* **~ure** (dᶦpä'tŝᵉ) Abreise, ⛴, ⚓ Abfahrt *f;* Abweichung *f.*

depend (dᶦpĕ'nd): ~ (up)on abhängen von; angewiesen sn auf (*acc.*); sich verlassen auf (*acc.*); F it ~es kommt darauf an; **~able** (~ᵉbl) zuverlässig; **~ant** (~ᵉnt) Abhängige(r); Angehörige(r); **~ence** (~ᵉnŝ) Abhängigkeit *f;* Vertrauen *n;* **~ency** (~ŝi) Schutzgebiet; *pl.* Zubehör *n;* **~ent** (~ᵉnt) □ (on) abhängig (von); angewiesen (auf *acc.*).

depict (dᶦpᶦ't) malen; *fig.* schildern.

deplete (dᶦplï't) (ent)leeren; *fig.* erschöpfen.

deplor|able □ (dᶦplɔ'ʳᵉbl) beklagenswert; kläglich; jämmerlich; **~e** (dᶦplɔ') bejammern.

deport (dᶦpɔ't) *Ausländer* abschieben; verbannen; ~ o.s. sich benehmen; **~ment** (~mᵉnt) Benehmen *n.*

depose (dᶦpoᵘ') absetzen; ₶ (eidlich) aussagen.

deposit (dᶦpɔ'ŝᶦt) 1. Ablagerung *f;* Lager *n;* ₸ Depo't *n; Bank-*Einlage *f;* Pfand *n;* Hinterle'gung *f;* 2. *Eier* legen; nieder-, ab-, hinlegen; *Geld* ein-legen, -zahlen; hinterle'gen; (sich) ablagern; **~ion** (dĕpᵉŝᶦ'ŝᶦᵉn) Ablagerung; eidliche Zeugenaussage; Absetzung *f;* **~or** (dᶦpɔ'ŝᶦtᵉ) Hinterle'ger, Einzahler *m.*

depot (dĕ'poᵘ) Depo't *n;* Lagerhaus *n; Am.* Bahnhof *m.* [ben.]

deprave (dᶦpreᶦ'w) *sittlich* verder-]

depreceate (dᶦprï'ŝᶦeᶦt) herabsetzen; geringschätzen; entwerten.

depress (dᶦprĕ'ŝ) niederdrücken; *Preise usw.* senken, drücken; bedrücken; **~ed** (~t) *fig.* niedergeschlagen; **~ion** (dᶦprĕ'ŝᶦᵉn) Senkung; Niedergeschlagenheit; ✝ Flauheit; ♉ Schwäche f; Sinken n.

deprive (dᵢˈprālˈw) berauben; entziehen; ausschließen (of von).

depth (dĕpᵗh) Tiefe f; Tiefen...

deput|ation (dĕpⁱᵘteⁱˈʃĕⁿ) Abordnung f; ~e (dⁱˈpjūˈt) abordnen; ~y (bĕˈpⁱᵘtⁱ) Abgeordnete(r); Stellvertreter, Beauftragte(r) m.

derail ☊ (dⁱˈreⁱˈl) v/i. entgleisen; v/t. zum Entgleisen bringen.

derange (dⁱˈreⁱˈndG) in Unordnung bringen; stören; zerrütten.

derelict (dĕrⁱˈlĭtt) herrenloses Gut; Wrack n; ~ion (dĕrⁱˈlⁱˈtʃĕⁿ) Verlassen n; Vernachlässigung f.

deri|de (dⁱˈrāⁱˈd) verlachen, verspotten; ~sion (dⁱˈrⁱˈGⁿ) Verspottung f; ~sive (dⁱˈrāⁱˈʃⁱw) spöttisch.

deriv|ation (dĕrⁱweⁱˈʃĕⁿ) Ableitung; Herkunft f; ~e (dⁱˈrāⁱˈw) herleiten; Nutzen usw. ziehen (from aus).

derogat|e (dĕˈroᵍeⁱt) schmälern (from acc.); ~ion (dĕˈroᵍeⁱˈʃĕⁿ) Beeinträchtigung; Herabwürdigung f.

derrick (dĕˈrᴉt) ⊕ Drehkran; ⚓ Ladebaum; ⚒ Bohrturm m.

descend (dⁱˈßĕˈnd) (her-, hin-)steigen, herabkommen; sinken; ☳ niedergehen; ~ (up)on herfallen über (acc.); einfallen in (acc.); (ab)stammen; ~ant (~ᵉnt) Nachkomme m.

descent (dⁱˈßĕⁿt) Herabsteigen n; Abstieg m; Sinken; Gefälle n; feindlicher Einfall m, Landung; Abstammung f; Abhang m.

describe (dⁱˈßkrāⁱˈb) beschreiben.

description (dⁱˈßkrⁱˈpʃĕⁿ) Beschreibung, Schilderung; Art f.

desert 1. (dĕˈʃᵉt) a) verlassen; wüst, öde; b) Wüste f; 2. (dⁱˈßᵉt) a) v/t. verlassen; v/i. ausreißen; desertieren; b) Verdienst n; ~er (~ᵉ) Fahnenflüchtige(r) m; ~ion (~ʃĕⁿ) Verlassen n; Fahnenflucht.

deserv|e (dⁱˈß'w) verdienen; sich verdient m. (of um); ~ing (~ⁱⁿᵍ) würdig (of gen.); verdienstvoll.

design (dⁱˈʃāⁱˈn) 1. Plan; Entwurf m; Vorhaben n, Absicht; Zeichnung f, Muster n; 2. ersinnen, zeichnen, entwerfen; planen, bestimmen.

designat|e (dĕˈʃⁱᵍneⁱt) bezeichnen; ernennen, bestimmen; ~ion (dĕʃⁱᵍneⁱˈʃĕⁿ) Bezeichnung; Bestimmung f.

designer (dⁱˈʃāⁱˈnᵉ) (Muster-)Zeichner(in); Konstrukteu'r m.

desir|able ☐ (dⁱˈʃāⁱˈᵉrᵉbl) wünschenswert; angenehm; ~e (dⁱˈʃāⁱˈᵉ) 1. Wunsch m; Verlangen n; 2. verlangen, wünschen; ~ous ☐ (~rᵉß) begierig.

desist (dⁱˈʃⁱˈßt) abstehen, ablassen.

desk (dĕßk) Pult n.

desolat|e 1. (dĕˈßoˈleⁱt) verwüsten; 2. ☐ (~lⁱt) einsam: verlassen; öde; ~ion (dĕßoˈleⁱˈʃĕⁿ) Verwüstung f; Einöde; Verlassenheit f.

despair (dⁱˈßpäᵉˈ) 1. Verzweiflung f; 2. verzweifeln (of an dat.); ~ing ☐ (~rⁱⁿᵍ) verzweifelt.

despatch = **dispatch** Abfertigung.

desperat|e ☐ (dĕˈßpᵉreⁱt) adj. u. adv. verzweifelt; schrecklich (Wetter usw.); ~ion (dĕßpᵉreⁱˈʃĕⁿ) Verzweiflung; Raserei f.

despise (dⁱˈßpāⁱˈſ) verachten.

despite (dⁱˈßpāⁱˈt) 1. Verachtung f; Trotz m; Bosheit f; in ~ of zum Trotz, trotz; 2. prp. (a. ~ of) trotz.

despoil (dⁱˈßpoⁱˈl) berauben (of gen.).

despond (dⁱˈßpóˈnd) verzagen, verzweifeln; ~ency (~ᵉnßⁱ) Verzagtheit f; ~ent ☐ (~ᵉnt) verzagt.

dessert (dⁱˈßᵉt) Nachtisch m.

destin|ation (dĕßtⁱneⁱˈʃĕⁿ) Bestimmung(sort m) f; ~e (dĕˈßtⁱn) bestimmen; ~y (~nⁱ) Schicksal n.

destitute ☐ (dĕˈßtⁱtⁱūt) mittellos, notleidend; entblößt (of von).

destroy (dⁱˈßtróⁱˈ) zerstören, vernichten; töten; unschädlich m.

destruct|ion (dⁱˈßtrᵃˈʃĕⁿ) Zerstörung; Tötung f; ~ive ☐ (~ᴉw) zerstörend; vernichtend (of, :o acc.).

detach (dⁱˈtäˈtʃ) losmachen, (ab-)lösen; absondern; ✕ (ab)kommandieren; ~ed (~t) einzeln (stehend), unbeeinflußt; ~ment Trennung; ✕ Abteilung f.

detail 1. (bⁱˈteⁱˈl) Einzelheit f; eingehende Darstellung; ✕ Kommando n; in ~ ausführlich; 2. (~ˈteⁱˈl) genau schildern; ✕ abkommandieren.

detain (dⁱˈteⁱˈn) zurück-, auf-, abhalten; j. in Haft behalten.

detect (dⁱˈtᵉˈtt) entdecken; (auf-)finden; ~ion (dⁱˈtᵉˈtʃĕⁿ) Entdeckung f; ~ive (~tⁱw) Geheimpolizist.

detention (dⁱˈtᵉˈnʃĕⁿ) Zurück-, Vorent-haltung; Ab-haltung; Haft f.

deter (dⁱˈtᵉˈ) abschrecken (from von).

deteriorat|e (dⁱˈtⁱˈrⁱᵉreⁱt) (sich) verschlechtern; entarten; ~ion (dⁱˈtⁱˈrⁱᵉreⁱˈʃĕⁿ) Verschlechterung f.

determin|ation (dᶦtömᶦneᶦ'ſchᵉn) Bestimmung; Entschlossenheit; Entscheidung *f*; Entschluß *m*; **~e** (dᶦtö'min) *v/t.* bestimmen; entscheiden; veranlassen; *Strafe* festsetzen; beendigen; *v/i.* sich entschließen; **~ed** (~d) entschlossen.
detest (dᶦtĕ'ßt) verabscheuen; **~able** □ (~ᵉbl) abscheulich; **~ation** (dītĕßteᶦ'ſchᵉn) Abscheu *m.*
dethrone (dᶦthrouᵘ'n) entthronen.
detonate (dĕ'tᵒneᶦt) explodieren (l.).
detour (deᶦ'tuᵉ) 1. Umweg *m*; *Am.* Umleitung *f*; 2. e-n Umweg m.
detract (dᶦträ'kt) entziehen; schmälern; **~ion** (dᶦträ'kſchᵉn) Verleumdung; Herabsetzung *f.*
detriment (dĕ'trᶦmᵉnt) Schaden *m.*
devalue (dīwä'ljū) abwerten.
devastat|e (dĕ'wᵉßteᶦt) verwüsten; **~ion** (dĕwᵉßteᶦ'ſchᵉn) Verwüstung *f.*
develop (dᶦwĕ'lᵉp) (sich) entwickeln; (sich) entfalten; (sich) erweitern; *Gelände* erschließen; ausbauen; *Am.* enthüllen; **~ment** (~mᵉnt) Entwicklung *f usw.*
deviat|e (dī'wᶦeᶦt) abweichen; **~ion** (dīwᶦeᶦ'ſchᵉn) Abweichung *f.*
device (dᶦwaĭ'ß) Plan; Kniff *m*; Erfindung; Vorrichtung *f*; Muster *n*; Wahlspruch *m*; *leave a p. to his own ~s* j. allein fertig werden lassen.
devil (dĕ'wl) 1. Teufel (*a. fig.*); Gehilfe *m*; 2. *v/t. Gericht* stark pfeffern; *Am.* F *j.* schikanieren; **~ish** □ (~iſch) teuflisch; **~(t)ry** Teufelei *f.*
devious □ (dī'wᶦᵉß) abwegig.
devise (dᶦwaĭ'ſ) 1. ⚖ Vermachen; Vermächtnis *n*; 2. ersinnen; ⚖ vermachen.
devoid (dᶦwoĭ'd) (*of*) bar (*gen.*), ohne.
devot|e (dᶦwouᵘ't) weihen, widmen; **~ed** □ (~ᶦd) ergeben; todgeweiht; **~ion** (dᶦwouᵘ'ſchᵉn) Ergebenheit; Hingebung; Frömmigkeit; *~s pl.* Andacht *f.*
devour (dᶦwauᵉ') verschlingen.
devout □ (dᶦwau't) andächtig, fromm; innig. [betaut; taufrisch.]
dew (djū) 1. Tau *m*; 2. tauen; **~y**
dexter|ity (dĕkßtĕ'rᶦtī) Gewandtheit *f*; **~ous** □ (dĕ'kßtᵉrᵉß) gewandt.
diabolic(al □) (daĭᵉbŏ'lik, ~ᶦkᵉl) teuflisch.
diagram (daĭ'ᵉgräm) graphische Darstellung; Schema *n*, Plan *m.*
dial (daĭ'ᵉl) 1. Sonnenuhr *f*; Zifferblatt *n*; *teleph.* Wählerscheibe; *Radio*: Skala *f*; 2. *teleph.* wählen.
dialect (daĭ'ᵉlĕkt) Mundart *f.*
dialogue (daĭ'ᵉlŏg) Zwiegespräch *n.*
dial...: **~-plate** *teleph.* Nummernscheibe *f*; **~-tone** *Am. teleph.* Amtszeichen *n.* [*m.*]
diameter (daĭä'mᶦtᵉ) Durchmesser
diamond (daĭ'ᵉmᵉnd) Diama'nt; Rhombus *m*; *Karten*: Karo *n.*
diaper (daĭ'ᵉpᵉ) Windel *f.*
diaphragm (daĭ'ᵉfräm) Zwerchfell *n*; *opt.* Blende; *teleph.* Membra'n *f.*
diary (daĭ'ᵉrī) Tagebuch *n.*
dice (daĭß) [*pl. von die²*] 1. Würfel *m/pl.*; 2. würfeln; **~-box** W.becher
dicker *Am.* (dĭ'kᵉ) schachern. [*m.*]
dick(e)y (dĭ'kī) *mot.* Notsitz *m*; Vorhemd *n.*
dictat|e 1. (dĭ'kteᶦt) Dikta't *n*: Vorschrift *f*; Gebot *n*; 2. (dᶦkteᶦ't) diktieren; *fig.* vorschreiben; **~ion** (dĭkteᶦ'ſchᵉn) Dikta't *n*; Vorschrift *f*; **~orship** (dĭkteᶦ'tᵉſchĭp) Diktatu'r *f.*
diction (dĭ'kſchᵉn) Ausdruck(sweise *f*), Stil *m*; **~ary** (~rī) Wörterbuch *n.*
did (dĭd) tat; machte.
die¹ (daĭ) sterben, umkommen; untergehen; absterben; F schmachten; *~ away* ersterben; verhallen (*Ton*); sich verlieren (*Farbe*); verlöschen (*Licht*); *~ down* hinsiechen; (dahin-) schwinden; erlöschen.
die² (~) [*pl. dice*] Würfel *m*; [*pl. dies* (daĭſ)] ⊕ Preßform *f*; *Münz*-Stempel *m*; *lower ~* Matri'ze *f.*
diet (daĭ'ᵉt) 1. Diä't; Nahrung, Kost *f*; Landtag *m*; 2. *v/t.* Diät vorschreiben; beköstigen; *v/i.* diät leben.
differ (dĭ'fᵉ) sich unterschei'den; andrer Meinung sn (*with, from* als); abweichen; **~ence** (dĭ'frᵉnß) Unterschied *m*; ♐, ✝ Differe'nz; Meinungsverschiedenheit *f*; **~ent** □ (~t) verschieden; andre(r, s) (*from* als); **~entiate** (dĭfᵉrĕ'nſchᶦeᶦt) (sich) unterschei'den. [Schwierigkeit *f.*]
difficult □ (dĭ'fᶦkᵉlt) schwierig; **~y**
diffiden|ce (dĭ'fᶦdᵉnß) Schüchternheit *f*; **~t** □ (~dᵉnt) schüchtern.
diffus|e 1. (dᶦfjū'ſ) *fig.* verbreiten; 2. □ (dᶦfjū'ß) weitverbreitet, zerstreut (*bsd. Licht*); weitschweifig; **~ion** (dᶦfjū'Gᵉn) Verbreitung *f.*
dig (dĭg) 1. [*irr.*] (um-, aus-)graben; wühlen (in *dat.*); 2. F Stoß, Puff *m.*
digest 1. (dᶦdGĕ'ßt) ordnen; verdauen; *v/i.* verdaut w.; 2. (daĭ'dGĕßt) Abriß *m*; ⚖ Gesetzsamm-

lung *f*; **~ible** (dⁱdGĕ'ßtᵉbl) verdaulich; **~ion** (~tſchᵉn) Verdauung *f*.
dignif|ied (dĭ'gnⁱfaid) würdevoll; würdig; **~y** (~fai) Würde verleihen (*dat.*); (be)ehren; *fig.* adeln.
dignit|ary (dĭ'gnⁱtᵉrĭ) Würdenträger *m*; **~y** (~tĭ) Würde *f*.
digress (daigrĕ'ß) abschweifen.
dike (daik) 1. Deich; Damm; Graben *m*; 2. eindeichen; eindämmen.
dilapidate (dⁱlă'pⁱdeⁱt) verfallen (l.).
dilat|e (daileⁱ't) (sich) ausdehnen; *Augen* weit öffnen; **~ory** □ (dĭ'lᵉtᵉrĭ) saumselig. [□ fleißig, emsig.]
diligen|ce (dĭ'lⁱdGᵉnß) Fleiß *m*; **~t**
dilute (dailju't) verdünnen; verwässern.
dim (dĭm) 1. □ trüb; dunkel; matt; 2. (sich) verdunkeln; abblenden; (sich) trüben; beschlagen (*Glas*).
dime *Am.* (daim) Zehncentstück *n*.
dimin|ish (dⁱmĭ'nĭſch) (sich) vermindern; abnehmen; **~ution** (dĭmⁱnjū'ſchᵉn) Verminderung; Abnahme *f*; **~utive** □ (dⁱmĭ'nⁱuťĭw) winzig. [2. Grübchen bekommen.]
dimple (dĭ'mpl) 1. Grübchen *n*;
din (dĭn) Getöse *n*, Lärm *m*.
dine (dain) zu Mittag speisen; bewirten; **~r** (dai'nᵉ) Speisende(r); (Mittags-)Gast; 🚃 (*bsd. Am.*) Speisewagen *m*; Speiserestaurant *n*.
dingle (dĭ'ngl) Waldschlucht *f*.
dingy □ (dĭ'ndGĭ) schmutzig.
dining...: **~-car** 🚃 Speisewagen *m*; **~-room** Speisezimmer *n*.
dinner (dĭ'nᵉ) Mittagessen; Festmahl *n*; **~-party** Tischgesellschaft *f*.
dint (dĭnt): *by ~ of* kraft, vermöge.
dip (dĭp) 1. *v/t.* (ein)tauchen; senken; schöpfen; *v/i.* (unter)tauchen, untersinken; sich neigen; sich senken; 2. Eintauchen *n*; F kurzes Bad *n*; Senkung, Neigung *f*, Abhang *m*.
diploma (dⁱplouˈmᵉ) Diplom *n*; **~cy** (~ßĭ) Diplomatie' *f*; **~tic(al** □) (dĭplᵒmă'tĭk, ~ⁱtᵉl) diplomatisch; **~tist** (dⁱplou'mᵉtĭßt) Diploma't(in).
dipper (dĭ'pᵉ) Taucher(in); Schöpfkelle *f*; *the* ♀ *ast.* der Große Bär.
dire (daiᵉ) gräßlich, schrecklich.
direct (dⁱrĕ'kt) 1. □ direkt: gerade; unmittelbar; offen, aufrichtig; deutlich; *~ current* Gleichstrom *m*; *~ train* durchgehender Zug; 2. *adv.* geradeswegs; = *~ly*; 3. richten; lenken, steuern; leiten; anordnen; *j.* (an)weisen; *Brief* adressieren; **~ion** (dⁱrĕ'kſchᵉn) Richtung; Gegend; Leitung; Anordnung; Adresse *f*; Vorstand *m*; **~ion-finder** *Radio*: (Funk-)Peiler; Peil(funk)-empfänger *m*; **~ive** (dⁱrĕ'ktĭw) richtungweisend; leitend; **~ly** (~lĭ) 1. *adv.* sofort; 2. *cj.* sobald (als).
director (dⁱrĕ'ktᵉ) Direktor; (*Film*: Aufnahme-)Leiter *m*; *board of ~s* Aufsichtsrat *m*; **~ate** (~rⁱt) Direktio'n *f*; **~y** (~rĭ) (Telephon-) Adreßbuch *n*; Direkto'rium *n*.
dirge (dödG) Trauergesang *m*.
dirigible (dĭ'rⁱdGᵉbl) lenkbar(es Luftschiff).
dirt (döt) Schmutz *m*; (lockere) Erde; **~-cheap** F spottbillig; **~y** (dö'tĭ) 1. □ schmutzig (*a. fig.*); 2. beschmutzen; besudeln.
disability (dĭßᵉbĭ'lⁱtĭ) Unfähigkeit *f*.
disable (dĭßeⁱ'bl) (dienst-, kampf-) unfähig m.; **~d** (~d) dienst-, kampfunfähig; körperbehindert; kriegsbeschädigt.
disadvantage (dĭßᵉdwā'ntⁱdG) Nachteil; Schaden *m*.
disagree (dĭßᵉgrī') nicht überei'nstimmen; uneinig sn; nicht bekommen (*with a p.* e-m); **~able** □ (~ᵉbl) unangenehm; **~ment** (~mᵉnt) Verschiedenheit; Unstimmigkeit; Meinungsverschiedenheit *f*.
disappear (dĭßᵉpiᵉ') verschwinden; **~ance** (~rᵉnß) Verschwinden *n*.
disappoint (dĭßᵉpoi'nt) enttäuschen; vereiteln; *j.* im Stich lassen; **~ment** Enttäuschung; Vereitelung *f*.
disapprov|al (dĭßᵉprū'wᵉl) Mißbilligung *f*; **~e** (dĭ'ßᵉprū'w) mißbilligen (*of et.*).
disarm (dĭßā'm) *v/t.* entwaffnen (*a. fig.*); *v/i.* abrüsten; **~ament** (~ᵉmᵉnt) Entwaffnung; Abrüstung *f*.
disarrange (dĭ'ßᵉreⁱ'ndG) in Unordnung bringen, verwirren.
disast|er (dĭſā'ßtᵉ) Unglück(sfall *m*) *n*, Katastro'phe *f*; **~rous** □ (~rᵉß) unheilvoll; katastropha'l. [lösen.]
disband (dĭßbă'nd) entlassen; auf-
disbelieve (dĭßbⁱlī'w) nicht glauben.
disburse (dĭßbö'ß) auszahlen.
disc (dĭßk) = *disk* Scheibe.
discard (dĭßkā'd) *Karten, Kleid usw.* ablegen; entlassen.
discern (dⁱßö'n) unterschei'den; erkennen; beurteilen; **~ing** (~ĭng) □ einsichtsvoll, scharfsichtig; **~ment** (~mᵉnt) Einsicht *f*; Scharfsinn *m*.

discharge (dĭs̄tᶴä̀'đ G̱) 1. v/t. ent-, ab-, aus-laden; entlasten, entbinden; abfeuern; *Pflicht usw.* erfüllen; *Zorn usw.* auslassen; *Schuld* tilgen; quittieren; *Wechsel* einlösen; entlassen; freisprechen; v/i. sich entladen; eitern; 2. Entladung *f*; Abfeuern *n*; Ausströmen *n*; Ausfluß, Eiter(ung *f*) *m*; Entlassung; Entlastung; Bezahlung; Quittung; Erfüllung *f e-r Pflicht.*

disciple (dĭ'sā̀i'pl) Schüler; Jünger *m.*

discipline (dĭ'sĭplĭn) 1. Diszipli'n: Zucht; Erziehung; Züchtigung *f*; 2. erziehen; züchtigen; schulen.

disclose (dĭs̄lo͞ʊ'ſ) aufdecken; erschließen, offenbaren, enthüllen.

discolo(u)r (dĭs̄la̱'lᵉ) (sich) verfärben.

discomfort (dĭs̄a'mfᵉt) 1. Unbehagen *n*; Verdruß *m*; 2. verdrießen.

discompose (dĭs̄ᵉmpo͞ʊ'ſ) beunruhigen. [sung bringen; vereiteln.]

disconcert (dĭs̄ᵉnᵶᶂ̈'t) außer Fas-|

disconnect (dĭs̄ᵉne'tt) trennen; ⊕ auskuppeln; aus-, ab-schalten; ᴗed □ (ᴗĭð) zs.-hanglos. [los.]

disconsolate (dĭs̄ȯ'nᶊᵉlᵻt) trost-|

discoᴗ.ent (dĭ'skᵉntẽ'nt) Unzufriedenheit *f*; ᴗed □ (ᴗĭð) mißvergnügt.

discontinue (dĭ'skᵉntĭ'njū) aufgeben, aufhören mit; unterbre'chen.

discord (dĭ'skȯd), ᴗance (dĭs̄ö'đᵉnð) Uneinigkeit *f*; ♪ Mißklang *m.*

discount 1. ♰ (dĭ'skau̅nt) Disko'nt; Abzug, Raba'tt *m*; 2. (ᴗᴗ dĭs̄kau̅'nt) ♰ diskontieren; abrechnen; *fig.* absehen von; *Nachricht* mit Vorsicht aufnehmen; mit *et.* rechnen.

discourage (dĭs̄a'r̄ĭdʒ) entmutigen; abschrecken; ᴗment (ᴗmᵉnt) Entmutigung; Schwierigkeit *f.*

discourse (dĭs̄ö̱'ſ) 1. Gespräch *n*; Rede; Abhandlung *f*; 2. reden, sprechen; *e-n* Vortrag halten.

discourte|ous □ (dĭs̄ȯ̱'tĭᵉs̄) unhöflich; ᴗsy (ᴗtĭsĭ) Unhöflichkeit *f.*

discover (dĭs̄a'wᵉ) entdecken; ausfindig m.; ᴗy (ᴗrĭ) Entdeckung *f.*

discredit (dĭs̄krĕ'dĭt) 1. schlechter Ruf; Unglaubwürdigkeit *f*; 2. nicht glauben; in üblen Ruf bringen.

discreet □ (dĭs̄krī̱'t) besonnen, vorsichtig; klug; verschwiegen.

discrepancy (dĭs̄krĕ'pᵉnᶊĭ) Widerspruch *m*; Unstimmigkeit *f.*

discretion (dĭs̄krĕ'ᶴᵉn) Besonnen-

heit, Klugheit *f*; Takt *m*; Verschwiegenheit *f*; Belieben *n.*

discriminat|e (dĭs̄krĭ'mᴉnᵉt) unterschei'den; ᴗ *against* benachteiligen; ᴗing □ (ᴗĭng) unterschei'dend; scharfsinnig; urteilsfähig; ᴗion (ᴗnei''ᶴᵉn) Unterschei'dung; unterschiedliche Behandlung *f.*

discuss (dĭs̄a'ḫ) erörtern, besprechen; ᴗion (ᴗᶴᵉn) Erörterung *f.*

disdain (dĭs̄dei'n) 1. Verachtung *f*; 2. geringschätzen, verachten; verschmähen. [krank.]

disease (dĭʒī̱'ſ) Krankheit *f*; ᴗd (ᴗð)|

disembark (dĭ'sĕmbä̱'t) ausschiffen, landen.

disengage (dĭ'sĕngei'đ G̱) (sich) freimachen, (sich) lösen; ⊕ loskuppeln.

disentangle (dĭ'sĕntä̱'nᵍgl) entwirren; *fig.* freimachen (*from* von).

disfavo(u)r (dĭ'sfei'wᵉ) 1. Mißfallen *n*, Ungnade *f*; 2. nicht mögen.

disfigure (dĭs̄fĭ'gᵉ) entstellen.

disgorge (dĭs̄gö̱'đ G̱) ausspeien.

disgrace (dĭs̄grei'ſ) 1. Ungnade; Schande *f*; 2. in Ungnade fallen l.; *j.*entehren; ᴗful □ (ᴗfᵘl) schimpflich.

disguise (dĭs̄gai'ſ) 1. verkleiden; *Stimme* verstellen; verhehlen; 2. Verkleidung; Verstellung; Maske *f.*

disgust (dĭs̄ga'ḫt) 1. Ekel; 2. anekeln; ᴗing □ (ᴗĭnᵍ) ᴗ ekelhaft.

dish (dĭᶴ) 1. Schüssel, Platte *f*; Gericht *n* (*Speise*); 2. anrichten; (*mst* ᴗ *up*) auftischen.

dishearten (dĭs̄hä̱'tn) entmutigen.

dishevelled (dĭ'ᶴĕ'wᵉld) zerzaust.

dishonest □ (dĭs̄ȯ'nᵻ̱t) unehrlich, unredlich; ᴗy (ᴗĭ) Unredlichkeit *f.*

dishono(u)r (dĭs̄ȯ'nᵉ) 1. Unehre, Schande *f*; 2. entehren; schänden; *Wechsel* nicht honorieren; ᴗable □ (ᴗᵉbl) entehrend; ehrlos.

disillusion (dĭ'sĭlū̱'ʒᵉn) 1. Ernüchterung, Enttäuschung *f*; 2. (*a.* ᴗize, ᴗaĭ) ernüchtern, enttäuschen.

disinclined (dĭ'sĭnklai'nd) abgeneigt.

disinfect (dĭ'sĭnfĕ'tt) desinfizieren; ᴗant (ᴗᵉnt) Desinfektio'nsmittel *n.*

disintegrate (dĭs̄ĭ'ntĭgrei't) (sich) auflösen; (sich) zersetzen.

disinterested □ (dĭs̄ĭ'ntrĭᵻ̱tĭd) uneigennützig, selbstlos.

disk (dĭᶊt) Scheibe; Platte *f.*

dislike (dĭs̄lai'ϊ) 1. Abneigung *f*; Widerwille *m*; 2. nicht mögen.

dislocate (dĭ'ᶊloʊei't) aus den Fugen bringen; verrenken; verlagern.

dislodge (dĭs'lŏ'dǧ) vertreiben, verjagen; umquartieren.

disloyal □ (dĭ'ḫlŏi̯'el) treulos.

dismal □ (dĭ'ĭm⁴l) trüb(selig); öde.

dismantl|e (dĭs'mä'ntl) entblößen; ⚓ abtakeln; ⊕ demontieren; **~ing** (~iⁿᵍ) Demonta'ge f.

dismay (dĭs'me⁴') 1. Schrecken m; Bestürzung f; 2. v/t. erschrecken.

dismiss (dĭs'mĭ'ß) v/t. entlassen, wegschicken; ablehnen; Thema usw. fallen l.; ₹ᵗ₅ abweisen; **~al** (~⁴l) Entlassung; Aufgabe; ₹ᵗ₅ Abweisung f.

dismount (dĭs'hmäu̯'nt) v/t. aus dem Sattel werfen; demontieren; ⊕ aus-ea.-nehmen; v/i. absteigen.

disobedien|ce (dĭs'ŏbⁱdi⁴nß) Ungehorsam m; **~t** □ (~t) ungehorsam.

disobey (dĭs'ḫŏbe⁴') ungehorsam sn.

disorder □ (dĭs'ŏ'd⁴) 1. Unordnung f; Aufruhr m; ⚔ Störung f; 2. in Unordnung bringen; stören; zerrütten; **~ly** (~lĭ) unordentlich; ordnungswidrig; unruhig.

disorganize (dĭs'ŏ'g⁴näⁱ) zerrütten.

disown (dĭs'ŏⁿ'n) nicht anerkennen, verleugnen; ablehnen.

dispassionate □ (dĭs'pä'ſᶜhⁿⁱt) leidenschaftslos; unparteiisch.

dispatch (dĭs'pä'tſch) 1. (schnelle) Erledigung; (schnelle) Absendung, Abfertigung f; Eile; Depesche f; by ~ durch Eilboten; 2. (schnell) abmachen, erledigen (a. = töten); abfertigen; absenden. [streuen.]

dispel (dĭs'pe'l) vertreiben, zer-|

dispensa|ry (dĭs'pe'nß⁴rⁱ) Apothe'ke f; **~tion** (dĭs'pⁿße'ſᶜhⁿⁿ) Austeilung; Befreiung (with von); göttliche Fügung f.

dispense (dĭs'pe'nß) v/t. austeilen; Gesetze handhaben; Arzneien bereiten und ausgeben; befreien.

disperse (dĭs'pⁿ'ß) (sich) zerstreuen; auseinandergehen.

dispirit (dĭs'pⁱ'rĭt) entmutigen.

displace (dĭs'ple⁴'ß) verschieben; absetzen; ersetzen; verdrängen.

display (dĭs'ple⁴') 1. Entfaltung f; Aufwand m; Schaustellung; Schaufenster-Auslage f; 2. entfalten; zur Schau stellen; zeigen.

displeas|e (dĭs'plĭ'ß) j-m mißfallen; **~ed** □ (~⁴d) ungehalten; **~ure** (dĭs'plⁱ'Gⁿ) Mißfallen n; Verdruß m.

dispos|al (dĭs'pŏⁿⁱ'nⁿ) Anordnung; Verfügung(srecht n); Beseitigung; Veräußerung; Übergabe f; **~e**|

(dĭs'pŏⁿ'ſ) v/t. (an)ordnen, einrichten; geneigt m., veranlassen; v/i. ~ of verfügen über (acc.); erledigen; verwenden; veräußern; unterbringen; beseitigen; **~ed** □ (~ⁿd) geneigt; gelaunt; ...gesinnt; **~ition** (dĭs'pŏⁿⁱ'ſᶜhⁿn) Disposition; Anordnung; Neigung; Sinnesart; Verfügung f.

disproof (dĭs'ḫprü'f) Widerle'gung f.

disproportionate □ (dĭs'ḫprⁿpŏ'ſᶜhⁿⁿⁿt) unverhältnismäßig.

disprove (dĭs'ḫprü'w) widerle'gen.

dispute (dĭs'pjü't) 1. Streit(igkeit f); Rechtsstreit m; 2. (be)streiten.

disqualify (dĭs'ḵwŏ'lⁱfäⁱ) unfähig od. untauglich machen od. erklären.

disregard (dĭs'ḫrⁱgä'd) 1. Nicht(be)-achtung f; 2. unbeachtet lassen.

disreput|able □ (dĭs'rě'pⁱu⁴tⁿbl) schimpflich; verrufen; **~e** (dĭs'ḫ-rⁱpjü't) übler Ruf; Schande f.

disrespect (dĭs'ḫrⁱßpě'ßt) Nichtachtung; Unehrerbietigkeit f; **~ful** □ (~ſᵘl) unehrerbietig; unhöflich.

dissatis|faction (dĭs'ḫßätⁱßfä'ᶜhⁿⁿ) Unzufriedenheit f; **~factory** (~t⁴rⁱ) unbefriedigend; **~fy** (dĭs'ḫßä'tⁱßfäⁱ) nicht befriedigen; j-m mißfallen.

dissect (dĭs'ßě'ßt) zerlegen; zergliedern.

dissemble (dĭs'ßě'mbl) v/t. verhehlen; v/i. sich verstellen, heucheln.

dissen|sion (dĭs'ßě'nſᶜhⁿⁿ) Meinungsverschiedenheit; Uneinigkeit f; **~t** (~t) 1. abweichende Meinung; Nichtzugehörigkeit f zur Landeskirche; 2. andrer Meinung sn.

dissimilar □ (dĭs'ßⁱ'mⁱl⁴) unähnlich (to, from dat.); verschieden (von).

dissimulation (dĭs'ßⁱmⁱu⁴le⁴'ſᶜhⁿⁿ) Verstellung, Heuchelei f.

dissipat|e (dĭs'ḫⁱpe⁴t) (sich) zerstreuen; verschwenden; **~ion** (dĭs'ḫⁱpe⁴'ſᶜhⁿⁿ) Zerstreuung; Verschwendung f; ausschweifendes Leben.

dissoluble (dĭs'ŏ'lⁱu̯bl) (auf)lösbar.

dissolut|e □ (dĭs'ⁿlüt) liederlich, ausschweifend; **~ion** (dĭs'⁴lü'ſᶜhⁿⁿ) Auflösung; Zerstörung f; Tod m.

dissolve (dĭs'ŏ'lw) v/t. (auf)lösen; schmelzen; v/i. sich auflösen; vergehen.

dissonant (dĭs'ŏⁿⁿnt) ♪ mißtönend; abweichend; uneinig.

dissuade (dĭs'ßwe⁴'b) j-m abraten.

distan|ce (dĭs't⁴nß) 1. Abstand m, Entfernung; Ferne; Strecke; Zurückhaltung f; at a ~ von weitem; in e-r gewissen Entfernung; weit

weg; 2. hinter sich lassen; ~ce-
-controlled ferngesteuert; ~t □
(~t) entfernt; fern; zurückhaltend.
distaste (dï'ste͡ï'ʃt) Widerwille *m*;
Abneigung *f*; ~ful □ (~ful) widerwärtig; ärgerlich.
distemper (dïʃtĕ'mpᵉ) Krankheit
(*bsd. von Tieren*); (Hunde-)Staupe *f*.
distend (dïʃtĕ'nd) (sich) ausdehnen;
(auf)blähen; (sich) weiten.
distil (dïʃtï'l) herabtröpfeln (l.); ⚗
destillieren; ~lery (~ᵉrï) Brannt-
weinbrennerei *f*.
distinct □ (dïʃtï'nᵍᵗt) verschieden;
getrennt; deutlich, bestimmt; ~ion
(dïʃtï'nᵍʃ(ᵉ)n) Unterschei'dung *f*;
Unterschied *m*; Auszeichnung *f*;
Rang *m*; ~ive □ (~tïw) unterschei'-
dend; apa'rt; kenn-, be-zeichnend.
distinguish (dïʃtï'nᵍᵍw͡oïʃ(tʃ)) unterschei'den; auszeichnen; ~ed (~t)
ausgezeichnet; vornehm.
distort (~tö't) ver-drehen; -zerren.
distract (dïʃträ'tt) ablenken, zerstreuen; beunruhigen; verwirren;
verrückt m.; ~ion (dïʃträ'tʃ(ᵉ)n)
Zerstreutheit; Verwirrung *f*; Wahnsinn *m*; Zerstreuung *f*.
distress (dïʃtrĕ'ʃ) 1. Qual *f*; Elend
n, Not; Erschöpfung *f*; 2. in Not
bringen; quälen; erschöpfen; ~ed
(~t) in Not; bekümmert.
distribut|e (dïʃtrï'bju͡t) verteilen;
einteilen; verbreiten; ~ion (dïʃ-
trï'bju'ʃ(ᵉ)n) Verteilung; Verbreitung; Einteilung *f*. [gend *f*.\
district (dï'ʃtrïtt) Bezirk *m*; Ge-\
distrust (dïʃtrᵃ'ʃt) 1. Mißtrauen *n*;
2. mißtrauen (*dat.*); ~ful □ (~ful)
mißtrauisch; (*of o.s.*) schüchtern.
disturb (dïʃtᵃ'b) beunruhigen, stören; ~ance (~ᵉnʃ) Störung; Unruhe *f*; Aufruhr *m*.
disunite (dï'ʃjᵘn͡ä't) (sich) trennen.
disuse (dï'ʃju'l) nicht mehr gebrau-\
ditch (dïtʃʃ) Graben *m*. [chen.\
ditto (dï'toᵘ) dito, desgleichen.
dive (d͡äw) 1. (unter)tauchen; ⚓
e-n Sturzflug m.; eindringen in
(*acc.*); 2. (Kopf-)Sprung; Sturzflug
m; *Am.* Kaschemme *f*; ~r (d͡ä'wᵉ)
Taucher *m*.
diverge (d͡äl͡wö'dᏀ) aus-ea.-laufen;
abweichen; ~nce (~ᵉnȿ) Abweichung; Verschiedenheit *f*; ~nt □
(~ᵉnt) abweichend.
divers|e □ (d͡äl͡wö'ȿ) verschieden;
mannigfaltig; ~ion (d͡äl͡wö'ʃ(tʃ)ᵉn)

Ablenkung *f*; Zeitvertreib *m*; ~ity
(~ʃ'tï) Verschiedenheit; Mannig-
faltigkeit *f*. [streuen; unterha'lten.\
divert (d͡äl͡wö't) ablenken; *j.* zer-\
divest (d͡äl͡wĕ'ȿt) entkleiden (*a. fig.*).
divid|e (d͡äl͡wä'd) 1. *v/t.* teilen;
trennen; einteilen; ⚗ dividieren;
v/i. sich teilen *usw.*; ~end (d͡ï'wï-
dĕnd) Divide'nde *f*.
divine (d͡äl͡wä'ï'n) 1. □ göttlich; ~ service Gottesdienst *m*; 2. ahnen.
diving (d͡ä'l͡wïnᏀ) Kunstspringen *n*.
divinity (d͡äl͡wï'nïtï) Gottheit; Gött-
lichkeit; Theologie' *f*.
divis|ible □ (d͡äl͡wï'ï'ȿbl) teilbar;
~ion (d͡äl͡wï'Ꮆᵉn) Teilung; Trennung *f*; Abteilung; ✕, ⚗ Divisio'n *f*.
divorce (d͡äl͡wö'ȿ) 1. (Ehe-)Schei-
dung *f*; 2. *Ehe* scheiden.
divulge (d͡äl͡wa'lᏀ) ausplaudern;
verbreiten; enthüllen.
dizz|iness (d͡ï'zïnïȿ) Schwindel *m*;
~y □ (d͡ï'ʃ) schwind(e)lig.
do (d͡ü) [*irr.*] (*s. a. done*) 1. *v/t.* tun;
machen; (zu)bereiten; *Rolle, Stück*
spielen; ~ *London* L. besehen; *have
done reading* fertig sn mit Lesen;
F ~ *in* um die Ecke bringen; ~ *into*
überse'tzen in; ~ *over* über-strei'-
chen, -zie'hen; ~ *up* instand setzen;
einpacken; 2. *v/i.* tun; handeln;
sich benehmen; sich befinden; genügen; *that will* ~ das genügt; *how* ~
you ~? guten Tag! Wie geht's?;
~ *well* s-e Sache gut m.; gute Geschäfte m.; ~ *away with* weg-, ab-
schaffen; *could* ~ *with* ... ich könnte
... brauchen, vertragen; ~ *without*
fertig w. ohne; ~ *be quick* beeile dich
doch; ~ *you like London?* — *I do*
gefällt Ihnen L.? — Ja.
docil|e (doᵘ̆ȿä'l) gelehrig; fügsam;
~ity (doᵘ̆ȿï'lïtï) Gelehrigkeit *f*.
dock¹ (d͡öʃ) stutzen; *fig.* kürzen.
dock² (~) 1. ⚓ Dock *n*; 🐝 Anklage-
bank *f*; 2. ⚓ docken.
dockyard (d͡ö'ʃjäd) Werft *f*.
doctor (d͡ö'ʃtᵉ) 1. Doktor; Arzt *m*;
2. F: verarzten; doktern.
doctrine (d͡ö'ʃtrïn) Lehre *f*; Dogma *n*.
document 1. (d͡ö'ʃïᵘmᵉnt) Urkunde
f; 2. (~mĕnt) beurkunden.
dodge (d͡ödᏀ) 1. Seitensprung;
Kniff, Winkelzug *m*; 2. *fig.* irreführen; ausweichen; Winkelzüge m.
doe (doᵘ) Hindin *f*; Reh *n*; Häsin *f*.
dog (d͡ög) 1. Hund; Haken *m*, Klammer *f*; 2. nachspüren.

dogged □ (dŏ′g⁴d) verbissen.

dogma (dŏ′gmᵉ) Dogma *n*; Glaubenslehre *f*; **~tic(al** □) (dŏgmä′tῐᵵ, ~ᵗ[ᵉ]) dogmatisch; bestimmt; **~tism** (dŏ′gmᵉᵗῐ∫m) Selbstherrlichkeit *f*.

dog's-ear F Eselsohr *n im Buch.*

dog-tired (dŏ′gtäⁱᵈ) hundemüde.

doings (dūᵢ′ῐⁿʋ) Begebenheiten *f/pl.*; (Tun und) Treiben *n.*

dole (dŏⁿl) 1. Spende; Erwerbslosenunterstützung *f*; 2. verteilen.

doleful □ (dŏⁿlᶠᵘl) trübselig.

doll (dŏl) Puppe *f.*

dollar (dŏ′lᵉ) Dollar *m.*

dolly (dŏ′ll) Püppchen *n.*

dolt (dŏⁿlt) Tölpel *m.*

domain (dᵉmäⁱ′n) Domäne *f*; *fig.* Gebiet *n*, Bereich *m.*

dome (dŏⁿm) Dom *m*; Kuppel *f.*

domestic (dᵒmĕ′ᵵῐᵵ) 1. (~al) häuslich; einheimisch; zahm; 2. Dienstbote *m*; **~ate** (~ᵗⁱᵉⁱᵗ) zähmen.

domicile (dŏ′mῐᵵäⁱl) Wohnsitz *m*; **~d** (~ᵈ) wohnhaft.

domin|ant (dŏ′mⁱnᵉnt) (vor)herrschend; **~ate** (~ᵉⁱt) (be)herrschen; **~ation** (dŏmⁱneⁱ′∫ᵉn) Herrschaft *f*; **~eer** (dŏmⁱnῐⁱ′) (despotisch) herrschen; **~eering** □ (~rⁱⁿᵍ) gebieterisch, tyrannisch.

dominion (dᵒmⁱ′nⁱᵉn) Herrschaft *f*; Gebiet; ♀ brit. Dominium *n.*

don (dŏn) an-legen, -ziehen.

donat|e *Am.* (dŏⁿneⁱ′t) schenken; stiften; **~ion** (~∫ᵉn) Schenkung *f.*

done (dᴧn) 1. getan; 2. *adj.* abgemacht; fertig; *well ~* gar gekocht.

donkey (dŏ′nᵏI) Esel *m.*

donor (dŏⁿnô) (♀ Blut-)Spender *m.*

doom (dūm) 1. Schicksal, Verhängnis *n*; 2. verurteilen, verdammen.

door (dŏ) Tür *f*, Tor *n*; *next ~* nebenan; (*with*)*in ~s* zu Hause; **~ -handle** Türgriff *m*; **~-keeper**, *Am.* **~man** Pförtner, Portie′r *m*; **~-way** Türöffnung *f*; Torweg *m.*

dope (dŏⁿp) 1. Schmiere *f*; Nervenreizmittel; Rauschgift *n*; 2. betäuben.

dormant (dŏ′mᵉnt) *mst fig.* schlafend, ruhend; unbenutzt, tot.

dormer(-window) (dŏ′mᵉ[ωῐndŏⁿ]) Dachfenster *n.*

dormitory (dŏ′mⁱtᵉrⁱ) Schlafsaal *m.*

dose (dŏⁿʋ) 1. Dosis, Portio′n *f*; 2. e-e Dosis geben (*dat.*).

dot (dŏt) 1. Punkt, Fleck *m*; 2. punktieren, tüpfeln.

dot|age (dŏⁿtⁱᵈᵒʛ) Altersschwach-

sinn *m*; **~e** (dŏⁿt): **~** (*up*)*on* vernarrt sn in (*acc.*); **~ing** (dŏⁿ′tⁱⁿᵍ) vernarrt.

double □ (dᴧ′bl) 1. doppelt; zu zweien; gekrümmt; zweideutig; 2. Doppelte(s) *n*; Doppelgänger (-in); *Tennis*: Doppel(spiel) *n*; 3. *v/t.* verdoppeln; *zs.-legen*; *et.* umfa′hren, -se′geln; **~d** *up* zs.-gekrümmt; *v/i.* sich verdoppeln; e-n Haken schlagen (*Hase*); **~-breasted** zweireihig (*Jackett*); **~-dealing** Doppelzüngigkeit *f*; **~-edged** zweischneidig; **~-entry** † doppelte Buchführung.

doubt (daⁿt) 1. *v/i.* zweifeln; *v/t.* bezweifeln; mißtrauen (*dat.*); 2. Zweifel *m*; *no ~* ohne Zweifel; **~ful** □ (daⁿ′tᶠᵘl) zweifelhaft; **~fulness** (~nῐᵇ) Zweifelhaftigkeit *f*; **~less** (daⁿ′tlῐᵇ) ohne Zweifel.

douche (dū∫) 1. Dusche *f*; ♨ Irriga′tor *m*; 2. duschen; spülen.

dough (dŏⁿ) Teig *m*; **~nut** (dŏⁿnʌt) Pfann-, Spritz-kuchen *m.*

dove (dᴧw) Taube *f*; *fig.* Täubchen *n.*

dowel ⊕ (daⁿ′ᵉl) Dübel *m.*

down¹ (daⁿn) Daune *f*; Flaum *m*; Düne *f*; **~s** *pl.* Höhenrücken *m.*

down² (~) 1. *adv.* nieder; her-, hinunter, -ab; abwärts; unten; F *be ~ upon* über *e-n* herfallen; 2. *prp.* her-, hin-ab, her-, hin-unter; *~ the river* flußabwärts; 3. nach unten gerichtet; *adj.* **~ platform** Abfahrtsbahnsteig *m*; 4. *v/t.* niederwerfen; herunterholen; **~cast** (daⁿ′nᵏäᵵt) niedergeschlagen; **~fall** Fall, Sturz, Verfall *m*; **~-hearted** niedergeschlagen; **~hill** bergab; **~pour** Regenguß *m*; **~right** □ 1. *adv.* geradezu, durchaus; *fig.* gerade; 2. *adj.* plump (*Benehmen*); richtig, glatt (*Lüge usw.*); **~stairs** (daⁿ′nᵵtäⁱ′z)die Treppe hinunter, (nach) unten; **~stream** stromabwärts; **~town** *bsd. Am.* in der (*od.* die) Stadt; **~ward(s)** (~ωᵉᵈ[ᵇ]) abwärts (gerichtet).

downy (daⁿ′nⁱ) flaumig; *sl.* gerissen.

dowry (daⁿ′rⁱ) Mitgift *f* (*a. fig.*).

doze (dŏⁿʋ) 1. dösen; 2. Schläfchen *n.*

dozen (dᴧ′zn) Dutzend *n.*

drab (dräb) gelblichgrau; eintönig.

draft (dräᶠt) 1. = draught; † Tratte; Abhebung *f*; ✕ Ersatz (-mannschaft) *f m*; 2. entwerfen; auswählen; ✕ abkommandieren.

drag (dräg) 1. Schleppnetz *n*; Schleife *für Lasten*; Egge; Hem-

mung *f*; 2. *v/t.* schleppen, ziehen; *v/i.* (sich) schleppen, schleifen; (mit e-m Schleppnetz) fischen.
dragon (drä'gᵉn) Drache *m*; **~-fly** Libelle *f*.
drain (dreⁱn) 1. Abfluß(-graben *m*, -rohr *n*); 2. *v/t.* entwässern; (*a.* ~ *off*) abziehen; verzehren; *v/i.* ablaufen; **~age** (dreⁱ'nⁱdG) Abfluß *m*; Entwässerung(sanlage) *f*.
drake (dreⁱk) Enterich *m*.
drama|tic (drᵉmä'tik) (*~ally*) dramatisch; **~tist** (drä'mᵉtißt) Drama'tiker *m*; **~tize** (~taiſ) dramatisieren.
drank (dräng̊k) trank.
drape (dreⁱp) drapieren; in Falten legen; **~ry** (dreⁱ'pᵉri) Tuch-handel *m*; -waren *f/pl.*; Faltenwurf *m*.
drastic (drä'ßtik) (*~ally*) drastisch.
draught (drāft) Zug *m* (*Ziehen*); Skizze *f*; ⚓ Tiefgang *m*; **~s** *pl.* Dam(e)spiel *n*; *s. draft*; ~ *beer* Faßbier *n*; **~-horse** Zugpferd *n*; **~sman** (~ßmᵉn) Zeichner *m*.
draw (drō) 1. [*irr.*] ziehen; an-, auf-, ein-, zu-ziehen; (sich) zs.-ziehen; in die Länge ziehen; spannen; heraus-ziehen, -locken; entnehmen; *Geld* abheben; anlocken, anziehen; abzapfen; zeichnen; entwerfen; *Urkunde* abfassen; unentschieden spielen; *Luft* schöpfen; ~ *near* heranrücken; ~ *out* hinausziehen; ~ *up* ab-, ver-fassen; ⚕ ~ (*up*)*on* (e-n Wechsel) ziehen auf (*acc.*); *fig.* in Anspruch nehmen; 2. Zug *m* (*Ziehen*); *Lotterie*: Ziehung *f*; Los *n*; *Sport*: unentschiedenes Spiel; F Zug-stück *n*, -arti'kel *m*; **~back** (drō'bäk) Nachteil *m*; Hindernis *n*; ⚕ Rückzoll *m*; **~er** 1. (drō'ᵉ) Ziehende(r); Zeichner; ⚕ Aussteller, Trassa'nt *m*; 2. (drō) Schublade *f*; (*a pair of*) **~s** *pl.* (e-e) Unterhose *f*.
drawing (drō'ing) Ziehen; Zeichnen *n*; Zeichnung *f*; **~-board** Reißbrett *n*; **~-room** Gesellschaftszimmer *n*.
drawn (drōn) gezogen; gezeichnet.
dread (drĕd) 1. Furcht *f*; Schrecken *m*; 2. (sich) fürchten; **~ful** □ (drĕ'dfᵘl) schrecklich; furchtbar.
dream (drīm) 1. Traum *m*; 2. [*irr.*] träumen; **~er** (drī'mᵉ) Träumer(in); **~y** □ (~i) träumerisch; verträumt.
dreary □ (drīᵉ'ri) traurig; öde.
dredge (drĕdG) 1. Schleppnetz *n*; Baggermaschine *f*; 2. (aus)baggern.
dregs (drĕgſ) *pl.* Bodensatz *m*, Hefe *f*.
drench (drĕntſch) 1. (Regen-)Guß *m*; 2. durchnä'ssen, *fig.* baden.
dress (drĕß) 1. Anzug *m*; Kleidung *f*; Kleid *n*; *thea.* ~ *rehearsal* Kostü'mprobe *f*; 2. an-, ein-, zu-richten; ⚔ (sich) richten; zurechtmachen; (sich) ankleiden; putzen; ⚕ verbinden; frisieren; **~-circle** *thea.* erster Rang; **~er** (drĕ'ßᵉ) Anrichte *f*; *Am.* Frisiertoilette *f*.
dressing (drĕ'ßing) An-, Zu-richten; Ankleiden *n*; Verband *m*; Appretu'r; Sauce; ~ *down* Standpauke *f*; **~-gown** Morgenrock *m*; **~-table** Frisiertisch *m*.
dress...: **~maker** Schneiderin *f*; **~-parade** Modenschau *f*.
drew (drū) zog; zeichnete.
dribble (dri'bl) tröpfeln, träufeln (lassen); geifern; *Fußball* treiben.
driblet (dri'blⁱt) Kleinigkeit *f*.
dried (draid) getrocknet; Trocken...
drift (drift) 1. (Dahin-)Treiben *n*; *fig.* Lauf; *fig.* Hang; Zweck *m*; (Schnee-, Sand-)Wehe *f*; 2. *v/t.* (zs.-)treiben, (-)wehen; *v/i.* (dahin-) treiben; sich anhäufen.
drill (dril) 1. Drillbohrer *m*; Furche; ✓ Drill-, Sä-maschine *f*; ⚔ Exerzieren *n* (*a. fig.*); 2. bohren; ⚔ (ein-) exerzieren (*a. fig.*).
drink (dringk) 1. Trunk *m*; (geistiges) Getränk; 2. [*irr.*] trinken.
drip (drip) 1. Tröpfeln *n*; Traufe *f*; 2. tröpfeln (lassen); triefen.
drive (draiw) 1. Treiben *n*; (Spazier-)Fahrt; Auffahrt *f*, Fahrweg *m*; ⊕ Getriebe *n*; *fig.* (Auf-)Trieb; Drang *m*; Unterne'hmen *n*, Feldzug *m*; 2. [*irr.*] *v/t.* (an-, ein-)treiben; *Geschäft* betreiben; fahren, lenken; zwingen; vertreiben; *v/i.* treiben; fahren; ~ *at* hinzielen auf.
drivel (dri'wl) 1. geifern; faseln; 2. Geifer *m*; Faselei *f*.
driven (dri'wn) getrieben.
driver (drai'wᵉ) Treiber; Kutscher; *mot.*, 🚂 Führer; *mot.* Fahrer *m*.
drizzle (dri'ſl) 1. Sprühregen *m*; 2. sprühen, nieseln.
drone (droᵘn) 1. *zo.* Drohne *f*; *fig.* Faulenzer *m*; 2. summen; dröhnen.
droop (drūp) *v/t.* sinken l.; *v/i.* schlaff niederhängen; den Kopf hängen l.; (ver)welken; schwinden.
drop (drŏp) 1. Tropfen; Fruchtbonbon; Fall *m*; Falltür *f*; *thea.* Vorhang *m*; 2. *v/t.* tropfen (l.);

niederlassen; fallen l.; *Brief* einwerfen; *Fahrgast* absetzen; senken; ~ *a p. a line* j-m e-e Zeile schreiben; *v/i.* tropfen; (herab)fallen; um-, hinsinken; ~ *in* hereinschneien (*Besuch*).

drought (draut) Trockenheit, Dürre *f.* [Herde *f* (*a. fig.*); 2. trieb.]

drove (drouʷ) 1. Trift *Rinder*;

drown (draun) *v/t.* ertränken; überschwe'mmen; *fig.* über-, be'täuben; übertö'nen; *v/i.* ertrinken.

drows|e (drauf) schlummern, schläfrig sn (*od. m.*); ~**y** (drau'fï) schläfrig; einschläfernd.

drudge (dradG) 1. *fig.* Packesel, Kuli *m;* 2. sich (ab)placken.

drug (drag) 1. Droge, Arzneiware *f;* Rauschgift *n;* Ladenhüter *m;* 2. mit (Rausch-)Gift versetzen; Arznei *od.* Rauschgifte geben (*dat.*) *od.* nehmen; ~**gist** (dra'gißt) Drogi'st; Apothe'ker *m.*

drum (dram) 1. Trommel; *anat.* Trommelhöhle *f;* 2. trommeln.

drunk (draŋt) 1. getrunken; 2. (be-) trunken; *get* ~ sich betrinken; ~**ard** (dra'ŋᵗeᵇd) Trunkenbold *m;* ~**en** (dra'ŋᵗeⁿ) (be)trunken.

dry (drãi) 1. □ trocken: herb (*Wein*); *F* durstig; *F* antialkoholisch; ~ *goods pl. Am.* Textilien *pl.*; 2. trocknen; dörren; ~ *up* austrocknen; verdunsten; ~**clean** chemisch reinigen; ~**nurse** Kinderfrau *f.*

dual (djuᵉl) doppelt; Doppel...

dubious □ (dju'biᵉß) zweifelhaft.

duchess (da'tfßf) Herzogin *f.*

duck (daf) 1. Ente; Verbeugung *f;* Ducken; (Segel-)Leinen; *F* Liebchen *n;* 2. (unter)tauchen; (sich) ducken; *Am.* j-m ausweichen.

duckling (da'flinᵍ) Entchen *n.*

dudgeon (da'dGeⁿ) Groll *m.*

due (dju) 1. schuldig; gebührend; gehörig; fällig; *in ~ time* zur rechten Zeit; *be ~ to* j-m gebühren; herrühren (*od.* kommen) von; 2. *adv.* ⚓ gerade; genau; 3. Schuldigkeit *f;* Recht *n*, Anspruch; Lohn *m; mst ~s pl.* Abgabe(n *pl.*), Gebühr(en *pl.*) *f;* Beitrag *m.* [duellieren.]

duel (djuᵉl) 1.'Zweikampf *m;* 2. sich]

dug (dag) grub; gegraben.

duke (djuf) Herzog *m;* ~**dom** (djuʸfᵇᵉm) Herzogtum *n;* Herzogs würde *f.*

dull (dal) 1. □ dumm; träge, schwerfällig; stumpf(sinnig); matt (*Auge*

usw.); schwach (*Gehör*); langweilig; teilnahmslos; dumpf; trüb; ♱ flau; 2. stumpf m.; *fig.* abstumpfen; (sich) trüben; ~**ness** (da'Inᵗß) Stumpfsinn *m;* Dummheit *f usw.*

duly (djuˈlï) gehörig; richtig.

dumb □ (dam) stumm; sprachlos.

dummy (da'mï) Attrappe *f;* Schein, Schwindel; *fig.* Strohmann; Sta-ti'st *m;* Schein...; Schwindel...

dump (damp) 1. auskippen; Schutt *usw.* abladen; *Waren* zu Schleuderpreisen ausführen; hinplumpsen; 2. Klumpen; Plumps *m;* Schuttabladestelle *f;* ✗ Munitio'nslager *n;* ~**s** *pl.* schwermütige Stimmung; ~**ing** Schleuderausfuhr *f.*

dun (dan) mahnen, drängen.

dunce (danß) Dummkopf *m.*

dune (djün) Düne *f.*

dung (daŋᵍ) 1. Dung *m;* 2. düngen.

dungeon (da'ndGᵉn) Kerker *m.*

duplic|ate 1. (djuˈplˡᵗⁱᵗ) a) doppelt; b) Duplika't *n;* 2. (~fᵉⁱᵗ) doppelt ausfertigen; ~**ity** (djuˈplˡˈᵗⁱᵗⁱ) Doppelzüngigkeit *f.*

dura|ble □ (dju'eʳᵉᵇl) dauerhaft; ~**tion** (dju'eʳeⁱˈfeⁿ) Dauer *f.*

duress (dju'ɛʳᵭ) Zwang *m;* Haft *f.*

during (dju'eʳⁱnᵍ) *prp.* während.

dusk (daßt) Halbdunkel *n*, Dämmerung *f;* ~**y** □ (da'ßfï) dämmerig, düster.

dust (daßt) 1. Staub *m;* 2. ab-, ausbe-stäuben; ~**bin** Mülleimer *m;* ~**er** (da'ßtᵉʳ) Staub-lappen, -wedel *m;* ~**y** □ (da'ßtï) staubig.

Dutch (datfß) 1. holländisch; 2. *the ~* die Holländer *pl.*; Holländisch *n.*

duty (djuˈtï) Pflicht; Ehrerbietung; Abgabe *f*, Zoll; Dienst *m;* off ~ dienstfrei; ~**free** zollfrei.

dwarf (dwôf) 1. Zwerg *m;* 2. in der Entwicklung hindern; verkleinern.

dwell (dwɛl) [*irr.*] wohnen; verweilen ([*up*]*on* bei); ~ (*up*)*on* bestehen auf; ~**ing** (dwɛˈlⁱnᵍ) Wohnung *f.*

dwelt (dwɛlt) wohnte; gewohnt.

dwindle (dwiˈndl) (dahin)schwinden, abnehmen; (herab)sinken.

dye (dãi) 1. Farbe *f; fig.* of deepest ~ schlimmster Art; 2. färben.

dying □ (dãiˈinᵍ) (*s. die*[1]) sterbend.

dynam|ic (dãinäˈmït) dynamisch, kraftgeladen; ~**ics** (~ˈfß) *mst sg.* Dyna'mik *f;* ~**ite** (dãiˈnᵉmãit) 1. Dynami't *n;* 2. mit D. sprengen.

dysentery ✗ (di'ßⁿtri) Ruhr *f.*

E

each (īᵗſ<c>ch</c>) jede(r, s); ~ other einander, sich.

eager □ (ī′g^e) (be)gierig; eifrig; ~ness (~nⁱß) Begierde f; Eifer m.

eagle (ī′gl) Adler m.

ear (i^e) Ähre f; Ohr; Öhr n, Henkel m; ~drum Trommelfell n.

earl (öl) englischer Graf.

early (ö′lī) früh; Früh...; Anfangs...; erst; bald(ig); as ~ as schon in.

ear-mark (i^e′māⁱ) (kenn)zeichnen.

earn (ön) verdienen; einbringen.

earnest (ö′nⁱßt) 1. □ ernst(-lich, -haft); ernstgemeint; 2. Ernst m.

earnings (ö′nin<c>g</c>ſ) Einkommen n.

ear...: ~piece teleph. Hörmuschel f; ~shot Hörweite f.

earth (öth) 1. Erde f; Land n; 2. v/t. ∉ erden; ~en (ö′th^en) irden; ~enware (~ wä^e) Töpferware f; ~ing ∉ (ö′thin<c>g</c>) Erdung f; ~ly (ö′thlī) irdisch; ~quake (~ḳweⁱ) Erdbeben n; ~worm Regenwurm m.

ease (īſ) 1. Bequemlichkeit f, Behagen n; Ruhe; Ungezwungenheit; Leichtigkeit f; at ~ bequem, behaglich; 2. erleichtern; lindern; beruhigen; bequem(er) m.; sich entspannen (Lage).

easel (ī′ſl) Staffelei f.

easiness (ī′ſinⁱß) = ease 1.

east (īßt) 1. Ost(en); Orient m; 2. Ost...; östlich; ostwärts.

Easter (ī′ßt^e) Ostern n; Oster...

easter|ly (ī′ßt^elī), ~n (ī′ßt^en) östlich.

eastward(s) (ī′ßtw^eᵈ[ſ]) ostwärts.

easy □ (ī′ſī) leicht; bequem; frei von Schmerzen; ruhig; willig; ungezwungen; take it ~! immer mit der Ruhe!; ~chair Klubsessel m; ~going fig. bequem.

eat (īt) 1. [irr.] essen; (zer)fressen; 2. (ēt) aß; fraß; ~ables (ī′t<c>b</c>lſ) pl. Eßwaren f/pl.; ~en (ī′tn) gegessen; gefressen.

eaves (īwſ) pl. Dachrinne, Traufe f; ~drop (er)lauschen; horchen.

ebb (ēb) 1. Ebbe (a. ~tide); fig. Abnahme f; Verfall m; 2. verebben; fig. abnehmen, sinken.

ebony (ē′b^enī) Ebenholz n.

ebullition (ēb^elī′ſch^en) Aufwallung f.

eccentric (ī<c>k</c>ße′ntrī<c>k</c>) 1. exzentrisch; fig. überspa′nnt; 2. Sonderling m.

ecclesiastic (ī<c>k</c>līſī′äß′tī<c>k</c>) 1. ~, mst ~al □ (~tī<c>k</c>^el) geistlich, kirchlich; 2. Geistliche(r) m.

echo (ē′ḳo^u) 1. Echo n; 2. widerhallen; fig. echoen, nachsprechen.

eclipse (ī′ḳlī′pß) 1. Finsternis f; 2. (sich) verfinstern, verdunkeln.

econom|ic(al □) (ī<c>k</c>enō′mī<c>k</c>, ~ī<c>k</c>^el, ēt_) haushälterisch; wirtschaftlich; Wirtschafts...; ~ics (~ī<c>k</c>ß) pl. (Volks-)Wirtschaft f; ~ist (ī′ḳo′n^emīßt) Volkswirt m; ~ize (~māī) sparsam wirtschaften (mit); ~y (~mī) Wirtschaft; Wirtschaftlichkeit; Einsparung f; political ~ Volkswirtschaft f.

ecsta|sy (ē′ḳßt^eßī) Eksta′se, Verzückung f; ~tic (ē<c>k</c>ßtä′tī<c>k</c>) (~ally) verzückt.

eddy (ē′dī) 1. Wirbel m; 2. wirbeln.

edge (ēdG) 1. Schneide f; Rand m; Kante; Tisch-Ecke f; Schärfe f; be on ~ nervö′s sn; 2. schärfen; (um-)säumen; (sich) (vor)drängen; ~ways, ~wise (~weⁱſ, ~wāī) seitwärts; von der Seite.

edging (ē′dGin<c>g</c>) Einfassung f.

edible (ē′dī<c>b</c>l) eßbar.

edifice (ē′dī′fīß) Gebäude n.

edit (ē′dīt) Buch herausgeben; Zeitung redigieren; ~ion (ī<c>d</c>ī′ſch^en) Buch-Ausgabe; Auflage f; ~or (ē′dīt^e) Herausgeber; Redakteu′r m; ~orial (ēdītō′rī^el) 1. Redaktio′ns...; 2. Leitarti′kel m; ~orship (ē′dīt^eſchīp) Schriftleitung, Redaktio′n f.

educat|e (ē′dī^uḳeⁱt, ~jū_) auf-, erziehen; unterri′chten; ~ion (ēdī^uḳeⁱ′ſch^en) Erziehung; (Aus-)Bildung f; Board of ☿ Unterrichtsministerium n; ~ional □ (~ſch^enl) erzieherisch; Erziehungs...; Bildungs...; ~or (ē′dī^uḳeⁱt^e) Erzieher m.

eel (īl) Aal m.

efface (īfeⁱ′ß) auslöschen; fig. tilgen.

effect (ī′fē′ḳt) 1. Wirkung; Folge f; ⊕ Leistung f; ~s pl. Effekten; Habseligkeiten f/pl.; take ~, be of ~

Wirkung h.; in Kraft treten; *in* ~
in der Tat; *to the* ~ des Inhalts;
2. bewirken, ausführen; ~ive □
(~ĭw) wirkend; wirksam; eindrucksvoll; wirklich vorhanden; ⊕ nutz-
bar; ~ *date* Tag *m* des Inkrafttre-
tens; ~ual □ (~ĭuᵉl) wirksam,
kräftig.

effeminate □ (ᵗfĕ'mⁱnⁱt) verweichlicht.

effervesce (ĕfᵉwĕ'ß) (auf)brausen.

effete (ĕfĭ't) verbraucht; entkräftet.

efficacy (ĕ'fⁱᵗᵇßi) Wirksamkeit,
Kraft *f*.

efficien|cy (ᵗfⁱ'ʃᵉⁿßi) *wirksame*
Kraft; Leistung(sfähigkeit) *f*; ~t □
(~ᵉnt) wirksam; leistungsfähig.

efflorescence (ĕflŏrĕ'ßⁿß) Blüte-
zeit *f*.

effluence (ĕ'flᵘᵉnß) Ausfluß *m*.

effort (ĕ'fᵉt) Anstrengung, Bemühung (*at um*); Mühe *f*.

effrontery (ĕfrɑ'ntᵉri) Frechheit *f*.

effulgent □ (ĕfⁿü'lᵈᵍᵉnt) glänzend.

effusion (ĕfⁿü'ᵇĭw) Erguß *m*; ~ive
□ (ĕfⁿü'ᵇĭw) überschwenglich.

egg[1] (ĕg) aufreizen (*mst* ~ *on*).

egg[2] (~) Ei *n*; *buttered, scrambled* ~*s
pl.* Rührei *n; fried* ~*s* Spiegeleier *pl.*

egotism (ĕ'gᵒtĭßm) Selbstgefällig-
keit *f*.

egress (ĭ'grĕß) Ausgang; Ausweg *m*.

Egyptian (ĭᵈĢĭ'pⁱʃᵈᵉⁿ) ägyptisch;
Ägypter(in).

eight (eⁱt) 1. acht; 2. Acht *f*; ~een
(eⁱ'tĭ'n) achtzehn; ~eenth (~
eⁱ'tĭ'nth) 1. achtzehn-
te(r, s); 2. Achtel *n*; ~ieth (eⁱ'tⁱᵗⁱth) acht-
zigste(r, s); ~y (eⁱ'tⁱ) achtzig.

either (āi'dhᵉ') 1. *adj. u. pron.* einer
von beiden; beide; 2. *cj.* ~ ... *or*
entweder ... oder; *not* (...) ~ auch
nicht.

ejaculate (ⁱᵈĢä'ʄⁱᵘⁱeⁱt) *Worte* ausstoßen.

eject (ⁱᵈĢĕ'ʄt) ausstoßen; vertreiben;
absetzen; entsetzen (*e-s Amtes*).

eke (ĭĸ): ~ *out* ergänzen; verlängern;
sich mit *et.* du'rchhelfen.

elaborat|e 1. (ⁱlä'bᵉrⁱt) □ sorgfältig
ausgearbeitet; kompliziert; 2. (~
reⁱt) sorgfältig aus-, durch-arbeiten;
~eness (~ⁱtⁿⁱß), ~ion (ⁱlä̈bᵉreⁱ'ʃᵈᵉⁿ)
sorgfältige Ausarbeitung.

elapse (ⁱlä'pß) ver-fließen, -strei-
chen.

elastic (ⁱlä'ßtⁱĸ) 1. (~*ally*) dehnbar;
spannkräftig; 2. Gummiband *n*;

~ity (ĕlä̈ßtⁱ'ᵇⁱtⁱ) Elastizitä't; Spann-
kraft *f*.

elate (ⁱleⁱ't) 1. □ in gehobener
Stimmung, froh erregt (*mst* ~*ed*);
2. (er)heben, froh erregen; stolz m.

elbow (ĕ'lbᵒᵘ) 1. Ellbogen *m*; Biegung *f*; ⊕ Knie *n; at one's* ~ nahe,
bei der Hand; 2. mit dem Ellbogen
(weg)stoßen; ~ *out* verdrängen.

elder (ĕ'ldᵉ') 1. älter; 2. der, die
Ältere; (Kirchen-)Älteste(r) *m*; ♣
Holunder *m*; ~ly (ĕ'ldᵉⁱ) ältlich.

eldest (ĕ'ldⁱßt) ältest.

elect (ⁱlĕ'ʄt) 1. (aus)gewählt; 2. (aus-
er-)wählen; ~ion (ⁱlĕ'ʄʃᵉⁿ) Wahl *f*;
~or (~tᵉ) Wähler *m*; ~oral (~tᵉrᵉl)
Wahl..., Wähler...; ~orate (~tᵉrⁱt)
Wähler(schaft *f*) *m/pl.*

electri|c (ⁱlĕ'ʄtrⁱĸ) elektrisch; ~ *cir-
cuit* elektrische Leitung; ~cal □
(~lⁱᵗᵉl) elektrisch (geladen); Elektrizitä'ts...; ~ *engineering* Elektrote'chnik *f*; ~cian (ⁱlĕ̈ktrⁱ'ʃᵉⁿ)
Ele'ktriker *m*; ~city (~ᵇⁱᵗⁱ) Elektrizitä't *f*; ~fy (ⁱlĕ'ktrⁱfāi), ~ze (ⁱlĕ'k-
trⁱßⁱ) elektrifizieren; elektrisieren.

electro|cute (ⁱlĕ'ktrᵒkⁱᵘt) elektrisch
hinrichten; ~metallurgy Galvano-
plastik *f*.

electron (ⁱlĕ'ktrŏn) E'lektron *n*;
~*ray tube* magisches Auge.

electro...: ~plate galvanisch versilbern; ~type galvanischer Druck;
Klischee' *n*.

elegan|ce (ĕ'lⁱgᵉnß) Elega'nz: Zier-
lichkeit; Gewähltheit *f*; ~t □
(ĕ'lⁱgᵉnt) elega'nt; geschmackvoll.

element (ĕ'lⁱmᵉnt) Eleme'nt *n*: Ur-
stoff; (Grund-)Bestandteil *m*; ~s
pl. Anfangsgründe *m/pl.*; ~al □
(ĕ̈lⁱmĕ'ntⁱl) elementa'r; wesentlich;
~ary (~tᵉrⁱ) elementa'r; Anfangs...; *elementaries pl.* Anfangsgründe *m/pl.*

elephant (ĕ'lⁱfᵉnt) Elefa'nt *m*.

elevat|e (ĕ'lⁱweⁱt) erhöhen; *fig.* er-
heben; ~ion (ĕ̈lⁱweⁱ'ʃᵉⁿ) Erhe-
bung, Erhöhung; Höhe; Erhabenheit *f*; ~or ⊕ (ĕ'lⁱweⁱtᵉ) Aufzug;
Am. Fahrstuhl *m*; ⚓ Höhenruder
n; (grain) ~ Getreidespeicher *m*.

eleven (ⁱlĕ'wn) 1. elf; 2. Elf *f*; ~th
(~th) elfte(r, s).

elf (ĕlf) Elf(e *f*), Kobold; Zwerg *m*.

elicit (ⁱlⁱ'ßⁱt) hervorlocken, heraus-
holen.

eligible □ (ĕ'lⁱᵈⁱĢⁱbl) wählbar; vor-
zuziehen(d); annehmbar; passend.

eliminat|e (ĕˈlĭˈmˈineᵗt) aussondern, ausscheiden; ausmerzen; **~ion** (ĕlĭˈmˈineᵗˈſchˈn) Aussonderung *f usw.*

elk (ĕlˈk) *zo.* Elch *m.*

elm ♀ (ĕlˈm) Ulme, Rüster *f.*

elocution (ĕlˈeᵗĭˈüˈſchˈn) Vortrag(s-kunst, -weise *f*) *m.*

elope (ĭˈloᵘˈp) entlaufen, durchgehen.

eloquen|ce (ĕˈlˈoˈcoᵘnᵇ) Beredsam-keit *f*; **~t** □ (*~t*) beredt.

else (ĕlˈß) sonst, andere(r, s), weiter; **~where** (ĕˈlˈßˈcoⱥˈʳ) anderswo(hin).

elucidat|e (ĕˈlüˈßˈideᵗt) erläutern; **~ion** (ĕlⁱüˈßˈbeⁱˈſchˈn) Aufklärung *f.*

elude (ĕˈlüˈd) geschickt umge'hen; ausweichen, sich entziehen (*dat.*).

elus|ive (ĕˈlüˈßⁱw) nicht zu fassen(d); **~ory** (*~ßˈʳⁱ*) trügerisch.

emaciate (ĭˈmeⁱˈſchⁱeⁱt) abzehren, ausmergeln.

emanat|e (ĕˈmᵉneⁱt) ausströmen; ausgehen (*from* von); **~ion** (ĕmᵉ-neⁱˈſchˈn) Ausströmen *n; fig.* Ausstrahlung *f.*

emancipat|e (ĭˈmäˈnßⁱpeⁱt) freima-chen; **~ion** (ĭˈmänßⁱpeⁱˈſchˈn) Befreiung *f.*

embalm (ĭˈmbäˈm) (ein)balsamie-ren; *be ~ed* in fortleben in (*dat.*).

embankment (ĭˈmbäˈnᵏmᵉnt) Ein-dämmung *f; Eisenbahn*-Damm *m;* Uferanlage *f,* Kai *m.*

embargo (ĕmbäˈgoᵘ) (Hafen-, Han-dels-)Sperre; Beschlagnahme *f.*

embark (ĭˈmbäˈʳ) (sich) einschiffen (*for* nach); *Geld* anlegen; sich ein-lassen (*in*, [*up*]*on* in, auf *acc.*).

embarrass (ĭˈmbäˈrᵉß) (be)hindern; verwirren; in (Geld-)Verlegenheit bringen; verwickeln; **~ing** □ (*~ⁱnᵍ*) unangenehm; unbequem; **~ment** (*~mᵉnt*) (Geld-)Verlegenheit *f;* Hindernis *n.* [sandtschaft *f.*]

embassy (ĕˈmbᵉßⁱ) Botschaft; Ge-]

embellish (ĭˈmbĕˈlⁱſch) verschönern; ausschmücken.

embers (ĕˈmbᵉʳ) *pl.* glühende Asche.

embezzle (ĭˈmbĕˈſl) unterschla'gen; **~ment** (*~mᵉnt*) Unterschla'gung *f.*

embitter (ĭˈmbⁱˈtᵉʳ) verbittern.

emblem (ĕˈmblᵉm) Sinnbild; Ab-zeichen *n.*

embody (ĭˈmbŏˈdⁱ) verkörpern; ver-einigen; einverleiben (*in dat.*).

embosom (ĭˈmbŭˈſᵉm) ins Herz schließen; *~ed with* umge'ben von.

emboss (ĭˈmbŏˈß) bossieren; *mit dem Hammer* treiben.

embrace (ĭˈmbreⁱˈß) **1.** (sich) um-a'rmen; umfa'ssen; *Beruf usw.* er-greifen; **2.** Uma'rmung *f.*

embroider (ĭˈmbrŏⁱˈdᵉ) sticken; aus-schmücken; **~y** (*~rⁱ*) Stickerei *f.*

embroil (ĭˈmbrŏⁱˈl) (in Streit) ver-wickeln; verwirren.

emerald (ĕˈmᵉrᵉld) Smara'gd *m.*

emerge (ĭˈmⁱˈdⱥ) auftauchen; her-vorgehen; sich erheben; sich zei-gen; **~ncy** (*~nß̌ⁱ*) unerwartetes Er-eignis; dringende Not; Not...; *~ call teleph.* dringendes Gespräch; **~nt** (*~ᵉnt*) auftauchend; dringend.

emigra|nt (ĕˈmⁱgrᵉnt) **1.** auswan-dernd; **2.** Auswanderer *m;* **~te** (*~greⁱt*) auswandern; **~tion** (ĕmⁱ-greⁱˈſchˈn) Auswanderung *f.*

eminen|ce (ĕˈmⁱnᵉnß̌) (An-)Höhe; Auszeichnung *f;* hohe Stellung; Emine'nz *f (Titel);* **~t** □ (*~ᵉnt*) *fig.* ausgezeichnet, hervorragend; *adv.* ganz besonders.

emit (ĭˈmⁱˈt) von sich geben; aus-senden, -strömen; *Papiergeld* aus-geben.

emoti|on (ĭˈmoᵘˈſchˈn) (Gemüts-)Bewegung *f;* Gefühl(sregung *f*) *n;* Rührung *f;* **~onal** □ (*~l*) gefühls-mäßig; gefühlvoll, leicht erreg-bar.

emperor (ĕˈmpᵉrᵉ) Kaiser *m.*

empha|sis (ĕˈmfᵉß̌ⁱß) Nachdruck *m;* **~size** (*~ß̌ąⁱß*) nachdrücklich betonen; **~tic** (ĭˈmfäˈtⁱß̌) (*~ally*) nachdrücklich; ausgesprochen.

empire (ĕˈmpäⁱᵉ) (Kaiser-)Reich; *brit.* Weltreich *n;* Herrschaft *f.*

employ (ĭˈmplŏⁱ) **1.** an-, ver-wen-den, (ge)brauchen; beschäftigen; **2.** in the *~* of angestellt bei; **~ee** (ĕmplŏⁱˈⁱ) Angestellte(r); Arbeit-nehmer(in); **~er** (ĭˈmplŏⁱˈᵉ) Arbeit-geber; ✝ Auftraggeber *m;* **~ment** (*~mᵉnt*) Beschäftigung; Arbeit *f;* ⚡ *Exchange* Arbeitsnachweis *m.*

empower (ĭˈmpäⁱˈᵉ) ermächtigen.

empress (ĕˈmprⁱß) Kaiserin *f.*

empt|iness (ĕˈmptⁱnⁱß)Leere; Hohl-heit *f;* **~y** □ (*~tⁱ*) **1.** leer; *fig.* hohl; **2.** (sich) (aus-, ent-)leeren.

emul|ate (ĕˈmⁱᵘleⁱt) wetteifern mit; nacheifern (*dat.*); **~ation** (ĕmⁱᵘ-leⁱˈſchˈn) Wetteifer *m.*

enable (ĭneⁱˈbl) befähigen, es *j-m* ermöglichen; ermächtigen.

enact (ĭnäˈtt) verfügen, verordnen; *Gesetz* erlassen; *thea.* spielen.

enamel (ɪˈnæml) 1. Email(le f) n, (Zahn-)Schmelz m; Glasur f; 2. emaillieren; glasieren.

enamo(u)red (ɪˈnæməd) of verliebt in.

encamp ✕ (ɪnˈkæmp) (sich) lagern.

enchain (ɪnˈtʃeɪn) anketten; fesseln.

enchant (ɪnˈtʃɑːnt) bezaubern; ~ment (~mənt) Bezauberung f; Zauber m; ~ress (~rɪs) Zauberin f.

encircle (ɪnˈsɜːfl) einkreisen.

enclos|e (ɪnˈkloʊz) einzäunen; einschließen; beifügen; ~ure (~Gⁿ) Gehege n; Ein-, An-lage f.

encompass (ɪnˈkʌmpəs) umgeben.

encore (ɒnˈkɔː) 1. thea. um e-e Zugabe bitten; 2. Zugabe f.

encounter (ɪnˈkaʊntə) 1. Begegnung f; Gefecht n; 2. begegnen (dat.); stoßen auf (acc.); zs.-stoßen.

encourage (ɪnˈkʌrɪdʒ) ermutigen; fördern; ~ment (~mənt) Ermutigung f usw.

encroach (ɪnˈkroʊtʃ): ~ (up)on eingreifen in, auf (acc.); mißbrauchen; ~ment (~mənt) Ein-, Übergriff m.

encumb|er (ɪnˈkʌmbə) belasten; (be)hindern; ~rance (~brəns) Last f; fig. Hindernis n.

encyclop(a)edia (ɛnsaɪkloʊˈpiːdiə) Konversationslexikon n.

end (ɛnd) 1. Ende n; Ziel n, Zweck m; no ~ of unendlich, unzählige; in the ~ am Ende, auf die Dauer; on ~ aufrecht; 2. (be)end(ig)en.

endanger (ɪnˈdeɪndʒə) gefährden.

endear (ɪnˈdɪə) teuer m.; ~ment (~mənt) Liebkosung, Zärtlichkeit f.

endeavo(u)r (ɪnˈdevə) 1. Bestreben n, Bemühung f; 2. sich bemühen.

end|ing (ˈɛndɪŋ) Ende n; Schluß m; ~less ☐ (ˈɛndlɪs) endlos, unendlich; ⊕ ohne Ende.

endorse (ɪnˈdɔːs) ♦ indossieren; (auf der Rückseite) vermerken; gutheißen; ~ment (ɪnˈdɔːsmənt) Aufschrift f; ♦ Indossament n.

endow (ɪnˈdaʊ) ausstatten; ~ment (~mənt) Ausstattung, Stiftung f.

endue (ɪnˈdjuː) fig. (be)kleiden.

endur|ance (ɪnˈdjʊərəns) (Aus-)Dauer f; Ertragen n; ~e (ɪnˈdjʊə) (aus)dauern; ertragen.

enema (ˈɛnɪmə) Klistier n(spritze f) n.

enemy (ˈɛnɪmi) Feind m; feindlich.

energ|etic (ɛnəˈdʒetɪk) (~ally) energisch; ~y (ˈɛnədʒi) Energie f.

enervate (ˈɛnəveɪt) entnerven.

enfold (ɪnˈfoʊld) einhüllen; umfassen.

enforce (ɪnˈfɔːs) erzwingen; aufzwingen (upon dat.); bestehen auf (dat.); durchführen; ~ment (~mənt) Erzwingung f usw.

engage (ɪnˈgeɪdʒ) v/t. verpflichten; beschäftigen; an-, ein-stellen; fig. fesseln; verwickeln (in in acc.); ✕ einsetzen; Kupplung einrücken; be ~d eingeladen od. beschäftigt sn; verlobt sn; v/i. sich verpflichten; sich einlassen; ✕ ins Gefecht kommen; ~ment (~mənt) Verpflichtung; Verlobung; Einladung; Verabredung; Beschäftigung f.

engaging ☐ (~ɪŋ) einnehmend.

engender (ɪnˈdʒendə) fig. erzeugen.

engine (ˈɛndʒɪn) Maschine; ⟐ Lokomotive; ⊕ Motor m; ~-driver Lokomotivführer m.

engineer (ɛndʒɪˈnɪə) 1. Ingenieur, Techniker; Maschinist m; 2. technisch leiten; bauen; ~ing (~rɪŋ) Technik f.

English (ˈɪŋglɪʃ) 1. englisch; 2. Englisch n; the ~ die Engländer pl.; ~man (~mən) Engländer m.

engrav|e (ɪnˈgreɪv) eingraben, gravieren, stechen; fig. einprägen; ~er (~ə) Graveur m; ~ing (~ɪŋ) (Kupfer-, Stahl-)Stich; Holzschnitt m.

engross (ɪnˈgroʊs) an sich ziehen; ganz in Anspruch nehmen.

engulf (ɪnˈgʌlf) fig. verschlingen.

enhance (ɪnˈhɑːns) erhöhen.

enigma (ɪˈnɪgmə) Rätsel n; ~tic(al ☐) (ɛnɪgˈmætɪk, ~ɪtl) rätselhaft.

enjoin (ɪnˈdʒɔɪn) einschärfen.

enjoy (ɪnˈdʒɔɪ) sich erfreuen an (dat.); genießen, sich erfreuen (gen.); ~ o.s. sich amüsieren; ~able (~əbl) genußreich, erfreulich; ~ment (~mənt) Genuß m, Freude f.

enlarge (ɪnˈlɑːdʒ) (sich) erweitern, ausdehnen; vergrößern; ~ment (~mənt) Erweiterung f usw.

enlighten (ɪnˈlaɪtn) fig. erleuchten; j. aufklären; ~ment Aufklärung f.

enlist (ɪnˈlɪst) v/t. ✕ anwerben; gewinnen; ✕ ~ed man Gemeine(r) m.

enliven (ɪnˈlaɪvn) beleben.

enmity (ˈɛnmɪti) Feindschaft f.

ennoble (ɪˈnoʊbl) adeln; veredeln.

enorm|ity (ᵻnȯ′mᵻtᵻ) Ungeheuer-
lichkeit f; ~ous ☐ (~ᵉß) ungeheuer.
enough (ᵻnᵃ′f) genug.
enquire (ᵻnᵏwālᵉ′) = inquire.
enrage (ᵻnreᵻ′ðG) wütend machen.
enrapture (ᵻnrᵃ′pᵗᵻʃᵉ) entzücken.
enrich (ᵻnrᵻ′ᵗʃ) be-, an-reichern.
enrol(l) (ᵻnroʊ′l) in e-e Liste eintragen; ✕ anwerben; aufnehmen; ~
ment (~mᵉnt) Eintragung f usw.
ensign (ᵉ′nᵴaᵻn) Fahne, Flagge f;
Abzeichen n; Am. Fähnrich m.
enslave (ᵻnᵴleᵻ′w) versklaven; ~ment
(~mᵉnt) Versklavung f.
ensnare (ᵻnᵴnäᵉ′) umstri′cken.
ensue (ᵻnᵴjū′) folgen, sich ergeben.
entail (ᵻnteᵻ′l) zur Folge haben.
entangle (ᵻntä′nᵍgl) verwickeln; ~
ment (~mᵉnt) Draht-Hindernis n.
enter (ᵉ′ntᵉ) v/t. (ein)treten in (acc.);
betreten; Taxe usw. besteigen; eingehen, ~ziehen usw. in (acc.); eindringen in (acc.); eintragen, ✝ buchen; Protest usw. einbringen; als
Mitglied usw. aufnehmen; melden;
v/i. eintreten; sich einschreiben,
Sport: melden; aufgenommen w.;
~ into fig. eingehen auf (acc.); ~
(up)on etw. antreten.
enterpris|e (ᵉ′ntᵉpräᵻᵴ) Unterne′h-
men n; Unterne′hmungslust f;
~ing (~ᵻnᵍg) unterne′hmungs-
lustig.
entertain (ᵉntᵉteᵻ′n) unterha′lten;
bewirten; Meinung usw. hegen; ~er
(~ᵉ) Gastgeber m; ~ment (~mᵉnt)
Unterha′ltung; Bewirtung f; Gastmahl n.
enthrone (ᵻnᵗʰroʊ′n) auf den Thron
setzen.
enthusias|m (ᵻnᵗʰjū′ᵻⁱäᵴm) Begei-
sterung f; ~t (~äᵴt) Schwärmer(in);
~tic (ᵻnᵗʰjūᵴⁱä′ᵗᵻk) (~ally) begei-
stert.
entic|e (ᵻntäᵻ′ᵴ) (ver)locken; ~e-
ment (~mᵉnt) Verlockung f, Reiz
m.
entire (ᵻntäᵉ′) ganz; vollständig;
ungeteilt; ~ly (~lᵻ) völlig; lediglich;
~ty (~tᵻ) Gesamtheit f.
entitle (ᵻntäᵻ′tl) betiteln; berechtigen.
entity (ᵉ′ntᵻtᵻ) Wesen; Dasein n.
entrails (ᵉ′ntreᵻlᵴ) pl. Eingeweide
n/pl.; Innere(s) n.
entrance (ᵉ′ntrᵉnᵴ) Ein-, Zu-tritt
m; Einfahrt f, Eingang; Einlaß m.
entrap (ᵻnträ′p) (ein)fangen.

entreat (ᵻntrᵻ′t) bitten, ersuchen; er.
erbitten; ~y (~ᵻ) Bitte f, Gesuch n.
entrench ✕ (ᵻntrᵉ′ntʃ) (mit Gräben) verschanzen.
entrust (ᵻntrᵃ′ᵴt) anvertrauen (a th.
to a p. e-m et.); betrauen.
entry (ᵉ′ntrᵻ) Eintritt; Eingang; ✝s
Besitzantritt m ([up]on gen.); Eintragung; Sport: Meldung f.
enumerate (ᵻnjū′mᵉreᵻt) aufzählen.
enunciate (ᵻnᵃ′nᵴᵻeᵻt) verkünden;
Lehrsatz aufstellen; aussprechen.
envelop (ᵻnwᵉ′lᵉp) einhüllen, ein-
wickeln; umge′ben; ✕ einkreisen;
~e (ᵉ′nwᵻloʊp) Hülle f; Briefumschlag m.
envi|able (ᵉ′nwᵻᵉbl) beneidens-
wert; ~ous ☐ (~ß) neidisch.
environ (ᵻnwaᵻ′rᵉn) umge′ben; ~
ment (~mᵉnt) Umge′bung f e-r
Person; ~s (ᵉ′nwᵻrᵉnᵴ) pl. Umge′-
bung f e-r Stadt.
envoy (ᵉ′nwȯᵻ) Gesandte(r); Bote m.
envy (ᵉ′nwᵻ) 1. Neid m; 2. beneiden.
epic (ᵉ′pᵻk) 1. episch; 2. Epos n.
epicure (ᵉ′pᵻkjuᵉ) Feinschmecker m.
epidemic ⚕ (ᵉpᵻdᵉ′mᵻk) 1. (~ally)
seuchenartig; 2. Seuche f.
epilogue (ᵉ′pᵻlȯg) Nachwort n.
episcopa|cy (ᵻpᵻ′ᵴkᵉpᵉᵴᵻ) bischöf-
liche Verfassung; ~l (~pᵉl) bischöf-
lich. [~olary (~tᵉlᵉrᵻ) brieflich.]
epist|le (ᵻpᵻ′ᵴl) Sendschreiben n;
epitaph (ᵉ′pᵻtäf) Grabschrift f.
epitome (ᵻpᵻ′tᵉmᵻ) Auszug, Abriß m.
epoch (ī′pȯk) Epo′che f.
equable ☐ (ᵉ′kwᵉbl) gleich-förmig,
-mäßig; fig. gleichmütig.
equal (ī′kwᵉl) 1. ☐ gleich, gleichmäßig; ~ to fig. gewachsen (dat.);
2. Gleiche(r); 3. gleichen (dat.);
~ity (ī′kwȯ′lᵻtᵻ) Gleichheit f; ~iza-
tion (ī′kwᵉläᵴeᵻ′ʃᵉn) Gleichstellung
f; Ausgleich m; ~ize (~läᵻᵴ) gleichmachen, -stellen; ausgleichen.
equat|ion (ᵻkweᵻ′ʃᵉn) Ausgleich m;
~or (~tᵉ) Äquator m.
equestrian (ᵻkwᵉ′ᵴtrᵻᵉn) Reiter m.
equilibrium (ī′kwᵻlᵻ′brᵻm) Gleichgewicht n; Ausgleich m.
equip (ᵻkwᵻ′p) ausrüsten; ~ment
(~mᵉnt) Ausrüstung; Einrichtung f.
equipoise (ᵉ′kwᵻpȯᵻᵴ) Gleichgewicht;
Gegengewicht n.
equity (ᵉ′kwᵻtᵻ) Billigkeit f.
equivalent (ᵻkwᵻ′wᵉlᵉnt) 1. gleich-
wertig; gleichbedeutend (to mit);
2. Äquivale′nt n, Gegenwert m.

22*

equivoca|l □ (ɪˈkwɔɪˈweɪkˀl) zweideutig, zweifelhaft; **~te** (ɪˈkwɔɪˈweɪleɪt) zweideutig reden.

era (ɪˈrˀ) Zeit-rechnung f; -alter n.

eradicate (ɪˈrædɪˈkeɪt) ausrotten.

eras|e (ɪˈreɪˀ) ausradieren, -streichen; auslöschen; **~er** (~ˀ) Radiergummi m; **~ure** (ɪˈreɪˈQˀ) Ausradieren n; radierte Stelle.

ere (ɛˀ) 1. cj. ehe, bevor; 2. prp. vor.

erect (ɪˈreɪt) 1. □ aufrecht; 2. aufrichten; Denkmal usw. errichten; aufstellen; **~ion** (ɪˈreɪˈɪʃˀn) Auf-, Er-richtung f; Gebäude n.

eremite (ˈɛˈrɪˈmaɪt) Einsiedler m.

ermine (ðˈmin) zo. Hermeli'n n.

erosion (ɪˈroʊˈQˀn) Auswaschung f.

erotic (ɪˈrɔˈtɪk) erotisch(es Gedicht).

err (ð) (sich) irren; fehlen, sündigen.

errand (ɛˈrˀnd) Botengang, Auftrag m; **~boy** Laufbursche m.

errant (ɛˈrˀnt) (umher)irrend.

errat|ic (ɪˈrætɪk) (~ally) wandernd; unberechenbar; **~um** (ɪˈreɪˈtˀm), pl. **~a** (~tˀ) Druckfehler m.

erroneous □ (ɪˈroʊˈnɪˀ) irrig.

error (ɛˈrˀ) Irrtum, Fehler m; **~s excepted** Irrtümer vorbehalten.

erudit|e □ (ɛˈruˈdaɪt) gelehrt; **~ion** (ɛrˈuˈdɪʃˀn) Geleirsamkeit f.

eruption (ɪˈrʌˈpʃˀn) Vulkan-Ausbruch; Hautausschlag m.

escalator (ɛˈskɪˈleɪtˀ) Rolltreppe f.

escap|ade (ɛˈskˀpeɪˈð) toller Streich; **~e** (ɪˈskeɪˀp) 1. v/t. entschlüpfen; entgehen; entkommen (dat.); 2. entweichen; j-m entfallen n; 2. Entrinnen n; Entweichen n.

escort 1. (ɛˈskɔt) Esko'rte f; Geleit n; 2. (ɪˈskɔˈt) eskortieren, geleiten.

escutcheon (ɪˈskʌˈtʃˀn) Wappenschild m (n); Namenschild n.

especial (ɪˈspeɪˈʃˀl) besonder; vorzüglich; **~ly** (~lɪ) besonders.

espionage (ɛˈspɪˈnɑˈQ) Spionage f.

esquire (ɪˈskwaɪˀ) Landedelmann m; auf Briefen: Hochwohlgeboren.

essay 1. (ɛˈseɪ) versuchen, probieren; 2. (ɛˈseɪ) Versuch; Aufsatz m, kurze Abhandlung.

essen|ce (ɛˈsns) Wesen n e-r Sache; Extra'kt m; Esse'nz f; **~tial** (ɪˈseɪˈn-ʃˀl) 1. □ (zu für) wesentlich; wichtig; 2. Wesentliche(s) n.

establish (ɪˈstæˈblɪʃ) festsetzen; errichten, gründen; einrichten; einsetzen; **~ o.s.** sich niederlassen; 2ed Church Staatskirche f; **~ment**

(~mˀnt) Festsetzung f usw.; Geschäftshaus n.

estate (ɪˈsteɪˈt) pol. Stand; Besitz m; (Erbschafts-)Masse f; Grundstück; (Land-)Gut n; real **~** Grundbesitz m.

esteem (ɪˈstɪˈm) 1. Achtung f, Ansehen n (with bei); 2. (hoch)achten, (hoch)schätzen; erachten für.

estimable (ɛˈstɪˈmˀbl) schätzenswert.

estimat|e 1. (~meɪt) (ab)schätzen; veranschlagen; 2. (~mɪt) Schätzung f; (Vor-)Anschlag m; **~ion** (ɛstɪ-meɪˈʃˀn) Schätzung; Meinung; Achtung f.

estrange (ɪˈstreɪˈnðQ) entfremden.

etch (ɛtʃ) ätzen, radieren.

etern|al □ (ɪˈtðˈnl) immerwährend, ewig; **~ity** (~nɪtɪ) Ewigkeit f.

ether (ɪˈthˀ) Äther m; **~eal** □ (ɪˈthɪˀ-rɪˀl) äthe'risch (a. fig.).

ethic|al □ (ɛˈthɪˈkˀl) sittlich, ethisch; **~s** (ɛˈthɪkˀ) Sittenlehre, Ethik f.

etiquette (ɛtɪˈkeɪt) Etikette, Sitte f.

etymology (ɛtɪˈmɔˈlˀðQɪ) Etymologie', Wortableitung(skunde) f.

eucharist (juˈkˀrɪst) Abendmahl n.

European (juˀrˀpɪˈˀn) 1. europäisch; 2. Europäer(in).

evacuate (ɪˈwæˈtjuˈeɪt) entleeren; evakuieren; Land usw. räumen.

evade (ɪˈweɪˈð) (geschickt) ausweichen (dat.); umge'hen.

evaluate (ɪˈwæˈljuˈeɪt) zahlenmäßig bestimmen, auswerten; berechnen.

evangelic, ~al □ (ɪwænðQɪˈlɪk, ~ɪˀl) evangelisch.

evaporat|e (ɪˈwæˈpˀreɪt) verdunsten, verdampfen (l.); **~ion** (ɪˈwæpˀreɪ-ʃˀn) Verdunstung, Verdampfung f.

evasi|on (ɪˈweɪˈQˀn) Umge'hung; Ausflucht f; **~ve** (~ßɪw) ausweichend (of dat.).

eve (ɪw) Vorabend; Vortag m; on the **~** of unmittelbar vor (dat.).

even (ɪˈwˀn) 1. adj. □ eben, gleich; gleichmäßig; ausgeglichen; glatt; gerade (Zahl); unparteiisch; 2. adv. selbst, sogar, auch; not **~** nicht einmal; **~** though, **~** if wenn auch; 3. ebnen, glätten; gleichstellen; **~-handed** (~hæˈnˀdð) unparteiisch.

evening (ɪˈwnɪŋ) Abend m; **~ dress** Gesellschaftsanzug m; Abendkleid n.

evenness (ɪˈwˀnnɪß) Ebenheit; Geradheit; Gleichmäßigkeit; Unparteilichkeit; Seelenruhe f.

evensong Abendgottesdienst *m.*

event ('wĕ'nt) Ereignis *n,* Vorfall; *fig.* Ausgang *m; Sport:* Konkurre'nz *f; at all* ~s auf alle Fälle; *in the* ~ *of* im Falle (*gen.*); ~ful (~ful) ereignisreich.

eventual □ ('wĕ'ntiuᵉl) etwaig, möglich; schließlich; ~ly am Ende; im Laufe der Zeit; gegebenenfalls.

ever (ĕ'wᵉ) je, jemals; immer; ~ *so* noch so (sehr); *as soon as* ~ *I can* sobald ich nur irgend kann; *for* ~ für immer, auf ewig; *Briefschluß: yours* ~ Dein stets ...; ~**green** immergrün(e Pflanze); ~**lasting** (ĕwᵉlã'ᵇtiŋ) □ ewig; dauerhaft; ~**more** (ĕ'wᵉmŏ') immerfort.

every (ĕ'wrᶦ) jede(r, s); alle(s); ~ *now and then* dann und wann; ~ *one* jeder(mann); ~ *other day* einen Tag um den andern; ~**body** jeder (-mann); ~**day** Alltags...; ~**thing** alles; ~**where** überall.

evict ('wᶦ'ft) exmittieren; ausweisen.

eviden|ce (ĕ'wᵇᵉnᵇ) 1. Beweis (-materia'l *n) m;* ᶻᵗ Zeugnis *n;* Zeuge *m; in* ~ als Beweis; deutlich sichtbar; 2. beweisen; ~t □ (~t) augenscheinlich, offenbar, klar.

evil (ī'wl) 1. □ übel, schlimm, böse; *the* ② *one* der Böse (*Teufel*); 2. Übel, Böse(s) *n.*

evince ('wᶦ'nᵇ) dartun, erweisen.

evoke (wo'ᵘf) (herauf)beschwören.

evolution (īwᵉlū'ᶴᵉn) Entwicklung; Schwenkung *f.*

evolve ('wŏ'lw) (sich) entwickeln.

ewe (jū) Mutterschaf *n.*

exact ('gᵈã'ᵗt) 1. □ genau; pünktlich; 2. *Zahlung* eintreiben; fordern; ~**ing** (~iŋ) streng, genau; ~**itude** (~tᶦjūᵈ), ~**ness** (~tᵇ) Genauigkeit; Pünktlichkeit *f.*

exaggerate ('gᵈã'ᵈGᵉreᵗt) übertreiben.

exalt ('gᵈŏ'lt) erhöhen, erheben; ~**ation** (ĕgᵈŏltᵉᶦᶴᵉn) Erhöhung, Erhebung; Höhe; Verzücktheit *f.*

examin|ation ('gᵈãmᶦnᵉᶦᶴᵉn) Examen *n,* Prüfung; Untersu'chung; Vernehmung *f;* ~e ('gᵈã'mᶦn) untersu'chen; prüfen, verhören.

example ('gᵈã'mpl) Beispiel; Vorbild, Muster *n; for* ~ zum Beispiel.

exasperate ('gᵈã'ᵇpᵉreᵗt) erbittern; ärgern; verschlimmern.

excavate (ĕ'ᶜᵇtᵉweᵗt) aus-höhlen, -heben, -schachten.

exceed ('ᵗᶜᵇĭ'ᵈ) über-schrei'ten; -tre'ffen; sich auszeichnen; ~**ing** □ (~iŋ) übermäßig.

excel ('ᵗᶜᵇᵉ'l) *v/t.* übertre'ffen; *v/i.* sich auszeichnen; ~**lence** (ĕ'ᶜᵇᵉlᵉnᵇ) Vortrefflichkeit *f;* Vorzug *m;* ②**lency** (~Ĭ) Exzelle'nz *f;* ~**lent** □ (ĕ'ᶜᵇᵉlᵉnt) vortrefflich.

except ('ᵗᶜᵇᵉ'pt) 1. ausnehmen; Einwendungen m.; 2. *prp.* ausgenommen, außer; ~ *for* abgesehen von; ~**ing** (~iŋ) *prp.* ausgenommen; ~**ion** (ĕᶜᵇᵉ'pᶦᶜᵇᵉn) Ausnahme; Einwendung *f (to* gegen); *take* ~ *to* Anstoß nehmen an (*dat.*); ~**ional** (~I) außergewöhnlich; ~**ionally** (~ᶦᶴᶦ) ausnahmsweise.

excess ('ᵗᶜᵇᵉ'ᵇ) Übermaß *n;* Überschuß *m;* Ausschweifung *f;* Mehr...; ~ *fare* Zuschlag *m;* ~ *luggage* Überfracht *f;* ~**ive** □ (~Ĭw) übermäßig, übertrie'ben.

exchange (ᶦᵗᶜᶦᶴᶜᵈhᵉᶦᵈⁿᵈG) 1. (aus~, ein~, um-)tauschen (*for* gegen); wechseln; 2. (Aus-, Um-)Tausch; (*bsd.* Geld-)Wechsel; Wechsel *m* (*bill of* ~); (*a.* ② Börse *f;* Fernsprechamt *n; foreign* ~*s pl.)* Devisen *f/pl.;* ~ *office* Wechselstube *f.*

exchequer ('ᵗᶜᵇᵉ'ᵗᶜᵈhᵉᵗᵉ') Schatzamt *n;* Staats-kasse *f,* -schatz *m; Chancellor of the* ② *britischer* Finanzminister.

excit|able (ᶦᵗᶜᶦᵗᵗãᶦᵗ'ᵗᵇl) reizbar; ~e (ᶦᵗᶜᶦᵗã'ᵗt) er-, an-regen; reizen; ~**ement** (~mᵉnt) Aufregung; Anreizung *f.*

exclaim ('ᵗᶜᵇlᵉᶦ'm) ausrufen; eifern.

exclamation (ĕᶜᵇᵗᶜᵇlᵉᵐᵉᶦᶴᵉn) Ausruf(ung *f) m; pl.* Geschrei *n.*

exclude ('ᵗᶜᵇlū'ᵈ) ausschließen.

exclusi|on ('ᵗᶜᵇlū'G_ᵉn) Ausschließung *f,* Ausschluß *m;* ~ve □ (~G̱iw) ausschließlich; sich abschließend; ~ *of* abgesehen von, ohne.

excommunicat|e (ĕᶜᵇᵗᶜᵇmjū'nᶦᵗᵉᵗt) exkommunizieren; ~**ion** (~ᶦ~ ᵗᶜᵇ- mjūnᶦᵗᵉᶦᶴᵉn) Kirchenbann *m.*

excrement (ĕ'ᶜᵇᵗᵉ'mᵉnt) Kot *m.*

excrete (ĕᶜᵇᵗᵉ'ᵗt) ausscheiden.

excruciate (ᶦᵗᶜᵇᵗrū'ᶴᶦᵉᵗt) martern.

exculpate (ĕ'ᵗᶜᵇᵗᵉlpᵉᵗt) entschuldigen; rechtfertigen.

excursion ('ᵗᶜᵇᵗᵉ'ᶴᵉn) Ausflug; Abstecher *m.* [fend.)

excursive □ (ĕᶜᵇᵗᵉ'ᶜ̱iw) abschwei-)

excus|able □ (ᶦᵗᶜᵇtjū'Ⅰᵉbl) entschuldbar; ~e 1. (ᶦᵗᶜᵇtjū'I') entschuldigen; 2. (ᶦᵗᶜᵇtjū'ᵇ) Entschuldigung *f.*

execra|ble □ (ĕ'ĭ̆s̓ĭr°bl) abscheulich; **~te** (ĕ'ĭ̆s̓ĭrĕˡt) verwünschen.

execut|e (ĕ'ĭ̆s̓ĭjūt) ausführen; vollziehen; hinrichten; **~ion** (ĕ̆ĭ̆s̓ĭ'jū-ʃᵉn) Ausführung; Vollziehung; Zwangsvollstreckung; Hinrichtung f; ♪ Vortrag m; **~ioner** (~ᵉ) Scharfrichter m; **~ive** (ĭg'e'ĭᵘtĭw) 1. □ vollziehend; **~** committee Vorstand m; 2. vollziehende Gewalt; † Geschäftsführer m; **~or** (~tᵉ) (Testame'nts-)Vollstrecker m.

exemplary (ĭg'e'mpl°rĭ) vorbildlich. **exemplify** (ĭg'e'mplĭfaĭ) durch Beispiele belegen; veranschaulichen. **exempt** (ĭg'e'mpt) 1. befreit, frei; 2. ausnehmen, befreien.

exercise (ĕ'ĭ̆s̓ĭsaĭz) 1. Übung; Ausübung; Schule: Übungsarbeit; Leibesübung f; take ~ sich Bewegung m.; 2. üben; ausüben; (sich) Bewegung m.; exerzieren.

exert (ĭg'sᵊ̈t) Einfluß usw. ausüben; **~o.s.** sich anstrengen od. bemühen; **~ion** (ĭg'sᵊ̈ʃᵉn) Ausübung f usw.

exhale (ĕ̆ĭ̆s̓ĭheˡ'l) ausdünsten; aushauchen; Gefühlen Luft machen.

exhaust (ĭg'sᵊ̈st) 1. erschöpfen; entleeren; auspumpen; 2. ⊕ Auslaß, Auspuff m; **~ion** (~ʃᵉn) Erschöpfung f; **~ive** □ (~ĭw) erschöpfend.

exhibit (ĭg'sĭ'bĭt) 1. ausstellen; zeigen, darlegen; aufweisen; 2. Ausstellungsstück n; **~ion** (ĕ̆ĭ̆s̓ĭbĭ'ʃᵉn) Ausstellung; Darlegung; Zurschaustellung f; **~or** (ĭg'sĭ'bĭtᵉ) Aussteller m.

exhilarate (ĭg'sĭ'lᵉreˡt) erheitern.

exhort (ĭg'sᵊ̈t) ermahnen.

exigen|ce, ~cy (ĕ'ĭ̆s̓ĭdᵊ̈ns[ĭ]) dringende Not; Erfordernis n.

exile (ĕ'ĭ̆s̓aĭl) 1. Verbannung f; Verbannte(r); 2. verbannen.

exist (ĭg'sĭ'st) existieren: vorhanden sn; leben; **~ence** (~ᵉns) Existe'nz f; Dasein, Vorhandensein; Leben n; in ~ = **~ent** (~ᵉnt) vorhanden.

exit (ĕ'ĭ̆s̓ĭt) 1. Abgang; Tod; Ausgang m; 2. thea. (geht) ab.

exodus (ĕ'ĭ̆s̓°dᵊ̈s) Auszug m.

exonerate (ĭg'sᵊ̈nᵉreˡt) fig. entlasten, entbinden; rechtfertigen.

exorbitant □ (ĭg'sᵊ̈ĭ̆tᵉnt) übermäßig.

exorcise, ~ze (ĕ'ĭ̆s̓saĭz) Geister beschwören, austreiben; befreien (of von).

exotic (ĕg'sᵊ̈'tĭt) ausländisch, exotisch.

expan|d (ĭ'ĭ̆s̓pä'nd) (sich) ausbreiten; (sich) ausdehnen; (sich) erweitern; **~se** (ĭ'ĭ̆s̓pä'ns), **~sion** (~ʃᵉn) Ausdehnung; Weite, Breite f; **~sive** □ (~s̓ĭw) ausdehnungsfähig; ausgedehnt, weit; fig. mitteilsam.

expatriate (ĕ̆ĭ̆s̓pä'trĭeˡt) ausbürgern.

expect (ĭ'ĭ̆s̓pĕ'ĭt) erwarten; F annehmen; **~ant** (~ᵉnt) 1. erwartend (of acc.); **~** mother werdende Mutter; 2. Anwärter m; **~ation** (ĕ̆ĭ̆s̓pĕ'ĭteˡ'-ʃᵉn) Erwartung; Aussicht f.

expectorate (ĕ̆ĭ̆s̓pĕ'ĭtᵊ̈reˡt) Schleim usw. aus-husten, -werfen.

expedi|ent (ĭ'ĭ̆s̓pĭ'dĭᵉnt) 1. □ zweckmäßig; berechnend; 2. Mittel n; (Not-)Behelf m; **~tion** (ĕ̆ĭ̆s̓pĭ-dĭ'ʃᵉn) Eile; (Forschungs-)Reise f.

expel (ĭ'ĭ̆s̓pĕ'l) (hin)ausstoßen; vertreiben, -jagen; ausschließen.

expen|d (ĭ'ĭ̆s̓pĕ'nd) Geld ausgeben; aufwenden; verbrauchen; **~diture** (~ĭtʃᵉ) Ausgabe f; Aufwand m; **~se** (ĭ'ĭ̆s̓pĕ'ns) Ausgabe f; Kosten pl.; **~s** pl. Unkosten pl., Auslagen f/pl.; **~sive** □ (~s̓ĭw) kostspielig, teuer.

experience (ĭ'ĭ̆s̓pĭ'rĭᵉns) 1. Erfahrung f; Erlebnis n; 2. erfahren, erleben; **~d** (~t) erfahren.

experiment (ĭ'ĭ̆s̓pĕ'rĭmᵉnt) 1. Versuch m; 2. (~mĕnt) experimentieren; **~al** □ (ĕ̆ĭ̆s̓pĕ'rĭmĕ'ntl) Versuchs...; erfahrungsmäßig.

expert (ĕ'ĭ̆s̓pᵊ̈t) 1. □ (pred. ĕĭ̆s̓pᵊ̈'t) erfahren, geschickt; fachmännisch; 2. Fachmann; Sachverständige(r) m.

expirat|ion (ĕ̆ĭ̆s̓paˡ'rᵉʃᵉn) Ausatmung f; Ablauf m, Ende n; **~e** (ĭ'ĭ̆s̓paˡ'ᵉ) ausatmen; verscheiden; ablaufen; † verfallen; erlöschen.

explain (ĭ'ĭ̆s̓pleˡ'n) erklären; erläutern; auseinandersetzen.

explanat|ion (ĕ̆ĭ̆s̓plᵉneˡ'ʃᵉn) Erklärung; Auseinandersetzung f; **~ory** □ (ĭ'ĭ̆s̓plä'n°t°rĭ) erklärend.

explicable (ĕ'ĭ̆s̓plĭ'ĭbl) erklärlich.

explicit □ (ĭ'ĭ̆s̓plĭ'sĭt) deutlich.

explode (ĭ'ĭ̆s̓plou°d) explodieren (l.); ausbrechen; platzen (with vor).

exploit 1. (ĕ'ĭ̆s̓ploˡ't) Heldentat f; 2. (ĭ'ĭ̆s̓ploˡ't) ausbeuten; **~ation** (ĕ̆ĭ̆s̓ploˡteˡ'ʃᵉn) Ausbeutung f.

explor|ation (ĕ̆ĭ̆s̓plorĕ'ʃᵉn) Erforschung f; **~e** (ĭ'ĭ̆s̓plor̓') erforschen; **~er** (~rᵉ) Erforscher; Forscher m.

explosi|on (ĭk̆splo͞u'G͞eⁿ) Explosio'n f; Ausbruch m; ~ve (~s̷̨iw) 1. □ explosi'v; 2. Sprengstoff m.

exponent (ĕk̆spo͞u'n͞ent) Vertreter m.

export (ĕk̆spō't) ausführen; 2. (ĕ'k̆spŏt) Ausfuhr(artikel m) f; ~ation (ĕk̆spŏte''ʃch͞en) Ausfuhr f.

expos|e (ĭk̆spo͞u'l) aussetzen; phot. belichten; ausstellen; entlarven; bloßstellen; ~ition (ĕk̆spŏ'ʃch͞en) Ausstellung; Erklärung f.

exposure (ĭk̆spo͞u'G͞e) Aussetzung f usw. s. expose.

expound (ĭk̆spau'nd) erklären, auslegen.

express (ĭk̆sprę̷ß) 1. □ ausdrücklich, deutlich; Eil...; ~ company Am. Paketfahrtgesellschaft f; 2. Eilbote; Schnellzug m (a. ~ train); 3. adv. durch Eilboten; als Eilgut; 4. außern, ausdrücken; auspressen; ~ion (ĭk̆pre'ʃch͞en) Ausdruck m; ~ive □ (ĭk̆pre'ß̷̨iw) ausdrückend (of acc.); ausdrucksvoll.

expropriate (ĕk̆spro͞u'pr͞ie̷t) enteignen.

expulsion (ĭk̆spa'lʃch͞en) Vertreibung f.

exquisite (ĕ'k̆ßu̇ĭʃ̷̨t) 1. □ auserlesen, vorzüglich; fein; heftig, scharf; 2. Stutzer m.

extant (ĕk̆ßtä'nt) (noch) vorhanden.

extempor|aneous □ (ĕk̆ßtĕmp͞e-re̷'nĭ͞eß), ~ary (ĭk̆ßtĕ'mp͞er͞erĭ), ~e (~p͞eⁿrĭ) aus dem Stegreif (vorgetragen).

extend (ĭk̆ßte̷'nd) v/t. ausdehnen; ausstrecken; erweitern; verlängern; Gunst usw. erweisen; ✕ (aus-) schwärmen l.; v/i. sich erstrecken.

extensi|on (ĭk̆ßte̷'nʃch͞en) Ausdehnung; Erweiterung; Verlängerung f; Aus-, An-bau m; University ♀ Volkshochschule f; ~ve □ (~ß̷̨iw) ausgedehnt, umfa'ssend.

extent (ĭk̆ßte̷'nt) Ausdehnung, Weite, Größe f; Umfang; Grad m; to the ~ of bis zum Betrage von; to some ~ einigermaßen.

extenuate (ĕk̆ßte̷'nĭ͞ue̷t) abschwächen, mildern, beschönigen.

exterior (ĕk̆ßtĭ͞e'rĭ͞e) 1. □ äußerlich; Außen...; außerhalb; 2. Äußere(s) n.

exterminate (ĕk̆ßtö'm͞ine̷t) ausrotten.

external (ĕk̆ßtö'nl) 1. □ äußere(r, s), äußerlich; Außen...; 2. ~s pl. Äußere(s) n; fig. Äußerlichkeiten f/pl.

extinct (ĭk̆ßtĭ'nĝt) erloschen.

extinguish (ĭk̆ßtĭ'nĝgu̇ĭʃch) (aus-) löschen; vernichten.

extirpate (e̷'k̆ßtöpe̷t) ausrotten.

extol (ĭk̆ßtŏ'l) erheben, preisen.

extort (ĭk̆ßtŏ't) erpressen; abnötigen (from dat.); ~ion (ĭk̆ßtŏ'ʃch͞en) Erpressung f.

extra (e̷'k̆ßtr͞e) 1. Extra...; außer...; Neben...; Sonder...; ~ pay Zulage f; 2. adv. besonders; außerdem; 3. Sonder-leistung, -arbeit, -forderung f; Zuschlag m; Am. Extrablatt n; ~s pl. Nebenausgaben f/pl.

extract 1. (e̷'k̆ßträĝt) Auszug m; 2. (ĭk̆ßträ'ĝt) (her)ausziehen; herauslocken; ab-, her-leiten; ~ion (~ĭʃch͞en) Ausziehen n; Herkunft f.

extraordinary (ĭk̆ßtrŏ'dnrĭ) außerordentlich; Extra...; ungewöhnlich.

extravagan|ce(ĭk̆ßträ'wĭg͞enß)Übertrie'benheit; Verspa'nntheit; Verschwendung f; ~t □ (~g͞ent) übertrie'ben, -spa'nnt; verschwenderisch.

extrem|e (ĭk̆ßtrĭ'm) 1. □ äußerst; größt, höchst; sehr streng; außergewöhnlich; 2. Äußerste(s); Extre'm n; der höchste Grad; ~ity (ĭk̆ßtre'mĭtĭ) Äußerste(s) n; höchste Not; äußerste Maßnahme; ~ities (~ĭ) pl. Gliedmaßen pl.

extricate (e̷'k̆ßtrĭke̷t) freimachen.

exuberan|ce (ĭgßjū'b̷̨erenß) Überfluß m, Überschwenglichkeit f; ~t (~t) reichlich; üppig; überschwenglich.

exult (ĭgßa'lt) frohlocken.

eye (ā̆) 1. Auge n; Blick m; Öhr n; with an ~ to mit Rücksicht auf (acc.); mit der Absicht zu; 2. ansehen; mustern; ~ball Augapfel m; ~brow Augenbraue f; ~ed (ā̆d) ...äugig; ~glass Augenglas n; (a pair of) ~es pl. (ein) Kneifer m; Lorgno'n n; ~lash Augenwimper f; ~lid Augenlid n; ~sight Augen(licht n) pl.; Sehkraft f.

F

fable (feɪ'bl) 1. Fabel *f*; Märchen *n*.
fabric (fä'brik) Bau *m*, Gebäude;
Struktu'r *f*; Gewebe *n*, Stoff *m*;
~ate (fä'brɪkeɪt) fabrizieren (*mst fig.*).
fabulous □ (fä'bɪuˡəs) fabelhaft.
face (feɪs) 1. Gesicht *n*; Anblick *m*;
(Ober-)Fläche; Vorderseite *f*; on
the ~ of it auf den ersten Blick;
2. *v/t.* ansehen; gegenüberstehen
(*dat.*); (hinaus)gehen auf (*acc.*); die
Stirn bieten (*dat.*); einfassen; △
bekleiden; *v/i.* ~ about sich um-
drehen.
facetious □ (fᵉsɪ'ɪʧᵉs) witzig.
facil|e (fä'sɪl) leicht; gewandt;
~itate (fᵉsɪl'ɪteɪt) erleichtern; ~ity
(fᵉsɪl'ɪtɪ) Leichtigkeit; Gewandtheit; Erleichterung *f*.
facing (feɪ'sɪŋ) ⊕ Verkleidung; ~s
pl. Besatz *m*.
fact (fäkt) Tat; Tatsache; Wirklichkeit *f*.   [keit *f.*]
faction (fä'kʃᵉn) Partei; Uneinig-]
factitious □ (fäktɪ'ʃᵉs) künstlich.
factor (fä'ktᵉr) Age'nt; † Kommissionä'r; *fig.* Umstand *m*; ~y (~rɪ)
Handelsniederlassung; Fabri'k *f*.
faculty (fä'kᵉltɪ) Fähigkeit; Kraft;
fig. Gabe; *univ.* Fakultä't *f*.
fad F (fäd) *fig.* Steckenpferd *n*.
fade (feɪd) (ver)welken (m.); ver-
blassen; schwinden; Film, Radio:
~ in einblenden.
fag (fäg) *v/i.* sich placken; *v/t.* erschöpfen, mürbe machen.
fail (feɪl) 1. *v/i.* fehlen, mangeln;
fehlschlagen; versiegen; versagen;
nachlassen; Bankro'tt m.; durch-
fallen (*Kandidat*); he ~ed to do es
mißlang ihm zu tun; *v/t.* im Stich
lassen, verlassen; versäumen; 2. *su.*:
without ~ unfehlbar; ~ing (feɪ'lɪŋ)
Fehler *m*, Schwäche *f*; ~ure (feɪ'lᵘᵉ)
Fehlen, Ausbleiben *n*; Fehlschlag;
Mißerfolg; Verfall *m*; Versäumnis
f; Bankro'tt; Versager *m* (*P.*).
faint (feɪnt) 1. □ schwach, matt;
2. schwach w.; in Ohnmacht fallen
(*with* vor); 3. Ohnmacht *f*; ~heart-
ed □ (feɪ'nthɑ'tɪd) verzagt.
fair¹ (fäᵉ) 1. *adj.* schön; hell, rein;

blond; 2. *adj. u. adv.* günstig;
ehrlich, anständig; gerecht; ziemlich; ~ copy Reinschrift *f*; ~ play ehr-
liches Spiel; anständiges Handeln.
fair² (~) Jahrmarkt *m*, Messe *f*.
fair|ly (fäᵉ'lɪ) ziemlich; völlig;
~ness (fäᵉ'nɪs) Schönheit *f* usw. (*s.
fair¹*); ~way ⚓ Fahrwasser *n*.
fairy (fäᵉ'rɪ) Fee; Zauberin *f*; Elf
m; Ωland Feen-, Märchen-land *n*;
~tale Märchen *n*.
faith (feɪθ) Vertrauen *n*; Glaube *m*;
Treue *f*; ~ful □ (feɪ'θfᵘl) treu; ehrlich; yours ~ly Ihr ergebener; ~less
□ (feɪ'θlɪs) treulos; ungläubig.
fake *sl.* (feɪk) 1. Schwindel *m*; Fälschung *f*; Schwindler *m*; 2. fälschen.
falcon (fô'lkᵉn) Falke *m*.
fall (fôl) 1. Fall(en *n*); Sturz; Verfall, Einsturz; *Am.* Herbst *m*;
Fällen; (*mst ~s pl.*) Wasserfall *m*;
Senkung *f*, Abhang *m*; 2. [*irr.*]
fallen; ab-, ein-fallen; sinken; sich
legen (*Wind*); in e-n Zustand verfallen; ~ back zurückweichen;
~ ill *od.* sick krank w.; ~ out sich
entzweien; sich zutragen; ~ short
knapp w. (*of an dat.*); ~ short of
zurückbleiben hinter (*dat.*); ~ to sich
machen an (*acc.*).
fallacious □ (fᵉleɪ'ʃᵉs) trügerisch.
fallacy (fä'lᵉsɪ) Täuschung *f*.
fallen (fô'lᵉn) gefallen.
falling (fô'lɪŋ) Fallen *n*; ~sick-
ness Fallsucht *f*; ~star Sternschnuppe *f*.
fallow (fä'loᵘ) *zo.* falb; ✗ brach.
false □ (fôls) falsch; ~hood (fô'ls-
hᵘd), ~ness (~nɪs) Falschheit *f*.
falsi|fication (fôlsɪfɪkeɪ'ʃᵉn) (Ver-)
Fälschung *f*; ~fy (fô'lsɪfaɪ) verfälschen; ~ty (~tɪ) Falschheit *f*.
falter (fô'ltᵉ) straucheln; stocken
(*Stimme*); stammeln; *fig.* schwanken.
fame (feɪm) Ruf, Ruhm *m*; ~d
(feɪmd) berühmt (*for* wegen).
familiar (fᵉmɪ'lɪ̯ᵉ) 1. □ vertraut;
gewohnt; familiä'r; 2. Vertraute(r);
~ity (fᵉmɪlɪä'rɪtɪ) Vertrautheit; Ver-
traulichkeit *f*; ~ize (fᵉmɪ'lɪ̯ᵉraɪz)
vertraut machen.

family (fä'm¹l¹) Fami'lie *f*; *in the* ∼ *way* in anderen Umständen; ∼ **tree** Stammbaum *m*.

fami|ne (fä'm¹n) Hungersnot *f*; ∼**sh** (aus-, ver-)hungern.

famous (fe¹'m²ß) berühmt.

fan (fän) 1. Fächer; Ventila'tor *m*; 2. (an)fächeln; an-, fig. ent-fachen.

fanatic (f³nä'¹t¹) 1. (*a.* ∼**al** □, ∼¹t¹l) fanatisch; 2. Fanatiker(in).

fanciful □ (fä'nß¹ful) phantastisch.

fancy (fä'nß¹) 1. Phantasie'; Einbildung; Schrulle; Vorliebe; Liebhaberei *f*; 2. Phantasie'...; Liebhaber...; Luxus...; ∼ *ball* Maskenball *m*; ∼ *goods pl.* Galanterie'waren *f/pl.*; 3. sich einbilden; Gefallen finden an; *just* ∼*!* denken Sie nur!

fang (fäŋ) Fangzahn; Giftzahn *m*.

fantas|tic (fäntä'ßt¹t) (∼*ally*) phantastisch; ∼**y** (fä'n¹tß¹) Phantasie' *f*.

far (fä) *adj.* fern, entfernt; weit; *adv.* fern; weit; (sehr) viel; *as* ∼ *as* bis; *in so* ∼ *as* insofern als; ∼**away** weit entfernt.

farce (fäß) *thea.* Posse *f*, Schwank *m*.

fare (fä³) 1. Fahrgeld *n*; Fahrgast *m*; Verpflegung, Kost *f*; 2. *j-m* (er-) gehen; *gut* leben; ∼**well** (fä³'cœ¹l) 1. lebe(n Sie) wohl!; 2. Abschied *m*, Lebewohl *n*. [geholt, gesucht.]

far-fetched (fä'fe'tßt) *fig.* weither-

farm (fäm) 1. (Bauern-)Gut *n*; Farm *f*; 2. (ver)pachten; *Land* bewirtschaften; ∼**er** (fä'm³) Landwirt; Pächter *m*; ∼**house** Bauern-, Gutshaus *n*; ∼**ing** 1. Acker...; landwirtschaftlich; 2. Landwirtschaft *f*; ∼**stead** (fä'mßtëd) Gehöft *n*.

far-off (fä'rö'f) entfernt, fern.

farthe|r (fä'ð³) weiter (entfernt); ∼**st** (∼¹ßt) am weitesten.

fascinat|e (fä'ß¹ne¹t) bezaubern; ∼**ion** (fäß¹ne¹'¹ch³n) Zauber, Reiz *m*.

fashion (fä'¹ch³n) 1. Form *f*; Schnitt *m*; Mode; Art *f*; feine Lebensart; *in* (*out of*) ∼ (un)mode'rn; 2. gestalten; *Kleid* an-passen, -fertigen; ∼**able** □ (fä'¹ch³n³bl) mode'rn, elega'nt.

fast¹ (fäßt) fest; schnell; vorgehend (*Uhr*); treu; waschecht; flott.

fast² (∼) 1. Fasten *n*; 2. fasten.

fasten (fä'ßn) *v/t.* befestigen; anheften; fest (zu')machen; zubinden; *Augen usw.* heften ([up]on *auf acc.*); *v/i.* schließen (*Tür*); ∼ *upon fig.* sich klammern an (*acc.*); ∼**er** (∼³) Verschluß *m*; Klammer *f*.

fastidious □ (fäßt¹'d¹e²ß) peni'bel.

fat (fät) 1. □ fett; dick; fettig; 2. Fett *n*; 3. fett m. *od.* w.; mästen.

fatal □ (fe¹'tl) verhängnisvoll (*to* für); Schicksals...; tödlich; ∼**ity** (f³tä'l¹t¹) Verhängnis(volle) *n*; Unglücks-, Todes-fall *m*.

fate (fe¹t) Schicksal; Verhängnis *n*.

father (fä'ð³) Vater *m*; ∼**hood** (∼hůd) Vaterschaft *f*; ∼-**in-law** (fä'ð³r¹nlô) Schwiegervater *m*; ∼**less** (∼l³ß) vaterlos; ∼**ly** (∼l¹) väterlich.

fathom (fä'ð³m) 1. Klafter *f* (*Maß*); ✠ Faden *m*; 2. ✠ loten; *fig.* ergründen; ∼**less** (∼l¹ß) unergründlich.

fatigue (f³t¹'g) 1. Ermüdung; Strapa'ze *f*; 2. ermüden.

fat|ness (fä'tn¹ß) Fettigkeit; Fettheit *f*; ∼**ten** (fä'tn) fett m. *od.* w.; mästen.

fatuous □ (fä'tjue²ß) albern.

faucet *Am.* (fö'ß¹t) (Zapf-)Hahn *m*.

fault (fölt) Fehler; Defe'kt *m*; Schuld *f*; *find* ∼ *with* et. auszusetzen h. an (*dat.*); *be at* ∼ auf falscher Fährte sn; ∼-**finder** Mäkler(in); ∼**less** □ (fö'ltl¹ß) fehlerfrei, tadellos; ∼**y** □ (fö'lt¹) mangelhaft.

favo|u|r (fe¹'w³) 1. Gunst(bezeigung) *f*; Gefallen *m*; Begünstigung; ✝ *your* ∼ Ihr (geehrtes) Schreiben; 2. begünstigen; beehren; ∼**able** □ (∼r³bl) günstig; ∼**ite** (fe¹'w³r¹t) 1. Liebling...; 2. Günstling; Liebling; *Sport:* Favori't *m*.

fawn (fön) 1. (Dam-)Kitz *n*; Rehbraun *n*; 2. kriechen (*upon* vor).

fear (f¹³) 1. Furcht (*of* vor *dat.*); Befürchtung; Angst *f*; 2. (be-) fürchten; sich fürchten (vor *dat.*); ∼**ful** □ (f¹³'ful) furchtsam; furchtbar; ∼**less** □ (f¹³'l¹ß) furchtlos.

feasible □ (f¹'¹³bl) tunlich; ausführbar.

feast (f¹ßt) 1. Fest; Festmahl *n*, Schmaus *m*; 2. *v/t.* festlich bewirten; *v/i.* sich ergötzen; schmausen.

feat (f¹t) Heldentat *f*; Kunststück *n*.

feather (fë'ð³) 1. Feder *f*; Gefieder; F: *show the white* ∼ sich feige zeigen; *in high* ∼ in gehobener Stimmung; 2. mit Federn schmücken; ∼-**brained**, ∼-**headed** unbesonnen; albern; ∼**ed** (fë'ð³ð) be-, ge-fiedert; ∼**y** (∼r¹) feder(art)ig; federleicht.

feature (f¹'tje³) 1. (Gesichts-, Grund-, Haupt-, Chara'kter-)Zug; (charakteristisches) Merkmal *n*; *Am.* Sensatio'n *f*; ∼*s pl.* Gesicht *n*;

2. charakterisieren; groß aufziehen; *Film*: (in der Hauptrolle) darstellen.

February (fĕ'bru⁴rĭ) Februar *m*.

fecund (fĭ'ŭnd) fruchtbar.

fed (fĕd) fütterte; gefüttert; *be ~ up with et. od. j.* satt haben.

federa|l (fĕ'dᵉrᵉl) Bundes...; **~tion** (fĕdᵉreⁱ'ʃᵉn) Staatenbund; Bundesstaat *m*.

fee (fī) 1. Gebühr *f*; Honora'r; Trinkgeld *n*; 2. bezahlen.

feeble (fī'bl) schwach.

feed (fīd) 1. Futter *n*; Nahrung *f*; Fütterung; ⊕ Zuführung, Speisung *f*; 2. [*irr.*] *v/t.* füttern; (a. ⊕) speisen, nähren; weiden; *Material usw.* zuführen; *v/i.* (fr.)essen; sich nähren; **~ing-bottle** Saugflasche *f*.

feel (fīl) 1. [*irr.*] (sich) fühlen; befühlen; empfinden; sich anfühlen; *I ~ like doing* ich möchte am liebsten tun; 2. Gefühl *n*; Empfindung *f*; **~er** (fī'lᵉ) Fühler *m*; **~ing** (fī'lĭnᵍ) 1. □ (mit)fühlend; gefühlvoll; 2. Gefühl; Empfinden *n*.

feet (fīt) Füße *m/pl.*

feign (feⁱn) heucheln; vorgeben.

feint (feⁱnt) Verstellung; Finte *f*.

felicit|ate (fĭlĭ'sĭteⁱt) beglückwünschen; **~ous** (~ʃtᵉs) glücklich.

fel (fĕl) 1. fiel; 2. niederschlagen; fällen.

felloe (fĕ'loᵘ) (Rad-)Felge *f*.

fellow (~) Gefährt|e, -in, Kamera'd(in); Gleiche(r, s); Gegenstück; Bursche, Mensch *m*; *attr.* Mit...; *the ~ of a glove* der andere Handschuh; **~-countryman** Landsmann *m*; **~ship** (~ʃĭp) Gemeinschaft; Kamera'dschaft *f*.

felly (fĕ'lĭ) (Rad-)Felge *f*.

felon (fĕ'lᵉn) ƨᵗᵃ Verbrechen *m*; **~y** (fĕ'lᵉnĭ) Kapita'lverbrechen *n*.

felt¹ (fĕlt) fühlte; gefühlt.

felt² (~) 1. Filz *m*; 2. (be)filzen.

female (fī'meⁱl) 1. weiblich; 2. Weib *n*. [weibisch.]

feminine □ (fĕ'mᵢnĭn) weiblich;]

fen (fĕn) Fenn, Moor *n*; Marsch *f*.

fence (fĕnß) 1. Zaun *m*; Fechtkunst *f*; Hehler(nest *n*) *m*; *sit on the ~* abwarten; 2. *v/t.* ein-, um-zäunen; schützen; *v/i.* fechten; hehlen.

fencing (fĕ'nʒĭnᵍ) Einfriedigung; Fechtkunst *f*; *attr.* Fecht....

fender (fĕ'ndᵉ) Schutzvorrichtung *f*; Schutzblech *n*; Kamin-, Ofenvorsetzer *m*; *mot.* Stoßstange *f*.

ferment 1. (fᵊ'mĕnt) Gärung(smittel *n*) *f*; 2. (fᵊmĕ'nt) gären (l.); **~ation** (fᵊmĕnteⁱ'ʃᵉn) Gärung *f*.

fern ⊕ (fᵊn) Farn(kraut *n*) *m*.

feroci|ous □ (fᵊroᵘ'ʃᵉß) wild; grausam; **~ty** (fᵊrŏ'ßĭtĭ) Wildheit *f*.

ferret (fĕ'rĭt) 1. *zo.* Frettchen *n*; 2. (umher)stöbern; **~ out** aufstöbern.

ferry (fĕ'rĭ) 1. Fähre *f*; 2. übersetzen; **~man** Fährmann *m*.

fertil|e □ (fᵊ'tăĭl) fruchtbar; reich (*of,* in *an dat.*); **~ity** (fᵊtĭ'lĭtĭ) Fruchtbarkeit *f* (*a. fig.*); **~ize** (fᵊ'tĭlăĭz) fruchtbar m.; befruchten; düngen; **~izer** (~ᵉ) Düngemittel *n*.

ferven|cy (fᵊ'wᵉnßĭ) Glut; Inbrunst *f*; **~t** □ (~t) heiß; inbrünstig, glühend.

fervour (fᵊ'wᵉ) Glut; Inbrunst *f*.

festal □ (fĕ'ßtĭl) festlich.

fester (~tᵉ) schwären; verfaulen.

festiv|al (fĕ'ßtᵉwᵉl) Fest(spiel) *n*; **~e** □ (fĕ'ßtĭw) festlich; **~ity** (fĕßtĭ'wĭtĭ) Festlichkeit *f*.

fetch (fĕtʃ) holen; *Preis* erzielen; *Seufzer* ausstoßen; **~ing** F, □ (fĕ'tʃĭnᵍ) reizend.

fetid □ (fĕ'tĭd) stinkend.

fetter (fĕ'tᵉ) 1. Fessel *f*; 2. fesseln.

feud (fjūd) 1. Fehde *f*; 2. Leh(e)n *n*; **~al** □ (fjū'dl) lehnbar; Lehns...; **~alism** (~dᵊlĭßm) Lehnswesen *n*.

fever (fī'wᵉ) Fieber *n*; **~ish** □ (~rĭʃ) fieberig; *fig.* fieberhaft.

few (fjū) wenige; *a ~* ein paar.

fiancé(e) (fĭ⁴'nßeⁱ) Verlobte(r).

fib (fĭb) 1. Flunkerei, Schwindelei *f*; 2. schwindeln, flunkern.

fibr|e (făⁱ'bᵉ) Faser *f*; Chara'kter *m*; **~ous** □ (făⁱ'brᵊß) faserig.

fickle (fĭ'tĭl) wankelmütig; unbeständig; **~ness** (~tĭß) Wankelmut *m*.

fiction (fĭ'tʃᵉn) Erdichtung; Roma'n-, Unterha'ltungsliteratu'r *f*; **~al** □ (~l) erdichtet; Roma'n...

fictitious □ (fĭktĭ'ʃᵉß) erfunden.

fiddle F (fĭ'dl) 1. Geige, Fiedel *f*; 2. fiedeln; tändeln; **~stick** Fiedelbogen *m*. [keit *f*.]

fidelity (fĭdĕ'lĭtĭ) Treue; Genauig-]

fidget F (fĭ'dȝĭt) 1. nervöse Unruhe; 2. nervös m.; **~y** kribbelig.

field (fīld) Feld; (Spiel-)Platz *m*; Arbeitsfeld, Gebiet *n*; *hold the ~* das Feld behaupten; **~-glass** Feldstecher *m*; **~-jacket** Windjacke *f*; **~-officer** Stabsoffizier *m*; **~-sports** *pl.* Sport *m* im Freien.

fiend (fīnd) böser Feind, Teufel *m*; ~ish □ (fī'ndĭsh) teuflisch, boshaft.

fierce □ (fĭe⁸) wild; grimmig; ~ness (fĭe⁸ʰnĭß) Wildheit *f*; Grimm *m*.

fiery □ (fāī'⁸rĭ) feurig, glühend.

fif|teen (fĭ'ftī'n) fünfzehn; ~teenth (~ᵗʰ) fünfzehnte(r, s); ~th (fĭfᵗʰ) 1. fünfte(r, s); 2. Fünftel *n*; ~tieth (fĭ'ftĭ⁸ᵗʰ) fünfzigste(r, s); ~ty (fĭ'ftĭ) fünfzig.

fig (fĭg) 1. Feige *f*; 2. F Zustand *m*.

fight (fāīt) 1. Kampf *m*; Kampflust *f*; *show* ~ sich zur Wehr setzen; 2. [irr.] *v/t*. bekämpfen; verfechten; *v/i*. kämpfen, streiten; ~er (fāī'tᵉ) Kämpfer, Streiter; ✕ Jagdflieger *m*; ~ing (fāī'tĭŋ⁹) Kampf *m*.

figurative □ (fĭ'gĭu⁸rᵉtĭw) bildlich.

figure (fĭ'g⁸) 1. Figu'r; Gestalt *f*; Bild *n*; Ziffer *f*; Muster *n* (*Weberei usw*.); F Preis *m*; 2. *v/t*. abbilden; darstellen; sich *et*. vorstellen; mustern; beziffern; berechnen; *v/i*. erscheinen; auftreten (*as* als).

filament (fĭ'l⁸mᵉnt) Fäserchen *n*; (∮ Glüh-, *Radio*: Heiz-)Faden *m*.

filbert ⚥ (fĭ'lb⁸t) Haselnuß *f*.

filch (fĭ'ltʃ) stibitzen (*from dat.*).

file¹ (fāīl) 1. (Brief-)Ordner; Zeitungshalter; Stoß *m Papiere usw.*; Aktenbündel *n*; *die Akten pl.*; Reihe *f*; 2. aufreihen; *Briefe usw.* einordnen; zu den Akten nehmen; einreichen; hinter-ea. marschieren.

file² (~) 1. Feile *f*; 2. feilen.

filial □ (fĭ'lĭᵉl) kindlich.

filibuster (fĭ'lĭbᵅßtᵉ) Freibeuter *m*.

fill (fĭl) 1. (sich) füllen; an-, aus-, erfüllen; *Am. Auftrag* ausführen; ~ *in Formular* ausfüllen; 2. Fülle, Genüge; Füllung *f*.

fillet (fĭ'lĭt) Kopfbinde *f*; Lendenbraten *m*; Roula'de *f*; Band *n*.

filling (fĭ'lĭŋ⁹) Füllung *f*; *mot.* ~ *station* Tankstelle *f*.

fillip (fĭ'lĭp) Nasenstüber *m*.

filly (fĭ'lĭ) (Stuten-)Füllen *n* (F *a.fig.*).

film (fĭlm) 1. Häutchen *n*; Membra'n(e) *f*; Film; Schleier *m vor den Augen*; ~ *cartridge* Filmspule *f*; 2. (sich) verschleiern; (ver)filmen.

filter (fĭ'lt⁸) Filter *m*; 2. filtrieren.

filth (fĭlᵗʰ) Schmutz *m*; ~y □ (fĭ'lᵗʰĭ) schmutzig; unflätig.

fin (fĭn) Flosse (*sl. Hand*) *f*.

final (fāī'nl) 1. *adj.* letzt, endlich; schließlich; End...; endgültig; 2. *Sport*: Schlußrunde *f*.

financ|e (fĭ'nä'nß) 1. Finanzwesen *n*; ~s *pl.* Finanzen *pl.*; 2. *v/t.* finanzieren; *v/i.* Geldgeschäfte m.; ~ial □ (fĭnä'nĭʃ⁸l) finanzie'll; ~ier (~fĭ⁸) Finanzmann; Geldgeber *m*.

finch (fĭntʃ) *orn.* Fink *m*.

find (fāīnd) [irr.] finden; (an)treffen; auf-, heraus-finden; *schuldig usw.* befinden; liefern; versorgen; *all found* freie Statio'n; 2. Fund *m*; ~ing (fāī'ndĭŋ⁹) Befund *m*.

fine¹ □ (fāīn) fein; schön.

fine² (~) 1. Geldstrafe *f*; *in* ~ kurzum; 2. zu e-r Geldstrafe verurteilen.

fineness (fāī'nnĭß) Feinheit *f*.

finery (fāī'n⁸rĭ) Glanz; Putz, Staat *m*.

finger (fĭ'ŋ⁹⁸) 1. Finger *m*; 2. betasten, (herum)fingern an (*dat.*); ~language Zeichensprache *f*; ~print Fingerabdruck *m*.

finish (fĭ'nĭʃ) 1. *v/t.* (be)endigen, vollenden; fertig(stell)en; abschließen; vervollkommnen; erledigen; *v/i.* enden; 2. Vollendung *f*, letzter Schliff (*a. fig.*); Schluß *m*.

finite □ (fāī'nāīt) endlich, begrenzt.

fir (fȫ) (Weiß-)Tanne *f*; Kiefer *f*; ~cone (fȫ'fo⁸n) Tannenzapfen *m*.

fire (fāī⁸) 1. Feuer *n*; *on* ~ in Brand, in Flammen; 2. *v/t.* an-, ent-zünden; *fig.* anfeuern; abfeuern; *Ziegel usw.* brennen; *Am.* F rausfeuern; heizen; *v/i.* Feuer fangen (*a. fig.*); feuern; ~alarm Feuermelder *m*; ~brigade *Am.*, ~department Feuerwehr *f*; ~engine (fāī'rᵉ- ĕnᵈgĭn) (Feuer-)Spritze *f*; ~escape (fāī⁸'rĭ⁸ßkeī⁸p) Rettungsgerät *n*; Nottreppe *f*; ~extinguisher (~rĭᵏßtĭŋ⁹gwĭʃ⁸) Feuerlöschapparat *m*; ~man Feuerwehrmann; Heizer *m*; ~place Herd; Kami'n *m*; ~plug Hydra'nt *m*; ~proof feuerfest; ~side Herd; Kami'n *m*; ~station Feuerwache *f*; ~wood Brennholz *n*; ~works *pl.* Feuerwerk *n*.   [*f*.]

firing (fāī⁸'rĭŋ⁹) Heizung; Feuerung]

firm (fȫm) 1. □ fest; derb; standhaft; 2. Firma *f*; ~ness (fȫ'mnĭß) Festigkeit *f*.

first (fȫßt) 1. *adj.* erste(r, s); ✝ ~ *cost* Selbstkostenpreis *m*; 2. *adv.* erstens; zuerst; *at* ~ zuerst, anfangs; ~ *of all* an erster Stelle; zu allererst; 3. Erste(r, s); ✝ ~ *of exchange* Primawechsel *m*; *from the* ~ von Anfang an; ~born erstgeboren;

~class erstklassig; ~ly (föß'tlĭ) erstlich; erstens; ~rate ersten Ranges.

fish (fĭch) 1. Fisch(e pl.) m; F Kerl; 2. fischen, angeln; haschen; ~-bone Gräte f.

fisher|man (fĭ'chĕm'n) Fischer; Angler m; ~y (~rĭ) Fischerei f.

fishing (fĭ'chĭng) Fischen n; ~line Angelschnur f; ~tackle Angelgerät n. ~ure (fĭ'chĕ) Spalt, Riß m.|

fiss|ion (fĭ'chĕn) Spaltung f;|

fist (fĭßt) Faust; F Klaue f; ~cuffs (fĭ'ßtĭkafß) pl. Faustschläge m/pl.

fit¹ (fĭt) 1. □ geeignet, passend; tauglich; Sport: in (guter) Form; bereit; 2. v/t. passen für od. dat.; anpassen, passend m.; befähigen; geeignet m. (for, to für, zu); anprobieren (od. ~ on); ausstatten; ~ out ausrüsten; ~ up einrichten; montieren; v/i. passen; sich schikken; sitzen (Kleid); 3. Sitz (Kleid).

fit² (fĭt) Anfall; ♣ Ausbruch m; Anwandlung f; by ~s and starts ruckweise; give a p. a ~ j. hochbringen.

fit|ful □ (fĭ'tful) ruckartig; fig. unstet; ~ness (~nĭß) Schicklichkeit; Tauglichkeit f; ~ter (~ĕ) Monteur; Installateur m; ~ting (~ĭng) 1. □ passend 2. Monta'ge; Anprobe; 3. ~pl. Einrichtung f; Armaturen f/pl.

five (fäw) 1. fünf; 2. Fünf f.

fix (fĭkß) 1. befestigen, anheften; fixieren; Augen usw. heften, richten; fesseln; aufstellen; bestimmen, festsetzen; Am. herrichten, Bett usw. machen; ~ o.s. sich niederlassen; ~ up in Ordnung bringen, arrangieren; v/i. fest w.; sich niederlassen; ~ on sich entschließen für; 2. F Klemme f; Am. Zustand m; ~ed (fĭkßt) (adv. ~edly, fĭ'kßĭdlĭ) fest; bestimmt; starr; ~ture (fĭ'kßtchĕ) fest angebrachter Zubehörteil, feste Anlage; Inventa'rstück n; lighting ~ Beleuchtungskörper m.

fizzle (fĭ'zl) zischen; Fiasko m.

flabby (flä'bĭ) schlaff, schlapp.

flag (fläg) 1. Flagge; Fahne; Fliese; Schwertlilie f; 2. beflaggen; durch Flaggen signalisieren; ermatten; mutlos werden. [lich.]

flagitious (flädschĭ'schĕß) schänd-]

flagrant □ (fle͡i'grĕnt) abscheulich; berüchtigt; offenkundig.

flag|staff Fahnenstange f; ~stone Fliese f.

flair (flä͡ĕ) Spürsinn m, feine Nase.

flake (fle͡it) 1. Flocke; Schicht f; 2. (sich) flocken; abblättern.

flame (fle͡im) 1. Flamme f; Feuer n; fig. Hitze f; 2. flammen, lodern.

flank (flängk) 1. Flanke; Weiche f der Tiere; 2. flankieren.

flannel (flä'nl) Flane'll; ~s (~l) pl. Flanellhose f.

flap (fläp) 1. (Ohr-)Läppchen n; Rockschoß m; Klappe f; Klaps; (Flügel-)Schlag m; 2. v/t. klatschen(d schlagen); v/i. lose herabhängen; flattern.

flare (flä͡ĕ) 1. flackern; sich nach außen erweitern, sich bauschen; ~ up aufflammen; fig. aufbrausen; 2. flackerndes Licht; Lichtsigna'l n.

flash (fläch) 1. aufgedonnert; unecht; Gauner...; 2. Blitz m; fig. Aufblitzen n; in a ~ im Nu; ~ of wit Geistesblitz m; 3. (auf)blitzen; auflodern (l.); Blick usw. werfen; flitzen; funken, telegraphieren; ~-light phot. Blitzlicht n; Am. Taschenlampe f; ~y auffallend.

flask (fläßk) (Taschen-)Flasche f.

flat (flät) 1. □ flach; platt; schal; ♣ flau; klar; glatt; ♪ um e-n halben Ton erniedrigt; ~ price Einheitspreis m; fall ~ keinen Eindruck m.; sing ~ zu tief singen; 2. Fläche, Ebene f; Flachland n; Untiefe f; Stock(werk n) m, Mietwohnung f; ♪ Be n (♩); ~-iron Plätteisen n; ~ness (flä'tnĭß) Flachheit; Plattheit; ♣ Flauheit f; ~ten (flä'tn) (sich) ab-, ver-flachen.

flatter (flä't͡r) schmeicheln (dat.); j-m gefallen; ~er (~rĕ) Schmeichler (-in); ~y (~rĭ) Schmeichelei f.

flavo(u)r (fle͡i'wĕ) 1. Geschmack m; Aroma n; fig. Beigeschmack m; Würze f; 2. würzen; ~less (~lĭß) geschmacklos, fad.

flaw (flö) 1. Sprung, Riß; Fehler m; ♣ Bö f; 2. zerbrechen; beschädigen; ~less □ (flö'lĭß) fehlerlos.

flax ♀ (fläkß) Flachs, Lein m.

flay (fle͡i) die Haut abziehen (dat.).

flea (flĭ) Floh m.

fled (flĕd) floh; geflohen.

flee (flĭ) [irr.] fliehen; meiden.

fleec|e (flĭß) 1. Vlies n; 2. scheren; prellen; ~y (flĭ'sĭ) wollig.

fleer (flĭ͡ĕ) höhnen (at über acc.).

fleet (flĭt) 1. □ schnell; 2. Flotte f.

flesh (flĕch) 1. lebendiges Fleisch; fig. Fleisch(eslust f) n; 2. Blut kosten

lassen (a. fig.); ~ly (flĕˈĭʃlĭ) fleisch-
lich; irdisch; ~y (~ĭ) fleischig; fett.

flew (flū) flog.

flexib|ility (flĕkˈsĕˈbĭˈlĭtĭ) Biegsam-
keit f; ~le □ (flĕˈtˌsĕˈbl) biegsam.

flicker (flĭˈtˀ) 1. flackern; flattern;
flimmern; 2. Flackern n usw.

flier s. flyer Flieger usw.

flight (flāit) Flucht f; Flug (a. fig.);
Schwarm m; ≋, ✕ Kette; (~ of
stairs Treppen-)Flucht f; put to ~
in die Flucht schlagen; ~y (~ĭ)
(flāiˈti) flüchtig; fahrig.

flimsy (flĭˈmˈzĭ) dünn, locker;
schwach. [zucken.]

flinch (flĭntʃ) zurückweichen;

fling (flĭŋᵉ) 1. Wurf; Schlag m; have
one's ~ sich austoben; 2. [irr.] v/i.
eilen; ~ ausschlagen (Pferd); fig. toben; v/t. werfen, schleudern; ~ o.s.
sich stürzen; ~ open aufreißen.

flint (flĭnt) Kiesel; Feuerstein m.

flip (flĭp) 1. Klaps; Ruck m; 2. schnip-
pen; klapsen; flitzen.

flippan|cy (flĭˈpˈnˈsĭ) Leichtfertig-
keit f; ~t □ leichtfertig; vorlaut.

flirt (flŏt) 1. Kokette f; Hofmacher
m; 2. liebeln, kokettieren; ~ation
(flŏteˈuˈeʃˈiˈn) Liebelei f.

flit (flĭt) flitzen; wandern; umziehen.

float (flouᵗ) 1. Schwimmer m; Floß
n; Plattenwagen m; 2. v/t. überflu-
ten; flößen; tragen (Wasser); ⚓ flott
machen, fig. in Gang bringen; ✝
gründen; verbreiten; v/i. schwimmen, treiben; schweben; umlaufen.

flock (flŏk) 1. Herde (a. fig.); Schar
f; 2. sich scharen; zs.-strömen.

flog (flŏg) peitschen; prügeln.

flood (flʌd) 1. (a. ~-tide) Flut; Überschwe'mmung f; 2. über-flu'ten,
-schwe'mmen; ~gate Schleusentor
n; ~light ⚡ Flutlicht n.

floor (flŏr) 1. Fußboden m; Stockwerk n; ✓ Tenne f; have the ~ parl.
das Wort haben; 2. dielen; zu Boden schlagen; verblüffen; ~ing
(flŏˈrĭŋᵉ) Dielung f; Fußboden m.

flop (flŏp) 1. schlagen; flattern;
(hin)plumpsen (lassen); Am. versagen; 2. Plumps m.

florid □ (flŏˈrĭd) blühend.

florin (~ĭn) Zweischillingstück n.

florist (flŏˈrĭʃt) Blumenhändler m.

floss (flŏß) Florettseide f.

flounce¹ (flāunß) Vola'nt m.

flounce² (~) stürzen; zappeln.

flounder¹ (flāuˈndᵉ) ichth. Flunder f.

flounder² (~) sich (ab)mühen.

flour (flāuᵉ) feines Mehl.

flourish (flʌˈrĭʃ) 1. Schnörkel m;
♪ Tusch m; 2. v/i. blühen, gedeihen;
v/t. schwingen.

flout (flāut) (ver)spotten.

flow (flouᵘ) 1. Fluß m; Flut f; 2. fließen, fluten; wallen.

flower (flāuˈᵉ) 1. Blume; Blüte (a.
fig.); Zierde f; 2. blühen; ~y (~ĭ)
blumig.

flown (flouᵘn) geflogen.

flu F (flū) = influenza Grippe.

fluctuat|e (flʌˈttuᵉˈt) schwanken;
~ion (flʌkˈtuᵘeˈˈʃˈn) Schwankung f.

flue (flū) Kaminrohr; Heizrohr n.

fluen|cy (flūˈᵉnßĭ) fig. Fluß m; ~t □
(~t) fließend, geläufig (Rede).

fluff (flʌf) Flaum m; Flocke f; ~y
(flʌˈfĭ) flaumig; flockig.

fluid (flūˈĭd) 1. flüssig; 2. Flüssigkeit f.

flung (flʌŋᵉ) warf; geworfen.

flunk Am. F (flʌŋᵏt) versagen.

flunk(e)y (flʌŋˈkĭ) Lakai' m.

flurry (flʌˈrĭ) Nervositä't f.

flush (flʌʃ) 1. auf gleicher Höhe;
reichlich; (über)voll; 2. (Wasser-)
Guß m; Aufwallung f, Rausch m;
Röte; Frische; (Fieber-)Hitze f;
3. v/t. (aus)spülen; röten; froh erregen; aufjagen; v/i. sich ergießen;
erröten. [2. v/t. aufregen.]

fluster (flʌˈßtᵉ) 1. Aufregung f;
gung f; 2. v/t. aufregen; v/i.
flattern.

flute (flūt) 1. ♪ Flöte; Falte f; 2. rie-
feln; fälteln.

flutter (flʌˈtᵉ) 1. Geflatter n; Erregung f; 2. v/t. aufregen; v/i.
flattern.

flux (flʌkß) fig. Fluß; ✦ Ausfluß m.

fly (flāi) 1. Fliege f; Flug m; Droschke f; 2. [irr.] (a. fig.) fliegen (l.); ≋
führen; Flagge hissen; fliehen; ≋
überflie'gen; ~ at herfallen über;
~ into a passion in Zorn geraten.

flyer (flāiˈᵉ) Flieger; Renner m.

fly-flap (flāiˈflˈap) Fliegenklatsche f.

flying (flāiˈĭŋᵉ) fliegend; Flug...; ~
squad Überfallkommando n.

fly...: ~-weight Boxen: Fliegenge-
wicht n; ~wheel Schwungrad n.

foal (fouᵘl) 1. Fohlen n; 2. fohlen.

foam (fouᵘm) 1. Schaum m; 2. schäumen; ~y (fouᵘmˈĭ) schaumig.

focus (fouᵘˈkᵘß) 1. Brennpunkt m;
2. (sich) im B. vereinigen; opt. einstellen (a. fig.); konzentrieren.

fodder (fŏˈdᵉ) (Trocken-)Futter n.

foe (fouᵘ) Feind, Gegner m.

fog (fŏg) 1. (dicker) Nebel; *fig.* Umne'belung *f*; *phot.* Schleier *m*; 2. *mst fig.* umne'beln; *phot.* verschleiern; **~gy** □ (fŏ'gĭ) neb(e)lig; *fig.* nebelhaft.

foible (fŏĭ'bl) *fig.* Schwäche *f*.

foil[1] (fŏĭl) Fo'lie *f*; Hintergrund *m*.

foil[2] (~) 1. vereiteln; 2. Flore'tt *n*.

fold[1] (fou'ld) 1. Schafhürde (*mst sheep-~*) *f*; 2. einpferchen.

fold[2] (~) 1. Falte *f*; Falz *m*; 2. ...fach, ...fältig; 3. *v/t.* falten; falzen; *Arme* kreuzen; ein-hüllen, -wickeln; *v/i.* sich falten; **~er** (fou'lbᵉ) Falzbein *n*; *Am.* Broschüre *f*.

folding (fou'ldĭnɡ) zs.-legbar; Klapp-...; **~camera** *phot.* Klappkamera *f*; **~chair** Klappstuhl *m*; **~door**(s *pl.*) Flügeltür *f*; **~screen** spanische Wand.

foliage (fou'lĭĭʤ) Laub(werk) *n*.

folk (fouk) Volk *n*; Leute *pl.*; **~lore** (fou'flŏ) Volkskunde *f*; **~song** Volkslied *n*.

follow (fŏ'lou) folgen (*dat.*); folgen auf (*acc.*); be-, ver-folgen; es-m Beruf *usw.* nachgehen; *Karten:* ~ suit Farbe bekennen; **~er** (fŏ'lo̊ᵉ) Verfolger, Anhänger; **~ing** (fŏ'lo̊ĭnɡ) Anhängerschaft *f*, Gefolge *n*.

folly (fŏ'lĭ) Torheit; Narrheit *f*.

foment (fo̊me'nt) *j-m* warme Umschläge m.; *Aufruhr usw.* erregen.

fond □ (fŏnd) zärtlich; vernarrt (*of* in *acc.*); be ~ of gern haben, lieben.

fond|le (fŏ'ndl) liebkosen; (ver)hätscheln; **~ness** (~nĭs) Zärtlichkeit; Vorliebe *f*.

font (fŏnt) Taufstein *m*; *Am.* Quelle *f*.

food (fūd) Speise, Nahrung *f*; Futter *n*; Lebensmittel *n/pl.*; **~stuffs** *pl.* Nahrungsmittel *n/pl.*; **~value** Nährwert *m*.

fool (fūl) 1. Narr, Tor; Hanswurst *m*; *make a ~ of a p.* e-n zum Narren halten; 2. *v/t.* narren; prellen (*out of um et.*); ~ *away* vertrödeln; *v/i.* albern; tändeln.

fool|ery (fū'lᵉrĭ) Torheit *f*; **~hardy** □ (fū'lhȧdĭ) tollkühn; **~ish** □ (fū'lĭsh) töricht; **~ishness** (~nĭs) Torheit *f*; **~proof** kinderleicht.

foot (fŭt) 1. [*pl. feet*] Fuß *m* (a. *Maß*); Fußende; Infanterie *f*; *on ~* zu Fuß; im Gange, in Gang; 2. *v/t.* (*mst ~ up*) addieren; ~ *the bill* die Rechnung bezahlen; *v/i.* ~ *it* zu Fuß gehen; **~boy** Page *m*; **~fall** Tritt,

Schritt *m*; **~gear** Fußbekleidung *f*; **~hold** fester Stand; *fig.* Halt *m*.

footing (fŭ'tĭnɡ) Raum für den Fuß, Stand *m*; *der* feste Fuß; Basis; (Zs.-rechnung *f der*) Gesamtsumme *f*; *lose one's ~* ausgleiten.

foot...: **~lights** *pl. thea.* Rampenlichter *n/pl.*; **~man** (fŭ'tmᵉn) Lakai' *m*; **~path** Fußpfad *m*; Gehbahn *f*; **~print** Fußstapfe *f*; **~sore** fußkrank; **~step** Fußstapfe, Spur *f*; **~stool** Fußbank *f*; **~wear** *bsd. Am.* = ~gear.

fop (fŏp) Geck, Fatzke *m*.

for (fŏ; fŏr; fᵉ, fo̊, f) 1. *prp. mst* für; *Sonderfälle:* a) *Zweck, Ziel, Richtung:* zu; nach; b) *warten, hoffen usw.* auf (*acc.*); *sich sehnen usw.* nach; c) *Grund, Anlaß:* aus, vor (*dat.*), wegen; d) *Zeitdauer:* ~ *three days* drei Tage lang; seit drei Tagen; e) *Austausch:* (an)statt; 2. *cj.* denn.

forage (fŏ'rĭʤ) 1. Futter *n*; 2. Futter beschaffen; umherstöbern.

foray (fŏ're̊) räuberischer Einfall.

forbade (fᵉbe̊'d) *verbot.*

forbear[1] (fŏbǣᵉ) [*irr.*] *v/t.* unterla'ssen; *v/i.* sich enthalten (*from gen.*); Geduld haben.

forbear[2] (fŏ'bǣᵉ) Vorfahr *m*.

forbid (fᵉbĭ'd) [*irr.*] verbieten; hindern; **~ding** □ (~ĭnɡ) abstoßend.

forbor|e (fŏbŏ'ᵉ) *verbot.*; **~ne** (fŏbŏ'[n]) unterließ; unterlassen.

force (fŏs) 1. *mst* Kraft; Gewalt *f*; Zwang *m*; Mannschaft; Streitmacht *f*; *armed ~s pl.* Streitkräfte *f/pl.*; *come in ~* in Kraft treten; 2. zwingen, nötigen; erzwingen; aufzwingen; Gewalt antun; beschleunigen; künstlich reif m.; ~ *open* aufbrechen; **~d** (~t): ~ *loan* Zwangsanleihe *f*; ~ *landing* Notlandung *f*; ~ *march* Eilmarsch *m*; **~ful** □ kräftig, nachdrücklich.

forcible □ (fŏ'sᵉbl) gewaltsam; Zwangs...; eindringlich; wirksam.

ford (fŏd) 1. Furt *f*; 2. durchwa'ten.

fore (fŏ) 1. *adv.* vorn; 2. *adj.* vorder; Vorder...; **~bode** (fŏbo̊u'd) vorher-verkünden; ahnen; **~boding** Vorbedeutung *f*; Ahnung *f*; **~cast** 1. (fŏ'tȧst) Voraussage *f*; 2. (fŏtȧ'st) [*irr.* (*cast*)] vorhersehen; voraussagen; **~father** Vorfahr *m*; **~finger** Zeigefinger *m*; **~foot** Vorderfuß *m*; **~go** (fŏgo̊u') [*irr.* (*go*)] vorangehen;

~gone (fŏgŏ″n, *attr.* fŏ′gŏn): ~ con-clusion Selbstverständlichkeit *f*; ~ground Vordergrund *m*; ~head (fŏ′r″d) Stirn *f*.

foreign (fŏ′r″n) fremd; ausländisch; auswärtig; *the* ♀ *Office* das brit. Außenministerium; ~ *policy* Außen-politik *f*; ~er (~ᵉ) Ausländer(in), Fremde(r).

fore...: ~leg Vorderbein *n*; ~lock Stirnhaar *n*; *fig.* Schopf *m*; ~man: ₤₤ Obmann; Vorarbeiter, (Werk-) Meister *m*; ~most vorderst, erst; ~noon Vormittag *m*; ~runner Vor-läufer(in), -bote *m*; ~see (fŏßī′) [*irr.* (see)] vorhersehen; ~sight (fŏ′ßaīt) Voraussicht; Vorsorge *f*.

forest (fŏ′r₤t) 1. Forst, Wald *m*; 2. aufforsten.

forestall (fŏßtŏ′l) *et.* vorwegneh-men; *j-m* zuvorkommen.

forest|er (fŏ′r₤tᵉ) Förster; Wald-bewohner *m*; ~ry (~trī) Forstwirt-schaft *f*.

fore|taste (fŏ′te₤t) Vorgeschmack *m*; ~tell (fŏßtel′) [*irr.* (tell)] vorher-sagen; vorbedeuten.

forfeit (fŏ′f₤t) 1. Verwirkung; Strafe *f*; Pfand; 2. verwirken; einbüßen; ~able (~ßl) verwirkbar.

forgave (fᵉgeī′w) vergab.

forge[1] (fŏ̄d̄G) 1. Schmiede *f*; 2. schmieden (*fig. ersinnen*); fäl-schen; ~ry (fŏ′d̄Gᵉrī) Fälschung *f*.

forge[2] (~) (*mst* ~ *ahead*) sich vor-(wärts)arbeiten.

forget (fᵉgē′t) [*irr.*] vergessen; ~ful □ (~fᵘl) vergeßlich; ~-me-not ♀ (~m̤nŏt) Vergißmeinnicht *n*.

forgiv|e (fᵉgī′w) [*irr.*] vergeben, ver-zeihen; ~eness (~n̤ß) Verzeihung *f*; ~ing □ versöhnlich; nachsichtig.

forgo (fŏgo″′) [*irr.* (go)] verzichten auf (*acc.*); aufgeben.

forgot, ~ten (fᵉgŏ′t[n]) vergaß; ver-gessen.

fork (fŏt) Gabel *f*; (sich) gabeln.

forlorn (fᵉlŏ′n) verloren; verlassen.

form (fŏm) 1. Form; Gestalt; For-malitä′t *f*; Formula′r *n*; (Schul-) Bank; (-)Klasse *f*; 2. sich formen, bilden (*a. fig.*), gestalten; ✕ (sich) aufstellen.

formal □ (fŏ′mᵉl) förmlich; for-me′ll; äußerlich; ~ity (fŏm̤′l′t̤) Förmlichkeit *f*.

formation (fŏm̤′↻ʰᵉn) Bildung *f*.

former (fŏ′mᵉ) vorig, früher; ehe-

malig; erstere(r, s); ~ly (~l̤) ehe-mals, früher.

formidable □ (fŏ′m̤ð̤ᵇl) furcht-bar, schrecklich.

formula (fŏ′m̤ⁿ[ᵉ) Formel *f*; ₤₤ Reze′pt *n*; ~te (~℩e′t) formu-lieren.

forsake (fᵉße℩′t) [*irr.*] aufgeben; verlassen.

forswear (fŏßw̤ᵉ′) [*irr.* (swear)] ab-, ver-schwören.

fort (fŏt) ✕ Fort, Vorwerk *n*.

forth (fŏ₤) vor(wärts), voran; her-aus, hinaus; weiter, fort(an); ~coming bereit; bevorstehend; ~with sogleich.

fortieth (fŏ′t℩′₤) vierzigste(r, s).

forti|fication (fŏt℩f℩ʲe℩′↻ʰᵉn) Befe-stigung *f*; ~fy (fŏ′t℩fal) ✕ befesti-gen; *fig.* (ver)stärken; ~tude (~tjūd) Tapferkeit *f*.

fortnight (fŏ′t̤nalt) vierzehn Tage. **fortress** (fŏ′r₤ß) Festung *f*.

fortuitous □ (fŏtjuʲ℩′tᵉß) zufällig.

fortunate (fŏ′t↻ʰn℩t) glücklich; *adv.* ~ly *mst*: glücklicherweise.

fortune (fŏ′t↻ʰᵉn) Glück; Schicksal *n*; Zufall *m*; Vermögen *n*; ~teller Wahrsager(in).

forty (fŏ′t̤) 1. vierzig; 2. Vierzig *f*.

forward (fŏ′w°d) 1. *adj.* vorder; bereit(willig); fortschrittlich; vor-witzig, keck; 2. *adv.* vor(wärts); 3. *Fußball:* Stürmer *m*; 4. (be-) fördern; (ab-, ver-)senden.

forwarding-agent Spediteu′r *m*.

forwent (fŏ̤we′nt) verzichtete.

foster (fŏ′ß₤t) 1. *fig.* nähren, pflegen; ~ *up* aufziehen; 2. Pflege...

fought (fŏt) kämpfte; gekämpft.

foul (faūl) 1. □ widerwärtig; schmutzig (*a. fig.*); unehrlich; regel-widrig; verwickelt; faul, verdorben; widrig; *run* ~ *of* zs.-stoßen mit; 2. Zs.-stoß *m*; *Sport:* regelwidriges Spiel; 3. be-, ver-schmutzen; (sich) verwickeln.

found (faūnd) fand; gefunden; (be-) gründen; stiften; ⊕ gießen.

foundation (faūnde℩′↻ʰᵉn) Grün-dung; Stiftung *f*; Fundame′nt *n*.

founder (faū′nðᵉ) 1. Gründer(in) *usw.*; 2. *v/i.* scheitern; lahmen.

foundry ⊕ (faū′nðr̤) Gießerei *f*.

fountain (faū′nt℩n) Quelle *f*; Spring-brunnen *m*; ~pen Füllfederhalter *m*.

four (fŏ̄) 1. vier; 2. *Sport:* Vierer *m*; ~square viereckig; *fig.* unerschütterlich; ~teen (fō'tī'n) vierzehn; ~teenth (~th) vierzehnte(r, s); ~th (fōth) 1. vierte(r, s); 2. Viertel n.

fowl (faul) Geflügel; Huhn n.

fox (fŏks) 1. Fuchs m; 2. überli'sten; ~y (fŏ'ksī) fuchsartig; schlau.

fraction (frä'tschᵉn) Bruch(teil) m.

fracture (frä'tītschᵉ) 1. (bsd. Knochen-)Bruch m; 2. brechen.

fragile (frä'dGäil) zerbrechlich.

fragment (frä'gmᵉnt) Bruchstück n.

fragran|ce (fre'grᵉnß) Wohlgeruch, Duft m; ~t □ (~t) wohlriechend.

frail □ (freil) zerbrechlich; schwach; ~ty fig. Schwäche f.

frame (freim) 1. Gefüge n, Bau; Körper m; Gestell; Rahmen m; ~ of mind Gemütsverfassung f; 2. bilden, formen, bauen; entwerfen; ersinnen, erdenken; einrahmen; ~work ⊕ Gerippe n; Rahmen; fig. Bau m.

franchise g'r (frä'ntschaiß) Vorrecht; Wahlrecht; Bürgerrecht n.

frank □ (fränk) frei, offen.

frankfurter Am. (frä'nᵍkfᵉtᵉ) Bockwurst f.

frankness (frä'nᵍknᵉß) Offenheit f.

frantic (frä'ntīt) (~ally) wahnsinnig.

fratern|al □ (frᵃ'tᵊ'nl) brüderlich; ~ity (~n'tī) Brüderlichkeit; Brüderschaft; Am. univ. Verbindung f.

fraud (frōd) Betrug; F Schwindel m; ~ulent □ (frō'dᵇiulᵉnt) betrügerisch.

fray (frei) 1. (sich) abnutzen; (sich) durchscheuern; 2. Schlägerei f.

freak (frīt) Einfall m, Laune f.

freckle (fre'tl) Sommersprosse f.

free (fri) 1. □ allg. frei; freigebig (of mit); freiwillig; he is ~ to ... es steht ihm frei, zu ...; ~ wheel (Fahrrad mit) Freilauf m; make ~ to inf. sich die Freiheit nehmen zu; set ~ freilassen; 2. befreien; freilassen; et. freimachen; ~booter (frī'būtᵉ) Freibeuter m; ~dom (frī'dᵉm) Freiheit f usw.; freie Benutzung; ~ of a city (Ehren-)Bürgerrecht n; ~holder Grundeigentümer m; ~man freier Mann; Vollbürger m; ~mason Freimaurer m.

freez|e (frīß) [irr.] v/i. (ge)frieren; erstarren; v/t. gefrieren l.; ~er (frī'ᵉ) Eismaschine f; ~ing f; ~ eisig; ~ point Gefrierpunkt m.

freight (freit) 1. Fracht(-geld n) f; Am. Güter...; 2. be-, verfrachten; ~car Am. 🚂 Güterwagen m.

French (frĕntsch) 1. französisch; take ~ leave heimlich weggehen; 2. Französisch n; the ~ die Franzosen pl.; ~man (frĕ'ntschmᵉn) Franzose m. [(~st) Wahnsinn m.]

frenz|ied (frĕ'nßīd) wahnsinnig; ~y

frequen|cy (frī'tcᵘᵉnßī) Häufigkeit; ⚡ Freque'nz f; ~t 1. □ (~t) häufig; 2. (frī'tᵘᵉ'nt) (oft) besuchen.

fresh (frĕsch) □ frisch; neu; unerfahren; Am. F frech; ~water Süßwasser n; ~en (frĕ'schn) frisch m. od. w.; ~et (frĕ'schᵗt) Hochwasser n; fig. Flut f; ~man (~mᵉn) univ. sl. Fuchs m; ~ness (~nᵗß) Frische; Neuheit, Unerfahrenheit f.

fret (frĕt) 1. Aufregung f; Ärger; ♪ Griff m; 2. zerfressen; (sich) ärgern; (sich) grämen; ~ away, ~ out aufreiben; ~ted instrument Zupfinstrume'nt n.

fretful □ (frĕ'tfᵘl) ärgerlich.

fretwork (~ᵘöt) (geschnitztes) Gitterwerk; Laubsägearbeit f.

friar (frai'ᵉ) Mönch m. [fig.).]

friction (frī'tschᵉn) Reibung f (a.

Friday (frai'dī) Freitag m.

friend (frĕnd) Freund(in); Bekannte(r); ~ly (~lī) treund(schaft)lich; ~ship (~schīp) Freundschaft f.

frigate ⚓ (frī'gᵗt) Frega'tte f.

fright (fraīt) Schreck(en) m; fig. Vogelscheuche f; ~en (frai'tn) erschrecken; ~ed at od. of bange vor (dat.); ~ful □ (~fᵘl) schrecklich.

frigid □ (frī'dGīd) kalt, frostig.

frill (frīl) Krause, Rüsche f.

fringe (frīndG) 1. Franse f; Rand m; 2. mit Fransen besetzen.

frippery (frī'pᵉrī) Flitterkram m.

frisk (frīßt) 1. Luftsprung m; 2. hüpfen; ~y □ (frī'ßkī) munter.

fritter (frī'tᵉ) 1. Pfannkuchen, Krapfen m; 2. ~ away verzetteln.

frivol|ity (frīwŏ'lᵗtī) Geringfügigkeit; Leichtfertigkeit f; ~ous □ (frī'wᵉlᵉß) geringfügig; leichtfertig.

frizzle (frī'ᵗl) Küche: brutzeln.

fro (frou): to and ~ hin und her.

frock (frŏt) Kutte f; Frauen-Kleid n; Kittel; Gehrock (mst ~coat) m.

frog (frŏg) Frosch m.

frolic (frō'līt) 1. Fröhlichkeit f; Scherz m; 2. scherzen, spaßen; ~some □ (~ßᵉm) lustig, fröhlich.

from (frŏm, frᵉm) von; aus, von ... her; von ... (an); aus, vor, wegen; nach, gemäß; defend ~ schützen vor (dat.); ~ amidst mitten aus

front (frʌnt) 1. Stirn; Vorderseite; ✕ Front f; Vorhemd n; Einsatz m am Kleid; in ~ of räumlich vor; 2. Vorder...; 3. mit der Vorderseite liegen nach (a. ~ on, towards); gegenüber-stehen, -treten (dat.); ~al (frʌ'ntl) Stirn...; Front...; Vorder...; ~ier (frʌ'ntiᵉ) 1. Grenz...; 2. Grenze f; ~ispiece (frʌ'ntᵢspiß) ▲ Vorderseite f; typ. Titelbild n.

frost (frößt) 1. Frost; Reif m; 2. (mit Zucker) bestreuen; glasieren; ~-bite 𝕤 Erfrierung f; ~y (frö'ßti) frostig; bereift.

froth (fröⱷ) 1. Schaum m; 2. schäumen (m.); zu Schaum schlagen; ~y (frö'ⱷi) schaumig; fig. seicht.

frown (fräun) 1. Stirnrunzeln n; finsterer Blick; 2. v/i. die Stirn runzeln; finster blicken.

frowzy (fräu'ßi) moderig; schlampig.

froze (frouⁿ) fror; ~n (~ⁿ) (eis)kalt; (ein)gefroren.

frugal (frü'gᵉl) mäßig; sparsam.

fruit (früt) 1. Frucht f; coll. Früchte pl., Obst n; 2. Frucht tragen; ~erer (frü'tᵉrᵉ) Obsthändler m; ~ful (frü'tful) fruchtbar; ~less (~'lĭß) unfruchtbar.

frustrat|e (frʌßtre'it) vereiteln; ~ion (frʌßtre'ichᵉn) Vereitelung f.

fry (frʌi) 1. Fischbrut f; 2. braten, backen; ~ing-pan (frʌi'inⁿpän) Bratpfanne f.

fudge (fʌöG) 1. zurechtpfuschen; 2. a) Fälschung f; b) Nougat m.

fuel (fju'ᵉl) 1. Brennmateria'l n; Betriebs-, mot. Kraftstoff m; 2. mot. tanken.

fugitive (fju'öGᵢtiⁱw) 1. flüchtig (a. fig.); 2. Flüchtling m.

fulfil(l) (fulfi'l) erfüllen; vollziehen; ~ment (~mᵉnt) Erfüllung f.

full (ful) 1. allg. voll; Voll...; vollständig, völlig; reichlich; ausführlich; of ~ age volljährig; 2. adv. völlig, ganz; genau; 3. Ganze(s) n; Höhepunkt m; in ~ völlig; ausführlich; to the ~ vollständig; ~-bred Vollblut n; ~-dress Gala...; Gesellschafts...; ~-fledged voll ausgewachsen, fertig.

ful(l)ness (fu'lnĭß) Fülle f.

full-time vollbeschäftigt; Voll...

fulminate (fʌ'lminᵉit) explodieren.

fumble (fʌ'mbl) tasten; fummeln.

fume (fjüm) 1. Dunst, Dampf m; 2. räuchern; aufgebracht sn.

fumigate (fju'migᵉit) aus-, durchräu'chern.

fun (fʌn) Scherz, Spaß m; make ~ of Spaß treiben mit.

function (fʌ'nⱷichᵉn) 1. Funktio'n f; Amt n; Tätigkeit; Aufgabe f; 2. funktionieren; ~ary (~'ri) Beamte(r) m.

fund (fʌnd) 1. Fonds m; ~s pl. Staatspapiere n/pl.; Geld(mittel n/pl.) n; Vorrat m; 2. Schuld fundieren.

fundament|al □ (fʌnbᵉmᵉ'ntl) grundlegend; Grund...; ~als pl. Grund-lage f, -züge pl.; ~begriffe m/pl.

funer|al (fju'nᵉrᵉl) 1. Leichenbegängnis n; 2. Trauer..., Leichen...; ~eal (ßjüni'ᵉrᵉl) traurig.

fun-fair (fʌ'nfäᵉ) Rummelplatz m.

funnel (fʌ'nl) Trichter; Schornstein m.

funny □ (fʌ'ni) spaßhaft, komisch.

fur (fö) 1. Pelz m; ~s pl. Pelzwaren pl.; 2. mit Pelz besetzen od. füttern.

furbish (fö'biich) putzen, polieren.

furious □ (fju'ᵉriᵉß) wütend.

furl (föl) zs.-rollen; zs.-klappen.

furlough (fö'lou) ✕ Urlaub m.

furnace (fö'niß) Schmelz-, Hochofen; Heiz-, Kessel-raum m.

furnish (fö'niich) versehen (with mit); et. liefern; möblieren.

furniture (fö'nᵢtichᵉ) Hausrat m; Möbel n/pl.; Ausstattung f.

furrier (fʌ'riᵉ) Kürschner m.

furrow (fʌ'rou) Furche; furchen.

further (fö'ᴆᵉ) 1. ferner, weiter; 2. fördern; ~ance (~'rᵉnß) Förderung f; ~more (~mö') ferner, überdies.

furthest (fö'ᴆĭßt) weitest.

furtive □ (fö'tiw) verstohlen.

fury (fju'ᵉri) Raserei, Wut; Furie f.

fuse (fjüß) 1. (ver)schmelzen; durchbrennen; 2. ℰ Schmelz-Sicherung f; ✕ Zünder m.

fusion (fjü'Gᵉn) Schmelzen n; Verschmelzung f.

fuss F (fʌß) 1. Lärm m; Wesen, Getue n; 2. viel Aufhebens m. (about um, von); (sich) aufregen.

fusty (fʌ'ßti) muffig; fig. verstaubt.

futile (fju'täil) nutzlos, nichtig.

future (fju'tichᵉ) 1. (zu)künftig; 2. Zukunft f; † ~s pl. Termi'ngeschäfte n/pl.

fuzz (fʌß) 1. feiner Flaum; Fussel f; 2. (zer)fasern.

G

gab F (găb) Geschwätz n; the gift of the ~ ein gutes Mundwerk.

gabble (gä'bl) 1. Geschnatter, Geschwätz n; 2. schnattern. [dine m.]

gaberdine (gä'b⁶ðīn) Kittel; Gabar-

gable (ge¹'bl) Giebel m. [treiben.]

gad (găd): ~ about (sich) umher-

gadfly (gä'ðflāl) zo. Bremse f.

gadget sl. (gä'ðQ¹t) Dings n (Maschin[enteil]chen); Kniff, Pfiff m.

gag (găg) 1. Knebel; Am. Witz m; 2. knebeln; pol. mundtot machen.

gage (ge¹ðQ) Pfand n.

gaiety (ge¹⁶tⁱ) Fröhlichkeit f.

gaily (ge¹'lⁱ) adv. von gay lustig usw.

gain (ge¹n) 1. Gewinn; Vorteil m; 2. gewinnen; erreichen; ~ful □ (ge¹'nful) einträglich.

gait (ge¹t) Gang(art f); Am. Schritt m.

gaiter (ge¹t⁶) Gamasche f.

gale (ge¹l) Sturm m; steife Brise.

gall (ɡôl) 1. Galle f; ☞ Wolf m; Pein f; 2. wundreiben; ärgern.

gallant (gä'l⁶nt) 1. □ stattlich; tapfer; 2. (mst ɡⁱlä'nt) adj. □ gala'nt; su. Kavalie'r m; ~ry (gä'l⁶ntrⁱ) Tapferkeit; Galanterie' f.

gallery (gä'l⁶rⁱ) Galerie' f.

galley (gä'lⁱ) ♣ Galeere; Kombüse f; ~-proof Korrektu'rfahne f.

gallon (gä'l⁶n) Gallone f (4,54 Liter).

gallop (gä'l⁶p) 1. Galo'pp m; 2. galoppieren (lassen).

gallows (gä'lou⁵) sg. Galgen m.

galvanize (gä'lw⁶nāl) galvanisieren.

gamble (gä'mbl) (hoch) spielen; 2. F Glücksspiel n; ~r (~⁶) Spieler.

gambol (gä'mb⁶l) 1. Luftsprung m; 2. (fröhlich) hüpfen, tanzen.

game (ge¹m) 1. Spiel n; Scherz m; Wild n; 2. F entschlossen; furchtlos; 3. spielen; ~ster Spieler(in).

gander (gä'nd⁶) Gänserich m.

gang (gäⁿg) 1. Trupp m; Bande f; 2. ~ up sich zs.-rotten, -tun; ~-board ♣ Laufplanke f.

gangway (~oe¹) Durchgang m; ⚓ Laufplanke f.

gaol (ðQe¹l) s. jail Kerker.

gap (găp) Lücke; fig. Kluft; Spalte f.

gape (ge¹p) gähnen; klaffen; gaffen.

garb (găb) Gewand n, Tracht f.

garbage (gā'b¹ðQ) Abfall; Schund m.

garden (gā'ðn) 1. Garten m; 2. Gartenbau treiben; ~er Gärtner; ~ing Gärtnerei f. [wasser n.]

gargle (gā'ɡl) 1. gurgeln; 2. Gurgel-

garish □ (gä'rⁱ[ʃ) grell, auffallend.

garland (gā'l⁶nð) Girla'nde f.

garlic ♀ (gā'lⁱt) Knoblauch m.

garment (gā'm⁶nt) Gewand n.

garnish (gā'nⁱʃ) garnieren; zieren.

garret (gä'rⁱt) Dachstube f.

garrison ✗ (gä'rⁱßn) 1. Besatzung; Garniso'n f; 2. mit e-r B. belegen.

garrulous □ (gä'rᵘl⁶ß) schwatzhaft.

garter (gā't⁶) Strumpfband n.

gas (găß) 1. Gas n; Am. F Benzin n; 2. vergasen; F schwatzen; ~eous (ge¹'[ⁱ⁶ß) gasförmig.

gash (gäʃ) 1, klaffende Wunde; Hieb; Riß m; 2. zerschlitzen.

gas...: ~-lighter G.anzünder m; ~-mantle Glühstrumpf m; ~olene, ~oline Am. (gä'ʰ⁶līn) mot. Benzi'n n.

gasp (găßp) 1. Keuchen n; 2. keuchen; nach Luft schnappen.

gas|sed (găßt) gasvergiftet; ~stove Gas-ofen, -herd m; ~works pl. Gas-werk n, -anstalt f.

gate (ge¹t) Tor n; Pforte; Sperre f; ~man ☞ Schrankenwärter m; ~way Tor(weg m) n.

gather (gä'ð⁶) 1. v/t. (ein-, ver-) sammeln; ernten; pflücken; schließen (from aus); zs.-ziehen; kräuseln; ~ speed Fahrt aufnehmen; v/i. sich (ver)sammeln; sich vergrößern; ☞ u. fig. reifen; 2. Falte f; ~ing Versammlung; Zs.-kunft f.

gaudy (ɡô'ðⁱ) □ grell, protzig.

gauge (ge¹ðQ) 1. (Norma'l-)Maß n; Maßstab m; ⊕ Lehre f; ☞ Spurweite f; ...messer m; 2. eichen; (aus)messen; fig. abschätzen.

gaunt (ɡônt) □ hager; finster.

gauntlet (ɡô'ntl⁶t) 1. fig. Fehdehandschuh m; 2. run the ~ Spießruten laufen.

gauze (ɡôʃ) Gaze f.

gave (ge¹w) gab. [tölpisch.]

gawk F (ɡôt) Tölpel m; ~y (ɡô'tⁱ)

gay □ (ge⁴) lustig; lebhaft, glänzend.

gaze (ge⁴) 1. starre(r) *od.* aufmerksame(r) Blick; 2. starren.

gazette (g⁴ē't) 1. Amtsblatt *n*; 2. amtlich bekanntgeben.

gear (gi⁴) 1. Gerät, Zeug; (Pferde-) Geschirr; ⊕ Triebwerk, Getriebe *n*; Überse'tzung *f am Fahrrad*; *mot.* Gang *m*; *in* ~ in Betrieb; 2. (ein)-schalten; ~ing ⊕ Getriebe *n*.

geese (gīß) *pl.* Gänse *f/pl.*

gem (ðGĕm) Edelstein *m*; Gemme *f*; *fig.* Glanzstück *n*.

gender (ðGĕ'nð⁴) *gr.* Geschlecht *n*.

general (ðGĕ'n⁴r⁴l) 1. □ allgemein; gewöhnlich; Haupt..., Genera'l...; ~ election Landeswahl *f*; 2. ⚔ Genera'l; Feldherr *m*; ~ity (ðGĕn⁴rä'l⁴ti) Allgemeinheit *f*; *die große* Masse; ~ize (ðGĕ'n⁴r⁴lā⁴ß) verallgemeinern; ~ly (~li) im allgemeinen, überhaupt; gewöhnlich.

generat|e (ðGĕ'n⁴re⁴t) erzeugen ~ion (ðGĕn⁴re⁴'ſch⁴n) (Er-)Zeugung *f*; Geschlecht; Menschenalter *n*.

gener|osity (ðGĕn⁴rŏ'ß⁴ti) Großmut *f usw.*; ~ous □ (ðGĕ'n⁴r⁴ß) groß-mütig, -zügig. [heiter.]

genial (ðGí'ni⁴l) freundlich;[

genius (ðGí'ni⁴ß) Geist *m*; Genie' *n*.

genteel (ðGĕntí'l) fein, elega'nt.

gentile (ðGĕ'ntāil) 1. heidnisch; 2. Heid|e *m*, -in *f*.

gentle □ (ðGĕ'ntl) sanft, mild; zahm; leise, sacht; vornehm; ~man (ðGĕ'ntlm⁴n) Herr *m*; feiner Mann *m*; Herren...; ~manlike, ~manly (~li) gebildet; vornehm; ~ness (ðGĕ'ntlnⁱß) Sanftheit; Milde, Güte; Sanftmut *f*. [stand.]

gentry (ðGĕ'ntrⁱ) höherer Bürger-]

genuine □ (ðGĕ'nⁱuⁱn) echt; aufrichtig. [phie' *f.*]

geography (ðGⁱŏ'gr⁴fⁱ) Geogra-]

geology (ðGⁱŏ'l⁴ðGⁱ) Geologie' *f*.

geometry (ðGⁱŏ'm⁴trⁱ) Geometrie' *f*.

germ (ðGĕm) 1. Keim *m*; 2. keimen.

German¹ (ðGĕ'm⁴n) 1. deutsch; ⊕ ~ silver Neusilber *n*; 2. Deut-sche(r); Deutsch *n*.

german² (~) *su.*: *brother* ~ leiblicher Bruder, ~e (ðGĕme⁴'n) (*to*) verwandt (mit); entsprechend (*dat.*).

germinate (ðGĕ'm⁴ne⁴t) keimen.

gesticulat|e (ðGĕß'tⁱ'kⁱule⁴t) gestikulieren; ~ion (~lⁱue⁴'ſch⁴n) Gebärdenspiel *n*. [de *f.*]

gesture (ðGĕ'ß⁴tⁱ(⁴)⁴) Geste, Gebär-]

get (gĕt) [*irr.*] 1. *v/t.* erhalten, bekommen, F kriegen; besorgen; ergreifen, fassen; (veran)lassen; *mit adv. mst* bringen, machen; *have got* haben; ~ one's hair cut sich das Haar schneiden lassen; ~ by heart auswendig lernen; 2. *v/i.* gelangen, geraten, kommen; gehen; werden; ~ ready sich fertig m.; ~ about auf den Beinen sn; ~ abroad bekannt w.; ~ ahead vorwärtskommen; ~ at (heran)kommen an ... (*acc.*); zu et. kommen; ~ away wegkommen; sich fortmachen; ~ in einsteigen; ~ on with a p. mit e-m auskommen; ~ out aussteigen; ~ to hear (know, learn) erfahren; ~ up aufstehen; ~up (gĕta'p) Aufmachung *f*; Am. Unterne'hmungsgeist *m*.

ghastly (gā'ſtlⁱ) gräßlich; (toten-) bleich; gespenstisch.

ghost (goⁿßt) Geist *m*, Gespenst *n*; *fig.* Spur *f*; ~like (goⁿ'ßtlāⁱk), ~ly (~lⁱ) geisterhaft.

giant (ðGāⁱ'⁴nt) 1. riesig; 2. Riese *m*.

gibber (ðGⁱ'b⁴) kauderwelschen.

gibbet (ðGⁱ'b⁴t) 1. Galgen; 2. hängen.

gibe (ðGāⁱb) verspotten, aufziehen.

gidd|iness (gⁱ'dⁱnⁱß) ⚕ Schwindel *m*; Unbeständigkeit *f*; Leichtsinn *m*; ~y □ (gⁱ'dⁱ) schwind(e)lig; leichtfertig; unbeständig.

gift (gⁱft) Gabe *f*; Geschenk; Talent *n*; ~ed (gⁱ'ft⁴d) begabt.

gigantic (ðGāⁱgä'ntⁱk) (~ally) riesenhaft. [*n.*]

giggle (gⁱ'gl) 1. kichern; 2. Kichern]

gild (gⁱld) [*irr.*] vergolden; verschönen.

gill (gⁱl) *ichth.* Kieme; ♀ Lamelle *f*.

gilt (gⁱlt) 1. vergoldete; vergoldet; 2. Vergoldung *f*.

gin (ðGⁱn) Wacholderbranntwein *m*; Schlinge *f*; ⊕ Hebezeug *n*.

ginger (ðGⁱ'nðG⁴) 1. Ingwer; F Mumm *m*; 2. F aufmöbeln; ~bread Pfefferkuchen *m*; ~ly (~lⁱ) zimperlich; sachte.

gipsy (ðGⁱ'pßⁱ) Zigeuner(in).

gird (gĕd) sticheln; [*irr.*] (um-) gürten; umge'ben.

girder ⊕ (gĕ'd⁴) Tragbalken *m*.

girdle (gĕ'dl) 1. Gürtel *m*; 2. umgürten.

girl (gĕl) Mädchen *n*; ~hood (gĕ'lhŭd) Mädchentum *n*; Mädchenjahre *n/pl.*; ~ish □ mädchenhaft.

girt (gö̈t) umgürtete; umgürtet.

girth (gö̈th) (Sattel-)Gurt; Umfang *m.*

gist (ðǧĭst) Hauptpunkt, Kern *m.*

give (gĭw) [*irr.*] 1. *v/t.* geben; ab-, über-geben; her-, hin-geben; über-**la**'ssen; zum besten geben; schenken; gewähren; von sich geben; ergeben; ~ *birth to* zur Welt bringen; ~ *away* verschenken; F verraten; ~ *forth* von sich geben; her-ausgeben; ~ *in* einreichen; ~ *up* Recht *usw.* aufgeben; *e-n* ausliefern; 2. *v/i.* ~ (*in*) nachgeben; weichen; ~ *into*, ~ (*up*)*on* hinausgehen auf (*acc.*) (*Fenster usw.*); ~ *out* aufhören; versagen; **.n** (gĭ'wn) gegeben; ~ *to* ergeben (*dat.*).

glaci|al (gleĭ'ʃĭᵉl) eisig; Eis...; Gletscher...; **.er** Gletscher *m.*

glad (glä̈d) froh, erfreut; erfreulich; **.ly** gern; **.den** (glä̈'ðn) erfreuen.

glade (gleĭd) Lichtung *f.*

gladness (glä̈'ðnĭs) Freude *f.*

glamo|rous (glä̈'mᵉrᵉs) bezaubernd; *fig.* blendend; **.(u)r** (glä̈'mᵉ) 1. Zauber *m;* 2. bezaubern.

glance (glä̈nẞ) 1. Schimmer, Blitz *m;* flüchtiger Blick; 2. hinweggleiten; abprallen (*mst* ~ *aside, off*); blitzen; glänzen; ~ *at* flüchtig ansehen; anspielen auf (*acc.*).

gland (glä̈nd) Drüse *f.*

glare (glä̈ᵉ) 1. grelles Licht; wilder, starrer Blick; 2. grell leuchten; wild blicken; (*at an*)starren.

glass (glä̈ẞ) 1. Glas *n;* Spiegel *m;* Opern-, Fern-glas *n;* (*a pair of*) **.es** *pl.* (eine) Brille *f;* 2. gläsern; Glas...; **.shade** Glas-, Lampenglocke *f;* **.y** ☐ (glä̈'ẞĭ) gläsern; glasig.

glaz|e (gleĭʃ) 1. Glasu'r *f;* 2. verglasen; glasieren; polieren; **.ier** (gleĭᶻⁱᵉ) Glaser *m.*

gleam (glĭm) 1. Schimmer, Schein *m;* 2. schimmern. [Ähren lesen.]

glean (glĭn) *v/t.* sammeln; *v/i.*|

glee (glĭ) Fröhlichkeit *f;* Wechselgesang *m;* ~ *club* Gesangverein *m.*

glib ☐ (glĭb) glatt, zungenfertig.

glid|e (glä̈id) 1. Gleiten *n;* ✈ Gleitflug *m;* 2. (dahin)gleiten (l.); *e-n* Gleitflug m.; **.er** (glä̈'ðᵉ) Gleit-, Segel-flugzeug *n.*

glimmer (glĭ'mᵉ) 1. Schimmer; *min.* Glimmer *m;* 2. schimmern.

glimpse (glĭmpẞ) 1. flüchtiger Blick

(*of* auf *acc.*); Schimmer *m;* 2. flüchtig (er)blicken. [2. Lichtschein *m.*]

glint (glĭnt) 1. blitzen, glitzern;|

glisten (glĭ'ẞn), **glitter** (glĭ'tᵉ) glitzern, glänzen. [weiden an (*dat.*).]

gloat (gloᵘt): ~ (*up*)*on*, *over* sich|

globe (gloᵘb) (Erd-)Kugel *f;* Globus *m.*

gloom (glŭm), **.iness** (glŭ'mⁱnⁱẞ) Düster(nis *f*) *n;* Schwermut *f;* **.y** ☐ (glŭ'mĭ) dunkel, düster; schwermütig.

glori|fy (glö̈'rⁱfäĭ) verherrlichen; **.ous** ☐ (glö̈'rⁱᵉẞ) herrlich; glorreich.

glory (glö̈'rĭ) 1. Ruhm *m;* Herrlichkeit, Pracht *f;* Glorienschein *m;* 2. frohlocken; stolz sein.

gloss (glö̈ẞ) 1. Glosse, Bemerkung *f;* Glanz *m;* 2. Glossen machen (zu); Glanz geben (*dat.*); ~ *over* beschönigen.

glossary (glö̈'ẞᵉrĭ) Wörterbuch *n.*

glossy ☐ (glö̈'ẞĭ) glänzend, blank.

glove (glaw) Handschuh *m.*

glow (gloᵘ) 1. Glühen *n;* Glut *f;* 2. glühen; **.worm** Glühwurm *m.*

glue (glŭ) 1. Leim *m;* 2. leimen.

glut (glat) überfü'llen.

glutton (gla'tn) Unersättliche(r); Vielfraß *m;* **.ous** ☐ (**.ᵉẞ**) gefräßig; **.y** (**.ĭ**) Gefräßigkeit *f.*

gnarl (nä̈l) Knorren, Ast *m.*

gnash (nä̈ʃ) knirschen (mit).

gnat (nä̈t) (Stech-)Mücke *f.*

gnaw (nö̈) (zer)nagen; (zer)fressen.

gnome (noᵘm) Erdgeist, Gnom *m.*

go (goᵘ) 1. [*irr.*] *allg.* gehen; fahren; vergehen (*Zeit*); sich erstrecken; sich befinden; werden; *let* ~ loslassen; ~ *shares* teilen; ~ *to* (*od. and*) *see* besuchen; ~ *at* losgehen auf (*acc.*); ~ *between* vermitteln (zwischen); ~ *by* sich richten nach; ~ *for* gehen nach, holen; ~ *for a walk, etc.* ... machen; ~ *in for an examination* e-e Prüfung m.; ~ *on* weitergehen; fortfahren; ~ *through* durchgehen; durchmachen; ~ *without* sich behelfen ohne; 2. F: Mode *f;* Schwung, Schneid *m;* *on the* ~ auf den Beinen; *im Gange; it is no* ~ es geht nicht; *in one* ~ auf Anhieb; *have a* ~ es versuchen.

goad (goᵘd) 1. Stachelstock; *fig.* Ansporn *m;* 2. *fig.* anstacheln.

goal (goᵘl) Mal; Ziel; *Fußball:* Tor *n;* **.keeper** Torwächter *m.*

goat (goᵘt) Ziege *f.*

gobble (gŏ'bl) *gierig* verschlingen; ~r (~ᵉ) Vielfraß; Truthahn *m*.

go-between (goᵘ'bĭtwĭn) Vermittler.

goblin (gŏ'blĭn) Kobold, Gnom *m*.

god, *eccl.* ♀ (gŏd) Gott; *fig.* Abgott *m*; ~child Patenkind *n*; ~dess (gŏ'dĭß) Göttin *f*; ~father Pate *m*; ~head Gottheit *f*; ~less (~lĭß) gottlos; ~like gottähnlich; göttlich; ~liness (~lĭⁿĭß) Frömmigkeit *f*; ~ly (~lĭ) gottesfürchtig; fromm; ~mother Patin *f*.

goggle (gŏ'gl) 1. glotzen; 2. (*a pair of*) ~s *pl.* (e-e) Schutzbrille *f*.

going (goᵘ'ĭng) gehend; im Gange (befindlich); be ~ to *inf.* im Begriff sn zu, gleich *fut* wollen *od.* werden; 2. Gang; Ab-gang *m*, -fahrt *f*.

gold (goᵘld) 1. Gold *n*; 2. golden; ~en (goᵘ'ldᵉn) golden, Gold...; ~finch *orn.* Stieglitz *m*; ~smith Goldschmied *m*.

golf (gŏlf) Golf(spiel) *n*.

gondola (gŏ'ndᵉlᵉ) Gondel *f*.

gone (gŏn) gegangen; fort; F futsch; vergangen; tot; F hoffnungslos.

good (gŭd) 1. *allg.* gut; artig; gültig; ✝ zahlungsfähig; ordentlich; ⚹ *Friday* Karfreitag *m*; ~ *at* geschickt in (*dat.*); 2. Gute(s); Wohl, Beste(s) *n*; ~s *pl.*: Waren *f/pl.*; Güter *n/pl.*; *that's no* ~ das nützt nichts; *for* ~ auf immer; ~bye 1. (gŭdbaı') Lebewohl *n*; 2. (gŭ'(d)bāı') lebe wohl!; ~ly (gŭ'dlĭ) anmutig, hübsch; *fig.* ansehnlich; ~-natured gutmütig; ~ness (~nĭß) Güte *f*; *das Beste*; *int.* Gott *m*; ~will Wohlwollen *n*; ✝ Kundschaft *f*; ✝ Firmenwert *m*.

goody (gŭ'dĭ) Bonbon *m*.

goose (gūß), *pl.* **geese** (gĭß) Gans *f* (*a. fig.*); Bügeleisen *n*.

gooseberry (gū'ßbᵉrĭ) Stachelbeere *f*.

goose...: ~-flesh, *Am.* ~-pimples *pl. fig.* Gänsehaut *f*.

gore (gō) 1. (geronnenes) Blut; *Schneiderei:* Keil *m*; 2. durchbo'hren, aufspießen.

gorge (gŏrG) 1. Kehle *f*, Schlund *m*; Bergschlucht *f*; 2. (ver)schlingen; (sich) vollstopfen.

gorgeous □ (gō'dGᵉß) prächtig.

gory □ (gō'rĭ) blutig.

gospel (gŏ'ßpᵉl) Evangelium *n*.

gossip (gŏ'ßĭp) 1. Geschwätz *n*, Klatschbase *f*; 2. schwatzen.

got (gŏt) erhielt; erhalten. [risch.

Gothic (gŏ'θĭk) gotisch; *fig.* barba'-|

gouge (gāudG) 1. ⊕ Hohlmeißel *m*; 2. ausmeißeln; *Am.* F betrügen.

gourd ♀ (guᵉd) Kürbis *m*.

gout ⚹ (gāut) Gicht *f*, Po'dagra *n*.

govern (gᴀ'wᵉn) *v/t.* regieren, beherrschen; lenken, leiten; *v/i.* herrschen; ~ess (~ĭß) Erzieherin *f*; ~ment (~mᵉnt) Regierung(sform); Leitung; Herrschaft *f* (*of* über *acc.*); Ministerium *n*; Statthalterschaft *f*; *attr.* Staats...; ~mental (gᴀwᵉⁿm'ntl) Regierungs...; ~or (gᴀ'wᵉnᵉ) (Be-)Herrscher; Statthalter; F Alte(r) (*Vater; Chef*).

gown (gāun) 1. (Frauen-)Kleid *n*; Robe *f*, Tala'r *m*; 2. kleiden.

grab F (gräb) 1. grapsen; an sich reißen, packen; 2. plötzlicher Griff; ⊕ Greifer *m*.

grace (greıß) 1. Gnade; Gunst; (Gnaden-)Frist *f*; Gra'zie, Anmut *f*; Anstand *m*; Zier(de) *f*; Reiz *m*; Tischgebet *n*; *Your* ♀ Euer Gnaden; 2. zieren, schmücken; begünstigen, auszeichnen; ~ful □ (greı'ßᶠᵘl) anmutig; ~fulness (~nĭß) Anmut *f*.

gracious □ (greı'ßᵉß) gnädig.

gradation (grᵉdeı'ʃᵉn) Abstufung *f*.

grade (greıd) 1. Grad, Rang *m*; Stufe; Qualitä't *f*; *Am. Schule:* (Klassen-)Stufe *f*; 2. abstufen; einstufen; ⊕ planieren.

graduall □ (grä'dĭuᵉl) stufenweise, allmählich; ~te 1. (~eⁱt) graduieren; (sich) abstufen; *Am.* die Abschlußprüfung m.; 2. (~ĭt) *univ.* Graduierte(r); ~tion (grädĭueⁱ'ʃᵉn) Grad-einteilung; *Am.* Abschlußprüfung; *univ.* Promotio'n *f*.

graft (gräft) 1. ✗ Pfropfreis *n*; *Am.* Schiebung *f*; 2. ✗ pfropfen; verpfla'nzen; *Am.* schieben.

grain (greⁱn) (Samen-)Korn; Getreide; Gefüge *n*; *fig.* Natu'r *f*; Gran *n* (*Gewicht*).

gramma|**r** (grä'mᵉ) Gramma'tik *f*; ~ *school* Oberschule; *Am.* Mittelschule *f*; ~tical □ (grᵉmä'tĭkᵉl) grammati(kali)sch.

gram(me) (gräm) Gramm *n*.

granary (grä'nᵉrĭ) Kornspeicher *m*.

grand □ (gränd) 1. *fig.* großartig; erhaben; groß; Groß..., Haupt...; 2. ♪ (*a.* ~ *piano*) Flügel *m*; ~child Enkel(in); ~eur (grä'ndGᵉ) Größe, Hoheit; Erhabenheit *f*. [artig.

grandiose □ (grä'ndĭoᵘß) groß-|

grandparents *pl.* Großeltern *pl.*

grange (greˡndG) Gehöft; Gut n.

grant (gränt) 1. Gewährung f usw.;
2. gewähren; bewilligen; verleihen;
zugestehen; ʒʈ übertraˈgen; take
for ～ed als selbstverständlich annehmen.

granulˈate (grăˡnˡuˡeˡt) (sich) kör-
nen; ～e (grăˡnjül) Körnchen n.

grape (greˡp) Wein-beere, -traube f;
～fruit ⚹ Pampelmuse f.

graph (grăf) graphische Darstellung; ～icˈal □) (grăˡˡfˡˡ) gra-
phisch; anschaulich; ～ arts pl.
Graphik f; ～ite (grăˡfăˡt) min.
Graphiˈt m.   [packen; ringen.]

grapple (grăˡpl) entern; fig. (sich)\|

grasp (grăˡßp) 1. Griff; Bereich m;
Beherrschung; Fassungskraft f;
2. (er)greifen, packen; begreifen.

grass (grăˡß) Gras n; send to ～ auf die
Weide schicken; ～hopper Heuschrecke f; ～widow (er) f Stroh-
witwe(r); ～y grasig; Gras...

grate (greˡt) (Kamin-)Gitter n;
(Feuer-)Rost m; (zer)reiben; mit
et. knirschen; fig. verletzen.

grateful □ (greˡtfˡl) dankbar.

grater (greˡtˡ) Reibeisen n.

gratiˈficaˈtion (grătˡiˡfˡiˈkeˡˡdˡˡn) Befriedigung; Freude f; ～fy (grătˡi-
făˡ) erfreuen; befriedigen.

grating (greˡtˡnˡ) □ 1. schrill; unangenehm; 2. Gitter(werk) n.

gratitude (grătˡiˡtjüd) Dankbarkeit f.

gratuitˈous □ (grˡtjüˡiˡtˡß) unent-
geltlich; freiwillig; grundlos; ～y
(～i) Gratifikatioˈn f; Trinkgeld n.

grave (greˡw) 1. □ ernst; (ge)wich-
tig; gemessen; 2. Grab n; 3. [irr.]
mst fig. (ein)graben; ～digger
Totengräber m.

gravel (grăˡwˡl) 1. Kies; ʒ⁺ Blasen-
grieß m; 2. mit Kies bedecken.

graveyard Kirchhof m.

gravitation (grăwˡiˡteˡˡdˡ⁴n) Schwerkraft f; fig. Hang m.

gravity (grăˡwˡtˡ) Schwere; Wichtigkeit f; Ernst m; Schwerkraft f.

gravy(greˡˡwˡ)Fleisch-saft m,-soße f.

gray (greˡ) grau.

graze (greˡ) 1. (ab)weiden; (ab-)
grasen; 2. streifen, schrammen.

grease (grˡß) 1. Fett n; Schmiere f;
2. (grˡf) (be)schmieren.

greasy □ (grˡˡˡf) fettig; schmierig.

great □ (greˡt) allg. groß; Groß...;
f großartig; ～ grandchild Urenkel
(-in); ～coat (greˡˡtˡoˡˡtˡ) Überzieher

m; ～ly (greˡˡtˡf) sehr; ～ness (～nˡß)
Größe; Stärke f.

greed (grˡd) Gier f; ～y □ (grˡˡdˡ)
(be)gierig (of, for nach).

Greek (grˡf) 1. griechisch; 2. Grie-
ch|e m, -in f; Griechisch n.

green (grˡn) 1. □ grün (a. fig.);
frisch (Fisch usw.); neu; Grün...;
2. Grün n; Rasen m; Wiese f; ～s
pl. Grünzeug n; ～back Am. Dollar-
note f; ～grocer Gemüse-, Grün-
kram-händler(in); ～house Ge-
wächshaus n; ～ish (grˡˡnˡˡdˡ) grün-
lich; ～sickness Bleichsucht f.

greet (grˡt) (be)grüßen; ～ing (grˡˡ-
tˡnˡ) Begrüßung f; Gruß m.

grenade ⚔ (grˡˡneˡˡd) Granate f.

grew (grü) wuchs.

grey □ (greˡ) 1. grau; 2. Grau n;
3. grau m. od. w.; ～hound Wind-
hund m.

grid (grˡd) Gitter n; ⚡, ⚹ Netz n;
～iron (Brat-)Rost m.

grief (grˡf) Gram, Kummer m;
come to ～ zu Schaden kommen.

griev|ance (grˡˡwˡˡnˡß) Beschwerde
f; Mißstand m; ～e (grˡw) kränken;
(sich) grämen; ～ous □ (grˡˡwˡˡß)
kränkend, schmerzlich; schlimm.

grill (grˡl) 1. rösten; 2. Bratrost m;
～room Rostbratstube f.   [lich.]

grim □ (grˡm) grimmig; schreck-\|

grimace (grˡˡmeˡˡß) 1. Fratze, Gri-
masse f; 2. Grimassen schneiden.

grim|e (greˡm) Schmutz; Ruß m;
～y □ (greˡˡmˡ) schmutzig; rußig.

grin (grˡn) 1. Grinsen n; 2. grinsen.

grind (greˡnd) [irr.] 1. v/t. (zer)rei-
ben; mahlen; schleifen; Leierkasten
usw. drehen; fig. schinden; mit den
Zähnen knirschen; 2. Schinderei f;
～stone Schleif-, Mühl-stein m.

grip (grˡp) 1. packen, fassen (a. fig.);
2. Griff m; Gewalt; Herrschaft f.

gripe (greˡp) Griff m; ～s pl. Kolik f.

grisly (grˡˡˡlˡ) gräßlich, schrecklich.

gristle (grˡˡßl) Knorpel m.

grit (grˡt) 1. grober Sand; Mühlen-
sandstein m; f Mumm m; ～s pl.
Grütze f; 2. knirschen (mit).

grizzly (grˡˡˡlˡ) 1. grau; 2. grauer Bär.

groan (groˡˡn) seufzen, stöhnen.

grocer (groˡˡßˡˡ) Materiaˈlwaren-
händler m; ～ies (～rˡß) pl. Materiaˈl-
waren, Koloniaˈlwaren f/pl.; ～y
(～rˡ) Koloniaˈlwarenhandel m.

groggy (grˡˡgˡ) taumelig; wackelig.

groin (groˡn) anat. Leistengegend f.

groom (grūm) 1. Reit-, Stallknecht; Bräutigam m; 2. pflegen.

groove (grūw) 1. Rinne, Nut f; fig.
Gleis n; 2. nuten, falzen.

grope (grou͡p) (be)tasten; tappen.

gross (grou͡s) 1. □ dick; grob; derb;
✝ Brutto...; 2. Gros n (= 12 Dutzend); in the ~ im ganzen.

grotto (grŏ'tou͡) Grotte f.

grouch Am. F (grau͡tʃ) 1. quengeln,
meckern; 2. Meckerei; schlechte
Laune f; ~y (grau͡'tʃi) quenglig.

ground¹ (grau͡nd) zermahlte; zermahlen; ~ glass Mattglas n.

ground² (grau͡nd) 1. mst Grund:
Boden m; Gebiet n; Spiel- usw.
Platz m; Beweg- usw. Grund m; ⚡
Erde f; ~s pl.: Grundstück n;
Kaffee-Satz m; on the ~(s) of auf
Grund (gen.); stand one's ~ sich behaupten; 2. niederlegen; (be-)
gründen; e-m die Anfangsgründe
beibringen; ⚡ erden; ~floor Erd-
geschoß n; ~less □ (~lis) grundlos;
~staff ⚕ Bodenpersona'l n;
~work Grundlage f. [gruppieren.]

group (grūp) 1. Gruppe f; 2. (sich)

grove (grou͡w) Hain m; Gehölz n.

grovel (growl) mst fig. kriechen.

grow (grou͡) [irr.] v/i. wachsen; werden; v/t. ⚘ bauen, ziehen; ~er
(grou͡'e) Bauer, Züchter m.

growl (grau͡l) knurren, brummen.

grow|n (grou͡n) 1. gewachsen; 2. adj.
erwachsen (a. ~up); bewachsen(a.
~over); ~th (grou͡th) Wachstum n;
Wuchs m; Gewächs, Erzeugnis n.

grub (grʌb) 1. Raupe, Larve, Made
f; 2. graben; sich placken; ~by
(grʌ'bi) schmierig.

grudge (grʌdɡ) 1. Groll m; 2. mißgönnen; ungern geben od. tun usw.

gruff □ (grʌf) grob, schroff, barsch.

grumble (grʌ'mbl) murren; (g)rol-
len; ~r (~e) fig. Brummbär m.

grunt (grʌnt) grunzen.

guarant|ee (gǎ·ren'tī') 1. Bürge m; ~
guaranty; 2. bürgen für; ~or (gǎ·
re'ntŏ') Bürge m; ~y (gǎ'renti) Bürgschaft, Garantie'; Gewähr f.

guard (gāb) 1. Wacht; ✕ Wache f;
⚡ Schaffner; Am. Gefangenenwär-
ter m; Schutz(vorrichtung f) m; ✕
~s pl. Garde f; be off ~ nicht auf der
Hut sn; 2. v/t. bewachen, (be-)
schützen (from vor dat.); v/i. sich
hüten (against vor dat.); ~ian
(gā'djen) Hüter, Wächter; rⁿ₂ Vor-

mund m; ~ianship (~ʃip) Obhut; Vormundschaft f.

guess (ɡēs) 1. Vermutung f; 2. vermuten; (er)raten; Am. denken.

guest (ɡēst) Gast m.

guffaw (ɡʌfŏ') schallendes Gelächter.   [(An-)Leitung f.]

guidance (gāi'd·ⁿs) Führung;

guide (gāid) 1. Führer m; ⊕ Führung f; Girl ~s pl. Pfadfinderinnen
f/pl.; 2. leiten: führen; lenken;
~book Reiseführer m; ~post
Wegweiser m.

guild (ɡild) Gilde, Innung f.

guile (ɡāil) Arglist f; ~ful □ (gāi'-
ful) arglistig; ~less □ (~lis) arglos.

guilt (ɡilt) Schuld; Strafbarkeit f;
~less □ (ɡi'ltlis) schuldlos; unkundig; ~y □ (ɡi'lti) schuldig;
strafbar.   [Maske f.]

guise (ɡāiz) Erscheinung, Gestalt;

guitar ♩ (gi'tă') Gitarre f.

gulf (ɡʌlf) Meerbusen; Abgrund m.

gull (ɡʌl) 1. orn. Möwe f; Tölpel m;
2. übertő'lpeln; verleiten (into zu).

gullet (ɡʌ'lt) Speiseröhre; Gurgel f.

gulp (ɡʌlp) Schluck m; Schlucken n.

gum (ɡʌm) 1. Zahnfleisch; Gummi
n; ~s pl. Am. Gummischuhe m/pl.;
2. gummieren; zukleben.

gun (ɡʌn) 1. Gewehr n; Flinte f;
Geschütz n, Kane'ne f; Am. Re-
volver m; F big ~ fig. Kanone f;
2. Am. auf Jagd gehen; ~boat Ka-
nonenboot n; ~man Am. Revolver-
held m; ~ner (ɡʌ'ne) ✕, ⚓ Kanonie'r m; ~powder Schießpulver n;
~smith Büchsenmacher m.

gurgle (gø'gl) kluckern, glucksen.

gush (ɡʌʃ) 1. Guß; fig. Erguß m;
2. (sich) ergießen; fig. schwärmen;
~er (gʌ'ʃe) fig. Schwärmer(in);
Am. Ölquelle f.

gust (ɡʌst) Windstoß m, Bő f.

gut (ɡʌt) Darm (fig. enger Durchgang); ~s pl. sl. Mumm m (Mut).

gutter (ɡʌ'te) Dachrinne; (Regen-)
Gosse f, Rinnstein m.

guy (gāi) 1. Halteseil n; Am. F Kerl
m; 2. verulken.

guzzle (ɡʌ'zl) saufen; fressen.

gymnas|ium (dʒimnei'ʃiem) Turn-
halle f, ~platz m; ~tics (dʒim-
nä'stiks) pl. Turnkunst f; Turn-
übungen f/pl.; Gymnastik f.

gyrate (dʒāi·rei't) kreisen; wirbeln.

gyroplane (dʒāi'replei͡n) Hub-
schrauber m.

H

haberdashery (hă'b°dăſ(ꭓ°rɪ) Kurzwaren *f/pl.*; *Am.* Herrenarti'kel *m/pl.*

habit (hă'bɪt) 1. Anlage, Art; Gewohnheit *f*; 2. (an)kleiden; **~able** (hă'bɪt°bl) bewohnbar; **~ation** (hăbɪte°'ꭓ°n) Wohnung *f*.

habitual □ (h°bɪ'tiu°l) gewohnt, gewöhnlich; Gewohnheits...

hack (hăk) 1. ⊕ Hacke; Kerbe *f*; Miet-; Arbeitspferd *m* (*a. fig.*); literarischer Lohnschreiber; 2. (zer-) hacken. [schen.]

hackneyed (hă'nɪd) *fig.* abgedro-]

had (hăd) hatte; gehabt.

haddock (hă'd°k) *ichth.* Schellfisch *m*.

hag (hăg) (*mst fig.* alte) Hexe *f*.

haggard □ (hă'g°d) verstört; hager.

haggle (hă'gl) feilschen, knickern.

hail (he'l) 1. Hagel; Anruf *m*; 2. (nieder)hageln (L.); anrufen; (be-) grüßen; **~** from stammen aus; **~stone** Hagelkorn *n*; **~storm** Hagelschauer *m*.

hair (hă°) Haar *n*; **~breadth** Haaresbreite *f*; **~cut** Haarschnitt *m*; **~do** *Am.* Frisu'r *f*; **~dresser** Friseu'r(in); **~less** (hă°'lɪs) ohne Haare, kahl; **~pin** Haarnadel *f*; **~raising** haarsträubend; **~splitting** Haarspalterei *f*; **~y** (~rɪ) haarig.

hale (he'l) gesund, frisch, rüstig.

half (hā'f) 1. halb; **~** a crown eine halbe Krone; 2. Hälfte *f*; *by halves* nur halb; *go halves* halbpart m., teilen; **~back** *Fußball:* Läufer *m*; **~breed** Halbblut *n*; **~caste** Halbblut *n*; **~hearted** □ mattherzig, lau; **~length** (*a.* **~** *portrait*) Brustbild *n*; **~penny** (he'pnɪ) halber Penny, Sechser *m*; **~time** *Sport:* Halbzeit *f*; **~way** halbwegs; **~witted** einfältig, idiotisch.

halibut (hă'lɪb°t) *ichth.* Heilbutt *m*.

hall (hōl) Halle *f*; Saal *m*; Diele *f*; *Am.* Hausflur *m*; Herrenhaus; *univ.* Studienhaus *n*.

halloo (h°lü') (hallo) rufen.

hallow (hă'lou) heiligen, weihen; ℒmas (~măß) Allerheiligenfest *n*.

halo (he'lou) *ast.* Hof; Heiligenschein *m*.

halt (hōlt) 1. Halt(estelle *f*); Stillstand *m*; 2. (an)halten; *mst fig.* hinken; schwanken; 3. lahm.

halter (hō'lt°) Halfter *f*; Strick *m*.

halve (hāw) 1. halbieren; 2. **~s** (hāwz) *pl.* von half.

ham (hăm) Schenkel; Schinken *m*.

hamburger *Am.* (hă'mbög°) Bulette *f*.

hamlet (hă'mlɪt) Weiler *m*.

hammer (hă'm°) 1. Hammer *m*; 2. (be)hämmern.

hammock (hă'm°k) Hängematte *f*.

hamper (hă'mp°) 1. Pack-, Eßkorb *m*; 2. behindern, hemmen.

hand (hănd) 1. Hand (*a. fig.*); Handschrift; Handbreite *f*; (Uhr-)Zeiger; Mann, Arbeiter *m*; *Karten:* Blatt *n*; *at* **~** bei der Hand, nahe bevorstehend; *a good (poor)* **~** *at* (un-) geschickt in (*dat.*); **~** *and glove* ein Herz und eine Seele; *lend a* **~** (mit) anfassen; *off* **~** aus dem Handgelenk; *on* **~** ✝ vorrätig, auf Lager; *on the one* **~** einerseits; *on the other* **~** andererseits; **~** *to* **~** Mann gegen Mann; *come to* **~** sich bieten; einlaufen (*Briefe*); 2. **~** *about, etc.* herum- *usw.*)reichen; **~** *down* vererben; **~** *in* ein-händigen; -reichen; **~** *over* aushändigen; **~bag** Handtasche *f*; **~bill** Hand-, ✝ Reklame-zettel *m*; **~brake** ⊕ Handbremse *f*; **~cuff** Handfessel *f*; **~ful** (hă'nφ°l) Handvoll; F Plage *f*; **~glass** Handspiegel *m*.

handicap (hă'nɔ'kăp) 1. Vorgaberennen; *Tennis:* -spiel *n*; (Extra-) Belastung *f*; 2. (extra) belasten; beeinträchtigen; *Sport:* ausgleichen.

handi|craft (~ꭓrāft) Handwerk *n*; **~craftsman** Handwerker *m*; **~work** Handarbeit *f*; Werk *n*.

handkerchief (hă'nɔt°tꭓɪf) Taschentuch *n*; Halstuch.

handle (hă'ndl) 1. Handhabe *f*; Griff *m*; Kurbel *f*; Henkel; Pumpen- *usw.* Schwengel *m*; 2. anfassen; handhaben; behandeln.

hand...: ~made handgearbeitet; ~
-set *Am. teleph.* Hörer *m*; ~shake
Händedruck *m*; ~some □ (hă'n-
b°m) ansehnlich; hübsch; anständig; ~work Handarbeit *f*; ~writing
Handschrift *f*; ~y □ (hă'nŏi) geschickt; handlich; zur Hand.

hang (hăŋ) 1. [*irr.*] *v/t.* (auf-, Tür
ein-)hängen; verhängen; (*mst pret.*
u. p.p. ~ed) (er)hängen; hängen l.;
Tapete ankleben; *v/i.* hängen;
schweben; sich neigen; ~ *about*
(*Am. around*) umherlungern; sich
an e-n hängen; ~ on sich klammern
an (*acc.*); *fig.* hängen an (*dat.*);
2. Hang; Fall *m* e-r *Gardine usw.*;
F Wesen *n*; F *fig.* Kniff, Dreh *m*.

hangar (hă'ŋ9°) Flugzeughalle *f*.

hang-dog Armesünder...

hanger (hă'ŋ9°) Aufhänger; Hirsch-
fänger *m*, ~on *fig.* Anhängsel *n*.

hanging (hă'ŋ9iŋ9) Hänge...; ~s (~i)
pl. Behang *m*; Tapeten *f/pl.*

hangman (hă'ŋ9m°n) Henker *m*.

hang-over *Am.* F Katzenjammer *m*.

hap|hazard (hă'phă'|'z°b) 1. Zufall *m*;
at ~ aufs Geratewohl; 2. zufällig;
~less □ (~l'b) unglücklich.

happen (hă'p°n) sich ereignen, geschehen; *he* ~ed to be at home er
war zufällig zu Hause; ~ (*up*)on,
Am. ~ in with zufällig treffen auf
(*acc.*); ~ing (hă'pnïŋ9) Ereignis *n*.

happi|ly (hă'p'lï) glücklicherweise;
~ness (~n'b) Glück(seligkeit *f*) *n*.

happy □ (hă'pï) *allg.* glücklich: be-
glückt; erfreut; erfreulich; geschickt; treffend.

harangue (h°ră'ŋ9) 1. Ansprache,
Rede *f*; 2. *v/t.* feierlich anreden.

harass (hă'r°b) belästigen, quälen.

harbo(u)r (hă'b°) 1. Hafen; Zu-
fluchtsort *m*; 2. (be)herbergen;
Rache usw. hegen; ankern; ~age
(~'bꟼ) Herberge; Zuflucht *f*.

hard (hăb) 1. *adj. allg.* hart: schwer;
streng; hart(herzig); zäh; tüchtig;
Am. stark (*Spirituosen*); ~ *cash*
klingende Münze; ~ *currency* starke
Währung; ~ *of hearing* schwerhörig;
2. *adv.* stark; tüchtig; mit Mühe;
~ *by* nahe bei; ~ *up* in Not; ~boiled
hartgesotten; *Am.* kaltblütig; ~en
(hă'ŏn) härten; hart m. *od.* w.;
(sich) abhärten; *fig.* (sich) verhärten; † sich festigen (*Preise*); ~-
-headed nüchtern denkend; ~-
-hearted □ hartherzig; ~iness

Widerstandsfähigkeit, Härte *f*; ~ly
(hă'ŏlï) mühsam; hart; kaum;
schwerlich; ~ness (~n'b) Härte;
Schwierigkeit; Not *f*; ~ship (~ſchïp)
Bedrängnis, Not; Härte *f*; ~ware
Eisen-, Metallkurz-waren *f/pl.*; ~y
□ (hă'ŏï) kühn; dreist; widerstandsfähig, hart.

hare (hă°) Hase *m*; ~brained zer-
fahren.

hark (hăk) horchen (*to* auf *acc.*).

harlot (hă'l°t) Hure *f*.

harm (hăm) 1. Schaden *m*; Unrecht,
Böse(s) *n*; 2. beschädigen, verletzen;
schaden, Leid zufügen (*dat.*); ~ful
□ (hă'mfʊl) schädlich; ~less □
(~l'b) harmlos; unschädlich.

harmon|ic (hămŏ'nïk) (~ally), ~-
ious □ (hămŏ"n'e'b) harmonisch;
~ize (hă'm°nàïz) *v/t.* in Einklang
bringen; *v/i.* harmonieren; ~y (~nï)
Harmonie *f*.

harness (hă'n'b) 1. Harnisch *m*;
Zug-Geschirr *n*; 2. anschirren.

harp (hăp) 1. Harfe *f*; 2. Harfe
spielen; ~ (*up*)on herumreiten auf
(*dat.*).

harpoon (hăpū'n) 1. Harpune *f*;
2. harpunieren.

harrow ⚡ (hă'roʊ) 1. Egge *f*; 2. eg-
gen; *fig.* quälen, martern.

harry (hă'rï) plündern; quälen.

harsh □ (hăſch) rauh; herb; grell;
streng; schroff; barsch.

hart (hăt) *zo.* Hirsch *m*.

harvest (hă'w'bt) 1. Ernte(zeit) *f*;
Ertrag *m*; 2. (ein)ernten.

has (hăb) *er, sie, es* hat.

hash (hăſch) 1. gehacktes Fleisch;
fig. Mischmasch *m*; 2. (zer)hacken.

haste|e (hei'bt) Eile; Hast *f*; *make* ~
(sich be)eilen; ~en (hei'bn) (sich)
beeilen, *j.* antreiben; *et.* beschleunigen; ~y □ (hei'btï) (vor)eilig; hastig; hitzig.

hat (hăt) Hut *m*.

hatch (hăſch) 1. Brut, Hecke; ⚓,
⚡ Luke *f*; 2. (aus)brüten (*a. fig.*).

hatchet (hă'tſchït) Beil *n*.

hatchway ⚓ (hă'tſchwei') Luke *f*.

hat|e (hei't) 1. *poet.* Haß *m*; 2. hassen;
~eful □ (hei'tfʊl) verhaßt; abscheulich; ~red (hei'trïb) Haß *m*.

haught|iness (hŏ'tïn'b) Stolz; Hoch-
mut *m*; ~y □ (~tï) stolz; hochmütig.

haul (hŏl) 1. Ziehen *n*; (Fisch-)Zug;
Am. Transpo'rt(weg) *m*; 2. ziehen;
schleppen; transportieren.

haunch (hônt∫) Hüfte; Keule f *von Wild.*

haunt (hônt) 1. Aufenthaltsort; Schlupfwinkel m; 2. oft besuchen; heimsuchen; verfolgen; spuken in (*dat.*); ~ed house Spukhaus n.

have (häw) 1. [*irr.*] v/t. haben; bekommen; *Mahlzeit* einnehmen; lassen; ~ to do tun müssen; *l ~ my hair cut* ich lasse mir das Haar schneiden; *he will ~ it that ...* er behauptet, daß ...; *l had better go* es wäre besser, daß ich ginge; *l had rather go* ich möchte lieber gehen; ~ *about one* bei sich haben; 2. v/aux. haben; *bei* v/i. sein (*z.B.* ~ come gekommen sein).

haven (hei'wn) Hafen m (*a. fig.*).

havoc (hä'wᵉt) Verwüstung f.

hawk (hôt) 1. Habicht; Falke m; 2. sich räuspern; hausieren mit.

hawthorn ♀ (hô'thon) Hagedorn m.

hay (hei) 1. Heu n; 2. ~ *fever* Heuschnupfen m; 2. heuen; ~cock, ~stack Heuschober m; ~loft Heuboden m.

hazard (hä'ᵗ₍ ᵉᵈ) 1. Zufall m; Gefahr f, Wagnis; Hasa'rd(spiel) n; 2. wagen; ~ous □ (hä'ᵗ₍ᵉᵈ ᵉᵇ) gewagt.

haze (heiᵗ) 1. Dunst m; 2. *Am.* schinden; schurigeln.

hazel (hei'ᵗl) ♀ Hasel(staude) f; 2. nußbraun; ~nut Haselnuß f.

hazy □ (hei'ᵗi) dunstig; *fig.* unklar.

he (hi) 1. er; ~ *who* derjenige, welcher; 2. *in Zssgn:* ...männchen n; ...bock, ...hahn m.

head (häd) 1. *allg.* Kopf m (*a. fig.*); Haupt n (*a. fig.*); *nach Zahlwort:* Mann m (*pl.*); Stück n (*pl.*); Leiter(in); Chef m; K.ende n *e-s Bettes usw.*; K.seite f *e-r Münze*; Gipfel m; Quelle f; *Schiffs*-Vorderteil; Hauptpunkt; Abschnitt m; Überschrift f; *come to a* ~ eitern (*Geschwür*); *fig.* sich zuspitzen, zur Entscheidung kommen; *get it into one's* ~ *that ...* es sich in den Kopf setzen, daß; 2. erst; Ober...; Haupt...; 3. v/t. (an)führen; an der Spitze von *et.* stehen; vorausgehen (*dat.*); mit e-r Überschrift versehen; ~ *off* ablenken; v/i. in *e-r Richtung* gehen, fahren, eilen *usw.*; ~ *for* loussteuern auf (*acc.*); ~ache (hä'beiᵗ) Kopfweh n; ~dress Kopfputz m; Frisu'r f; ~gear Kopfbedeckung f; Zaumzeug n; ~ing (~inᵍ) Brief-; Titel-

kopf m, Rubri'k; Überschrift f; ~land Vorgebirge n; ~light ⚙ Kopflaterne f; *mot.* Scheinwerfer m; ~line Kopf-, Titel-zeile f; ~long *adj.* ungestüm; *adv.* kopfüber; ~master (Schul-)Direktor m; ~-phone *Radio:* Kopfhörer m; ~-quarters *pl.* ✕ Hauptquartie'r n; Zentra'l(stell)e f; ~strong halsstarrig; ~waters *pl.* Quellgebiet n; ~way: *make* ~ vorwärtskommen; ~y □ (hé'ôl) ungestüm; voreilig; *zu Kopfe steigend.*

heal (hil) heilen; ~ *up* zuheilen.

health (hélth) Gesundheit f; ~ful (hé'lthful) gesund; heilsam; ~-resort Kurort m; ~y □ (hé'lthi) gesund.

heap (hip) 1. Haufe(n) m; 2. (auf-) häufen (*a.* ~ *up*); überhäu'fen.

hear (hiᵉ) [*irr.*] hören; zu-, an-, abhören; ꜰ⸢ᵗ verhören; ~d (höð) hörte; gehört; ~er (hi'ᵉrᵉ) (Zu-) Hörer(in); ~ing (~inᵍ) Gehör n; Audie'nz f; ꜰ⸢ᵗ Verhör n; Hörweite f; ~say (hi'ᵉseiᵗ) Hörensagen n.

hearse (höᵗ) Leichenwagen m.

heart (hât) *allg.* Herz (*a. fig.*): Innere(s) n; Kern m; *fig.* Schatz m; *by* ~ auswendig; *out of* ~ mutlos; *lay to* ~ sich zu Herzen nehmen; *lose* ~ den Mut verlieren; *take* ~ sich e. Herz fassen; ~ache (hâ'teiᵗ) Herzweh n; ~break Herzeleid n; ~broken gebrochenen Herzens; ~burn Sodbrennen n; ~en (hâ'tn) ermutigen; ~felt innig, tief empfunden.

hearth (hâth) Herd m (*a. fig.*).

heart|less □ (hâ'tlⁱh) herzlos; ~rending herzzerreißend; ~y (hâ'ti) □ herzlich; aufrichtig; gesund; herzhaft.

heat (hit) 1. *allg.* Hitze; Wärme f; Eifer; *Sport:* Gang m, einzelner Lauf; Läufigkeit f; 2. heizen; (sich) erhitzen (*a. fig.*); ~er ⊕ (hi'tᵉ) Erhitzer; Ofen m.

heath (hith) Heide f; ♀ Heidekraut n.

heathen (hi'ðᵉn) 1. Heide m, Heidin f; 2. heidnisch.

heating (hi'tinᵍ) Heizung f; Heiz...

heave (hiw) 1. Heben n; 2. [*irr.*] v/t. heben; schwellen; *Seufzer* ausstoßen; *Anker* lichten; v/i. sich heben; wogen, schwellen.

heaven (hé'wn) Himmel m; ~ly (~li) himmlisch.

heaviness (hĕ'wĭnĭß) Schwere f, Druck m; Schwerfälligkeit f usw.

heavy □ (hĕ'wĭ) allg. schwer: schwermütig; schwerfällig; trüb; drückend; heftig (Regen usw.); Schwer...; ⨂ ~ current Starkstrom m; ~weight Boxen: Schwerge-~

heckle (hĕ'ĭl) ausfragen. [wicht n.]

hectic ⨂ (hĕ'tĭť) hektisch (aus-zehrend; sl. fieberhaft erregt).

hedge (hĕðG) 1. Hecke f; 2. v/t. ein-hegen, ~zäunen; umge'ben; ~ up sperren; v/i. sich decken; ~hog zo. Igel m.

heed (hĭð) 1. Acht, Aufmerksamkeit f (to auf acc.); take no ~ of nicht be-achten; 2. beachten, achten auf (acc.); ~less □ (~lĭß) unachtsam.

heel (hĭl) 1. Ferse f; Absatz m; Am. sl. Lump m; head over ~s Hals über Kopf; down at ~ am Absatz nieder-getreten; fig. abgerissen; schlampig; 2. mit e-m Absatz versehen.

heifer (hĕ'fᵉ) Färse f (junge Kuh).

height (hāīt) Höhe f; Höhepunkt m; ~en (hāī'tn) erhöhen; vergrößern.

heinous (hĕ'nᵉß) abscheulich.

heir (āᵉ) Erbe m; ~ apparent recht-mäßiger Erbe; Erbschaft f; ~ess (āᵉ'rĭß) Erbin f; ~loom (~lūm) Erbstück n.

held (hĕld) hielt; gehalten.

helicopter ⨂ (hĕ'lĭťŏptᵉ) Hub-schrauber m.

hell (hĕl) Hölle f; attr. Höllen...; F: what the ~ ...? was zum Teufel ...?; raise ~ Krach m.; ~ish □ (hĕ'lĭßch) höllisch.

hello (ha'lou) hallo!

helm ⚓ (hĕlm) (Steuer-)Ruder n.

helmet (hĕ'lmĭt) Helm m.

helmsman ⚓ (hĕ'lmßmᵉn) Steuer-mann m.

help (hĕlp) 1. allg. Hilfe f; (Hilfs-) Mittel n; lady ~ Haustochter f; mother's ~ Kinderfräulein n; 2. v/t. (ab)helfen (dat.); unterla'ssen bei Tische vorlegen, reichen; ~ o.s. sich bedienen, zulangen; I could not ~ laughing ich konnte nicht umhin zu lachen; v/i. helfen, dienen; ~er (hĕ'lpᵉ) Helfer(in), Gehilf|e m, -in f; ~ful □ (hĕ'lpfᵘl) hilfreich; nützlich; ~ing (hĕ'lpĭng) Portio'n f; ~less □ (hĕ'lpĭß) hilflos; ~lessness (~nĭß) Hilflosigkeit f; ~mate (hĕ'lpmᵉit), ~meet (~mĭt) Gehilf|e m, -in; Gattin f.

helve (hĕlw) Stiel, Griff m.

hem (hĕm) 1. Saum m; 2. säumen; sich räuspern; ~ in einschließen.

hemisphere (hĕ'mĭßfĭᵉ) Halbkugel f.

hemlock ⚕ (hĕ'mlŏť) Schierling(s-tanne f) m.

hemp (hĕmp) Hanf m.

hemstitch (hĕ'mßtĭtſch) Hohlsaum m.

hen (hĕn) Henne f; Vogel-Weibchen n.

hence (hĕnß) weg; hieraus; daher; von jetzt an; a year ~ heute übers Jahr; ~forth (hĕ'nßfoᵘtſ), ~for-ward (hĕ'nßfoᵘwᵉd) von nun an.

henpecked unter dem Pantoffel (stehend).

her (hö, hᵉ) sie, ihr; ihr(e).

herald (hĕ'rᵉld) 1. Herold m; 2. (sich) ankündigen; ~ in einführen.

herb (höb) Kraut n; ~ivorous (höbĭ'wᵉrᵉß) pflanzenfressend.

herd (höd) 1. Herde f (a. fig); 2. v/t. Vieh hüten; v/i. (a. ~ together) in e-r Herde leben; zs.-hausen; ~sman (hö'dßmᵉn) Hirt m.

here (hĭᵉ) hier; hierher; ~'s to ...! auf das Wohl von ...!

here|after (hĭᵉrā'ftᵉ) 1. künftig; 2. Zukunft f; ~by hierdurch.

heredit|ary (hĭrĕ'dĭtᵉri) erblich; Erb...; ~y (~tĭ) Erblichkeit f.

here|in (hĭᵉ'rĭ'n) hierin; ~of hier-von.

heresy (hĕ'rĭßĭ) Ketzerei f.

heretic (hĕ'rĭtĭť) Ketzer(in).

here|tofore (hĭᵉ'tᵘfoᵘ) ehemals; ~upon hierauf; ~with hiermit.

heritage (hĕ'rĭtᵉG) Erbschaft f.

hermit (hö'mĭt) Einsiedler m.

hero (hĭᵉ'rou) Held m; ~ic (hĭ'rouⁱť) (~ally) heroisch; heldenhaft; Hel-den...; ~ine (hĕ'roⁱn) Heldin f; ~ism (~ĭßm) Helden-mut m, -tum n.

heron (hĕ'rᵉn) orn. Reiher m.

herring (hĕ'rĭngᵍ) ichth. Hering m.

hers (höß) der (die, das) ihrige; ihr.

herself (hößĕ'lf) (sie, ihr) selbst; sich.

hesitat|e (hĕ'ĭtᵉit) zögern, un-schlüssig sn; Bedenken tragen; ~ion (hĕßtᵉ'ĭſchᵉn) Zögern n; Un-schlüssigkeit f; Bedenken n.

hew (hjū) [irr.] hauen, hacken, ~n (hjūn) gehauen.

hey (hĕⁱ) ei!; hei!; he!, heda!

heyday (hĕⁱ'ðᵉⁱ) fig. Höhepunkt m; Blüte f.

hicc|up, a. ~ough (hĭ'ťᵃp) 1. Schluk-ken m; 2. schlucken; den Schl. h.

hid (hĭd), **hidden** (hĭ'dn) versteckt(e).
hide (haĭd) [*irr.*] (sich) verbergen, verstecken; **~-and-seek** Versteckspiel *n*.
hidebound (haĭ'dbaŭnd) *fig.* engherzig.
hideous □ (hĭ'dĭ̆ě̆ß) scheußlich.
hiding-place Versteck *n*.
high (haĭ) 1. *adj.* □ *allg.* hoch: vornehm; stolz; hochtrabend; angegangen (*Fleisch*); teuer; stark; Hoch...; Ober...; with *a* ~ *hand* rücksichtslos; anmaßend; ~ *spirits* *pl.* gehobene Stimmung; ~ *life* die vornehme Welt; ~ *lights* *pl.* Glanzlichter *n*/*pl.*; Höhepunkte *m*/*pl.*; ~ *words* heftige Worte; 2. *adv.* hoch; sehr, mächtig; **~-bred** vornehm erzogen; **~-brow** *Am. sl.* bildungsstolz; **~-class** erstklassig; **~-day** Fest-, Freuden-tag *m*; **~-grade** hochwertig; **~-handed** hochfahrend; **~lands** *pl.* Hochland *n*; **~ly** (haĭ'lĭ) hoch; sehr; *speak* ~ *of* achtungsvoll sprechen von; **~-minded** hochsinnig; **~ness** (haĭ'nĭ̆ß) Höhe; *fig.* Hoheit *f*; **~-power**: ~ *station* Großkraftwerk *n*; **~-road** Land-, Heer-straße *f*; **~-strung** überempfindlich; **~way** Land-, Heer-straße *f*; *fig.* Weg *m*; **~wayman** Straßenräuber *m*.
hike F (haĭk) 1. wandern; 2. Wanderung *f*; **~r** (haĭ'ĭ̆ě̆ʳ) Wanderer *m*.
hilarious □ (hĭlä̆ě̆'rĭ̆ě̆ß) fröhlich.
hill (hĭl) Hügel, Berg *m*; **~billy** *Am.* (hĭ'bĭlĭ) Hinterwäldler *m*; **~ock** (hĭ'lĭ̆t) kleiner Hügel; **~y** (~ĭ̆) hügelig.
hilt (hĭlt) Griff *m* (*bsd. am Degen*).
him (hĭm) ihn; ihm; den, dem (-jenigen); **~self** (hĭmßě̆'lf) (er, ihm, ihn, sich) selbst, sich; *of* ~ von selbst.
hind (haĭnd) 1. Hirschkuh *f*; 2. Hinter...; **~er** 1. (haĭ'ndě̆ʳ) *adj.* hintere(r, s); Hinter...; 2. (hĭ'ndě̆ʳ) *v*/*t.* hindern (*from an dat.*); **~most** hinterst, letzt.
hindrance (hĭ'ndrě̆nß) Hindernis *n*.
hinge (hĭndꞬ) 1. Türangel *f*; Scharnier *n*; *fig.* Angelpunkt *m*; 2. ~ *upon* *fig.* sich drehen um.
hint (hĭnt) 1. Wink *m*; Anspielung *f*; 2. andeuten; anspielen (*at auf acc.*).
hip (hĭp) Hüfte *f*; ⚜ Hagebutte *f*.
hippopotamus (hĭp'pŏ't̆ě̆m̆ě̆ß) Flußpferd *n*.

hire (haĭ'ě̆) 1. Miete *f*; Lohn *m*; 2. mieten; *Dienstboten* an-, ein-stellen; ~ *out* vermieten.
his (hĭß) sein(e), der, die, das seinige.
hiss (hĭß) *v*/*i.* zischen; zischeln; *v*/*t.* aus-zischen, -pfeifen (*a.* ~ *off*).
histor|ian (hĭßtŏ'rĭ̆ě̆n) Historiker *m*; **~ic(al** □) (hĭßtŏ'rĭt, ~rĭt̆ě̆'l) historisch, geschichtlich; Geschichts...; **~y** (hĭ'ßt̆ě̆rĭ) Geschichte *f*.
hit (hĭt) 1. Schlag, Stoß; Hieb; (Glücks-)Treffer; *thea.*, ♪ Schlager *m*; 2. [*irr.*] schlagen, stoßen; treffen; auf *et.* stoßen; *Am.* F eintreffen in (*dat.*); ~ *a p. a blow* j-m e-n Schlag versetzen; F ~ *it off with* sich vertragen mit; ~ (*up*)*on* zufällig stoßen auf (*acc.*).
hitch (hĭtĭ̆ch) 1. Ruck; ⚓ Knoten; *fig.* Haken *m*, Hindernis *n*; 2. rücken; (sich) fest-machen, -haken; rutschen; **~hike** *Am.* F *mot.* mit Anhalter reisen.
hither *lit.* (hĭ'ðě̆ʳ) hierher; **~to** *lit.* (~tŭ') bisher.
hive (haĭw) 1. Bienen-stock; -schwarm *m*; *fig.* Bienenhaus *n*; 2. ~ *up* aufspeichern; zs.-wohnen.
hoard (hŏd) 1. Vorrat, Schatz *m*; 2. aufhäufen; hamstern; bewahren.
hoarfrost (hŏ'frŏ'ßt) (Rauh-)Reif *m*.
hoarse □ (hŏß) heiser, rauh.
hoary (hŏ'rĭ) eis-, alters-grau.
hoax (hoŭß) 1. Täuschung *f*; 2. foppen.
hobble (hŏ'bl) 1. Hinken *n*; F Klemme *f*; 2. *v*/*i.* hoppeln; humpeln, hinken (*a. fig.*); *v*/*t.* an den Füßen fesseln.
hobby (hŏ'bĭ) *fig.* Steckenpferd *n*.
hobgoblin (hŏ'bgŏblĭn) Kobold *m*.
hobo *Am.* F (hoŭ'boŭ) Landstreicher *m*.
hod (hŏd) Mörteltrog *m*.
hoe 🖊 (hoŭ) 1. Hacke *f*; 2. hacken.
hog (hŏg) 1. Schwein (*a. fig.*) *n*; 2. *Mähne* stutzen; *mot.* drauflos rasen; **~gish** □ (hŏ'gĭ̆ßch) schweinisch; gefräßig.
hoist (hŏĭßt) 1. Aufzug *m*; 2. hochziehen, hissen.
hold (hoŭld) 1. Halt, Griff *m*; Gewalt *f*, Einfluß *m*; ⚓ Raum *m*; *catch* (*od. get, lay, take*) ~ *of* erfassen, ergreifen; *keep* ~ *of* festhalten; 2. [*irr.*]⚓*v*/*t.* halten; fest-, aufhalten; enthalten; *fig.* behalten; *Versammlung usw.* abhalten; (inne-)

haben; *Ansicht* vertreten; *Gedanken usw.* hegen; halten für; glauben; behaupten; ~ *one's own* sich behaupten; ~ *the line teleph.* am Apparat bleiben; ~ *over* aufschieben; ~ *up* aufrecht halten; (unter)stützen; aufhalten; (räuberisch) überfa'llen; 3. *v/i.* (fest)halten; gelten; standhalten, sich halten; ~ *forth* Reden halten; ~ *good (od. true)* gelten; sich bestätigen; ~ *off* sich fernhalten; ~ *on* ausharren; fortdauern; sich festhalten; ~ *to* festhalten an (*dat.*); ~ *up* sich (aufrecht) halten; ~**er** (hŏu°l**ŏ**r) Pächter; Halter *m* (*Gerät*); (*bsd.* †) Inhaber(in); ~**ing** (¸ɪŋⁱ) Pachtgut *n*; Besitz *m*; ~ *company* Dachgesellschaft *f*; ~**up** *Am.* Raubüberfall *m.*

hole (hŏu°l) 1. Loch *n*; Höhle; F *fig.* Klemme *f*; *pick ~s in* bekritteln.

holiday (hŏ'lⁱ°dⁱ) Feiertag *m*; freier Tag; ~**s** *pl.* Ferien, Urlaub *m.*

hollow (hŏ'l°u°) 1. □ hohl; leer; falsch; 2. Höhle, Aushöhlung; *Land-Senke f;* 3. aushöhlen.

holly & (hŏ'lⁱ) Stechpalme, I'lex *f.*

holster (hŏu°lstⁱ°) (Pistolen-)Halfter *f.*

holy (hŏu°lⁱ) heilig; ~ *water* Weihwasser *n*; ♀ *Week* Karwoche *f.*

homage (hŏ'mⁱdⱭ) Huldigung *f*; *do (od. pay, render)* ~ huldigen (to).

home (hŏu°m) 1. Heim; Haus *n*, Wohnung; Heimat *f*; Mal *n*; *at* ~ zu Hause; 2. *adj.* heimisch, inländisch; derb, tüchtig (*Schlag usw.*); ♀ *Office,* *Am.* ♀ *Department* Ministe'rium *n* des Innern; ~ *rule* Selbstregierung *f*; ♀ *Secretary* Minister *m* des Innern; 3. *adv.* heim, nach Hause; an die richtige Stelle; gründlich; *hit (od. strike)* ~ den rechten Fleck treffen; ~**felt** tief empfunden; ~**less** (hŏu°mⁱlⁱ**ş**) heimatlos; ~**like** anheimelnd, gemütlich; ~**ly** □ (¸lⁱ) *fig.* hausbacken; schlicht; anspruchslos; reizlos; ~**made** Hausmacher...; ~**sickness** Heimweh *n*; ~**stead** Anwesen *n*, ~**ward**(s) (¸w°d[i̯]) heimwärts (gerichtet); Heim...

homicide (hŏ'mⁱŞaⁱd) Totschlag; Mord *m*; Totschläger(in).

homogeneous □ (hŏmₒ°dⱭⁱ'nⁱᵉ**ş**) homoge'n, gleichartig.

hone ⊕ (hŏu°n) 1. Abzichstein *m*; 2. *Rasiermesser* abziehen.

honest □ (ŏ'nⁱŞt) ehrlich, rechtschaffen; aufrichtig; echt; ~**y** (¸ⁱ) Ehrlichkeit *f usw.*

honey (hₐ'nⁱ) Honig *m*; *my* ~! mein Herzchen!; ~**comb** (hₐ'nⁱkŏu°m) (Honig-)Wabe *f*; ~**ed** (hₐ'nⁱd) honigsüß; ~**moon** 1. Flitterwochen *f/pl.*; 2. die F. verleben.

honorary (ŏ'nⁱᵉrⁱ) Ehren...; ehrenamtlich.

hono(u)r (ŏ'nⁱᵉ) 1. Ehre; Achtung; Würde; *fig.* Zierde *f*; *Your* ♀ Euer Gnaden; 2. (be)ehren; ♀ honorieren; ~**able** □ (ŏ'nⁱᵉrⁱbⁱl) ehrenvoll, edel; ehrbar; ehrenwert.

hood (hŭd) 1. Kapuze; (*a. mot.*) Haube; Kappe *f*; *mot.* Verdeck *n*; 2. mit e-r Kappe *usw.* versehen.

hoodwink (hŭ'dwⁱŋⁱ**ş**) täuschen.

hoof (hŭf) Huf *m*; Klaue *f.*

hook (hŭk) 1. (*bsd.* Angel-)Haken *m*; Sichel *f*; *by* ~ *or by crook* so oder so; 2. *v/t.* (sich) (zu-, fest-)haken; angeln (*a. fig.*).

hoop (hŭp) 1. Faß- *usw.* Reif(en); ⊕ Ring *m*; 2. Fässer binden.

hooping-cough Keuchhusten *m.*

hoot (hŭt) 1. Geschrei *n*; 2. *v/i.* heulen; johlen; *mot.* hupen; *v/t.* aus-pfeifen, -zischen.

hop (hŏp) 1. & Hopfen *m*; Sprung *m*; *sl.* Hopserei *f* (*Tanz*); 2. hüpfen, springen (über *acc.*).

hope (hŏu°p) 1. Hoffnung *f*; 2. hoffen (*for* auf *acc.*); ~ *in* vertrauen auf (*acc.*); ~**ful** □ (hŏu°pfⁱ°l) hoffnungsvoll; ~**less** □ (¸lⁱ**ş**) hoffnungslos; verzweifelt.

horde (hŏd) Horde *f.*

horizon (hₒraⁱ'ⁱn) Horizo'nt *m.*

horn (hŏn) Horn *n*; Schalltrichter *m*; *mot.* Hupe *f*; ~**s** *pl.* Geweih *n*; ~ *of plenty* Füllhorn *n.*

hornet (hŏ'nⁱt) *zo.* Horni'sse *f.*

horny □ (hŏ'nⁱ) hornig; schwielig.

horr|ible □ (hŏ'rⁱbⁱl) entsetzlich; scheußlich; ~**id** □ (hŏ'rⁱd) gräßlich, abscheulich; ~**ify** (hŏ'rⁱfaⁱ) entsetzen; ~**or** (hŏ'rᵉ) Entsetzen *n*, Schauder; Schrecken; Greuel *m.*

horse (hŏş) Pferd *n*; *coll.* Reiterei *f*; Bock *m*, Gestell *n*; *take* ~ aufsitzen; ~**back**: *on* ~ zu Pferde; im Reitsitz; ~**hair** Roßhaar *n*; ~**laugh** F wieherndes Lachen; ~**man** (¸m°n) Reiter *m*; ~**manship** Reitkunst *f*; ~**power** Pferdekraft *f*; ~**radish** & Meerrettich *m*; ~**shoe** Hufeisen *n.*

horticulture (hȯ'tⁱtᶜaltʃǝ) Gartenbau m.

hose (hoᵘſ) † (lange) Strümpfe
m/pl.; Schlauch m.   [waren f/pl.]

hosiery (hoᵘʒ́ᵉrl) † Strumpf-

hospitable □ (hȯ'ʒ́pⁱtᵊbl) gastfrei.

hospital (hȯ'ʒ́pⁱtl) Krankenhaus;
⚕ Lazare'tt n; ~ity (hȯʒ́pⁱtäˡlⁱtl)
Gastfreundschaft f.

host (hoᵘʒ́t) Wirt; Gast-geber; -wirt
m; fig. Heer n; Schwarm m; eccl.
Ho'stie f.

hostage (hȯ'ʒ́tⁱdG) Geisel m u. f.

hostel (hȯ'ʒ́tᵊl) Herberge f.

hostess (hoᵘ'ʒ́tⁱʒ́) Wirtin f (s.
host).

hostil|e (hȯ'ʒ́täil) feindlich (ge-
sinnt); ~ity (hȯʒ́tⁱ'lⁱtl) Feindseligkeit f.

hot (hȯt) heiß; scharf; hitzig, heftig;
eifrig; ~ dogs heiße Würstchen;
~bed Mistbeet n; fig. Brutstätte f.

hotchpotch (hȯ'tʃ̣pȯtʃ̣) Mischmasch m; Gemüsesuppe f.

hotel (hoᵘtȇ'l, hoᵘtᵉ'l) Hotel n.

hot...: ~head Hitzkopf m; ~house
Treibhaus n; ~spur Hitzkopf m.

hound (haᵘnᴰ) 1. Jagd-, Spür-hund;
fig. Hund m; 2. jagen, hetzen.

hour (aᵘ') Stunde; Zeit, Uhr f;
~ly (aᵘ'ſl) stündlich.

house 1. (haᵘs) allg. Haus; univ.
Kolle'g(ium) n; 2. (haᵘz) v/t. ein-
unter-bringen; v/i. hausen; ~-
breaker Einbrecher; Abbruch-
unterne'hmer m; ~check Am.
Haussuchung f; ~hold Haushalt m;
~holder Hausherr m; ~keeper
Haushälterin f; ~keeping Haushaltung f; ~warming Einzugsfeier f;
~wife Hausfrau; Haushälterin f;
~wifery (haᵘʒ̑wᵢſᵉrl) Haushaltung f.

housing (haᵘſlnᴳ) Unterbringung f;
Obdach n; Wohnungs...

hove (hoᵘw) hob; gehoben.

hovel (hȯ'wᵉl) Schuppen m; Hütte f.

hover (hȯ'wᵉ) schweben; lungern;
fig. schwanken; ✈ ~ing plane Hub-
schrauber m.

how (haᵘ) wie; ~ about ...? wie steht's
mit ...?; ~ever (haᵘȇ'wᵉ) 1. adv.
wie auch (immer); wenn auch noch
so ...; 2. conj. jedoch.

howl (haᵘl) 1. heulen; 2. Geheul n;
~er (haᵘ'lᵉ) sl. grober Fehler.

hub (hȯb) (Rad-)Nabe f; fig. Mittel-,
Dreh-punkt m.

hubbub (hȯ'bȯb) Tumu'lt, Lärm m.

huckster (hȯ'kʒ́tᵉ) Hausierer(in).

huddle (hȯ'dl) 1. durcheinander-
werfen; (sich) (zs.-)drängen; ~ on
eilig ü'berwerfen; 2. Gewirr n.

hue (hjü) Farbe; Hetze f; ~ and cry
Zetergeschrei n.

huff (hȯf) 1. üble Laune; 2. v/t. grob
anfahren; v/i. wütend w.; schmollen.

hug (hȯg) 1. Uma'rmung f; 2. an
sich drücken; fig. festhalten an (dat.);
sich dicht am Wege halten.

huge □ (hjüdG) ungeheuer, riesig;
~ness (hjü'dGnⁱʒ̑) ungeheure
Größe.

hulk (hȯlk) fig. Klumpen, Klotz m.

hull (hȧl) 1. ♣ Schale; Hülse f; 2. ♣
Rumpf m; 2. enthülsen; schälen.

hum (ham) summen; brumme(l)n;
F make things ~ Schwung in die
Sache bringen.

human □ (hjü'mᵉn) 1. menschlich;
~ly nach menschlichem Ermessen;
2. F Mensch m; ~e □ (hjümeiʹn)
huma'n, menschenfreundlich; ~
itarian (hjümänⁱtäᵉʳⁱᵉn) 1. Men-
schenfreund(in); 2. menschenfreundlich; ~ity (hjumä'nⁱtl) mensch-
liche Natu'r; Menschheit; Huma-
nitä't f; ~kind (hjü'mᵉnſäiʹnᴰ)
Menschengeschlecht n.

humble (ha'mbl) 1. □ demütig; bescheiden; 2. erniedrigen; demütigen.

humble-bee (ha'mblbl) Hummel f.

humbleness (~nⁱʒ̑) Demut f.

humbug (ha'mbag) (be)schwindeln.

humdrum (ha'mdram) eintönig.

humid (hjü'mⁱd) feucht, naß; ~ity
(hjumⁱ'dⁱtl) Feuchtigkeit f.

humiliat|e (hjumⁱ'lⁱeiʹt) erniedrigen,
demütigen; ~ion (hjumⁱlⁱeiʹʃᵉn)
Erniedrigung, Demütigung f.

humility (hjumⁱ'lⁱtl) Demut f.

humming (ha'mⁱnᴳ) F mächtig,
gewaltig; ~bird orn. Kolibri m.

humorous □ (hjü'mᵉrᵉʒ̑) humo-
ri'stisch, humorvoll; spaßig.

humo(u)r (hjü'mᵉ) 1. Laune, Stimmung f; Humo'r; Scherz m; out of
~ schlecht gelaunt; 2. e-m s-n Willen l.; eingehen auf (acc.).

hump (hamp) 1. Höcker, Buckel m;
2. krümmen; ärgern, verdrießen.

hunch (hantʃ̣) 1. Höcker m; großes
Stück n; Am. Ahnung f; 2. krümmen
(a. ~ out, up); ~back Bucklige(r).

hundred (ḫɑ'ndrᵉd) 1. hundert; 2. Hundert *n*; ~th (-ᵗ⁻ħ) hundertste(r); ~weight *englischer* Zentner = *50,8* kg.

hung (ḫɑŋg) hängte, gehängt; hing, gehangen.

Hungarian (ḫɑŋgäᵉ'rⁱᵉn) 1. u'n- garisch; 2. Ungar(in); Ungarisch *n*.

hunger (ḫɑ'nᵘgᵉ) 1. Hunger *m*; 2. *v/i.* hungern (*for, after* nach).

hungry □ (ḫɑ'nᵘgrⁱ) hungrig.

hunk F (ḫɑnᵍ⁻) dickes Stück.

hunt (ḫɑnt) 1. Jagd *f* (*for* nach); 2. jagen; *Revier* bejagen; hetzen; ~ *out od.* up aufspüren; ~ *for* Jagd m. auf (*acc.*); ~er (ḫɑ'ntᵉ) Jäger *m*; Jagdpferd *n*; ~ing-ground Jagd- revier *n*.

hurdle (ḫᵊ'dl) Hürde *f*; ~-race Hürdenrennen *n*.

hurl (ḫᵊl) 1. Schleudern *n*; 2. schleu- dern; *Worte* ausstoßen.

hurricane (ḫɑ'rⁱᵗᵉn) Orka'n *m*.

hurried □ (ḫɑ'rⁱd) eilig; überei'lt.

hurry (ḫɑ'rⁱ) 1. (große) Eile, Hast *f*; 2. *v/t.* (an)treiben; *et.* beschleu- nigen; eilig schicken *od.* bringen; *v/i.* eilen, hasten; ~ *up* sich be- eilen.

hurt (ḫᵊt) 1. Verletzung *f*; Schaden *m*; 2. [*irr.*] (*a. fig.*) verletzen; weh tun (*dat.*); schaden (*dat.*).

husband (ḫɑ'ſbᵉnd) 1. (Ehe-)Mann *m*; 2. haushalten mit.

hush (ḫɑʃ) 1. still!; 2. Stille *f*; 3. *v/t.* zum Schweigen bringen; beruhigen; ~ *up* vertuschen; *v/i.* still sn.

husk (ḫɑſk) 1. ♀ Hülse, Schale *f*; 2. enthülsen; ~y □ (ḫɑ'ſkⁱ) heiser; *Am.* stramm.

hustle (ḫɑ'ſl) 1. *v/t.* anrennen, stoßen; drängen; *v/i.* (sich) drän- gen; eilen; *bsd. Am.* mit Hochdruck arbeiten; 2. Eile *f*; Drängen *n*; *Am.* F Rührigkeit *f*; ~ *and bustle* Ge- dränge und Gehetze *n*.

hut (ḫɑt) Hütte *f*; ⚔ Bara'cke *f*.

hutch (ḫɑtʃ) Kasten *m*.

hybrid ⏸ (ḫā'brⁱd) Mischling *m*; Kreuzung *f*; ~ize (ḫā'brⁱdāⁱ) kreuzen.

hydro... ⏸ (ḫā'drᵒ...) Wasser...; ~ chloric (...lō'rⁱk): ~ *acid* Salzsäure *f*; ~gen ⚗ (ḫā'drⁱdϱᵉn) Wasser- stoff *m*; ~pathy (ḫāⁱdrᵒ'pᵃ⁻thⁱ) Wasser-heilkunde, -kur *f*; ~phobia (ḫāⁱdrᵉfouᵘhⁱᵉ) Wasserscheu *f*; ~plane (ḫāⁱdrᵒplᵉⁱn) Wasserflug- zeug; Gleitboot *n*.

hygiene (ḫāⁱdϱⁱn) Hygie'ne *f*.

hymn (ḫⁱm) 1. Hymne *f*; Lobge- sang *m*; Kirchenlied *n*; 2. preisen.

hyphen (ḫāⁱfᵉn) 1. Bindestrich *m*; 2. mit B. schreiben *od.* verbinden.

hypnotize (ḫⁱ'pnᵉtāⁱ) hypnotisieren.

hypo|chondriac (ḫāⁱpᵒtŏ'ndrⁱᵃt) Hypocho'nder *m*; ~crisy (ḫⁱpŏ'- trⁱſⁱ) Heuchelei *f*; ~crite (ḫⁱ'pᵒtrⁱt) Heuchler(in); Scheinheilige(r); ~ critical □ (ḫⁱpᵒtrⁱ'tⁱᵉl) heuchle- risch; ~thesis (ḫāⁱpᵒ'ᵗ⁻hⁱſⁱß) Hypo- the'se *f*.

hyster|ical □ (ḫⁱßtēᵉ'rⁱ⁻tᵉl) hysterisch; ~ics (ḫⁱßtēᵉ'rⁱⁱß) *pl.* hysterischer Anfall.

I

I (āi) ich.

ice (āiß) 1. (Speise-)Eis *n*; 2. gefrieren m.; vereisen; *Kuchen* mit Zuckerguß überzie'hen; in Eis kühlen; **~age** Eiszeit *f*; **~bound** eingefroren; **~box**, **~chest** Eisschrank *m*; **~cream** Speiseeis *n*; **~safe** Eisschrank *m*.

icicle (āi'ßikl) Eiszapfen *m*.

icing (āi'ßiŋ) Zuckerguß *m*; Vereisung *f*.

icy □ (āi'ßi) eisig (*a. fig.*).

idea (āidiₑ') Idee' *f*; Begriff *m*; Vorstellung *f*; Gedanke *m*; Meinung; Ahnung *f*; **~l** (.l) 1. □ idee'll, eingebildet; idea'l; 2. Idea'l *n*.

identi|cal □ (āidě'ntikᵉl) identisch, gleich(bedeutend); **~fication** (āidě'ntifikei''ʃᵉn) Identifizierung *f*; Ausweis *m*; **~fy** (.ʃāi) identifizieren; *e-n* ausweisen (*as* als); **~ty** (.tī) Identitä't *f*; **~ card** Persona'lausweis *m*.

idiom (i'diₑm) Mundart; Redensart *f*.

idiot (i'diₑt) Schwachsinnige(r); **~ic** (idiô'tik) (...ally) blödsinnig.

idle (āi'dl) 1. □ müßig: untätig; träg, faul; unnütz; nichtig; ⊕ leerlaufend; **~ hours** *pl.* Mußestunden *f/pl.*; 2. *v/t.* vertrödeln (*mst ~ away*); *v/i.* faulenzen; ⊕ leer laufen; **~ness** (...niß) Muße; Trägheit; Nichtigkeit *f*; **~r** (.ₑʳ) Müßiggänger(in).

idol (āi'dl) Götzenbild *n*; *fig.* Abgott *m*; **~atry** (āidô'lₑtri) Abgötterei; Vergötterung *f*; **~ize** (āi'dₑlāiß) vergöttern.

idyll (i'dil) Idy'll(e *f*) *n*.

if (if) 1. wenn, falls; ob; 2. Wenn *n*.

ignit|e (ignāi't) (sich) entzünden; zünden; **~ion** (igni'ʃᵉn) Entzündung; *mot.* Zündung *f*; *attr.* Zünd...

ignoble □ (ignou'bl) unedel; niedrig, gemein.

ignor|ance (i'gnₑrₑnß) Unwissenheit *f*; **~ant** (.rᵉnt) unwissend; unkundig; **~e** (ignô') ignorieren, nicht beachten; ⅌ verwerfen.

ill (il) 1. *adj. u. adv.* übel, böse;

schlimm, schlecht; krank; *adv.* kaum; 2. Übel; Üble(s), Böse(s) *n.*

ill...: ~advised übel beraten; unbesonnen; **~bred** ungebildet.

illegal □ (ili'gᵉl) ungesetzlich.

illegible □ (ile'dǧₑbl) unleserlich.

illegitimate □ (ilidǧi'timit) illegiti'm: unrechtmäßig; unehelich.

ill...: ~favo(u)red häßlich; **~humo(u)red** übellaunig.

illiberal □ (ili'bᵉrᵉl) unfein; engherzig; knauserig.

illicit □ (ili'ßit) unerlaubt.

illiterate □ (ili'tᵉrit) 1. ungelehrt, ungebildet; 2. Analphabe't(in).

ill...: ~mannered ungezogen; **~natured** □ boshaft, bösartig.

illness (i'lniß) Krankheit *f*.

ill...: ~timed ungelegen; **~treat** mißhandeln.

illumin|ate (iljū'mineit) be-, erleuchten (*a. fig.*); erläutern; aufklären; **~ating** (.neitiŋ) aufschlußreich; **~ation** (iljūminei'ʃᵉn) Er-, Be-leuchtung; Erläuterung; Aufklärung *f*.

illus|ion (ilū'ǧᵉn) Täuschung *f*; **~ive** (.ßiw), **~ory** □ (.ßᵉri) illuso'risch, täuschend.

illustrat|e (i'lₑßtreit) illustrieren; erläutern; **~ion** (ilₑßtrei'ʃᵉn) Erläuterung; Illustratio'n *f*; **~ive** □ (i'lₑßtreitiw) erläuternd.

illustrious □ (ilₐ'ßtriₑß) berühmt; erlaucht.

ill-will Mißgunst *f*; Groll *m*.

image (i'midǧ) Bild; Standbild; Ebenbild *n*; Vorstellung *f*.

imagin|able □ (imä'dǧinₑbl) denkbar; **~ary** (.nₑri) eingebildet; **~ation** (imädǧinei'ʃᵉn) Einbildung(skraft) *f*; **~ative** □ (imä'dǧinₑtiw) ideen-, phantasie-reich; **~e** (imä'dǧin) sich *et.* einbilden *od.* vorstellen *od.* denken.

imbecile □ (i'mbißail) 1. geistesschwach; 2. Schwachsinnige(r).

imbibe (imbāi'b) einsaugen; *fig.* sich zu eigen machen.

imbue (imbjū') (durch)tränken; tief färben; *fig.* erfüllen.

imita|te (ĭ'mĭte⁴t) nachahmen; imitieren; ~tion (ĭmĭte⁴'ʃĕⁿn) Nachahmung f; attr. künstlich, Kunst...
immaculate ☐ (ĭmä'ᵗĭuˡĭt) unbefleckt, rein; fehlerlos.
immaterial ☐ (ĭmᵉtiᵉ'rᵉl) unkörperlich; unwesentlich (to für).
immature (ĭmᵗĭuᵉ') unreif.
immediate ☐ (ĭmĭ'dĭᵉt) unmittelbar; unverzüglich, sofortig; ~ly (~lĭ) adv. sofort; cj. gleich nachdem.
immense ☐ (ĭmĕ'nß) ungeheuer.
immerse (ĭmö'ß) (ein-, unter-) tauchen; fig. ~ o. s. in sich versenken od. vertiefen in (acc.).
immigra|nt (ĭ'mĭgrᵉnt) Einwanderer(in); ~te (~grĕ'ᵗ) einwandern; ~tion (ĭmĭgreĭ'ʃĕⁿn) Einwanderung f. [hend.]
imminent ☐ (ĭ'mĭnᵉnt) bevorstehend.
immobile (ĭmouˈbäl) unbeweglich.
immoderate (ĭmŏ'dᵉrᵗ) maßlos.
immodest ☐ (ĭmŏ'dĭßt) unbescheiden; unanständig.
immoral ☐ (ĭmŏ'rᵉl) unmora'lisch.
immortal ☐ (ĭmŏ'tl) unsterblich.
immovable ☐ (ĭmūˈwᵉbl) ☐ unbeweglich; unerschütterlich.
immun|e (ĭmjū'n) immu'n, gefeit (from gegen); ~ity (~ĭtĭ) Immunität f: Freiheit (from von); ~ Unempfänglichkeit f (für).
imp (ĭmp) Teufelchen n; Schelm m.
impair (ĭmpä'ᵉ) schwächen; (ver-) mindern; beeinträchtigen.
impart (ĭmpä't) verleihen; weitergeben.
impartial ☐ (ĭmpä'ʃᵉl) unparteiisch; ~ity (ĭ'mpäʃĭä'lĭtĭ) Unparteilichkeit, Objektivitä't f.
impassible ☐ (ĭmpä'ß'ᵉbl) unempfindlich, gefühllos (to gegen).
impassioned (ĭmpä'ʃᵉnd) leidenschaftlich.
impassive ☐ (ĭmpä'ßĭw) unempfindlich; teilnahmslos; heiter.
impatien|ce (ĭmpeĭ'ʃᵉnß) Ungeduld f; ~t ☐ (~t) ungeduldig.
impeach (ĭmpĭ'ᵗʃ) anklagen (of, with gen.); anfechten, anzweifeln.
impeccable ☐ (ĭmpĕ'ᵗbl) unfehlbar.
impede (ĭmpĭ'd) (ver)hindern.
impediment (ĭmpĕ'dĭmᵉnt) Hindernis n.
impel (ĭmpĕ'l) (an)treiben.
impend (ĭmpĕ'nd) hängen, schweben; bevorstehen, drohen.

impenetrable ☐ (ĭmpĕ'nᵗrᵉbl) undurchdringlich; fig. unergründlich.
imperative (ĭmpĕ'rᵗĭw) ☐ befehlend; gebieterisch; dringend.
imperceptible ☐ (ĭmpᵉßĕ'ptᵉbl) unmerklich.
imperfect ☐ (ĭmpö'fĭt) unvollkommen; unvollendet.
imperial ☐ (ĭmpĭᵉ'rĭᵉl) ☐ kaiserlich; Reichs...; gebietend; großartig.
imperil (ĭmpĕ'rĭl) gefährden.
imperious ☐ (ĭmpĭᵉ'rĭᵉß) gebieterisch; dringend.
impermeable (ĭmpö'mĭᵉbl) undurchlässig.
impersonal ☐ (ĭmpö'ßᵉnl) unpersönlich.
impersonate (ĭmpö'ßᵉneĭt) verkörpern; darstellen.
impertinen|ce (ĭmpö'tĭnᵉnß) Unverschämtheit f; ~t ☐ (~nᵉnt) unverschämt; ungehörig.
impervious ☐ (ĭmpö'wĭᵉß) unzugänglich (to für); undurchlässig.
impetu|ous ☐ (ĭmpĕ'tĭuᵉß) ungestüm, heftig; ~s (ĭ'mpĭtᵉß) Antrieb m.
impiety (ĭmpä'ᵉtĭ) Gottlosigkeit f.
impinge (ĭmpĭ'nǫ) v/i. (ver-) stoßen ([up]on gegen).
impious ☐ (ĭ'mpĭᵉß) gottlos; pietä'tlos; frevelhaft.
implacable ☐ (ĭmplä'ᵗᵉbl) unversöhnlich, unerbittlich.
implant (ĭmplä'nt) einpflanzen.
implement (ĭ'mplĭmᵉnt) 1. Gerät; Werkzeug n; 2. ausführen.
implicat|e (ĭ'mplĭteĭt) verwickeln; in sich schließen; ~ion (ĭmplĭteĭ'ʃĕⁿn) Verwick(e)lung; Folgerung f.
implicit ☐ (ĭmplĭ'ß'ĭt) mit eingeschlossen; blind (Glaube usw.).
implore (ĭmplŏ') (an-, er-)flehen.
imply (ĭmpläĭ') mit einbegreifen, enthalten; bedeuten; andeuten.
impolite ☐ (ĭmpolä'ĭt) unhöflich.
impolitic ☐ (ĭmpŏ'lĭtĭt) unklug.
import 1. (ĭ'mpŏt) Bedeutung; Wichtigkeit; Einfuhr f; pl. Einfuhrwaren f/pl.; 2. (ĭmpŏ't) einführen; bedeuten; ~ance (ĭmpŏ'tᵉnß) Wichtigkeit f; ~ant ☐ (~tᵉnt) wichtig; wichtigtuerisch; ~ation (ĭmpŏteĭ'ʃĕⁿn) Einfuhr(arti'kel m)f.
importun|ate (ĭmpŏ'tĭunĭt) zudringlich; ~e (ĭmpŏtjū'n) belästigen.
impos|e (ĭmpouˈß) v/t. auf(er)legen, aufbürden ([up]on dat.); v/i. ~ upon

j-m imponieren; *j.* täuschen; ~
ition (imp⁴fi'ſch⁴n) Auf(er)legung;
Steuer; Betrügerei *f.*
impossib|ility (impŏ'ḃ⁴bi'⁷l⁴ti) Un-
möglichkeit *f;* ~le □ (impŏ'ḃ⁴bl)
unmöglich.
impost|or (impŏ'ḃt⁴) Betrüger *m;*
~ure (impŏ'ḃtſch⁴) Betrug *m.*
impoten|ce (i'mpŏt⁴nḃ) Unfähig-
keit *f;* ~t (~t⁴nt) unvermögend,
schwach.
impoverish (impŏ'w⁴riſch) arm m.
impracticable □ (imprä'ᵗi⁴ᵗ⁴bl) un-
ausführbar; unwegsam.
impregnate (i'mprēgne⁴t) schwän-
gern; 🜂 sättigen; ⊕ imprägnieren.
impress 1. (i'mprēḃ) (Ab-, Ein-)
Druck; *fig.* Stempel *m;* 2. (imprĕ'ḃ)
eindrücken, prägen; *Gedanken usw.*
einprägen (*on dat.*); *j.* beein-
drucken; *j. mit et.* erfüllen; ~ion
(imprĕ'ſch⁴n) Eindruck; *typ.* Abdruck, Abzug *m;* Auflage *f; be
under the ~ that* den Eindruck h.,
daß; ~ive □ (imprĕ'ḃiw) eindrucksvoll.
imprint 1. (imprĭ'nt) aufdrücken,
prägen; *fig.* einprägen (*on, in dat.*);
2. (i'mprint) Eindruck; Stempel (*a.
fig.*); *typ.* Druckvermerk *m.*
imprison (imprĭ'ſn) ins Gefängnis
stecken; ~ment (~m⁴nt) Haft *f;*
Gefängnis(strafe *f*) *n.*
improbable □ (imprŏ'ḃ⁴bl) unwahrscheinlich.
improper □ (imprŏ'p⁴) ungeeignet;
unschicklich; falsch.
improve (imprū'w) *v/t.* verbessern;
veredeln; aus-, be-nutzen; *v/i.* sich
(ver)bessern; ~ *upon* vervollkommnen; ~ment (~m⁴nt) Verbesserung,
Vervollkommnung *f;* Fortschritt *m*
(*[up]on gegenüber dat.*). [sieren.]
improvise (i'mprŏwäiſ) improvi-
imprudent □ (imprŭ'd⁴nt) unklug.
impuden|ce (i'mpiᵘd⁴nḃ) Unver-
schämtheit *f;* ~t □ (~d⁴nt) unverschämt.
impuls|e (i'mpalḃ), ~ion (impa'l-
ſch⁴n) Impu'ls: (An-)Stoß *f; fig.*
(An-)Trieb *m.*
impunity (impiŭ'niti) Straflosig-
keit *f; with* ~ ungestraft.
impure □ (impiŭ'⁴) unrein (*a. fig.*);
unkeusch.
imput|ation (impiᵘte⁴'ſch⁴n) Be-
schuldigung *f;* ~e (impiŭ't) zu-
rechnen, beimessen; zur Last legen.

in (in) 1. *prp. allg.* in (*dat.*); *engS.*:
(~ *number,* ~ *itself*) an (*dat.*); (~ *the
street,* ~ *English*) auf (*dat.*); (~ *this
manner*) auf (*acc.*); (*coat* ~ *velvet*)
aus; (~ *crossing the road*) bei;
(*engaged* ~ *reading,* ~ *a word*) mit;
(~ *my opinion*) nach; (*rejoice* ~ *a th.*)
über (*acc.*); (~ *the circumstances*)
unter (*dat.*); (*cry out* ~ *alarm*) vor
(*dat.*); (*grouped* ~ *tens*) zu; ~ *1949*
im Jahre 1949; ~ *that* ... insofern
als, weil; 2. *adv.* drin(nen); herein;
hinein; *be* ~ *for:* a) *et.* zu er warten h.;
b) sich zu *et.* gemeldet h.; *F be* ~
with sich gut mit *j-m* stehen; 3. *adj.*
Innen...
inability (in⁴bi'l⁴ti) Unfähigkeit *f.*
inaccessible □ (inäkḃĕ'ḃ⁴bl) unzugänglich.
inaccurate □ (inä'ᵗiᵘr⁴t) ungenau;
unrichtig.
inactiv|e □ (inä'ᵗiiw) untätig, 🜊
lustlos; ~ity (inäti'w⁴ti) Untätig-,
Lustlosig-keit *f.*
inadequate □ (inä'd⁴ĭᵗwⁱt) unangemessen; unzulänglich.
inadmissible (in⁴dmi'ḃ⁴bl) unzu-
lässig.
inadvertent □ (in⁴dwŏ'ᵗ⁴nt) unachtsam; unbeabsichtigt, verse-
hentlich. [äußerlich.]
inalienable □ (ine⁴'l⁴n⁴bl) unver-
inane □ (ine⁴'n) *fig.* leer; albern.
inanimate □ (inä'n⁴m⁴t) leblos; *fig.*
unbelebt.
inapproachable (in⁴proᵘ'tſch⁴bl)
unnahbar, unzugänglich.
inappropriate □ (~prⁱⁱt) unpassend.
inapt □ (inä'pt) ungeeignet; ungeschickt.
inarticulate □ (inätⁱ'ᵗiᵘl⁴t) undeutlich.
inasmuch (in⁴ḃma'tſch): ~ *as* insofern als. [merksam.]
inattentive □ (in⁴tĕ'ntiw) unauf-
inaugura|te (inŏ'giᵘre⁴t) (feierlich)
einführen, einweihen; beginnen;
~tion (inŏgiᵘre⁴'ſch⁴n) Einführung,
Einweihung *f.*
inborn (i'nbŏ'n) angeboren.
incalculable □ (inkä'lᵗiᵘl⁴bl) unbe-
rechenbar.
incandescent (inkändĕ'ḃnt) weiß-
glühend; Glüh...
incapa|ble □ (inke⁴'p⁴bl) unfähig,
ungeeignet (*of zu*); ~citate (inⁱ-
pä'ḃite⁴t) unfähig machen.

incarnate (inĭa'n¹t) Fleisch geworden; *fig.* verkörpert.

incautious □ (inĭŏ'śĕꜝ) unvorsichtig.

incendiary (inꜞẽ'ndĭꜝrĭ) 1. brandstifterisch; *fig.* aufwieglerisch; 2. Brandstifter; Aufwiegler *m.*

incense¹ (i'nꜞeenꜞ) Weihrauch *m.*

incense² (inꜞẽ'nꜞ) in Wut bringen.

incentive (inꜞẽ'ntĭw) Antrieb *m.*

incessant □ (inꜞẽ'ꜞnt) unaufhörlich.

incest (i'nꜞeꜞt) Blutschande *f.*

inch (intśh) Zoll *m* (*2,54 cm*); *fig.* bißchen *n*; *by* ~es allmählich.

inciden|**ce** (i'nꜞĭdᵉnꜞ) Vorkommen *n*; Wirkung *f*; ~t (~t) 1. vorkommend (*to* bei), eigen (*dat.*); 2. Zu-, Vor-, Zwischen-fall *m*; ~tal (inꜞĭdᵉ'ntl) zufällig, gelegentlich; *be* ~ *to* gehören zu; *ly* nebenbei.

incinerate (inꜞĭ'nᵉreꜝt) einäschern.

incis|**e** (inꜞaĭ'ꜞ) einschneiden; ~ion (inꜞĭ'Qᵉn) Einschnitt *m*; ~ive (inꜞaĭ'ꜞĭw) (ein)schneidend, scharf.

incite (inꜞaĭ't) anspornen, anregen; ~ment (~mᵉnt) Anregung *f*; Ansporn *m.*

inclement (inꜞlĕ'mᵉnt) rauh.

inclin|**ation** (inꜞlĭneꜝ'śhᵉn) Neigung *f* (*a. fig.*); ~e (inꜞlaĭ'n) 1. *v*/*i.* sich neigen; *fig.* ~ *to zu et.* neigen; *v/t.* neigen; geneigt m.; 2. Neigung *f*, Abhang *m.*

inclose (inꜞlou"') *s.* enclose.

inclu|**de** (inꜞlū'd) einschließen; enthalten; ~sive (~śĭw) einschließlich; alles einbegriffen.

incoheren|**ce** (inꜞohĭ'rᵉnꜞ) Zs.hangslosigkeit; Inkonsequeꜝnz *f*; ~t □ (~t) unzs.-hängend; inkonsequeꜝnt.

income (i'nꜞam) Einkommen *n.*

incommode (inꜞᵉmo"'d) belästigen.

incomparable □ (inꜞŏ'mpᵉrᵉbl) unvergleichlich.

incompatible □ (i'nꜞᵉmpä't'bl) unvereinbar; unverträglich.

incompetent □ (inꜞŏ'mpĭtᵉnt) unfähig; unzuständig, unbefugt.

incomplete □ (inꜞᵉmplĭ't) unvollständig.

incomprehensible □ (inꜞŏ'mprĭhĕ'nꜞbl) unbegreiflich.

inconceivable □ (inꜞᵉnꜞĭ'wᵉbl) unbegreiflich.

incongruous □ (inꜞŏ'nꜞgruᵉꜞ) unangemessen; unpassend.

inconsequent(**ial**) □ (inꜞŏ'nꜞĭꜝĭwᵉnt, ~ꜞwe'nśhᵉl) inkonsequeꜝnt.

inconsidera|**ble** □ (inꜞᵉnꜞĭ'dᵉrᵉbl) unbedeutend; ~te (~rĭt) unüberlegt; rücksichtslos.

inconsisten|**cy** (inꜞᵉnꜞĭ'ꜞĭtᵉnꜞĭ) Inkonsequeꜝnz *f*; ~t □ (~tᵉnt) widerspruchsvoll; inkonsequeꜝnt.

inconstant □ (inꜞŏ'nꜞtᵉnt) unbeständig.

incontinent □ (inꜞŏ'ntĭnᵉnt) unmäßig; ausschweifend.

inconvenien|**ce** (inꜞᵉnwĭ'nĭᵉnꜞ) 1. Unbequemlichkeit; Schwierigkeit *f*; 2. belästigen; ~t □ (~nĭᵉnt) unbequem; ungelegen.

incorporat|**e** 1. (inꜞŏ'pᵉreꜝt) einverleiben (*into dat.*); (sich) vereinigen; 2. (~rĭt) einverleibt; vereinigt; ~ed (~reꜝtd) Eingetragener Verein (*abbr.* E. V.); ~ion (inꜞŏ'pᵉreꜝ'śhᵉn) Einverleibung; Verbindung *f.*

incorrect □ (inꜞᵉrĕ'tt) unrichtig; fehlerhaft; ungehörig.

incorrigible □ (inꜞŏ'rĭbꞬᵉbl) unverbesserlich.

increase 1. (inꜞrĭ'ꜞ) *v/i.* zunehmen; sich vergrößern *od.* vermehren; *v/t.* vermehren, vergrößern; erhöhen; 2. (i'nꜞrĭꜞ) Zunahme *f*; Vergrößerung *f*; Zuwachs *m.*

incredible □ (inꜞrĕ'dᵉbl) unglaublich.

incredul|**ity** (inꜞrĭdjūⁱlĭtĭ) Unglaube *m*; ~ous (inꜞrĕ'dĭuⁱᵉꜞ) ungläubig.

incriminate (inꜞrĭ'mĭneꜝt) beschuldigen; belasten.

incrustation (inꜞrᵉꜞteꜝ'śhᵉn) Bekrustung; Kruste *f*; ⊕ Belag *m.*

incub|**ate** (i'nꜞĭueꜝt) (aus)brüten; ~ator (~beⁱtᵉ) Brutapparat *m.*

inculcate (i'nꜞalꞇeⁱt) einschärfen (*upon dat.*).

incumbent (inꜞa'mbᵉnt) obliegend; *be* ~ *on a p.* j-m obliegen.

incur (inꜞŏ') sich *et.* zuziehen; geraten in (*acc.*); *Verpflichtung* eingehen.

incurable (inꜞĭuᵉ'rᵉbl) 1. □ unheilbar; 2. Unheilbare(r).

incurious □ (inꜞĭuᵉ'rĭᵉꜞ) gleichgültig.

incursion (inꜞŏ'śhᵉn) Einfall *m.*

indebted (indĕ'tb) verschuldet; *fig.* (zu Dank) verpflichtet.

indecen|**cy** (indĭ'ꜞnꜞĭ) Unanständigkeit *f*; ~t □ (~ꜞnt) unanständig.

indecisi|on (ĭndĭ'ʒĭ'ʒ'n) Unentschlossenheit f; ~ve □ (~ʒᵃĭ'ʒĭw) nicht entscheidend; unbestimmt.

indecorous □ (ĭndĕ'ĭᵉrᵉß) unziemlich.

indeed (ĭndĭ'd) in der Tat; allerdings, zwar; so?; nicht möglich!

indefensible □ (ĭndĭ'fĕ'nß'bl) unhaltbar.

indefinite□ (ĭndĕ'fĭnĭt) unbestimmt; unbeschränkt.

indelible □ (ĭndĕ'Iĭbl) untilgbar.

indelicate □ (ĭndĕ'Iĭĭt) unfein.

indemni|fy (ĭndĕ'mnĭfaĭ) sicherstellen; entschädigen (für); ~ty (~tĭ) Sicherstellung; Entschädigung f.

indent □ (ĭndĕ'nt) 1. einkerben, auszacken; Zeile einrücken; vertraglich verpflichten; ✝ bestellen; 2. ✝ Auftrag m; ~ ~ure, ~ation (ĭndĕntĕ'ĭʃ'n) Einkerbung f; Einschnitt m; ~ure (ĭndĕ'ntʃᵉr) 1. Vertrag; Lehrbrief m; 2. vertraglich verpflichten.

independen|ce (ĭndĭpĕ'ndᵉnß) Unabhängigkeit; Selbständigkeit f; Auskommen n; ~t □ (~t) unabhängig; selbständig.

indescribable □ (ĭndĭ'ßkraĭˀᵇ'bl) unbeschreiblich.

indestructible □ (~ßtrᵃ'tĭᵇl) unzerstörbar.

indeterminate □ (ĭndĭ'tᵊ'mĭnĭt) unbestimmt.

index (ĭ'ndĕß) 1. (An-)Zeiger m; Anzeichen n; Zeigefinger; Index m, (Inhalts-)Verzeichnis n; 2. Buch mit e-m Inhaltsverzeichnis versehen; registrieren.

India (ĭ'ndĭᵉ):~ rubber Radiergummi m; ~n (~n) 1. indisch; india'nisch; ~ corn Mais m; 2. Inder(in); (Red ~) India'ner(in).

indicat|e (ĭ'ndĭĭkeĭt) (an)zeigen; hinweisen auf (acc.); andeuten; ~ion (ĭndĭtĕ'ĭʃ'n) Anzeige f; Anzeichen n; Andeutung f.

indict (ĭndaĭ't) anklagen (for wegen); ~ment (~mᵉnt) Anklage f.

indifferen|ce (ĭndĭ'fᵊrᵉnß) Gleichgültigkeit f; ~t □ (~t) gleichgültig (to gegen); unparteiisch; (nur) mäßig; unwesentlich.

indigenous (ĭndĭ'dʒĭnᵉß) eingeboren, einheimisch.

indigent □ (ĭ'ndĭdʒᵉnt) (be)dürftig.

indigest|ible □ (ĭndĭdʒĕ'ßtĭbl) unverdaulich; ~ion (~tĭʃᵉn) Verdauungsstörung; Unverdaulichkeit f.

indign|ant □ (ĭndĭ'gnᵉnt) entrüstet; ~ation (ĭndĭgneĭ'ĭʃᵉn) Entrüstung f; ~ity (ĭndĭ'gnĭtĭ) Beleidigung f.

indirect □ (ĭndĭ'rĕ'ĭt) indirekt: nicht gerade; umwegig; fig. krumm.

indiscre|et □ (ĭndĭ'ßkrĭ'ĭt) unbesonnen; unachtsam; indiskret; ~tion (~trĕ'ĭʃᵉn) Unachtsamkeit f usw.

indiscriminate □ (ĭndĭ'ßkrĭ'mĭnĭt) unterschieds-, wahl-los.

indispensable □ (ĭndĭßpᵉ'nß'bl) unentbehrlich, unerläßlich.

indispos|ed (ĭndĭßpo'ᵊ'ĭd) unpäßlich; abgeneigt; ~ition (~ĭʃᵉn) Abneigung (to gegen); Unpäßlichkeit f. [lich; unklar.]

indistinct □' (ĭndĭßtĭ'nᵉĭt) undeutlich;

indite (ĭndaĭ't) ab-, verfassen.

individual (ĭndĭ'vĭdĭuᵉl) 1. □ persönlich, individue'll; besonder; einzeln; Einzel...; 2. Individuum n; ~ity (~vĭdĭuᵃ'Iĭtĭ) Individualitä't f.

indivisible □ (ĭndĭ'wĭ'ĭᵇl) unteilbar.

indolen|ce (ĭ'ndo'lᵉnß) Trägheit f; ~t □ (~t) träg; lässig.

indomitable □ (ĭndo'mĭᵗᵇl) unbezähmbar.

indoor (ĭ'ndo) im Hause: Haus..., Zimmer..., Sport: Hallen...; ~s (ĭ'ndo'ß) zu Hause; im (od. ins) Haus.

indorse s. endorse indossieren usw.

induce (ĭndĭu'ß) veranlassen; ~ment (~mᵉnt) Anlaß, Antrieb m.

induct (ĭndᵃ'ĭt) einführen; ~ion (ĭndᵃ'ĭʃᵉn) Einführung, Einsetzung f.

indulge (ĭndᵃ'ldʒ) v/t. nachsichtig sn gegen j.; nachgeben; ~ with j. erfreuen mit; v/i. ~ in a th. sich et. gönnen; sich e-r S. hin-, er-geben; ~nce (~ᵉnß) Nachsicht; Nachgiebigkeit f; Sichgehenlassen n; Vergünstigung; ~nt □ (~ᵉnt) nachsichtig.

industri|al (ĭndᵃ'ßtrĭᵊl) □ gewerbetreibend, gewerblich; industrie'll; Gewerbe...; Industrie'...; ~alist (~Iĭßt) Industrie'lle(r); Industrie'arbeiter m; ~ous □ (ĭndᵃ'ßtrĭᵉß) fleißig.

industry (ĭ'ndᵊßtrĭ) Fleiß m; Gewerbe n; Industrie' f.

inebriate 1. (ĭnĭ'brĭeĭt) betrunken m.; 2. (~ĭt) Trunkenbold m.

ineffable □ (ĭnĕ'fᵉbl) unaussprechlich.

ineffect|ive (ĭnⁱfĕ′ktĭw), ~ual □ (~t⁻ⁱuᵉl) unwirksam, fruchtlos.

inefficient □ (ĭnⁱfⁱ′ĭchᵉnt) wirkungslos; (leistungs)unfähig.

inelegant □ (ĭnĕ′lⁱgᵉnt) geschmacklos.

inept □ (ĭnĕ′pt) unpassend; albern.

inequality (ĭnⁱtᵻwŏ′lⁱtⁱ) Ungleichheit; Ungleichmäßigkeit; Unzulänglichkeit f.

inequitable (ĭnĕ′ᴛᵼwⁱtᵉbl) unbillig.

inert □ (ĭnŏ′t) träg; ~ia (ĭnŏ′ĭchⁱᵉ), ~ness (ĭnŏ′tnⁱ⁄) Trägheit f.

inestimable □ (ĭnĕ′⁄tⁱmᵉbl) unschätzbar.

inevitable □ (ĭnĕ′wⁱtᵉbl) unvermeidlich.

inexact □ (ĭnⁱg⁄ä′ᴛt) ungenau.

inexhaustible □ (ĭnⁱg⁄ŏ′⁄tᵉbl) unerschöpflich; unermüdlich.

inexorable □ (ĭnĕ′ĭ⁄ᵉrᵉbl) unerbittlich.

inexpedient □ (ĭnⁱt⁄pĭdⁱᵉnt) unzweckmäßig, unpassend.

inexpensive □ (ĭnⁱt⁄pĕ′n⁄ĭw) nicht teuer, billig.

inexperience (ĭnⁱt⁄pⁱᵉ′rⁱᵉn⁄) Unerfahrenheit f; ~d (~t) unerfahren.

inexpert □ (ĭnⁱt⁄pŏ′t) unerfahren.

inexplicable □ (ĭnⁱt⁄pⁱ′tᵉbl) unerklärlich.

inexpressi|ble □ (ĭnⁱt⁄prĕ′gᵉbl) unaussprechlich; ~ve □ (~ᴦĭw) ausdrucklos.

inextinguishable □ (ĭnⁱt⁄tĭ′nᵃgwⁱ⁻ ĭchᵉbl) unauslöschlich.

inextricable □ (ĭnĕ′k⁄trⁱtᵉbl) unentwirrbar.

infallible □ (ĭnfä′lᵉbl) unfehlbar.

infam|ous □ (ĭ′nfᵉmᵉ⁄) ehrlos; schändlich; verrufen; ~y (~mⁱ) Ehrlosigkeit; Schande; Niedertracht f.

infan|cy (ĭ′nfᵉn⁄ĭ) Kindheit f; ~t (~t) Säugling m; (Klein-)Kind n.

infanti|le (ĭ′nfᵉntäīl), ~ne (~täīn) kindlich; Kindes...; b. s. kindisch.

infantry ✕ (ĭ′nfᵉntrĭ) Infanterie′ f.

infatuate (ĭnfä′tⁱuᵉt) betören.

infect (ĭnfĕ′kt) infizieren, anstecken (a. fig.); ~ion (ĭnfĕ′ĭchᵉn) Ansteckung(sgift n) f; ~ious □ (~⁄chᵉ⁄), ~ive (~ĭw) ansteckend; Ansteckungs...

infer (ĭnfŏ′) folgern, schließen; ~ence (ĭ′nfᵉrᵉn⁄) Folgerung f.

inferior (ĭnfⁱᵉ′rⁱᵉ) 1. untere(r, s); untergeordnet, niedriger; geringe (sämtlich: to als); unterle′gen (to

---

dat.); minderwertig; 2. Unterge′bene(r); ~ity (ĭnfⁱᵉ′rⁱŏ′rⁱtⁱ) Untergeordnetheit f; geringerer Wert od. Stand, geringere Zahl; Unterle′genheit; Minderwertigkeit f.

infernal □ (ĭnfŏ′nl) höllisch.

infertile (ĭnfŏ′täĭl) unfruchtbar.

infest (ĭnfĕ′⁄t) heimsuchen.

infidelity (ĭnfⁱbĕ′lⁱtⁱ) Unglaube m; Untreue f (to gegen).

infiltrate (ĭnfⁱ′ltreⁱt) v/t. durchdri′ngen; v/i. durch-, ein-sickern.

infinit|e □ (ĭ′nfⁱnĭt) unendlich; ~y (ĭnfⁱ′nⁱtⁱ) Unendlichkeit f.

infirm □ (ĭnfŏ′m) kraftlos, schwach (a. fig.); ~ary (~ᵉrⁱ) Krankenhaus n; ~ity (~ⁱtⁱ) Schwäche f (a. fig.).

inflame (ĭnfleⁱ′m) entflammen (mst fig.); (sich) entzünden (a. fig. u. ⚕).

inflamma|ble □ (ĭnflä′mᵉbl) entzündlich; feuergefährlich; ~tion (ĭnflᵉmeⁱ′ĭchᵉn) Entzündung f; ~tory (ĭnflä′mᵉtᵉrⁱ) entzündlich; hetzerisch; Hetz...

inflat|e (ĭnfleⁱ′t) aufblasen, aufblähen (a. fig.); ~ion (ĭnfleⁱ′ ĭchᵉn) Aufblähung; Inflatio′n; fig. Aufgeblasenheit f.

inflexi|ble □ (ĭnflĕ′k⁄ᵉbl) unbiegsam; fig. unbeugsam; ~on (~⁄chᵉn) Biegung; Modulatio′n f.

inflict (ĭnflⁱ′kt) auferlegen; zufügen; Hieb versetzen; ~ion (ĭnflⁱ′ĭchᵉn) Auferlegung usw.; Plage f.

influen|ce (ĭ′nflᵘᵉn⁄) 1. Einfluß m; 2. beeinflussen; ~tial □ (ĭnflᵘᵉ′n⁻ ĭchᵉl) einflußreich.

influx (ĭ′nflᵃ⁄) Einströmen n.

inform (ĭnfŏ′m) v/t. benachrichtigen, unterri′chten (of von); v/i. anzeigen (against a p. j.); ~al □ (~l) formlos, zwanglos; ~ality (ĭnfŏ⁻ mä′lⁱtⁱ) Formlosigkeit f; Formfehler m; ~ation (ĭnfᵉmeⁱ′ĭchᵉn) Unterwei′sung; Auskunft; Nachricht f; ~ative (ĭnfŏ′mᵉtĭw) lehrreich.

infrequent □ (ĭnfrⁱ′kwᵉnt) selten.

infringe (ĭnfrⁱ′nᴅG) Vertrag usw. verletzen (a. ~ upon); übertre′ten.

infuriate (ĭnfju⁻rⁱeⁱt) wütend m.

infuse (ĭnfjū′⁄) einflößen; aufgießen.

ingen|ious □ (ĭnᴅGⁱ′nⁱᵉ⁄) geist-, sinn-reich; genia′l; ~uity (ĭnᴅGⁱn⁻ ju′ⁱtⁱ) Genialitä′t f; ~uous □ (ĭnᴅGĕ′nⁱuᵉ⁄) freimütig; unbefangen, naï′v.

ingot (ĭ′nᵃgᵉt) Gold- usw. Barren m.

ingratitude (ĭngrä'tĭtjūd) Undankbarkeit *f*.

ingredient (ĭngrĭ'dĭᵉnt) Bestandteil *m*.

inhabit (ĭnhä'bĭt) bewohnen; **~ant** (⸗ĭtᵉnt) Bewohner(in).

inhal|ation (ĭnhᵉlᵉi'ᶝᵉn) Einatmung; **~e** (ĭnhᵉi'l) einatmen.

inherent (ĭnhĭᵉ'rᵉnt) anhaftend; innewohnend (*in dat*.).

inherit (ĭnhĕ'rĭt) (er)erben **~ance** (⸗ĭtᵉnß) Erbteil *n*; Erbschaft; *biol*. Vererbung *f*.

inhibit (ĭnhĭ'bĭt) (ver)hindern; verbieten; **~ion** (ĭnhĭbĭ'ᶝᵉn) (Ver-)Hinderung; Hemmung *f*; Verbot *n*.

inhospitable □ (ĭnhŏ'ßpĭtᵉbl) ungastlich, unwirtlich.

inhuman □ (ĭnhjū'mᵉn) unmenschlich.

inimitable □ (ĭnĭ'mĭtᵉbl) unnachahmlich.

iniquity (ĭnĭ'Ꝩᵘĭtĭ) Ungerechtigkeit; Schlechtigkeit *f*.

initia|l (ĭnĭ'ᶝᵉl) 1. □ Anfangs...; anfänglich; 2. Anfangsbuchstabe *m*; **~te** 1. (⸗ĭĭt) Eingeweihte(r); 2. (⸗ĭᵉit) beginnen; anbahnen; einführen, einweihen; Schritt; **~tive** (ĭnĭ'ᶝĭᵉtĭw) Initiati've; erste Einführung *f*; einleitender Schritt; Entschlußkraft *f*; Volksbegehren *n*; **~tor** (⸗ĭᵉitᵉr) Bahnbrecher, Urheber *m*.

inject (ĭndᴣĕ'kt) einspritzen.

injunction (ĭndᴣᴧ'ngᶝᵉn) Einschärfung *f*; ausdrücklicher Befehl.

injur|e (ĭ'ndᴣᵉr) (be)schädigen; schaden (*dat*.); verletzen; **~ious** □ (ĭndᴣuᵉ'rĭᵉß) schädlich; ungerecht; beleidigend; **~y** (ĭ'ndᴣᵉrĭ) Unrecht *n*; Schaden *m*; Verletzung *f*.

injustice (ĭndᴣᴧ'ßtĭß) Ungerechtigkeit *f*; Unrecht *n*.

ink (ĭngk) 1. Tinte; (*mst printer's* **~**) Druckerschwärze *f*; Tinten...; 2. (mit Tinte) schwärzen; beklecksen.

inkling (ĭ'ngklĭng) Gemunkel *n*; Wink *m*; leise Ahnung.

ink...: ~pot Tintenfaß *n*; **~stand** Schreibzeug *n*; **~y** (ĭ'ngkĭ) tintig; Tinten...; tintenschwarz.

inland (ĭ'nlᵉnd) 1. inländisch; Binnen...; 2. Landesinnere, Binnenland *n*; 3. (ĭnlä'nd) landeinwärts.

inlay (ĭ'nlᵉi) 1. [*irr*. (*lay*)] einlegen; 2. Einlage; Einlegearbeit *f*.

inlet (ĭ'nlĕt) Einlaß *m*; Bucht *f*.

inmate (ĭ'nmᵉit) Insass|e, -in; Hausgenoss|e, -in.

inmost (ĭ'nmoᵘßt) innerst.

inn (ĭn) Gasthof *m*, Wirtshaus *n*.

innate □ (ĭ'nᵉi't) angeboren.

inner (ĭ'nᵉ) inner, inwendig; geheim; **~most** (⸗moᵘßt) innerst.

innings (ĭ'nĭngß) Dransein *n*.

innkeeper Gastwirt(in *f*) *m*.

innocen|ce (ĭ'noᵉnß) Unschuld; Harmlosigkeit *f*; **~t** (⸗ßnt) 1. □ unschuldig; harmlos; 2. Unschuldige(r).

innocuous □ (ĭnŏ'tjuᵉß) harmlos.

innovation (ĭnᵒwei'ᶝᵉn) Neuerung *f*.

innuendo (ĭnĭuᵉ'ndoᵘ) Andeutung *f*.

innumerable □ (ĭnjū'mᵉrᵉbl) unzählig.

inoculate (ĭnŏ'tjuⁱᵉit) (ein)impfen.

inoffensive (ĭnᵉfĕ'nßĭw) harmlos.

inoperative (ĭnŏ'pᵉrᵉtĭw) unwirksam. [gelegen.]

inopportune □ (ĭnŏ'pᵉtjūn) un-

inordinate □ (ĭnŏ'dĭnⁱt) unmäßig.

inquest ɡᴀ (ĭ'ngkwĕst) Untersuchung; *coroner's* **~** Leichenschau *f*.

inquir|e (ĭnkwᵃiᵉ') fragen, sich erkundigen (*of* bei *j-m*); **~** *into* untersu'chen; **~ing** (⸗rĭng) forschend; **~y** (⸗rĭ) Erkundigung, Nachfrage; Untersu'chung; Ermittlung *f*.

inquisit|ion (ĭnkwⁱzĭ'ᶝᵉn) Untersu'chung *f*; **~ive** □ (ĭnkwĭ'zĭtĭw) neugierig; wißbegierig.

inroad (ĭ'nroᵘd) *feindlicher* Einfall; Ein-, Über-griff *m*.

insan|e □ (ĭnßᵉi'n) wahnsinnig; **~ity** (ĭnßä'nĭtĭ) Wahnsinn *m*.

insatia|ble □ (ĭnßᵉi'ᶝĭᵉbl), **~te** (⸗ᶝĭᵉt) unersättlich (*of* nach).

inscribe (ĭnßträi'b) ein-, auf-, beschreiben; beschriften; *fig*. einprägen (*in*, *on dat*.); *Buch* zueignen.

inscription (ĭnßträi'pᶝᵉn) In-, Aufschrift *f*.

inscrutable □ (ĭnßträū'tᵉbl) unerforschlich, unergründlich.

insect (ĭ'nßĕkt) Inse'kt *n*; **~icide** (ĭnßĕ'ktĭßāĭd) Insektenpulver *n*.

insecure □ (ĭnßĭtjuᵉ') unsicher.

insens|ate (ĭnßĕ'nßⁱt) gefühllos; unvernünftig; **~ible** □ (⸗ᵉbl) unempfindlich; bewußtlos; unmerklich; gleichgültig; **~itive** (⸗ĭtĭw) unempfindlich.

inseparable □ (ĭnßĕ'pᵉrᵉbl) untrennbar.

insert 1. (inßö't) ein-setzen, -schalten, -fügen; 2. (i'nßöt) Bei-, Einlage f; ~ion (inßö'ſch°n) Einsetzung f usw.; Insera't n.

inside (i'nßäi'ð) 1. Innenseite f; Innere(s) n; 2. adj. inner, inwendig; Innen...; 3. adv. im Innern; 4. prp. innerhalb.

insidious ☐ (inßi'ð¹e߈) heimtückisch.

insight (i'nßäit) Ein-sicht f, -blick m.

insignia (inßi'gni°) pl. Abzeichen n/pl.

insignificant (inßigni'fi°nt) unbedeutend.

insincere (inßinßi°') unaufrichtig.

insinuat|e (inßi'niue¹t) einmogeln; unterste'llen; andeuten; ~ion (inßi'n¹ue¹'ſch°n) Einflüsterung f, Wink m.

insipid (inßi'pið) geschmacklos, fad.

insist (inßi'ßt) ~ (up)on: bestehen auf (dat.); dringen auf (acc.); ~ence (~°nß) Bestehen n; Beharrlichkeit f; Drängen n; ~ent ☐ (~°nt) beharrlich.

insolent ☐ (i'nß°l°nt) unverschämt.

insoluble (inßö'l¹ubl) unlöslich.

insolvent (inßö'lw°nt) zahlungsunfähig.

inspect (inßpe'ßt) besichtigen; be-, nach-sehen; ~ion (inßpe'ſch°n) Besichtigung; Aufsicht f.

inspir|ation (inßp°re¹'ſch°n) Einatmung; Eingebung; Begeisterung f; ~e (inßpä¹°') einatmen; fig. eingeben; j. begeistern.

install (inßtö'l) einsetzen, einweisen; ⊕ installieren; ~ation (inßt°le¹'ſch°n) Einsetzung f usw.

instal(l)ment (inßtö'lm°nt) Teilzahlung, Rate; Teillieferung f.

instance (i'nßt°nß) Ersuchen; Beispiel n; (besonderer) Fall m; z¹z Insta'nz f; for ~ zum Beispiel.

instant ☐ (i'nßt°nt) 1. dringend; sofortig; on the 10th ~ am 10. dieses (Monats); 2. Augenblick m; ~aneous ☐ (inßt°nte¹'n¹°ß) augenblicklich; Mome'nt...; ~ly (i'nßt°ntli) sogleich.

instead (inßte'ð) dafür; ~ of anstatt.

instep (i'nßtëp) Spann m.

instigat|e (i'nßti'ge¹t) anstiften; aufhetzen; ~or (~°') Anstifter, Hetzer m.

instil(l) (inßti'l) einträufeln; fig. einflößen (into dat.).

instinct (i'nßti'n°ßt) Insti'nkt m; ~ive ☐ (inßti'n°ßtiw) instinkti'v.

institut|e (i'nßti'tjut) 1. Institu't n; 2. einsetzen; stiften, einrichten; ~ion(inßti'tju'ſch°n)Einsetzung usw.; Satzung f; Institu't n.

instruct (inßtra'ßt) unterri'chten; j. anweisen; ~ion (inßtra'ßch°n) Vorschrift; Unterwei'sung; Anweisung f; ~ive ☐ (~tiw) lehrreich; ~or (~t°) Lehrer m.

instrument (i'nßtr°m°nt) Instrume'nt; Werkzeug (a. fig.); z¹z Urkunde f; ~al ☐ (inßtr°me'ntl) als Werkzeug dienend; dienlich; ♪ Instrumenta'l...; ~ality (~mëntä'liti) Mitwirkung f, Mittel n.

insubordinate (inßö'bð¹nit) unbotmäßig, widerse'tzlich.

insufferable ☐ (inßa'f°r°bl) unerträglich.

insufficient ☐ (inß°fi'ſch°nt) ☐ unzulänglich, ungenügend.

insula|r ☐ (i'nßⁱu¹l°) Insel...; ~te (~le¹t) isolieren; ~tion (inßⁱule¹'ſch°n) Isolierung f.

insult 1. (i'nßalt) Beleidigung f; 2. (inßa'lt) beleidigen.

insur|ance (inſchu°'r°nß) Versicherung f; attr. Versicherungs...; ~e (inſchu°') versichern.

insurgent (inßö'ðg°nt) 1. aufrührerisch; 2. Aufrührer m.

insurmountable ☐ (inß°mäu'nt°bl) unüber-stei'glich, fig. -wi'ndlich.

insurrection (inß°rë'ſch°n) Aufstand m, Empörung f. [sehrt.]

intact (intä'ßt) unberührt; unver-|

intangible ☐ (intä'nðG°bl) unfühlbar; unfaßbar; unantastbar.

integ|ral (i'ntⁱgr°l) ☐ ganz, vollständig; wesentlich; ~rate (~gre¹t) ergänzen; zs.-tun; einfügen; ~rity (intⁱ'gr¹ti) Vollständigkeit; Redlichkeit f.

intellect (i'ntⁱlëßt) Verstand m; ~ual ☐ (intⁱle'ßtⁱu°l) 1. intellektue'll; Verstandes...; geistig; verständig; 2. Intellektue'lle(r).

intelligence (intë'l¹ðG°nß) Intelligenz f; Verstand m; Verständnis n; Nachricht, Auskunft, Spiona'ge f; Intelligence Service Geheimdienst m.

intellig|ent ☐ (intë'l¹ðG°nt) intelligent; verständig; ~ible ☐ (~ðG°bl) verständlich (to für).

intemperance (intë'mp°r°nß) Unmäßigkeit; Trunksucht f.

intend (inte'nd) beabsichtigen, wollen; ~ for bestimmen für od. zu.

intense □ (inte'ns) intensi'v: angestrengt; heftig; kräftig (Farbe).

intensify (inte'nɛi'fai) (sich) verstärken od. steigern.

intensi|ty (inte'nɛi'ti) Intensitä't f. **~ve** (inte'nɛi'tiv) 1. □ gespannt, bedacht; beschäftigt (on mit); 2. Absicht f, Vorhaben n; to all ~s and purposes in jeder Hinsicht; ~ion (inte'nʃ(ə)n) Absicht f; Zweck m; ~ional □ (~l) absichtlich.

inter (intə') beerdigen, begraben.

inter... (i'ntə') zwischen; Zwischen-...; gegenseitig, einander.

interact (intərä'kt) sich gegenseitig beeinflussen.

intercede (intəsi'd) vermitteln.

intercept (~sə'pt) ab-, auf-fangen; abhören; aufhalten; unterbre'chen; ~ion (intə-sə'pʃ(ə)n) Abfangen n usw.

intercess|ion (intəsə'ʃ(ə)n) Fürbitte f; ~or (~sə') Fürsprecher m.

interchange 1. (intətʃei'ndʒ) v/t. aus-tauschen, -wechseln; v/i. abwechseln; 2. (i'ntətʃeindʒ) Austausch m; Abwechs(e)lung f.

intercourse (i'ntəkɔːs) Verkehr m.

interdict 1. (intədi'kt) untersa'gen, verbieten; 2. (i'ntədikt), ~ion (intə-di'kʃ(ə)n) Verbot n.

interest (i'ntrist) 1. allg. Interesse n; Anteil (in an dat.); Vorteil m; Aufmerksamkeit f; Zinsen m/pl.; ~s pl. Belange pl.; Interesse'nten m/pl.; 2. allg. interessieren (in für et.); ~ing (~inŋ) interessa'nt.

interfere (intəfi'ə') sich einmischen (with in acc.); vermitteln; (ea.) stören; ~nce (~r'əns) Einmischung; Störung f.

interim (i'ntərim) 1. Zwischenzeit f; 2. vorläufig; Interims...

interior (inti'ə'riə') 1. □ inner; innerlich; Innen...; 2. Innere(s) n; Innenansicht f; pol. innere Angelegenheiten f/pl. [ruf m.]

interjection (intədʒe'kʃ(ə)n) Aus-f

interlace (intəlei'ʃ) v/t. durch-fle'chten, -we'ben; v/i. sich kreuzen.

interlock (intəlɔ'k) in-ea.-greifen; in-ea.-schlingen; in-ea.-haken.

interlocution (intəlɔ'kjuʃ(ə)n) Unterre'dung f; ~or (intəlɔ'tjuːtə') Gesprächspartner m.

interlope (intəlou'p) sich eindrängen; ~r (~ə') Eindringling m.

interlude (i'ntəluːd) Zwischenspiel n.

intermeddle (intəme'dl) sich einmischen (with, in in acc.).

intermedia|ry (~mi'diərl) 1. = intermediate; vermittelnd; 2. Vermittler m; ~te □ (~mi'diət) in der Mitte liegend; Mittel..., Zwischen...

interment (intə'mənt) Beerdigung f.

interminable □ (intə'minəbl) endlos, unendlich.

intermingle (intəmi'ngl) (sich) vermischen.

intermission (~mi'ʃ(ə)n) Aussetzen n, Unterbre'chung; Pause f.

intermit (intəmi't) unterbre'chen, aussetzen; ~tent (~ənt) □ aussetzend; ~ fever Wechselfieber n.

intermix (intəmi'ks) (sich) vermischen.

intern (intə'n) internieren.

internal □ (intə'nl) inner(lich); inländisch.

international (intənä'ʃənl) □ internationa'l; ~ law Völkerrecht n.

interpolate (intə'pəleit) einschieben.

interpose (intəpou'z) v/t. einschieben; Wort einwerfen; v/i. dazwischenkommen; vermitteln.

interpret (intə'prit) auslegen, erklären; (ver)dolmetschen; darstellen; ~ation (~ei'ʃ(ə)n) Auslegung; Darstellung f; ~er (~ə') Ausleger (-in); Dolmetscher(in); Darsteller(in).

interrogat|e (intə'rəgeit) (be-, aus-) fragen; verhören; ~ion (~rəgei'ʃ(ə)n) (Be-, Aus-)Fragen, Verhör(en) n; Frage f; ~ive (intərɔ'geitiw) fragend; Frage...

interrupt (intərʌ'pt) unterbre'chen; ~ion (~rʌ'pʃ(ə)n) Unterbre'chung f.

intersect (intəse'kt) (sich) schneiden; ~ion (~se'kʃ(ə)n) Durchschnitt; Schnittpunkt m; Kreuzung f.

intersperse (intəspə'ʃ) einstreuen; unterme'ngen, durchse'tzen.

intertwine (intətwai'n) verflechten.

interval (i'ntəwl) Zwischen-raum m, -zeit, Pause f; Abstand m.

interven|e (intəwi'n) dazwischenkommen; sich einmischen; einschreiten; dazwischenliegen; ~tion (~we'nʃ(ə)n) Dazwischen-kunft f, -treten n.

interview (i'ntəwjuː) 1. Zusammenkunft, Unterre'dung f; Interview n; 2. aus-, be-fragen.

intestine (ĭntĕ'stĭn) 1. inner; 2. Darm *m*; ~s *pl.* Eingeweide *n/pl.*

intima|cy (ĭ'ntĭ'mᵉs̩ĭ) Intimitä't, Vertraulichkeit *f*; ~te 1. (~mĕ¹t) bekanntgeben; zu verstehen geben; 2. (~mĭt) a) ↲ inti'm; b) Vertraute(r); ~tion (ĭntĭ'mĕ¹ʃ(ᵉ)n) Andeutung *f*, Wink *m.*

intimidate (ĭntĭ'mĭdĕ¹t) einschüchtern.

into (ĭ'ntŭ, *vor Konsonant* ĭ'ntᵉ) *prp.* in (*acc.*), in ... hinein.

intolera|ble ↲ (ĭntŏ'lᵉrᵉbl) unerträglich; ~nt (~rᵉnt) unduldsam.

intonation (ĭntŏnĕ¹ʃ(ᵉ)n) Anstimmen *n*; Tonfall *m.*

intoxica|nt (ĭntŏ'ks̩ĭᵉnt) berauschend(es Getränk); ~te (~tĕ¹t) berauschen; ~tion (~tĕ¹'ʃ(ᵉ)n) Rausch *m.*

intractable ↲ (ĭnträ'tᵉbl) unlenksam, störrisch; unbändig.

intrepid (ĭntrĕ'pĭd) unerschrocken.

intricate ↲ (ĭ'ntrĭ¹t) verwickelt.

intrigue (ĭntrĭ'g) 1. Ränkespiel *n*; Liebeshandel *m*; 2. intriginen, Ränke schmieden; neugierig m.; ~r (~ᵉ) Intriga'nt(in).

intrinsic|al ↲ (ĭntrĭ'ns̩ĭt, ~s̩ᵉ¹t) inner(lich); wirklich, wahr.

introduc|e (ĭntrᵒdjū's̩) einführen (*a. fig.*); bekannt m. (*to* mit), vorstellen; einleiten; ~tion (~dᵃ'ʃ(ᵉ)n) Einführung; Einleitung; Vorstellung *f*; ~tory (~dᵃ'tᵉrĭ) einleitend, einführend.

intru|de (ĭntrū'd) hineinzwängen; (sich) ein- *od.* auf-drängen; der (~ᵉ) Eindringling *m*; ~sion (~G̃ᵉn) Eindringen *n*; Zudringlichkeit *f*; ~sive ↲ (~s̩ĭw) zudringlich.

intrust (ĭntrᵃ'st) *s.* entrust.

intuition (ĭntĭu¹'ʃ(ᵉ)n) unmittelbare Erkenntnis, Intuitio'n *f.*

inundate (ĭ'nᵃndĕ¹t) überschwe'mmen.

inure (ĭnĭuᵉ') gewöhnen (*to an acc.*).

invade (ĭnwĕ¹d) eindringen in, einfallen in (*acc.*); *fig.* befallen; ~r (~ᵉ) Angreifer(in), Eindringling *m.*

invalid 1. (ĭnwä'lĭd) (rechts)ungültig; 2. (ĭ'nwᵉlĭd) a) dienstunfähig; kränklich; b) Invali'de *m*; ~ate (ĭnwä'lĭdĕ¹t) entkräften; s̩'s̩ ungültig machen. [schätzbar.]

invaluable ↲ (ĭnwä'lĭuᵉbl) un-]

invariable ↲ (ĭnwä̆'rĭᵉbl) unveränderlich.

invasion (ĭnwĕ¹'G̃ᵉn) Einfall, Angriff; s̩'s̩ Eingriff; s̩'s̩ Anfall *m.*

inveigh (ĭnwĕ¹') schimpfen.

invent (ĭnwĕ'nt) erfinden; ~ion (ĭnwĕ'nʃ(ᵉ)n) Erfindung(sgabe) *f*; ~ive ↲ (~ʃĭw) erfinderisch; ~or (~ᵉ) Erfinder(in); ~ory (ĭ'nwᵉntrĭ) 1. Inventa'r *n*; *Am.* Inventu'r *f*; 2. inventarisieren.

inverse ↲ (ĭ'nwŏ's̩) umgekehrt.

invert (ĭnwŏ't) umkehren; umstellen.

invest (ĭnwĕ'st) *fig.* bekleiden; s̩ einschließen; *Geld* anlegen.

investigat|e (ĭnwĕ'stĭgĕ¹t) (er)forschen; untersu'chen; ~ion (ĭnwĕs̩tĭgĕ¹'ʃ(ᵉ)n) Erforschung *f usw.*; ~or (ĭnwĕ's̩tĭgĕ¹t) Forscher(in); Untersu'cher(in).

invest|ment (ĭnwĕ's̩tmᵉnt) Geldanlage *f*; ~or (~ᵉ) Geldgeber *m.*

inveterate (ĭnwĕ't̩ᵉrĭt) eingewurzelt.

invidious (ĭnwĭ'dĭᵉs̩) verhaßt; gehässig; beneidenswert.

invigorate (ĭnwĭ'gᵉrĕ¹t) kräftigen.

invincible ↲ (ĭnwĭ'ns̩bl) unbesiegbar; unüberwi'ndlich.

inviola|ble ↲ (ĭnwä'ĭ¹ᵉbl) unverletzlich; ~te (~ĭ¹t) unverletzt.

invisible ↲ (ĭnwĭ'z̩bl) unsichtbar.

invit|ation (ĭnwᵢtĕ¹'ʃ(ᵉ)n) Einladung *f*; ~e (ĭnwä'ĭt) einladen; auffordern; (an)locken.

invoice † (ĭ'nwŏĭs̩) Faktu'ra, (Waren-)Rechnung *f.*

invoke (ĭnwᵒᵘt) *Gott, j-s Rat usw.* anrufen; *Geist* heraufbeschwören.

involuntary ↲ (ĭnwŏ'lᵉntᵉrĭ) unfreiwillig; unwillkürlich.

involve (ĭnwŏ'lw) in sich schließen; enthalten; mit sich bringen; verwickeln; verwickelt m.

invulnerable ↲ (ĭnwᵃ'lnᵉrᵉbl) unverwundbar; *fig.* unanfechtbar.

inward (ĭ'nᵒᵉd) 1. ↲ inner(lich); 2. *adv.* (*mst* ~s [~s̩]) einwärts; nach innen; 3. ~s *pl.* Eingeweide *n/pl.*

inwrought (ĭ'nrŏ't) hineingearbeitet; verarbeitet (*with*).

iodine (ä'ĭᵒdĭn, ~dähn) Jod *n.*

I O U (ä'ᵒᵘ jū') [= *I owe you*] Schuldschein *m.*

irascible ↲ (ĭrä's̩ĭbl) jähzornig.

irate (äĭrĕ¹'t) zornig, wütend.

iridescent (ĭrĭdĕ'snt) schillernd.

iris (äĭ'rĭs̩) Iris: *anat.* Regenbogenhaut; ♀ Schwertlilie *f.*

Irish (äĭ'rĭʃ) 1. irisch; 2. Irisch *n*; the ~ die Irländer *pl.*

irksome (ö´tģ⁴m) lästig, ermüdend.
iron (ai´ᵉn) 1. Eisen; (*mst flat-..*)
Bügeleisen *n*; ~s *pl.* Fesseln *f/pl.*;
2. eisern (*a. fig.*); Eisen...; 3. bügeln; ~clad 1. gepanzert; 2. Panzerschiff *n*; ~hearted *fig.* hartherzig.
ironic(al □) (airó´nik, ~ni´t⁴l) ironisch, spöttisch.
iron|ing (ai´ᵉniŋ) 1. Plätten *n*;
2. Plätt..., Bügel...; ~mongery
Eisenwaren *f/pl.*; ~mould Rostfleck *m*; ~work Eisenwerk *n an e-m
Gebäude usw.*; ~works *mst sg.* Eisenhütte *f*.
irony (ai´rᵉni) Ironie *f*.
irradiate (irei´di⁴eit) erleuchten; *fig.*
aufklären; strahlen machen.
irrational (iräʹʃᵊnl) unvernünftig.
irreconcilable □ (irek´ᵉnßäi⁴bl) unversöhnlich; unvereinbar.
irrecoverable □ (iriʹka´w⁴r⁴bl) unersetzlich; unwiederbringlich.
irredeemable □ (iri⁴di´m⁴bl) unkündbar; nicht einlösbar.
irrefutable □ (ire´fjut⁴bl) unwiderle´glich, unwiderle´gbar.
irregular (re´giul⁴ʳ) □ unregelmäßig, regelwidrig; unrichtig.
irrelevant □ (ire´liw⁴nt) nicht zur
Sache gehörig; unzutreffend; unerheblich, belanglos (to für).
irreligious □ (iri⁴i´dĠⁱᵉß) gottlos.
irremediable □ (iri⁴mi´di⁴bl) unheilbar; unersetzlich.
irreparable □ (ire´pᵉr⁴bl) nicht
wieder gutzumachen(d).
irreproachable □ (irⁱprou´tʃⁱ⁴bl)
vorwurfsfrei, untadelig.
irresistible □ (iriʹzi´ßt⁴bl) unwiderste´hlich. [schlossen.|
irresolute □ (ire´ʃᵉlūt) unent-|
irrespective □ (ireʹßpe´ktiw) (*of*)
rücksichtslos (gegen); ohne Rücksicht (auf *acc.*); unabhängig (von).
irresponsible □ (iriʹßpoʹnß⁴bl) unverantwortlich; verantwortungslos.
irreverent □ (ire´w⁴rⁿt) unehrerbietig.
irrevocable □ (ire´w⁴t⁴bl) unwiderruflich; unabänderlich.

irrigate (i´ri⁴geit) bewässern.
irrita|ble □ (i´rit⁴bl) reizbar; ~nt
(~t⁴nt) Reizmittel *n*; ~te (~teit) reizen; ärgern; ~tion (irite¹´iʃⁿ)
Reizung; Gereiztheit *f*, Ärger *m*.
irruption (ira´pʃⁿ) Einbruch *m.*
is (iß) *er, sie, es* ist (*s. be*).
island (ai´l⁴nd) Insel; Verkehrsinsel;
~er (~ᵉ) Inselbewohner(in).
isle (ail) Insel *f*; ~t (ai´l⁴t) Inselchen *n.*
isolat|e (ai´ᵉlei⁴t) absondern; isolieren; ~ion (aiß⁴lei´iʃⁿ) Isolierung *f*.
issue (i´ģiū, i´ʃjū) 1. Aus-, Ab-fluß;
Ausgang *m*; Nachkommen(schaft *f*)
m/pl.; *fig.* Ausgang *m*, Ergebnis *n*;
Streitfrage *f*; Ausgabe *f v. Material
usw.*, Erlaß *m v. Befehlen*; Nummer
f e-r Zeitung; ~ *in law* Rechtsfrage*f*;
be at ~ uneinig sn; *point at* ~ strittiger Punkt; 2. *v/i.* herauskommen;
herkommen, entspringen; endigen
(*in* in *acc.*); *v/t.* von sich geben;
Material usw. ausgeben; *Befehl* erlassen; *Buch* herausgeben.
isthmus (i´ßm⁴ß) Landenge *f*.
it (it) es; *nach prp.* da... (*z. B. by it*
dadurch; *for it* dafür).
Italian (itä´li⁴n) 1. italie´nisch; ~
warehouse Kolonia´lwarenhandlung *f*; 2. Italiener(in); 3. Italienisch *n.*
italics (itä´liĝ) *typ.* Kursi´vschrift *f*.
itch (itʃ) 1. ♣ Krätze *f*; Jucken;
Verlangen *n*; 2. jucken; *be* ~*ing to
inf.* darauf brennen, zu ...
item (ai´tém) 1. desgleichen; 2. Einzelheit *f*, Punkt; Posten; (Zeitungs-)
Arti´kel *m*; ~ize *bsd. Am.* (ai´timaiß)
einzeln angeben *od.* aufführen.
iterate (i´t⁴re⁴t) wiederho´len.
itinerary (aiti´n⁴rⁿri) Reisebericht
m; Reisebuch *n*; Reiseweg *m.*
its (itß) sein(er); dessen, deren.
itself (itßé´lf) (es) selbst; sich; *in* ~
in sich, an sich; *by* ~ für sich allein,
besonders.
ivory (ai´w⁴ri) Elfenbein *n.*
ivy ♀ (ai´wi) Efeu *m.*

J

jab F (dʒæb) 1. stechen; stoßen; 2. Stich, Stoß m.

jabber (dʒæ'bˀ) plappern.

jack (dʒæk) 1. *Kartenspiel*: Bube m; ⚓ Gösch m (f); Wagenheber; Flaschenzug m; Winde f; 2. hoch-heben, -winden; *Am. sl. Preise* hochschrauben; ~ass Esel (a. *fig.*) m.

jacket (dʒæ'kit) Jacke f; ⊕ Mantel; Schutzumschlag m *e-s Buches*.

jack..: ~knife (großes) Klappmesser n; ~of-all-trades Hans m in allen Gassen; ~of-all-work Fakto'tum n.

jade (dʒeid) (Schind-)Mähre, Kracke f; *contp.* Frauenzimmer n.

jag (dʒæg) Zacken m; ~ged (dʒæ'gid), ~gy (~i) zackig; gekerbt.

jail (dʒeil) Kerker m; einkerkern; ~er (dʒei'lˀ) Kerkermeister m.

jam[1] (dʒæm) Marmela'de f.

jam[2] (~) 1. Gedränge n; ⊕ Hemmung; *Radio*: Störung f; *traffic* ~ Verkehrsstockung f; *Am.* be in a ~ in der Klemme sn; 2. (sich) (fest-, ver-)klemmen; pressen, quetschen; versperren; *Radio*: stören; ~ *the brakes* mit aller Kraft bremsen.

jangle (dʒæ'ngl) gellen *od.* schrillen (lassen).

janitor (dʒæ'nitˀ) Portie'r m.

January (dʒæ'niuˀri) Januar m.

Japanese (dʒæpˀni'ī) 1. japa'nisch; 2. Japa'ner(in); Japanisch n; the ~ *pl.* die Japaner.

jar (dʒā) 1. Krug; Topf m; Glas n *Senf usw.*; Knarren n, Mißton; Streit m; mißliche Lage; 2. knarren; unangenehm berühren; erzittern (m.); streiten.

jaundice (dʒɔ'ndis) Gelbsucht f; ~d (~t) gelbsüchtig; *fig.* neidisch.

jaunt (dʒōnt) 1. Ausflug m; 2. umherstreifen; ~y □ (dʒō'nti) munter; flott.

javelin (dʒæ'wlin) Wurfspeer m.

jaw (dʒō) Kinnbacken, Kiefer m; ~s *pl.* Rachen m; Maul m; Schlund m; ⊕ Backen f/pl.; ~bone Kieferknochen m.

jealous □ (dʒe'lˀs) eifersüch-

tig; besorgt (*of* um), neidisch; ~y (~i) Eifersucht f; Neid m.

jeep *Am.* ✕ (dʒīp) Streifenwagen m.

jeer (dʒiˀ) 1. Spott m, Spötterei f; 2. spotten; (ver)höhnen.

jejune □ (dʒi'dʒū'n) nüchtern, fad.

jelly (dʒe'li) 1. Gallert(e f); Gelee n; 2. gelieren; ~fish Qualle f.

jeopardize (dʒe'pˀdāiz) gefährden.

jerk (dʒˀk) 1. Ruck; (Muskel-) Krampf m; 2. rucken *od.* zerren (an *dat.*); schnellen; schleudern; ~y □ (dʒˀ'ki) ruckartig; krampfhaft.

jersey (dʒˀ'zi) (Unter-)Jacke.

jest (dʒest) 1. Spaß m; 2. scherzen; ~er (dʒe'stˀ) Spaßmacher m.

jet (dʒet) 1. (Wasser-, Gas-)Strahl m; Röhre; ⊕ Düse f; 2. hervorsprudeln.

jet-powered mit Düsenantrieb.

jetty ⚓ (dʒe'ti) Mole f; Pier n.

Jew (dʒū) Jude m; *attr.* Juden... f.

jewel (dʒū'ˀl) Juwe'l n (m); ~(l)er (~ˀ) Juwelie'r m; ~(le)ry (~ri) Ju-we'len *pl.*, Schmuck(sachen f/pl.)m.

Jew|ess (dʒū'ˀis) Jüdin f; ~ish (~iʃ) jüdisch.)

jib (dʒib) ⚓ Klüver m. [jüdisch.]

jiffy F (dʒi'fi) Augenblick m.

jig-saw *Am.* Spannsäge f; ~ puzzle Mosai'kspiel n.

jilt (dʒilt) 1. Kokette f; 2. kokettieren mit *j-m*; *Liebhaber* versetzen.

jingle (dʒi'ngl) 1. Geklingel n; 2. klingeln, klimpern (mit).

job (dʒɔb) 1. (Stück n) Arbeit f; Geschäft n, Sache; Stellung f; by the ~ stückweise; in Akkord; ~ lot Ramschware f; ~ work Akkordarbeit f; 2. v/t. *Pferd usw.* (ver-) mieten; ✝ vermitteln; v/i. in Akkord arbeiten; Maklergeschäfte m.; ~ber (dʒɔ'bˀ) Akkordarbeiter; Makler; Schieber m. [len.)

jockey (dʒɔ'ki) 1. Jockei m; 2. prellen.

jocose (dʒˀkou'ṣ) scherzhaft, spaßig.

jocular (dʒɔ'kiulˀ) lustig; spaßig.

jocund □ (dʒɔ'kˀnd) lustig, fröhlich.

jog (dʒɔg) 1. Stoß(en n) m; Rütteln n; Trott m; 2. v/t. (an)stoßen, (auf-) rütteln; v/i. (*mst* ~ *along*, ~ *on*) dahintrotten.

join (dʒɔɪn) **1.** v/t. verbinden; zs.-fügen (to mit); sich vereinigen mit; sich gesellen zu; eintreten in (acc.); ~ battle handgemein w.; ~ hands die Hände falten; sich die Hände reichen (a. fig.); v/i. sich verbinden, sich vereinigen; ~ in mitmachen bei; ~ up ins Heer eintreten; **2.** Verbindung(sstelle) f.

joiner (dʒɔɪ'nᵉ) Tischler m; ~y (~ri) Tischler-handwerk n, -arbeit f.

joint (dʒɔɪnt) **1.** Verbindung(s-stelle) f; Scharnier, anat. Gelenk n; & Knoten m; Bratenstück n; put out of ~ verrenken; **2.** □ gemeinsam; Mit...; ~ heir Miterbe m; **3.** zs.-fügen; zerlegen; ~ed (dʒɔɪ'ntᵈ) gegliedert; Glieder...; ~-stock Aktienkapita'l n; ~ company Aktiengesellschaft f.

jok|e (dʒoᵘk) **1.** Scherz, Spaß m; **2.** v/i. scherzen; schäkern; v/t. necken (about mit); ~er (dʒoᵘ'kᵉ) Spaßvogel m; ~y □ (~kɪ) spaßig.

jolly (dʒɔ'lɪ) lustig, fide'l; F nett.

jolt (dʒoᵘlt) **1.** stoßen, rütteln; **2.** Stoß m; Rütteln n.

jostle (dʒɔ'sl) **1.** anrennen; zs.-stoßen; **2.** Stoß; Zs.-Stoß m.

jot (dʒɔt) **1.** Jota, Pünktchen n; **2.** ~ down notieren.

journal (dʒɔ'nl) Journa'l; Tagebuch n; Tageszeitung; Zeitschrift f; ⊕ Wellzapfen m; ~ism (dʒɔ'nᵉ-lɪsm) Zeitungswesen n.

journey (dʒɔ'nɪ) **1.** Reise; Fahrt f; **2.** reisen; ~man Geselle m.

jovial (dʒoᵘ'wɪᵉl) heiter; gemütlich.

joy (dʒɔɪ) Freude; Fröhlichkeit f; ~ful □ (dʒɔɪ'fᵘl) freudig; erfreut; fröhlich; ~less □ (~lɪs̱) freudlos; unerfreulich; ~ous □ (~ᵉs̱) freudig, fröhlich.

jubil|ant (dʒuː'bɪlᵉnt) jubilierend, frohlockend; ~ate (~leɪt) jubeln; ~ee (dʒuː'bɪliː) Jubiläum n.

judge (dʒʌdʒ) **1.** Richter(in); Schiedsrichter(in); Beurteiler(in), Kenner(in); **2.** v/i. urteilen (of über acc.); v/t. richten; aburteilen; beurteilen (by nach); meinen.

judg(e)ment (dʒʌ'dʒmᵉnt) Urteil n; Urteilsspruch m; Urteilskraft; Meinung f; göttliches (Straf-)Gericht n. [hof m; Rechtspflege f.]

judicature (dʒuː'dɪkᵉtʃᵉ) Gerichts-]

judicial □ (dʒuː'dɪʃᵉl) gerichtlich; Gerichts...; kritisch; unparteiisch.

judicious □ (dʒuː'dɪʃᵉs̱) verständig, klug; ~ness (~nɪs̱) Einsicht f.

jug (dʒʌg) Krug m.

juggle (dʒʌ'gl) **1.** Gaukelei f; **2.** gaukeln; betrügen; ~r (~ᵉ) Gaukler(in); Taschenspieler(in).

juic|e (dʒuːs̱) Saft m; ~y □ (dʒuː'bɪ) saftig; F interessa'nt.

July (dʒuːˈlaɪ') Ju'li m.

jumble (dʒʌ'mbl) **1.** Durcheinander n; **2.** durch-ea.-werfen, vermengen; ~sale Ramschverkauf m.

jump (dʒʌmp) **1.** Sprung m; nervöses Zs.-Fahren n; **2.** v/i. (auf-) springen; ~ at sich stürzen auf (acc.); ~ to conclusions überei'lte Schlüsse ziehen; v/t. hinwegspringen über (acc.); überspri'ngen; springen l.; ~er (dʒʌ'mpᵉ) Springer m; Schlupfbluse f; ~y (~pɪ) nervö's.

junct|ion (dʒʌ'nᵍtʃᵉn) Verbindung; Kreuzung f; 🚉 Knotenpunkt m; ~ure (~tʃᵉ) Verbindungspunkt m, -stelle f; Gelenk n; (kritischer) Zeitpunkt; at this ~ of things bei diesem Stand der Dinge.

June (dʒuːn) Juni m.

jungle (dʒʌ'ngl) Dschungel f, Dickicht n.

junior (dʒuː'nɪᵉ) **1.** jünger (to als); **2.** Jüngere(r); F Kleine(r) m.

junk ⚓ (dʒʌngk) Dschonke f; Am. Trödel, Plunder m.

juris|diction (dʒuᵉrɪsdɪ'ktʃᵉn) Rechtsprechung; Gerichts-barkeit f; -bezirk m; ~prudence (dʒuᵉ-rɪsprüdᵉns̱) Rechtswissenschaft f.

juror (dʒuᵉ'rᵉ) Geschworene(r) m.

jury (~rɪ) Geschworenen-; Preisgericht n; ~man Geschworene(r) m.

just □ (dʒʌst) **1.** adj. gerecht; rechtschaffen; richtig; genau; **2.** adv. gerade, genau; (so)eben; eben nur; ~ now eben əd. gerade jetzt.

justice (dʒʌ'stɪs̱) Gerechtigkeit f; Richter m; Recht; Rechtsverfahren n; court of ~ Gericht(shof m) n.

justification (dʒʌstɪfɪ'keɪʃᵉn) Rechtfertigung f.

justify (dʒʌ'stɪfaɪ) rechtfertigen.

justly (dʒʌ'stlɪ) mit Recht.

justness (~nɪs̱) Gerechtigkeit f usw.

jut (dʒʌt) hervorragen (a. ~ out).

juvenile (dʒuː'wɪnaɪl) **1.** jung, jugendlich; Kinder...; **2.** junger Mensch m.

K

kangaroo (tänᵍₑ⁺rū') Ka'nguruh *n.*

keel (fīl) 1. Kiel *m*; 2. ~ over kiel-oben legen *od.* liegen; umschlagen.

keen □ (fīn) scharf (*a. fig.*); eifrig, heftig; ~ness (fī'nnᵗß) Schärfe; Heftigkeit *f*; Scharfsinn *m.*

keep (fīp) 1. *Lebens*-Unterhalt *m*; F *bsd. Am.* for ~s für immer; 2. [*irr.*] *v/t. allg.* halten: behalten; unterha'lten; (er)halten; (inne-)halten; (ab)halten; *Buch, Ware usw.* führen; *Bett usw.* hüten; fest-, auf-halten; (bei)behalten; (auf-)bewahren; ~ *company with* verkehren mit; ~ *one waiting* j. warten l.; ~ *away* fernhalten; ~ *a th. from a p.* e-m et. vorenthalten; ~ *in* zurückhalten; *Schüler* nachbleiben l.; ~ *on Kleid* anbehalten, *Hut* aufbehalten; ~ *up* aufrecht (er)halten; 3. *v/i.* sich halten; F *od. Am.* sich aufhalten; ~ *doing* immer wieder tun; ~ *away* sich fernhalten; ~ *from* sich enthalten (*gen.*); ~ *off* sich fernhalten; ~ *on* (*talking*) fortfahren (zu sprechen); ~ *to* sich halten an (*acc.*); ~ *up* sich aufrecht-(er)halten; ~ *up with* Schritt halten mit.

keep|er (fī'pᵉ) Verwahrer(in); Aufseher(in); Wärter(in); ~ing (fī'pinᵍ) Verwahrung; Obhut *f*; Gewahrsam *m* (*n*); Unterhalt *m*; *be in* (*out of*) ~ *with* ... (nicht) überei'nstimmen mit ...; ~sake (fī'pßeⁱt) Andenken *n.*

keg (tĕg) Fäßchen *n.* [-zwinger *m.*]

kennel (tĕ'nl) Hunde-hütte *f;*

kept (tĕpt) hielt; gehalten.

kerb(stone) (töb[ßtoᵘn]) Bordschwelle *f.*

kerchief (tö'tʃhīf) (Kopf-)Tuch *n.*

kernel (tö'nl) Kern *m* (*a. fig.*); Hafer-, Mais- *usw.* -korn *n.*

kettle (tĕ'tl) Kessel *m*; ~drum ♪ Kesselpauke; F Teegesellschaft *f.*

key (fī) 1. Schlüssel (*a. fig.*); Schlußstein; ⊕ Keil; Schraubenschlüssel *m*; *Klavier- usw.* Taste *f*; ∮ Stromschließer, Schalter *m*; ♪ Tonart *f*; *fig.* Ton *m*; 2. festkeilen; ♪ stim-

men; ~ *up* ♪ erhöhen; *fig.* anspornen; *be* ~*ed up Am.* gespannt sn; ~board Klaviatu'r, Tastatu'r *f*; ~hole Schlüsselloch *n*; ~note Grundton *m*; ~stone Schlußstein *m.*

kick (fīk) 1. (Fuß-)Stoß, Tritt *m*; Stoßkraft *f*; F Widerstand *m*; 2. *v/t.* (mit dem Fuße) stoßen *od.* treten; *Am. sl.* ~ *out* hinauswerfen; *v/i.* (hinten) ausschlagen; stoßen (*Gewehr*); sich auflehnen; ~er (fī'tᵉ) Fußballspieler *m.*

kid (fīd) 1. Zicklein; F Gör; Ziegenleder *n*; 2. *sl.* (ver)kohlen.

kidnap (fī'dnäp) entführen; ~per (~ᵉ) Kinder-, Menschen-räuber *m.*

kidney (fī'dnī) *anat.* Niere; F Art *f.*

kill (fīl) töten (*a. fig.*); *fig.* vernichten; *parl.* zu Fall bringen; ~ *off* abschlachten; ~ *time* die Zeit totschlagen; ~er (fī'lᵉ) Totschläger (-in).

kiln (fīln, fīl) Brenn-, Darr-ofen *m.*

kin (fīn) (Bluts-)Verwandtschaft *f.*

kind (faⁱnd) 1. □ gütig, freundlich; 2. Art, Gattung *f*, Geschlecht *n*; Art und Weise *f*; *pay in* ~ in Waren (*fig.* mit gleicher Münze) zahlen; ~hearted gütig.

kindle (fī'ndl) anzünden; (sich) entzünden (*a. fig.*).

kindling (fī'ndlinᵍ) Kleinholz *n.*

kind|ly (faⁱ'ndlī) freundlich; gütig; ~ness (~nᵗß) Güte, Freundlichkeit; Gefälligkeit *f.*

kindred (fī'ndrᵗd) 1. verwandt, gleichartig; 2. Verwandtschaft *f.*

king (fīnᵍ) König *m*; *Damspiel:* Dame *f*; ~dom (fī'nᵍdᵉm) Königreich *n*; *bsd.* ♀, *zo.* Reich, Gebiet *n*; ~like, ~ly (~lī) königlich.

kink (fīnᵏ) Schlinge *f*, Knoten *m*; *fig.* Schrulle *f*, Fimmel *m.*

kin|ship (fī'nʃhīp) Verwandtschaft *f*; ~sman (fī'nⁱmᵉn) Verwandte(r) *m.*

kiss (fīß) 1. Kuß *m*; 2. (sich) küssen.

kit (fīt) Tasche; Etui'; Handwerkszeug *n*; ~bag ✕ Tornister *m*; Ränzel *n*; ⊕ Werkzeugtasche *f.*

kitchen (ki'tſ(ĭ)n) Küche f.
kite (kaĭt) *Papier*-Drache(n) m.
kitten (ki'tn) Kätzchen n.
knack (näk) Kniff m; Geschicklichkeit f.
knapsack (nä'pßäk) Tornister m.
knave (ne'w) Schurke; *Kartenspiel* Bube m.
knead (nĭd) kneten; massieren.
knee (nĭ) Knie n; **~cap** Kniescheibe f; **~l** (nĭl) [*irr.*] knien (*to* vor *dat.*).
knell (nĕl) Totenglocke f.
knelt (nĕlt) kniete; gekniet.
knew (njū) wußte.
knickknack (ni'ǐnäk) Spielerei f, Tand m, Nippsache f.
knife (naĭf) 1. [*pl. knives*] Messer n; 2. schneiden; (er)stechen.
knight (naĭt) 1. Ritter; Springer m *im Schach*; 2. zum Ritter schlagen; **~-errant** fahrender Ritter; **~hood** (naĭ'thŭd) Rittertum n; **~ly** (~lĭ) ritterlich.
knit (nit) [*irr.*] stricken; (ver)knüpfen; (sich) eng verbinden; **~** *the* brows die Stirn runzeln; **~ting** (ni'tǐnᵍ) 1. Strickzeug n; 2. Strick...
knives (naĭwſ) *pl.* Messer n/*pl.* [*m.*]
knob (nŏb) Knopf; Buckel; Brocken

knock (nŏk) 1. Schlag m; Anklopfen n; 2. klopfen; stoßen; schlagen; F **~** *about* sich umhertreiben; **~** *down* niederschlagen; *Auktion:* zuschlagen; ⊕ aus-ea.-nehmen; *be* **~**ed *down* überfa'hren w.; **~** *off* aufhören mit; F zs.-hauen (*schnell erledigen*); *Summe* abziehen; **~** *out* *Boxen:* durch Niederschlag besiegen; **~kneed** x-beinig; *fig.* hinkend; **~out** *Boxen:* (a. **~** *blow*) Niederschlag m.
knoll (no⁻l) kleiner Erdhügel.
knot (nŏt) 1. Knoten; Knorren; Seemeile; Schleife f, Band (a. *fig.*) n; Schwierigkeit f; 2. (ver)knoten, (ver)knüpfen (a. *fig.*); verwickeln; **~ty** (nŏ'tĭ) knotig, knorrig; *fig.* verwickelt.
know (noⁿ) [*irr.*] wissen; (er)kennen; erfahren; **~** *French* Französisch können; *come to* **~** erfahren; **~ing** □ (no⁻'ĭnᵍ) erfahren; klug; schlau; verständnisvoll; wissentlich; **~ledge** (nŏ'l˘bᵍ) Kenntnis(se *pl.*) f; Wissen n; *to my* **~** meines Wissens; **~n** (no⁻n) gewußt; *come to be* **~** bekannt w.; *make* **~** bekanntmachen.
knuckle (nɑ'kl) 1. Knöchel m; 2. **~** *down*, **~** *under* nachgeben.

L

label (le¹'bĭ) **1.** (Gepäck- usw.)
Zettel m, Etike'tt(e f) n; Aufschrift
f; 2. etikettieren; fig. abstempeln
(as als).
laboratory (lᵉbŏ'rᵉtᵉrĭ) Laborato'-
rium n; ～ assistant Labora'nt(in).
laborious □ (lᵉbŏ'rⁱᵉb) mühsam;
arbeitsam; gefeilt (Stil).
labo(u)r (le¹'bᵉ) **1.** Arbeit; Mühe f;
(Geburts-)Wehen f/pl.; ～ Arbeiter
m/pl.; hard ～ Zwangsarbeit f; 2.
Arbeiter...; Arbeits...; ♀ Exchange
Arbeitsnachweis m; 3.v/i. arbeiten;
sich abmühen; v/t. ausarbeiten; ～-
-creation Arbeitsbeschaffung f;
～er (～rᵉ) Arbeiter m.
lace (le¹ß) **1.** Spitze; Borte; Schnur
f; 2. (zu)schnüren; mit Spitze usw.
besetzen; Schnur durch-, einziehen; verprügeln (a. ～ into a p.).
lacerate (lä'ßᵉre¹t) zerreißen.
lack (läk) **1.** Fehlen n, Mangel m;
2. v/t. ermangeln (gen.); he ～s
money es fehlt ihm an Geld; v/i. be
～ing fehlen, mangeln; ～lustre
glanzlos, matt.
lacquer (lä'ĭᵉ) **1.** Lack m; 2. lackieren.
lad (läd) Bursche, Junge m.
ladder (lä'dᵉ) Leiter; Laufmasche f;
～-proof maschenfest (Strumpf
usw.).
laden (le¹'dn) beladen.
lading (le¹'dĭnᵍ) Ladung, Fracht f.
ladle (le¹'dĭ) **1.** Schöpf-, Gieß-löffel
m; 2. auslöffeln (a. ～ out).
lady (le¹'dĭ) Dame; Edelfrau, Frau
von ... (als Titel); Herrin; Ge-
mahlin f; ～like damenhaft; ～love
Geliebte f; ～ship (～ſĭp): her ～
die gnädige Frau.
lag (läg) **1.** zögern; (a. ～ behind) zurückbleiben; 2. Verzögerung f.
laggard (lä'gᵉd) Zauderer m.
lagoon (lᵉgū'n) Lagune f.
laid (le¹d) legte; gelegt; ～ up bettlägerig (with infolge).
lain (le¹n) gelegen.
lair (läᵉ) Lager n e-s wilden Tieres.
laity (le¹'ĭtĭ) Laien m/pl.
lake (le¹t) See; Lack(farbe f) m.

lamb (läm) **1.** Lamm n; 2. lammen!
lambent (lä'mbᵉnt) leckend; zün-
gelnd (Flamme); funkelnd.
lambkin (lä'mĭĭn) Lämmchen n.
lame (le¹m) **1.** □ lahm (a. fig. ▫
mangelhaft); 2. lähmen.
lament (lᵉmě'nt) **1.** Wehklage f;
2. (be)klagen; trauern; ～able
(lä'mᵉntᵉbl) beklagenswert; kläglich; ～ation (lämĕntᵉi'ſĭᵍᵉn) Wehklage f.
lamp (lämp) Lampe; fig. Leuchte f.
lampoon (lämpū'n) **1.** Schmähschrift f; 2. schmähen.
lamp-post Laternenpfahl m.
lampshade Lampenschirm m.
lance (lünß) **1.** Lanze f; 2. aufschneiden; ～corporal ✕ Ge-
freite(r) m.
land (länd) **1.** Land n; Grundstück
n; ～s pl. Ländereien f/pl.; ～ register Grundbuch n; 2. landen; ♣
löschen; Preis gewinnen; ～ed
(lä'ndⁱd) grundbesitzend; Land...,
Grund...; ～holder Guts-, Grund-
besitzer(in).
landing (lä'ndĭnᵍ) Landung f;
Treppenabsatz m; ～ ground ✕
Rollfeld n; ～stage Landungs-
brücke f.
land...: ～lady Gutsherrin; Wirtin f;
～lord Gutsherr; Wirt m; ～mark
Grenz-, Mark-stein m (a. fig.);
Wahrzeichen n; ～owner Grund-
besitzer(in); ～scape (lä'nᵈṣᵏe¹p)
Landschaft f; ～slide Erdrutsch m;
fig. Katastro'phe f; pol. Um-
bruch m.
lane (le¹n) Heckenweg m; ✕, ♣
Route; Gasse f; Spalie'r n.
language (lä'nᵍwᵉⁱbG) Sprache f;
strong ～ Kraftausdrücke m/pl.
languid □ (lä'nᵍwⁱd) matt; träg.
languish (lä'nᵍwⁱſ) matt w.;
schmachten; dahinsiechen.
languor (lä'nᵍᵉ) Mattigkeit f;
Schmachten n; Schwüle f.
lank □ (länᵏ) schmächtig, dünn;
schlicht; ～y □ (lä'nᵏⁱ) schmächtig.
lantern (lä'ntᵉn) Late'rne f; ～
-slide Diapositi'v, Lichtbild n.

lap (lăp) **1.** Schoß; ⊕ Vorstoß *m*; Runde *f*; **2.** über-ea.-legen; (ein-) hüllen; (auf)lecken; schlürfen.

lapel (lǝpĕˈl) Aufschlag *m am Rock*.

lapse (lăpß) **1.** Verlauf *m der Zeit*; Verfallen; Versehen *n*; **2.** (ab-, ver-) fallen; verfließen; fehlen.

larceny ₜₓ (lāˈßnĭ) Diebstahl *m*.

lard (lād) **1.**(Schweine-)Schmalz *n*; **2.** spicken; **~er** (lāˈdᵉ) Speisekammer *f*.

large □ (lādℊ) groß; weit; reich-lich; weitherzig; flott; Groß...; *at ~* auf freiem Fuße; ausführlich; *as Ganzes*; **~ly** (lāˈdℊlĭ) zum großen Teil, weitgehend; **~ness** (~nĭß) Größe; Weite *f*.

lark (lāk) *orn.* Lerche *f*; Streich *m*.

larva (lāˈwᵉ) *zo.* Larve, Puppe *f*.

larynx (lăˈrĭnℊß) Kehlkopf *m*.

lascivious □ (lᵉßĭˈwⁱᵉß) lüstern.

lash (lăsch) **1.** Peitsche(nschnur) *f*; Hieb *m*; Wimper *f*; **2.** peitschen; *fig.* geißeln; schlagen; anbinden.

lass, ~ie (lăˈßĭ) Mädchen *n*.

lassitude (lăˈßⁱtĭūd) Mattigkeit *f*.

last¹ (lāßt) **1.** *adj.* letzt; vorig; äußerst; geringst; *~ but one* vor-letzt; *~ night* gestern abend; **2.** Letzte(r); Ende *n*; *at ~* zuletzt, endlich; **3.** *adv.* zuletzt.

last² (~) dauern; halten (*Farbe*); ausreichen; ausdauern.

last³ (~) *Schuhmacher-*Leisten *m*.

lasting (lāˈßtĭnℊ) □ dauerhaft; be-ständig.

lastly (lāˈßtlĭ) zuletzt, schließlich.

latch (lătsch) **1.** Klinke *f*, Drücker *m*; Druckschloß *n*; **2.** ein-, zu-klinken.

late (leⁱt) spät; (kürzlich) verstor-ben; ehemalig; jüngst; *at* (the) *~st* spätestens; *of ~* letzthin; *be ~* (zu) spät kommen; **~ly** (leⁱtlĭ) letzthin.

latent □ (leⁱtᵉnt) verborgen, ge-bunden (*Wärme usw.*), ᴍ lateˈnt.

lateral □ (lăˈtᵉrᵉl) seitlich; Seiten...

lath (lāth) **1.** Latte *f*; **2.** belatten.

lathe (leⁱ**ᵭ**) Drehbank; Lade *f*.

lather (lāˈ**ᵭ**ᵉ) **1.** (Seifen)Schaum *m*; **2.** *v/t.* einseifen; *v/i.* schäumen.

Latin (lăˈtĭn) **1.** lateiˈnisch; **2.** La-teiˈn *n*.

latitude (lăˈtⁱtĭūd) Breite *f*; *fig.*: Umfang *m*, Weite *f*; Spielraum *m*.

latter (lăˈtᵉ) neuer; *der, die, das letztere*; **~ly** (~lĭ) neuerdings.

lattice (lăˈtⁱß) Gitter *n* (*a.* **~-work**).

laud (lōd) loben, preisen; **~able** □ (lōˈdᵉbl) lobenswert, löblich.

laugh (lāf) **1.** Gelächter, Lachen *n*; **2.** lachen; *~ at a p. j.* auslachen; **~able** □ (lāˈfᵉbl) lächerlich; **~ter** (lāˈftᵉ) Gelächter *n*.

launch (lōntsch) **1.** ⚓ Barkaˈsse *f*; **2.** schleudern; vom Stapel laufen l.; *fig.* in Gang bringen.

laund|ress (lōˈndrⁱß) Wäscherin *f*; **~ry** Waschanstalt; Wäsche *f*.

laurel ⚘ (lōˈrᵉl) Lorbeer *m* (*a. fig.*).

lavatory (lăˈwᵉtᵉrĭ) Waschraum *m*; *public ~* Bedürfnisanstalt *f*.

lavender ⚘ (lăˈwⁱndᵉ) Laveˈndel *m*.

lavish (lăˈwⁱsch) **1.** □ verschwende-risch; **2.** verschwenden.

law (lō) Gesetz *n*; (Spiel-)Regel *f*; Recht(swissenschaft *f*); Gericht(s-verfahren) *n*; *go to ~* vor Gericht gehen; *lay down the ~* den Ton angeben; **~abiding** ₜₓ friedlich; **~court** Gericht(shof *m*) *n*; **~ful** □ (lōˈfᵘl) gesetzlich; gültig; **~less** □ (lōˈlⁱß) gesetzlos; ungesetzlich; zügellos.

lawn (lōn) Rasenplatz; Batiˈst *m*.

law|suit (lōˈßjūt) Prozeˈß *m*; **~yer** (lōˈjᵉ) Juriˈst; (Rechts-)Anwalt *m*.

lax □ (lăkß) locker; schlaff (*a. fig.*); lasch; **~ative** (lăˈkßᵉtⁱw) abführen-d(es Mittel).

lay¹ (leⁱ) **1.** lag; **2.** weltlich; Laien...

lay² (leⁱ) **1.** Lage, Richtung *f*; **2.** [*irr.*] *v/t.* legen; umlegen; *Plan usw.* anlegen; stellen, setzen; *Tisch* decken; lindern; besänftigen; auf-erlegen; *Summe* wetten; *~ before a p. e-m* vorlegen; *~ in stocks* sich eindecken; *~ low* niederwerfen; *~ open* darlegen; *~ out* auslegen; *Garten usw.* anlegen; *~ up Vorräte* hinlegen, sammeln; ans Bett fesseln; *~ with* belegen mit; *v/i.* (Eier) legen; wetten (*a. ~ a wager*).

layer (leⁱᵉ) Lage, Schicht *f*.

layman (leⁱˈmᵉn) Laie *m*.

lay...: ~-off Arbeitsunterbreˈchung *f*; **~-out** Anlage *f*.

lazy (leⁱˈzĭ) träg, faul.

lead¹ (lĕd) Blei; ⚓ Lot, Senkblei *n*; *typ.* Durchschuß *m*.

lead² (līd) **1.** Führung, Leitung *f*; Beispiel *n*; *thea.* Hauptrolle; *Kar-tenspiel:* Vorhand *f*; ⚡ Leiter *m*; *Hunde-*Leine *f*; **2.** [*irr.*] *v/t.* (an)führen, leiten; bewegen (tǝ zu); *Karte* ausspielen; *~ on* (ver-)locken; *v/i.* vorangehen; *~ off* den Anfang *m*.

leaden — 385 — lethargy

leaden (lĕ'dn) bleiern (a. fig.); Blei...

leader (lĭ'dᵉ) (An-)Führer(in), Leiter(in); Erste(r); Leitarti'kel m.

leading (lĭ'dĭŋ) 1. leitend; Leit...; Haupt...; 2. Leitung, Führung f.

leaf (lĭf) Blatt n; Tür- usw. Flügel m; Tisch-Platte f; ~let (lĭ'flĭt) Blättchen; Flug-, Merk-blatt n; ~y (lĭ'fĭ) belaubt.

league (lĭg) 1. Bund m; Sport: Liga; (See-)Meile f (4,8 km); 2. (sich) verbünden.

leak (lĭk) 1. Leck n; 2. leck sn; tropfen; ~ out durchsickern; ~age (lĭ'kĭdʒ) Lecken n usw.; fig. Verlust m; ~y (lĭ'kĭ) leck; undicht.

lean (lĭn) 1. [irr.] (sich) (an)lehnen; (sich) stützen; (sich) (hin)neigen; 2. mager.

leant (lĕnt) lehnte; gelehnt.

leap (lĭp) 1. Sprung m; 2. [irr.] (über)spri'ngen; ~t (lĕpt) sprang; gesprungen; ~-year Schaltjahr n.

learn (lᵊːn) [irr.] lernen; erfahren; ~ from ersehen aus; ~ed □ (lᵊ'nĭd) gelehrt; ~ing (lᵊ'nĭŋ) Lernen n; Gelehrsamkeit f; ~t (lᵊːnt) lernte; gelernt.

lease (lĭs) 1. Ver-pachtung, -mietung; Pacht, Miete f; Pacht-, Miet-vertrag m; 2. (ver-)pachten, (-)mieten.

least (lĭst) adj. kleinst, geringst; wenigst, mindest; adv. am wenigsten; at (the) ~ wenigstens.

leather (lĕ'ðᵉ) 1. Leder n (fig. Haut); 2. (a. ~n) ledern; Leder...

leave (lĭv) 1. Erlaubnis f; (a. ~ of absence) Urlaub; Abschied m; 2. [irr.] v/t. (ver)lassen; zurück-, hinter-lassen; übriglassen; über-la'ssen; Am. erlauben; ~ off aufhören (mit); Kleid ablegen; v/i. ablassen; weggehen; abreisen.

leaves (lĭvz) pl. Blätter n/pl.; Laub n. [n/pl.]

leavings (lĭ'vĭŋz) Überbleibsel

lecture (lĕ'ktʃᵉ) 1. Vorlesung f; Verweis m; 2. v/i. Vorlesungen od. Vorträge halten; v/t. abkanzeln; ~r (~rᵉ) Vortragende(r); univ. Lektor, Doze'nt m.

led (lĕd) leitete; geleitet.

ledge (lĕdʒ) Leiste f; Sims; Riff n.

ledger (lĕ'dʒᵉ) † Hauptbuch n.

leech (lĭtʃ) zo. Blutegel m (a. fig.).

leer (lĭᵉ) 1. (verliebter od. böser) Seitenblick m; 2. schielen (at nach).

leeway ⚓ (lĭ'wᵉ) Abtrift f; fig. make up ~ Versäumtes nachholen.

left¹ (lĕft) verließ; verlassen; be ~ übrigbleiben.

left² (~) 1. link(s); 2. Linke f; ~-handed linkshändig; linkisch.

leg (lĕg) Bein n; Keule f; (Stiefel-) Schaft m.

legacy (lĕ'gᵊsĭ) Vermächtnis n.

legal □ (lĭ'gᵊl) gesetzlich; rechtsgültig; juristisch; Rechts...; ~ize (~ᵊlⁱ) rechtskräftig m.; beurkunden.

legation (lĭgᵉĭ'ʃᵉn) Gesandtschaft f.

legend (lĕ'dʒᵉnd) Lege'nde f; ~ary (~ᵊrĭ) legenden-, sagen-haft.

leggings (lĕ'gĭŋz) Gamaschen f/pl.

legible □ (lĕ'dʒᵊbl) leserlich.

legionary (lĭ'dʒᵊnᵉrĭ) Legionä'r m.

legislat|ion (lĕdʒĭslᵉĭ'ʃᵉn) Gesetzgebung f; ~ive (lĕ'dʒĭslᵉĭtĭw) gesetzgebend; ~or Gesetzgeber m.

legitima|cy (lĭdʒĭ'tĭmᵊsĭ) Rechtmäßigkeit f; ~te 1. (~mᵉĭt) legitimieren; 2. (~mĭt) rechtmäßig.

leisure (lĕ'ʒᵉ) Muße f; at your ~ wenn es Ihnen paßt; ~ly gemächlich.

lemon (lĕ'mᵊn) Zitrone f; ~ade (lĕmᵊnᵉĭ'd) Limonade f.

lend (lĕnd) [irr.] (ver-, aus-)leihen, verborgen; Hilfe leisten, gewähren.

length (lĕŋθ) Länge f; Strecke; (Zeit-)Dauer f; at ~ endlich, zuletzt; go all ~s aufs Ganze gehen; ~en (lĕ'ŋθᵊn) (sich) verlängern, (sich) ausdehnen; ~wise (~wᵊĭz) der Länge nach; ~y (~ĭ) sehr lang.

lenient (lĭ'nĭᵉnt) mild, gelind.

lens (lĕnz) Glas-Linse f.

lent¹ (lĕnt) lieh; ge-, ver-liehen.

Lent² (~) Fasten pl., Fastenzeit f.

less (lĕs) adj. u. adv. kleiner, geringer; weniger; prp. minus.

lessen (lĕ'sn) v/t. vermindern, schmälern; v/i. abnehmen.

lesser (lĕ'sᵉ) kleiner; geringer.

lesson (lĕ'sn) Lektio'n n: Aufgabe; (Lehr-)Stunde; Lehre f; ~s pl. Schul-Unterricht m.

lest (lĕst) damit nicht, daß nicht.

let (lĕt) [irr.] lassen; vermieten; verpachten; ~ alone in Ruhe lassen; adv. geschweige denn; ~ down j. im Stich lassen; ~ go loslassen; ~ into einweihen in (acc.); ~ off abschießen; j. laufen lassen; ~ out hinauslassen; ausplaudern; vermieten; ~ up Am. aufhören.

lethargy (lĕ'θᵊdʒĭ) Lethargie' f.

letter (lĕ'tᵉ) 1. Buchstabe *m*; Type *f*; Brief *m*; ~s *pl.* Literatu'r, Wissenschaft *f*; *attr.* Brief...; to the ~ buchstäblich; 2. (mit Buchstaben) bezeichnen; ~-case Brieftasche *f*; ~-cover Briefumschlag *m*; ~ed (~ð) (literarisch) gebildet; ~file Briefordner *m*; ~ing (~rĭŋ) Beschriftung *f*; ~press Text *m*.

lettuce (lĕ'tĭs) Lattich, Sala't *m*.

level (lĕ'wl) 1. waagerecht; eben; gleich; ausgeglichen; *my* ~ *best* mein möglichstes; 2. ebene Fläche; (gleiche) Höhe, Niveau *n*, Stand *m*; ~ *of the sea* Meeresspiegel *m*; *on the* ~ *Am.* offen, aufrichtig; 3. *v/t.* gleichmachen; ebnen; planieren; richten, zielen mit; ~ *up* erhöhen; *v/i.* ~ *at, against* zielen auf (*acc.*); ~-headed ruhig urteilend.

lever (lī'wᵉ) Hebel *m*; Hebestange *f*; ~age (~rᵇᴳ) Hebelkraft *f*.

levity (lĕ'wĭtĭ) Leicht(fert)igkeit *f*.

levy (lĕ'wĭ) 1. Erhebung *von Steuern*; ✕ Aushebung *f*; Aufgebot *n*; 2. *Steuern* erheben; ausheben.

lewd (lūd) liederlich, unzüchtig.

liability (lāĭ'bĭ'lĭtĭ) Verantwortlichkeit; ♫ Haftpflicht; Verpflichtung *f*; *fig.* Hang *m*; *liabilities* ~ *pl.* ♪ Passiva *pl.*

liable (lāĭ'ᵉbl) verantwortlich; haftpflichtig; verpflichtet; ausgesetzt (*to dat.*); *be* ~ *to* neigen zu.

liar (lāĭ'ᵉ) Lügner(in).

libel (lāĭ'bᵉl) 1. Schmähschrift; Verleumdung *f*; 2. schmähen; verunglimpfen.

liberal (lī'bᵉrᵉl) 1. ☐ libera'l; freigebig; reichlich; *pol.* freisinnig; 2. Libera'le(r); ~ity (lĭb'rā'lĭtĭ) Freigebigkeit; Freisinnigkeit *f*.

liberat|e (lī'bᵉreᵗ) befreien; freilassen; ~ion (lĭb'reᵗ'ĵᶜʰᵉn) Befreiung *f*; ~or (lī'bᵉreĭtᵉ) Befreier *m*.

libertine (lī'bᵉtāĭn) Wüstling *m*.

liberty (~tĭ) Freiheit *f*; *be at* ~ frei sw.

librar|ian (lāĭbrā'e'rĭᵉn) Bibliotheka'r(in); ~y (lāĭ'brᵉrĭ) Bücherei *f*.

lice (lāĭs) *pl.* Läuse *f/pl.*

licen|ce, ~se (lāĭ'sᵉnß) 1. Lize'nz: Erlaubnis; Konzessio'n; Freiheit; Zügellosigkeit *f*; *driving* ~ Führerschein *m*; 2. lizenzieren, berechtigen; *et.* genehmigen.

licentious ☐ (lāĭße'nĵᶜʰᵉß) unzüchtig; ausschweifend.

lick (lĭk) 1. Lecken *n*; Schlag *m*; 2. (be)lecken; F verdreschen; ~ *the dust* ins Gras beißen; ~ *into shape* zustutzen.

lid (lĭd) Deckel *m*; (Augen-)Lid *n*.

lie¹ (lāĭ) 1. Lüge *f*; *give a p. the* ~ j. Lügen strafen; 2. lügen.

lie² (~) 1. Lage *f*; 2. [*irr.*] liegen; ~ *by* still-, brachliegen; ~ *down* sich niederlegen; ~ *in wait for j-m* auflauern.

lien ♫ (lī'ᵉn) Pfandrecht *m*.

lieu (ljū): *in of* ~ (an)statt.

lieutenant (lĕfté'nᵉnt) ♣ *u. Am.* lūt.) Leutnant; Statthalter *m*; ~-commander Korvettenkapitän *m*.

life (lāĭf) Leben; Menschenleben *n*; Lebensbeschreibung *f*; *for* ~ auf Lebenszeit; *for one's* ~ *for dear* ~ aus Leibeskräften; *to the* ~ naturgetreu; ~ *sentence* lebenslängliche Gefängnisstrafe; ~assurance Lebensversicherung *f*; ~boat Rettungsboot *n*; ~guard Leibwache *f*; ~less leblos; matt (*a. fig.*); ~like lebenswahr; ~long lebenslänglich; ~preserver Schwimmgürtel; Totschläger (*Stock mit Bleikopf*) *m*; ~time Lebenszeit *f*.

lift (lĭft) 1. Heben *n*; *phys.*, 𝕏 Auftrieb *m*; *fig.* Erhebung *f*; Fahrstuhl *m*; *give a p. a* ~ j-m helfen; j. mitfahren l.; 2. *v/t.* (auf)heben; erheben; beseitigen; *sl.* mausen; *v/i.* sich heben.

light¹ (lāĭt) 1. Licht (*a. fig.*); Fenster *n*; *fig.* Erleuchtung *f*; Gesichtspunkt *m*; *pl.* ~s Fähigkeiten *f/pl.*; *will you give me a* ~ darf ich Sie um Feuer bitten; *put a* ~ *to* anzünden; 2. licht, hell; blond; 3. [*irr.*] *v/t.* (be-, er-)leuchten; anzünden; *v/i.* (*mst* ~ *up*) aufleuchten.

light² (lāĭt) 1. *adj.* ☐ *u. adv.* leicht (*a. fig.*); ⚡ ~ *current* Schwachstrom *m*; *make* ~ *of et.* leicht nehmen; 2. ~ *on* stoßen, fallen, geraten auf (*acc.*); sich niederlassen auf (*dat.*).

lighten (lāĭ'tn) blitzen; (sich) erhellen; leichter m.; (sich) erleichtern.

lighter (lāĭ'tᵉ) Anzünder *m*; Taschenfeuerzeug *n*; ♣ L(e)ichter *m*.

light...: ~headed wirr im Kopfe, irr; ~hearted ☐ leichtherzig; fröhlich; ~house Leuchtturm *m*.

lighting (lāī'tĭnᵍ) Beleuchtung f.
light|-minded leichtsinnig; **~ness**
Leichtigkeit f; Leichtsinn m.
lightning (‿nĭnᵍ) Blitz m; **~-con-**
ductor, ~rod Blitzableiter m.
light-weight Sport: Leichtgewicht n.
like (lāīk) 1. gleich; ähnlich; wie;
such ‿ dergleichen; F feel ‿ sich
aufgelegt fühlen zu et.; what is he
‿? wie sieht er aus?; wie ist er?;
2. Gleiche m, f, n; ‿s pl. Neigungen
f/pl.; his ‿ seinesgleichen; the ‿
der-, des-gleichen; 3. mögen, gern
haben; how do you ‿ London? wie
gefällt Ihnen L.?; I should ‿ to
know ich möchte wissen.
like|lihood (lāī'lĭʰŭd) Wahrschein-
lichkeit f; **~ly** (lāī'lĭ) wahrscheinlich; geeignet; he is ‿ to die er wird
wahrscheinlich sterben.
like|n (lāī'kᵉn) vergleichen (to mit);
~ness (lāī'nĭs) Ähnlichkeit f;
(Ab-)Bild n; Gestalt f; **~wise**
(‿wāī) gleich-, eben-falls.
liking (lāī'kĭnᵍ) (for) Neigung (für,
zu), Gefallen m (an dat.).
lilac (lāī'lᵉk) 1. lila; 2. Flieder m.
lily ♀ (lĭ'lĭ) Lilie f; ‿ of the valley
Maiglöckchen n.
limb (lĭm) Körper-Glied n; Ast m.
limber (lĭ'mbᵉ) biegsam, geschmeidig.
lime (lāīm) Kalk m; ♀ Limo'ne;
Linde f; **~light** Bühnenlicht n;
fig. Mittelpunkt m des öffentlichen
Interesses.
limit (lĭ'mĭt) 1. Grenze f; in (Ggs.
off) ‿s Zutritt gestattet (Ggs. verboten) (to für); 2. begrenzen; beschränken (to auf acc.); **~ation**
(lĭmⁱtᵉⁱʃᵉⁿ) Begrenzung, Beschränkung; ⁂ Verjährung f; **~ed**
(lĭ'mⁱtd): ‿ (liability) company
Gesellschaft mit beschränkter Haftung; **~less** □ (lĭ'mⁱtlĭs) grenzenlos.
limp (lĭmp) 1. hinken; 2. Hinken n;
3. schlaff; weich.
limpid (lĭ'mpĭd) klar, durchsichtig.
line (lāīn) 1. Linie; Reihe; Zeile f;
Vers; Strich m; Verkehrs-Linie f;
⁂ Strecke f; tel. Leitung; Branche
f; Fach n; Leine, Schnur f;
Äquator m; Richtung; ✕ Linie(n-
truppe) f; ‿s pl.: Richtlinien f/pl.;
Grundlage f; ‿ of conduct Lebens-
weise f; hard ‿s pl. hartes Los,
Pech n; in ‿ with in Überein-

stimmung mit; stand in ‿ Am.
Schlange stehen; 2. v/t. liniieren;
aufstellen; Weg usw. säu'men, einfassen; Kleid (ab-, aus-)füttern;
‿ out entwerfen; v/i. ‿ up sich auf-
an-stellen.
linea|ge (lĭ'nĭⁱᵈᴳ) Abstammung f;
Stamm(baum) m; **~l** □ (lĭ'nĭᵉl)
gerade, direkt; **~ment** (‿mᵉnt)
(Gesichts-)Zug m; **~r** (lĭ'nĭᵉ)
geradlinig.
linen (lĭ'nĭn) 1. Leinen n; Leinwand; Wäsche f; 2. leinen.
liner (lāī'nᵉ) Post-, Passagie'r-
dampfer m; Verkehrsflugzeug n.
linger (lĭ'nᵍᵉ) zögern; (ver)weilen;
sich aufhalten; sich hinziehen; ‿
at, ‿ about sich umherdrücken an
od. bei (dat.). [wäsche f.]
lingerie † (lä'nᴳᵉrĭ) Damenunter-)
lining (lāī'nĭnᵍ) Kleider- usw. Futter
n; ⊕ Verkleidung f.
link (lĭnᵏ) 1. Ketten-Glied; fig.
Bindeglied n; 2. (sich) verbinden.
linseed (lĭ'nsĭd) Leinsame(n) m; ‿
oil Leinöl n. [Löwin f.]
lion (lāī'ᵉn) Löwe m; **~ess** (‿ⁱs))
lip (lĭp) Lippe f; Rand; Mund m;
Sprache f; **~-stick** Lippenstift m.
liquefy (lĭ'twᵉfāī) schmelzen.
liquid (lĭ'twĭd) 1. flüssig; † liquid;
klar (Luft usw.); 2. Flüssigkeit f.
liquidat|e (lĭ'twⁱdeⁱt) † liquidieren;
bezahlen; **~ion** (lĭtwⁱdeⁱʃᵉn) Ab-
wicklung, Liquidatio'n f.
liquor (lĭ'fᵉ) Flüssigkeit f; Schnaps m
(a. strong ‿).
lisp (lĭsp) 1. Lispeln n; 2. lispeln.
list (lĭst) 1. Liste f, Verzeichnis n;
2. (in e-e Liste) eintragen; ver-
zeichnen.
listen (lĭ'sn) (to) lauschen, horchen
(auf acc.); anhören (acc.) zuhören
(dat.); hören auf (acc.); ‿ in teleph.,
Radio: (mit)hören (to acc.); **~er-in**
(‿ᵉrĭ'n) Radio: Hörer m.
listless (lĭ'stlĭs) gleichgültig; matt.
lists (lĭsts) pl. Schranken f/pl.
lit (lĭt) beleuchtete; beleuchtet.
literal □ (lĭ'tᵉrᵉl) buchstäblich; am
Buchstaben klebend.
litera|ry □ (lĭ'tᵉrᵉrĭ) litera'risch;
Literatu'r...; Schrift...; **~ture** (lĭ'-
tᵉrⁱtʃᵉ) Literatu'r f.
lithe (lāī'ðĭ) geschmeidig.
lithography (lⁱthó'grᵉfĭ) Steindruck
m.
litigation (lĭtⁱgeⁱ'ʃᵉn) Proze'ß m.

25*

litter (lĭ'tᵉ) 1. Sänfte; Tragbahre; Streu; Unordnung f; Wurf m junger Tiere; 2. mit Streu versehen; in Unordnung bringen.

little (lĭ'tl) 1. adj. klein; gering (-fügig); wenig; a ~ one ein Kleines (Kind); 2. adv. wenig; 3. Kleinigkeit f; a ~ biß-chen; ~ by ~ nach und nach; not a ~ nicht wenig.

live 1. (lĭw) allg. leben: wohnen; ~ to see erleben; ~ down vergessen m. od. überwi'nden; ~ out überle'ben; ~ up to a standard nach e-r Norm leben; 2. (lāĭw) lebendig; glühend; ✗ scharf (Patrone); ⚡ geladen; ~lihood (lāĭ'wlĭħŭð) Unterhalt m; ~liness (~nĭß) Lebhaftigkeit f; ~ly (lāĭ'wlĭ) lebhaft.

liver (lĭ'wᵉ) Leber f; Lebende(r) m.

livery (lĭ'wᵉrĭ) Livree f; at ~ in Futter stehen usw. (Pferd).

live|s (lāĭwß) pl. von life Leben; ~stock (lāĭ'wßtŏk) Vieh(stand m) n.

livid (lĭ'wĭð) bläulich; fahl.

living (lĭ'wĭnᵍ) 1. ☐ lebend(ig); glühend; 2. Leben n; Lebens-weise f; -unterhalt m; ~room Wohn-zimmer n.

lizard (lĭ'ᵉð) Eidechse f.

load (loᵘð) 1. Last; Ladung f; 2. (be-)laden; fig. überhäu'fen; überla'den; ~ing (loᵘ'ðĭnᵍ) 1. Lade...; 2. Laden n; Ladung f.

loaf (loᵘf) 1. [pl. loaves] Brot-Laib; Zucker-Hut m; 2. umherlungern.

loafer (loᵘ'fᵉ) Bummler m.

loam (loᵘm) Lehm m.

loan (loᵘn) 1. Anleihe f, Darlehen n; on ~ leihweise; 2. ausleihen.

loath ☐ (loᵘđ) abgeneigt; ~e (loᵘđ) sich ekeln vor (dat.); verabscheuen; ~some (loᵘ'đßᵉm) ekelhaft; verhaßt.

loaves (loᵘwf) pl. Brot-Laibe.

lobby (lŏ'bĭ) 1. Vor-raum, -saal; parl. Wandelgang m; thea. Foyer n; 2. bsd. Am. parl. beeinflussen.

lobe (loᵘb) anat., ⚓ Lappen m.

lobster (lŏ'bßtᵉ) Hummer m.

local ☐ (loᵘ'ᵗˡ) 1. örtlich; Orts...; ~ government Gemeindeverwaltung f; 2. Zeitung: Loka'lnachricht f; 📯 (a. ~ train) Vorortzug m; ~ity (loᵘκᵃ'lĭtĭ) Örtlichkeit; Lage f; ~ize (loᵘ'tᵉlāĭf) lokalisieren.

locat|e (loᵘᵗᵉt) v/t. ver-setzen, -legen; ausfindig m.; Am. Grenzen von et. abstecken; be ~d gelegen sn; wohnen; v/i. sich niederlassen; ~ion (~čħᵉn) Lage; Niederlassung; Am. Ort m.

lock (lŏk) 1. Tür-, Gewehr- usw. Schloß n; Schleuse(nkammer) f; Stauung; Locke; (Woll-)Flocke f; 2. v/t. (ein-, ver-, zu-)schließen (oft ~ up); ⊕ sperren; Rad hemmen; schließen; ~ in ein-schließen, -sperren; ~ up Kapital usw. festlegen; v/i. (sich) schließen, eingreifen (Räder).

lock|er (lŏ'kᵉ) Schrank, Kasten m; ~et (lŏ'kĭt) Medaillon n; ~out Aussperrung f von Arbeitern; ~smith Schlosser m; ~up Haftzelle f.

locomotive (loᵘ'tᵉmoᵘtĭw) 1. Fortbewegungs...; beweglich; 2. (od. ~ engine) Lokomoti've.

locust (loᵘ'kᵉßt) Heuschrecke f.

lodestar Leitstern (a. fig.).

lodg|e (lŏðᏩ) 1. Häus-chen; Portie'rloge; Freimaurer-Loge f; 2. v/t. beherbergen, aufnehmen; Geld hinterle'gen; Klage anbringen; v/i. (bsd. zur Miete) wohnen; logieren; ~er (lŏ'ðᏩᵉ) Mieter(in); Zimmergast m; ~ing (lŏ'ðᏩĭnᵍ) Logieren n; Wohnung f (a. ~s pl.).

loft (lŏft) (Dach-)Boden m; Empore f; ~y ☐ (lŏ'ftĭ) hoch; erhaben; stolz.

log (lŏg) Klotz; Block m; ⚓ Log n; ~cabin Blockhaus n; ~gerhead (lŏ'gᵉħĕð): be at ~s sich in den Haaren liegen.

logic (lŏ'ðᏩĭk) Logik f; ~al ☐ (lŏ'ðᏩĭkᵉl) logisch.

loin (lōĭn) Lende(nstück n) f.

loiter (lōĭ'tᵉ) trödeln; schlendern.

loll (lŏl) (sich) strecken; (sich) rekeln od. lümmeln; lungern.

lone|liness (loᵘ'nlĭnĭß) Einsamkeit f; ~ly ☐ (~lĭ), ~some ☐ (~ßᵉm) einsam.

long¹ (lŏnᵍ) 1. Länge f; before ~ binnen kurzem; for ~ lange; 2. adj. lang; langfristig; langsam; in the ~ run am Ende; auf die Dauer; be ~ lange dauern (Ding); lange machen (P.); 3. adv. lang(e); so ~! bis dann! (auf Wiedersehen); ~er länger; mehr.

long² (~) sich sehnen (for nach).

long...: ~distance Fern..., Weit...; ~evity (lŏnðᏩĕ'wĭtĭ) Langlebigkeit f; langes Leben; ~hand Langschrift f.

longing (lŏ'nᵍĭnᵍ) 1. □ sehnsüchtig; 2. Sehnsucht *f*; Verlangen *n*.

longitude (lŏ'nŏG̑ĭ⁺ĭǔd) *geogr.* Länge *f*.

long...: ~-shoreman (lŏ'nᵍʃŏ̄mᵉn) Werft-, Hafen-arbeiter *m*; ~-sighted weitsichtig; ~-suffering 1. langmütig; 2. Langmut *f*; ~-term langfristig; ~-winded □ langatmig.

look (lŭf) 1. Blick; Anblick *m*; (*oft* ~s *pl.*) Aussehen *n*; have a ~ at a th. sich et. ansehen; 2. *v/i.* sehen, blicken; zusehen; *daß, wie* ...; nachsehen, *wer usw.* ...; *krank usw.* aussehen; *nach e-r Richtung* liegen; ~ at ansehen; ~ for erwarten; suchen; ~ forward to sich freuen auf (*acc.*); ~ into prüfen; erforschen; ~ out! vorsehen!; ~ (up)on *fig.* ansehen (*as* als); *v/t.* ~ disdain verächtlich blicken; ~ over et. durchsehen; *e-n* mustern; ~ up et. nachschlagen.

looker-on (lŭ'fᵉrŏ'n) Zuschauer(in).

looking-glass Spiegel *m*.

look-out (lŭ'fau't) Ausguck; Ausblick *m*, -sicht (*a. fig.*); Wacht *f*; *that is* my ~ das ist meine Sache.

loom (lŭm) 1. Webstuhl *m*; 2. undeutlich zu sehen sn, sich abzeichnen.

loop (lŭp) 1. Schlinge, Schleife, Öse *f*; 2. *v/t.* in Schleifen legen; schlingen; *v/i.* e-e Schleife m.; sich winden; ~-hole Guck-, Schlupf-loch *n*; ✗ Schießscharte *f*.

loose (lŭß) 1. □ *allg.* lose, locker; frei; un-zs.-hängend; ungenau; liederlich; 2. lösen; aufbinden; lockern; ~n (lŭ'ßn) (sich) lösen, (sich) lockern.

loot (lŭt) 1. plündern; 2. Beute *f*.

lop (lŏp) *Baum* beschneiden; stutzen; schlaff herunterhängen (l.); ~-sided schief; einseitig.

loquacious (lᵒfʷᵉ⁺'ʃᵈ͡ʒᵉß) geschwätzig.

lord (lŏ'rl) ☩ Lore *f*; Lastwagen *m*.

lorry (lŏ'rl) ☩ Lore *f*; Lastwagen *m*.

lose (lŭʃ) [*irr.*] *v/t.* verlieren; vergeuden; verpassen; ~ o.s. sich ver-

irren; *v/i.* verlieren; nachgehen (*Uhr*).

loss (lŏß) Verlust; Schaden *m*; *at a* ~ in Verlegenheit; außerstande.

lost (lŏßt) verlor; verloren; *be* ~ verlorengehen; verschwunden sn; *fig.* versunken sn.

lot (lŏt) Los (*a. fig.*) *n*; Anteil *m*; ☩ Partie *f*; Posten *m*; F Menge *f*; *Am.* Parzelle *f*; *draw* ~s losen; *fall to a p.'s* ~ e-m zufallen.

lotion (lŏᵘ'ʃᵈ͡ʒᵉn) (Haut-)Wasser *n*.

lottery (lŏ'tᵉrl) Lotterie' *f*.

loud □ (lǎǔd) laut (*a. adv.*); *fig.* schreiend.

lounge (lǎǔnᵈG̑) 1. schlendern; sich rekeln; faulenzen; 2. Bummel *m*; Diele *f*; *thea.* Foyer *n*; Chaiselongue *f*.

lour (lǎǔᵉ) finster blicken *od.* aussehen; die Stirn runzeln.

louse (lǎǔß) [*pl. lice*] Laus *f*; ~y (lǎǔ'ʃĭ) verlaust; lausig; Lause...

lout (lǎǔt) Tölpel, Lümmel *m*.

lovable □ (lǎ'wᵉbl) liebenswürdig.

love (lǎw) 1. Liebe *f*; Liebchen *n*; Liebschaft *f*; *Sport:* nichts, null; *attr.* Liebes...; *give* (*od. send*) *one's* ~ *to a p.* j. freundlichst grüßen L.; *in* ~ *with* verliebt in (*acc.*); *make* ~ *to* den Hof m. (*dat.*); 2. lieben; gern haben; ~ *to do* gern tun; ~-affair Liebschaft *f*; ~ly (lǎ'wll) lieblich; entzückend, reizend; ~r (lǎ'wᵉ) Liebhaber(in).

loving □ (lǎ'wĭnᵍ) liebevoll.

low[1] (lŏᵘ) niedrig; tief; gering; leise; *fig.* niedergeschlagen; schwach; gemein; ~*est bid* Mindestgebot *n*.

low[2] (~) brüllen (*Rind*).

lower[1] (lŏᵘ'ᵉ) 1. unter(e); Unter...; 2. *v/t.* nieder-, herunter-lassen; erniedrigen; abschwächen; *Preis usw.* herabsetzen; *v/i.* fallen, sinken.

lower[2] (lǎǔᵉ) s. *lour* finster blicken.

lowland Tief-, Unterland *n*; ~liness (lŏᵘ'lĭnĭß) Demut *f*; ~ly demütig; bescheiden; ~-necked ausgeschnitten (*Kleid*); ~-spirited niedergeschlagen.

loyal □ (lŏi'ᵉl) treu; ~ty (~tĭ) Treue *f*.

lozenge (lŏ'rĭnᵈG̑) Pasti'lle *f*.

lubber (lǎ'bᵉ) Tölpel, Lümmel *m*.

lubric|ant (lŭ'brĭ⁺ᵉnt) Schmiermittel *n*; ~ate (~fe⁺ĭt) schmieren; ~ation (lŭbrĭfe⁺'ʃᵈ͡ʒᵉn) Schmierung *f*.

lucid □ (lū'ḥid) leuchtend, klar.

luck (laꞇ) Glück(sfall *m*) *n*; *good* ~ Glück *n*; *bad* ~, *hard* ~ *ill* ~ Unglück, Pech *n*; ~**ily** (la'ꞇ¹lᵢ) glücklicherweise; ~**y** □ (la'ꞇᵢ) glücklich; Glücks...

lucr|ative □ (lū'ꞇrᵉꞇⁱw) einträglich; ~**e** (lū'ꞇᵉ) Gewinn(sucht *f*) *m*.

ludicrous □ (lū'ᵈⁱꞇrᵉꞗ) lächerlich.

lug (lag) zerren, schleppen.

luggage (la'g¹ᵈG) Gepäck *n*; ~**office** 🔒 Gepäckschalter *m*.

lugubrious □ (lūg⁵ū'brⁱᵉꞗ) traurig.

lukewarm (lū'ꞇwȫm) lau (*a. fig.*).

lull (lal) 1. einlullen; (sich) beruhigen; 2. Ruhepause *f*.

lullaby (la'l¹ᵉbâi) Wiegenlied *n*.

lumber (la'mbᵉ) 1. Gerümpel *n*; *Am.* Bauholz *n*; 2. *Am.* (Holz) zurichten; ~**man** *Am.* Holzfäller, -arbeiter *m*.

lumin|ary (lū'm¹nᵉrⁱ) Leuchte *f*, Licht *n*; ~**ous** □ (~ᵉꞗ) leuchtend; Licht...; Leucht...; *fig.* lichtvoll.

lump (lamp) 1. Klumpen; *fig.* Klotz *m*; Beule *f*; Stück *n* *Zucker usw.*; *in the* ~ in Bausch und Bogen; ~ *sum* Pauscha'lsumme *f*; 2. *v/t.* zs.-werfen, -fassen; *v/i.* (sich) klumpen; ~**ish** (la'mpiꞁᶜh) schwerfällig; ~**y** □ (la'mpⁱ) klumpig.

lunatic (lū'nᵉꞇⁱꞇ) 1. irrsinnig; 2. Irr(sinnig)e(r); ~ *asylum* Irrenhaus *n*.

lunch(eon) (la'nꞇꞁᶜh[ᵉn]) 1. (Gabel-) Frühstück *n*; 2. frühstücken.

lung (lan⁵) Lungenflügel *m*; (*a pair of*) ~*s pl.* (eine) Lunge *f*.

lunge (landG) 1. *fenc.* Ausfall *m*; 2. *v/i.* ausfallen (*at* gegen).

lurch (lȫꞁᶜh) 1. taumeln, torkeln; 2. *leave in the* ~ im Stich lassen.

lure (ljuᵉ) 1. Köder *m*; *fig.* Lockung *f*; 2. ködern, (an)locken.

lurid (lju⁵rⁱd) fahl; düster; finster.

lurk (lȫꞇ) lauern; versteckt liegen.

luscious □ (la'ꞁᶜhᵉꞗ) süß(lich).

lustr|e (la'ḥtᵉ) Glanz; Kronleuchter *m*; ~**ous** □ (la'ḥtrᵉꞗ) glänzend.

lute¹ ʃ (lūꞇ) Laute *f*.

lute² (~) 1. Kitt *m*; 2. (ver)kitten.

Lutheran (lū'ᵗhᵉrᵉn) luthe'risch.

luxur|iant □ (lagꞁju'rⁱᵉnꞇ) üppig; ~**ious** □ (~rⁱᵉꞗ) luxuriö's, üppig; ~**y** (la'ꞇꞁᶜhᵉrⁱ) Luxus; Luxusarti'kel *m*; Genußmittel *n*.

lye (lâi) Lauge *f*.

lying (lâi'ⁱn⁵) 1. lügend; liegend; 2. *adj.* lügnerisch; ~**-in** (˛i'n) Wochenbett *n*; ~ *hospital* Entbindungsanstalt *f*.

lymph (lîmf) Lymphe *f*.

lynch (lînꞁᶜh) lynchen; ~**law** (lî'nꞁᶜhlō) Lynch-, Volks-justi'z *f*.

lynx (lînꞇꞗ) *zo.* Luchs *m*.

lyric (lî'rⁱꞇ) ~**al** □ (~ⁱᵗᵉl) lyrisch; ~*s pl.* Lyrik *f*

M

macaroni(măĭ˚ro͟uˊnĭ)Makkaroni pl.
macaroon (măĭˊrūˊn) Makrone f.
machin|ation (măĭˊneˊˈ(ʃ)ˊn) An-
schlag m; ~s pl. Ränke pl.; ~e
(mᵉ(ʃĭˊn) 1. Maschine f; Me-
chani'smus m (a. fig.); attr. Maschinen...; ~ fitter Maschinen-
schlosser m; 2. maschine'll herstellen od. (be)arbeiten; ~e-made
maschine'll hergestellt; ~ery (~ˊrĭ)
Maschinen f/pl.; Maschinerie' f;
~ist (~ĭʃt) Maschini'st; Maschinen-
bauer m, -arbeiter(in).
mackerel (măˊrˊl) ichth. Makre'le f.
mackintosh (măˊĭˊntöˊʃ) Regenmantel m.
mad □ (măd) wahnsinnig; toll
(-wütig); fig. wild; Am. wütend;
go ~ verrückt w.; drive ~ verrückt m.
madam (măˊdˊm) gnädige Frau,
gnädiges Fräulein.
mad|cap 1. toll; 2. Tollkopf m;
~den (măˊdˊn) toll od. rasend m.
made (meˊd) machte; gemacht.
made-up zurechtgemacht; fertig
(z.B. clothes); ~ of bestehend aus.
mad|house Irrenhaus n; ~man
Wahnsinnige(r) m; ~ness (măˊdnĭˈŋ)
Wahnsinn m; (Toll-)Wut f.
magazine (măgᵉˈʃˊn) Magazi'n n;
(Munitio'ns-)Lager n; Zeitschrift f.
maggot (măˊgᵉt) Made f.
magic (măˊdGĭˊt) 1. (a. ~al □,
~Gĭˊtᵉl) magisch; Zauber...; 2.
Zauberei f; ~ian (mᵉdGĭˊʃ(ˊn)
Zauberer m.
magistra|cy (măˊdGĭˈtrᵉˈʃĭ) Ma-
gistratu'r; Obrigkeit f; ~te (~trĭˊt)
Polizei-, Friedens-richter m.
magnanimous □ (măgnăˊnĭˈmᵉˈŋ)
großmütig.
magnet (măˊgnĭˊt) Magne't m; ~ic
(măgnĕˊtĭˊt) (~ally) magnetisch.
magni|ficence (măgnĭˊfĭˈŋˈŋ)Pracht,
Herrlichkeit f; ~ficent (~ˈŋnt)
prächtig, herrlich; ~fy (măˊgnĭˈfˈŋ)
vergrößern; ~tude (măˊgnĭˈtjüd)
Größe, Wichtigkeit f.
mahogany (mᵉhöˊgᵉnĭˊ) Mahago'ni
(-holz) n.
maid (meˊd) (Dienst-)Mädchen n,

Magd f; old ~ alte Jungfer; ~ of
honour Ehren-, Hof-dame f.
maiden (meˊdn) 1. Jungfrau f; 2.
jungfräulich; unverheiratet; fig.
Jungfern..., Erstlings...; ~ name
Mädchenname m e-r Frau; ~head,
~hood Jungfernschaft f; ~ly (~lĭˊ)
jungfräulich, mädchenhaft.
mail¹ (meˊl) (Ketten-)Panzer m.
mail² (~) 1. Post(sendung) f; attr.
Post..., Brief...; 2. Am. mit der
Post schicken, aufgeben; ~bag
Briefbeutel m; ~man Am. Brief-
träger m.
maim (meˊm) verstümmeln.
main (meˊn) 1. Haupt..., hauptsächlich by ~ force mit voller
Kraft; 2. Haupt-rohr n, -leitung f;
~s pl. ⚡ (Strom-)Netz n; in the ~
in der Hauptsache, im wesent-
lichen; ~land (meˊnlˊnd) Fest-
land n; ~ly (meˊnlĭˊ) hauptsächlich;
~spring fig. Haupttriebfeder f;
~stay fig. Hauptstütze f.
maintain (mĕnteˊn) (aufrecht)er-
halten; beibehalten; (unter)stüt-
zen; unterha'lten; behaupten.
maintenance (meˊntˊnˊnŋ) Erhaltung f; Unterhalt m.
maize (meˊz) Mais m.
majest|ic (mᵉdGĕˊʃtĭˊt) (~ally) ma-
jestäˊtisch; ~y (măˊdGĭˊʃtĭ) Majestät f.
major (meˊdGᵉ) 1. größer; wich-
tig(er);majore'nn;♩:Dur;~keyDur-
Tonart f; 2. Majo'r m; Am. univ.
Hauptfach n; ~general Genera'l-
major m; ~ity (mᵉdGöˊrˊtĭ) Mehrheit; Mündigkeit f; Majorsrang m.
make (meˊt) 1. [irr.] v/t. allg.
machen; verfertigen; fabrizieren;
bilden; (aus)machen; ergeben;
(veran)lassen; gewinnen, verdienen;
sich erweisen als, abgeben; Regel
usw. aufstellen; Frieden usw.
schließen; e-e Rede halten; ~ good
wieder gutm.; wahr machen; do
you ~ one of us? machen Sie mit?;
~ a port e-n Hafen anlaufen; ~
sure of sich e-r S. vergewissern; ~
~ way vorwärtskommen; ~ into

verarbeiten zu; ~ out ausfindig machen; entziffern; *Rechnung usw.* ausstellen; ~ over übertra'gen; ~ up ergänzen; vervollständigen; zs.-stellen; bilden, ausmachen; *Streit* beilegen; zurecht-, auf-machen; = ~ up for (v/i.); ~ up one's mind sich entschließen; 2. v/i. sich in e-r *Richtung* bewegen; ~ away with beseitigen; *Geld* vertun; ~ for zu-gehen auf (*acc.*); sich aufmachen nach; ~ off sich fortmachen; ~ up for nach-, auf-holen; für *et.* ent-schädigen; 3. Mach-, Bau-art *f*; Bau *m des Körpers*; Form *f*; Fabrika't, Erzeugnis *n*; ~believe Vorwand *m*; ~shift 1. Notbehelf *m*; 2. behelfsmäßig; ~up Auf-machung *f*.

maladjustment (mᵃ'lᵉᵇ Qᵃ'ʃʈmᵉnt) mangelhafte Anordnung *f*.

maladministration (mᵃ'lᵉᵈmᶦn'-ʈʈreᶦ'ʃᶜh'n schlechte Verwaltung *f*.

malady (mᵃ'lᵉᵇᶦ) Krankheit *f*.

malcontent (mᵃ'lᶦᵗⁿᵗᵉnt) 1. miß-vergnügt; 2. Mißvergnügte(r).

male (meᶦl) 1. männlich; 2. Mann *m*; Männchen *n der Tiere.*

malediction (mᵃ'lᵉᵇᶦ'ᶜhᵉn) Fluch *m*.

malefactor (mᵃ'lᶦfᵃᶦᵗᵉ) Übeltäter *m*.

malevolen|**ce** (mᵉlᵉ'wᵉlᵉnᶻ) Bös-willigkeit *f*; ~t □ (~lᵉnt) böswillig.

malice (mᵃ'lᶦᶜ) Bosheit *f*; Groll *m*.

malicious □ (mᵉlᶦ'ᶜhᵉ) bosheft; böswillig; ~ness (~nᶦᵇ) Bosheit *f*.

malign (mᵉlᵃᶦⁿ) 1. □ schädlich; 2. verleumden; ~ant □ (mᵉlᶦ'gnᵉnt) böswillig; ✍ bösartig; ~ity (~nᶦᵗᶦ) Bosheit; Schadenfreude; *bsd.* ✍ Bösartigkeit *f*. [*fig.* schmiegsam.]

malleable (mᵃ'lᶦᵉᵇl) hämmerbar;)

mallet (mᵃ'lᶦᵗ) Schlegel *m.*

malnutrition (mᵃ'lnjuᵗrᶦ'ᶜhᵉn) Un-terernährung *f*. [riechend.]

malodorous (mᵃ'loᵘᵈᵉrᵉᵇ) übel-)

malt (mõlt) Malz; F Bier *n*.

maltreat (mᵃltrᶦ'ᵗ) schlecht behan-deln; mißhandeln.

mammal (mᵃ'mᵉᶦ) Säugetier *n.*

mammoth (mᵃ'mᵉᵗʰ) riesig.

man (män) 1. [*pl.* men] Mann; Mensch(engeschlecht *n*); Diener *m*; *Schach*: Figu'r *f*; Damstein *m*; *attr.* männlich; 2. ✕, ⚓ bemannen; ~ o.s. sich ermannen.

manage (mᵃ'nᶦ Qᶦ) v/t. handhaben; verwalten, leiten; *Pferd usw.* re-gieren; mit *e-m* fertig w.; ~ to *inf.*

es fertigbringen, zu ...; die Leitung h.; auskommen (*with*; *without*); ~**able** □ (~ᵉᵇl) handlich; lenksam; ~**ment** (~mᵉnt) Verwaltung, Lei-tung, Direktio'n; geschickte Be-handlung *f*; ~**r** (~ᵉ) Leiter, Di-rektor; Regisseu'r *m*; ~**ress** (~ᵉʳᵉᵇ) Leiterin, Direkto'rin *f*.

managing (mᵃ'nᶦᵇQᶦⁿᵍ) geschäfts-führend; Betriebs...; ~ **clerk** Pro-kuri'st *m*.

mandat|**e** (mᵃ'ndeᶦt) Manda't *n*: Befehl; Auftrag *m*; ~**ory** (mᵃ'nᵈ-ᵗᵉrᶦ) befehlend.

mane (meᶦn) Mähne *f*.

manful □ (mᵃ'nfᵘl) mannhaft.

mange (meᶦnᵈQ) *vet.* Räude *f*.

manger (meᶦ'nᵈQᵉ) Krippe *f*.

mangle (mᵃ'nᵉᵍl) 1. Mangel, (Wäsche-)Rolle *f*; 2. mangeln; zerstückeln; *fig.* verstümmeln.

mangy (meᶦ'nᵈQᶦ) räudig; schäbig.

manhood (mᵃ'nhᵘᵇ) Mannesalter *n*; Mannheit *f*; Männer *m*/*pl.*

mania (meᶦ'nᶦ) Wahnsinn *m*; Sucht, Manie'; ~**c** (meᶦ'nᶦᵃʈ) 1. Wahnsinnige(r); 2. wahnsinnig.

manicure (mᵃ'nᶦʈjuᵉ) 1. Maniku're; Handpflege *f*; 2. manikü'ren.

manifest (mᵃ'nᶦfᵉᵇt) 1. □ offen-bar; 2. ⚓ Ladungsverzeichnis *n*; 3. *v/t.* offenbaren; kundtun; ~**ation** (mänᶦfᵉᵇtᵉ'ᶜhᵉn) Offenbarung; Kundgebung *f*; ~**o** (~fᵉ'ʈtoᵘ) Mani-fe'st *n*. [faltig; 2. vervielfältigen.]

manifold □ (mᵃ'nᶦfoᵘlᵈ) 1. mannig-)

manipulat|**e** (mᵉnᶦ'pᶦᵘlᵉᶦt) ge-schickt) handhaben; ~**ion** (mᵉnᶦ-pᶦᵘlᵉᶦ'ᶜhᵉn) Handhabung, Behand-lung *f*, Verfahren; Kniff *m*.

man|**kind** (mänᵃl'nᵈ) Menschheit; (mᵃ'nᵏᵃᶦnd) Männerwelt *f*; ~**ly** (~lᶦ) männlich; mannhaft.

manner (mᵃ'nᵉ) Art, Weise; Gat-tung; Manie'r *f*; ~**s** *pl.* Manieren, Sitten *f*/*pl.*; in *a* ~ gewissermaßen; ~**ed** (~ᵈ) ...geartet; gekünstelt; ~**ly** (~lᶦ) manierlich.

manœuvre (mᵉnüᵘʷᵉ) 1. Manöver *n* (*a. fig.*); 2. manövrieren (l.).

man-of-war Kriegsschiff *n*.

manor (mᵃ'nᵉ) Rittergut *n*.

mansion (mᵃ'nᶜhᵉn) (herrschaft-liches) Wohnhaus *n*.

manslaughter (mᵃ'nᵇlõtᵉ) Tot-schlag *m*, fahrlässige Tötung *f*.

mantel (mᵃ'ntl) Kaminmantel *m*; ~**piece**, ~**shelf** Kaminsims *m*.

mantle (mä´ntl) 1. Mantel *m; fig.*
Hülle *f;* Glühstrumpf *m;* 2. *v/t.*
verhüllen; *v/i.* sich röten.
manual (..ju⁰l) 1. Hand...; mit der
Hand (gemacht); 2. Handbuch *n.*
manufactory (män¹u⁰fä´tᵋrī) Fabrik *f.*
manufactur|e (män¹u⁰fä´tʃ(ᵉ) 1.
Fabrikatio´n *f;* Fabrika´t *n;* 2. fabrizieren; ver-, be-arbeiten; **~er**
(..rᵉ) Fabrika´nt *m;* **~ing** (..rⁱⁿg)
Fabri´k...; Gewerbe...; Industrie´...
manure (mᵉnju⁰´) 1. Dünger *m;*
2. düngen.
many (mä´nī) 1. viele; **~ a** man-
che(r, s); 2. Menge *f; a good ~*
ziemlich viele; *a great ~* sehr viele.
map (mäp) 1. (Land-)Karte *f;* 2.
aufzeichnen; **~ out** darstellen.
mar (mä) schädigen; verderben.
marble (mä´bl) 1. Marmor; Mar-
mel, Murmel *m;* 2. marmorn.
March¹ (mätʃ) März *m.*
march² (..) 1. Marsch; Fortschritt;
Gang *m der Ereignisse usw.;* 2. marschieren (l.); (*fig.*vorwärts)schreiten.
marchioness (mä´ʃᵊⁿᵋs) Mar-
quise *f.* [schlange, Zeitungs-ente *f.*]
mare (mäᵉ) Stute *f;* **~'s nest** *fig.* See-]
margin (mä´ᵈGⁱⁿ) Rand *m;* Grenze
f; Spielraum *m;* (Verdienst-)
Spanne *f;* Überschuß *m;* **~al** (..l)
am Rande (befindlich); Rand...; **~**
note Randbemerkung *f.*
marine (mᵉrī´n) 1. See..., Marine...;
2. Seesoldat *m;* Marine *f, paint.*
Seestück *n;* **~r** (mä´rⁱⁿᵉ) Seemann *m.*
marital □ (mᵉrä´tl) ehe(männ)lich.
maritime (mä´rⁱtäⁱm) an der See
liegend *od.* lebend; See...; Küsten-
...; Schiffahrt(s)...
mark¹ (mäk) Mark *f (Geldstück).*
mark² (..) 1. Marke *f,* Merkmal,
Zeichen *n;* Fabri´k-, Schutz-marke
f; (Körper-)Mal *n,* Abdruck *m;*
Norm; *Schule:* Zensu´r, Note;
Sport: Startlinie *f;* Ziel *n; a man*
of ~ ein Mann von Bedeutung; *fig.*
up to the ~ auf der Höhe; 2. *v/t.*
(be)zeichnen, markieren; *Sport:*
anschreiben; kennzeichnen; be-
(ob)achten; **~ off** abtrennen; **~ out**
bezeichnen; markieren; **~ time** auf
der Stelle treten; 3. *v/i.* achtgeben;
~ed □ (mäkt) auffallend; merklich.
market (mä´ᵏⁱt) 1. Markt(platz) *m;*
Handel; **✝** Absatz *m; in the ~ am*

Markt; 2. auf den Markt bringen,
verkaufen; **go ~ing** einkaufen
gehen; **~able** □ (..ᵉbl) marktfähig,
-gängig. [Meister-schütze *m.*]
marksman (mä´ᵏsmᵉn) Scharf-]
marmalade (mä´mᵉleᵈb) Marme-
la´de *f, bsd.* Apfelsinenmus *n.*
maroon (mᵉrū´n) *j.* aussetzen.
marquee (mäᵏī´) (großes) Zelt *n.*
marquis (mä´ᵏuⁱᵏₜ) Marqui´s *m.*
marriage (mä´rⁱᵈQ) Heirat, Ehe
(-stand *m) f;* Hochzeit *f; civil ~*
standesamtliche Trauung *f;* **~able**
(..ᵉbl) heiratsfähig; **~lines** *pl.*
Trauschein *m.*
married (mä´rⁱᵈb) verheiratet; ehelich; Ehe...; **~ couple** Ehepaar *n.*
marrow (mä´roᵘ) Mark *n; fig.* Kern
m, Beste(s) *n;* **~y** (..ī) markig.
marry (mä´rī) *v/t.* (ver)heiraten;
eccl. trauen; *v/i.* (sich ver)heiraten.
marsh (mäʃ) Sumpf, Morast *m.*
marshal (mä´ʃᵊl) 1. Marschall;
Am. Landrat; (Fest-)Ordner *m;*
2. ordnen; führen; zs.-stellen.
marshy (mä´ʃī) sumpfig. [*m.*]
mart (mät) Markt; Auktio´nsraum]
marten (mä´tⁱⁿ) *zo.* Marder *m.*
martial □ (mä´ʃᵉl) kriegerisch;
Kriegs...; **~ law** Standrecht *n.*
martyr (mä´tᵉ) 1. Märtyrer(in) (*to*
gen.); 2. (zu Tode) martern.
marvel (mä´wᵉl) 1. Wunder *n;* 2.
sich wundern; **~(l)ous** □ (mä´w¹ᵋᵇ)
wunderbar, erstaunlich.
mascot (mä´ᵝᵏᵉt) Masko´ttchen *n.*
masculine (mä´ᵝⁱⁿ) männlich.
mash (mäʃ) 1. Gemisch *n;* Maische
f; Mengfutter *n;* 2. mischen; zer-
drücken; (ein)maischen; **~ed** *pota-*
toes pl. Kartoffelbrei *m.*
mask (mäᵝ) 1. Maske *f;* 2. maskieren; *fig.* verbergen; tarnen; **~ed**
(..t); **~ ball** Maskenball *m.*
mason (meⁱᵝn) Maurer; Freimaurer *m;* **~ry** (..rī) Mauerwerk *n.*
masquerade (mäᵝᵏᵉreⁱᵇb) 1. Maskenball *m;* Verkleidung *f;* 2. *fig.*
sich maskieren.
mass (mäᵝ) 1. *eccl.* Messe; Masse;
Menge *f;* **~ meeting** Massenversammlung *f;* 2. (sich) (an-)
sammeln. [2. niedermetzeln.]
massacre (mä´ᵝᵏᵉ) 1. Blutbad *n;*]
massage (mä´ᵝäQ) 1. Massa´ge *f;*
2. massieren.
massive (mä´ᵝⁱw) massi´v; schwer.
mast ⚓ (mäᵝt) Mast *m.*

master (mā'ßtᵉ) 1. Meister; Herr; Lehrer; Kapitä'n *e-s Kauffahrers*; *univ.* Rektor *m*; ♀ *of Arts* Magister *m* (der freien Künste); 2. Meister...; *fig.* führend; 3. (be)meistern; beherrschen; **~-builder** Baumeister *m*; **~ful** □ (mā'ßtᵉfᵘl) herrisch; meisterhaft; **~key** Hauptschlüssel; Nachschlüssel *m*; **~ly** (~lĭ) meisterhaft; **~piece** Meisterstück *n*; **~ship** (~ſchĭp) Meisterschaft; Herrschaft *f*; Lehramt *n*; **~y** (mā'ßtᵉrĭ) Herrschaft; Oberhand; Meisterschaft; Beherrschung *f*.
masticate (mă'ßtⁱkeⁱt) kauen.
mastiff (mă'ßtĭf) Bullenbeißer *m*.
mat (măt) 1. Matte *f*; 2. *fig.* bedecken; (sich) verflechten.
match¹ (mätſch) Zünd-, Streichhölzchen *n*; Lunte *f*.
match² (~) 1. Gleiche *m*, *f*, *n*; Partie' *f*; Wettspiel *n*; Heirat *f*; *be a ~ for j-m* gewachsen sn; 2. *v/t.* anpassen; passen zu; et. Passendes finden (*od.* geben) zu; es aufnehmen mit; verheiraten; *well ~ed* zs.-passend; *v/i.* zs.-passen; *to ~* dazu passend; **~less** □ (mă'tſchlⁱß) unvergleichlich, ohnegleichen.
mate (meⁱt) 1. Gefährt|e *m*, -in *f*; Kamera'd *m* (in) *f*; Gatt|e *m*, -in *f*; Männchen, Weibchen *n von Tieren*; Gehilf|e *m*, -in *f*; ⚓ Maat *m*; 2. (sich) verheiraten; (sich) paaren.
material □ (mᵉtiᵉ'rⁱᵉl) 1. materie'll: körperlich; sachlich; wesentlich; 2. Materia'l *n*, Stoff; Werkstoff *m*.
matern|al □ (mᵉtö'nl) mütterlich; Mutter...; mütterlicherseits; **~ity** (~nⁱtĭ) Mutterschaft; Mütterlichkeit; Entbindungsanstalt *f* (*mst ~ hospital*).
mathematic|ian (mäthⁱmᵉtĭ'ſchᵉn) Mathema'tiker *m*; **~s** (~mă'tĭkß) (*mst sg.*) Mathemati'k *f*.
matriculate (mᵉtrĭ'kⁱᵘleⁱt) (sich) immatrikulieren (l.).
matrimon|ial □ (mätrⁱmoᵘ'nⁱᵉl) ehelich; Ehe...; **~y** (mă'trⁱmᵉnĭ) Ehe(stand *m*) *f*.
matrix (meⁱ'trĭkß) Matri'ze *f*.
matron (meⁱ'trᵉn) Matro'ne; Hausmutter; Oberin *f*.
matter (mă'tᵉ) 1. Mate'rie *f*, Stoff; Eiter; Gegenstand *m*; Ursache; Sache, Angelegenheit *f*, Geschäft *n*; *printed ~* Drucksache *f*; *what's the ~?* was gibt es?; *no ~ who* gleichgültig wer; *~ of course* Selbstverständlichkeit *f*; *for that ~* natürlich; *~ of fact* Tatsache *f*; 2. von Bedeutung sn; *it does not ~* es macht nichts; **~-of-fact** tatsächlich; sachlich.
mattress (mă'trⁱß) Matra'tze *f*.
matur|e (mᵉtjuᵉ') 1. □ reif; reiflich; ✝ fällig; 2. reifen; zur Reife bringen; ✝ fällig w.; **~ity** (~rⁱtĭ) Reife; ✝ Fälligkeit *f*.
maudlin □ (mō'dlĭn) rührselig.
maul (mōl) beschädigen; *fig.* heruntermachen; achtlos umgehen mit.
maw (mō) *Tier-*Magen; Rachen *m*.
mawkish □ (mō'kĭſch) widerlich; empfindsam.
maxim (mă'kßĭm) Grundsatz *m*; **~um** (~ßⁱmᵉm) 1. Höchst-maß *n*, -stand, -betrag *m*; 2. Höchst...
May¹ (meⁱ) Mai *m*.
may² (~) [*irr.*] mag, kann, darf.
maybe *Am.* (meⁱ'bĭ) vielleicht.
May-day (meⁱ'deⁱ) erster Mai.
mayor (mäᵉ) Bürgermeister *m*.
maz|e (meⁱſ) Irrgarten *m*; *fig.* Wirrnis *f*; *be ~d od. in a ~* verwirrt sn; **~y** □ (meⁱ'ſĭ) labyrinthisch; wirr.
me (mĭ, mĭ) mich; mir; F ich.
meadow (mĕ'doᵘ) Wiese *f*.
meagre (mĭ'gᵉ) mager, dürr; dürftig.
meal (mĭl) Mahl(zeit *f*); Mehl *n*.
mean¹ □ (mĭn) gemein, niedrig, gering; armselig; knauserig.
mean² (~) 1. mittler, mittelmäßig; Durchschnitts...; *in the ~ time* inzwischen; 2. Mitte *f*; *~s pl.* (Geld-)Mittel *n/pl.*; (*a. sg.*) Mittel *n*; *by all ~s* jedenfalls; *by no ~s* keineswegs; *by ~s of* vermittelst.
mean³ (~) [*irr.*] meinen; beabsichtigen; bestimmen; bedeuten; *~ well (ill)* es gut (schlecht) meinen.
meaning (mĭ'nĭng) 1. □ bedeutsam; 2. Sinn *m*, Bedeutung *f*; **~less** (~lⁱß) bedeutungslos; sinnlos.
meant (mĕnt) meinte; gemeint.
mean|time, **~while** mittlerweile.
measles (mĭ'ſlſ) *pl.* Masern *pl.*
measure (mĕ'ſchᵉ) 1. Maß *n*; ♪ Takt *m*; Maßregel *f*; *~ of capacity* Hohlmaß *n*; *beyond ~* über alle Maßen; *in a great ~* großenteils; *made to ~* nach Maß gemacht; (ab-, aus-, ver-)messen; *j-m* Maß nehmen; **~less** □ (~lⁱß) unermeßlich; **~ment** (~mᵉnt) Messung *f*; Maß *n*.

meat (mīt) Fleisch *n*; *fig.* Gehalt *m*; ~y (mī'ti) fleischig; *fig.* gehaltvoll.

mechanic (mi'tä'nĭt) Handwerker; Mechaniker *m*; ~al □ (~nĭt^el) mechanisch; Maschinen...; ~ian (mĕk'nĭ'ĭch^en) Mechaniker *m*; ~s (mĭtä'nĭk̆s) *mst sg.* Mechanik *f*.

mechanize (mĕ'tᵉnāĭʒ) mechanisieren; ✕ motorisieren.

medal (mĕ'dl) Medaille *f*.

meddle (mĕ'dl) (*with, in*) sich (ein-)mengen (*in acc.*); ~some □ (~þᵉm) zu-, auf-dringlich.

media|l □ (mī'dⁱᵉl), ~n (~ᵉn) Mittel..., in der Mitte (befindlich).

mediat|e (mī'dⁱeⁱt) vermitteln; ~ion (mĭdⁱeⁱˈᵉn) Vermittlung *f*; ~or (mī'dⁱeⁱtᵉ) Vermittler *m*.

medical □ (mĕ'dĭt^el) medizinisch, ärztlich; ~ *certificate* Krankenschein *m*, Atte'st *n*; ~ *man* Arzt, Medizi'ner.

medicin|al □ (mĕdĭ'þᴵᵗᵗⁿl) medizinisch; heilend, heilsam; ~e (mĕ'dĭᵗᵗþĭn) Medizi'n *f*. [alterlich.]

medieval □ (mĕdᴵᵗᵗw̆ᵉl) mittel-|

mediocre (mī'dᴵᵒᵘᵗᵉ) mittelmäßig.

meditat|e (mĕ'dĭᵗᵉⁱt) *v/i.* nachdenken, überle'gen; *v/t.* sinnen auf (*acc.*); erwägen; ~ion (mĕdĭˈᵗeⁱᵗˈᵗĭch^en) Nachdenken *n*; *innere* Betrachtung *f*; ~ive □ (mĕ'dĭᵗᵉⁱᵗĭw) nachdenklich.

Mediterranean (mĕdᴵᵗᵗrĕᵗˈnᴵᵉn)(*od.* ~ *Sea*) Mittelländisches Meer.

medium (mī'dⁱᵉm) **1.** Mitte *f*; Mittel *n*; Vermittlung *f*; Medium; *Lebens-*Eleme'nt *n*; **2.** mittler; Mittel..., Durchschnitts... [pouri *m*.]

medley (mĕ'dlĭ) Gemisch; ♪ Pot-|

meek □ (mīl) sanft-, de-mütig; ~ness (mī'knĭþ) Sanft-, De-mut *f*.

meet (mīt) [*irr.*] *v/t.* treffen, begegnen (*dat.*); Anschluß h. zu; *j.* abholen; zs.-treffen mit; *Wunsch usw.* befriedigen; *e-r Verpflichtung* nachkommen; *Am. j-m* vorgestellt w.; *go to ~ a p.* j-m entgegengehen; *v/i.* sich treffen; zs.-treffen; sich versammeln; ~ *with* stoßen auf (*acc.*); erleiden; ~ing (mī'tĭᵑᵍ) Begegnung *f*; (Zs.-)Treffen *n*, Versammlung *f*; Tagung *f*.

melancholy (mĕ'l^enk̆ŏlĭ) **1.** Melancholie' *f*; **2.** melancho'lisch.

mellow (mĕ'lᵒᵘ) **1.** □ mürbe; reif; weich; mild; **2.** reifen (l.); weich m. *od.* w.; (sich) mildern.

melo|dious □ (mᴵˡᵒᵘˈdⁱᵉþ) melodisch; ~dy (mĕ'lᵉdĭ) Melodie' *f*.

melon ♀ (mĕ'lᵉn) Melo'ne *f*.

melt (mĕlt) (zer)schmelzen; *fig.* zerfließen; *Gefühl* erweichen.

member (mĕ'mbᵉ) (Mit-)Glied *n*; *parl.* Abgeordnete(r); ~ship (~ȷ̌chĭp) Mitgliedschaft; Mitgliederzahl *f*.

membrane (mĕ'mbreⁱn) Häutchen *n*.

memento (mĕmĕ'ntᵒⁿ) Andenken *n*.

memoir (mĕ'mwȧ) Denkschrift *f*; ~s *pl.* Memoiren *f/pl.* [würdig.]

memorable □ (mĕ'mᵉrᵉbl) denk-|

memorandum (mĕmᵉrä'ndᵉm) Noti'z; *pol.* Note *f*; Schriftsatz *m*.

memorial (mᴵmŏ'rⁱᵉl) **1.** Gedächtnis..., Gedenk...; **2.** Denk-mal, -zeichen *n*; -schrift; Eingabe *f*.

memorize *bsd. Am.* (mĕ'mᵉrāĭʒ) auswendig lernen, memorieren.

memory (mĕ'mᵉrĭ) Gedächtnis *n*; Erinnerung *f*; Andenken *n*.

men (mĕn) [*pl. von* man] Männer; Menschen *m/pl.*; Mannschaft *f*.

menace (mĕ'nᵉþ) **1.** (be)drohen; **2.** *lit.* Drohung *f*.

mend (mĕnd) **1.** *v/t.* (ver)bessern; ausbessern, flicken; besser m.; *one's ways* sich bessern; *v/i.* sich bessern; **2.** Flicken *m*; *on the ~* auf dem Wege der (Besserung).

mendaci|ous □ (mĕndĕ'ĭch^eþ) lügnerisch, verlogen.

mendicant (mĕ'ndĭᵗᵉnt) **1.** bettelnd; Bettel...; **2.** Bettler; Bettelmönch *m*.

menial (mī'nⁱᵉl) *contp.* **1.** □ knechtisch; **2.** Knecht; Lakai' *m*.

mental □ (mĕ'ntl) geistig; Geistes-...; ~ *arithmetic* Kopfrechnen *n*; ~ity (mĕntä'lᴵᵗĭ) Mentalitä't *f*.

mention (mĕ'nȷ̌ch^en) **1.** Erwähnung *f*; **2.** erwähnen; *don't* ~ *it!* bitte!

mercantile (mᵊ'tᵉntäĭl) kaufmännisch; Handels...

mercenary (mᵊ'þᴵⁿᵉrĭ) **1.** □ gedungen; gewinnsüchtig; **2.** Söldner *m*. [warenhändler *m*.]

mercer (mᵊ'þᵉ) Schnitt-, Seiden-|

merchandise (mᵊ'tᴵȷ̌chᵉndāĭʒ) Ware(n *pl.*) *f*.

merchant (mᵊ'tᴵȷ̌chᵉnt) Kaufmann *m*; *law* ~ Handelsrecht *n*; ~man (~mᵉn) Handelsschiff *n*.

merci|ful □ (mᵊ'þᴵⁱfᵘl) barmherzig; ~less □ (~lĭþ) unbarmherzig.

mercury (mᵊ'tᴵᵘrĭ) Quecksilber *n*.

mercy (ˏ·ßi) Barmherzigkeit; Gnade f; be at a p.'s ~ in j-s Gewalt sn.

mere ☐ (miˁᵉ) rein, lauter; bloß; ˏly bloß, lediglich, allein.

meretricious ☐ (mĕrˡtrˡˈʃᵈᵉß) aufdringlich; kitschig.

merge (mᵊdͦG) (in) verschmelzen (mit); ˏr (mᵊˈdͦGᵉ) Verschmelzung f.

meridian (mᵊrˡˈdͦᵗᵉn) 1. Mittags...; 2. geogr. Meridiaˈn; fig. Gipfel m.

merit (mĕˈrˡt) 1. Verdienst n; Wert m; Vorzug m; make a ~ of als Verdienst ansehen; 2. fig. verdienen; ˏorious (ˏˈoˈrˡᵉß) verdienstlich.

mermaid (mᵊˈmeˡd) Nixe f.

merriment (mĕˈrˡmᵉnt) Lustigkeit f.

merry (mĕˈrˡ) lustig; fröhlich; make ~ sich amüsieren; ˏgo-round Karusseˈll n; ˏmaking Lustbarkeit f.

mesh (mĕʃ) 1. Masche f; fig. ˏes (pl.) Netz n; ⊕ be in ~ in-eagreifen; 2. fig. umgaˈrnen.

mess¹ (mĕß) 1. Schmutz(erei f) m; sl. Schweinerei f; make a ~ of verpfuschen; 2. v/t. in Unordnung bringen; verpfuschen; v/i. F ~ about herummurksen.

mess² (mĕß) ⋈ Kasino n, Messe f.

message (mĕˈßˡdͦG) Botschaft f.

messenger (mĕˈßˡndͦGᵉ) Bote m.

Messieurs, mst. Messrs. (mĕˈßᵊˡ) (die) Herren m/pl.; Firma f.

met (mĕt) traf; getroffen.

metal (mĕˈtˡ) 1. Metaˈll n; Schotter m; 2. beschottern; ˏlic (mˡtäˈlˡß) (ˏally) metallisch; Metaˈll...; ˏlurgy (mĕˈtˡᵊdͦGˡ) Hüttenkunde f.

meteor (miˈtˡᵉ) Meteoˈr n (a. fig.); ˏology (mitˡᵉˈrᵒˈlᵒdͦGˡ) Wetterkunde f.

meter (miˈtᵉ) Messer, Zähler m.

method (mĕˈthᵊd) Methoˈde: Lehrweise f; (Heil-)Verfahren n; Ordnung f, Systeˈm n; ˏic, mst ˏical ☐ (mˡthᵒˈdˡt, ˏˈtˡᵉl) methodisch.

meticulous ☐ (mˡtˡˈtˡᵘˡᵉß) peinlich genau.

metre (miˈtᵉ) Meter n (m).

metric (mĕˈtrˡt) (ˏally) metrisch; ~ system Dezimaˈlsystem n.

metropolis (mˡtrᵒˈpᵉˡˡß) Hauptstadt, Metropoˈle f; ˏtan (mĕtrᵉ-pᵒˈlˡtᵉn) hauptstädtisch.

mettle (mĕˈtˡ) Eifer m, Feuer n,

Mut m; be on one's ~ sein Bestes tun. [nisch; 2. Mexikaˈner(in).]

Mexican (mĕˈfßˡtᵉn) 1. mexikaˈ-)

miaul (mˡᵒˈl) miauen; mauzen.

mice (mäß) pl. Mäuse f/pl.

Michaelmas (mˡˈtlmᵉß) Michaeˈlis (-tag m) n (29. September).

micro... (mäˈtrᵒ) klein..., Klein...

microphone (mäˈtrᵉfᵒᵘn) Mikropho'n n; ˏscope Mikroskoˈp n.

mid (mˡd) mittler; Mitt(el)...; ˏair: in ~ in freier Luft; ˏday 1. Mittag m; 2. mittägig; Mittags...

middle (mˡˈdˡ) 1. Mitte f; Hüften f/pl.; 2. mittler; Mittel...; ♀ Ages pl. Mittelalter n; ˏaged von mittlerem Alter; ˏclass Mittelstands...; ˏman Mittelsmann m; ˏsized mittelgroß; ˏweight Boxen: Mittelgewicht n. [leidlich; Mittel...]

middling (mˡˈdlˡⁿᵍ) (mittel)mäßig;)

middy F (mˡˈdˡ) midshipman.

midge (mˡdͦG) Mücke f; ˏt (mˡˈdͦGˡt) Zwerg, Knirps m.

midland (mˡˈdlᵉnd) Binnenland n; ˏmost mittelste(r, s); ˏnight Mitternacht f; ˏriff (mˡˈdrˡf) Zwerchfell n; ˏshipman Leutnant zur See; Am. Oberfähnrich m zur See; ˏst (mˡdßt) Mitte f; in the ~ of inmitten (gen.); ˏsummer Hochsommer m; ˏway mittwegs (befindlich); ˏwife Hebamme f; ˏwifery (mˡˈdwᵒlfrˡ) Geburtshilfe f; ˏwinter Hochwinter m.

mien (miˈn) Miene f.

might (mäˡt) 1. Macht, Gewalt, Kraft f; with ~ and main mit aller Gewalt; 2. möchte, könnte, dürfte; ˏy (mäˈtˡ) mächtig, gewaltig.

migrate (mäˡgreˡˈt) (aus)wandern; ˏion (ˏˈʃᵉⁿ) Wanderung f; ˏory (mäˈgrᵉtrˡ) wandernd; Zug...

mild ☐ (mäˡld) mild, sanft; gelind.

mildew (mˡˈdjuˈ) ♀ Meltau m.

mildness (mäˈldnˡß) Milde f.

mile (mäˡl) Meile f (1609.33 m).

mileage (mäˈlˡdͦG) Meilenlänge f.

military (mˡˈlˡtᵉrˡ) 1. ☐ militäˈrisch; Kriegs...; ♀ Government Militäˈrregierung f; 2. das Militäˈr n; ˏia (mˡlˡˈʃᵉ) Land-, Bürgerwehr f.

milk (mˡlt) 1. Milch f; powdered (whole) ~ (Voll-)Milchpulver n; 2. melken; ˏmaid Milch-, Kuhmagd f; ˏman Milchmann m; ˏsop Weichling m; ˏy (mˡˈltˡ) milchig; Milch...; ♀ Way Milchstraße f.

mill¹ (mĭll) 1. Mühle; Fabrik, Spinnerei f; 2. mahlen; ⊕ fräsen; *Münze* rändeln.

mill² *Am.* (⁓) = ¹/₁₀ *cent.* [fuß m.]

millepede (mĭl'ĭpĭd) *zo.* Tausend-

miller (mĭl'ᵉ) Müller; ⊕ Fräser m.

millet ♀ (mĭl'ĭt) Hirse f.

milliner (mĭl'ĭnᵉ) Putzmacherin, Modistin f; ⁓y (⁓rĭ) Putzwaren f/pl.; Putzgeschäft n.

million (mĭl'ĭᵉn) Million f; ⁓aire (mĭlĭᵉnä'ᵉ) Millionär(in); ⁓th (mĭl'ĭᵉnᵗ) 1. millionste(r, s); 2. Millionstel n. [Mühlstein m.]

mill-pond Mühlteich m; ⁓stone

milt (mĭlt) Milch f *der Fische.*

mimic (mĭm'ĭk) 1. mimisch; Schein...; 2. Mimiker m; 3. nachahmen, nachäffen; ⁓ry (⁓rĭ) Nachahmung; *zo.* Angleichung f.

mince (mĭnß) 1. *v/t.* (zer)hacken; *he does not* ⁓ *matters* er nimmt kein Blatt vor den Mund; *v/i.* sich zieren; 2. Hackfleisch n (*mst* ⁓d *meat*); ⁓meat *Art* Tortenfüllung f; ⁓pie Torte f aus mincemeat.

mincing-machine (Fleisch-)Hackmaschine f.

mind (mīnd) 1. Sinn m, Gemüt n; Geist, Verstand m; Meinung; Absicht; Neigung, Lust f; Gedächtnis n; *to my* ⁓ meiner Ansicht nach; *out of one's* ⁓ von Sinnen; *change one's* ⁓ sich anders besinnen; *bear a th. in* ⁓ (immer) an et. denken; *have (half) a* ⁓ *to* (beinahe) Lust h. zu; *have a th. on one's* ⁓ et. auf dem Herzen h.; *make up one's* ⁓ e-n Entschluß fassen; 2. merken *od.* achten auf (*acc.*); sich kümmern um; etwas (einzuwenden) h. gegen; *never* ⁓! macht nichts!; *I don't* ⁓ (it) ich habe nichts dagegen; *would you* ⁓ *taking off your hat?* würden Sie bitte den Hut abnehmen?; ⁓ful ☐ (mīnd'fᵘl) (of) eingedenk (*gen.*); achtsam (auf *acc.*).

mine¹ (mīn) 1. der (die, das) meinige; mein; 2. die Mein(ig)en pl.

mine² (⁓) 1. Bergwerk n, Grube; *fig.* Fundgrube; ✗ Mine f; 2. *v/i.* graben, minieren; *v/t.* graben; ✗ fördern; ✗ untermünieren; ✗ verminen; ⁓r (mīn'ᵉ) Bergmann m.

mineral (mĭn'ᵉrᵉl) 1. Mineral; ⁓s pl. Mineralwasser n; 2. mineralisch.

mingle (mĭn'gl) (sich) mengen

(*with* unter *acc.*); (sich) (ver)mischen.

miniature (mĭn'ĭᵉtĭчᵉ) 1. Miniatur(gemälde n) f; 2. in Miniatur; Miniatur...; Klein...

minimize (mĭn'ĭmāĭz) möglichst klein m.; *fig.* verringern; ⁓um (⁓ĭmᵉm) 1. Minimum: Mindestmaß n, -betrag m; 2. Mindest...

mining (mīn'ĭnᵍ) Bergbau m.

minister (mĭn'ĭstᵉ) 1. Diener; Priester; Minister; Gesandte(r) m; 2. *v/t.* darreichen; *v/i.* dienen; Gottesdienst halten.

ministry (mĭn'ĭstrĭ) geistliches Amt; Ministerium n.

mink (mĭnᵍk) *zo.* Nerz m.

minor (mā'nᵉ) 1. kleiner, geringer, weniger bedeutend; ♪: Moll; *A* ⁓ *A minor*; 2. Minderjährige(r) m; *Am. univ.* Nebenfach n; ⁓ity (mā nŏ'rᵗĭ) Minderheit; Unmündigkeit f. [m; ⁓s pl. Negersänger m/pl.]

minstrel (mĭn'strᵉl) Minnesänger]

mint (mĭnt) 1. ♀ Minze; Münze; *fig.* Goldgrube f; *a* ⁓ *of money* e-e Masse Geld; 2. münzen, prägen.

minuet ♪ (mĭnĭuᵉᵗ) Menuett n.

minus (mā'nᵉß) 1. *prp.* weniger; F ohne; 2. *adj.* negativ.

minute 1. (mā nĭū'ᵗ) ☐ sehr klein; unbedeutend; sehr genau; 2. (mĭ'nĭt) Minute f; Augenblick m; ⁓s pl. Protokoll n; ⁓ness (mā nĭū'tᵉnᵗß) Kleinheit; Genauigkeit f.

miracle (mĭr'ᵉkl) Wunder n; ⁓ulous (mĭrä'tĭᵘlᵉß) wunderbar.

mirage (mĭrä'ᵍ) Luftspiegelung f.

mire (mā'ᵉ) 1. Sumpf, Kot, Schlamm m; 2. im Sumpf *usw.* stecken. [der)spiegeln (*a. fig.*).]

mirror (mĭr'ᵉ) 1. Spiegel m; 2. (wi-]

mirth (mōᵗᵗᵗ) Fröhlichkeit f; ⁓ful ☐ (mōᵗᵗᵗfᵘl) fröhlich; ⁓less ☐ (⁓lᵗß)

miry (mā'ᵉrĭ) kotig. [freudlos.]

mis... (mĭß) miss...; übel, falsch.

misadventure (mĭ'ßᵉdwᵉ'ntĭчᵉ) Mißgeschick n, Unfall m.

misanthrope (mĭ'ßᵉnⁱᵗʰrᵒᵘp), ⁓ist (mĭßä'nᵗʰrᵒpĭßt) Menschenfeind m.

misapply (mĭ'ßᵉplā') falsch anwenden. [mißverstehen.]

misapprehend (mĭ'ßäprⁱhᵉ'nᵈ)]

misbehave (mĭ'ßbⁱhᵉ'wᵉ) sich schlecht aufführen.

misbelief (mĭ'ßbⁱlⁱ'f) Irrglaube m.

miscalculate (mĭ'ßkä'lᵗĭᵘlᵉᵗ) falsch (be)rechnen.

miscarr|iage (mi'ßä'r¹bG) Miß-lingen n; Verlust m v. Briefen; Fehlgeburt f; ~ of justice Fehlspruch m; ~y (~rī) mißlingen; verlorengehen (Brief); fehlgebären.

miscellaneous □ (miß¹le¹'n¹eß) ge-, ver-mischt; vielseitig.

mischief (mi'ßt¹dʒĭf) Schaden; Unfug, Mutwille, Übermut m.

mischievous □ (mi'ßt¹dʒĭ'w*ß) schädlich; schadenfroh; mutwillig.

misconceive (mi'ßt¹eⁿßĭw) falsch auffassen od. verstehen.

misconduct 1. (mi'ßt¹ßŏⁿdě'tt) schlechtes Benehmen; schlechte Verwaltung; 2. (~t¹ndä'tt) schlecht verwalten; ~ o. s. sich schlecht aufführen. [deuten.]

misconstrue (mi'ßt¹e¹tü') miß-]

miscreant (mi'ßtrĭ¹eⁿt) Schurke m.

misdeed (mi'ßbĭ'b) Missetat f.

misdemeano(u)r ₁²ₐ (mi'ßbĭ'mĭ'ne) Vergehen n.

misdirect (mi'ßb¹t¹eĕtt) irreleiten; an die falsche Adresse richten.

miser (mãĩ'¹ſe) Geizhals m.

miserable □ (mi'¹ſeⁿr*bl) elend; unglücklich, erbärmlich.

miserly (mãĩ'¹ſĕlĭ) geizig, filzig.

misery (mi'¹ſrĭ) Elend n, Not f.

misfortune (mißfŏ'tſdʒeⁿn) Unglück(sfall m); Mißgeschick n.

misgiving (mißgĭ'wĭnª) böse Ahnung, Befürchtung f.

misguide (mi'ßgäĩ'b) irreleiten.

mishap (mi'ßhäp, mißhã'p) Unfall m. [terrichten.]

misinform (mi'ßĭnfŏ'm) falsch un-]

misinterpret (mi'ßĭntð'prĭt) mißdeuten.

mislay (mißle¹) [irr. (lay)] verlegen.

mislead (mißlĭ'b) [irr. (lead)] irreleiten; verleiten. [verwalten.]

mismanage (mi'ßmä'n¹bG)schlecht]

misplace (mi'ßple¹'ß) falsch stellen, verstellen; übel anbringen.

misprint (mi'ßprĭ'nt) 1. verdrucken; 2. Druckfehler m.

misread (mi'ßrĭ'b) [irr. (read)] falsch lesen od. deuten.

misrepresent (mi'ßreprĭ'ſě'nt) falsch darstellen, verdrehen.

miss¹ (mĭß) Fräulein n.

miss² (mĭß) 1. Verlust; Fehl-schuß, -stoß, -wurf m; 2. v/t. (ver)missen; verfehlen; verpassen; auslassen; überse'hen; -hö'ren; v/i. fehlen (nicht treffen); fehlgehen.

missile (mi'ßäĩl) Wurfgeschoß n.

missing (mi'ßĭnª) fehlend; ✕ vermißt; be ~ fehlen, vermißt werden.

mission (mi'ſdʒⁿ) Sendung f; Auftrag; innerer Beruf m, Lebensziel n; Gesandtschaft; eccl. Missio'n f; ~ary (mi'ſdʒⁿᵉrĭ) Missiona'r m.

misspell (mi'ßßpĕ'l) [irr. (spell)] falsch buchstabieren od. schreiben.

mist (mĭßt) Nebel m; (um)ne'beln.

mistake (mißte¹'t) 1. [irr. (take)] sich irren in (dat.), verkennen; mißverstehen; verwechseln (for mit); be ~n sich irren; 2. Irrtum m; Versehen n; Fehler m; ~n □ (~ᵉn) irrig, falsch (verstanden).

mister (mi'ßtᵉ) Herr m (abbr. Mr.).

mistletoe ♀ (mi'ßltoᵘ) Mistel f.

mistress (mi'ßtrĭß) Herrin; Lehrerin; Geliebte; Meisterin f; (gnädige) Frau.

mistrust (mi'ßtrɑ'ßt) 1. mißtrauen (dat.); 2. Mißtrauen n; ~ful □ (~fᵘl) mißtrauisch.

misty □ (mi'ßtĭ) neb(e)lig; unklar.

misunderstand (mi'ßɑndðßtä'nb) [irr. (stand)] mißverstehen; ~ing (~ĭnª) Mißverständnis n.

misuse 1. (mi'ßjü'ß) miß-brauchen; -handeln; 2. (~jü'ß) Mißbrauch m.

mite (mäĩt) zo. Milbe f; Heller m; Scherflein n; Knirps m. [dern.]

mitigate (mi'tĭge¹t) mildern, lin-]

mitre (mäĩ'tᵉ) Bischofsmütze f.

mitten (mi'tn) Fausthandschuh; Halbhandschuh m (ohne Finger).

mix (mĭtß) (sich) (ver)mischen; verkehren (with mit); ~ed gemischt (fig. zweifelhaft); ~ up durch-ea.-bringen; be ~ed up with in e-e S. verwickelt sn; ~ture (mi'tßtſdʒe) Mischung f.

moan (moᵘn) Stöhnen n; stöhnen.

moat (moᵘt) Burg-, Stadt-graben m.

mob (mŏb) 1. Pöbel; 2. anpöbeln.

mobil|e (moᵘ'bäĩl) beweglich; ✕mobi'l; ~ization ✕ (moᵘb¹läĩſe¹'ſdʒⁿ) Mobi'lmachung f; ~ize ✕ (moᵘ'b¹läĩſ) mobil machen.

moccasin (mŏ'tᵉßĭn) India'nerschuh m.

mock (mŏt) 1. Spott m; 2. Schein..., falsch, nachgemacht; 3. v/t. verspotten; nachmachen; täuschen; v/i. spotten (at über acc.); ~ery (~rĭ) Spötterei f, Gespött n; Äfferei f.

mode (moᵘb) Art und Weise; (Erscheinungs-)Form; Sitte, Mode f.

model (mŏ'dˡ) 1. Mode'll; Muster; *fig.* Vorbild *n*; Vorführdame *f*; *attr.* Muster...; 2. modellieren; (ab-) formen; *fig.* modeln, bilden.

moderat|e 1. □ (mŏ'dᵉrⁱt) (mittel-) mäßig; 2. (mŏ'dᵉreⁱt) (sich) mäßigen; **~ion** (mŏ̆dᵉreⁱ'ʃᵉn) Mäßigung; Mäßigkeit *f*.

modern (mŏ'dᵉn) mode'rn, neu; **~ize** (~aⁱz) (sich) modernisieren.

modest □ (mŏ'dⁱst) bescheiden; sittsam; **~y** (~ⁱ) Bescheidenheit *f*.

modi|fication (mŏ̆dⁱfⁱkeⁱ'ʃᵉn) Ab-, Ver-änderung; Einschränkung *f*; **~fy** (mŏ'dⁱfaⁱ) (ab)ändern; mildern.

modulate (mŏ'djᵘleⁱt) modulieren.

moist (mŏⁱst) feucht, **~en** (mŏⁱ'sn) be-, an-feuchten; **~ure** (mŏⁱ'stʃᵉ) Feuchtigkeit *f*.

molar (moᵘ'lᵉ) Backenzahn *m*.

molasses (mᵉlä'sⁱz) Melasse *f*; Sirup *m*.

mole (moᵘl) *zo.* Maulwurf *m*; Muttermal *n*; Hafendamm *m*, Mole *f*.

molecule (mŏ'lⁱkjūl) Molekül *n*.

molest (mᵒlĕ'st) belästigen.

mollify (mŏ'lⁱfaⁱ) besänftigen.

mollycoddle (mŏ'lⁱkŏdl) 1. weichlich(er Mensch); 2. verzärteln.

molten (moᵘ'ltᵉn) geschmolzen.

moment (moᵘ'mᵉnt) Augenblick *m*; Bedeutung *f*; = ~um; **~ary** □ (~ᵉrⁱ) augenblicklich; Augenblicks-...; **~ous** □ (mᵒmĕ'ntᵉs) wichtig, von Bedeutung; **~um** (~tᵉm) *phys.* Mome'nt *n*; Triebkraft *f*.

monarch (mŏ'nᵉk) Mona'rch(in); **~y** (mŏ'nᵉkⁱ) Monarchie' *f*.

monastery (mŏ'nᵉstᵉrⁱ) (Mönchs-) Kloster *n*.

Monday (mᴧ'ndⁱ) Montag *m*.

monetary (mᴧ'nⁱtᵉrⁱ) Geld...

money (mᴧ'nⁱ) Geld *n*; *ready* bares Geld; **~box** Sparbüchse *f*; **~changer** (Geld-)Wechsler *m*; **~order** Postanweisung *f*.

mongrel (mᴧ'nᵍgrᵉl) 1. Mischling, Bastard *m*; 2. Bastard...

monitor (mŏ'nⁱtᵉ) Ermahner; (Klassen-)Ordner *m*.

monk (mᴧnk) Mönch *m*.

monkey (mᴧ'nkⁱ) 1. Affe (*a. fig.*); ⊕ Rammblock *m*; 2. F (herum-) kalbern; *~ with* herummurksen an (*dat.*); **~wrench** ⊕ Engländer *m* (*Schraubenschlüssel*).

monkish (mᴧ'nkⁱʃ) mönchisch.

mono|cle (mŏ'nŏkl) Einglas *n*; **~gamy** (mŏnŏ'gᵉmⁱ) Einehe *f*; **~logue** (~lŏg) Monolo'g *m*; **~polist** (mᵉnŏ'pⁱlⁱst) Monopo'lbesitzer(in); **~polize** (~laⁱz) monopolisieren; *fig.* an sich reißen; **~poly** (~lⁱ) Monopo'l *n* (*of auf* [*acc.*]); **~tonous** □ (mᵉnŏ'tⁱnᵊs) monoto'n: eintönig; **~tony** (~tⁱnⁱ) Monotonie' *f*.

monsoon (mŏnsū'n) Monsun *m*.

monster (mŏ'nstᵉ) Ungeheuer (*a. fig.*); Monstrum *n*, *attr.* Riesen...

monstro|sity (mŏnstrŏ'sⁱtⁱ) Ungeheuer(lichkeit *f*) *n*; **~us** □ (mŏ'nstrᵉs) ungeheuer(lich); gräßlich.

month (mᴧnþ) Monat *m*; **~ly** (mᴧ'nþlⁱ) 1. monatlich; Monats-...; 2. Monatsschrift *f*.

monument (mŏ'njᵘmᵉnt) Denkmal *n*; **~al** □ (mŏnjᵘmĕ'ntl) monumenta'l; Gedenk...; großartig.

mood (mūd) Stimmung, Laune *f*.

moody □ (mū'dⁱ) launisch; schwermütig; übellaunig.

moon (mūn) 1. Mond *m*; 2. F umherdösen; **~light** Mond-licht *n*, -schein *m*; **~lit** mondhell; **~struck** mondsüchtig.

Moor¹ (muᵉ) Maure; Mohr *m*.

moor² (~) Ödland, Heideland *n*.

moor³ ⚓ (~) (sich) vertäuen; **~ings** (muᵉ'rⁱnᵍz) *pl.* Vertäuungen *f/pl.*

moot (mūt): ~ *point* Streitpunkt *m*.

mop (mŏp) 1. Mopp (*Fransenbesen*) *m*; 2. auf-, ab-wischen.

mope (moᵘp) den Kopf hängen l.

moral (mŏ'rᵉl) 1. □ Mora'l...; mora'lisch; 2. Mora'l; Nutzanwendung *f*; **~s** *pl.* Sitten *f/pl.*; **~e** (mŏrä'l) *bsd.* ✕ Mora'l, Geisteszucht *f*; **~ity** (mᵉrä'lⁱtⁱ) Moralitä't; Sittlichkeit *f*; **~ize** (mŏ'rᵉlaⁱz) moralisieren.

morass (mᵉrä'þ) Morast, Sumpf *m*.

morbid □ (mŏ'bⁱd) krankhaft.

more (mŏ) mehr; *once* ~ noch einmal, wieder; *so much the* ~ um so mehr; *no* ~ nicht mehr; **~over** (mŏroᵘ'wᵉ) überdies, ferner.

moribund (mŏ'rⁱbᵊnd) im Sterben (liegend).

morning (mŏ'nⁱnᵍ) Morgen; Vormittag *m*; *tomorrow* ~ morgen früh; ~ *dress* Besuchsanzug *m*.

morose □ (mᵉroᵘ's) mürrisch.

morphia (mŏ'fⁱᵉ), **morphine** (mŏ'fⁱn) Morphium *n*.

morsel (mŏ'þᵉl) Bissen *m*; Bißchen *n*.

mortal (mŏ'tĺ) **1.** □ sterblich; tödlich; Tod(es)...; **2.** Sterbliche(r); **~ity** (mŏtä'lĭtĭ) Sterblichkeit f.
mortar (mŏ't^e) Mörser; Mörtel m.
mortgage (mŏ'gⁱbQ) **1.** Pfandgut n, Hypothe'k f; **2.** verpfänden; **~e** (mŏg^ebQĭ') Hypothe'kengläubiger m.   [kenschuldner m.]
mortgagor (mŏg^ebQŏ') Hypothe'-
morti|fication (mŏtⁱfⁱḟeⁱ'ḟh^en) Kasteiung; Kränkung f; **~fy** (mŏ'tⁱfāĺ) kasteien; kränken.
mortise ⊕ (mŏ'tĭḟ) Zapfenloch n.
mortuary (mŏ'tĭu^erĭ) Leichenhalle f.
mosaic (m^eḟeĭ'ĭḱ) Mosai'k n u. f.
moss (mŏḟ) Moos n; **~y** moosig.
most (mo^uḟt) **1.** adj. □ meist; **2.** adv. meist, am meisten; höchst; **3.** Meiste(s) n; Meisten pl.; Höchste(s) n; at (the) ~ höchstens; **~ly** (mo^uḟtĺĭ) meistens.
moth (mŏḟ) Motte f; **~-eaten** mottenzerfressen.
mother (mɑ'dͪ^e) **1.** Mutter f; **2.** bemuttern; **~hood** (mɑ'dͪ^ehŭd) Mutterschaft f; **~-in-law** (⌣rĭnͤlō) Schwiegermutter f; **~ly** (⌣ĺĭ) mütterlich; **~-of-pearl** (⌣r^ewpȫ'l) Perlmutter f; **~-tongue** Muttersprache f.
motif (mo^utĭ'f) (Leit-)Motiv n.
motion (mo^u'ḟh^en) **1.** Bewegung f; Gang (a. ⊕); parl. Antrag m; **2.** v/t. durch Gebärden auffordern od. andeuten; v/i. winken; **~less** (⌣lĭḟ) bewegungslos; **~-picture** Am. Film...; **~s** pl. Film m; Kinovorstellung f.
motive (mo^u'tĭw) **1.** bewegend; **2.** Moti'v n; Beweggrund m; **3.** motivieren; **~less** grundlos.
motley (mŏ'tlĭ) (bunt)scheckig.
motor (mo^u'tⱥ) **1.** Mo'tor m; Bewegende(s) n; = **~car**; **2.** Mo'tor ...; Kraft...; Auto...; ~ mechanic, ~ fitter Autoschlosser m; **3.** (im) Auto(mobi'l) fahren; **~bicycle** Motorrad n; **~bus** Autobus m; **~car** Auto(mobi'l) n; **~cycle** Motorrad n; **~ing** (mo^ut^erĭnͤ) Automobi'lfahren n; **~ist** (⌣rĭḟt) Automobi'l-, Kraft-fahrer(in); **~lorry**, Am. **~truck** Lastauto n.
mottled (mŏ'tĺd) gefleckt.
mo(u)ld (mo^uĺd) Gartenerde f; Schimmel, Moder m; (Guß-)Form (a. fig.); Abdruck m; Art f; formen; gießen.
mo(u)lder (mo^u'ld^e) zerfallen.
mo(u)lding (mo^u'ĺdĭnͤ) △ Fries m.

mo(u)ldy (mo^u'ĺdĭ) schimm(e)lig.
mo(u)lt (mo^uĺt) (fig. sich) mausern.
mound (máṷnd) Erdwall m.
mount (máṷnt) **1.** Berg m; Reitpferd n; **2.** v/i. (empor)steigen; aufsteigen (Reiter); v/t. be-, ersteigen; beritten m.; montieren; auf-ziehen, -kleben; Edelstein fassen.
mountain (máṷ'ntĭn) **1.** Berg m; **~s** pl. Gebirge n; **2.** Berg..., Gebirgs...; **~eer** (máṷntⁱnĭ^e') Bergbewohner (-in); Bergsteiger(in); **~ous** (máṷ'n-tĭn^eḟ) bergig, gebirgig.
mourn (mŏn) (be)trauern; **~er** (mŏ'n^e) Leidtragende(r); **~ful** □ (mŏ'nfuĺ) Trauer...; traurig; **~ing** (mŏ'nĭnͤ) Trauer f.
mouse (máṷḟ) [pl. mice] Maus f.
moustache (m^eḟtā'ḟh) Schnurrbart m.
mouth (máṷḟ), pl. **~s** (⌣ḟ) Mund m; Maul n; Mündung f; Öffnung f; **~ful** (⌣fuĺ) Mundvoll m; **~-organ** Mundharmonika f; **~piece** Mundstück; fig. Sprachrohr n.
move (mūw) **1.** v/t. allg. bewegen; in Bewegung setzen; (weg)rücken; (an)treiben; Leidenschaft erregen; seelisch rühren; beantragen; v/i. sich (fort)bewegen; fig. von der Stelle kommen; sich rühren; Schach: ziehen; (um)ziehen (Mieter); ~ for a th. et. beantragen; ~ in einziehen; ~ on weitergehen; **2.** Bewegung f; Schach: Zug; fig. Schritt m; on the ~ in Bewegung; make a ~ die Tafel aufheben; **~ment** (mū'wm^ent) Bewegung f; ♩ Tempo n; ♩ Satz m; ⊕ (Geh-)Werk n.   [Kintopp m.]
movies sl. (mū'wĭḟ) s/pl. Kino n, sl.
moving □ (mū'wĭnͤ) beweglich; ~ staircase Rolltreppe f.
mow (mo^u) [irr.] mähen.
much (mɑ̆ḟh) adj. viel; adv. sehr; viel; bei weitem; fast; I thought as ~ das dachte ich mir; make ~ of viel Wesens m. von; I am not ~ of a dancer ich bin kein großer Tänzer.
muck (mɑ̆ḱ) Mist m (F a. fig.).
mucus (mju̇'t^eḟ) (Nasen-)Schleim m.
mud (mɑ̆d) Schlamm; Kot m; **~dle** (mɑ̆'dĺ) **1.** v/t. verwirren; vermengen (a. ~ up, together); benebeln; v/i. stümpern; F wursteln; **2.** Wirrwarr m; F Wurstelei f; **~dy** (mɑ̆'dĭ) schlammig; trüb; **~guard** Kot-blech n, -flügel m.

muff (maf) Muff *m*; ~etee (maf¹ti⁷) Pulswärmer *m*.

muffin (ma'fin) Teekuchen *m*.

muffle (ma'fl) ein-, um-hüllen, -wickeln; *Stimme usw.* dämpfen; ~r (~ᵉ) Halstuch *n*; Boxhandschuh; *mot.* Auspufftopf *m*.

mug (mag) Krug *m*.

muggy (ma'gi) schwül.

mulatto (mⁱᵘ'lā'toᵘ) Mulatt|e *m*, -in *f*.

mulberry (ma'lbᵉrⁱ) Maulbeere *f*.

mule (mjūl) Maulesel *m*; störrischer Mensch; ~teer (mjūl'tiᵉ') Maultiertreiber *m*.

mull¹ (mal) Mull *m* (*n*).

mull² *Am.* (~) ~ over überde'nken.

mulled (malb) wine Glühwein *m*.

multi|farious □ (malt¹fä⁷rⁱᵉꞵ) mannigfaltig; ~form (ma'lt¹fōm) vielförmig; ~ple (ma'lt¹pl) 1. vielfach; 2. Vielfache(s) *n*; ~plication (malt¹pl¹ieⁱ'ꜩʰeⁿ) Vervielfältigung, Vermehrung; Multiplikatio'n *f*; ~ compound (*simple*) ~ Großes (Kleines) Einmaleins; ~ *table* Einmaleins *n*; ~plicity (~pli'ꜩt¹) Vielfältigkeit *f*; ~ply (ma'lt¹plai) (sich) vervielfältigen; multiplizieren; ~tude (~tjūb) Vielheit, Menge *f*; ~tudinous (malt¹tjū'b¹neꞵ) zahl-mum (mam) still. [reich.]

mumble (ma'mbl) murmeln, nuscheln; mummeln (*mühsam essen*). [menschanz *m*.]

mummery (ma'm⁹rⁱ) *contp.* Mum-mumm|ify (ma'm¹fāi) mumifizieren; ~y (ma'mi) Mumie *f*.

mumps ⚕ (mampꞵ) *sg.* Ziegenpeter *m*.

mundane □ (mⁱᵘnⁱ'ꜩt¹peⁱ, mjū~) weltlich.

municipal □ (mⁱᵘnⁱ'ꜩt¹peⁱ, mjū~) städtische, Gemeinde...; ~ity (~nⁱ-ꜩt¹pä'l¹t¹) Stadtbezirk *m*; Stadtverwaltung *f*.

munificen|ce (mⁱᵘnⁱ'f¹ꞵnꜩ, mjū~) Freigebigkeit *f*; ~t (~t) freigebig.

murder (mō'bᵉ) 1. Mord *m*; 2. (er-)morden; *fig.* verhunzen; ~er (~rᵉ) Mörder *m*; ~ess (~rⁱꞵ) Mörderin *f*; ~ous □ (~rᵉꞵ) mörderisch.

murky □ (mō'f¹) dunkel, finster.

murmur (mō'mᵉ) 1. Gemurmel; Murren *n*; 2. murmeln; murren.

murrain (ma'r¹n) Viehseuche *f*.

musc|le (ma'ꜩl) Muskel(kraft *f*) *m*; ~ular (ma'ꜩᵗⁱᵘᵉ) Muskel..., *nus-*

Muse¹ (mjūꞵ) Muse *f*. [kulöꞵ.)

muse² (~) (nach)sinnen, grübeln.

mushroom (ma'ꜩrum) 1. Pilz, *bsd.* Champignon *m*; 2. (sich) breitdrücken; *Am.* ~ up emporschießen.

music (mjᵘ'f¹ꜩ) Musi'k *f*; Musikstück *n*; Noten *f/pl.*; set to ~ in Musik setzen; ~al □ (mjū'f¹ꜩl) musika'lisch; Musi'k...; wohlklingend; ~ box Spieldose *f*; ~hall Varieté(thea'ter) *n*; ~ian (mⁱᵘꞵ¹-ꜩᵈʰeⁿ) Mu'siker(in); ~stand Notenständer *m*; ~stool Klaviersessel *m*.

musketry (ma'ꜩt¹trⁱ) Schießwesen *n*.

muslin (ma'ꜩl¹n) Musseli'n *m*.

mussel (ma'ꜩl) Muschel *f*.

must (maꞵt) 1. muß(te) *usw.*; I ~ not ich darf nicht; 2. Most; Schimmel, Moder *m*.

mustache *Am.* = moustache.

mustard (ma'ꜩtᵉb) Senf *m*.

muster (ma'ꜩtᵉ) 1. ⚔ Musterung; *fig.* Heerschau *f*; 2. ⚔ mustern; auf-bieten, -bringen.

musty (ma'ꜩt¹) modrig, muffig.

muta|ble (mjū'tᵉbl) veränderlich; wankelmütig; ~tion (mjūtᵉ'-ꜩᵈʰeⁿ) Veränderung *f*.

mute (mjūt) 1. □ stumm; 2. Stumme(r); Stati'st *m*; 3. dämpfen.

mutilat|e (mjū't¹leⁱt) verstümmeln; ~ion (-eⁱ'ꜩᵈʰeⁿ) Verstümmelung *f*.

mutin|eer (mjūt¹nⁱᵉ') Meuterer *m*; ~ous □ (mjū't¹nᵉꞵ) meuterisch; ~y (~nⁱ) 1. Meuterei *f*; 2. meutern.

mutter (ma'tᵉ) 1. Gemurmel; Gemurr *n*; 2. murmeln; murren.

mutton (ma'tn) Hammelfleisch *n*; leg of ~ Hammelkeule *f*; ~ chop Hammel-rippchen, -kotele'tt *n*.

mutual □ (mjū'tⁱᵘᵉl) gegenseitig, gemeinsam.

muzzle (ma'ꜩl) 1. Maul *n*, Schnauze; Mündung *f* e-r *Feuerwaffe*; Maulkorb *m*; 2. e-n Maulkorb anlegen (*dat.*); *fig.* den Mund stopfen (*dat.*).

my (mai, *a.* mi) mein.

myrtle ⚘ (mō'tl) Myrte *f*.

myself (māiꞵe'lf, mⁱ~) ich selbst; mir; mich.

myster|ious □ (mⁱꞵtⁱeⁱ'rⁱᵉꞵ) geheimnisvoll, mysteriö's; ~y (~rⁱ) Myste'rium; Geheimnis, Rätsel *n*.

mysti|c (mⁱ'ꞵt¹ꜩ) (*a.* ~al □ ~¹tⁱᵉl) mystisch, geheimnisvoll; ~fy (~¹fāi) mystifizieren: irre-, an-führen.

myth (miꜩ) Mythe, Sage *f*.

N

nab sl. (näb) schnappen, erwischen.

nacre (neiɪᵗⁱᵉ) Perlmutter f.

nag (näg) F 1. Klepper m; 2. nörgeln.

nail (neiɪl) 1. Nagel m; Kralle f; 2. (an-, fest-)nageln; Augen usw. heften (to auf acc.).

naïve □ (näiʹw), **naïve** □ (neiɪw) naiʹv; ungekünstelt.

naked □ (neiɪⁱᵗᵇ) nackt, bloß; kahl; ~ness (ˌˌnⁱᵗ₴) Nacktheit, Blöße f usw.

name (neiɪm) 1. Name; Ruf m; of (F by) the ~ of ... namens ...; call a p. ~s j. (aus)schimpfen; 2. (be-)nennen; erwähnen; ernennen; ~less □ (neiɪʹmliᵗ₴) namenlos; ~ly (ˌˌliᵗ) nämlich; ~-plate Namen-, Firmen-schild n; ~sake Namensvetter m.

nap (näp) 1. Tuch-Noppe f; Schläfchen n; 2. schlummern.

nape (neiɪp) Genick n.

napkin (näʹpⁱn) Serviette; Windel; Monatsbinde f.

narcotic (nätoʹᵗⁱᵗᵗ) 1. (ˌˌally) narkotisch; 2. Betäubungsmittel n.

narrat|e (näreiɪᵗ) erzählen; ~ion (ˌˌⁱⁿ) Erzählung f; ~ive (nä'rʳᵗⁱw) 1. □ erzählend; 2. Erzählung f. **narrow** (näʹroᵘ) 1. □ eng, schmal, beschränkt; knapp (Mehrheit, Entkommen); beschränkt; 2. ~s pl. Engpaß m; Meerenge f; 3. (sich) verengen; beschränken; einengen; abnehmen; ~-chested schmalbrüstig; ~-minded □ engherzig; ~ness (ˌˌnⁱᵗ₴) Enge; Beschränktheit; Engherzigkeit f.

nasal □ (neiɪʹᶻᵉl) nasaʹl; Nasen...

nasty □ (näʹᵗ₴tⁱ) schmutzig; garstig; eklig; unflätig; ungemütlich.

natal (neiɪʹtl) Geburts...

nation (neiɪʹᶜⁱⁿ) Natioʹn f, Volk n.

national (näʹⁱⁿⁱ) 1. □ nationaʹl; Volks..., Staats...; 2. Staatsangehörige(r); ~ity (näᵗᶜⁱ ⁿäʹlⁱᵗⁱ) Nationalitäʹt f; ~ize (näʹᶜⁱⁿäᵗₐ) nationalisieren; verstaatlichen.

native (neiɪʹtⁱw) 1. □ angeboren; heimatlich, Heimat...; eingeboren; einheimisch; ~ language Muttersprache f; 2. Eingeborene(r).

natural (näʹᵗᶜⁱʳᵉl) □ natürlich; ~ science Naturkunde f; ~ist (ˌˌist) Natuʹrforscher; Tierhändler m; ~ize (ˌˌäᵗₐ) einbürgern; ~ness (ˌˌnⁱᵗ₴) Natürlichkeit f.

nature (neiɪʹtᶜⁱᵉ) Natuʹr.

naught (nôt) Null f; set at ~ für nichts achten; ~y □ (nôʹtⁱ) unartig.

nause|a (nôʹ₴ⁱᵉ) Übelkeit f; Ekel m; ~ate (ˌˌeiᵗ) v/i. Ekel empfinden; v/t. verabscheuen; be ~d sich ekeln; ~ous □ (ˌˌᵉ₴) ekelhaft.

nautical (nôʹtⁱᵗᵗl) nautisch; See...

naval (neiɪʹwᵉl) See..., Mariʹne...

nave △ (neiɪw) (Kirchen-)Schiff n.

navel (neiɪʹwᵉl) Nabel m; Mitte f.

naviga|ble □ (näʹwⁱɡᵉbl) schiffbar; lenkbar; ~te (ˌˌɡeiᵗ) v/i. schiffen, fahren; v/t. See usw. befahren; steuern; ~tion (näwⁱɡeiʹᶜⁱⁿ) Schiffahrt; Navigatioʹn f; ~tor (näʹwⁱɡeiᵗᵉ) Seefahrer m.

navy (neiɪʹwⁱ) (Kriegs-)Marine f.

nay (neiɪ) nein; nein vielmehr.

near (nⁱᵉ) 1. adj. nahe; gerade (Weg); nahe verwandt; vertraut; genau; knauserig; ~ at hand dicht dabei; ~ silk Halbseide f; 2. adv. nahe; 3. prp. nahe (dat.), nahe bei od. an; 4. sich nähern (dat.); ~by (nⁱᵉʹbâl) in der Nähe (gelegen); nah; ~ly (nⁱᵉʹlⁱ) nahe; fast, beinahe; genau; ~ness (ˌˌnⁱᵗ₴) Nähe f.

neat □ (nît) nett; niedlich; geschickt; ordentlich; sauber, rein; ~ness (nîʹtnⁱᵗ₴) Nettigkeit f usw.

nebulous □ (nɛʹbⁱⁱʷⁱₐ) neblig.

necess|ary □ (nɛʹ₴ⁱᵗ₴ᵉrⁱ) notwendig; unvermeidlich; 2. Bedürfnis n; ~itate (nⁱᵗ₴ɛʹ₴ⁱᵗeiᵗ) et. erfordern; zwingen; ~ity (ˌˌtⁱ) Notwendigkeit f; Zwang m; Not f.

neck (nɛᵗ) Nacken, (a. Flaschen-) Hals m; Kleid-Ausschnitt m; ~ of land Landenge f; ~ and ~ Kopf an Kopf; ~band Halspriese f; ~kerchief (nɛʹᵗᵉᵗ᷄ᵗᶜⁱᵗ)| Halstuch n; ~lace (ˌˌlⁱᵗ₴) Hals-band n, -kette f; ~tie Krawatte f.

née (ne⁴) *bei Frauennamen*: geborene.

need (nîd) 1. Not f, Bedürfnis n; Mangel, Bedarf m; be in ~ of brauchen; 2. nötig h., brauchen, bedürfen; müssen; ~ful □ (nî'dᶠᵘl) notwendig.

needle (nî'dl) Nadel f.

needless □ (nî'dlⁱß) unnötig.

needlewoman Näherin f.

needy □ (nî'dî) bedürftig, arm.

nefarious (nⁱfä⁴'rⁱⁱß) schändlich.

negat|ion (nⁱgeⁱ'ſch⁴n) Verneinung f; Nichts n; ~ive (nĕ'g⁴tiw) 1. □ negativ; verneinend; 2. Verneinung f; *phot.* Negativ n; 3. ablehnen.

neglect (nⁱglĕ'kt) 1. Vernachlässigung; Nachlässigkeit f; 2. vernachlässigen; ~ful □ (~fᵘl) nachlässig.

negligen|ce (nĕ'glⁱdᵇ⁴nß) Nachlässigkeit f; ~t □ (~t) nachlässig.

negotia|te (nⁱgoᵘ'ſch⁴ⁱt) verhandeln (über acc.); zustande bringen; bewältigen; *Wechsel* begeben; ~tion (nⁱgoᵘſchⁱⁱeⁱ'ſch⁴n) Begebung e-s Wechsels usw.; Ver-, Unter-ha'ndlung; Bewältigung f; ~tor (nⁱgoᵘ'ſchⁱⁱeⁱⁱt⁴) Unterhändler m.

negr|ess (nî'grĕß) Negerin f; ~o (nî'groᵘ), pl. ~es (~ſ) Neger m.

neigh (neⁱ) 1. Wiehern n; 2. wiehern.

neighbo(u)r (neⁱ'b⁴⁴) Nachbar(in); Nächste(r); ~hood (~hᵘd) Nachbarschaft f; ~ing (~rⁱⁿg) benachbart.

neither (naⁱ'ᵈⁱ⁴⁴) 1. keiner (von beiden); 2. weder auch nicht.

nephew (nĕ'wjᵘ) Neffe m.

nerve (nö̂w) 1. Nerv m; Sehne; Kraft f; Dreistigkeit f; 2. kräftigen; ermutigen; ~less □ (nö̂'wlⁱß) kraftlos.

nervous □ (nö̂'w⁴ß) Nerven...; nervig, kräftig; nervö's; ~ness (~nⁱß) Nervigkeit f; Nervositä't f.

nest (nĕßt) 1. Nest n (a. fig.); 2. nisten; ~le (nĕ'ßl) v/i. (sich ein-nisten; sich an)schmiegen; v/t. schmiegen.

net¹ (nĕt) 1. Netz n; 2. mit e-m Netz fangen od. umge'ben.

net² (~) 1. netto, Rein...; 2. netto einbringen; [ärgern.]

nettle (nĕ'tl) 1. ♀ Nessel f; 2.]

network (nĕ'twöᵈt) Netz(werk) n.

neuter (njᵘ'ᵗ⁴) 1. geschlechtslos; 2. geschlechtsloses Tier n.

neutral (njᵘ'tr⁴l) 1. □ neutra'l; un-parteiisch; 2. Neutrale(r); Null (-punkt m) f; ~ity (njᵘträ'lⁱtⁱ) Neutralitä't f; ~ize (njᵘ'tr⁴laⁱ) neutralisieren.

never (nĕ'w⁴) nie(mals); gar nicht; ~more nimmermehr; ~theless (nĕw⁴ᵈⁱⁱ'lĕß) nichtsdestoweniger.

new (njᵘ) neu; frisch; unerfahren; ~comer Ankömmling m; ~ly (njᵘ'lⁱ) neulich; neu.

news (njᵘß) Neuigkeit(en pl.), Nachricht(en pl.) f; ~agent Zeitungshändler m; ~boy Zeitungsausträger m; ~monger Neuigkeitskrämer m; ~paper Zeitung f; ~print Zeitungspapier n; ~reel Film: Wochenschau f; ~stall, Am. ~stand Zeitungskiosk m.

New year Neujahr n; ~'s Eve Silve'ster(abend) m.

next (nĕkßt) 1. adj. nächst; ~ but one der übernächste; ~ door to fig. beinahe; ~ to nächst (dat.); 2. adv. zunächst, gleich darauf; nächstens.

nibble (nⁱ'bl) v/t. knabbern an (dat.); v/i. ~ at nagen od. knabbern an (dat.); kritteln an (dat.).

nice □ (naⁱß) fein; wählerisch; peinlich (genau); heikel; nett; niedlich; hübsch; ~ty (naⁱ'ßⁱtⁱ) Feinheit; Genauigkeit; Spitzfindigkeit f.

niche (nⁱtſch) Nische f.

nick (nⁱk) 1. Kerbe f; in the ~ of time gerade zur rechten Zeit; 2. (ein)kerben; sl. j. schnappen.

nickel (nⁱ'kl) 1. min. Nickel m (Am. a. Fünfcentstück); 2. vernickeln.

nickname (nⁱ'kneⁱm) 1. Spitzname m; 2. e-n Spitznamen geben (dat.).

niece (nîß) Nichte f.

niggard (nⁱ'g⁴d) Geizhals m; ~ly (~lⁱ) knauserig; karg.

night (naⁱt) Nacht f; Abend m; by ~ at ~ nachts; ~club Nachtloka'l n; ~fall Einbruch m der Nacht; ~dress, ~gown Frauen-Nachthemd n; ~ingale (naⁱ'tⁱⁿgeⁱl) Nachtigall f; ~ly (naⁱ'tlⁱ) nächtlich; jede Nacht; ~mare Alp(drücken n) m; ~shirt Männer-Nachthemd n.

nil (nⁱl) bsd. Sport: nichts, null.

nimble □ (nⁱ'mbl) flink, behend.

nimbus (nⁱ'mb⁴ß) Heiligenschein m; Regenwolke f.

nine (naⁱn) neun; ~pins pl. Kegel (-spiel n) m/pl.; ~teen (naⁱ'ntîn) neunzehn; ~ty (naⁱ'ntⁱ) neunzig.

ninny F (nĭ'nĭ) Dummkopf *m*.
ninth (nāĭnᵗħ) 1. neunte(r, s); 2. Neuntel *n*; ~ly (nāĭ'nᵗħlĭ) neuntens.
nip (nĭp) 1. Kniff; scharfer Frost *m*; Schlückchen *n*; 2. zwicken; schneiden (*Kälte*); nippen; ~ *in the bud* im Keime ersticken.
nipper (nĭ'pᵉ) Krebsschere; (*a pair of*) ~s *pl.* (eine) (Kneif-)Zange *f*.
nipple (nĭ'pl) Brustwarze *f*.
nitre ⚗ (nāĭ'tᵉ) Salpe'ter *m*.
nitrogen (nāĭ'trĭɒG'n) Stickstoff *m*.
no (noᵘ) 1. *adj*. kein; *in* ~ *time* im Nu; ~ *one* keiner; 2. *adv*. nein; nicht; 3. Nein *n*.
nobility (noᵘbĭ'lĭtĭ) Adel *m* (*a. fig.*).
noble (noᵘ'bl) 1. □ adlig; edel; vortrefflich; 2. Adlige(r); ~man Adlige(r) *m*; ~ness (noᵘ'blnĭg) Adel *m*; Würde *f*.
nobody (noᵘ'bᵉɒĭ) niemand.
nocturnal (nɒktᵊ'nl) Nacht...
nod (nɒd) 1. nicken; schlafen; (sich) neigen; 2. Nicken *n*; Wink *m*.
node (noᵘd) Knoten *m* (*a. ♀ u. ast.*); ⚕ Überbein *n*.
noise (nɒĭz) 1. Lärm *m*; Geräusch; Geschrei *n*; 2. ~ *abroad* ausschreien; ~less □ (nɒĭ'lĭg) geräuschlos.
noisome (nɒĭ'gᵊm) schädlich; widerlich.
noisy □ (nɒĭ'zĭ) geräuschvoll, lärmend; aufdringlich (*Farbe*).
nomin|al □ (nɒ'mĭnĭ) nomine'll; (nur) dem Namen nach (vorhanden); namentlich; ~ *value* Nennwert *n*; ~ate (nɒ'mĭneⁱt) ernennen; zur Wahl vorschlagen; ~ation (nɒmĭneⁱ'ʃᵉn) Ernennung *f*; Vorschlagsrecht *n*.
non (nɒn) *in Zssgn*: nicht, un..., Nicht...
nonage (noᵘ'nĭɒG) Minderjährigkeit *f*.
non-alcoholic alkoholfrei.
nonce (nɒnɡ): *for the* ~ nur für diesen Fall.
non-commissioned (nɒ'nĭᵉmĭ'ʃᵉn): ~ *officer* Unteroffizier *m*.
non-committal unverbindlich.
non-conductor ⚡ Nichtleiter *m*.
nonconformist (nɒ'nĭᵉnfɒ'mĭɡt) Disside'nt(in), Freikirchler(in).
nondescript (nɒ'nᵈĭɡkrĭpt) unbestimmbar.
none (nɑn) 1. keine(r, s); nichts; 2. keineswegs, gar nicht; ~ *the less* nichtsdestoweniger.

nonentity (nɒnĕ'nᵗĭtĭ) Nichtsein; Unding; Nichts *n*; *fig.* Null *f*.
non-existence Nicht(da)sein *n*.
non-party (nɒ'npā'tĭ) parteilos.
non-performance Nichterfüllung*f*.
nonplus (ˌplɑ'ħᵉ) 1. Verlegenheit *f*; 2. in Verlegenheit bringen.
non-resident nicht am Platze wohnend.
nonsens|e (nɒ'nħᵉnħ) Unsinn *m*; ~ical □ (nɒnħᵉ'nħĭᵗᵉl) unsinnig.
non-skid (nɒ'nħkĭ'd) Gleitschutz *m*.
non-stop 🚄 durchgehend; ✈ Ohnehalt...
non-union nicht organisiert (*Arbeiter*).
noodle (nū'dl) Nudel *f*.
nook (nŭk) Ecke *f*, Winkel *f*.
noon (nūn) Mittag *m* (*a. ~day, ~tide, ~time*).
noose (nūɡ) 1. Schlinge *f*; 2. (mit der Schlinge) fangen; schlingen.
nor (nɒ) noch; auch nicht.
norm (nɒm) Norm; Regel *f*; Muster *n*; Maßstab *m*; ~al □ (nɒ'mᵉl) norma'l; ~alize (ˌāĭz) norm(alisier)en.
north (nɒħ) 1. Nord(en) *m*; 2. nördlich; Nord...; ~east 1. Nordost *m*; 2. nordöstlich (*a. ~eastern*, ~ᵉn); ~erly (nɒ'ᵈħᵉĭ), ~ern (nɒ'ᵈħᵉn) nördlich; Nord...; ~ward(s) (nɒ'ᵗħwᵉᵈɒĭ) *adv*. nördlich; nordwärts; ~west 1. Nordwest *m*; 2. nordwestlich (*a. ~western*, ~ᵉn).
nose (noᵘz) 1. Nase; Spitze; Schnauze *f*; 2. *v/t.* riechen; ⚓ *Weg* suchen; *v/i.* schnüffeln; ~dive ✈ Sturzflug *m*; ~gay Blumenstrauß *m*.
nostril (nɒ'ɡtrĭl) Nasenloch *n*, Nüster *f*.
nostrum (nɒ'ɡtrᵉm) Geheimmittel *n*.
nosy (noᵘ'ɡĭ) F neugierig.
not (nɒt) nicht.
notable (noᵘ'tᵉbl) 1. □ bemerkenswert; 2. angesehene Perso'n *f*.
notary (noᵘ'tᵉrĭ) Nota'r *m* (*a.* ~ *public*).
notation (noᵘteⁱ'ʃᵉn) Bezeichnung*f*.
notch (nɒtʃ) 1. Kerbe; Scharte *f*; 2. einkerben; einscharten.
note (noᵘt) 1. Zeichen *n*; Noti'z; Anmerkung *f*; Briefchen *n*; (*bsd.* Schuld-)Schein *m*; Note *f*; Ton; Ruf *m*; Beachtung *f*; *take* ~s sich Noti'zen m.; 2. be(ob)achten; be-

sonders erwähnen; (a. ~ down)
notieren; ~book Noti'zbuch n;
~ed (nou'tɪd) bekannt; ~worthy
beachtenswert.

nothing (na'θɪŋ) nichts; Nichts n;
Null f; for ~ umsonst; bring (come)
to ~ zunichte m. (w.).

notice (nou'tɪß) 1. Noti'z; Nachricht; Bekanntmachung; Kündigung; Warnung; Beachtung f; at
short ~ in kurzer Frist; give ~
bekanntgeben; 2. bemerken; be-
(ob)achten; ~able □ (nou'tɪßəbl)
wahrnehmbar; bemerkenswert.

noti|fication (nou'tɪfɪkeɪ'ʃ(ə)n) An-
zeige; Meldung; Bekanntmachung
f; ~fy (nou'tɪfaɪ) et. anzeigen,
melden; bekanntmachen.

notion (nou'ʃ(ə)n) Begriff m, Vorstellung f; ~s pl. Am. Kurzwaren
f/pl..

notorious □ (noto'rɪəß) all-, welt-
bekannt; b.s. berüchtigt.

notwithstanding (nɔtwɪθßtæ'ndɪŋ)
prp. ungeachtet, trotz (gen.).

nought (nɔt) Null f.

nourish (na'rɪʃ) (er)nähren; fig.
hegen; ~ing (~ɪŋ) nahrhaft; ~ment
(~mənt) Nahrung f.

novel (nɔvɛl) 1. neu; ungewöhn-
lich; 2. Roma'n m; ~ist (~ɪßt)
Roma'nschreiber(in); ~ty (nɔ'wltɪ)
Neuheit f. [m.]

November (nowě'mbə) November

novice (nɔ'wɪß) Neuling m; eccl.
Novi'ze m u. f.

now (naū) 1. nun, jetzt; eben; just
~ soeben; ~ and again (od. then)
dann u. wann; 2. cj. nun da.

nowadays (nau'ədeɪß) heutzutage.

nowhere (nou'wäə) nirgends.

noxious □ (nɔ'kʃəß) schädlich.

nozzle (nɔ'sl) ⊕ Düse; Tülle f.

nucle|ar (njū'klɪə) Kern...; ~ pile
Ato'msäule f; ~us (~ß) Kern m.

nude (njūd) nackt; paint. Akt m.

nudge F (naɒG) 1. j. heimlich anstoßen; 2. Rippenstoß m.

nuisance (njū'ßnß) Mißstand m;
Ärgernis n; Unfug m; fig. Plage f.

null (nal) nichtig; nichtssagend; ~
and void null u. nichtig; ~ify
(na'lɪfaɪ) aufheben, ungültig m.;
~ity (~tɪ) Nichtigkeit, Ungültig-
keit f.

numb (nam) 1. starr; taub;
(empfindungslos); 2. starr (od. taub)
m.

number (na'mbə) 1. Nummer;
(An-)Zahl f; 2. zählen; numerieren;
~less (~lɪß) zahllos.

numera|l (njū'mər·l) 1. Zahl...;
2. Ziffer f; ~tion (njūmərcɪ'ʃ(ə)n)
Zählung; Numerierung f.

numerical □ (nɪumě'rɪt(ə)l) zahlenmäßig; Zahl...

numerous □ (njū'mərəß) zahlreich.

nun (nan) Nonne; orn. Blaumeise f.

nunnery (na'nərɪ) Nonnenkloster n.

nuptial (na'pʃ(ə)l) 1. Hochzeits...,
Ehe...; 2. ~s (~l) pl. Hochzeit f.

nurse (nöß) 1. Amme (mst wet-~)
f; Kindermädchen n (a. ~maid)
(Kranken-)Pflegerin, (~)Schwester
f; at ~ in Pflege; 2. stillen, nähren;
großziehen; pflegen; hätscheln;
~ry (nö'ßrɪ) Kinderstube f;
Pflanzschule f; ~ school Kindergarten m.

nurs(e)ling (nö'ßlɪŋ) Pflegling m.

nurture (nö'tʃə) 1. Pflege; Erziehung f; 2. aufziehen; nähren.

nut (nat) Nuß f; ⊕ (Schrauben-)
Mutter f; ~s pl. Nußkohle f; ~
cracker Nußknacker m; ~meg
(na'tmɛg) Muska'tnuß f.

nutriment (njū'trɪmənt) Nahrung f.

nutri|tion (njūtrɪ'ʃ(ə)n) Ernährung;
Nahrung f; ~tious (~ʃəß), ~tive
□ (njū'trɪtɪw) nahrhaft; Ernäh-
rungs...

nut|shell Nußschale f; in a ~ in
aller Kürze; ~ty (na'tɪ) nußreich,
-artig.

nymph (nɪmf) Nymphe f.

O

oaf (oᵁf) Dummkopf; Tölpel *m.*

oak (oᵁk) Eiche *f.*

oar (ō) 1. Ruder *n*; 2. rudern;
~sman (ō'ſm°n) Ruderer *m.*

oasis (oᵉi'ɓiß) Oa'se *f.*

oat (oᵁt) Hafer *m* (*mst ~s pl.*).

oath (oᵁᴬ) Eid; Schwur; Fluch *m.*

oatmeal (oᵁ'tmīl) Hafermehl *n.*

obdurate □ (ō'bɓiᵘᵉt) verstockt.

obedien|ce (ō'bɓi'ð°nß) Gehorsam
m; **~t** □ (~t) gehorsam.

obeisance (oᵇeɪ'ß°nß) Ehrerbietung;
Verbeugung *f*; *do* ~ huldigen.

obesity (ō'bīßiti) Fettleibigkeit *f.*

obey (oᵇeɪ') gehorchen (*dat.*); *Befehl
usw.* befolgen, Folge leisten (*dat.*).

obituary (ō'biˈtiᵘᵉri) Totenliste; Todesanzeige *f*; Nachruf *m*; Todes...

object 1. (ō'bɔɢⁱtt) Gegenstand *m*;
Ziel *n*, *fig.* Zweck *m*; 2. (°bɔɢé'tt)
v/t. einwenden (*to* gegen); *v/i.* et.
dagegen h. (*to ger.* daß).

objection (°bɔɢé'tſ¢ʰ°n) Einwand
m; **~able** □ (~°bl) nicht einwandfrei; unangenehm.

objective (ōbɔɢé'ttīw) 1. □ objekti'v, sachlich; 2. ✕ Ziel *n.*

object-lens *opt.* Objekti'v *n.*

obligat|ion (ōbliˈgeˈ'ſ¢ʰ°n) Verpflichtung, Schuldverschreibung *f*; *be
under* ~ *to inf.* die Verpflichtung h.,
zu *inf.*; **~ory** □ (ō'bliˈgᵉtᵉri) verpflichtend; verbindlich.

oblig|e (°blāi'ðꞬ) (zu Dank) verpflichten; nötigen; ~ *a p.* e-m ein
Gefallen tun; *much ~d* sehr verbunden; danke bestens; **~ing** □
(~ing°) verbindlich, gefällig.

oblique □ (ō'blīt) schief, schräg.

obliterate (ō'bliˈt°reⁱt) auslöschen,
tilgen (*a. fig.*); ausstreichen.

oblivi|on (ō'bliˈwⁱ°n) Vergessen(heit
f) *n*; **~ous** □ (~ꞵ) vergeßlich.

obnoxious □ (°bnō'tſ¢ʰꞵ) anstößig,
widerwärtig, verhaßt.

obscene □ (ōbßī'n) unanständig.

obscur|e (°bßtjuᵉ') 1. □ dunkel (*a.
fig.*); unbekannt; 2. verdunkeln;
~rity (~r'it) Dunkelheit *f usw.*

obsequies (ō'bßⁱtwiß) *pl.* Leichenbegängnis *n.*

obsequious □ (°bßⁱtwⁱᵉꞵ) unterwürfig.

observ|able □ (°bßⁱ'w°bl) bemerkbar; **~ance** (~wᵉnß) Befolgung *f*;
Brauch *m*; **~ant** □ (~wᵉnt) beobachtend; achtsam; **~ation** (ōbßⁱweⁱ'ſ¢ʰⁿ) Beobachtung; Bemerkung *f*; **~atory** (°bßⁱ'wᵉtri) Sternwarte *f*; **~e** (°bßⁱ'w) *v/t.* be(ob)achten; acht(geb)en auf (*acc.*); bemerken; *v/i.* sich äußern.

obsess (°bßé'ß) heimsuchen, quälen;
~ed by, *a.* with besessen von.

obsolete (ō'bßōlīt) veraltet.

obstacle (ō'bßtᵉtl) Hindernis *n.*

obstinate □ (ō'bßtᵢnᵢt) halsstarrig;
eigensinnig; hartnäckig.

obstruct (°bßtrᵃ'tt) verstopfen, versperren; hindern; **~ion** (°bßtrᵃ'tſ¢ʰⁿ) Verstopfung; Hemmung *f*;
Hindernis *n*; **~ive** (~tïw) hinderlich.

obtain (°bteⁱ'n) *v/t.* erlangen, erhalten; *v/i.* sich erhalten (h.);
~able (~°bl) ✝ erhältlich.

obtru|de (°btrü'ð) (sich) aufdrängen
(*on dat.*); **~sive** (~ßiw) aufdringlich.

obtuse □ (°btjū'ß) stumpf(sinnig).

obviate (ō'bwⁱeⁱt) vorbeugen (*dat.*).

obvious □ (ō'bwⁱᵉß) offensichtlich,
augenfällig, einleuchtend.

occasion (°teⁱ'Ꞡ°n) 1. Gelegenheit
f; Anlaß *m*; F (festliches) Ereignis;
on the ~ of anläßlich (*gen.*); 2. veranlassen; **~al** □ (~Ꞡnl) gelegentlich; Gelegenheits...

Occident (ō'tßⁱð°nt) Abendland *n*;
~al □ (ōtßⁱðé'ntl) abendländisch.

occult (ō'tßᵃ'lt) geheim, verborgen.

occup|ant (ō'tⁱᵘp°nt) Besitz(ergreif)er(in); Bewohner(in); **~ation**
(ōtⁱᵘpeⁱ'ſ¢ʰⁿ) Besitz(-ergreifung *f*)
m; ✕ Besetzung *f*; Beruf *m*; Beschäftigung *f*; **~y** (ō'tⁱᵘpāi) einnehmen; in Besitz nehmen, besetzen; innehaben; in Anspruch
nehmen, beschäftigen.

occur (°tᵃ') vorkommen; sich ereignen; ~ *to a p.* j-m einfallen;
~rence (°tᵃ'r°nß) Vorkommen *n*;
Vorfall *m*, Ereignis *n.*

ocean (oᵁ'ſ¢ʰⁿ) Ozean *m*, Meer *n.*

o'clock (ᵉᵗlóᵗ): five ~ fünf Uhr.

ocul|ar □ (ŏᵗjᵘlᵉ) Augen...; ~ist (ŏᵗjᵘlᶖᵬt) Augenarzt m.

odd □ (ŏð) ungerade; einzeln; und einige (od. etwas) darüber; überzählig; gelegentlich; sonderbar; ~ity (ŏᵗdᶖᵗ‖) Seltsamkeit f; ~s (ŏðſ) pl. (oft sg.) Unterschied m; Ungleichheit f; ungleiche Wette; Vorgabe, Überle'genheit f, Vorteil m; at ~ uneinig; ~ and ends Abfälle m/pl.; dies und das.

odious (oᵘᵈᶖ͆ᵬ) verhaßt; eklig.

odo(u)r (oᵘᵈᵉ) Geruch; Duft m.

of (ŏw); im Satz mst ᵉw, w) prp. allg. von; Ort: bei (the battle ~ Quebec); um (cheat ~ a th.); aus (~ charity); vor (dat) (afraid ~); auf (acc.) (proud ~); über (acc.) (ashamed ~); nach (smell ~ roses; desirous ~); hinsichtlich, in betreff; an (acc.) (think ~ a th.).

off (ŏf, ŏf) 1. adv. weg; ab; herunter; aus; Zeit: hin (3 months ~); ~ and on ab u. an; hin u. her; well etc. ~ gut usw. daran; 2. prp. von ... (weg, ab, herunter); frei von, ohne; unweit (gen.), neben; ⚓ auf der Höhe von; 3. adj. entfernt(er); abseitig; Neben...; bei Pferd, Wagen: recht; arbeits-, dienst-frei; ⚓ ~ shade Fehlſaube f.

offal (ŏᵗfᵉl) Abfall; Schund m; ~s pl. Fleischerei: Innereien f/pl.

offen|ce, ~se (ᵉſĕᵗnᵬ) Angriff m; Beleidigung f; Ärgernis n; Anstoß m; Vergehen n.

offend (ᵉſĕᵗnŏ) v/t. beleidigen, verletzen; ärgern; a/i. sich vergehen; ~er Schuldige(r); Missetäter(in); first ~ noch nicht Vorbestrafte(r).

offensive (ᵉſĕᵗnᵬlw) 1. □ beleidigend; anstößig; ekelhaft; Angriffs...; 2. Offensi've f.

offer (ŏᵗfᵉ) 1. (An-)Gebot n; 2. v/t. (an-, dar-)bieten; (als Opfer) darbringen; Ansicht usw. vorbringen; e-m Gewalt antun; v/i. sich (dar-) bieten; (vor inf.) sich erbieten; Miene m.; ~ing (~ᴙrnᵍ) Opfer; Anerbieten n.

off-hand F (ŏᵗfhắᵗnŏ) aus dem Handgelenk; ungezwungen, frei.

office (ŏᵗflᵬ) Amt n, Dienst m; Geschäft n; Gottesdienst m; Büro; ♀ Ministe'rium n; ~r (ŏᵗflᵬᵉ) Beamte(r); ✠ Offizie'r m.

official □ (ᵉfiᵗſᶖᵗᴵ) 1. offizie'll, amtlich; Amts...; ~ channel Dienstweg m; ~ hours pl. Bürostunden f/pl.; 2. Beamte(r) m.

officiate (ᵉfiᵗſᶖᵗeᵗt) amtieren.

officious (ᵉfiᵗſᶖᵗᵬᵬ) aufdringlich, übereifrig; offizio's, halbamtlich.

off|set ausgleichen; ~shoot Sproß; Ausläufer m; ~spring Nachkomme(nschaft f) m; Ergebnis n.

often (ŏᵗfn; a. ŏᵗftᵉn) oft(mals).

ogle (oᵘgl) liebäugeln (mit).

ogre (oᵘgᵉ) Menschenfresser m.

oil (ŏᵗl) 1. Öl n; 2. ölen; (a. fig.) schmieren; (alth Wachstuch n; ~skin Ölhaut f; ~y (ŏᵗl‖) ölig; fettig, schmierig (a. fig.).

ointment (ŏᵗntmᵉnt) Salbe f.

O. K., okay F (oᵘᵗeᵗ‖) 1. richtig, stimmt!; 2. annehmen, gutheißen.

old (oᵘlŏ) allg. alt; (in times) of ~ vor alters; ehedem; ~ age (Greisen-)Alter n; ~-fashioned (oᵘᵗlŏfắᵗſᶖᵗnŏ) altmodisch; ~ish (oᵘᵗlŏlſ) ältlich. [ruchs...]

olfactory (ŏlfắᵗᵗᵗᵗrᵗ) anat. Ge-|

olive (ŏᵗlfw) ♀ Oli've f; Oli'vgrün n.

ominous (ŏᵗmᵗnᵉᵬ) unheilvoll.

omission (oᵘmᶖᵗſᶖᵗnᵗ) Unter-, Auslassung f. [lassen.]

omit (ŏmᶖᵗt) unterla'ssen; aus-|

omnipoten|ce (ŏmnᶖᵗpŏᵗnᵬ) Allmacht f; ~t (~tᵗnt) allmächtig.

on (ŏn) 1. prp. mst auf; engS.: an (~ the wall, Thames); auf ... (los), nach ... (hin) (march ~ London); auf ... (hin) (~ his authority); Zeit: an (~ the 1st of April); (gleich) nach, bei (~ his arrival); über (acc.) (talk ~ a subject); nach (~ this model); ~ hearing it als ich usw. es hörte; 2. adv. darauf; auf (keep one's hat ~), an (have a coat ~); vor-aus, -wärts; weiter (and so ~); be ~ im Gange sn; auf sn (Hahn usw.); an sn (Licht usw.).

once (wanᵬ) 1. adv. einmal; einst (-mals); at ~ (so)gleich; zugleich; ~ for all ein für allemal; ~ in a while dann u. wann; this ~ dieses eine Mal; 2. cj. sobald einmal.

one (wan) 1. ein; einzig; eine(r), ein; eins; man; ~ day eines Tages; 2. Eins(er) m; Eins f; the little ~s die Kleinen; ~ another einander; at ~ einig; ~ by ~ einzeln; I for ~ ich für meinen Teil.

onerous □ (ŏᵗnᵉrᵉᵬ) lästig.

one|self (ωαηξε'lf) (man) selbst, sich; ~sided □ einseitig; ~way: ~ street Einbahnstraße f.

onion (a'niᵉn) Zwiebel f.

onlooker (ö'nlüt̯ᵉ) Zuschauer(in).

only (oᵘnli) 1. adj. einzig; 2. adv. nur; bloß; ~ yesterday erst gestern; 3. cj. ~ (that) nur daß.

onset (ö'nξĕt), onslaught (～ξlöt) Angriff; bsd. fig. Anfall; Anfang m.

onward (ö'nᵘᵉö) 1. adj. fortschreitend; 2. adv. vorwärts, weiter.

ooze (üξ) 1. Schlamm m; 2. (durch-) sickern; ~ away schwinden.

opaque □ (oᵘpeᵏ't) undurchsichtig.

open (oᵘp[ᵉ]n) 1. □ allg. offen: frei; mild (Wetter usw.); offenkundig; freimütig; ~ to zugänglich für od. dat.; in the ~ air unter freiem Himmel; 2. bring into the ~ an die Öffentlichkeit bringen; 3. v/t. öffnen; eröffnen (a. fig.); v/i. (sich) öffnen; anfangen; ~ into führen in (acc.) (Tür usw.); ~ on to hinausgehen auf (acc.) (Fenster usw.); ~handed freigebig; ~ing (oᵘpniῆ) Öffnung; Eröffnung; Gelegenheit f; ~minded fig. aufgeschlossen.

opera (ö'pᵉrᵉ) Oper f; ~glass(es pl.) Opernglas n.

operat|e (ö'pᵉreᵏt) v/t. operieren; bsd. Am. in Gang bringen; Maschine bedienen; Unternehmen leiten; v/i. (ein)wirken; sich auswirken; arbeiten; ~ion (öpᵉreᵏ'-ſchᵉn) Wirkung; Tätigkeit; Operatio'n f; be in ~ in Kraft sn; ~ive 1. □ (ö'pᵉreᵏtiw) wirksam, tätig; praktisch; ✗ operati'v; 2. (ö'pᵉr-eᵏtiw) Arbeiter m; ~or (ö'pᵉreᵏtᵉ) Operateu'r m; Telephoni'st(in); ⊕ Maschinenmeister.

opinion (ᵉpi'niᵉn) Meinung; Ansicht; Stellungnahme f; Gutachten n; in my ~ meines Erachtens.

opponent (ᵉpoᵘ'nᵉnt) Gegner m.

opportun|e □ (ö'pᵉtjün) passend; rechtzeitig; günstig; ~ity (öpᵉtjü'-niᵏi) (günstige) Gelegenheit f.

oppos|e (ᵉpoᵘ'ſ) entgegen-, gegenüber-stellen; bekämpfen; ~ed (～ö) entgegengesetzt; be ~ to gegen ... sn; ~ite (ö'pᵉſit) 1. □ gegenüberliegend; entgegengesetzt; 2. prp. u. adv. gegenüber; 3. Gegenteil n; ~ition (öpᵉſi'ſchᵉn) Gegenüberstehen n; Widerstand; Gegensatz;

Widerspruch, -streit m; Opposition f.

oppress (ᵉprĕ'ξ) be-, unter-drücken; ~ion (～ſchᵉn) Unter-, Be-drü'ckung f; Druck m; ~ive □ (～ξiw) (be-) drückend; gewaltsam.

optic (ö'ptiᵏ) Augen..., Seh...; ~al □ (～tiᵏl) optisch; ~ian (öptiᵏ'-ſchᵉn) O'ptiker m.

option (ö'pſchᵉn) Wahl(freiheit) f; ~ right Vorkaufsrecht n; ~al □ (ö'pſchnl) freigestellt, wahlfrei.

opulence (ö'piᵘlᵉnξ) Reichtum m.

or (ö) oder; ~ else sonst, wo nicht.

oracular □ (örä'tjulᵉ) orakelhaft.

oral □ (ö'rᵉl) mündlich; Mund...

orange (ö'rinöÇ) 1. Ora'nge(farbe), Apfelsi'ne f; 2. orangefarben.

orat|ion (oreᵏ'ſchᵉn) Rede f; ~or (ö'rᵉtᵉ) Redner m; ~ory (～ri) Redekunst; Betkammer f. [m.]

orb (öb) Ball; fig. Himmelskörper]

orchard (ö'tſchᵉö) Obstgarten m.

orchestra ♪ (ö'öᵏtᵉ) Orche'ster n.

ordain (ödeᵏ'n) an-, ver-ordnen.

ordeal (ödiᵏ'l) fig. (Feuer-)Probe f.

order (ö'öᵉ) 1. Ordnung; Anordnung f; Befehl m; Regel f; ✝ Auftrag m; Klasse f, Rang; Orden m (a. eccl.); take (holy) ~s in den geistlichen Stand treten; in ~ to ... um zu ...; in ~ that damit; make to ~ auf Bestellung anfertigen; parl. standing ~s pl. Geschäftsordnung f; 2. (an)ordnen; befehlen; ✝ bestellen; ✗ beordern; ~ly (～li) 1. ordentlich; ruhig; regelmäßig; 2. ✗ Ordonna'nz f; Bursche m.

ordinance (ö'öinᵉnξ) Verordnung f.

ordinary □ (ö'önri) □ gewöhnlich.

ordnance ✗, ⚓ (ö'önᵉnξ) schweres Geschütz n.

ordure (ö'öiuᵉ) Kot, Schmutz m.

ore (ö) Erz n.

organ (ö'gᵉn) ♪ Orgel f; Orga'n n; ~grinder Leierkastenmann m; ~ic (ögä'niᵏ) (～ally) organisch; ~ization (ögᵉnäiſeᵏ'ſchᵉn) Organisatio'n f; ~ize (ö'gᵉnäiſ) organisieren; ~izer (～ᵉ) Organisa'tor(in).

orgy (ö'öÇi) O'rgie f.

orient (ö'riᵉnt) 1. Osten; Orie'nt m, Morgenland n; 2. orientieren; ~al (örᵏᵉ'ntl) 1. □ östlich; orienta'lisch; 2. Orienta'l|e m, -in f; ~ate (ö'riᵉnteᵏt) orientieren.

orifice (ö'riᵏξ) Mündung, Öffnung f.

origin (ŏ'rĭŏGĭn) Ursprung; Anfang *m*; Herkunft *f*.

original (ᵉrĭ'ŏGᵉnl) **1.** ☐ ursprünglich; origine'll; Ur...; Origina'l...; † Stamm...; **2.** Origina'l *n*; ~ity (ᵉrĭŏGĭnä'lĭtĭ) Originalitä't *f*.

originat|e (ᵉrĭ'ŏGĭneᵗt) *v/t.* hervorbringen, schaffen; *v/i.* entstehen; ~or (~ᵉ) Urheber *m*.

ornament 1. (ŏ'nᵉmᵉnt) Verzierung *f*; *fig.* Zierde *f*; **2.** (~mĕnt) verzieren; schmücken; ~al ☐ (ŏnᵉmĕ'ntl) zierend; schmückend.

ornate ☐ (ŏneⁱ't) geziert; zierlich.

orphan (ŏ'fᵉn) **1.** Waise *f*; **2.** verwaist (*a.* ~age); ~age (~ᵌĭŏG), ~= -asylum Waisenhaus *n*.

orthodox ☐ (ŏ'ᵦᵊŏŏᵦₛ) rechtgläubig.

oscillate (ŏ'ᵦĭleⁱt) schwingen; *fig.* schwanken.

ossify (ŏ'ᵦĭfaĭ) verknöchern.

ostensible ☐ (ŏᵦtĕ'nᵦᵊbl) angeblich.

ostentatio|n (ŏᵦtĕnteⁱ'ᵱᵊn) Schaustellung *f*; Gepränge *n*; ~us ☐ (~ᵱᵊᵦ) prahlend, prahlerisch.

ostler (ŏ'ᵦlᵉ) Stallknecht *m*.

ostrich (ŏ'ᵦtrĭᵱᵱ) *orn.* Strauß *m*.

other (ᵃ'dhᵉ) andere(r, s); *the* ~ *day* neulich; *the* ~ *morning* neulich morgens; *every* ~ *day* einen Tag um den andern; ~wise (waĭᵌ) anders; sonst.

otter (ŏ'tᵉ) Otter(pelz *m*) *f*.

ought (ŏt) sollte; *you* ~ *to have done it* Sie hätten es tun sollen.

ounce (aŭnᵦ) Unze *f* (= *28,35 g*).

our (aŭ'ᵉ) unser; ~s (aŭᵉᵌ) der (die, das) unsrige; unsere(r, s); *pred.* unser; ~selves (aŭᵉᵦĕ'lwᵌ) wir selbst; uns (selbst).

oust (aŭᵦt) verdrängen, vertreiben.

out (aŭt) **1.** *adv.* aus; hinaus, heraus; draußen; außerhalb; (bis) zu Ende; *be* ~ *with* böse sn mit; ~ *and* ~ durch u. durch; *way* ~ Ausgang *m*; **2.** *part. the* ~s *pl.* die Oppositio'n; **3.** † übernorma'l (Größe); **4.** *prp.* ~ *of*: aus, aus ... heraus; außerhalb; außer; aus; von.

out... (~) a) aus..., Aus...; heraus..., Heraus...; b) *bezeichnet ein Übertreffen*; ~balance (aŭtbä'lᵊnᵦ) überwie'gen; ~bid (~bĭd) [*irr.* (bid)] überbie'ten; ~board (~bŏ'd) Außenbord...; ~break (aŭ'tbreⁱt) Ausbruch *m*; ~building (aŭ'tbĭldĭⁿᵍ) Nebengebäude *n*; ~burst (~bŏᵦt) Ausbruch *m*; ~cast (~täᵦt) **1.** aus-

gestoßen; **2.** Ausgestoßene(r); ~come (~tᶻam) Ergebnis *n*; ~cry (~'traĭ) Aufschrei *m*; ~distance (~dĭ'ᵦtᵊnᵦ) überho'len; ~do (aŭtdū') [*irr.* (do)] übertre'ffen; ~door (aŭ'tdŏŏ) *adj.*, ~doors (aŭ'tdŏŏ'ᵌ) *adv.* Außen...; draußen, außer dem Hause.

outer (aŭ'tᵉ) äußer; Außen...; ~most (aŭ'tᵉmoᵘᵦt) äußerst.

out...: ~fit (~'fĭt) Ausrüstung, Ausstattung *f*; ~going (~ĭnᵍ) **1.** wegab-gehend; **2.** Ausgehen *n*; *pl.* Ausgaben *f*/*pl.*; ~grow (aŭtgroᵘ') [*irr.* (grow)] entwachsen; ~house (~haŭᵦ) Nebengebäude *n*.

outing (aŭ'tĭⁿᵍ) Ausflug *m*.

out...: ~last (aŭtlä'ᵦt) überdau'ern; ~law (aŭ'tlŏ) **1.** Geächtete(r); **2.** ächten; ~lay (~leⁱ) Geld-Auslage(n *pl.*) *f*; ~let (~'lĕt) Auslaß; Ausgang *m*; ~line (~'laĭn) **1.** Umriß; Überblick *m*; Skizze *f*; **2.** umrei'ßen; skizzieren; ~live (aŭtlĭ'w) überle'ben; ~look (aŭ'tlŭt) Ausblick *m* (*a. fig.*); Auffassung *f*; ~lying (~laĭĭⁿᵍ) abgelegen; ~number (aŭtnᵃ'mbᵉ) an Zahl übertre'ffen; ~post (~poᵘᵦt) Vorposten *m*; ~pouring (~pŏrĭⁿᵍ) Erguß *m* (*a. fig.*); ~put (~'pŭt) Produktio'n *f*; Ertrag *m*.

outrage (aŭ'treⁱŏG) **1.** Gewalttätigkeit *f*; Attenta't *n*; Beleidigung *f*; **2.** gröblich verletzen; vergewaltigen; ~ous ☐ (aŭtreⁱ'ŏGᵉᵦ) übermäßig; abscheulich; gewalttätig.

out...: ~right (aŭ'traĭ't) gerade heraus; völlig; ~run (aŭtra'n) [*irr.* (run)] schneller laufen als; *fig.* überschrei'ten; ~set (aŭ'tᵦĕt) Anfang; Aufbruch *m*; ~shine (aŭtᵱaĭ'n) [*irr.* (shine)] überstra'hlen; ~side (aŭ'tᵦaĭ'd) **1.** Außenseite *f*; *fig.* Äußerste(s) *n*; *at the* ~ höchstens; **2.** Außen...; außenstehend; äußerst (*Preis*); **3.** (nach) (dr)außen; **4.** *prp.* außerhalb; ~sider (aŭ'tᵦaĭᵈᵉ) Außenseiter *m*; ~skirts (aŭ'tᵦtŏᵗᵦ) *pl.*, *bsd.* (Stadt-)Rand *m*; ~spoken ☐ (aŭtᵦpoᵘ'tᵊn) freimütig; ~standing (~'ᵦtäᵈnĭnᵍ) hervorragend (*a. fig.*); ausstehend (*Schuld*); offenstehend (*Frage*); ~stretch (~ᵦtrĕ'tᵱᵱ) ausstrecken; ~strip (~ᵦtrĭ'p) überho'len (*a. fig.*).

outward (aŭ'twoᵉŏ) **1.** äußer(lich); nach (dr)außen gerichtet; **2.** *adv.*

(mst ~s [~l]) auswärts, nach (dr)außen.

outweigh (āutʷeɪ⁴) überwie'gen.

oven (a'wn) Brat-, Back-ofen m.

over (oᵘwᵉ) 1. adv. über; hin-, her-über; vorbei; übermäßig; dar-über; von Anfang bis zu Ende; ~ and above überdies; (all) ~ again noch einmal (von vorn); ~ against gegenüber (dat.); all ~ ganz u. gar; ~ and ~ (again) immer wieder; read ~ durchlesen; 2. prp. über; all ~ the town durch die ganze (od. in der ganzen) Stadt.

over... (oᵘwᵉ) mst über...; ~act (oᵘwᵉrā'ᵗt) übertrei'ben; ~all (oᵘwᵉrōl) Arbeits-kittel, -anzug m; ~awe (oᵘwᵉrō') einschüchtern; ~balance (oᵘwᵉbä'lᵉns) umkippen; überwie'gen; ~bearing (~bä'rɪⁿ) anmaßend; ~board ⚓ (oᵘwᵉbōd) über Bord; ~cast (oᵘwᵉkā'st) bewölkt; ~charge (oᵘwᵉtʃɑ'ʤ) 1. überla'den; überteu'ern; 2. Überla'dung; Überteu'erung f; ~coat (~kᵒᵘt) Überzieher m; ~come (~kʌ'm) [irr. (come)] überwä'ltigen; ~crowd (oᵘwᵉkrāu'd) überfü'llen; ~do (~dū') [irr. (do)] zu viel tun; übertrei'ben; zu sehr kochen; übera'nstrengen; ~draw (oᵘwᵉdrō') [irr. (draw)] ✝ Konto überzie'hen; ~dress (~drė's) (sich) übertrie'ben putzen; ~due (~dju') (über)fällig; ~eat (oᵘwᵉrī't) [irr. eat)]: ~ o. s. sich übere'ssen; ~flow (~flᵒᵘ) [irr. (flow)] v/t. überflu'ten; v/i. überfließen; 2. (oᵘwᵉflᵒᵘ) Überschwe'mmung; Überfü'llung f; ~grow (oᵘwᵉgrᵒᵘ) [irr. (grow)] überwu'chern; zu sehr wachsen; ~hang 1. (oᵘwᵉhä'nɡ) [irr. (hang)] v/t. über (dat.) hängen; v/i. überhängen; 2. (oᵘwᵉhä̃ⁿɡ) Überhang m; ~haul (oᵘwᵉhō'l) überho'len; ~head 1. (oᵘwᵉhė'd) adv. (dr)oben; 2. (oᵘwᵉhė'd) adj. Ober...; ✝ allgemein (Unkosten); 3. ✝ ~s pl. allgemeine Unkosten pl.; ~hear (oᵘwᵉhɪ̃ᵉ') [irr. (hear)] belauschen; ~lap (oᵘwᵉlä'p) v/t. übergreifen auf (acc.); über-schnei'den; v/i. ineinandergreifen; ~lay (oᵘwᵉlā') [irr. (lay)] belegen; ⊕ überla'gern; ~load (oᵘwᵉlᵒᵘd) überla'den; ~look (oᵘwᵉlū't) über-se'hen; beaufsichtigen; ~master (oᵘwᵉmā'stᵉ) überwä'ltigen; ~

much (oᵘwᵉmʌ'tʃ) zu viel; ~pay (~peɪ⁴) [irr. (pay)] zu viel bezahlen; ~power (oᵘwᵉpāu'ᵉ) überwä'ltigen; ~reach (oᵘwᵉrī'tʃ) übervo'rteilen; ~ o.s. sich überne'hmen; ~ride (~rāi'd) [irr. (ride)] überrei'ten; fig. beiseitesetzen; ~run (~rʌ'n) [irr. (run)] überre'nnen; über-lau'fen; bedecken; ~sea (oᵘwᵉsī') 1. überseeisch; Übersee... ; 2. (a. ~seas) über See; ~see (~sī') [irr. (see)] beaufsichtigen; ~seer (oᵘwᵉsī̃ᵉ) Aufseher m; ~shadow (~ʃä'dᵒᵘ) überscha'tten; ~sight (~sāit) Versehen n; ~sleep (oᵘwᵉslī'p) [irr. (sleep)] verschlafen; ~spread (oᵘwᵉsprė'd) [irr.(spread)] überzie'hen; ~state (oᵘwᵉsteɪ't) übertrei'ben; 2. Übera'nstren-gung f; ~take (oᵘwᵉteɪ'k) [irr. (take)] einholen; j. überra'schen; ~tax (oᵘwᵉtä'ks) zu hoch besteuern; fig. überschä'tzen; übermäßig in Anspruch nehmen; ~throw 1. (oᵘwᵉthrᵒᵘ) [irr. (throw)] (um-)stürzen (a. fig.); vernichten; 2. (oᵘwᵉthrᵒᵘ) Sturz m; Vernichtung f; ~time (oᵘwᵉtāim) Überstunden f/pl.

overture (oᵘwᵉtjuᵉ) ♪ Ouvertü're f, Vorspiel n; Vorschlag, Antrag m.

over...: ~turn (oᵘwᵉtõ'n) (um-)stürzen; ~weening (oᵘwᵉwī'nɪⁿ) eingebildet; ~whelm (oᵘwᵉwė'lm) über-schü'tten (a. fig.); -wä'ltigen; ~work (~wõ't) 1. Übera'rbeitung f; 2. [irr. (work)] (sich) übera'rbei-ten; übermäßig arbeiten; ~wrought (oᵘwᵉrō't) über-a'rbeitet; überrei'zt.

owe (oᵘ) Geld, Dank usw. schulden, schuldig sn; verdanken.

owing (oᵘ'ɪnɡ) schuldig; ~ to infolge.

owl (āul) orn. Eule f.

own (oᵘn) 1. eigen; richtig; innig geliebt; 2. my ~ mein Eigentum; a house of one's ~ ein eigenes Haus; hold one's ~ ~ aushalten; 3. besitzen; zugeben; anerkennen; sich be-kennen (to zu).

owner (oᵘ'nᵉ) Eigentümer(in); ~ship (~ʃɪp) Eigentum(srecht) n.

ox (ōks) Ochs, Ochse m; Rind n.

oxid|e ⚗ (ō'ksāid) Oxy'd n; ~ize (ō'ksɪdāɪz) oxydieren.

oxygen ⚗ (ō'ksɪdᵊn) Sauerstoff m.

oyster (ōi'stᵉ) Auster f.

P

pace (pei̯s) 1. Schritt; Gang *m*; Tempo *n*; 2. *v/t.* abschreiten; *v/i.* schreiten; (im) Paß gehen.

pacific (pə̆ˈsiˈfik) (~ally) friedlich; ♀ *Ocean* Stiller Ozean; **~ation** (pæ̆ˌsiˈfiˈtei̯ˈʃən) Beruhigung *f*.

pacify (pæ̆ˈsiˈfai̯) beruhigen.

pack (pæk) 1. Pack(en) *m*; Paket *n*; Ballen *m*; Spiel *n Karten*; Meute; Rotte, Bande; Packung *f*; 2. *v/t.* (*oft ~ up*) (zs.-, ver-, ein-)packen; (*a. ~ off*) fortjagen; bepacken, vollstopfen; ⊕ dichten; *v/i.* packen (*oft ~ up*); sich packen (l.); **~age** (pæ̆ˈtʲⁱdʒ) Pack, Ballen *m*; Packung *f*; Frachtstück *n*; **~er** (pæ̆ˈtʲə) Packer(in); *Am.* Konseʳvenfabrikaˈnt *m*; **~et** (pæ̆ˈtʲⁱt) Paketˈ; Päckchen *n*; Postschiff *n*; **~thread** Bindfaden *m*.

pact (pækt) Vertrag, Pakt *m*.

pad (pæd) 1. Polster *n*; (Schreib-) Block *m*; 2. (aus)polstern; **~ding** (pæ̆ˈdⁱng) Polsterung *f*; *fig.* Lückenbüßer *m*.

paddle (pæ̆ˈbl) 1. (Paddel-)Ruder *n*; ♣ (Rad-)Schaufel *f*; 2. paddeln; p(l)an(t)schen; **~-wheel** Schaufelrad *n*. [*f*; *Sport*: Sattelplatz *m.*]

paddock (pæ̆ˈdək) (Pferde-)Koppel

padlock (pæ̆ˈdlɔk) Vorlegeschloß *n*.

pagan (pei̯ˈgən) 1. heidnisch; 2. Heidˈe *m*, -in *f*.

page (pei̯dʒ) 1. Page *m*; *Buch*-Seite *f*; 2. paginieren.

pageant (pæ̆ˈdʒənt) (historisches) Festspiel; Prunkaufzug *m*.

paid (pei̯d) zahlte; gezahlt.

pail (pei̯l) Eimer *m*.

pain (pei̯n) 1. Pein *f*, Schmerz *m*; Strafe *f*; **~s** *pl.* (*oft sg.*) Mühe *f*; *on ~ of* bei Strafe von; *be in ~* leiden; *take ~s* sich Mühe geben; 2. *j.* schmerzen; **~ful** □ (pei̯ˈnfᵘl) schmerzhaft, schmerzlich; peinlich; **~less** □ (~lis) schmerzlos; **~staking** □ (~stei̯king) fleißig.

paint (pei̯nt) 1. Farbe; Schminke *f*; Anstrich *m*; 2. (be)malen; anstreichen; (sich) schminken; **~-brush** Malerpinsel *m*; **~er** (pei̯ˈntə)

Maler(in); **~ing** (pei̯ˈntⁱng) Malerei *f*; Gemälde *n*; **~ress** (~triˈs) Malerin *f*.

pair (pɛə) 1. Paar *n*; *a ~ of scissors* eine Schere; 2. (sich) paaren; zs.-paaren.

pal *sl.* (pæl) Kamerad *m*. [passen.]

palace (pæ̆ˈlⁱs) Palaˈst *m*.

palatable (pæ̆ˈləˈtəbl) schmackhaft.

palate (~lⁱt) Gaumen; Geschmack *m*.

pale¹ (pei̯l) 1. □ blaß, bleich; fahl; *~ ale* helles Bier; 2. (er)bleichen.

pale² (~) Pfahl; Bereich *m*.

paleness (pei̯ˈlnⁱs) Blässe *f*.

pall (pɔl) übersättigen (*on acc.*).

pallet (pæ̆ˈlⁱt) Strohsack *m*.

palliat|e (pæ̆ˈlⁱei̯t) bemänteln; lindern; **~ive** (pæ̆ˈlⁱətiw) Linderungsmittel *n*. **~or** (~lⁱə) Blässe *f.*

pall|id □ (pæ̆ˈlⁱd) blaß; **~ness** (~niˈs)

palm (pɑm) 1. Handfläche; ♀ Palme *f*; 2. in der Hand verbergen; *~ off on a p. j-m et.* aufschwindeln; **~-tree** Palmbaum *m*.

palpable □ (pæ̆ˈlpəbl) fühlbar; *fig.* handgreiflich.

palpitat|e (pæ̆ˈlpiˈtei̯t) klopfen (*Herz*); **~ion** (~ˈʃⁱən) Herzklopfen *n*.

palsy (pɔˈlzⁱ) 1. Lähmung; *fig.* Ohnmacht *f*; 2. *fig.* lähmen.

palter (pɔˈltə) unredlich handeln.

paltry □ (pɔˈltrⁱ) erbärmlich.

pamper (pæ̆ˈmpə) verzärteln.

pamphlet (pæ̆ˈmflⁱt) Flugschrift *f*.

pan (pæn) Pfanne *f*; Tiegel *m*.

pan... (~) all..., gesamt...

panacea (pæ̆nəˈsⁱə) Allheilmittel *n*.

pancake (pæ̆ˈnkei̯k) Pfann-, Eierkuchen *m*; ⚡ Bumslandung *f*.

pandemonium ◊ (pæ̆ndiˈmoᵘˈnⁱəm) *fig.* Hölle(nlärm *m*) *f*.

pander (pæ̆ˈndə) 1. Vorschub leisten (*to dat.*); kuppeln; 2. Kuppler(in).

pane (pei̯n) (Fenster-)Scheibe *f*.

panegyric (pæ̆niˈdʒiˈrik) Lobrede *f*.

panel (pæ̆ˈnl) 1. △ Fach *n*; Tür-Füllung *f*; ⚖ Geschwornenliste; Kassenarztliste *f*; 2. täfeln.

pang (pæ̆ŋ) plötzlicher Schmerz, Weh *n*; *fig.* Angst, Qual *f*.

panic (pæ̆ˈnik) 1. panisch; 2. Panik *f*.

pansy ♀ (pæ̆ˈnzⁱ) Stiefmütterchen *n*.

pant (pănt) *nach Luft* schnappen; keuchen; klopfen (*Herz*); lechzen (*for, after* nach).

panties *Am.* F (pă'ntĭß) (*a pair of ~* ein) Damenschlüpfer *m*.

pantry (pă'ntrĭ) Vorratskammer *f*.

pants (păntß) *pl. Am. od.* P (*a pair of ~* eine) (Unter-)Hose *f*.

pap (păp) Brei *m*.

papal □ (pei'p*ə*l) päpstlich.

paper (pei'p*ə*) 1. Papie'r *n*; Zeitung; Tape'te; Abhandlung; Prüfungsarbeit *f*; 2. tapezieren; **~-bag** Tüte *f*; **~-clip** Aktenklammer *f*; **~-fastener** Musterklammer *f*; **~-hanger** Tapezierer *m*; **~-weight** Briefbeschwerer *m*.

pappy (pă'pĭ) breiig.

par (pă) Gleichheit *f*; ♰ Pari *n*; *at ~* gleich an Wert; *be on a ~ with* gleich *od.* ebenbürtig sn (*dat.*).

parable (pă'r*ə*bl) Gleichnis *n*.

parachut|e (pă'r*ə*ʃut) Fallschirm *m*; **~ist** (~ĭßt) Fallschirmspringer.

parade (p*ə*rei'd) 1. Prunk *m*; ✕ Parade *f*; ✕ Paradeplatz *m* (= **~-ground**); Promenade; *make a ~ of* prunken mit; 2. prunken mit; ✕ in Parade aufziehen (lassen).

paradise (pă'r*ə*daĭß) Paradie's *n*.

paragon (~g*ə*n) Vorbild; Muster *n*.

paragraph (pă'r*ə*grăf) Paragra'ph, Absatz *m*; kurze Zeitungsnoti'z.

parallel (pă'r*ə*lĕl) 1. paralle'l; 2. Paralle'le *f* (*a. fig.*); *geogr.* Parallelkreis *m*; Gegenstück *n*; *without ~* ohnegleichen; 3. paralle'l m. *od.* sn; entsprechen (*dat.*); vergleichen.

paraly|se (pă'r*ə*laĭß) lähmen; *fig.* unwirksam m.; **~sis** ✄ (p*ə*ră'lĭßĭß) Lähmung *f*.

paramount (pă'r*ə*maŭnt) oberst; größer, höher stehend (*to* als).

parapet (pă'r*ə*pĭt) ✕ Brustwehr; Brüstung *f*; Geländer *n*.

paraphernalia (păr*ə*f*ə*nei'lĭ*ə*) *pl.* Ausrüstung *f*; Zubehör *m*. [(-in).]

parasite (pă'r*ə*ßaĭt) Schmarotzer|

parasol (pă'r*ə*ßŏl) Sonnenschirm *m*.

paratroop ✕ (pă'r*ə*trup) Luftlandetruppe *f*.

parboil (pă'bŏĭl) ankochen.

parcel (pă'ßl) 1. Pake't *n*; Parze'lle *f*; 2. aus-, auf-teilen (*mst ~ out*).

parch (pătʃ) rösten, (aus)dörren.

parchment (~m*ə*nt) Pergame'nt *n*.

pardon (pă'dn) 1. Verzeihung; ♱ Begnadigung *f*; 2. verzeihen; *i.*

begnadigen; **~able** □ (~*ə*bl) verzeihlich. [schälen.]

pare (pă*ə*) beschneiden (*a. fig.*);|

parent (pă*ə*'r*ə*nt) Vater *m*, Mutter *f*; *fig.* Ursprung *m*; *~s pl.* Eltern; **~age** (~ĭǝG) Abstammung, Familie *f*; **~al** □ (p*ə*rĕ'ntl) elterlich.

parenthe|sis (p*ə*rĕ'nthĭßĭß), *pl.* **~ses** (~ßĭß) Einschaltung; *typ.* (runde) Klammer *f*.

paring (pă*ə*'rĭŋ) Schale; *pl.* **~s** Schalen *f/pl.*; Späne *m/pl.*, Abfall *m*.

parish (pă'rĭʃ) 1. Kirchspiel *n*, Gemeinde; (*a. civil ~*) Armenfürsorge(bezirk *m*) *f*; 2. Pfarr...; Gemeinde...

parity (pă'rĭtĭ) Gleichheit *f*.

park (păk) 1. Park *m*; *mot.*, ✕ Parkplatz *m*; 2. *mot.* parken; **~ing** (pă'kĭŋ) *mot.* Parken *n*; *attr.* Park... [*f.*]

parlance (pă'l*ə*nß) Ausdrucksweise|

parley (pă'lĭ) 1. Unterha'ndlung *f*; 2. unterha'ndeln.

parliament (pă'l*ə*m*ə*nt) Parlame'nt *n*; **~ary** (~mĕ'nt*ə*rĭ) parlamenta'risch; Parlaments...

parlo(u)r (pă'l*ə*) Wohn-; Empfangs-; Gast-zimmer *n*; *Am.* Salo'n *m* (*a.* = *Laden*); **~-maid** Stubenmädchen *n*.

parochial □ (p*ə*rou'tʃĭ*ə*l) Pfarr...; Gemeinde...; *fig.* eng-herzig, -stirnig. [wort *n*.]

parole (p*ə*rou'l) ✕ Paro'le *f*; Ehren-|

parquet (pă'kei) Parke'tt(fußboden *m*) *n*.

parrot (pă'r*ə*t) 1. *orn.* Papagei' *m* (*a. fig.*); 2. (nach)plappern.

parry (pă'rĭ) abwehren, parieren.

parsimonious □ (păßĭmou'nĭ*ə*ß) sparsam, karg; *b.s.* knauserig.

parsley ✤ (pă'ßlĭ) Petersi'lie *f*.

parson (pă'ßn) Pfarrer *m*.

part (păt) 1. Teil, Anteil *m*; Partei; Rolle (*thea. u. fig.*); ♪ *Einzel*-Stimme *f*; Gegend *f*; *a man of ~s* e. fähiger Kopf; *take in good* (*bad*) *~* gut (übel) aufnehmen; *for my* (*own*) *~* meinerseits; *in ~* teilweise; *on the ~ of* von seiten (*gen.*); 2. *adv.* teils; 3. *v/t.* (zer-, zu)teilen; *Haar* scheiteln; *~ company with* trennen (*with* von); *v/i.* sich trennen (*with* von); scheiden.

partake (pătei't) [*irr.* (take)] teilnehmen, -haben; grenzen an (*acc.*).

partial □ (pā'ſch⁽l) Teil...; teilweise; parteiisch; eingenommen (to von, für); **~ity** (pāſchi̯ä'li̯ti) Parteilichkeit; Vorliebe f.

particip|ant (pärti'ſi̯pᵉnt) Teilnehmer(in); **~ate** (~pei̯t) teilnehmen; **~ation** (~pei̯'ſchᵉn) Teilnahme f.

particle (pä'tikl) Teilchen n.

particular (pᵉti'ki̯ul⁽ᵉ) 1. □ mst besonder; einzeln; Sonder...; genau; eigen; wählerisch; 2. Einzelheit f; Umstand m; in ~ insbesondere; **~ity** (pᵉtiti̯ul̯ä'riti) Ausführlichkeit; Eigenheit f; **~ly** (pᵉti'ki̯ul⁽li) besonders.

parting (pā'tiŋ) 1. Trennung f; Haar-Scheitel m; ~ of the ways bsd. fig. Scheideweg m; 2. Abschieds...

partisan (päti'sän) 1. Parteigänger (-in); ⚔ Partisa'n m; 2. Partei...

partition (päti'ſchᵉn) 1. Teilung; Scheidewand f; 2. (ver)teilen.

partly (pā'tli) teilweise, zum Teil.

partner (pā'tn⁽) 1. Partner(in); 2. (sich) zs.-tun; zs.-arbeiten mit; **~ship** (~ſchip) Teilhaberschaft; ✝ Handelsgesellschaft f.

part-owner Miteigentümer(in).

part-time Kurzarbeit f; attr. (nur) teilweise beschäftigt; ~ worker Kurzarbeiter m.

party (pā'ti) Partei' f; Beteiligte(r) m (to an dat.); Gesellschaft f; ~ line parl. Partei'direkti've f; ~ ticket Am. Partei'progra'mm n.

pass (pāß) 1. Paß m; Freikarte f; (kritische) Lage; univ. gewöhnlicher Grad; Fußball: Zuspielen n; 2. v/i. von e-m Ort zum andern gehen, kommen usw.; vorbeigehen usw., passieren; übergehen (from ... to ... von ... zu ...); vergehen, vorübergehen; gelten, hingehen; durchgehen (Gesetz); durchkommen (Prüfling); sich ereignen; come to ~ sich zutragen; ~ as, for gelten als, für; ~ away fort-, dahingehen; ~ by vorübergehen (an dat.); ~ into übergehen in (acc.); werden zu; ~ off vergehen; ~ on weitergehen; ~ out hinausgehen; 3. v/t. vorüber-, vorbei-gehen, -kommen usw. an (dat.); passieren; hinausgehen über (acc.); Zeit zu-, verbringen; gehen l.; weitergeben (a. ~ on); (zu)reichen; durchlassen; Prüfung bestehen; überstei'gen; gelten l.; Gesetz durchbringen;

annehmen; Urteil usw. aussprechen; Hand, Auge gleiten l.; **~able** (pā'ß⁽bl) passierbar; gangbar (Geld); □ leidlich.

passage (pä'ßi̯dG) Durchgang m; Überfahrt; Durchreise f; Korridor, Gang; Weg m; Annahme e-s Gesetzes; Text-Stelle f.

passenger (pä'ßi̯ndG⁽) Passagie'r m, Reisende(r); **~train** Personenzug m.

passer-by (pā'ß⁽bāi̯') Passa'nt(in).

passion (pä'ſchᵉn) Leidenschaft f; Zorn m; ⚰ eccl. Passio'n f; ⚰ Week Karwoche f; **~ate** (~t) leidenschaftlich. [untätig; geduldig.]

passive □ (pä'ßiw) passi'v; leidend;]

passport (pā'ßpōt) (Reise-)Paß m.

password ⚔ (~wöd) Losung f.

past (pāßt) 1. adj. vergangen; früher; for some time ~ seit einiger Zeit; 2. adv. vorbei; 3. prp. nach, über ... (acc.) hinaus; half ~ two halb drei; ~ endurance unerträglich; ~ hope hoffnungslos; 4. Vergangenheit f.

paste (pei̯ßt) 1. Teig; Kleister m; Paste f; 2. (be)kleben; **~board** Pappe f; attr. Papp...

pastel (pä'ßt⁽l) Paste'll(bild) n.

pasteurize (pä'ßt⁽räiß) keimfrei m.

pastime (pā'ßtāim) Zeitvertreib m.

pastor (pā'ßt⁽) Pastor m; **~al** (~rᵉl) Hirten...; pastora'l.

pastry (pei̯'ßtri) Tortengebäck n; Paste'ten f/pl.; ~cook Kondi'tor m.

pasture (pā'ßtſch⁽) 1. Vieh-Weide f; Futter n; 2. (ab)weiden.

pat (pät) 1. Klaps; Klecks m Butter; 2. klapsen; 3. gelegen; bereit.

patch (pätſch) 1. Fleck; Flicken m; Stück n Land; 2. flicken.

pate (pei̯t) Schädel, Kopf m.

patent (pei̯'tᵉnt) 1. offenkundig; patentiert; Pate'nt...; ~ fastener Druckknopf m; ~ leather Lackleder n; 2. (a. letters ~ pl.) Pate'nt n; Freibrief m; ~ agent Patentanwalt m; 3. patentieren; **~ee** (pei̯tᵉnti') Pate'ntinhaber m.

patern|al (pᵉtö'nl) väterlich; **~ity** (~nti) Vaterschaft f. [m.]

path (pāth) pl. **~s** (pādhß) Pfad; Weg)

pathetic (pᵉthé'tik) (~ally) pathetisch; rührend, ergreifend.

patien|ce (pei̯'ſchᵉnß) Geduld; Ausdauer; **~t** (~t) 1. □ geduldig; 2. Pati'ent(in). [Erbteil.]

patrimony (pä'trimᵉni) väterliches)

patrol ⋉ (pᵉtrouˈl) 1. Patrouille, Streife *f*; 2. (ab)patrouillieren.

patron (peiˈtrᵉn) (Schutz-)Patron; Gönner; Kunde *m*; ~age (päˈtrᵉ-nᵗòɡ̌) Gönnerschaft; Kundschaft *f*; Schutz *m*; ~ize (~näſ) beschützen; begünstigen; Kunde sn bei; gönnerhaft behandeln.

patter (päˈtᵉr) *v/i.* platschen; trappeln; *v/t.* (her)plappern.

pattern (päˈtᵉn) 1. Muster (*a. fig.*); Mode'll *n*; 2. formen (*on* nach).

paunch (pȏntſ) Wanst *m*.

pauper (pȏˈpᵉ) Almosenempfänger (-in); ~ize (~räſ) arm m.

pause (pȏſ) 1. Pause *f*; 2. pausieren.

pave (peⁱw) pflastern; *fig.* bahnen; ~ment (peⁱwmᵉnt) Pflaster *n*; Bürgersteig *m*.

paw (pȏ) 1. Pfote, Tatze *f*; 2. scharren.

pawn (pȏn) 1. Bauer *m im Schach*; Pfand *n*; *in, at* ~ verpfändet; 2. verpfänden; ~broker Pfandleiher *m*; ~shop Leihhaus *n*.

pay (peⁱ) 1. (Be-)Zahlung *f*; Lohn *m*; 2. [*irr.*] *v/t.* (be)zahlen; (be)lohnen; sich lohnen für *j.*; *Ehre usw.* erweisen; *Besuch* abstatten; ~ *attention to* achtgeben auf (*acc.*); ~ *down* bar bezahlen; *v/i.* zahlen; sich lohnen; ~ *for* (für) *et.* bezahlen; ~able (peiˈᵉbl) zahlbar; ~day Zahltag *m*; ~ing (peiˈínɡ̌) lohnend; ~master Zahlmeister *m*; ~ment (~mᵉnt) (Be-)Zahlung *f*; Lohn *m*; ~roll Lohnliste *f*.

pea ⚹ (piˈ) Erbse *f*; *attr.* Erbsen...

peace (piſ̌) Friede(n) *m*, Ruhe *f*; ~able □ (piˈſ̌ᵉbl) friedliebend, friedlich; ~ful □ (~ſul) friedlich; ~maker Friedensstifter(in).

peach (piˈtſ̌) Pfirsich(baum) *m*.

pea|cock (piˈtȯſ̌) Pfau(hahn) *m*; ~hen (~ȟᵉn) Pfauhenne *f*.

peak (piˈk) Spitze *f*; Gipfel; *Mützen-* Schirm *m*; *attr.* Spitzen..., Höchst-...; ~ed (piˈkt) spitz.

peal (piˈl) 1. Glockenspiel; Dröhnen *n*; ~ *of laughter* dröhnendes Gelächter; 2. erschallen (l.); laut verkünden; dröhnen.

peanut (piˈnaɫ) Erdnuß *f*.

pear ⚹ (päᵉ) Birne *f*.

pearl (pȯl) Perle (*a. fig.*); *attr.* Perl(en)...; ~y (pȏˈlí) perlengleich.

peasant (pĕˈᵉnt) 1. Bauer *m*; 2. bäuerlich; ~ry (~rí) Landvolk *n*.

peat (piˈt) Torf *m*.

---

pebble (pĕˈbl) Kiesel(stein) *m*.

peck (pĕk) 1. Viertelscheffel *m* (*9,087 Liter*); *fig.* Menge *f*; 2. picken.

peculate (pĕˈtǐuɫeⁱt) unterschla'gen.

peculiar □ (pⁱtǐuˈlíᵉ) eigen(tümlich); besonder; ~ity (pⁱtǐuɫiˈäˈrⁱtí) Eigenheit; Eigentümlichkeit *f*.

pecuniary (pⁱtǐuˈníᵉrí) Geld... [*m.*|

pedagogue (pĕˈdᵉgȯg) Pädago'g(e)|

pedal (pĕˈdl) 1. Peda'l *n*; 2. Fuß...; 3. *Radfahren*: fahren, treten.

peddle (pĕˈdl) hausieren (mit).

pedest|al (pĕˈdⁱẛtl) Sockel (*a. fig.*); ~rian (pⁱdĕˈẛtrⁱᵉn) 1. zu Fuß; nüchtern 2. Fußgänger(in).

pedigree (pĕˈdⁱgrí) Stammbaum *m*.

pedlar (pĕˈdlᵉ) Hausierer *m*.

peek *Am.* (piˈk) 1. spähen, gucken, lugen; 2. flüchtiger Blick.

peel (piˈl) 1. Schale; Rinde *f*; 2. (*a.* ~ *off*) *v/t.* (ab)schälen; *Kleid* abstreifen; *v/i.* sich (ab)schälen.

peep (piˈp) 1. verstohlener Blick; 2. (verstohlen) gucken; *fig.* (hervor-) gucken; piepen; ~hole Guckloch *n*.

peer (pⁱᵉ) 1. spähen; ~ *at* angucken; 2. Gleiche(r); Pair *m*; ~less □ (pⁱᵉˈlⁱẛ) unvergleichlich.

peevish □ (piˈwⁱſ̌) verdrießlich.

peg (pĕg) 1. *Holz-*Pflock; *Kleider-* Haken; ♪ Wirbel *m*; *Wäsche-* Klammer *f*; *fig.* take a p. down a ~ *j.* ducken; 2. festpflöcken; *Grenze* abstecken; F ~ *away*, *along* darauflosarbeiten; ~top Kreisel *m*.

pellet (pĕˈlⁱt) Kügelchen *n*; Pille *f*; Schrotkorn *n*.

pell-mell (pĕˈlmĕˈl) durcheinander.

pelt (pĕlt) 1. Fell *n*; † *rohe* Haut; 2. *v/t.* bewerfen; *v/i.* niederprasseln.

pen (pĕn) 1. (Schreib-)Feder; Hürde *f*; 2. schreiben; [*irr.*] einpferchen.

penal □ (piˈnl) Straf...; strafbar; ~ *servitude* Zuchthausstrafe *f*; ~ize (piˈnᵉläſ) bestrafen; ~ty (pĕˈnlɫ) Strafe *f*; *Sport*: Strafpunkt *m*.

penance (pĕˈnᵉnẛ) Buße *f*.

pence (pĕnẛ) *pl. von* penny.

pencil (pĕˈnẛl) 1. Blei-, Farb-stift *m*; 2. zeichnen; (mit Bleistift) zeichnen *od.* schreiben; *Augenbrauen* nachziehen.

pendant (pĕˈndᵉnt) Anhänger *m*.

pending (pĕˈndínɡ̌) 1. ⁂ schwebend; 2. *prp.* während; bis zu.

pendulum (pĕˈndⁱuɫᵉm) Pendel *n*.

penetra|ble □ (pĕˈnⁱtrᵉbl) durchdri'ngbar; ~te (~treⁱt) durchdri'ngen (*a. fig.* = *ergründen*); eindringen (in *acc.*); vordringen (to bis zu); **~tion** (pĕn¹tre¹¹ʃ(ch)ⁿ) Durch-, Eindringen *n*; Scharfsinn *m*; **~tive** □ (pĕ'n¹tre¹tiw) durchdri'ngend (*a. fig.*); eindringlich.

penholder Federhalter *m*.

peninsula (p¹n¹'n(sch)iu¹e⁴) Halbinsel *f*.

peniten|ce (pĕ'n¹t⁴n(ß)) Buße, Reue *f*; **~t 1.** □ reuig, bußfertig; **2.** Büßer(in); **~tiary** (pĕn¹tĕ'n(sch)⁴r¹) Besserungsanstalt *f*; *Am.* Zuchthaus *n.* [Schriftsteller *m.*]

penman (pĕ'nm⁴n) Schönschreiber;|

pen-name Schriftstellername *m.*

pennant ⚓ (pĕ'n⁴nt) Wimpel *m.*

penniless □ (pĕ'n¹l¹ß) ohne Geld.

penny (pĕ'n¹) (englischer) Penny (¹/₁₂ *Schilling*); *Am.* Cent *m*; Kleinigkeit *f*; **~weight** *englisches* Pennygewicht (1¹/₂ *Gramm*).

pension 1. (pĕ'n(sch)⁴n) Pensio'n *f*; **2.** pensionieren; P. zahlen (*dat.*); **~ary**, **~er** (pĕ'n(sch)⁴n⁴r¹, ~(sch)⁴n⁴) Pensionä'r(in).

pensive □ (pĕ'n(ß)iw) gedankenvoll.

pent (pĕnt) eingepfercht; **~-up** aufgestaut (*Zorn usw.*).

penthouse(pĕ'nt(h)au(ß)) Schutzdach*n.*

penu|rious (p¹nju⁴r¹⁴ß) geizig; **~ry** (pĕ'n¹u⁴r¹) Armut *f*; Mangel *m.*

people (pi'pl) **1.** Volk *n*; *coll.* die Leute *pl.*; man; **2.** bevölkern.

pepper (pĕ'p⁴) **1.** Pfeffer *m*; **2.** pfeffern; **~mint** ⚘ Pfefferminze *f*; **~y** □ (~r¹) pfefferig; *fig.* hitzig.

per (pŏ) per, durch, für; laut; je; **~ cent** Prozent *n* (⁰/₀).

perambulat|e (pĕrǎ'mb¹u¹le¹t) (durch)wa'ndern; bereisen; **~or** (prǎ'mb¹u¹e¹t) Kinderwagen *m.*

perceive (p⁴ß¹'w) (be)merken, wahrnehmen; empfinden; erkennen.

percentage (p⁴ßĕ'nt¹dG) Prozent (-satz; -gehalt *m*) *n*; ✝ Provisio'n *f.*

percepti|ble □ (p⁴ßĕ'pt⁴bl) wahrnehmbar; **~on** (~(sch)⁴n) Wahrnehmung(svermögen *n*); Erkenntnis, Auffassung(skraft) *f.*

perch (p⁴tʃ) **1.** *ichth.* Barsch *m*; Rute (= *5,029 m*); Sitzstange *f*; **2.** (sich) setzen; sitzen.

percolate (p⁴'f¹le¹t) durch-seihen, -dri'ngen; (durch)sickern.

percussion (p⁴k⁴'(sch)⁴n) Schlag *m.*

perdition (p⁴dĭ'(sch)⁴n) Verderben *n.*

peregrination (pĕr¹gr¹ne¹'(sch)⁴n) Wanderschaft; Wanderung *f.*

peremptory(p⁴rĕ'mpt⁴r¹)bestimmt, zwingend; rechthaberisch.

perennial □ (p⁴rĕ'n¹⁴l) dauernd; immerwährend; ⚘ perennierend.

perfect 1. (pŏ'f¹tt) □ vollkommen; vollendet; **2.** (p⁴fĕ'tt) vervollkommnen; vollenden; **~ion** (~(sch)⁴n) Vollkommenheit *f*; *fig.* Gipfel *m.*

perfidious □ (p⁴fĭ'd¹⁴ß) treulos.

perfidy (pŏ'f¹d¹) Treulosigkeit *f.*

perforate (pŏ'f⁴re¹t) durchlö'chern.

perform (p⁴fŏ'm) verrichten; ausführen; tun; *thea.*, ♪ aufführen; (*a. v/i.*) spielen, vortragen; **~ance** (~⁴nß) Verrichtung; *thea.* Aufführung *f*; Vortrag *m*; **~er** (~⁴) Vortragende(r).

perfume 1. (pŏ'fjūm) Wohlgeruch *m*; Parfü'm *n*; **2.** (p⁴fjū'm) parfümieren; **~ry** (~⁴r¹) Parfümerie(n *pl.*) *f.* [mechanisch; oberflächlich.]

perfunctory □ (p⁴fˀa'nŏtt⁴r¹) *fig.*|

perhaps (p⁴(h)ă'pß, prăpß) vielleicht.

peril (pĕ'r¹l) **1.** Gefahr *f*; **2.** gefährden; **~ous** □ (~⁴ß) gefährlich.

period (pi⁴'r¹⁴d) Perio'de *f*; *gr.* Absatz; *gr.* Punkt *m*; *Am.* (Unterrichts-)Stunde *f*; **~ic** (pi⁴rˀŏ'd¹f) periodisch; **2.** Zeitschrift *f.*

perish (pĕ'r¹(sch)) umkommen, zugrunde gehen; **~able** □ (pĕ'r¹(sch)⁴bl) vergänglich; leicht verderblich.

periwig (pĕ'r¹w¹g) Perücke *f.*

perjur|e (pŏ'dG⁴): **~ o.s.** falsch schwören; **~y** (~r¹) Meineid *m.*

perk F (pŏf) *mst* **~ up**: *v/i.* selbstbewußt auftreten; *v/t.* putzen.

perky □ (pŏ'f¹) keck, dreist; flott.

permanen|ce (pŏ'm⁴n⁴ß) Dauer *f*; **~t** □ (~t) dauernd, ständig; Dauer...

permea|ble (pŏ'm¹⁴bl) durchlässig; **~te** (~m¹e¹t) durchdri'ngen.

permissi|ble □ (p⁴mĭ'ß⁴bl) zulässig; **~on** (~(sch)⁴n) Erlaubnis *f.*

permit 1. (p⁴mĭ't) erlauben, gestatten; **2.** (pŏ'mĭt) Erlaubnis, Genehmigung *f*; Passierschein *m.*

pernicious (pŏnĭ'(sch)⁴ß) verderblich.

perpendicular □ (pŏp⁴nŏ'd¹u¹e⁴) senkrecht; aufrecht; steil.

perpetrate (pŏ'p¹tre¹t) verüben.

perpetu|al (p⁴pĕ't¹u⁴l) fortwährend, ewig; **~ate** (~¹u⁴e¹t) verewigen.

perplex (p⁴plĕ'kß) bestürzt machen; **~ity** (~¹t¹) Verwirrung *f.*

perquisites (pŏ'f¹w¹ß¹tß) *pl.* Nebeneinkünfte *f/pl.*

persecut|e (pə'ßi'tĵut) verfolgen; **~ion** (pöß'tĵiu'/ĉhᵉn) Verfolgung *f*.

persever|ance (pᵉßᵉwiᵉrᵉnß) Beharrlichkeit, Ausdauer *f*; **~e** (~wiᵉʳ) beharren; aushalten.

persist (pᵉßiʳßt) beharren (*in* auf *dat.*); **~ence** (~ᵉnß) Beharrlichkeit *f*; **~ent** □ (~ᵉnt) beharrlich.

person (pö'ßn) Perso'n *f*; Mensch *m*; **~age** (~'ᵈϙ) Persönlichkeit *f*; **~al** □ (~l) persönlich; **~ality** (pöß'nä'l'ti) Persönlichkeit; Anzüglichkeit *f*; **~ate** (pö'ßᵉnᵉt) darstellen; sich ausgeben für; **~ify** (pöß'ö'n'ßäl) verkörpern; **~nel** (pö-ßᵉnᵉl) Persona'l *n*.

perspective (pᵉ'ßpᵉ'ktĵw) Perspekti've *f*; Ausblick *m*, Fernsicht *f*.

perspicuous □ (pᵉßpi'tĵiueß) klar.

perspir|ation (pößpᵉreⁱ'/ĉhᵉn) Schwitzen *n*; Schweiß *m*; **~e** (pᵉßpäiᵉʳ) (aus)schwitzen.

persua|de (pᵉßwei'd) überre'den; überzeu'gen; **~sion** (~ϙᵉn) Überre'dung; Überzeu'gung *f*; Glaube *m*; **~sive** □ (~ßiw) über-re'dend, -zeu'gend.

pert □ (pöt) keck, vorlaut, naseweis.

pertain (pöteⁱ'n) (*to*) gehören (*dat. od.* zu); betreffen (*acc.*).

pertinacious □ (pötⁱneⁱ'/ĉhᵉß) hartnäckig, zäh.

pertinent □ (pö'tⁱnᵉnt) sach-dienlich, -gemäß; einschlägig.   [ren.|

perturb (pᵉtö'b) beunruhigen; stö-|

perus|al (pᵉrū'ßl) Durchsicht *f*; **~e** (pᵉrū'ß) durchlesen; prüfen.

pervade (pöweⁱ'd) durchdri'ngen.

pervers|e □ (pᵉwö'ß) verkehrt; ♂ perve'rs; eigensinnig; **~ion** (~/ĉhᵉn) Verdrehung; Abkehr *f*.

pervert 1. (pᵉwö't) verführen; 2. (pö'wöt) Abtrünnige(r).

pest (peßt) Pest; Plage *f*; Schädling *m*; **~er** (pᵉ'ßtᵉ) belästigen.

pesti|ferous □ (peßtiᵉ'fᵉrᵉß) verpestend; **~lence** (pᵉ'ßtⁱlᵉnß) Pest *f*; **~lent** (~t) verderblich; **~lential** □ (peßtⁱlᵉ'nĉhᵉl) pestartig.

pet (pét) 1. üble Laune; Stubentier *n*; Liebling *m*; 2. Lieblings...; **~** *dog* Schoßhund *m*; **~** *name* Kosename *m*; 3. (ver)hätscheln.

petition (pⁱtⁱ'/ĉhᵉn) 1. Bitte; Bittschrift, Eingabe *f*; 2. bitten, ansuchen; e-e Eingabe m.

petrify (pᵉ'trⁱfäl) versteinern.

petrol (pᵉ'trᵉl) *mot.* Benzi'n *n*.

petticoat (pᵉ'tⁱkouᵗ) Unterrock *m*.

pettish □ (pᵉ'tⁱĉh) launisch.

petty □ (pᵉ'tⁱ) klein, geringfügig.

petulant (pᵉ'tⁱulᵉnt) reizbar.

pew (pĵū) Kirchen-sitz *m*; -bank *f*.

pewter (pĵū'tᵉ) Zinn(geschirr) *n*.

phantasm (fä'ntäßm) Trugbild *n*.

phantom (fä'ntᵉm) Phanto'm, Trug-, Schatten-bild; Gespenst *n*.

Pharisee (fä'rⁱßi) Pharisä'er *m*.

pharmacy (fä'mᵉßi) Apothe'kerkunst; Apothe'ke *f*.

phase (feⁱß) Phase *f*.

phenomen|on (fⁱnö'mⁱnᵉn), *pl.* **~a** (~nᵉ) Phänome'n *n*.

phial (fäⁱ'ᵉl) Phio'le *f*, Fläschchen *n*.

philander (fⁱlä'ndᵉ) schäkern.

philanthropist (fⁱlä'nthrᵉpⁱßt) Menschenfreund(in).

philologist (fⁱlö'lᵉdϙißt) Philolo'g|e, -in.

philosoph|er (fⁱlö'ßᵉfᵉ) Philoso'ph *m*; **~ize** (~ßäⁱ) philosophieren; **~y** (~fⁱ) Philosophie' *f*.   [ma *n.*|

phlegm (flém) Schleim *m*; Phleg-|

phone F (fouⁿ) *s. telephone.*

phonetics (fonᵉ'tⁱß) *pl.* Phonetik, Lautbildungslehre *f*.

phosphorus (fö'ßfᵉrᵉß) Phosphor *m*.

photograph (fou'tᵉgräf) 1. Photographie' *f* (*Bild*); 2. photographieren; **~er** (fᵉtö'grᵉfᵉ) Photogra'ph(in); **~y** (~fⁱ) Photogra'phie *f*.

phrase (freⁱß) 1. Phrase, Redensart *f*, Ausdruck *m*; 2. ausdrücken.

physic|al □ (fⁱ'ßⁱkᵉl) physisch; körperlich; physika'lisch; **~ian** (fⁱ-ßⁱ'/ĉhᵉn) Arzt *m*; **~ist** (fⁱ'ßⁱßißt) Physiker *m*; **~s** (fⁱ'ßⁱß) *sg.* Physi'k *f*.

physique (fⁱßi'k) Körperbau *m*.

pick (pⁱk) 1. Spitzhacke; Auswahl *f*; 2. (auf)picken, (auf)hacken; stochern; (ab)nagen; pflücken; zupfen; *Streit* suchen; wählen; bestehlen; **~** *out* (sich) *et.* (her)aussuchen; **~** *up* auf-picken, -nehmen, -lesen; sammeln; *j.* abholen; mitnehmen; **~-a-back** (pⁱ'tⁱbäk) huckepack; **~axe** Spitzhacke *f*.

picket (pⁱ'tⁱt) 1. Pfahl *m*; ✗ Feldwache *f*; Streikposten *m*; 2. einpfählen; an e-n Pfahl binden; mit Streikposten besetzen.

picking (pⁱ'tⁱnŋ) Picken *n usw.*; Abfall; *mst* **~s** *pl.* Nebengewinn *m*.

pickle (pⁱ'tⁱ) 1. Pökel *m*; Eingepökelte(s) *n*; F mißliche Lage; 2. (ein)pökeln; **~d** *herring* Salzhering *m*.

pick|lock (pĭ'tlŏt) Dietrich m; ~pocket Taschendieb m.

pictorial (pĭttō'r¹t¹) 1. malerisch; illustriert; 2. illustriertes Blatt.

picture (pĭ'ttĭch⁹) 1. Bild n; the ~s pl. Kino(vorstellung f) n; attr. Bilder...; ~ (post)card Ansichts-(post)karte f; 2. (aus)malen; sich et. ausmalen; ~sque (pĭttĭch'rĕ'ḃt) malerisch.

pie (pā¹) Pastete; Obst-Torte f.

piebald (pā¹'bōld) scheckig.

piece (pīß) 1. Stück n; Figu'r f (Schach usw.); ~ of advice Ratschlag m; ~ of news Neuigkeit f; by the ~ stückweise; give a p. a ~ of one's mind j-m s-e Meinung sagen; take to ~s zerlegen; 2. flicken, (an)-stücken; zs.-setzen; ~meal stück-weise; ~work Stückarbeit f.

pier (pī⁹) Pfeiler; Wellenbrecher; Pier,Hafendamm,Landungsplatzm.

pierce (pī⁹ß) durch-bo'hren; -dri'n-gen; eindringen (in acc.). [tä't f]

piety (pā¹'ĕtĭ) Frömmigkeit; Pie-]

pig (pĭg) Ferkel; Schwein n.

pigeon (pĭ'dĭn) Taube f; ~hole 1. Fach n; 2. in ein Fach legen.

pig|headed (pĭ'ghĕ'dĭd) dickköpfig; ~iron Roheisen n; ~skin Schweins-leder n; ~sty Schweinestall m; ~tail Haarzopf m. [m.]

pike (pā¹t) ✕ Pike; Spitze f; Hecht]

pile (pā¹l) 1. Haufen; Scheiter-haufen; Klotz (großer Bau); Pfahl m; ~s pl. Hämorrhoi'den f/pl.; 2. auf-, an-häufen.

pilfer (pĭ'lf⁹) mausen, stibitzen.

pilgrim (pĭ'lgrĭm) Pilger m; ~age (pĭ'lgrĭm¹dᴳ) Pilgerfahrt f.

pill (pĭl) Pille f. [2. plündern.]

pillage (pĭ'lĭdᴳ) 1. Plünderung f;]

pillar (pĭ'l⁹) Pfeiler, Ständer m; ~box (Säulen-)Briefkasten m.

pillion (pĭ'lĭ⁹n) mot. Soziussitz m.

pillory (pĭ'l⁹rĭ) 1. Pranger m; 2. an den Pranger stellen; anprangern.

pillow (pĭ'loᵘ) (Kopf-)Kissen n; ~case, ✝ ~slip (Kissen-)Bezug m.

pilot (pā¹'t⁹t) 1. ✈ Pilo't; ⚓ Lotse; fig. Führer m; 2. lotsen, steuern; ~balloon Versuchsballon m.

pimp (pĭmp) Kuppler(in); kuppeln.

pimple (pĭ'mpl) Pickel m, Finne f.

pin (pĭn) 1. (Steck-, Busen-)Nadel; Reißzwecke f; Nagel, Pflock; ♪ Wirbel; Kegel m; 2. (an)heften; befestigen; fig. festnageln.

pinafore (pĭ'n⁹fō) Schürze f.

pincers (pĭ'nß⁹) pl. Kneifzange f.

pinch (pĭntĭch) 1. Kniff m; Prise f (Tabak usw.); Druck m, Not f; 2. v/t. kneifen, zwicken; bedrücken; v/i. drücken; in Not sn; knausern.

pine (pā¹n) 1. ♀ Kiefer f; 2. sich abhärmen; schmachten; ~apple Ananas f; ~cone Kienapfel m.

pinion (pĭ'nĭ⁹n) 1. Flügel(spitze f) m; Schwungfeder f; ⊕ Ritzel m (Antriebsrad); 2. die Flügel be-schneiden (dat.); fig. fesseln.

pink (pĭnᵍt) 1. ♀ Nelke f; fig. Gipfel m; 2. rosa(farben).

pinnacle (pĭ'n⁹t⁴) ⚲ Spitztürmchen n; (Berg-)Spitze f; fig. Gipfel m.

pint (pā¹nt) Pinte f (0,57 Liter).

pioneer (pā¹'nī⁹') 1. ✕ u. fig. Pio-nier m; 2. den Weg bahnen (für).

pious ☐ (pā¹'⁹ß) fromm; liebe-voll.

pip (pĭp) vet. Pips; Obstkern m; Auge n auf Würfeln usw.

pipe (pā¹p) 1. Pfeife (a. ♪); Röhre f, Gas- usw. Rohr; Pipe f (Weinfaß = 572,4 Liter); 2. pfeifen; quieken; ~climber Fassadenkletterer m; ~layer Rohrleger m; ~line Röh-renleitung f; ~r (pā¹'p⁹) Pfeifer m.

piping (pā¹'pĭnᵍ) 1. ~ hot siedend heiß; 2. Paspel m am Kleid.

pique (pīt) 1. Groll m; 2. Zorn usw. reizen; ~ o.s. on sich brüsten mit.

pira|cy (pā¹'r⁹ḃtĭ) Seeräuberei f; Bücher-Nachdruck m; ~te (⁹rĭt) 1. Seeräuber; Nachdrucker m; 2. nachdrucken.

pistol (pĭ'ḃtl) Pisto'le f.

piston (pĭ'ḃt⁹n) Kolben m; ~rod K.stange f; ~stroke K.hub m.

pit (pĭt) 1. Grube f; thea. Parterre n; (Blattern-)Narbe f; Am. Obst-Stein m; 2. Rüben usw. einmieten; mit Narben bedecken.

pitch (pĭttĭch) 1. Pech n; Wurf; Grad m, Stufe; Höhe; ♪ Tonhöhe; ⊕ Neigung f; ⚓ Stampfen; 2. v/t. werfen; schleudern; Zelt usw. auf-schlagen; ♪ stimmen (a. fig.); ~ too high fig. zu hoch stecken (Ziel usw.); v/i. ✕ (sich) lagern; fallen; ⚓ stampfen; F ~ into herfallen über (acc.).

pitcher (pĭ'ttĭch⁹) Am. Krug m.

pitchfork (pĭ'ttĭchfōt) Heu-, Mist-gabel; ♪ Stimmgabel f.

pitfall (pĭ'tfŏl) Fallgrube, Falle f.

pith (pith) Mark *n*; *fig.*: Kern *m*; Kraft *f*; **~y** (pi'thi) markig, kernig.

pitiable □ (pi'ti⁰bl) erbärmlich.

pitiful □ (pi'ti⁰ful) mitleidig; (*a. contp.*) erbärmlich, jämmerlich.

pitiless □ (pi'ti⁰lis) unbarmherzig.

pittance (pi'ti⁰ṅß) Hungerlohn *m*.

pity (pi'ti) 1. Mitleid *n* (*on* mit); *it is a* ~ es ist schade; 2. bemitleiden.

pivot (pi'w⁰t) 1. ⊕ Zapfen *m*; (Tür-)Angel *f*; *fig.* Drehpunkt *m*; 2. sich drehen ([up]on um).

placable □ (plei'ti⁰bl) versöhnlich.

placard (plä'tåd) 1. Plakat *n*; 2. anschlagen; mit e-m P. bekleben.

place (pleiß) 1. Platz; Ort *m*; Stelle *f*; Wohnsitz; Dienst *m*; Amt *n*; Rang *m*; Stätte *f*; Lokal *n*; ~ *of delivery* Erfüllungsort *m*; *give* ~ *to* j-m Platz m.; *in* ~ *of* an Stelle (*gen.*); *out of* ~ fehl am Platze; stellungslos; 2. stellen, legen, setzen; unterbringen; *Auftrag* erteilen.

placid □ (plä'ßid) sanft; ruhig.

plagiar|ism (plei'ʊGi⁰rißm) Plagiat *n*; **~ize** (~räiz) abschreiben.

plague (pleig) 1. Plage; Seuche; Pest *f*; 2. plagen, quälen.

plaid (pläd) † Schottenstoff *m*.

plain (plein) □ 1. flach, eben; klar; deutlich; rein; einfach; schlicht; unscheinbar; offen, ehrlich; einfarbig; 2. *adv.* klar, deutlich; 3. Ebene; Fläche *f*; **~clothes man** Geheimpolizist *m*; **~dealing** ehrlich(e Handlungsweise).

plaint|iff (plei'ntif) Kläger(in); **~ive** □ (plei'ntiw) kläglich.

plait (plät, *Am.* pleit) 1. Haar-Flechte *f*; Zopf *m*; 2. flechten.

plan (plän) 1. Plan *m*; 2. e-n Plan machen von od. zu; *fig.* planen.

plane (plein) 1. flach, eben; 2. Ebene, Fläche *f*; ✈ Tragfläche *f*; Flugzeug *n*; *fig.* Stufe *f*; ⊕ Hobel *m*; 3. (ab)hobeln; ✈ fliegen.

plank (plänk) 1. Planke, Bohle, Diele *f*; *Am. pol.* Programmpunkt *m*; 2. dielen; verschalen; *sl.* ~ **down** Geld auf den Tisch legen.

plant (plänt) 1. Pflanze; ⊕ Anlage *f*; 2. (an-, ein-)pflanzen (*a. fig.*); (auf-)stellen; anlegen; (hin)setzen; bepflanzen; besiedeln; **~ation** (plän-tei'schⁿ) Pflanzung; Plantage *f*; **~er** (plä'nt⁰) Pflanzer *m*.

plaque (pläk) Platte *f*.

plash (pläsch) platschen.

plaster (plä'ßt⁰) 1. *pharm.* Pflaster *n*; ⊕ Putz *m*; (*mst* ~ *of Paris*) Gips, Stuck *m*; 2. bepflastern; verputzen.

plastic (plä'ßtik) (~ally) plastisch.

plat (plät) Plan *m*; Parzelle *f*.

plate (pleit) 1. *allg.* Platte *f*; Schild *n*; *Kupfer*-Stich *m*; Tafelsilber *n*; Teller *m*; ⊕ Grobblech *n*; 2. plattieren; panzern. [Walze *f*.]

platen (plä'tn) (Schreibmaschinen-))

platform (plä'tfȯm) Plattform *f*; Bahnsteig *m*; Rednerbühne *f*; Parteiprogramm *n*.

platinum (plä'ti⁰n⁰m) *min.* Platin *n*.

platitude (~tιtjȗd) *fig.* Plattheit *f*.

platoon (pl⁰'tȗn) Zug *m*.

platter (plä'tⁱ) Servierplatte *f*.

plaudit (plȯ'dit) Beifall *m*.

plausible □ (plȯ'ʒ⁰bl) glaubhaft.

play (plei) 1. Spiel; Schauspiel *n*; ⊕ Spiel *n*, Gang; Spielraum *m*; 2. spielen; ⊕ laufen; ~ (up)on einwirken auf (*acc.*); ~ off *fig.* ausspielen (*against each other*); ~ed out erledigt; **~bill** Thea'terzettel *m*; **~er** (plei'⁰) (Schau-)Spieler(in); **~er-piano** elektrisches Klavier; **~fellow, ~mate** Spielgefährt(e *m*, -in *f*; **~ful** □ (plei'ful) spielerisch, scherzhaft; **~goer** Thea'terbesucher(in); **~ground** Spielplatz; Schulhof *m*; **~house** Schauspielhaus *n*; **~thing** Spielzeug *n*; **~wright** Schauspieldichter(in).

plea (plii) Einspruch *m*; Ausrede *f*; Gesuch *n*; *on the* ~ *that* unter dem Vorwand (*gen.*) od. daß.

plead (pliid) *v/i.* plädieren; ~ *for* für j. sprechen; sich einsetzen für; ~ *guilty* sich schuldig bekennen; *v/t. Sache* vertreten; *als Grund* geltend m.; **~er** ẕ̇ (plii'd⁰) Verteidiger *m*; **~ing** ẕ̇ (plii'din⁰) Schriftsatz *m*.

pleasant □ (plä'ßnt) angenehm; erfreulich; **~ry** (~ri) Scherz, Spaß *m*.

please (pliiz) *v/i.* gefallen, belieben; *if you* ~ gefälligst, bitte; ~ *come in!* bitte, treten Sie ein!; *v/t.* j-m gefallen, angenehm sn; befriedigen; *be* ~*d to do* geruhen zu tun; *be* ~*d with* Vergnügen haben an (*dat.*); **~d** (pliid) erfreut, zufrieden.

pleasing □ (plii'ßin⁰) angenehm.

pleasure (plä'G⁰) Vergnügen *n*, Freude *f*; Belieben *n*; *attr.* Vergnügungs...; *at* ~ nach Belieben.

pleat (pliit) 1. (Plissee-)Falte *f*; 2. fälteln, plissieren.

pledge (plĕdG) 1. Pfand; Zutrinken; Gelöbnis *n*; 2. verpfänden; *j-m* zutrinken; *he ~d himself* er gelobte.

plenary (pli'n⁰rĭ) Voll...

plenipotentiary (plĕn¹pĕtĕ'nʃⁱ⁰rⁱ) Bevollmächtigte(r).

plentiful □ (plĕ'ntⁱfᵘl) reichlich.

plenty (~tⁱ) 1. Fülle *f*, Überfluß *m*; ~ *of* reichlich; 2. F reichlich.

pliable □ (plaⁱ'⁰bl) biegsam; *fig.* geschmeidig, nachgiebig.

pliancy (plaⁱ'⁰nẞⁱ) Biegsamkeit *f*.

pliers (plaⁱ'⁰ʳ) *pl.* Drahtzange *f*.

plight (plaⁱt) 1. *Wort* verpfänden; verloben; 2. (Not-)Lage *f*.

plod (plŏb) (*a. ~ along, on*) einherstapfen; sich plagen, schuften.

plot (plŏt) 1. Platz *m*; Parze'lle *f*; Plan *m*; Komplo'tt *n*, Anschlag *m*; Handlung *f e-s Dramas usw.*; 2. *v/t.* aufzeichnen; *b. s.* planen, anzetteln; *v/i.* intrigieren.

plough (plaᵘ), *Am. a.* **plow** (plaᵘ) 1. Pflug *m*; 2. pflügen; (*a. fig.*) furchen; *Vogel* rupfen (*a. fig.*); reißen; ~ *at* greifen nach; ~ *up courage* Mut fassen; ~y (plaʉ'ⁱ) mutig.

plug (plẟg) 1. Pflock; Stöpsel; ʒ Stecker *m*; Zahn-Plombe *f*; Priem *m* (*Tabak*); ~ *socket* Steckdose *f*; 2. *v/t.* zustopfen; *Zahn* plombieren; stöpseln. [(*a. fig.*).]

plum (plᴕm) Pflaume; Rosi'ne *f|*

plumage (plu'mⁱbG) Gefieder *n*.

plumb (plᴕm) 1. lotrecht; gerade; richtig; 2. (Blei-)Lot *n*; 3. *v/t.* lotrecht m.; loten; (*a. fig.*) sondieren; *v/i.* als Rohrleger arbeiten; ~er (plᴕ'm⁰) Installateu'r; Rohrleger *m*; ~ing (~ⁱnᵍ) (Blei-)Rohranlage *f*.

plume (plʉm) 1. Feder *f*; Federbusch *m*; 2. mit Federn schmücken; ~ *o.s.* on sich brüsten mit.

plummet (plᴕ'mⁱt) Senkblei *n*.

plump (plᴕmp) 1. *adj.* drall; F □ glatt (*Absage usw.*); 2. (hin)plumpsen (l.); 3. Plumps *m*; 4. F *adv.* geradewegs.

plunder (plᴕ'nd⁰) 1. Plünderung *f*; Raub *m*, Beute *f*; 2. plündern.

plunge (plᴕndG) 1. (Unter-)Tauchen *n*; Sturz *m*; *take the ~* den entscheidenden Schritt tun; 2. (unter)tauchen; (sich) stürzen (*into* in *acc.*).

plurality (plᵘ⁰räˈlⁱtⁱ) Vielheit, Mehrheit; Mehrzahl *f*.

plush (plᴕʃ) Plüsch *m*.

ply (plaⁱ) 1. Lage *Tuch*; Strähne *f*; *three-~* dreifach; 2. *v/t.* fleißig anwenden; *j-m* zusetzen, *j.* überhäu'fen; *v/i. regelmäßig* fahren; ~wood Sperrholz *n*.

pneumatic : (nⁱᵘmä'tⁱk) 1. (~*ally*) Luft...; pneumatisch; ~*post* Rohrpost *f*; 2. Luftreifen *m*. ~ [entzündung *f.*]

pneumonia ʃ(nⁱᵘmoᵘ'nⁱⁱ) Lungen-|

poach (poᵘtʃ) wildern; *Erde* zertreten; ~*ed eggs* verlorene Eier *n|pl.*

poacher (poᵘ'tʃ⁰) Wilddieb *m*.

pock ʒ (pŏk) Pocke, Blatter *f*.

pocket (pŏ'kⁱt) 1. Tasche *f*; ✈ *Luft*-Loch *n*; 2. einstecken (*a. fig.*); *Gefühl* unterdrü'cken; 3. Taschen...

pod (pŏb) ♀ Hülse, Schale, Schote *f*.

poem (poᵘ'ⁱm) Gedicht *n*.

poet (poᵘ'ⁱt) Dichter *m*; ~ess (~'ⁱẞ) Dichterin *f*; ~ic(al □) (poᵘⁱ'tⁱk, ~tⁱk⁰l) dichterisch; ~ics (~tⁱẞ) *pl.* Poetik *f*; ~ry (poᵘ'ⁱtrⁱ) Dichtkunst *f*; Dichtungen *f|pl.*

poignan|cy (pŏⁱ'n⁰nẞⁱ) Schärfe *f*; ~t (~t) scharf; *fig.* eindringlich.

point (pŏⁱnt) 1. Spitze; Pointe *f*; Punkt; Fleck; Kompaßstrich *m*; Auge *n auf Karten usw.*; Grad; Zweck *m*; ⚒ ~*s pl.* Weichen *f|pl.*; ~ *of view* Stand-, Gesichts-punkt *m*; *the ~ is that ...* die Sache ist die, daß ...; *make a ~ of ger.* es sich zur Aufgabe m., zu *inf.*; *in ~ of* in Hinsicht auf (*acc.*); *off the ~* nicht zur Sache (gehörig); *on the ~ of ger.* im Begriff zu *inf.*; *win on ~s* nach Punkten siegen; *to the ~* zur Sache (gehörig); 2. *v/t.* (zu)spitzen (*oft ~ out*) zeigen, hinweisen auf (*acc.*); punktieren; ~ *at Waffe usw.* richten auf (*acc.*); *v/i.* ~ *wise* weisen auf (*acc.*); *to* nach *e-r Richtung* weisen; ~ed □ (pŏⁱ'ntⁱᵈ) spitz; *fig.* scharf; ~er (pŏⁱ'nt⁰) Zeiger; Zeigestock; Hinweis *m*; ~less (~lⁱẞ) stumpf; witzlos.

poise (pŏⁱẞ) 1. Gleichgewicht *n*; *Körper*-Haltung *f*; 2. *v/t.* im Gleichgewicht erhalten; *Kopf usw.* tragen, halten; *v/i.* schweben.

poison (pŏⁱ'ẞn) 1. Gift *n*; 2. vergiften; ~ous (~⁰ẞ) giftig (*a. fig.*).

poke (poᵘk) 1. Stoß, Puff *m*; 2. *v/t.* stoßen; schüren; *Nase usw. wohin* stecken; ~ *fun at* sich über *j.* lustig machen; *v/i.* stoßen; stochern.

poker (pou'tᵉ) Feuerhaken m.

poky (pou'tï) eng; dürftig; kleinlich.

polar (ˏlᵉ) pola'r; ~ *bear* Eisbär m.

pole (poᵘl) Pol m; Stange; Deichsel f; *Spring*-Stab m; ~cat zo. Iltis m.

polemic (pōlĕ'mĭt) (a. ~al □ [ˏmĭtᵉl]) polemisch; feindselig.

pole-star Pola'r~, fig. Leit-stern m.

police (pᵉlī'ß) 1. Polizei' f; 2. überwa'chen; ~man Polizi'st m; ~station Polizeiwache f.

policy (pŏ'lĭßĭ) Politi'k; (Welt-)Klugheit; Poli'ce f.

Polish¹ (pou'lĭſch) polnisch.

polish² (pŏ'lĭſch) 1. Politu'r f; fig. Schliff m; 2. polieren; fig. verfeinern.

polite □ (pᵉlāi't) artig, höflich; fein; ~ness (ˏnĭß) Höflichkeit f.

politic □ (pŏ'lĭtĭt) poli'tisch; schlau; ~al □ (pᵉlĭ'tĭtᵉl) poli'tisch; staatskundig; Staats...; ~ian (pŏlĭtĭ'ĭchᵉn) Poli'tiker m; ~s (pŏ'lĭtĭß) pl. Staatswissenschaft, Politi'k f.

poll (poᵘl) 1. Wählerliste; Stimmenzählung; Wahl; Stimmenzahl f; 2. v/t. Stimmen erhalten; v/i. wählen; ~book Wählerliste f.

pollen ♀ (pŏ'lĭn) Blütenstaub m.

poll-tax (poᵘltätß) Kopfsteuer f.

pollute (pᵉlū't) beschmutzen, beflecken; entweihen. [Poly'p m]

polyp zo. (pŏ'lĭp), ~us ⚕ (ˏlĭpᵉß)]

pommel (pa'ml) 1. *Degen-, Sattel-*Knopf m; 2. knuffen, schlagen.

pomp (pŏmp) Pomp m, Gepränge n.

pompous □ (pŏ'mpᵉß) prunkvoll; hochtrabend.

pond (pŏnd) Teich, Weiher m.

ponder (pŏ'ndᵉ) v/t. erwägen; v/i. nachdenken; ~able (ˏrᵉbl) wägbar; ~ous □ (ˏrᵉß) schwer(fällig). [m.]

pontiff (pŏ'ntĭf) Hohepriester; Papst)

pontoon ⚓ (pŏntū'n) Brückenkahn m; ~bridge Schiffsbrücke f.

pony (pou'nĭ) Pony, Pferdchen n.

poodle (pū'dl) Pudel m.

pool (pūl) 1. Teich; Pfuhl m, Lache f; (Spiel-)Einsatz m; ♦ Ring m, Karte'll n; 2. ♦ zu e-m Ring vereinigen; Gelder zs.-werfen.

poop ⚓ (pūp) Heck n; Achterhütte f.

poor □ (puᵉ) arm; armselig; dürftig; schlecht; ~house Armenhaus n; ~law Armenrecht n; ~ly (puᵉ'lĭ) adj. unpäßlich; ~ness (puᵉ'nĭß) Armut f.

pop (pŏp 1. Knall m; F Brause f (*Limonade*); 2. v/t. knallen l.;

schnell wohin tun, stecken; v/i. puffen, knallen; mit adv. huschen; ~ in hereinplatzen.

popcorn Am. (pŏ'pkŏn) Puffmais m.

pope (poᵘp) Papst m.

poplar ♀ (pŏ'plᵉ) Pappel f.

poppy ♀ (pŏ'pĭ) Mohn m.

popu|lace (pŏ'pĭulĭß) Pöbel m; ~lar □ (ˏlᵉ) Volks...; volkstümlich, populä'r; ~ity (ˏlä'rĭtĭ) Popularitä't f.

populat|e (pŏ'pĭulĕit) bevölkern; ~ion (pŏpĭulĕ'ĭchᵉn) Bevölkerung f.

populous □ (pŏ'pĭulᵉß) volkreich.

porcelain (pŏ'ßlĭn) Porzella'n n.

porch (pŏᵉtſch) Vorhalle f; Am. Veranda f.

pore (pō) 1. Pore f; 2. fig. brüten.

pork (pŏt) Schweinefleisch n.

porous □ (pŏ'rᵉß) porö's.

porridge (pŏ'rĭdⱦ) Haferbrei m.

port (pŏt) 1. Hafen m; ⚓ Pfortluke f; Backbord n; Portwein m; 2. ⚓ links halten.

portable (pŏ'tᵉbl) transporta'bel.

portal (pŏ'tl) Porta'l, Tor n.

portend (pŏtĕ'nd) vorbedeuten.

portent (pŏ'tĕnt) (bsd. üble) Vorbedeutung; Wunder n; ~ous □ (pŏtĕ'ntᵉß) unheilvoll; wunderbar.

porter (pŏ'tᵉ) Pförtner; (Gepäck-)Träger m; Porterbier n.

portion (pŏ'ſchᵉn) 1. (An-)Teil m; fig. Los n; 2. teilen; ausstatten.

portly (pŏ'tlĭ) stattlich. [koffer m.]

portmanteau (pŏtmä'ntoᵘ) Hand-]

portrait (pŏ'trĭt) Porträ't, Bildnis n.

portray (pŏtrĕi') (ab)malen, porträtieren; schildern; ~al □ (ˏᵉl) porträtieren n; Schilderung f.

pose (poᵘß) 1. Pose f; 2. (sich) in Positu'r stellen; Frage aufwerfen; ~ as (sich) hinstellen als.

position (pᵉßĭ'ſchᵉn) Lage, Stellung f (a. fig.); Stand; fig. Standpunkt m.

positive (pŏ'ßĭtĭw) 1. □ bestimmt, ausdrücklich; feststehend; sicher; unbedingt; positi'v; überzeu'gt; rechthaberisch; 2. Positi'v (gr.: m; phot.: n).

possess (pᵉßĕ's) besitzen; beherrschen; fig. erfüllen; ~ed besessen; ~ o.s. of et. in Besitz nehmen; ~ion (pᵉßĕ'ſchᵉn) Besitz m; fig. Besessenheit f; ~or (ˏßᵉ) Besitzer m.

possib|ility (pŏßĕbĭ'lĭtĭ) Möglichkeit f; ~le □ (pŏ'ßᵉbl) möglich; ~ly (ˏlĭ) möglicherweise, vielleicht; if I ~ can wenn ich irgend kann.

post (pou̯st) 1. Pfosten; Posten *m*; Stelle *f*, Amt *n*; Post *f*; *Am.* ~ *exchange* Marketenderei' *f*; 2. *v/t.* Zettel *usw.* anschlagen; postieren; eintragen; zur Post geben; per P. senden; *well* ~*ed* gut unterri'chtet; *v/i.* (dahin)eilen. [Briefmarke *f.*]

postage (~tidʒ) Porto *n*; ~stamp|

postal □ (pou̯stə̯l) posta'lisch; Post...; ~ *order* Postanweisung *f.*

post-card Postkarte *f.* [*m.*]

poster (pou̯stə) Plaka't *n*, Anschlag|

posterior (pŏ8ti'əriə) 1. □ später (*to als*); hinter; 2. Hintere(r) *m.*

posterity (pŏ8tě'riti) Nachwelt; Nachkommenschaft *f.*

post-free portofrei.

post-haste (pou̯sthei̯st) eilig(st).

posthumous □ (pŏ8tiumə8) nachgeboren; hinterla'ssen.

post|man Briefträger *m*; ~mark 1. Poststempel *m*; 2. abstempeln; ~master Post-meister, -direktor *m.*

post-mortem (pou̯stmŏ'təm) 1. nach dem Tode; 2. Leichenschau *f.*

post...: ~(-)office Postamt *n*; ~ box Post(schließ)fach *n*; ~paid frankiert.

postpone (pou̯stpou̯n) ver-, aufschieben; ~ment (~mənt) Aufschub *m.* [*f* (*mst* P.S.).]

postscript (pou̯stskript) Nachschrift|

postulate 1. (pŏ8tiulit) Forderung *f*; 2. (~lei̯t) fordern; als wahr voraussetzen.

posture (pŏ8tʃə) 1. Stellung, Haltung *f des Körpers*; 2. (sich) zurechtstellen; posieren.

post-war (pou̯stwŏ') Nachkriegs...

posy (pou̯si) Blumenstrauß *m.*

pot (pŏt) 1. Topf *m*; Kanne *f*; 2. in e-n Topf tun; einlegen.

potation (pou̯tei'ʃən) Zecherei *f* (*bsd. pl.* ~s); Trunk *m.*

potato (pətei'tou̯) Kartoffel *f.*

pot-belly Schmerbauch *m.*

poten|cy (pou̯tənsi) Macht; Stärke *f*; ~t □ (~tənt) mächtig; stark; ~tial (pətě'nʃəl) 1. potentie'll: möglich; 2. Leistungsfähigkeit *f.*

pother (pŏ'ðə) Aufregung *f.*

pot...: ~herb Küchenkraut *n*; ~house Bierhaus *n.*

potion (pou̯'ʃən) (Arznei-)Trank *m.*

potter (pŏ'tə) Töpfer *m*; ~y (~ri) Töpferei; Töpferware(n *pl.*) *f.*

pouch (pau̯tʃ) 1. Tasche *f*; Beutel *m*; 2. einstecken; (sich) beuteln.

poultry (pou̯ltri) Federvieh *n.*

pounce (pau̯ns) 1. Stoß, Sprung *m*; 2. sich stürzen ([up]on auf [*acc.*]).

pound (pau̯nd) 1. Pfund *n*; ~ (*sterling*) Pfund Sterling (*abbr. £ = 20 s.*); Pfandstall *m*; 2. (zer)stoßen; stampfen; schlagen.

pour (pŏ) *v/t.* gießen, schütten; ~ *v/i.* sich ergießen, strömen.

pout (pau̯t) 1. Schmollen *n*; 2. *v/t.* Lippen aufwerfen; *v/i.* schmollen.

poverty (pŏ'wəti) Armut *f.*

powder (pau̯'də) 1. Pulver *n*; Puder *m*; 2. pulverisieren; (sich) pudern; bestreuen; ~box Puderdose *f.*

power (pau̯'ə) Kraft *f*; Macht, Gewalt; t̩s Vollmacht; A̩ Poten'z; ~current Starkstrom *m*; ~ful □ (~ful) mächtig, kräftig; wirksam; ~less (~li8) macht-, kraft-los; ~plant Kraftanlage *f*; ~station Kraftwerk *n.*

powwow (pau̯'wau̯) Medizi'nmann *m*; *Am.* lärmende Versammlung.

practica|ble □ (prä'tikəbl) ausführbar; gangbar (*Weg*); brauchbar; ~l □ (~tikəl) praktisch; tatsächlich; eigentlich; ~ *joke* Schabernack *m.*

practice (prä'tis) Praxis; Übung; Gewohnheit *f*; Brauch *m*; Praktik *f*; Schliche *pl.*; *put into* ~ in die Praxis umsetzen.

practise (~) *v/t.* in die Praxis umsetzen; ausüben; betreiben; üben; *v/i.* (sich) üben; praktizieren; ~ [up]on einwirken auf (*acc.*); sich zunutze m.; ~d (~t) geübt (*P.*).

practitioner (präkti'ʃənə) praktischer Arzt *od.* Anwalt.

praise (prei̯z) 1. Preis *m*, Lob *n*; 2. loben, preisen. [wert.]

praiseworthy (prei̯'wŏði) lobens-|

prance (prä̯ns) sich bäumen; paradieren; einherstolzieren.

prank (prä̯nk) Possen, Streich *m.*

prate (prei̯t) 1. Geschwätz *n*; 2. schwatzen, plappern. [bitte.]

pray (prei̯) beten; (er)bitten; ~|

prayer (prě'ə) Gebet *n*; Bitte; (*oft* ~s *pl.*) Andacht *f*; *Lord's* ~ Vaterunser *n*; ~book Gebetbuch *n*; ~ful □ (~ful) andächtig. [früher.]

pre... (pri, prı) vor(her)...; Vor...|

preach (pri̯tʃ) predigen; ~er (pri'tʃə) Prediger(in).

preamble (priä'mbl) Einleitung *f.*

precarious (prikä'riə8) unsicher.

precaution (pri'tŏ'ʃĕ'n) Vorsicht(s-maßregel) f.

precede (pri'ßi'd) voraus-, vorangehen (dat.); ~nce, ~ncy (~'nß[i]) Vortritt, Vorrang m; ~nt (prĕ'ßi-dĕnt) Präzede'nzfall m.

precept (pri'ßĕpt) Vorschrift, Regel; ~or (pri'ßĕ'pt°) Lehrer m.

precinct (pri'ßințt) Bezirk; (a. ~s pl.) Bereich m; Grenze f.

precious (prĕ'ʃĕß) 1. □ kostbar; edel; 2. F adv. recht, äußerst.

precipi|ce (prĕ'ßi'piß) Abgrund m; ~tate 1. (pri'ßi'pi'te't) (hinab)stürzen; ⏁ überstü'rzen; 2. (~'t°) a) ⏁ kopfüber(stürzend); übereï'lt, hastig; b) ⏁ Niederschlag m; ~tation (pri'ßi'pi'te'ʃĕn) Sturz m; Übereilung, Hast f; ⏁ Niederschlag (~n) m; ~tous (~t°ß) steil, jäh.

precis|e □ (pri'ßaï'ß) genau; ~ion (~ßi'G°n) Genauigkeit; Präzisio'n f.

preclude (pri'tlu'd) ausschließen; vorbeugen (dat.); f. hindern.

precocious (pri'tŏu'ʃĕß) frühreif; altklug.

preconceive (pri'f°nßi'w) vorher ausdenken; ~d vorgefaßt (Meinung).

preconception (pri'f°nßĕ'pʃĕn) vorgefaßte Meinung.

precursor (pri'tß'ß°) Vorläufer m.

predatory (prĕ'dĕt°ri) räuberisch.

predecessor (prĕ'di'ßĕß°) Vorgänger m.

predestin|ate (pri'dĕ'ßti'ne't) vorherbestimmen; ~ed (~ßt'ind) auserkoren. [liche) Lage.]

predicament (pri'dï'f°mĕnt) (miß-)

predicate (prĕ'di'te't) aussagen.

predict (pri'dï't) vorhersagen; ~ion (~tʃĕn) Prophezeiung f. [liebe.)

predilection (pri'di'lĕ'tʃĕn) Vor-)

predispos|e (pri'di'ßpo°'ß) vorher geneigt (od. empfänglich) machen.

predomina|nce (pri'dŏ'm'n°nß) Vorherrschaft f; Übergewicht n; Vormacht(stellung) f; ~nt □ (~'nt) vorherrschend; ~te (~ne't) die Oberhand h.; vorherrschen.

pre-eminent □ (prĕ'm'n°nt) hervorragend.

pre-emption (prĕ'mpʃĕn) Vorkauf(srecht n, a. right of ~) m.

pre-exist (pri'i'gßi'ßt) vorher dasein.

prefabricate (pri'fä'bri'te't) Fertigteile für ein Haus usw. herstellen.

preface (prĕ'fi'ß) 1. Vorrede f; 2. einleiten.

prefect (pri'fĕtt) Präfe'kt m.

prefer (pri'ß°') vorziehen; Gesuch usw. vorbringen; Klage einreichen; befördern; ~able □ (prĕ'f°r°bl) (to) vorzuziehen(d) (dat.); vorzüglicher (als); ~ably (~r°bli) vorzugsweise; besser; ~ence (~r°nß) Vorliebe f; Vorzug m; ~ential (~fĕ'rĕ'n-ʃĕl) bevorzugt; Vorzugs...

prefix (pri'fï'ß) Vorsilbe f.

pregnan|cy (prĕ'gn°nß) Schwangerschaft f; Bedeutungsreichtum m; ~t □ (~n°nt) schwanger; fig. fruchtbar, inhaltvoll.

prejud|ge (pri'dʒa'dG) vorher (ver)urteilen; ~ice (prĕ'dG°dïß) 1. Voreingenommenheit f; Vorurteil n; Schaden m; 2. voreinnehmen; benachteiligen; e-r S. Abbruch tun; ~icial (prĕ'dG°dï'ʃĕl) nachteilig.

prelate (prĕ'li't) Präla't m.

preliminar|y (pri'lï'm'n°ri) 1. □ vorläufig; einleitend; Vor...; 2. Einleitung f.

prelude (prĕ'lju̇d) ♪ Vorspiel n.

prematur|e (prĕm°tju̇°') fig. frühreif; vorzeitig; vorschnell.

premeditation (pri'mĕdï'te'ʃĕn) Vorbedacht m. [mie'rminister m.)

premier (prĕ'mi°) 1. erst; 2. Pre-)

premises (prĕ'mïß) s/pl. Haus n nebst Zubehör; Grundstück n.

premium (pri'mi°m) Prämie f. ♰ Agio n; Versicherungsprämie f; at a ~ über pari; sehr gesucht.

premonit|ion (pri'mŏni'ʃĕn) Warnung f.

preoccup|ied (pri'ŏ'tju̇pa'id) in Gedanken verloren; ~y (~pa') vorher in Besitz nehmen; ausschließlich beschäftigen.

preparat|ion (prĕp°re't'ʃĕn) Vor-Zubereitung f; ~ory □ (pri'pä'r°-t°ri) vorbereitend; ~ (school) Vorschule f.

prepare (pri'pä°') v/t. vorbereiten; (zu)bereiten; ausrüsten; v/i. sich vorbereiten; sich anschicken; ~d □ (~ö) bereit.

preponderа|nce (pri'pŏ'nd°r°nß) Übergewicht n; □ ~nt (~r°nt) überwie'gend; ~te (~re't) überwie'gen.

prepossess (pri'p°ßĕ'ß) voreinnehmen; ~ing □ (~iŋ°) einnehmend.

preposterous (pri'pŏ'ßt°r°ß) widersinnig, albern; grotesk.

prerequisite (pri'rĕ'tw'ßit) Vorbedingung, Voraussetzung f.

prerogative(prɪˈrŏˈgᵉtɪw)Vorrecht n.

presage (prĕˈᵇɪˈᵈG) 1. Vorbedeutung; Ahnung f; 2. (a. prɪˈᵇeɪˈᵈG) vorbedeuten; ahnen; prophezeien.

prescribe (prɪˈᵇₜrɑɪˈb) vorschreiben; ⚕ verschreiben.

prescription (prɪˈᵇₜrɪˈpʃᵉn) Vorschrift, Verordnung f; ⚕ Rezeˈpt n.

presence (prĕˈɪnₛ) Gegenwart; Anwesenheit; Erscheinung f; ~ of mind Geistesgegenwart f.

present¹ (prĕˈɪnt) 1. ▢ gegenwärtig; anwesend, vorhanden; jetzig; 2. Gegenwart f; Geschenk n; at ~ jetzt; for the ~ einstweilen.

present² (prɪˈᵇˈnt) präsentieren; (dar)bieten; (vor)zeigen; j. vorstellen; vorschlagen; (über)reichen; (be)schenken.

presentation (prĕˈᵇnteɪˈʃᵉn) Dar-, Vor-stellung; Ein-, Über-reichung; Schenkung; Vorzeigung f.

presentiment (prɪˈᵇˈnᵗmᵉnt) Vorgefühl n, Ahnung f.

presently (prĕˈɪnₜlɪ) sogleich, bald.

preservatiǀon (prĕˈᵇweɪˈʃᵉn) Bewahrung, Erhaltung f; ~ve (prɪˈᵇˈᵈ-wᵉtɪw) 1. bewahrend; 2. Schutz-, Konservierungsmittel n.

preserve (prɪˈᵇˈᵈˈw) 1. bewahren, behüten; erhalten; einmachen; Wild hegen; 2. hunt. Gehege n (a. fig.); Eingemachte(s) n.   [(over bei).]

preside (prɪˈᵇaɪˈᵈ) den Vorsitz führen|

presidenǀcy (prĕˈᵇɪᵈᵉnₛɪ) Vorsitz m; Präsideˈntschaft f; ~t (ˌᵈᵉnt) Präsideˈnt, Vorsitzende(r) m.

press (prĕₛ) 1. Presse f; (An-)Drang m; Gedränge n; Druck; Schrank m; 2. v/t. (aus)pressen; drücken (auf acc.); (be)drängen; dringen auf (acc.); aufdrängen (on dat.); Am. plätten; be ~ed for time es eilig h.; v/i. drücken; (sich) drängen; ~ for sich eifrig bemühen um; ~ on weitereilen; ~ (up)on eindringen auf (acc.); ~ing ▢ (prĕˈᵇ-ᵇɪnᵍ) dringend; ~ure (prĕˈᵇʃᵉ) Druck (a. fig.); Drang(sal f) m.

presumǀable ▢ (prɪˈᵇjuˈmᵇbI) vermutlich; ~e (prɪˈᵇjuˈm) v/t. annehmen; vermuten; voraussetzen; v/i. vermuten; sich erdreisten; anmaßend sn; ~ (up)on sich et. einbilden auf (acc.).

presumptǀion (prɪˈᵇˈᵃˈmpʃᵉn) Mutmaßung; Wahrscheinlichkeit; Anmaßung f; ~ive ▢ (ˌtɪw) mutmaß-

lich; ~uous ▢ (ˌtɪuᵉᵇ) überheˈblich; vermessen.

presupposǀe (prĕˈᵇᵉpouˈᵇ) voraussetzen; ~ition (prɪˈᵇᵃpᵉˈᵖˈʃᵉn) Voraussetzung f.

pretence (prɪˈtĕˈnᵇ) Vortäuschung f; Vorwand; Schein m.

pretend (prɪˈtĕˈnᵈ) vorgeben; vortäuschen; heucheln; Anspruch m.

pretension (prɪˈtĕˈnᵇʃᵉn) Anspruch m (to auf acc.); Anmaßung f.

pretentious (ˌʃᵉᵇ) anmaßend.

pretext (prɪˈtĕˈᵇₜt) Vorwand m.

pretty (prɪˈtI) 1. ▢ hübsch, niedlich; nett; 2. adv. ziemlich.

prevail (prɪˈweˈI) die Oberhand h. od. gewinnen; (vor)herrschen; ~ (up)on a p. to do j. dazu bewegen, et. zu tun; ~ing ▢ (ˌɪnᵍ) (vor)herrschend. [schend, weit verbreitet.]

prevalent (prĕˈwᵉˈlᵉnt) vorherr-|

prevaricatǀe (prɪˈwäˈrɪˈfeˈt) Ausflüchte machen.

prevent (prɪˈwĕˈnt) verhüten, e-r S. vorbeugen; j. hindern; ~ion (prɪˈ-wĕˈnᵇʃᵉn) Verhütung f; ~ive (ˌtɪw) 1. ▢ vorbeugend; 2. Schutzmittel n.   [f.]

preǀview (prɪˈwjuˈI) Vorbesichtigung|

previous ▢ (prɪˈwiˈᵇ) vorhergehend; vorläufig; Vor...; ~ to vor; ~ly vorher.

pre-war (prɪˈwɔˈ) Vorkriegs...

prey (preˈI) 1. Raub m, Beute f; beast (bird) of ~ Raub-tier n (-vogel m); 2. ~ (up)on rauben, plündern; fressen; fig. nagen an (dat.).

price (prɑɪˈᵇ) 1. Preis m; 2. auspreisen; den P. festsetzen (für); ~less (prɑɪˈᵇlᵉᵇ) unbezahlbar.

prick (prɪˈk) Stich; Stachel m (a. fig.); 2. v/t. (durch)steˈchen; fig. peinigen; Muster usw. punktieren; ~ up one's ears die Ohren spitzen; v/i. stechen; ~le (prɪˈkI) Stachel, Dorn m; ~ly (prɪˈklI) stachelig.

pride (prɑɪˈᵈ) 1. Stolz m; take ~ in stolz sn auf (acc.); 2. ~ o.s. sich brüsten ([up]on mit).

priest (prɪˈᵇt) Priester m.

prim ▢ (prim) steif; zimperlich.

primaǀcy (prɑɪˈmᵉᵇ ɪ) Vorrang m; ~ry (ˌrɪ) ursprünglich; hauptsächlich; Ur..., Anfangs..., Haupt-...; Elementaˈr....

prime (prɑɪm) 1. ▢ erste(r, ᵇ); Haupt...; vorzüglich(st); ✝ ~ cost Selbstkosten pl.; 2 Minister Miniˈ-

sterpräside'nt *m*; 2. *fig.* Blüte(zeit) *f*; Beste(s) *n*; 3. *v/t. j.* instruieren, vorbereiten. [ta'rbuch *n*.]
primer (prāi'mᵉ) Fibel *f*, Elemen-
primeval (prāimī'wᵉl) uranfänglich; Ur...
primitive □ (prĭ'mⁱtĭw) erst, ursprünglich; Stamm...; primiti'v.
primrose ⚘ (prĭ'mrouſ) Primel *f*.
prince (prĭnß) Fürst; Prinz *m*; **~ss** (prĭ'nßĕß) Fürstin; Prinze'ssin *f*.
principal (prĭ'nßᵉpᵉl) 1. □ erst, hauptsächlich(st); Haupt...; 2. Vorsteher; Rektor; Chef; Hauptschuldige(r) *m*; Kapita'l *n*.
principle (prĭ'nßᵉpl) Prinzi'p *n*; Grund(satz); Ursprung *m*; *on* ~ ~ grundsätzlich.
print (prĭnt) 1. Abdruck; Eindruck *m*, Spur *f*; *typ.* Druck; *phot.* Abzug; *Stahl- usw.* Stich; Stempel *m*; Druckschrift *f*; ✝ bedruckter Kattu'n; *out of* ~ vergriffen; 2. (ab-, auf-, be-)drucken; *phot.* kopieren; *fig.* einprägen (*on dat.*); **~er** (prĭ'ntᵉ) Drucker *m*.
printing (prĭ'ntĭnᵍ) Druck *m*; Drucken; *phot.* Kopieren *n*; *attr.* Druck(er)...; *phot.* Kopier...; **~-ink** Druckerschwärze *f*; **~-office** (Buch-) Druckerei *f*.
prior (prāi'ᵉ) 1. früher, älter (to als); 2. *adv.* ~ *to* vor (*dat.*); 3. *eccl.* Prior *m*; **~ity** (prāiŏ'rⁱtĭ) Prioritä't *f*; Vorrang *m*; Vorfahrtsrecht *n*.
prism (prĭ'ſm) Prisma *n*.
prison (prĭ'ſn) Gefängnis *n*; **~er** (~ᵉ) Gefangene(r).
privacy (prāi'wᵉßĭ) Zurückgezogenheit; Geheimhaltung *f*.
private (prāi'wⁱt) 1. □ priva't; Priva't...; persönlich; vertraulich; geheim; 2. ⚔ Gemeine(r) *m*; *in* ~ priva'tim; im geheimen.
privation (prāiweⁱ'ſchᵉn) Mangel *m*, Entbehrung *f*.
privilege (prĭ'wⁱlⁱdG) 1. Vorrecht *n*; 2. bevorrechten.
privy (prĭ'wĭ) ~ *to* eingeweiht in (*acc.*); ♀ *Council* Staatsrat *m*; ♀ *Councillor* Geheimer Rat; ♀ *Seal* Geheimsiegel *n*.
prize (prāiſ) 1. Preis *m*; ⚓ Beute, Prämie *f*; (Lotterie'-)Gewinn *m*; 2. preisgekrönt, Preis...; 3. (hochschätzen; aufbrechen (*öffnen*); **~-fighter** Berufsboxer *m*.
probab|ility (prŏbᵉbĭ'lⁱtĭ) Wahrscheinlichkeit *f*; **~le** □ (prŏ'bᵉbl) wahrscheinlich.
probation (prᵉbeⁱ'ſchᵉn) Probe, Probezeit, Bewährungsfrist *f*.
probe ⚕ (proᵘb) 1. Sonde *f* (*a. fig.*); 2. sondieren (*a. fig.*).
probity (prŏ'bⁱtĭ) Redlichkeit *f*.
problem (prŏ'blᵉm) Proble'm *n*; **~atic(al** □) (prŏblⁱmä'tĭk, ~tⁱkᵉl) problematisch, zweifelhaft.
procedure (prᵉßĭ'dGᵉ) Verfahren *n*; Handlungsweise *f*.
proceed (prᵉßĭ'd) weitergehen; fortfahren, vor sich gehen; vorgehen; ~ *from* von (*od.* aus) *et.* kommen; ausgehen von; ~ *to* zu *et.* ü'bergehen; **~ing** (~ĭnᵍ) Vorgehen *n*; Handlung *f*; **~s** *pl.* ⚖ Verfahren; Verhandlungen *f/pl.*, (Tätigkeits-) Bericht *m*; **~s** (proᵘ'ßĭdſ) *pl.* Ertrag, Gewinn *m*.
process 1. (proᵘ'ßĕß) Fort-schreiten *n*, -schritt; Vorgang; Verlauf *der Zeit*; Proze'ß *m*, Verfahren *n*; *in* ~ im Gange; *in* ~ *of construction* im Bau begriffen, im Werden; 2. (prᵉßĕ'ß) gerichtlich belangen; ⊕ bearbeiten; **~ion** (~ſchᵉn) Umzug *m*.
proclaim (prᵉkleⁱ'm) proklamieren; ausrufen (*a. j.* zum *König usw.*); *Krieg usw.* erklären.
proclamation (prŏklᵉmeⁱ'ſchᵉn) Proklamatio'n; Bekanntmachung *f*.
proclivity (prᵉklĭ'wⁱtĭ) Neigung *f*.
procurat|ion (prŏkⁱᵘreⁱ'ſchᵉn) Vollmacht; ✝ Prokura *f*; **~or** (prŏ'kⁱᵘreⁱtᵉ) Bevollmächtigte(r) *m*.
procure (prᵉkjuᵉ') *v/t.* be-, verschaffen; *v/i.* kuppeln.
prod (prŏd) 1. Stich; Stoß *m*; 2. stechen; stoßen; *fig.* anstacheln.
prodigal (prŏ'dⁱgᵉl) 1. verschwenderisch; 2. Verschwender(in).
prodig|ious □ (prᵉdĭ'dGᵉß) erstaunlich, ungeheuer; **~y** (prŏ'dⁱdGĭ) Wunder (*a. fig.*); Ungeheuer *n*.
produc|e 1. (prᵉdjū'ß) vor-bringen, -führen, -legen; beibringen; hervorbringen; produzieren, erzeugen; *Zinsen usw.* (ein)bringen; herausbringen; 2. (prŏ'djūß) (Nat'ur-) Erzeugnis(se *pl.*) *n*; Ertrag *m*; **~er** (prᵉdjū'ßᵉ) Erzeuger, Hersteller; Regisseu'r *m*.
product (prŏ'dᵉkt) Produ'kt, Erzeugnis *n*; **~ion** (prᵉdα'kſchᵉn) Vorlegung, Beibringung; Produktio'n, Erzeugung *f*; Vorführung *f*; Er-

zeugnis *n*; ~ive □ (pre'dᴧ'ᵗtĭw)
schöpferisch; produkti'v, erzeu-
gend; ertragreich; fruchtbar; ~ive-
ness (~nᵿᵦ), ~ivity (prŏdᴧᵗtĭ'wᶦᵗĭ)
Produktivitä't *f*.

profan|e (pre'feĭ'n) 1. □ weltlich;
uneingeweiht; gottlos; 2. entweihen; ~ity (pre'fä'nᶦᵗĭ) Gottlosigkeit;
Flucherei *f*.

profess (pre'fᵉᵦ'ᵦ) (sich) bekennen
(zu); erklären; *Reue usw.* bekunden;
Beruf ausüben; lehren; ~ion
(pre'fᵉᵗ'ᶘᶜʰᵉn) Bekenntnis *n*; Erklärung *f*; Beruf *m*; ~al (~ᶅ) 1. □
Berufs...; Amts...; berufsmäßig;
freiberuflich; 2. Fachmann; *Sport:*
Berufsspieler *m usw.*; ~or (~ᵦᵉ) Be-
kenner; Professor *m*.   [erbieten *n*.|

proffer (prŏ'fᵉ) 1. anbieten; 2. An-|

proficien|cy (pre'fĭ'ᶘᶜʰᵉnᵦᵢ) Tüch-
tigkeit *f*; ~t (~ᶘᶜʰᵉnt) 1. □ tüchtig;
bewandert; 2. Meister *m*.

profile (prouᵘ'fĭl) Profi'l *n*.

profit (prŏ'fĭt) 1. Vorteil, Nutzen,
Gewinn *m*; 2. *v/t. j-m* Nutzen
bringen; *v/i.* ~ *by* Nutzen ziehen
aus; ausnutzen; ~able □ (prŏ'-
fĭᵗbl) nützlich, vorteilhaft, einträglich; ~eer (prŏfĭᵗĭᵉ') 1. Wucher
treiben; 2. Profi'tmacher *m*; ~shar-
ing Gewinnbeteiligung *f*.

profligate (prŏ'fĭᵗgᶦt) 1. □ liederlich; 2. Liederjahn *m*.

profound □ (pre'fᵃᵘ'nᵈ) tief; tief-
gründig, gründlich; *fig.* dunkel.

profundity (pre'fᴧ'ndᶦᵗĭ) Tiefe *f*.

profus|e □ (pre'fᵗiü'ᵦ) verschwende-
risch; über-mäßig, -reich; ~ion
(pre'fᵗiü'Q̆ᵉn) Überfluß *m*.

progen|itor (prŏᵈŏĞĕ'nĭᵗᵉr) Ahn *m*;
~y (prŏ'ᵈĞᶦnᶦ) Nachkommen-
schaft *f*.   [Progra'mm *n*.|

program, *mst* ~me (prouᵘ'gräm)|

progress 1. (prouᵘ'grᵉᵦ) Fortschritt (a
pl.) *m*; *in* ~ im Gang; 2. (pre'grᵉ'ᵦ)
fortschreiten; ~ion (pre'grᵉ'ᶘᶜʰᵉn)
Fortschreiten *n*; Reihe *f*; ~ive
(~ᵦĭw) 1. □ fortschreitend; fortschrittlich; 2. *pol.* Fortschrittler *m*.

prohibit (pre'hĭ'bĭt) verbieten; verhindern; ~ion (prouᶦbᶦ'ᶘᶜʰᵉn) Verbot *n*; ~ive □ (pre'hĭ'bᶦᵗĭw) verbie-
tend; Sperr...

project 1. (prŏ'ᵈĞĕt) Proje'kt; Vorhaben *n*, Plan *m*; 2. (pre'ᵈĞĕ'ft) *v/t.*
werfen; planen, vorhaben; proji-
zieren; *v/i.* vorspringen; ~ile (pre'-
ᵈĞĕ'ᵗtĭl) Projekti'l, Geschoß *n*;

~ion (preᵈŏĞĕ'ᶘᶜʰᵉn) Entwurf; Vorsprung *m*; Projektio'n *f*; ~or (~ᵗᵉ)
✝ Gründer; *opt.* Bildwerfer *m*.

proletarian (prouᵘlĕtä'rᶦᵉn) 1. pro-
leta'risch; 2. Proletarier(in).

prolific (pre'lĭ'fĭt) (~ally) fruchtbar.

prolix □ (prouᵘ'lĭtᵦ) weitschweifig.

prologue (prouᵘ'lŏg) Prolo'g *m*.

prolong (pre'lŏ'nᵍ) verlängern.

promenade (prŏmᶦnä'ᵈ) 1. Promenade *f*; 2. promenieren.

prominent □ (prŏ'mᶦnᵉnt) hervorragend (*a. fig.*); *fig.* promine'nt.

promiscuous □ (pre'mĭ'ᵏᵦᶦüᵉᵦ) gemischt; gemeinsam; unterschiedslos.

promis|e (prŏ'mĭᵦ) 1. Versprechen
n; *fig.* Aussicht *f*; 2. versprechen;
~ing (~ĭnᵍ) vielversprechend;
~sory (~ᵦᵉrĭ) versprechend; ✝ ~ *note*
Eigenwechsel *m*.   [birge *n*.|

promontory (prŏ'mᵉntrĭ) Vorge-|

promot|e (pre'mouᵘt) *et.* fördern
j. befördern; ✝ gründen; ~ion
(pre'mouᵘ'ᶘᶜʰᵉn) Förderung *f usw.*

prompt (prŏmpt) 1. □ schnell;
bereit(willig); sofortig; pünktlich;
2. *j.* veranlassen; *Gedanken* eingeben; *j-m* vorsagen, soufflieren; ~er
(prŏ'mptᵉ) Souffleur *m*; ~ness
(prŏ'mptᵦ) Schnelligkeit; Be-
reitschaft *f*.   [den, verbreiten.|

promulgate (prŏ'mᵉlgeĭt) verkün-|

prone □ (prouᵘn) mit dem Gesicht
nach unten (liegend); hingestreckt;
~ *to* geneigt (*od.* neigend) zu.

prong (prŏnᵍ) Zinke; Spitze *f*.

pronounce (pre'nᵃᵘ'nᵦ) ausspre-
chen; erklären (für).   [sprache *f*.|

pronunciation (~nᴧnᵦᶦeĭ'ᶘᶜʰᵉn) Aus-|

proof (prüf) 1. Probe *f*, Versuch *m*;
Beweis; *typ.* Korrektu'rbogen; *typ.*,
phot. Probeabzug *m*; 2. fest; ...dicht,
...sicher; ~reader Korrektor *m*.

prop (prŏp) Stütze *f*; stü'tzen.

propaga|te (prŏ'pᵃgeĭt) (sich) fort-
pflanzen; verbreiten; ~tion (prŏpᵉ-
geĭ'ᶘᶜʰᵉn) Verbreitung *f*.

propel (pre'pᵉl) (vorwärts) treiben;
~ler (~ᵉ) Propeller *m*, (Schiffs-,
Luft-) Schraube *f*.

propensity (pre'pᵉ'nᵦᶦᵗĭ) Neigung *f*.

proper □ (prŏ'pᵉ) eigen(tümlich);
eigentlich; passend, richtig; anständig; ~ty (~ᵗĭ) Eigentum *n*,
Besitz *m*; Vermögen *n*, Besitztum,
Eigenheit *f*.

prophe|cy (prŏ'fĭᵦĭ) Prophezeiung
f; ~sy (~ᵦäĭ) prophezeien.

prophet (prŏ'fĭt) Prophet *m*.

propi|tiate (prᵉpĭ'shĭᵉĭt) günstig stimmen, versöhnen; **~tious** □ (prᵉpĭ'shᵉs) gnädig; günstig.

proportion (prᵉpŏ'shᵉn) 1. Verhältnis; Gleichmaß *n*; (An-)Teil *m*; *pl*. **~s** Maße *n/pl*.; 2. in ein Verhältnis bringen; **~al** □ (~ᵊl) verhältnismäßig.

propos|al (prᵉpoᵘ'zᵊl) Vorschlag, (*a*. Heirats-)Antrag *m*; **~e** (prᵉpoᵘz') *v/t*. vorschlagen; e-n Toast ausbringen auf (*acc*.); **~ to o.s.** sich vornehmen; *v/i*. beabsichtigen; anhalten (**to** um); **~ition** (prŏpᵉ-zĭ'shᵊn) Vorschlag, Antrag *m*.

propound (prᵉpaᵘ'nd) Frage *usw*. vorlegen; vorschlagen.

propriet|ary (prᵉprāi'ᵉtᵉrĭ) gesetzlich geschützt (*bsd. Arzneimittel*); Besitz(er)...; **~or** (~tᵉ) Eigentümer *m*; **~y** (~tĭ) Richtigkeit; Schicklichkeit *f*; the proprieties *pl*. die Anstandsformen *f/pl*. [trieb *m*.]

propulsion ⊕ (prᵉpʌ'lshᵊn) An-]

pro-rate *Am*. (proᵘreĭ't) anteilmäßig verteilen. [isch (*nüchtern, trocken*).]

prosaic (proᵘzeĭ'ĭk) (**~ally**) *fig*. prosa'-]

proscribe (proᵘskrāi'b) ächten.

prose (proᵘz) 1. Prosa *f*; 2. prosa'isch.

prosecut|e (prŏ'sĭkjūt) *v/t*. (*a*. gerichtlich) verfolgen; Gewerbe *usw*. betreiben; **~ion** (prŏsĭkjū'shᵊn) (gerichtliche) Verfolgung *f*; **~or** (prŏ'sĭkjūtᵉ) Kläger; Anklagevertreter *m*; public **~** Staatsanwalt *m*.

prospect 1. (prŏ'spĕkt) Aussicht *f* (*a*. *fig*.); † Reflekta'nt *m*; 2. (prᵉspĕ'kt) ⚒ schürfen; **~ive** (prᵉspĕ'ktĭv) vorausblickend; voraussichtlich; **~us** (~tᵉs) Prospe'kt *m*.

prosper (prŏ'spᵉ) *v/t*. beglücken; *v/i*. gedeihen; Glück h.; **~ity** (prŏspĕ'rĭtĭ) Gedeihen *n*; Wohlstand *m*; Glück *n*; *fig*. Blüte *f*; **~ous** □ (prŏ'spᵉrᵉs) glücklich, gedeihlich; *fig*. blühend; günstig.

prostitute (prŏ'stĭtjūt) 1. Dirne *f*; 2. zur Dirne m., (der Schande) preisgeben, feilbieten (*a*. *fig*.).

prostrat|e 1. (prŏ'streĭt) hingestreckt; fußfällig; kraftlos; 2. (prŏstreĭ't) niederwerfen; entkräften; **~ion** (~shᵊn) Niederwerfung *f*; Fußfall *m*. [langweilig.]

prosy □ (proᵘ'zĭ) *fig*. prosa'isch;]

protect (prᵉtĕ'kt) (be)schützen; **~ion** (prᵉtĕ'kshᵊn) Schutz; Wirt-

schaftsschutz *m*; **~ive** (~tĭv) schützend; Schutz...; **~ duty** Schutzzoll *m*; **~or** (~tᵉ) (Be-)Schützer *m*; **~orate** (~tᵉrĭt) Protektora't *n*.

protest 1. (proᵘtĕ'st) Prote'st; Einspruch *m*; 2. (prᵉtĕ'st) beteuern; protestieren.

Protestant (prŏ'tĭstᵊnt) 1. protesta'ntisch; 2. Protesta'nt(in).

protestation (proᵘtĕsteĭ'shᵊn) Beteuerung; Verwahrung *f*.

protocol (proᵘ'tᵉkŏl) Protoko'll *n*.

prototype (~tāip) Urbild; Mode'll *n*. [(*od*. hin)ziehen.]

protract (prᵉtrā'kt) in die Länge]

protru|de (prᵉtrū'd) (sich) (her-)vorstrecken; (her)vor-stehen, -treten; **~sion** (~Qᵉn) Vorstrecken *n*.

protuberance (prᵉtjū'bᵉrᵊns) Hervortreten *n*, Auswuchs, Höcker *m*.

proud □ (prāud) stolz (*of* auf *acc*.).

prove (prūv) *v/t*. be-, nach-weisen; prüfen; erleben, erfahren; *v/i*. sich herausstellen (*od*. erweisen) (als); ausfallen.

provender (prŏ'wĭndᵉ) Futter *n*.

proverb (prŏ'wᵉb) Sprichwort *n*.

provide (prᵉwāi'd) *v/t*. besorgen, beschaffen; versehen, versorgen; ⚒ᵗ vorsehen, festsetzen; *v/i*. (vor-)sorgen; **~d** (that) vorausgesetzt, daß.

providen|ce (prŏ'wĭdᵊns) Vorsehung; Vorsorge *f*; **~t** □ (~dᵊnt) vorsorglich; haushälterisch; **~tial** □ (prŏwĭdĕ'nshᵊl) durch die *göttliche* Vorsehung bewirkt; glücklich.

provider (prᵉwāi'dᵉ) Liefera'nt(in).

provin|ce (prŏ'wĭns) Provi'nz *f*; *fig*. Gebiet *n*; Aufgabe *f*; **~cial** (prᵉwĭ'nshᵊl) 1. provinzie'll; kleinstädtisch; 2. Provi'nzbewohner(in).

provision (prᵉwĭ'Qᵊn) Beschaffung; Vorsorge; Versorgung; ⚒ᵗ Bestimmung; Vorkehrung *f*; Vorrat *m*; **~s** *pl*. Provia'nt *m*, Lebensmittel *n/pl*.; **~al** □ (~ᵊl) proviso'risch.

proviso (prᵉwāi'soᵘ) Vorbehalt *m*.

provocat|ion (prŏwᵉteĭ'shᵊn) Herausforderung *f*; **~ive** (prᵉwŏ'tᵊtĭw) herausfordernd; (auf)reizend.

provoke (prᵉwoᵘ'k) auf-, an-reizen; herausfordern; hervorrufen.

provost (prŏ'wᵉst) Vorsteher; ⚔ (prᵉwoᵘ') Profo'ß *m*.

prow ⚓ (prāu) Bug *m*, Vorschiff *n*.

prowess (prāu'ĭs) Tapferkeit *f*.

prowl (prāul) 1. *v/i*. umherstreifen; *v/t*. durchstrei'fen; 2. Streife *f*.

proximity (prŏ'ĭ̈ĭ'm¹tĭ) Nähe f.

proxy (prŏ'ĭ̈ĭ) Stellvertreter m; Stellvertretung; Vollmacht f.

prude (prūd) Spröde, Zimperliese f.

pruden|ce (prū'ð°nß) Klugheit, Vorsicht f; ~t □ (~t) klug, vorsichtig.

prud|ery (prū'ð°rĭ) Sprödigkeit f; ~ish □ (~ð¹ĭ̈ĭ) zimperlich, spröde.

prune (prūn) 1. Backpflaume f; 2. ♂ beschneiden (a. fig.); wegschneiden.

prurient □ (prū°'r¹°nt) geil.

pry (prāĭ) 1. neugierig gucken; ~ into s-e Nase stecken in (acc.); Am. ~ open aufbrechen; ~ up hochheben; 2. Hebel(bewegung f) m.

psalm (ßäm) Psalm m.   [name m.]

pseudonym ([p]ßjū'ð°nĭm) Deck-]

psychiatrist (ßäĭäĭ'°trĭßt) Psychia'-ter m (Irrenarzt).   [chisch, seelisch.]

psychic, ~al □ (ßäĭ'fĭt, ~t¹°l) psy-]

psycholog|ical □ (ßäĭĕ'lŏ'ðGĭ°l) psychologisch; ~ist (ßäĭŏ'l°Gĭßt) Psycholo'g(in); ~y (~ŏGĭ) Psychologie' f (Seelenkunde).

pub F (pʌb) Kneipe f.

puberty (pjū'b°tĭ) Pubertä't f.

public (pʌ'blĭt) 1. □ öffentlich; staatlich, Staats...; allbekannt; ~ house Wirtshaus n; ~ law Staats-, Völker-recht n; ~ spirit Gemeinsinn m; 2. Publikum n; Öffentlichkeit f; ~an (pʌ'blĭt°n) Gastwirt m; ~ation (pʌblĭ°tĕĭ'ĭ̈°n) Bekanntmachung f; Veröffentlichung f; Verlagswerk n; monthly ~ Monatsschrift f; ~ity (pʌblĭ'ß¹tĭ) Öffentlichkeit f; Propaganda f.

publish (pʌ'blĭĭ̈) bekanntmachen, veröffentlichen; Buch usw. herausgeben, verlegen; ~ing house Verlagsbuchhandlung f; ~er (~°) Herausgeber, Verleger m; ~s pl. Verlag m.   [falten, Naht einhalten.]

pucker (pʌ'k°) 1. Falte f; 2. (sich)]

pudding (pū'ðĭŋ) Pudding m; ~ Wurst f; black ~ Blutwurst f.

puddle (pʌ'ðl) Pfütze f.

puerile □ (pjū°'räĭl) kindisch.

puff (pʌf) 1. Hauch; Paff m der Pfeife; Rauch-Wölkchen n; Puderquaste; (aufdringliche) Rekla'me f; 2. v/t. (auf)blasen, pusten; paffen; anpreisen; ~ up Preise hochtreiben; ~ed eyes geschwollene Augen; v/i. puffen; pusten; ~ out sich (auf-)blähen; ~-paste Blätterteig m; ~y

(pʌ'fĭ) böig; kurzatmig; geschwollen; dick; bauschig.

pug (pʌg), ~-dog Mops m.

pugnacious (pʌgnĕĭ'ĭ̈°ß) kämpferisch; kampflustig; streitsüchtig.

pug-nose (pʌ'gnou³) Stupsnase f.

puke (pjūt) (sich) erbrechen.

pull (pūl) 1. Zug; Griff; Klingel-Zug m; 2. ziehen; zerren; reißen; zupfen; pflücken; rudern; durchkommen (Kranker); ~ down niederab-reißen; ~ out ausfahren; ~ through Kranken durchbringen; ~ o.s. together sich zs.-reißen; ~ up herausziehen; Pferd usw. anhalten; ~ up an-, einhalten.

pulley ⊕ (pū'lĭ) Rolle f; Flaschenzug m; Riemenscheibe f.

pulp (pʌlp) Brei m; Frucht-, Zahn-Mark; ⊕ Papierzeug n.

pulpit (pū'lpĭt) Kanzel f.

pulpy □ (pʌ'lpĭ) breiig; fleischig.

puls|ate (pʌlßĕĭ't) pulsieren; schlagen; ~e (pʌlß) Puls(schlag) m.

pulverize (pʌ'lw°räĭ) v/t. pulverisieren; v/i. zu Staub w.

pumice (pʌ'mĭß) Bimsstein m.

pump (pʌmp) 1. Pumpe f; Tanzschuh m; 2. pumpen; F j. aushorchen.

pumpkin ♧ (pʌ'mpfĭn) Kürbis m.

pun (pʌn) 1. Wortspiel n; 2. mit Worten spielen, witzeln.

Punch¹ (pʌntĭ̈) Kasperle m.

punch² (~) 1. ⊕ Punze(n m) f, Locheisen n, Locher m; Lochzange f; Schlag; Knuff; Punsch m; 2. zupunzen, durchbo'hren; lochen, knuffen, puffen.

punctilious (pʌnĝtĭl'ĭ°ß) peinlich (genau), spitzfindig; förmlich.

punctual □ (pʌ'nĝtĭu°l) pünktlich; ~ity (pʌnĝtĭuä'lĭtĭ) Pünktlichkeit f.

punctuat|e (pʌ'nĝtĭu°ĭt) (inter-)punktieren; fig. unterbre'chen; ~ion (pʌnĝtĭu°'ĭ̈°n) Interpunktio'n f.

puncture (pʌ'nĝtĭ°) 1. Punktu'r f, Stich m; Reifenpanne f; 2. (durch-)ste'chen; platzen (Luftreifen).

pungen|cy (pʌ'nðG°nßĭ) Schärfe f; ~t (~t) stechend, beißend, scharf.

punish (pʌ'nĭĭ̈) (be)strafen; ~able □ (~ĭĭ̈°bl) strafbar; ~ment (~m°nt) Strafe, Bestrafung f.

puny □ (pjū'nĭ) winzig; schwächlich.

pupil (pjū'pl) anat. Pupi'lle f; Schüler m; Mündel n.

puppet (pɑ'pĭt) Marione'tte, Puppe f; ~-show Puppenspiel n.

puppy (pɑ'pĭ) Welpe (junge[r] Hund) fig. Laffe, Schnösel m.

purchase (pō'tĭcʰĕ̃) 1. (Ein-, An-) Kauf m; Anschaffung; ⊕ Hebevorrichtung f; fig. Angriffspunkt m; 2. kaufen; fig. erkaufen; anschaffen; ~r (~ᵉ) Käufer(in).

pure □ (pĭuᵉ) allg. rein; engS.: lauter; echt; gediegen; ~bred Am. (pjuᵉ'brĕd) reinrassig.

purgat|ive (pŏ'gᵉtĭw) abführend(es Mittel); ~ory (~tᵉrĭ) Fegefeuer n.

purge (pōdG̃) 1. ⚕ Abführmittel n; pol. Säuberung f; 2. reinigen; pol. säubern; ⚕ abführen (l.).

purify (pĭuᵉ'rĭfāĭ) reinigen; läutern.

purity (pĭuᵉrĭtĭ) Reinheit f (a. fig.).

purl (pōl) murmeln.

purlieus (pō'ljuĭ) pl. Umgebung f.

purloin (pōlŏĭ'n) entwenden.

purple (pŏ'pl) 1. purpurn; 2. Purpur m; 3. (sich) purpurn färben.

purport (pŏ'pᵉt) 1. Sinn; Inhalt m; 2. ~ to be angeblich sein.

purpose (pŏ'pᵉs) 1. Vorsatz m; Absicht f, Zweck m; on ~ absichtlich; to the ~ zweckdienlich; to no ~ vergebens; 2. vorhaben, bezwecken; ~ful □ (~fᵘl) zweckmäßig; absichtlich; ~less □ (~lĭs̃) zwecklos; ~ly (~lĭ) vorsätzlich.

purr (pŏ) schnurren (Katze).

purse (pōs̃) 1. Börse f; Geldbeutel; Geldpreis m; public ~ Staatssäckel m; 2. Mund spitzen; Augen zs.-kneifen.

pursuan|ce (pᵉʳ̃bĭū'ᵉns̃): in ~ of zufolge (dat.); ~t (~ᵉnt): ~ to zufolge.

pursu|e (pᵉʳ̃bĭū') verfolgen (a. fig.); e-m Beruf usw. nachgehen; fortsetzen; ~er (~ᵉ) Verfolger(in); ~it (pᵉʳ̃bĭū't) Verfolgung f; mst ~s pl. Beschäftigung f.

purvey (pōweĭ') Lebensmittel liefern; ~or (~ᵉ) Liefera'nt m.

pus ⚕ (pɑs̃) Eiter m.

push (pʊs̃cḣ) 1. Stoß; Schub; Vorstoß m; Energie' f; Unterneh'mungsgeist m; 2. stoßen; schieben; drängen; (an)treiben; Studien usw. betreiben; Anspruch usw. durchdrücken; ~ one's way sich durchdrängen; ~-button ⚡ Druckknopf m. [kleinmütig.]

pusillanimous □ (pĭūs̃ĭlă'nĭmᵉs̃))

puss(y) (pũ'b̃[ĭ]) Mieze, Katze f.

put (pũt) [irr.] 1. setzen, legen, stellen, stecken; Frage stellen, vorlegen; ausdrücken, sagen; ~ across Erfolg h. mit; ~ back zurückstellen; ~ by Geld zurücklegen; ~ down nieder-legen, -setzen, -werfen; notieren; zuschreiben (to dat.); unterdrü'cken; ~ forth herausstellen usw.; ausstrecken; Knospen usw. treiben; aufbieten; ~ in (hin)einsetzen; (hin)einstecken; ~ off Kleid ablegen, ausziehen, Hut abnehmen; j. abspeisen; et. verschieben; ansetzen; Fett ansetzen; ~ on airs sich aufspielen; ~ out hinauslegen usw.; Hand ausstrecken; Knospen usw. treiben; Geld ausleihen; auslöschen; verstimmen; ~ through teleph. verbinden (to mit); ~ to hinzufügen; Pferd anspannen; ~ to death hinrichten; ~ to the rack auf die Folter spannen; ~ up aufstellen usw.; errichten; Schirm aufspannen; Zettel anschlagen; anbieten; ein-, ver-packen; 2. v/i.: ⚓ ~ off, ~ to sea auslaufen; ⚓ ~ in einlaufen; ~ up at einkehren, absteigen in (dat.); ~ up with sich gefallen lassen; sich abfinden mit.

putrefy (pĭu'trĭfāĭ) (ver)faulen.

putrid □ (pĭu'trĭd) faul; sl. saumäßig; ~ity (pĭutrĭ'dĭtĭ) Fäulnis f.

putty (pɑ'tĭ) 1. Kitt m; 2. kitten.

puzzle (pɑ'l̃) 1. schwierige Aufgabe, Rätsel n; Verwirrung f; Geduldspiel n; 2. v/t. irremachen; j-m Kopfzerbrechen m.; ~ out austüfteln; v/i. sich den Kopf zerbrechen; ~-headed (pɑ'l̃hĕ'd̃ĭd) konfu's.

pygm|ean (pĭgmĭ'ᵉn) zwerghaft; ~y (pĭ'gmĭ) Zwerg m; zwerghaft.

py|amas (pᵉd̃G̃ā'mᵉs̃) pl. Schlafanzug m.

pyramid (pĭ'rᵉmĭd) Pyrami'de f; ~al □ (pĭʳrä'mĭdl̃) pyramida'l.

pyre (pāĭ'ᵉ) Scheiterhaufen m.

pyrotechnic (pāĭʳoťĕ'knĭk̃) pyrotechnisch, Feuerwerks...; ~ display Feuerwerk n.

Pythagorean (pāĭťĥä'gᵉrĭ''ᵉn) pythagore'isch.

pyx (pĭťk̃) eccl. Monstra'nz f.

Q

quack (ḳwăḱ) 1. Quaken *n*; Scharlatan: Quacksalber; Kurpfuscher; Marktschreier *m*; 2. quacksalberisch; 3. quaken; ~ery (ḳwä'ḟ'rĭ) Quacksalberei *f*.

quadrangle (ḳwŏ'drănᵘgl) Viereck *n*; (Schul-)Hof *m*.

quadrennial □ (ḳwŏŏdrě'nĭᵉl) vierjährig; vierjährlich.

quadru|ped (ḳwŏ'drᵘpĕd) Vierfüßer *m*; ~ple □ (ḳwŏ'drᵘpl) vierfach.

quagmire (ḳwä'gmăĭᵉ) Sumpf(land *n*) *m*, Moor *n*.

quail (ḳweĭl) verzagen; beben.

quaint □ (ḳweĭnt) putzig; seltsam.

quake (ḳweĭḱ) beben; zittern.

Quaker (ḳweĭ'ḱᵉ) Quäker *m*.

quali|fication (ḳwŏlĭḟĭḱeĭ'ʃᶜhᵉn) (erforderliche) Befähigung; Einschränkung *f*; ~fy (ḳwŏ'lĭfăĭ) *v/t*. befähigen; (be)nennen; einschränken, mäßigen; mildern; *v/i*. seine Befähigung nachweisen; ~ty (~tĭ) Eigenschaft, Beschaffenheit; ↑ Qualitä't *f*; vornehme(r) Stand.

qualm (ḳwŏm, ḳwäm) Übelkeit *f*; Zweifel *m*; Bedenken *n*.

quantity (ḳwŏ'ntĭtĭ) Quantitä't, Menge *f*; großer Teil.

quarantine (ḳwŏ'rᵉntĭn) 1. Quarantä'ne *f*; 2. unter Qu. stellen.

quarrel (ḳwŏ'rᵉl) 1. Zank, Streit *m*; 2. (sich) zanken, streiten; ~some □ (~β°m) zänkisch; streitsüchtig.

quarry (ḳwŏ'rĭ) 1. Steinbruch *m*; Jagd-Beute *f*; 2. *Steine* brechen; *fig.* stöbern.

quart (ḳwŏt) Quart *n* (*1,136 l*).

quarter (ḳwŏ'tᵉ) 1. Viertel; Viertel (-jahr *n*, -stunde *f*, -zentner *m*) *n*; (Himmels-)Gegend, Richtung; Gnade *f*, Pardo'n *m*; ~s *pl.*: Wohnung *f*; ✕ Quartie'r *n*; *fig.* Kreise *m/pl.*; *from all* ~s von allen Seiten; 2. vierteln, vierteilen; beherbergen; ✕ einquartieren; ~day Quarta'lstag *m*; ~deck Achterdeck *n*; ~ly (~lĭ) 1. vierteljährlich; 2. Vierteljahrsschrift *f*; ~master ✕ Quartie'rmeister *m*.

quartet(te) ♪ (ḳwŏtĕ't) Quarte'tt *n*.

quash (ḳwŏʃch) ⅔⅔ aufheben, verwerfen; unterdrü'cken.

quaver (ḳweĭ'wᵉ) 1. Zittern *n*; ♪ Triller *m*; 2. mit zitternder Stimme sprechen; trillern.

quay (ḳĭ) Kai *m*; Uferstraße *f*.

queasy □ (ḳwĭ'zĭ) empfindlich (*Magen, Gewissen*); ekelhaft.

queen (ḳwĭn) Königin *f*; ~like, ~ly (ḳwĭ'nlĭ) wie eine Königin, königlich.

queer (ḳwĭᵉ) sonderbar, seltsam.

quench (ḳwĕnʃch) *fig.* löschen, stillen, kühlen; unterdrü'cken.

querulous □ (ḳwĕ'rᵘlᵉβ) quengelig.

query (ḳwĭ'rĭ) 1. Frage(zeichen *n*) *f*; 2. (be)fragen; (be)zweifeln.

quest (ḳwĕßt) 1. Suche(n *n*) *f*, Nachforschen *n*; 2. suchen, forschen.

question (ḳwĕ'ßtʃchᵉn) 1. Frage *f*; Zweifel *m*; Sache, Angelegenheit *f*; *beyond* (*all*) ~ ohne Frage; *in* ~ fraglich, in Rede stehend; *call in* ~ in Zweifel ziehen; *that is out of the* ~ das steht außer (*od.* kommt nicht in) Frage; 2. befragen; bezweifeln; ~able □ (~βl) fraglich; fragwürdig; ~naire (ḳĕßtĭᵉnä'ᵉ, ḳwĕßtʃchᵉnä'ᵉ) Fragebogen *m*.

queue (ḳĭu) 1. Reihe *v. Personen usw.*, Schlange *f*; Zopf *m*; 2. anstehen, Schlange stehen (*mst* ~ *up*).

quibble (ḳwĭ'bl) 1. Wortspiel *n*; Spitzfindigkeit; Ausflucht *f*; 2. *fig.* ausweichen; witzeln.

quick (ḳwĭḱ) 1. lebendig, lebhaft; schnell; voreilig; scharf (*Gehör usw.*); 2. lebendes Fleisch; *to the* ~ (bis) ins Fleisch; *fig.* (bis) ins Herz, tief; ~en (ḳwĭ'ḱn) *v/t.* beleben; beschleunigen; *v/i.* aufleben; sich regen; ~ness (ḳwĭ'ḱnĭβ) Lebhaftigkeit; Schnelligkeit; Voreiligkeit; Schärfe *f des Verstandes usw.*; ~sand Triebsand *m*; ~silver Quecksilber *n*; ~witted schlagfertig.

quiescen|ce (ḳwăĭĕ'ßnβ) Ruhe, Stille *f*; ~t (~t) ruhend; *fig.* ruhig.

quiet (ḳwăĭ'ᵉt) 1. □ ruhig, still;

2. Ruhe *f*; 3. (sich) beruhigen; ~ness (~n'ß), ~ude (~ĭūd) Ruhe, Stille *f*.

quill (tɯĭl) Federkiel *m*; *fig.* Feder *f*; Stachel *m des Igels usw.*; ~ing (tɯĭ'lĭnᵍ) Rüsche *f*.

quilt (tɯĭlt) 1. Steppdecke *f*; 2. steppen.

quince ♀ (tɯĭnß) Quitte *f*.

quinine (tɯ¹nĭ′n, *Am.* tɯaĭ'naĭn) *pharm.* Chini'n *n*.

quintuple (tɯĭ'ntⁱᵘpl) fünffach.

quip (tɯĭp) Stich(elei *f*) *m*; Witz (-wort *n*) *m*; Spitzfindigkeit *f*.

quirk (tɯöt) Spitzfindigkeit *f*; Witz (-elei *f*); Kniff; Schnörkel *m*; Eigentümlichkeit *f*.

quit (tɯĭt) 1. verlassen; aufgeben;

Schuld tilgen; *give notice to* ~ kündigen; 2. quitt; frei, los.

quite (tɯaĭt) ganz, gänzlich; recht; durchaus; ~ *a hero* ein wirklicher Held; ~ (*so*) *l*, ~ *that l* ganz recht l

quittance (tɯĭ'tⁿß) Quittung *f*.

quiver (tɯĭ'wᵉ) zittern, beben.

quiz (tɯĭſ) 1. Neckerei *f*; Spottvogel *m*; Rätsel(frage *f*) *n*; *bsd. Am.* Ausfragung *f*; 2. hänseln; *bsd. Am.* ausfragen.

quorum (tɯöʹrᵉm) *parl.* beschlußfähige Mitgliederzahl.

quota (tɯoᵘtᵉ) Quote *f*, Anteil *m*.

quotation (tɯotᵉⁱʃᵈⁿ) Anführung *f*, Zita't *n*; ✝ Preisnotierung *f*.

quote (tɯoᵘt) anführen, zitieren; ✝ berechnen, notieren (*at* mit).

R

rabbi (rä'bāi) Rabbi'ner *m*.
rabbit (rä'bĭt) Kaninchen *n*.
rabble (rä'bl) Pöbel(haufen) *m*.
rabid □ (rä'bĭd) wütend; toll.
rabies (rei'bĭĭŝ) Tollwut *f*.
race (reiß) 1. Geschlecht *n*, Stamm *m*; Rasse *f*, Schlag *m*; Lauf (*a. fig.*); Wettrennen *n*; Strömung *f*; ~s *pl*. *Pferde- usw.* Rennen *n*; 2. rennen; rasen; um die Wette laufen (mit); **~course** Rennbahn *f*; **~r** (rei'ß*e*) Rennpferd; Rennboot *n*; Rennwagen *m*.
racial (rei'ʃ(ʰ)ʳl) Rassen...
rack (räk) 1. Gestell *n*; *Kleider- usw*. Ständer *m*; Raufe; Folter (-bank) *f*; 🚂 luggage ~ Gepäcknetz *n*; 2. strecken; foltern, quälen (*a. fig.*); ~ one's brains sich den Kopf zermartern; go to ~ and ruin ganz und gar zugrunde gehen.
racket (rä'kĭt) *Tennis*-Schläger; Lärm; Trubel *m*; *Am.* Erpressung *f*; **~eer** *Am.* (räkĭti*e*ʳ) Erpresser *m*. [würzig; *fig.* gehaltvoll.|
racy □ (rei'ßĭ) rassig; kräftig, stark;|
radar (rei'dā) Radar *n* (*Funkortungsgerät*); ~ set R.gerät *n*.
radian|ce (rei'dĭ*e*nß) Strahlen *n*; ~t □ (~t) strahlend, leuchtend.
radiat|e (rei'dĭeit) (aus)strahlen; (rund)funken; **~ion** (reidĭei'ʃ(ʰ)n) Ausstrahlung *f*; **~or** (rei'dĭeit*e*) Heizkörper; *mot.* Kühler *m*.
radical (rä'dĭk*e*l) 1. □ Wurzel..., Grund...; gründlich; eingewurzelt; *pol.* radika'l; 2. *pol.* Radika'le(r).
radio (rei'dĭoᵘ) 1. Radio *n*; Funk (-spruch) *m*; ~ drama, ~ play Hörspiel *n*;~ set Radiogerät *n*; 2. (rund-) funken; **~graph** (~grāf) 1. Röntgenbild *n*; 2. ein R. m. von; **~scopy** (reidĭo'ßk*e*pĭ) Röntgendurchleuchtung *f*; **~telegram** Funkspruch *m*.
radish (rä'dĭʃ) Rettich *m*; (red) ~ Radies-chen *n*.
raffle (rä'fl) 1. (aus-)würfeln, (-)losen; *v/i.* würfeln, losen (for um); 2. Auslosung *f*.
raft (rāft) 1. Floß *n*; 2. flößen; **~er** (rā'ft*e*) ⊕ (Dach-)Sparren *m*.

rag (räg) Lumpen; Fetzen; Lappen *m*.
ragamuffin (rä'g*e*mʌfĭn) Lumpenkerl; Gassenjunge *m*.
rage (reidG) 1.Wut; Raserei; Sucht; Manie'; Eksta'se *f*; it is all the ~ es ist allgemein Mode; 2. wüten, rasen.
ragged □ (rä'gĭd) rauh; zottig; zackig; zerlumpt.
raid (reid) 1. Über-, Ein-fall, Streif-, Beute-zug *m*; Razzia *f*; 2. einfallen (in *acc.*); überfa'llen.
rail (reil) 1. Querholz; Geländer *n*; 🚂 Schiene; (*main*) ~ ⚓ Reling *f*; run off the ~s entgleisen; 2. schimpfen.
railing (rei'lĭng) Geländer; Stake't *n*.
raillery (rei'l*e*rĭ) Spötterei *f*.
railroad *bsd. Am.* (rei'lrouᵈ) = **railway** (~ᵘei') Eisenbahn *f*.
rain (rein) 1. Regen *m*; 2. regnen; **~bow** Regenbogen *m*; **~coat** *Am.* Regenmantel *m*; **~fall** Regenmenge *f*; **~proof** regendicht; **~y** □ (rei'nĭ) regnerisch; Regen...
raise (reiß) (oft ~ up) heben; (*oft fig.*) erheben; errichten; erhöhen (*a. fig.*); *Geld usw.* aufbringen; verursachen; *fig.* erwecken; anstiften; züchten, ziehen; *Belagerung usw.* aufheben.
raisin (rei'ŝn) Rosi'ne *f*.
rake (reik) 1. Rechen *m*, Harke *f*; Wüstling; Lebemann *m*; 2. *v/t.* (zs.-)harken; (zs.-)scharren; *fig.* (durch-)stö'bern.
rally (rä'lĭ) 1. Sammeln; Treffen *n*; *Am.* Massenversammlung *f*; 2. (sich) wieder sammeln; sich erholen; necken.
ram (räm) 1. Widder *m*; Ramme *f*; 2. (fest)rammen; rammen.
rambl|e (rä'mbl) 1. Streifzug *m*; 2. umherstreifen; abschweifen; **~er** (~*e*) Umherstreicher(in); Kletterrose *f*; **~ing** (~ĭng) weitläufig.
ramify (rä'mĭfai) (sich) verzweigen.
ramp (rämp) Rampe *f*; **~ant** (rä'mp*e*nt) wuchernd; *fig.* zügellos.

rampart (rä'mpāt) Wall *m*.

ramshackle (rä'mschäl) wackelig.

ran (rän) lief.

ranch *Am.* (räntsch) Viehwirtschaft*f*.

rancid ☐ (rä'nßld) ranzig.

ranco(u)r (rä'ngᵏᵉ) Groll, Haß *m*,

random (rä'ndᵉm) 1. at ∼ aufs Geratewohl, blindlings; 2. ziel-, wahl-los; zufällig.

rang (räng) läutete; klang.

range (re'ndG) 1. Reihe; (Berg-)Kette; Kochmaschine *f*; Umfang, Bereich *m*; Reichweite; Schußweite; Fläche *f*; Schießstand *m*; 2. *v/t.* (ein)reihen, ordnen; *ein Gebiet usw.* durchstrei'fen; ☼ längs *et.* fahren; *v/i.* (umher)streifen; sich erstrecken, reichen.

rank (rängᵏ) 1. Reihe, Linie *f*; Klasse *f*; Rang, Stand *m*; ∼ and file die Mannschaften *f/pl.*; *fig.* die große Masse; 2. *v/t.* (ein)reihen, (ein)ordnen; *v/i.* sich reihen, sich ordnen; gehören (*with* zu); im Range stehen (*above* über *dat.*); 3. gelten als; üppig; ranzig; stinkend.

rankle (rä'nᵍᵏl) *fig.* nagen, fressen.

ransack (rä'nßäᵏ) durchwü'hlen; ausrauben.

ransom (rä'nßᵉm) 1. Lösegeld *n*; Auslösung *f*; 2. loskaufen; erlösen.

rant (ränt) 1. Schwulst *m*; 2. schwadronieren; mit Pathos vortragen.

rap (räp) 1. Klaps *m*; Klopfen *n*; *fig.* Heller *m*; 2. schlagen, klopfen.

rapaci|ous ☐ (rᵉpe'lschᵉß) raubgierig; ∼ty (rᵉpä'ßᵗ!) Raubgier *f*.

rape (re'p) 1. Raub *m*; Notzucht *f*; Raps *m*; 2. rauben; notzüchtigen.

rapid (rä'pld) 1. ☐ schnell, reißend, rapi'd(e); steil; 2. ∼s *pl.* Stromschnelle(n *pl.*) *f*; ∼ity (rᵉpl'dᵗl) Schnelligkeit *f*.

rapt (räpt) entzückt; versunken; ∼ure (rä'ptschᵉ) Entzücken *n*; *go into* ∼s in Entzücken geraten.

rare (rä̆ᵉ) selten; *phys.* dünn.

rarefy (rä̆ᵉr'fäl) (sich) verdünnen.

rarity (∼r'tl) Seltenheit; Dünnheit *f*.

rascal (rä'ßᵏᵉl) Schuft *m*; ∼ity (rä̆ßᵏä'lᵗl) Schurkerei *f*; ∼ly (rä'ß-ᵏᵉᵗl) schuftig; erbärmlich.

rash¹ ☐ (rä'sch) vorschnell; übereilt; unbesonnen; waghalsig.

rash² (∼) Hautausschlag *m*.

rasp (räßp) 1. Raspe *f*; 2. raspeln; *j-m* weh(e) tun; kratzen.

raspberry (rä'ßbᵉrl) Himbeere *f*.

rat (rät) Ratte *f*; *sl.* Verräter *m*; *smell a* ∼ den Braten riechen.

rate (re't) 1. Verhältnis, Maß *n*, Satz *m*; Rate *f*; Preis *m*; Taxe; (Gemeinde)Steuer *f*; Rang *m*; Klasse; Geschwindigkeit *f*; *at any* ∼ auf jeden Fall; ∼ *of exchange* (Umrechnungs-)Kurs *m*; 2. (ein)schätzen; besteuern; ∼ *among* rechnen unter (*acc.*); ausschelten.

rather (rä'dhᵉ) eher, lieber; vielmehr; ziemlich; *I had* ∼ *do* ich möchte lieber tun.

ratify (rä'tᵗfäl) ratifizieren.

rating (re'tlnᵍ) Steuersatz; Grad *m*; Klasse *f*.

ratio Ⓤ (re'lschᵗᵒ) Verhältnis *n*.

ration (rä'schᵉn) 1. Ratio'n *f*; 2. rationieren.

rational ☐ (rä'schnl) vernunftgemäß; vernünftig, (*a.* Ⱥ) rationa'l; ∼ity (räschᵉnä'lᵗᵗl) Vernunft(mäßigkeit) *f*; ∼ize (rä'schnᵉläß) rationalisieren; wirtschaftlich vereinfachen.

ratten (rä'tn) sabotieren.

rattle (rä'tl) 1. Gerassel *n*; Klapper *f*; Röcheln *n*; 2. rasseln (mit); klappern; röcheln; ∼ *off* herunterrasseln, ∼snake Klapperschlange *f*; ∼trap *fig.* Klapperkasten *m*.

rattling (rä'tlinᵍ) *fig.* scharf (*Tempo*); hervorragend.

raucous ☐ (rō'ᵏᵉß) heiser, rauh.

ravage (rä'wᵗdG) 1. Verheerung *f*; 2. verheeren; plündern.

rave (re'w) rasen, toben; schwärmen.

ravel (rä'wl) *v/t.* aufräufeln; *fig.* entwirren; *v/i.* ausfasern (*a.* ∼ *out*).

raven (re'wn) Rabe *m*.

raven|ing (rä'wninᵍ), ∼ous (∼ᵉß) gefräßig; heißhungrig; raubgierig.

ravine (rᵉwi'n) Hohlweg *m*; Schlucht *f*.

ravish (rä'wlsch) entzücken; vergewaltigen; rauben; ∼ment (∼mᵉnt) Schändung *f*; Entzücken *n*.

raw (rō) roh; Roh...; wund; rauh (*Wetter*); ungeübt, unerfahren; ∼-boned knochig.

ray (re'i) Strahl *m*; *fig.* Schimmer *m*; ✻ ∼ *treatment* Bestrahlung *f*.

raze (re'i) Haus usw. niederlegen; *Festung* schleifen; tilgen.

razor (re'i'ᵉ) Rasiermesser *n*; ∼-blade Rasierklinge *f*.

re... (ͺ) wieder...; zurück...; neu...; um...

reach (rītſch) 1. Reichweite *f*, Bereich *m*; Strecke *f*; *beyond ~* unerreichbar; *within easy ~* leicht erreichbar; 2. *v/i.* reichen; langen; greifen; sich erstrecken; *v/t.* (hin-, her-)reichen,(-)langen; ausstrecken; erreichen.

react (rĭ'ăˈt̄) reagieren; rückwirken (*upon* auf *acc.*); empfindlich sn (to für); entgegenwirken (*against dat.*).

reaction (rĭ'ăˈſch'n) Reaktio'n *f*; **~ary** (ͺſchⁿrĭ) 1. reaktionä'r; 2. Reaktionä'r(in).

read 1. (rĭd) [*irr.*] lesen (in *dat.*); deuten; (an)zeigen (*Thermometer*); studieren; sich *gut usw.* lesen (l.); lauten; *~ to a p.* j-m vorlesen; 2. (rĕd) a) las; gelesen; b) *adj.* belesen; **~able** □ (rĭdⁿbl) lesbar; **~er** (rĭ'ðᵉ) Leser(in); Lektor *m*; Lesebuch *n*.

readi|ly (rĕ'dĭḷt̄) *adv.* gleich, leicht; gern; **~ness** (ͺnĭŝ) Bereitschaft; Bereitwilligkeit; Schnelligkeit *f*.

reading (rĭ'dĭnᵍ) Lesen *n*; *parl.* Lesung *f*; Vorlesung *f*; Stand *m des Thermometers*; Lektü're; Lesart *f*; *attr.* Lese...

readjust (rĭ'ᵉðɑ'ḃ̄t̄) wieder in Ordnung bringen; **~ment** (ͺmᵉnt) Wiederherstellung; Neuordnung *f*.

ready □ (rĕ'ðĭ) *adj.* bereit, fertig; bereitwillig; (to do) im Begriff (zu tun); schnell; gewandt; leicht; zur Hand; † bar; *make (od. get)* ~ (sich) fertig m.; **~-made** fertig, Konfektio'ns...

reagent /ᵗ̄ (rĭᵉ'ðḠᵉnt) Rea'gens *n*.

real □ (rĭ'ᵉl) wirklich, tatsächlich, rea'l; echt; ~ *estate* Grundbesitz *m*; **~ity** (rĭᵃ'lĭt̄) Wirklichkeit *f*; **~iza-tion** (rĭᵉlăĭ̄eˈſchᵉn) Verwirklichung; Erkenntnis; † Realisierung *f*; **~ize** (rĭ'ᵉlăĭ̄) verwirklichen; erzielen; sich vorstellen, erkennen; zu Geld machen.

realm (rĕlm) Königreich, Reich *n*.

realty (rĭᵉ'ltĭ) Grundeigentum *n*.

reap (rĭp) *Korn* schneiden; (ein-, ab-)ernten; **~er** (rĭ'pᵉ) Schnitter (in); Mähmaschine *f*.

reappear (rĭ'ᵉpĭᵉ') wieder erscheinen.

rear (rĭᵉ) 1. *v/t.* auf-; er-ziehen; züchten; *v/i.* sich bäumen; 2. Hinterseite *f*; Hintergrund; ✕ Nach-

trab *m*; *at the ~ of, in (the) ~ of* hinter; 3. Hinter..., Nach...; **~-admiral** ⚓ Ko'nteradmira'l *m*; **~guard** ✕ Nachhut *f*.

re-arm (rĭ'ᾱ'm) (Wieder)aufrüsten.

reason (rĭ'ŝn) 1. Vernunft *f*; Verstand *m*; Ursache *f*, Grund *m*; *by ~ of* wegen; *for this ~* aus diesem Grund; *it stands to ~ that ...* es ist jedem Vernünftigdenkenden klar, daß; 2. *v/i.* vernünftig denken; schließen; urteilen; *mit indirekter Frage*: erörtern; *v/t.* durchde'nken (*a. ~ out*); ~ *away* fortdisputieren; **~able** □ (rĭ'ŝnᵉbl) vernünftig; billig; angemessen; leidlich.

reassure (rĭ'ᵉſchuᵉ') wieder versichern; (wieder) beruhigen.

rebate (rĭbeˈt̄) † Raba'tt, Abzug *m*; Rückzahlung *f*.

rebel 1. (rĕ'bl) Rebe'll(in); Aufständische(r); 2. (ͺ) rebe'llisch (*a. ~lious*, ~ᵗbĕ'lĭᵉǃ̄); 3. (rĭbĕ'l) sich auflehnen; **~lion** (rĭbĕ'lĭᵉn) Empörung *f*.

rebirth (rĭ'bŏ'th) Wiedergeburt *f*.

rebound (rĭbᵃū'nð) 1. zurückprallen; 2. Rück-prall, -schlag *m*.

rebuff (rĭbᵃ'f) 1. Zurück-, Abweisung *f*; 2. zurück-, ab-weisen.

rebuild (rĭ'bĭ'lð) [*irr.* (build)] wieder(auf)bauen.

rebuke (rĭbjū't̄) 1. Rüge *f*; 2. rügen.

rebut (rĭbᵃ't̄) zurückweisen.

recall (rĭtŏ'l) 1. Zurückrufung; Abberufung *f*; † Abruf; Widerruf *m*; 2. zurückrufen; ab(be)rufen; (sich) erinnern an (*acc.*); widerru'fen; † *Kapital* kündigen.

recapitulate (rĭtᵉpĭ'tĭⁱᵘlĕⁱt̄) kurz wiederho'len, zs.-fassen.

recast (rĭ'tā'ḃ̄t̄) [*irr.* (cast)] ⊕ um-gießen; umformen, neu gestalten.

recede (rĭŝĭ'ð) zurücktreten.

receipt (rĭŝĭ't̄) 1. Empfang; Eingang *m v. Waren*; Quittung *f*; *Koch-* Rezept *n*; ~*s pl.* Einnahmen *f/pl.*; 2. quittieren.

receiv|able (rĭŝĭ'wᵉbl) † noch zu fordern(d), ausstehend; **~e** (rĭŝĭ'w) empfangen; erhalten, bekommen; aufnehmen; **~ed** (ͺð) anerkannt; **~er** (ͺᵉ) Empfänger; *teleph.* Hörer; Hehler; *Steuer- usw.* Einnehmer; ✲ (*official ~*) Masseverwalter.

recent □ (rĭ'ŝnt̄) neu; frisch; mode'rn; **~ly** (ͺlĭ) neulich, vor kurzem.

receptacle (rĭŝᵉ'pt̄ᵉl) Behälter *m.*

reception (rĭßĕ'p|ĉʰⁿ) Aufnahme f; Empfang m; Annahme f.

receptive □ (rĭßĕ'ptïw) empfänglich, aufnahmefähig (of für).

recess (rĭßĕ'ß) Ferien pl.; Winkel; Nische f; ~es pl. fig. Tiefe(n pl.) f; ~ion (~ĉʰⁿ) Rück-; Weg-gang m.

recipe (rĕ'ẞïpï) Reze'pt n.

recipient (rĭßĭ'pïᵉnt) Empfänger (-in).

reciproc|al (rĭßĭ'prᵉ'ᵗⁱ) wechsel-, gegen-seitig; adv. ~ly dafür; ~ate (~ĕⁱt) v/i. abwechseln(d wirken); Vergeltung üben; v/t. erwidern; ~ity (rĕẞïprö'ẞïti) Gegenseitigkeit f.

recit|al (rĭßāï'tᵗl) Bericht m; Erzählung f; ♪ Vortrag m; ~ation (rĕẞïteⁱĉʰⁿ) Hersagen n; Vortrag m; ~e (rĭßāï't) vortragen; aufsagen; berichten.

reckless □ (rĕ'flⁱß) unbekümmert; rücksichtslos; leichtsinnig.

reckon (rĕ'ïn) v/t. rechnen; schätzen, halten für; v/i. rechnen; denken, vermuten; ~ (up)on fig. rechnen auf (acc.); ~ing (~ïnₒ) Rechnen n; (Ab-, Be-)Rechnung f.

reclaim (rĭßlᵉ'ⁱm) f. bessern; zivilisieren; urbar machen.

recline (rĭßlāï'n) (sich) (zurück-) lehnen; ~ auf sich stützen auf.

recluse (rĭßlü'ß) Einsiedler(in).

recogni|tion (rĕẞᵍnⁱ'ĉʰⁿ) An-; Wieder-erkennung f; ~ze (rĕ'ẞᵍnāⁱ) anerkennen; (wieder)erkennen.

recoil (rĭßöï'l) 1. zurückprallen; 2. Rück-prall, -stoß, -lauf (✕) m.

recollect (rĕẞᵉlĕ'ïẗ) sich erinnern an (acc.); ~ion (~ĉʰⁿ) Brinnerung f (of an acc.); Gedächtnis n.

recommend (rĕẞᵉmĕ'nd) empfehlen; ~ation (rĕẞᵉmĕndᵉⁱĉʰⁿ) Empfehlung f; Vorschlag m.

recompense (rĕ'ẞᵉmpĕnß) 1. Belohnung, Vergeltung f; Ersatz m; 2. belohnen, vergelten; entschädigen; ersetzen.

reconcil|e (rĕ'ẞᵉnßāïl) aus-, versöhnen; in Einklang bringen; schlichten; ~iation (rĕẞᵉnßïlⁱeⁱ''-ĉʰⁿ) Ver-, Aussöhnung f.

recondition (rⁱßᵉndⁱ'ĉʰⁿ) wieder herrichten.

reconn|aissance ✕ (rĭßö'nⁱßᵉnß) Erkundung f; ~oitre (rĕẞᵉnöï'tᵉ) erkunden.

reconsider (rⁱßᵉnßï'dᵉ) wieder erwägen.

reconstitute (rⁱßö'nßtⁱtjüt) wiederherstellen.

reconstruct (rⁱßᵉnßtrᵉ'ïẗ) wieder aufbauen; ~ion (~ßträ'ïĉʰⁿ) Wieder-aufbau m, -herstellung f.

reconvert (rⁱßᵉnwö't) umstellen.

record 1. (rĕ'ẞöd) Aufzeichnung f; ♪⸢ⁱ Protoko'll n; Ruf, Leumund m; Schallplatte f; Reko'rd m; place on ~ schriftlich niederlegen; ♀ Office Staatsarchi'v n; Am.: off the ~ inoffizie'll; on the ~ offizie'll; 2. (rⁱßö'd) auf-, ver-zeichnen; auf Schallplatte aufnehmen; ~er (rⁱßö'dᵉ) Registra'tor; Stadtrichter; Registrierapparat m.

recount (rⁱßāïⁿ't) erzählen.

recoup (rⁱßü'p) f. schadlos halten (für); et. wieder einbringen.

recourse (rⁱßö'ß) Zuflucht f; have ~ to s-e Z. nehmen zu.

recover (rⁱßᵉ'wᵉ) v/t. wiedererlangen, -finden; wieder einbringen; sich erholen von; be ~ed wiederhergestellt sn; v/i. sich erholen (a. ~ o.s.); ~y (~rï) Wiedererlangung; Wiederherstellung; Erholung f.

recreat|e (rĕ'ẞrⁱeⁱt) v/t. erfrischen; v/i. sich erholen (a. ~ o.s.); ~ion (rĕẞrⁱeⁱ'ĉʰⁿ) Erholung(spause) f.

recrimination (rⁱßrⁱmⁱneⁱ'ĉʰⁿ) Gegenbeschuldigung f; Gegenklage f.

recruit (rⁱßrü't) 1. Rekru't; fig. Neuling m; 2. ergänzen; Truppe rekrutieren; (Rekruten) ausheben.

rectangle (rĕ'ẞtänɡl) Rechteck n.

recti|fy (rĕ'ẞtïfāi) berichtigen; verbessern; ♭, Radio: gleichrichten; ~tude (rĕ'ẞtïtjüd) Geradheit f.

rector (rĕ'ẞtᵉ) Pfarrer; Rektor m; ~y (~rï) Pfarre f; Pfarrhaus n.

recumbent □ (rⁱßᵉ'mbᵉnt) liegend.

recuperate (rⁱßjü'pᵉreⁱt) wiederherstellen; sich erholen (von).

recur (rⁱßö') zurück-kehren (to zu), -kommen (to auf acc.); wiederkehren, j-m wieder einfallen; ~rence (rⁱßᵉ'rᵉnß) Wieder-, Rück-kehr f; ~rent □ (~rᵉnt) wiederkehrend.

red (rĕd) 1. rot; ~ heat Rotglut f; ~ herring Bückling m; ~ tape Amtsschimmel m; 2. Rot n; (bsd. pol.) Rote(r).

red|breast (rĕ'dbrĕßt) Rotkehlchen n; ~den (rĕ'dn) (sich) röten; erröten; ~dish (rĕ'dïĉ) rötlich.

redeem (rⁱßï'm) zurück-, los-kaufen; ablösen; Versprechen einlösen;

büßen; entschädigen (für); erlösen;
2er (.ᵉ) Erlöser, Heiland *m*.

redemption (rᵉbeᵉmpſ(ꜵ)n) Rück-
kauf *m*; Auslösung; Erlösung *f*.

red-handed (rĕ'ðḫä'nd'b): take a p.
~ j. auf frischer Tat ertappen.

red-hot rotglühend; *fig*. hitzig.

red-letter: ~ *day* Festtag *m*.

redness (rĕ'ðn'b) Röte *f*.

redolent (rĕ'ðᵒl'nt) duftend.

redouble (rᵉðɑ'bl) (sich) verdoppeln.

redound (rᵉðɑu'nð): ~ *to* beitragen,
gereichen, führen zu.

redress (rᵉðrĕ'b) 1. Abhilfe; Wie-
dergutmachung *f*; ꜯꜯ Regre'ß *m*;
2. abhelfen (*dat*.); wiedergutmachen.

reduc|e (rᵉðjü'ß) *fig*. zurückführen,
bringen (*to* auf, *in acc*., zu); verwandeln (*to in acc*.); ver-ringern,
-mindern; herabsetzen; (be)zwin-
gen; ⚕ einrenken; ~ *to writing*
schriftlich niederlegen; ꜰtion (rᵉðɑ'ßſꜵn) Verwandlung; Herabsetzung; Verminderung; Verkleine-
rung *f*.

redundant □ (rᵉðɑ'nð'nt) überflüssig; übermäßig; weitschweifig.

reed (rīð) Schilfrohr *n*; Rohrflöte *f*.

reef (rīf) (Felsen-)Riff *n*.

reek (rīk) 1. Rauch, Dampf; Dunst
m; 2. rauchen, dampfen (*with* von);
dunsten, *unangenehm* riechen.

reel (rīl) 1. Haspel *m*; Rolle, Spule *f*;
Film-Akt *m*; 2. *v/t*.haspeln; wickeln,
spulen; *v/i*. wirbeln; schwanken;
taumeln.

re-elect (rᵉⁱĕ'lĕ't) wiederwählen.

re-enter (rᵉⁱĕ'nt⁴) wieder eintreten
(in *acc*.).

re-establish (rᵉⁱⁱĕ̃ⱖ'bliſꜵ) wiederherstellen.

refection (rᵉfĕ'ꜵ(ꜵ)n) Erfrischung *f*.

refer (rᵉfö') ~ *to*: *v/t*. zuschreiben
(*dat*.); zuweisen; *j-m* überwei'sen;
verweisen an, *j*. auf et.; *v/i*. sich beziehen auf (*acc*.); sich berufen auf
(*acc*.); verweisen auf (*acc*.); erwähnen; ꜰee (rĕf⁴rī') Schiedsrichter *m*;
ꜰence (rĕ'ðn'b) Refere'nz, Ver-
weisung; Bezugnahme; Anspielung; Beziehung; Auskunft(geber
m); Überwei'sung *f*; Verweisungs-
zeichen; Zeugnis *n*; *in* ~ *to in* betreff (*gen*.); ~ *book* Nachschlage-
werk *n*; ~ *library* Handbibliothe'k *f*;
make ~ *to* erwähnen.

referendum (rĕf⁴rĕ'nð⁴m) Volks-
entscheid *m*.

refill (rᵉ'fī'l) neu füllen, auffüllen.

refine (rᵉfāi'n) (sich) verfeinern *od*.
veredeln; ⊕ raffinieren; (sich)
läutern (*a. fig*.); klügeln; ~ (*up*)*on*
et. verfeinern, verbessern; ꜰment
(.m⁴nt) Verfeinerung, Veredlung;
Läuterung; Feinheit, Bildung;
Spitzfindigkeit *f*; ꜰry ⊕ (.⁴rī) Raf-
finerie' *f*.

reflect (rᵉflĕ'ťt) *v/t*. zurückwerfen;
zurückstrahlen, widerspiegeln; *v/i*.
~ (*up*)*on*: nachdenken über (*acc*.);
sich abfällig äußern über (*acc*.);
ein schlechtes Licht werfen auf
(*acc*.); ꜰion (rᵉflĕ'ꜵ(ꜵ)n) Zurück-
strahlung, Widerspiegelung *f*; Spie-
gelbild *n*; Überle'gung *f*; Gedanke;
Makel *m*.

reflex (rī'flĕ̃b) 1. Refle'x...; 2. Wi-
derschein, (*a. physiol*.) Refle'x *m*.

reforest (rᵉfö'rĕt) aufforsten.

reform (rᵉfö'm) 1. Verbesserung,
Refo'rm *f*; 2. verbessern, refor-
mieren; (sich) bessern; ꜰation
(rĕf⁴me⁴ſꜵ(ꜵ)n) Umgestaltung; Besserung; *eccl*. ♀ Reformatio'n *f*;
ꜰatory (rᵉfö'm⁴t⁴rī) Besserungsanstalt *f*; ꜰer (.m⁴) Reforma'tor
m.

refract|ion (rᵉfrä'ꜵꜵn) Strahlen-
brechung *f*; ꜰory □ (.t⁴rī) widerspenstig; hartnäckig; ⊕ feuerfest.

refrain (rᵉfreⁱ'n) 1. *v/t. et*. zurückhalten; *v/i*. sich enthalten (*from
gen*.); 2. Kehrreim, Refrain *m*.

refresh (rᵉfrĕ'ſꜵ) (sich) erfrischen;
auffrischen; ꜰment (.m⁴nt) Erfrischung *f*.

refrigerat|e (rᵉfrī'ðG⁴reⁱt) kühlen;
ꜰion (rᵉfrᵢðG⁴reⁱ'ſꜵn) Abkühlung
f; ꜰor (rᵉfrī'ðG⁴reⁱt⁴) Kühl-appa-
rat, -raum; Eisschrank *m*.

refuel (rᵉ'fju'⁴l) *mot*. tanken.

refuge (rĕ'fjüðG) Zuflucht(stätte);
Verkehrsinsel *f*; ꜰe (refⁱⁿðGī')
Flüchtling *m*.

refulgent (rᵉfɑ'lðG⁴nt) strahlend.

refund (rᵉfɑ'nð) zurückzahlen.

refusal (rᵉfjü'⁴l) abschlägige Antwort; (Ver-)Weigerung *f*, Vorkauf
(-srecht *n*) *m*.

refuse 1. (rᵉfjü'ß) *v t*. verweigern;
abweisen; scheuen vor (*dat*.); *v/i*.
sich weigern; scheuen (*of Pferd*);
2. (rĕ'fjüß) Ausschuß; Abfall *m*,
Müll *n*.

28*

refute (rɪˈfjŭ't) widerleˈgen.

regain (rˈgeˈn) wiedergewinnen.

regal ☐ (rɪˈgeˈl) königlich; Königs...

regale (rɪgeˈl) v/t. festlich bewirten; v/i. schwelgen (on in dat.).

regard (rɪˈgāˈd) **1.** *fester* Blick; (Hoch-)Achtung, Rücksicht; Beziehung *f*; *with* ~ *to* im Hinblick auf (*acc.*); *kind* ~*s* herzliche Grüße; **2.** ansehen; (be)achten; betrachten; betreffen; *as* ~*s* ... was ... anbetrifft; ~ing (ˌˈɪnⁿ) hinsichtlich (*gen.*); ~less ☐ (ˌˈlɪß) rücksichtslos (of gegen); *adv.* ~ of ohne Rücksicht auf (*acc.*).

regenerate 1. (rɪˈbGeˈnˈreˈt) wiedererzeugen; erneuern; **2.** (ˌˈrɪt) wiedergeboren.

regent (rɪˈbGeˈnt) Regeˈnt *m*.

regiment (rěˈbGɪmˈnt) **1.** Regimeˈnt *n*; **2.** organisieren; ~als (rěˈbGɪˈměˈntlß) *pl.* Unifoˈrm *f*.

region (rɪˈbGeˈn) Gegend *f*; Bereich *m*; ~al ☐ (ˌˈl) örtlich; Orts...

register (rěˈbGɪˈßtˈr) **1.** Regiˈster, Verzeichnis *n*; ⊕ Schieber *m*; ♪ Regiˈster *n*; Registrieˈrapparat *m*; **2.** auf-, ver-zeichnen; (sich) eintragen; ✆ einschreiben (I.); *Empfindung* ausdrücken.

registrar (rěˈbGɪˈßträˈ) Registraˈtor; Standesbeamte(r) *m*; ~ation (rěˈbGɪˈßtreˈˈˈʃˈn) Eintragung *f*; ~y (rěˈbGɪˈßtrɪ) Eintragung; Registratuˈr *f*; Regiˈster *n*.

regret (rɪˈgreˈt) **1.** Bedauern *n*; Schmerz *m*; **2.** bedauern; *Verlust* beklagen; ~ful (ˌˈful) bedauernd; ~table ☐ (ˌˈˈbˈl) bedauerlich.

regular ☐ (rěˈgɪuˈlˈ) regelmäßig; regelrecht, richtig; ✕ reguläˈr; ~ity (rěˈgɪuˈlāˈrɪtɪ) Regelmäßigkeit *f*.

regulate (rěˈgɪuˈleˈt) regeln, ordnen; regulieren; ~ion (rěˈgɪuˈleˈˈʃˈn) **1.** Regulierung; Vorschrift *f*; **2.** vorschriftsmäßig.

rehearsal (rɪˈhˈ'ˈßˈl) *thea.*, ♪ Probe *f*; ~e (rɪˈhˈ'ß) her-, auf-sagen; *thea.* proben.

reign (reˈn) **1.** Regierung; *fig.* Herrschaft *f*; **2.** herrschen, regieren.

reimburse (rɪˈˈɪmbˈ'ß) *j.* entschädigen; *Kosten* wiedererstatten.

rein (reˈn) **1.** Zügel *m*; **2.** zügeln.

reinforce (rɪˈˈɪnfˈ'ß) verstärken; ~ment (ˌˈmˈnt) Verstärkung *f*.

reinstate (rɪˈˈɪnßteˈt) wieder einsetzen; wieder instand setzen.

reinsure (rɪˈˈɪnʃuˈˈ) (sich) rückversichern. [derhoˈlen.]

reiterate (rɪˈˈtˈreˈt) (dauernd) wie-

reject (rɪˈbGeˈt) verwerfen; ablehnen; zurückweisen; ~ion (rɪˈbGeˈˈʃˈn) Verwerfung; Ablehnung *f*.

rejoice (rɪˈbGoˈß) v/t. erfreuen; v/i. sich freuen (at, in über acc.); ~ing (ˌˈɪnⁿ) (oft ~s pl.) Freude(nfest n) f.

rejoin (rɪˈbGoˈn) (sich) wieder vereinigen (mit); wieder zurückkehren zu; (rɪˈbGoˈn) erwidern.

rejuvenate (rɪˈbGŭˈwˈneˈt) verjüngen.

relapse (rɪˈlāˈpß) **1.** Rückfall *m*; **2.** zurückfallen, rückfällig werden.

relate (rɪˈleˈt) v/t. erzählen; in Beziehung bringen; v/i. sich beziehen; ~d (ˌˈɪd) verwandt (to mit).

relation (rɪˈleˈˈʃˈn) Erzählung; Beziehung *f*; Verhältnis *n*; Verwandtschaft *f*; Verwandte(r); *in* ~ *to* in bezug auf (*acc.*); ~ship (ˌˈʃɪp) Verwandtschaft *f*.

relative (rěˈlˈtɪw) **1.** ☐ bezüglich (to auf acc.); relatiˈv, verhältnismäßig; entsprechend; **2.** Verwandte(r).

relax (rɪˈlāˈß) erschlaffen; (sich) lockern; (sich) mildern; nachlassen (in dat.); (sich) entspannen; ~ation (rɪˈlāßˈˈˈʃˈn) Erschlaffung; Lockerung *f*; Nachlassen *n*; Entspannung *f*.

relay (rɪˈleˈ) **1.** Ablösung *f*; *Sport:* ~ *race* Stafettenlauf *m*; **2.** *Radio:* übertraˈgen.

release (rɪˈlɪˈß) **1.** Freilassung *f*, *fig.* Befreiung; Freigabe; Uraufführung *f*; **2.** freilassen; erlösen; freigeben; *Recht* aufgeben.

relegate (rěˈlˈgeˈt) verbannen; verweisen (to an acc.).

relent (rɪˈlˈnt) sich erweichen l.; ~less ☐ (ˌˈlɪß) unbarmherzig.

relevant (rěˈlˈwˈnt) sachdienlich; zutreffend; wichtig, erheblich.

reliability (rɪˈlāˈbˈˈlɪtɪ) Zuverlässigkeit *f*; ~le ☐ (rɪˈlāˈˈbl) zuverlässig. [*n*; Verlaß *m*.]

reliance (rɪˈlāˈˈnß) Ver-, Zutrauen

relic (rěˈlɪk) Überrest *m*; Reliˈquie *f*.

relief (rɪˈlɪˈf) Erleichterung *f*; (angenehme) Unterbreˈchung; Unterstüˈtzung; ✕ Ablösung; Hilfe *f*; Reli·eˈf *n*; ~ *works* *pl.* Notstandsarbeiten *f*/*pl.*

relieve (r'lĭ'w) erleichtern; mildern; unterstü'tzen; ✗ ablösen; befreien; (angenehm) unterbre'chen.

religion (r'lĭ'ðG°n) Religio'n f.

religious □ (r'lĭ'ðG°ħ) Religio'ns-...; religiö's; eccl. Ordens...; gewissenhaft.

relinquish (r'lĭ'ŋⱥѡĭɕ) aufgeben; verzichten auf (acc.); loslassen.

relish (ré'lĭɕ) 1. (Bei-)Geschmack m; Würze f; Genuß m; Gefallen n; 2. gern essen; Geschmack finden an (dat.); schmackhaft m.

reluctan|ce (r'lʌ'tᵉnħ) Widerstre'ben n; Widerstand m; ⁓t □ (⁓t) wider-stre'bend, -willig.

rely (r'lâi'): ⁓ (up)on sich verlassen auf (acc.).

remain (r'meⁱ'n) (ver)bleiben; übrigbleiben; ⁓der (⁓ð°) Rest m.

remark (r'mâ'ţ) 1. Beachtung; Bemerkung f; 2. v/t. bemerken; v/i. sich äußern; ⁓able □ (r'mâ'ţᵉbl) bemerkenswert; merkwürdig.

remedy (rĕ'm'bĭ) 1. (Heil-, Hilfs-, Gegen-, Rechts-)Mittel n; (Ab-) Hilfe f; 2. heilen; abhelfen (dat.).

rememb|er (r'mĕ'mbᵉr) sich erinnern (gen.); beherzigen; im Brief: j. empfehlen; ⁓rance (⁓br°nħ) Erinnerung f; Gedächtnis; Andenken n; ⁓s pl. Empfehlungen f/pl.

remind (r'mâi'nð) erinnern; mahnen (of an acc.); ⁓er (⁓ᵉ) Mahnung f.   [nerung f.]

reminiscence (rĕm'nĭ'ħnħ) Erin-]

remiss □ (r'mĭ'ħ) schlaff, (nach-) lässig; ⁓ion (r'mĭ'ɕᵉn) Sünden-Vergebung; Erlassung f v. Strafe usw.; Nachlassen n.

remit (r'mĭ't) Sünden vergeben; erlassen; nachlassen (in dat.); überwei'sen; ⁓tance (⁓ⁿħ) (Geld-)Sendung; Rime'sse f.

remnant (rĕmⁿᵉnt) (Über-)Rest m.

remodel (r'mŏ'ðl) umbilden.

remonstra|nce (r'mŏⁿħtrᵉnħ) Vorstellung, Einwendung f; ⁓te (⁓trᵉt) Vorstellungen m.; einwenden.

remorse (r'mŏ'ħ) Gewissensbisse m/pl.; ⁓less □ (⁓l'ħ) hartherzig.

remote □ (r'mŏu't) entfernt, entlegen; ⁓ness (⁓nĭħ) Entfernung.

removal (r'mū'wᵉl) Beseitigung f; Umzug m; Entlassung f; ⁓ van Möbelwagen m; ⁓e (r'mū'w) v/t.

entfernen; weg-räumen, -rücken; beseitigen; entlassen; v/i. (aus-, um-, ver-)ziehen; ⁓er (⁓ᵉ) (Möbel-)Spediteu'r m.

remunerat|e (r'mjū'nᵉreⁱt) (be-) lohnen; entschädigen; ⁓ive □ (r'mjū'nᵉrᵉtĭw) lohnend.

renascence (r'nᵃ'ħnħ) Wiedergeburt; Renaissa'nce f.

rend (rĕnð) [irr.] (zer)reißen.

render (rĕ'nðᵉ) wieder-, zurück-geben; Dienst usw. leisten; Ehre usw. erweisen; Dank abstatten; über-se'tzen; ♪ vortragen; darstellen; ✝ Rechnung überrei'chen; überge'ben; machen (zu); Fett auslassen.

renew (r'njū') erneuern; ⁓al (⁓ᵉl) Erneuerung f.

renounce (r'nâu'nħ) entsagen (dat.); verzichten auf (acc.); verleugnen.

renovate (rĕ'n°weⁱt) erneuern.

renown rhet. (r'nâu'n) Ruhm m; ⁓ed rhet. (⁓ð) berühmt, namhaft.

rent¹ (rĕnt) 1. zerriß, zerrissen; 2. Riß m; Spalte f.

rent² (⁓) 1. Miete; Pacht f; 2. (ver-) mieten, (ver)pachten; al (rĕ'ntl) Miet-, Pacht-betrag, -preis m.

renunciation (r'nʌnħᵉᵉ'ɕᵉn) Entsagung f; Verzicht m (of auf acc.).

repair¹ (r'pâᵉ') 1. Ausbesserung, Reparatu'r f; in (good) ⁓ in gutem baulichen Zustande, gut erhalten; 2. reparieren; ausbessern; erneuern; wiedergutmachen.

repair² (⁓): ⁓ to sich begeben nach.

reparation (rĕpᵉreⁱ'ɕᵉn) Ersatz m; Entschädigung f; pol. make ⁓s pl. Reparatio'nen leisten.

repartee (rĕpâĭ') schlagfertige Antwort; Schlagfertigkeit f.

repast (r'pâ'ħt) Mahl(zeit f) n.

repay [irr. (pay)] (ripeⁱ') et. zurückzahlen; fig. erwidern; et. vergelten; j. entschädigen; ⁓ment (⁓mⁿt) Rückzahlung f.

repeal (r'pĭ'l) 1. Aufhebung f von Gesetzen; 2. aufheben, widerru'fen.

repeat (r'pĭ't) 1. (sich) wieder-ho'len; aufsagen; 2. ♪ Wieder-ho'lung(szeichen n); ✝ Nachbestellung f

repel (r'pĕ'l) zurück-stoßen, -treiben, -weisen; fig. abstoßen.

repent (r'pĕ'nt) bereuen; ⁓ance (⁓tᵉnħ) Reue f; ⁓ant (⁓t°nt) reuig.

repetition (rĕpĭ'tĭ'ɕᵉn) Wiederho'lung f; Aufsagen n; Nachbildung f.

replace (rĭ¹ple¹ß) wieder hinstellen *od.* einsetzen; ersetzen; an *j-s* Stelle treten; **~ment** (~m⁴nt) Ersatz *m.*

replenish (rĭ¹ple¹nĭ(ch) wieder auffüllen; **~ment** (~m⁴nt) Auffüllung *f.*

replete (rĭ¹plī¹t) angefüllt, voll.

replica (re¹plĭ¹⁴) Nachbildung *f.*

reply (rĭ¹plā¹) 1. antworten, erwidern (to *auf acc.*); 2. Erwiderung *f.*

report (rĭ¹pŏ⁴t) 1. Bericht *m; Schul-*Zeugnis; Gerücht *n; guter* Ruf; Knall *m;* 2. berichten (über *acc.*); (sich) melden; anzeigen, **~er** (~⁴) Berichterstatter(in).

repos|e (rĭ¹pou⁴) 1. *allg.* Ruhe *f;* 2. *v/t.* ausruhen; (aus-)ruhen l.; **~** *trust etc.* in Vertrauen *usw.* setzen auf (*acc.*); *v/i.* (sich) ausruhen (*a. ~ o.s.*); ruhen; beruhen; **~itory** (rĭ¹pŏ⁴¹it⁴rĭ) Verwahrungsort *m;* Warenlager *n; fig.* Fundgrube *f.*

reprehend (re¹prĭ¹hĕ¹nd) tadeln.

represent (re¹prĭ¹¹zĕ¹nt) dar-, vorstellen; *thea.* aufführen; hinstellen (*as* als); vertreten; **~ation** (¹¹¹zĕn¹te¹⁴ch⁴n) Darstellung *f; thea.* Aufführung *f;* Vorstellung; Vertretung *f;* **~ative** □ (re¹prĭ¹zĕ¹n⁴tĭw) 1. darvor-stellend (*of acc.*); vorbildlich; *parl.* repräsentati'v; typisch; 2. Vertreter(in); *House of ~s pl. Am. parl.* Unterhaus *n.*

repress (rĭ¹prĕ¹ß) unterdrü'cken; **~ion** (rĭ¹prĕ¹¹ch⁴n) Unterdrü'ckung *f.*

reprimand (re¹prĭ¹mānd) 1. Verweis *m;* 2. *j-m* e-n V. geben.

reprisal (rĭ¹prāĭ¹⁴l) Repressa'lie *f.*

reproach (rĭ¹prou⁴¹tch) 1. Vorwurf *m;* Schande *f;* 2. vorwerfen (*a* p. *with a* th. *j-m* et.); Vorwürfe *m.*

reprobate (re¹pro⁴be¹t) Schuft *m.*

reproduc|e (rĭ¹pr⁴¹djū¹ß) wiedererzeugen; (sich) fortpflanzen; wiedergeben, reproduzieren; **~tion** (~d⁴¹tch⁴n) Wiedererzeugung; Fortpflanzung; Reproduktio'n *f.*

reproof (rĭ¹prū¹f) Vorwurf, Tadel *m.*

reprove (rĭ¹prū¹w) tadeln, rügen.

reptile (re¹ptĭl¹) Repti'l *n.*

republic (rĭ¹pa¹blĭ⁴) Republi'k *f;* **~an** (¹¹ĭ⁴n) 1. republika'nisch; 2. Republika'ner(in).

repudiate (rĭ¹pjū¹d⁴e¹t) nicht anerkennen; zurückweisen.

repugnan|ce (rĭ¹pa¹gn⁴nß) Widerwille; Widerspruch *m;* **~t** □ (~n⁴nt) widerstre'bend; widerwärtig.

repuls|e (rĭ¹pa¹lß) 1. Zurück-, Abweisung *f;* 2. zurück-, ab-weisen; **~ive** □ (~ßĭw) abstoßend.

reput|able □ (re¹pĭu⁴t⁴bl) achtbar; **~ation** (re¹pĭu¹te¹⁴ch⁴n) (*bsd.* guter) Ruf *m;* **~e** (rĭ¹pjū¹t) 1. Ruf *m;* Meinung *f;* 2. halten für; **~ed** (rĭ¹pĭū¹t⁴d) angeblich.

request (rĭ¹kwĕ¹ßt) 1. Gesuch *n,* Bitte; † Nachfrage *f;* in (*great*) *~* (sehr) gesucht; 2. um *et.* bitten *od.* ersuchen; *j.* bitten.

require (rĭ¹kwaĭ⁴⁴) verlangen, fordern; **~d** (~ð) erforderlich; **~ment** (~m⁴nt) (An-)Forderung *f;* Erfordernis *n.*

requisit|e (re¹kwĭ¹ĭßĭt) 1. erforderlich; 2. Erfordernis *n;* Bedarfsarti'kel *m;* **~ion** (re¹kw⁴ĭ¹ßĭ¹ch⁴n) 1. Anforderung; ✕ Requisitio'n *f;* 2. anfordern; ✕ requirieren.

requital (rĭ¹kwaĭ⁴¹tĭl) Vergeltung *f.*

requite (rĭ¹kwaĭ¹t) *et.*, *j-m* vergelten.

rescind (rĭ¹ßĭ¹nd) aufheben.

rescission (rĭ¹ßĭ¹¹Q⁴n) Aufhebung *f.*

rescue (re¹ßkĭū) 1. (*g's* gewaltsame) Befreiung, Rettung *f;* 2. (*g's* gewaltsam) befreien; retten.

research (rĭ¹ß⁴¹tch) Nachforschung; *gelehrte* Forschung.

resembl|ance (rĭ¹ßĕ¹mbl⁴nß) Ähnlichkeit *f* (to mit); **~e** (rĭ¹ßĕ¹mbl) gleichen, ähnlich sn (*dat.*).

resent (rĭ¹ßĕ¹nt) übelnehmen; **~ful** □ (~f⁴l) übelnehmerisch; ärgerlich; **~ment** (~m⁴nt) Ärger; Groll *m.*

reservation (re¹ß⁴we¹⁴ch⁴n) Vorbehalt *m; Am.*: vorbehaltenes Gebiet; Vorbestellung *f von Zimmern usw.*

reserve (rĭ¹ß⁴w) 1. Vorrat *m;* ✝ Rücklage; ✕ Reserve; Zurückhaltung; Vorsicht *f;* 2. auf-bewahren, -sparen; vorbehalten; zurücklegen; *Platz usw.* reservieren; **~d** □ (~ð) *fig.* zurückhaltend.

reside (rĭ¹ßaĭ¹ð) wohnen; (orts)ansässig sn; **~** *in* innewohnen (*dat.*); **~nce** (re¹ßĭ¹ð⁴nß) Wohnen *n;* Ortsansässigkeit *f;* (Wohn-)Sitz *m;* Reside'nz *f;* **~nt** (~ð⁴nt) 1. wohnhaft; ortsansässig; 2. Ortsansässige(r), Einwohner *m.*

residu|al (rĭ¹ßĭ¹ð⁴u⁴l) übrigbleibend; **~e** (re¹ßĭ¹ð⁴jū) Rest (*a.* †); Rückstand *m.*

resign (rĭ¹ßaĭ¹n) *v/t.* aufgeben; *Amt* niederlegen; überlassen; **~** *o.s.* sich ergeben in (*acc.*); *v/i.* zurück-

treten; ~ation (rĕ̆ſɪgne⁴ʃ‹h⁴n)
Rücktritt m; Ergebung f; Ent-
lassungsgesuch n; ~ed □ (ri⁴ſā́i‹nd)
ergeben.

resilien|ce (ri⁴ſɪ⁴l⁴e⁴nß) Elastizitä̆t f;
~t (~t) elastisch, fig. spannkräftig.

resin (rĕ̆⁴ſɪn) 1. Harz n; 2. harzen.

resist (ri⁴ſⁱ⁴ßt) widerste̅hen (dat.);
sich widerse̅tzen (dat.); ~ance
(~⁴nß) Widerstand m; ~ant (~⁴nt)
widerste̅hend; widerstandsfähig.

resolut|e □ (rĕ̆⁴ſⁱ⁴lūt) entschlossen;
~ion (rĕ̆ſⁱ⁴lū⁴ʃ‹h⁴n) (Auf-)Lösung f;
Entschluß m; Entschlossenheit;
Resolutio̅n f.

resolve (ri⁴ſⁱ⁴lw) 1. v/t. auflösen;
fig. lösen; entscheiden; v/i. beschließen; ~ (up)on sich entschließen zu; 2. Entschluß; Am. Beschluß m; ~d □ (~⁴d) entschlossen.

resonant □ (rĕ̆⁴ſ⁴n⁴e⁴nt) nach-, wider-
hallend.

resort (ri⁴ſŏ̆⁴t) 1. Zuflucht f; Besuch;
Aufenthalt(sort) m; summer ~
Sommerfrische f; 2. ~ to: oft be-
suchen; seine Zuflucht nehmen zu.

resound (ri⁴ſāu⁴nd) widerhallen (l.).

resource (ri⁴ſŏ̆⁴ß) Hilfs-quelle f,
-mittel n; Zuflucht; Findigkeit f;
Zeitvertreib m; ~ful □ (~ful) findig.

respect (rĕ̆ß⁴pe⁴kt⁴) 1. Rücksicht (to, of
auf acc.); Beziehung; Achtung f;
~s pl. Empfehlungen f/pl.; 2. v/t.
(hoch)achten; Rücksicht nehmen
auf (acc.); betreffen; ~able □
(~bl) achtbar; ansehnlich, anständig; bsd. ✝ soli⁴d; ~ful □ (~ful)
ehrerbietig; ~ing (~i̅ng) hinsichtlich (gen.); ~ive □ (~iw) jeweilig;
we went to our ~ places wir gingen
an unsere Plätze; ~ively (~iwli)
beziehungsweise, je.

respirat|ion (rĕ̆ß⁴pⁱre⁴⁴ʃ‹h⁴n) Atmen
n Atemzug m; ~or (rĕ̆⁴ßpⁱre⁴t⁴)
Atemfilter m; Gasmaske f.

respire (ri⁴ßpāi⁴⁴) atmen; aufatmen.

respite (rĕ̆⁴ßpit) Frist; Stundung f.

respond (ri⁴ßpŏ̆⁴nd) antworten, erwidern; ~ to reagieren auf (acc.).

response (ri⁴ßpŏ̆⁴nß) Antwort, Erwiderung; fig. Reaktio̅n f.

responsi|bility (ri⁴ßpŏ̆nß⁴bⁱ⁴lⁱt⁴)
Verantwortlichkeit, Verantwortung;
✝ Soliditä̆t f; ~ble (ri⁴ßpŏ̆⁴nß⁴bl)
verantwortlich; verantwortungsvoll.

rest (rĕ̆ßt) 1. Rest m; Rast f; Ruhe-
platz m; Pause f; 2. v/i. ruhen,
rasten; (sich) lehnen, sich stützen

(on auf acc.); fig. ~ (up(on beruhen
auf (dat.); v/t. (aus)ruhen (l.);
stützen.

restaurant (rĕ̆⁴ßt⁴e⁴ra̅n⁴ß) Gaststätte f.

restitution (rĕ̆ßt⁴tⁱⁿjū⁴ʃ‹h⁴n) Wieder-
he̅rstellung; Wiedererstattung f.

restive □ (rĕ̆⁴ßtⁱw) widerspenstig.

restless (rĕ̆⁴ßtlⁱß) ruhelos; rastlos;
unruhig; ~ness (~nⁱß) Ruhelosig-
keit; Rastlosigkeit; Unruhe f.

restorat|ion (rĕ̆ßt⁴ore⁴⁴ʃ‹h⁴n) Wie-
der-he̅rstellung, -einsetzung f; ~ive
(ri⁴ßtŏ̆⁴r⁴e⁴tⁱw) stärkend(es Mittel).

restore (ri⁴ßtŏ̆⁴) wieder-he̅rstellen;
-ei̅nsetzen (to in acc.); -geben;
~ to health wieder gesund machen.

restrain (ri⁴ßtre⁴ⁱ⁴n) zurückhalten
(from von); in Schranken halten;
unterdrü̆cken; einsperren; ~t (~t)
Zurückhaltung; Beschränkung f,
Zwang m; Zwangshaft f.

restrict (ri⁴ßtrⁱ⁴⁴t) be-, ein-schränken; ~ion (ri⁴ßtrⁱ⁴⁴ʃ‹h⁴n) Be-, Einschränkung; Hemmung f.

result (ri⁴ſa⁴it) 1. Ergebnis n, Folge
f; 2. sich ergeben (from aus); ~ in
hinauslaufen auf (acc.), zur Folge h.

resum|e (ri⁴jū́⁴m) wieder-nehmen,
-erlangen; -aufnehmen; zs.-fassen;
~ption (ri⁴ſⁱa⁴⁴m⁴pʃ‹h⁴n) Zurücknah-
me; Wiederaufnahme f.

resurrection (rĕ̆ſ⁴rĕ̆⁴ʃ‹h⁴n) (Wie-
der-)Auferstehung f.

resuscitate (ri⁴ßa⁴⁴ßⁱte⁴⁴t) wieder-er-
wecken, -beleben.

retail 1. (ri⁴te⁴ⁱl) Kleinhandel m;
by ~ im Einzelverkauf; 2. (~)
Klein..., Detail...; 3. (ri̅te⁴⁴l) im
kleinen verkaufen; ~er (~⁴r) Klein-
händler(in).

retain (ri⁴te⁴ⁱ⁴n) behalten (a. fig.);
zurück-, fest-halten; beibehalten;
Anwalt annehmen.

retaliat|e (ri⁴tā́⁴l⁴e⁴t) (wieder)ver-
gelten; ~ion (ri⁴tā̆lⁱe⁴⁴ʃ‹h⁴n) (Wie-
der-)Vergeltung f. [verspäten.]

retard (ri⁴tā̆⁴b) verzögern; aufhalten;]

retention (ri⁴tĕ̆⁴nʃ‹h⁴n) Zurück-, Behalten n; Beibehaltung f.

reticent (rĕ̆⁴tⁱ⁴ße⁴nt) verschwiegen;
schweigsam.

retinue (rĕ̆⁴tⁱnjū) Gefolge n.

retir|e (ri⁴tā́⁴⁴⁴) v/t. zurückziehen;
pensionieren; v/i. sich zurück-
ziehen; zurück-, ab-treten; in den
Ruhestand treten; ~ed □ (~⁴b)
zurückgezogen; im Ruhestand (lebend); entlegen; ~ pay Pensio̅n f;

~ment (~mᵉnt) Aus-, Rück-tritt; Ruhestand *m*; Zurückgezogenheit *f*; **~ing** (~rⁱŋ⁹) zurückhaltend; schüchtern.

retort (rⁱtŏ't) 1. Erwiderung; ⁄ₘ Retorte *f*; 2. erwidern.

retouch (rⁱtaˈt∫) *et.* übera'r-beiten; *phot.* retuschieren.

retrace (rⁱtreⁱ§) zurückverfolgen; **~ one's steps** *fig.* das Geschehene ungeschehen m.

retract (rⁱträ'ft) (sich) zurückzie-hen; ⊕ einziehen; widerru'fen.

retreat (rⁱtrī't) 1. Rückzug *m*; Zu-rückgezogenheit; Zuflucht(sort) *m*) *f*; ✗ Zapfenstreich *m*; 2. sich zu-rückziehen; *fig.* zurücktreten.

retrench (rⁱtrĕ'nt∫) (sich) ein-schränken; kürzen; *Wort usw.* streichen.

retrieve (rⁱtrī'w) wiederbekom-men; wiederhe'rstellen; wiedergu't-machen; *hunt.* apportieren.

retro... (rĕ'trᵒ, rⁱ'trᵒ) (zu)rück...; **~active** (rĕtrᵒᵃˈtⁱiw) rückwirkend; **~grade** (rĕtrᵒgreⁱb) 1. rückläufig; 2. zurückgehen; **~gression** (rĕ-trᵒgrĕˈ∫ᵉn) Rück(wärts)gang *m*; **~spect** (rĕtrᵒₚĕt) Rückblick *m*; **~spective** □ (rĕtrᵒₚĕˈtⁱiw) (zu-)rückblickend; rückwirkend.

return (rⁱtŏ'n) 1. Rückkehr; Wie-derkehr; *parl.* Wiederwahl *f*; ✝ (*oft* **~s** *pl.*) Gewinn, Ertrag; Um-satz; ✗ Rückfall *m*; Rückgabe, -zahlung; Erwiderung *f*; (*bsd.* Wahl-)Bericht *m*; Steuererklärung *f*; *attr.* Rück...; **many happy ~s** *pl.* **of the day** herzliche Glückwünsche zum heutigen Tage; **in ~** dafür; **as Ersatz** (**for** für); **by ~** (**of post**) postwendend; **~ ticket** Rückfahr-karte *f*; 2. *v/i.* zurückkehren; wie-derkehren; *v/t.* zurück-geben; -tun; -zahlen; -senden; erwidern; be-richten; angeben; *parl.* wählen; *Gewinn* abwerfen.

reunion (rⁱjūˈnⁱᵉn) Wiedervereini-gung *f*.   [Auf-, Um-wertung *f*.)

revalorization (rⁱwä'lᵉrä∫eⁱ'∫(h)ᵉn))

reveal (rⁱwī'l) enthüllen; offenba-ren; **~ing** (~ⁱŋ⁹) aufschlußreich.

revel (rĕ'wl) 1. Lustbarkeit *f*; 2. ausgelassen sn; schwelgen.

revelation (rĕwⁱleⁱ'∫(h)ᵉn) Enthül-lung; Offenbarung *f*.

revel(l)er (rĕ'wlᵉ) (Nacht-)Schwär-mer(in); **~ry** (~rl) Lustbarkeit *f*.

revenge (rⁱwĕ'nòG) 1. Rache; *Sport*: Revanche *f*; 2. rächen; **~ful** □ (~fᵘl) rachsüchtig.

revenue (rĕ'wⁱnjü) Einkommen *n*; (Staats-)Einkünfte *pl.*; **~ board**, **~ office** Finanzamt *n*.

reverberate (rⁱwŏ'bᵉreⁱt) zurück-werfen; widerhallen.

revere (rⁱwⁱᵉ') (ver)ehren; **~nce** (rĕ'wᵉrᵉŋ§) 1. Verehrung *f*; 2. (ver)ehren; **~nd** (~b) 1. ehrwürdig; 2. Geistliche(r) *m*.

reverent(ial) (rĕ'wᵉrᵉnt, rĕwᵉrĕˈn-∫ᵉl) ehrerbietig, ehrfurchtsvoll.

reverie (rĕ'wᵉrl) Träumerei *f*.

revers|al (rⁱwŏ'§ᵉl) Umkehrung *f*; **~e** (rⁱwŏ'§) 1. Gegenteil *n*; Kehr-seite *f*; Rückschlag *m*; 2. □ um-gekehrt; Rück(wärts)...; 1. um-kehren, umdrehen; *Urteil* um-stoßen; **~ion** (rⁱwŏ'∫(h)ᵉn) Um-kehrung *f*; *biol.* Rückartung *f*.

revert (rⁱwŏ't) zurückkehren; *biol.* zurückarten; *Blick* wenden.

review (rⁱwjü') 1. Nachprüfung; ⁊⁄₄ Revision; ✗, ⚓ Parade *f*; Rück-blick; Überblick *m*; Rezensio'n; Rundschau *f* (*Zeitschrift*); 2. (über-, nach-)prüfen; zurück-blicken auf (*acc.*); überbli'cken; ✗, ⚓ besichtigen; rezensieren.

revile (rⁱwaⁱ'l) schmähen.

revis|e (rⁱwaⁱ'§) wieder durchsehen, revidieren; **~ion** (rⁱwⁱ'G⁵n) Revi-sio'n; Übera'rbeitung *f*.

reviv|al (rⁱwaⁱ'wᵉl) Wiederbele-bung *f*; Wieder-au'fleben *n*; **~e** (rⁱwaⁱ'w) wiederbeleben; wieder aufleben (lassen).

revocation (rĕwᵉkeⁱ'∫(h)ᵉn) Wider-ruf *m*; Aufhebung *f*.

revoke (rⁱwoᵘ'k) *v/t.* widerru'fen; *v/i.* Karten: nicht bedienen.

revolt (rⁱwoᵘ'lt) 1. Revolte *f*, Auf-ruhr *m*; 2. *v/i.* sich empören; *fig.* abfallen; *v/t. fig.* abstoßen.

revolution (rĕwᵉlüⁱ'∫ᵉn) Umwäl-zung, Umdrehung *f*; *pol.* Revo-lutio'n *f*; **~ary** (~ᵉrl) 1. revolutio-nä'r; 2. Revolutionä'r(in); **~ize** (~äⁱ§) aufwiegeln; umgestalten.

revolv|e (rⁱwo'lw) *v/i.* sich drehen; umlaufen; *v/t.* umdrehen; erwä-gen; **~ing** (~ⁱŋ⁹) sich drehend; Dreh...   [schwung *m*.)

revulsion (rⁱwa'l∫(h)ᵉn) *fig.* Um-)

reward (rⁱwŏ'b) 1 Belohnung; Ver-geltung *f*; 2. belohnen; vergelten.

rewrite (ri'rā't) [irr. (write)] neu (od. um)schreiben.

rhapsody (rä'pß°öĭ) Rhapsodie'; fig. Schwärmerei f; Wortschwall m.

rheumatism ♂ (rū'mĕtĭßm) Rheumati'smus m.

rhubarb ♖ (ru'bāb) Rhaba'rber m.

rhyme (rāĭm) 1. Reim (to auf acc.); Vers m; without ~ or reason ohne Sinn u. Verstand; 2. (sich) reimen.

rhythm (ri'∂ăm) Rhythmus m; ~ic(al) (∼mĭt, ∼mĭᵗᵉĭ) rhythmisch.

rib (rĭb) 1. Rippe f; 2. rippen.

ribald (rĭ'bᵉĭb) lästerlich; unflätig.

ribbon (rĭ'bᵉn) Band n; ~s pl. Fetzen m/pl.; ~ building Reihen-|

rice (rāĭß) Reis m. [bau m.]

rich □ (rĭ'tĭ̃ch) reich (in an dat.); prächtig, kostbar; voll (Ton); schwer (Speise); satt (Farbe); ~ milk Vollmilch f; ~es (rĭ'tĭ̃chᵉß) pl. Reichtum m, Reichtümer m/pl.

rick ♂ (rĭ̃t) (Heu-)Schober m.

rickets (rĭ'tᵉĭtß) englische Krankheit; ~y (∼ĭ) rachitisch; wackelig.

rid (rĭb) [irr.] befreien, frei m. (of von); get ~ of loswerden.

ridden (rĭ'bᵉn) geritten; in Zssgn: bedrückt (od. geplagt) von ...

riddle (rĭ'bĭ) 1. Rätsel; grobes Sieb n; 2. durchlö'chern.

ride (rāĭb) 1. Ritt m; Fahrt f; 2. [irr.] v/i. reiten; rittlings sitzen; fahren; treiben; schweben; v/t. Pferd usw. reiten; Land durchrei'ten; plagen; ~r (rāĭ'bᵉ) Reiter (-in); Fahrende(r).

ridge (rĭbᴳ) 1. Grat; Gebirgs-Kamm m; Berg-Kette f; ⛰ First; ♂ Rain m; 2. (sich) furchen.

ridicule (rĭ'bĭĭlŭl) 1. das Lächerliche; Spott m; 2. lächerlich m.; ~ous □ (rĭ'bĭ̃ĭᵘĭᵉß) lächerlich.

riding (rāĭ'bĭnᴳ) Reiten n; Reit...

rife □ (rāĭf) häufig; vorherrschend; ~ with voll von.

riff-raff (rĭ'fräf) Gesindel n.

rifle (rāĭ'fĭ) 1. Gewehr n; 2. berauben; ~man ✗ Schütze m.

rift (rĭft) Riß, Sprung m; Spalte f.

rig (rĭg) 1. ⚓ Takelung; F fig. Auftakelung f; 2. auftakeln (F a. fig.); ~ging (rĭ'gĭnᴳ) ⚓ Takelage f.

right (rāĭt) 1. □ recht; richtig; rechts (Ggs. left); be ~ recht h.; put ~ in Ordnung bringen; berichtigen; 2. adv. recht, richtig; gerade; direkt; ganz (und gar); ~ away

sogleich; ~ on geradeaus; 3. Recht n; Rechte f; the ~s pl. of a story der wahre Sachverhalt; by ~ of auf Grund (gen.); on (od. to) the ~ rechts; 4. et. in Ordnung bringen; (sich) aufrichten; ~eous □ (rāĭ'tĭᵗᴊᵉß) rechtschaffen; ~ful □ (rāĭ'tᶠᵘĭ) recht (mäßig); gerecht.

rigid □ (rĭ'bᴳĭb) starr; fig. a. streng, hart; ~ity (rᵗᵇGĭ'bᶦtĭ) Starrheit; Strenge, Härte f.

rigo(u)r (rĭ'gᵉ) Strenge f.

rigorous □ (∼rᵉß) streng, rigoro's.

rim (rĭm) Felge(nband n) f; Radkranz m; Rand m.

rime (rāĭm) Reim m; poet. Reif m.

rind (rāĭnb) Rinde, Schale; Speck-Schwarte f.

ring (rĭnᵍ) 1. Ring; Kreis; Klang m; Geläut(e); Klingeln n; 2. beringen; (mst ~ in, round, about) umri'ngen; [irr.] läuten; klingen (l.); erschallen (with von); ~ again widerhallen; ~ the bell klingeln; a p. up j. anklingeln, teleph. anrufen; ~leader Rädelsführer m; ~let (rĭ'ngᶦᵗ) Ringellocke f.

rink (rĭnᵍt) Eis-; Rollschuh-bahn f.

rinse (rĭnß) (aus)spülen.

riot (rāĭ'ᵉt) 1. Tumu'lt; Aufruhr m; O'rgie f (a. fig.); run ~ durchgehen; (sich aus)toben; 2. Krawall m., im Aufruhr sn; schwelgen; ~er (∼ᵉ) Aufrührer(in); ~ous □ (∼ᵉß) aufrührerisch; lärmend; liederlich (Leben).

rip (rĭp) 1. Riß m; 2. (auf)trennen; (zer)reißen; (dahin)sausen.

ripe □ (rāĭp) reif; ~n (rāĭ'pn) reifen; ~ness (rāĭ'pnĭß) Reife f.

ripple (rĭ'pĭ) 1. Kräuselung f; Geriesel n; 2. (sich) kräuseln; rieseln.

rise (rāĭß) 1. Steigen n; Erhöhung f; fig. Aufstieg m; Steigung f; Anhöhe; Ursprung m; take (one's) ~ entstehen; entspringen; 2. [irr.] sich erheben, aufstehen; die Sitzung schließen; steigen; aufsteigen (a. fig.); aufgehen (Sonne); entspringen (Fluß); ~ to sich e-r Lage gewachsen zeigen; ~r (rāĭ'ᶠᵉ): early ~ Frühaufsteher(in).

rising (rāĭ'ĭᶦnᵍ) Erhebung, Steigung f; Aufstand m.

risk (rĭßt) 1. Gefahr f, Wagnis; ✝ Risiko n; run a (od. the) ~ Gefahr laufen; 2. wagen, riskieren; ~y □ (rĭ'ßtĭ) gefährlich, gewagt.

rit|e (rait) Ritus, Brauch m; ~ual (ri'tiue̯l) 1. rituel|l; 2. Ritua'l n.

rival (rai'w°l) 1. Nebenbuhler(in); 2. nebenbuhlerisch; † Konkur-re'nz...; 3. wetteifern (mit); ~ry (~ri) Rivalitä't f; Wetteifer m.

rive (raiw) [irr.] (sich) spalten.

river (ri'we) Fluß; Strom m (a. fig.); ~side Flußufer n; attr. am Wasser (gelegen).

rivet (ri'wit) 1. Niet n (m); 2. (ver-)nieten; fig. heften (acc.) to an.

rivulet (ri'wiulit) Bach m.

road (ro°d) Straße f, Weg m; ⊕ mst ~s pl. Reede f (a. ~stead); ~ster (ro°'ḍste) Touren-rad n, -wagen m; ~way Fahrdamm m.

roam (ro°m) v/i. umherstreifen; v/t. durch-streifen, -wandern.

roar (rô) 1. brüllen; brausen; tosen; 2. Gebrüll; Brausen; Krachen n; brüllendes Gelächter.

roast (ro°st) 1. rösten, braten; 2. geröstet; gebraten; ~ meat Braten m.

rob (rôb) (be)rauben; ~ber (rô'be) Räuber(in); ~bery (~ri) Räuberei f.

robe (ro°b) Robe f; Staatskleid n; Tala'r m; Amtstracht f.

robust □ (rôba'st) robust.

rock (rôk) 1. Felsen m; Klippe f; Gestein n; ~ crystal Bergkrista'll m; 2. schaukeln; (ein-)wiegen.

rocket (rô'kit) Rake'te f; attr. Raketen...; ~-powered mit Raketenantrieb.

rocking-chair Schaukelstuhl m.

rocky (rô'ki) felsig; Felden...

rod (rôd) Rute f; Stab m; ⊕ Stange; Meßrute f (= 5½ yards).

rode (ro°d) ritt; fuhr.

rodent (ro°'d°nt) Nagetier n.

rodeo Am. (ro°de'i'o°) Einkreisung; Wildwestschau f.

roe (ro°) Reh n; Fisch-Rogen m; soft ~ Fisch-Milch f.

rogu|e (ro°g) Schurke; Schelm m; ~ish (ro°giʃ) schurkisch; schelmisch.

roister (rôi'ste) krakeelen.

rôle (ro°l) thea. Rolle f (a. fig.).

roll (ro°l) 1. Rolle f, Walze; Semmel f; Verzeichnis; Donner-Rollen n; 2. v/t. rollen; wälzen; walzen; Zigarette drehen; ~ up zs.-rollen; v/i. rollen; sich wälzen; wirbeln (Trommel); ⊕ schlingern; ~-call ✕ Appe'll m; ~er (ro°'le) Rolle, Walze f; ~ skate Rollschuh m.

rollick (rô'lik) tollen.

rolling (ro°'liŋ) Roll..., Walz...; ~ mill ⊕ Walzwerk n.

Roman (ro°'me°n) 1. römisch; 2. Römer(in); typ. Anti'qua f.

romance (r°mä'nß) 1. Romanze f; Roman(e pl.) m; 2. fig. aufschneiden; 3. ♫ romanisch; ~r (~°) Romanschreiber(in); Aufschneider(in).

romantic (r°mä'ntik) (~ally) romantisch; ~ism (~'tißizm) Romantik f; ~ist (~'tißist) Romantiker(in).

romp (rômp) 1. Range f, Wildfang m; Balgerei f; 2. sich balgen, toben.

röntgenogram (rö'ntg°n°gräm) Röntgenbild n.

rood (rüd) Kruzifix n; Viertelmorgen m (10,117 Ar).

roof (rüf) 1. Dach n; ~ of the mouth Gaumen m; 2. überda'chen; ~ing (rü'fiŋ) 1. Bedachung f; 2. Dach...; ~ felt Dachpappe f.

rook (rük) 1. Schach: Turm m; fig. Bauernfänger m; 2. betrügen.

room (rüm) 1. Raum; Platz m; Zimmer n; Möglichkeit; ~s pl. Wohnung f; in my ~ an meiner Stelle; 2. Am. wohnen; ~er (rü'me) (Unter-)Mieter(in); ~mate Stubenkamera'd m; ~y □ (rü'mi) geräumig.

roost (rüst) 1. Hühnerstange f; Hühnerstall m; 2. sich (zum Schlaf) niederhocken; fig. übernachten; ~er (rü'ste) Haushahn m.

root (rüt) 1. Wurzel f; 2. (ein-)wurzeln; (auf)wühlen; ~ out ausrotten; ausgraben (a. ~ up); ~ed (rü'tid) eingewurzelt.

rope (ro°p) 1. Tau, Seil n; Strick m; Schnur f Perlen usw.; f: be at the end for one's ~ mit s-m Latein zu Ende sin; know the ~s pl den Rummel kennen; 2. mit e-m Seil befestigen od. (mst ~ in, off, out) absperren; anseilen.

rosary (ro°'ß°ri) eccl. Rosenkranz m.

rose (ro°s) 1. Rose; (Gießkannen-)Brause f; Rosenrot n; 2. erhob sich.

rosin (rô'ßin) (Geigen-)Harz n.

rostrum (rô'ßtr°m) Rednertribüne f.

rosy □ (ro°'ßi) rosig.

rot (rôt) 1. Fäulnis f; 2. v/t. faulen m.; v/i. verfaulen, vermodern.

rota|ry (ro°'t°ri) drehend; Rotatio'ns...; ~te (ro°te'it) (sich) drehen, (ab)wechseln; ~tion (ro°te'i'ʃ(°)n)

Umdrehung *f*; Kreislauf *m*; Ab-
wechs(e)lung *f*; **~tory** (ro"'t⁴t²ŗɪ):
s. rotary; abwechselnd; Dreh...

rote (ro"t): *by ~* rein mechanisch.

rotten ☐ (ró'tn) verfault, faul(ig);
modrig; morsch (*alle a. fig.*).

rouge (rūʒ) 1. (rote) Schminke;
2. (sich) (rot) schminken.

rough (rʌf) 1. ☐ rauh; roh; grob;
fig. ungehobelt; ungefähr (*Schätzung*); **~** *and ready* grob(gearbeitet); Notbehelfs...; 2. Lümmel *m*;
3. **~** *it* sich mühsam durch-
schlagen; **~cast** 1. ⊕ Rohputz *m*;
2. unfertig; 3. ⊕ roh verputzen;
roh entwerfen; **~en** (rʌ'fn) rauh m.
od. w.; **~ness** (rʌ'fnⁱ̢ß) Rauheit;
Roheit; Grobheit *f*; **~shod**: *ride ~
over* rücksichtslos behandeln.

round (ráᵘnd) 1. ☐ rund; voll
(*Stimme usw.*); flott (*Gangart*); un-
verblümt; **~** *game* Gesellschafts-
spiel *n*; **~** *trip* Rundreise *f*; 2. *adv.*
rund-, rings-um(her); *in der
Runde* (*oft ~ about*); *all ~* ringsum;
fig. ohne Unterschied; *all the year
~* das ganze Jahr hindurch; 3. *prp.*
um ... herum (*oft ~ about*); 4. Rund
n, Kreis *m*; Runde *f*; Kreislauf *m*;
(Leiter-)Sprosse *f*; Rundgesang
m; *Lach- usw.* Salve *f*; *100 ~s pl.*
100 Schuß; 5. *v/t.* runden; herumgehen *od.* -fahren um; **~** *up* einkreisen; *v/i.* sich runden; sich
umdrehen; **~about** (ráᵘnd°báᵘt) 1.
umschweifig; 2. Umweg *m*; Karusse'll *n*; **~ish** (ráᵘndⁱ̢ʃ) rund-
lich; **~up** Einkreisung; Razzia *f*.

rous|e (ráᵘß) *v/t.* wecken; ermun-
tern; aufjagen; (auf-)reizen; **~** *o.s.*
sich aufraffen; *v/i.* aufwachen;
~ing (ráᵘ'ßⁱⁿᵍ) brausend (*Beifall
usw.*).

rout (ráᵘt) 1. Rotte; wilde Flucht *f*;
put to ~ vernichten; 2. vernichten;
aufwühlen.   [Marschroute *f.*]

route (rūt, ✕ ráᵘt) Weg *m*; ✕⁾

routine (rūtⁱ'n) 1. Routine *f*;
2. üblich.   [dern.]

rove (roᵘw) umher-streifen, -wan-⌋

row[1] (roᵘ) 1. Reihe; Ruderfahrt *f*;
2. rudern.

row[2] *f* (ráᵘ) 1. Spekta'kel *m*; Kei-
lerei *f*; 2. Radau m. (mit *j-m*).

row-boat (roᵘboᵘt) Ruderboot *m*.

rower (roᵘ'°) Ruderer(in).

royal ☐ (rói'⁴l) königlich; prächtig; **~ty** (~tⁱ) Königtum *n*; Königs-

würde; königliche Persönlichkeit;
Tantie'me *f.*

rub (rʌb) 1. Reiben *n*; Schwierigkeit *f*; *fig.* Stich *m*; Unannehmlichkeit *f*; 2. *v/t.* reiben; (ab)wischen;
(wund)scheuern; schleifen; **~** *out*
auslöschen; **~** *up* auffrischen; ver-
reiben; *v/i.* sich reiben; *fig.* **~**
along, on, through sich durch-
schlagen.

rubber (rʌ'b°) Gummi *n* (*m*);
Gummireifen; Radiergummi *m*;
Wischtuch *n*; *Whist:* Robber *m*;
Am. F **~s** *pl.* Gummischuhe *m/pl.*;
attr. Gummi...

rubbish (rʌ'bⁱʃ) Schutt; Abfall;
Kehricht; *fig.* Schund; Unsinn *m.*

rubble (rʌ'bl) (Stein-)Schutt *m.*

ruby (rū'bⁱ) Rubi'n(rot) *n*; *m.*

rudder (rʌ'd°) ⚓ Steuer-Ruder; ✕⁾
Seitenruder *n.*

rudd|iness (rʌ'dⁱnⁱ̢ß) Röte *f*; **~y**
(rʌ'dⁱ) rot; rotbäckig.

rude ☐ (rūd) *allg.* roh; rauh; grob
(*unhöflich*); *fig.* wild; robust.

rudiment (rū'dⁱmᵉnt) *biol.* Ansatz
m; **~s** *pl.* Anfangsgründe *m/pl.*

rueful ☐ (rū'fᵘl) reuig; traurig.

ruff (rʌf) Halskrause *f.*

ruffian (rʌ'fⁱᵉn) brutaler Mensch;
Raufbold; Strolch *m.*

ruffle (rʌ'fl) 1. Krause, Rüsche *f*;
Gekräusel *n*; 2. kräuseln; zer-
drücken, -knüllen; *fig.* aus der
Ruhe bringen; stören.

rug (rʌg) (Reise-)Decke; Vorleger
m, Brücke *f*; **~ged** ☐ (rʌ'gⁱd) rauh
(*a. fig.*); gefurcht; stramm.

ruin (rū'ⁱn) 1. Rui'n, Zs.-bruch;
Untergang *m*; *mst* **~s** *pl.* Rui'ne(n
pl.) *f*, Trümmer *pl.*; 2. ruinieren;
zugrunde richten; zerstören; verderben; **~ous** ☐ (rū'ⁱnᵉⁿ) rui'nen-
haft, verfallen; verderblich, ruinö's.

rul|e (rūl) 1. Regel; Vorschrift;
Ordnung; Herrschaft *f*; Linea'l *n*;
as a ~ in der Regel; 2. *v/t.* regeln;
leiten; beherrschen; verfügen; liniieren; **~** *out* ausschließen; *v/i.*
herrschen; **~er** (rū'l°) Herrscher
(-in); Linea'l *n.*

rum (rʌm) Rum; *Am.* Schnaps *m.*

Rumanian (rūmeⁱ'nⁱᵉn) 1. rumä-
nisch; 2. Rumän|e, -in; Rumä-
nisch *n.*

rumble (rʌ'mbl) 1. Rumpeln *n*;
Notsitz *m* (*Am.* **~seat**); 2. rumpeln, rasseln; grollen (*Donner*).

rumina|nt (rū'm¹n°nt) Wiederkäuer *m*; ~te (ˌne⁴t) wiederkäuen; *fig.* (nach)sinnen.

rummage (ra'm¹bꞬ) 1. ✝ Restwaren *f/pl.*; 2. *v/t.* (durch-)su'chen, (-)stö'bern, (-)wü'hlen; *v/i.* wühlen.

rumo(u)r (rū'm°) 1. Gerücht *n*; 2. *it is* ~ed es geht das Gerücht.

rump (ramp) Steiß; Rumpf *m*.

rumple (ra'mpl) zerknittern; (zer-)zausen.

rum-runner *Am.* Alkoholschmuggler *m*.

run (ran) 1. [*irr.*] *v/i. allg.* laufen; rennen (*Mensch, Tier*); zerlaufen (*Farbe usw.*); lauten (*Text*); gehen (*Melodie*); sich stellen (*Preis*); ~ across a p. j-m in die Arme laufen; ~ away davonlaufen; ~ down ablaufen (*Uhr usw.*); *Am. fig.* herunterkommen; ~ dry aus-, vertrocknen; ~ for parl. kandidieren für; ~ into geraten in (*acc.*); werden zu; j-m in die Arme laufen; ~ on fortfahren; ~ out, ~ short zu Ende gehen; ~ through durchmachen; durchlesen; ~ to sich belaufen auf (*acc.*); sich entwickeln zu; ~ up to sich belaufen auf (*acc.*); 2. *v/t.* rennen, laufen; laufen l.; *Hand usw.* gleiten l.; stecken, stoßen; *Geschäft* betreiben; (wett)rennen mit; schmuggeln; heften; ~ the blockade die Blockade brechen; ~ down umrennen; zur Strecke bringen; *fig.* schlecht m.; *Am.* herunterwirtschaften; *be* ~ down abgearbeitet sn; ~ over j. überfa'hren; *Text* überflie'gen; ~ up *Preis, Neubau usw.* auflaufen l.; 3. Laufen, Rennen *n*, Lauf; Verlauf *m*; Reihe(nfolge); Reise *f*, Ausflug; ✝ Andrang, Ansturm; *Am.* Bach *m*; *Am.* Laufmasche *f*; *Vieh*-Trift *f*; freie Benutzung; Art *f*, Schlag *m*; *the common* ~ die große Masse;

thea. have a ~ *of 20 nigths* 20mal nacheinander gegeben w.; *in the long* ~ auf die Dauer.

run|about (ra'n°baut) Kleinauto *n*; ~away Ausreißer *m*.

rung¹ (ranꞬ) geläutet.

rung² (ˌ) Leiter-Sprosse *f* (*a. fig.*).

run|let (ra'nl⁴t), ~nel (ra'nl) Rinnsal *n*; Rinnstein *m*.

runner (ra'n°) Läufer *m*; *Schlitten*-Kufe *f*; ⚘ Ausläufer *m*; ~-up (ˌra'p) *Sport*: Zweitbeste(r).

running (ra'nⁱnꞬ) 1. laufend; *two days* ~ zwei Tage nacheinander; ✕ ~ *fire* Schnellfeuer *n*; ~ *hand* Kurre'ntschrift *f*; 2. Rennen *n*; ~-board Trittbrett *n*.

runt (rant) Zwerg *m*; Zwerg...

runway (ra'nwe¹) ⛭ Rollbahn *f*.

rupture (ra'ptʃ(°)°) 1. Bruch *m* (*a. ⚕*); 2. brechen; sprengen.

rural □ (ru°'r°l) ländlich; Land...

rush (raʃ(h) 1. ⚘ Binse *f*; Jagen, Stürmen *n*; (An-)Sturm; Andrang *m*; ✝ stürmische Nachfrage *f*; ~ *hours pl.* Hauptverkehrs-stunden *f/pl.*; 2. *v/i.* stürzen, jagen, stürmen; ~ *at* sich stürzen auf (*acc.*); ~ *into print* sich in die Öffentlichkeit flüchten; *v/t.* jagen, hetzen; ✕ *u. fig.* stürmen.

russet (ra'ʤ¹t) braunrot; grob.

Russian (ra'ʃ(h°n) 1. russisch; 2. Russ|e, -in; Russisch *n*.

rust (raʤt) 1. Rost *m*; 2. rosten (l.).

rustic (ra'ʤt¹) 1. (ˌally) ländlich; bäurisch; Bauern...; 2. Bauer *m*.

rustle (ra'ʤl) 1. rascheln (mit *od.* in *dat.*); reuschen; 2. Rascheln *n*.

rust|less (ra'ʤtl¹ʃ) rostfrei; ~y (ra'ʤt¹) rostig; eingerostet (*a. fig.*); verschossen (*Stoff*); rostfarben.

rut (rat) Wagenspur *f*, (*a. fig.*) ausgefahrenes Geleise; Brunft *f*.

ruthless □ (rū'θl¹ʃ) unbarmherzig.

rutted (ra't¹b) ausgefahren (*Weg*).

rutty (ra'tⁱ) ausgefahren (*Weg*).

rye ⚘ (rā¹) Roggen *m*.

S

sabotage (ḥä'ḇᵉtäG) 1. Sabota'ge f; 2. sabotieren (a. ~ on a th.).

sabre (ḥeⁱ'ḇᵉ) Säbel m.

sack (ḥä̆) 1. Plünderung f; Sack; kurzer, weiter Mantel; Sakko; F Laufpaß m; 2. plündern; ein-sacken; F j—m den Laufpaß geben; ~cloth, ~ing (ḥä'fiⁿᵍ) Sackleinwand f.

sacrament (ḥä'trᵉmᵉnt) eccl. Sarame'nt n.

sacred □ (ḥeⁱ'trⁱḇ) heilig; geistlich.

sacrifice (ḥä'trⁱfaⁱḇ) 1. Opfer n; ✝ at a ~ mit Verlust; 2. opfern.

sacrileg|e (ḥä'trⁱⁱḇG) Kirchenraub m; Kirchen-, Tempel-schändung f; ~ious □ (ḥä̆trⁱⁱ'ḏQᶜḇ) frevelhaft.

sad □ (ḥä̆ḇ) traurig; jämmerlich, kläglich; schlimm, arg; dunkel.

sadden (ḥä'ḏn) (sich) betrüben.

saddle (ḥä'ḏl) 1. Sattel m; 2. satteln fig. belasten; ~r Sattler m.

sadism (ḥä'ḏⁱⁱm) Sadi'smus m.

sadness (ḥä'ḏnⁱḇ) Traurigkeit f.

safe (ḥeⁱf) 1. □ allg. sicher; unver-sehrt; zuverlässig; 2. Speise-schrank; Geldschrank m; Bank-fach n; ~-conduct freies Geleit; Schutzbrief m; ~guard 1. Schutz m; 2. sichern, schützen.

safety (ḥeⁱ'fti) 1. Sicherheit f; 2. Sicherheits...; ~-pin Sicherheits-nadel f; ~-razor Rasierapparat m.

saffron (ḥä'frᵉn) Safran m.

sag (ḥä̆g) durchsacken; ⊕ durch-hängen; ⚓ (ab)sacken (a. fig.).

sagaci|ous (ḥᵉgeⁱ'ḏḥ) scharfsin-nig; ~ty (ḥᵉgä'ḥⁱⁱ) Scharfsinn m.

sage (ḥeⁱḏG) 1. □ klug, weise; 2. Weise(r); ⚘ Salbei f.

said (ḥeḏ) sagte; gesagt.

sail (ḥeⁱl) 1. Segel(schiff) n; Segel-fahrt f; 2. v/i. (ab)segeln, fahren; v/t. durchse'geln; Schiff führen; ~-boat Am. Segelboot n; ~or (ḥeⁱ'lᵉ) Seemann, Matrose m; be a good (bad) ~ (nicht) seefest sein; ~-plane Segelflugzeug n.

saint (ḥeⁱnt) 1. Heilige(r); (vor npr. ḥⁱnt) Sankt ...; 2. heiligsprechen; ~ly (ḥeⁱntli) adj. heilig, fromm.

sake (ḥeⁱⁱ): for the ~ of um ... (gen.) willen; for my ~ meinetwegen.

sal(e)able (ḥeⁱ'lᵉbl) verkäuflich.

salad (ḥä'lᵉḇ) Sala't m.

salary (ḥä'lᵉrⁱ) 1. Besoldung f; Ge-halt n; 2. besolden.

sale (ḥeⁱl) (Aus-)Verkauf; Um-, Ab-satz m; Auktio'n f; for ~, on ~ zum Verkauf, zu verkaufen(d).

sales|man, ~woman Verkäufer(in).

salient (ḥeⁱ'lⁱᵉnt) vorspringend; fig. hervor-ragend, -tretend; Haupt...

saline (ḥeⁱ'laⁱn) salzig; Salz...

saliva ⚇ (ḥᵉlaⁱ'wᵉ) Speichel m.

sallow (ḥä'loᵘ) blaß; gelblich.

sally (ḥä'lⁱ) 1. ✕ Ausfall; witziger Einfall m; 2. ✕ ausfallen; ~ forth, ~ out sich aufmachen.

salmon (ḥä'mᵉn) Lachs, Salm m.

saloon (ḥᵉlu'n) Salon; (Gesell-schafts-)Saal m; erste Klasse auf Schiffen; Am. Kneipe f.

salt (ḥȯlt) 1. Salz n; fig. Würze f; old ~ alter Seebär; 2. salzig; ge-salzen; Salz...; Pökel...; 3. (ein-) salzen; ~-cellar Salzfäßchen n; ~petre (ḥȯ'ltpⁱtᵉ) Salpe'ter m; ~y (ḥȯ'ltⁱ) salzig.

salubrious □ (ḥᵉlū'brⁱᵉḇ), **salutary** □ (ḥä'lⁱᵘtᵉrⁱ) heilsam, gesund.

salut|ation (ḥä̆lⁱᵘtᵉ'ḏḥᵉn) Gruß m, Begrüßung f; ~e (ḥᵉlū't) 1. Gruß; co. Kuß; ✕ Salu't m; 2. (be)grüßen; ✕ salutieren.

salvage (ḥä'lwᵉḇG) 1. Bergung(sgut n) f; Bergegeld n; 2. bergen.

salvation (ḥä̆lweⁱ'ḏḥᵉn) Erlösung f; (Seelen-)Heil n; fig. Rettung f; ⚑ Army Heilsarmee' f.

salve¹ (ḥä̆lw) retten, bergen.

salve² (ḥä̆w) 1. mst fig. Salbe f; 2. mst fig. salben; beruhigen.

salvo (ḥä'lwoᵘ) 1. Vorbehalt m; 2. ✕ Salve f (fig. Beifall).

same (ḥeⁱm): the ~ der-, die-, das-selbe; it is all the ~ to me es ist mir (ganz) gleich.

sample (ḥä'mpl) 1. Probe f, Muster n; 2. bemustern; (aus)probieren.

sanct|ify (ḥä'nᵍtⁱfaⁱ) heiligen; weihen; ~imonious □ (ḥä̆nᵍtⁱ-

mou'ni°ß) scheinheilig; ~ion (ßä'n°ºʃch°n) 1. Sanktio'n; Bestätigung; Genehmigung; Zwangsmaßnahme f; 2. bestätigen, genehmigen; ~ity (~'titi) Heiligkeit f; ~uary (~tjuⁱri) Heiligtum n; Freistätte f.

sand (ßänd) 1. Sand; ~s pl. Sand (-massen f/pl.) m; Sand-wüste, -bank f; 2. mit Sand bestreuen.

sandal (ßä'ndl) Sanda'le f.

sandwich (ßä'nwitʃch) 1. belegtes Butterbrot; 2. einlegen.

sandy (ßä'ndi) sandig; sandfarben.

sane (ße'n) geistig gesund; vernünftig (Antwort usw.).

sang (ßäng) sang.

sanguin|ary □ (ßä'ngooi̯n°ri) blutdürstig; ~e (~gooin) leichtblütig; zuversichtlich; vollblütig.

sanitary □ (ßä'ni̯t°ri) Gesundheits...; gesundheitlich.

sanit|ation (ßäni̯te'i̯ʃch°n) Gesundheitspflege; sanitä're Einrichtung f; ~y (ßä'ni̯ti̯) gesunder Verstand.

sank (ßängt) sank.

sap (ßäp) 1. & Saft m; fig. Lebenskraft; ✗ Sappe f; 2. untergra'ben (a. fig.); ~less (ßä'pliß) saft-, kraftlos; ~ling (ßä'pling) junger Baum m.

sapphire (ßä'fäi̯°) min. Saphir m.

sappy (ßä'pi̯) saftig; fig. kraftvoll.

sarcasm (ßa'rkäßm) bitterer Spott.

sardine (ßädi'n) ichth. Sardine f.

sardonic (ßädô'ni̯t) (~ally) sardonisch; grimmig.

sash (ßäʃch) Schärpe f.

sash-window Schiebefenster n.

sat (ßät) saß, gesessen.

satchel (ßä'tʃch°l) Schulmappe f.

sate (ße't) (über)sättigen.

sateen (ßäti'n) Satin m. [telli't m.]

satellite (ßä't°läi̯t) Anhänger, Sa-|

satiate (ße'i̯ʃche'i̯t) (über)sä'ttigen.

satin (ßä'ti̯n) Atlas m (Stoff).

satir|e (ßä'täi̯°) Sati're f; ~ist (ßä't°ri̯ßt) Sati'riker m; ~ize (~räi̯ß) verspotten.

satisfaction (ßäti̯ßfä'tʃch°n) Befriedigung; Genugtuung; Zufriedenheit; Sühne; Gewißheit f.

satisfactory (ßäti̯ßfä'tt°ri̯) befriedigend, zufriedenstellend.

satisfy (ßä'ti̯ßfäi̯) befriedigen; genügen; zufriedenstellen; überzeu'gen. [tigen.]

saturate (ßä'tʃch°re'i̯t) ⚗ u. fig. sät-|

Saturday (ßä't°di̯) Sonnabend (Samstag) m.

sauce (ßôß) 1. Soße; fig. Würze; F Keßheit f; 2. würzen; F keß w. zu j-m; ~pan Kassero'lle f; ~r (ßô'ß°) Untertasse f.

saucy □ F (ßô'ßi̯) keß (dreist; flott).

saunter (ßô'nt°) 1. Schlendern n; Bummel m; 2. (umher)schlendern.

sausage (ßô'ßi̯dG) Wurst f.

savage (ßä'wi̯dG) 1. □ wild; roh, grausam; 2. Wilde(r); fig. Barba'r (-in); ~ry (~rt) Wildheit; Barbarei f.

save (ße'i̯w) retten; erlösen; bewahren; (er)sparen; schonen.

saver (ße'i̯w°) Retter(in); Sparer(in).

saving (ße'i̯wi̯ng) 1. □ sparsam; 2. Rettung f; ~s pl. Ersparnisse f/pl.

savings-bank Sparkasse f. [m.]

saviour (ße'i̯wi̯°) Retter; ♀ Heiland|

savo(u)r (ße'i̯w°) 1. Geschmack; fig. Beigeschmack m; 2. fig. schmecken, riechen (of nach); ~y (~ri̯) schmackhaft; appeti'tlich; pika'nt.

saw (ßô) 1. sah; 2. Spruch m; Säge f; 3. [irr.] sägen; ~dust Sägespäne m/pl.; ~mill Schneidemühle f; ~n (ßôn) gesägt.

Saxon (ßä'tßn) 1. sächsisch; 2. Sachse m, Sächsin f.

say (ße'i̯) 1. [irr.] sagen; hersagen; berichten; ~ grace das Tischgebet sprechen; that is to ~ das heißt; you don't ~ so! was Sie nicht sagen!; I ~! höre(n Sie) mal!; he is said to be... er soll... sein; 2. Rede f, Wort n; it is my ~ new jetzt ist die Reihe zu reden an mir; have a (no) ~ in a th. etwas (nichts) zu sagen h. bei et.; ~ing (ße'i̯ing) Rede; Redensart f; Ausspruch m.

scab (ßtäb) Schorf m; Räude f; sl. Streikbrecher m.

scabbard (ßtä'b°d) Säbel-Scheide f.

scabrous (ßte'i̯br°ß) heikel.

scaffold (ßtä'f°ld) Gerüst; Schafo'tt n; ~ing (~ing) (Bau-)Gerüst n.

scald (ßtôld) 1. Verbrühung f; 2. verbrühen; Milch abkochen.

scale¹ (ßte'i̯l) 1. Schuppe f; Kesselstein, Zahnstein m; Waagschale; (a pair of) ~s pl. (eine) Waage f; 2. (sich) ab-schuppen, -lösen; ⚙ Kesselstein abklopfen; Zähne vom Zahnstein reinigen; wiegen.

scale² (~) 1. Stufenleiter; ♪ Tonleiter; Skala f; Maßstab m; fig. Ausmaß n; 2. ersteigen; nach Maßstab vergrößern (~ up) od. verkleinern (~ down).

scallop (ŝĭŏ'lᵉp) 1. *zo.* Kamm-
muschel; ⊕ Lange'tte *f*; 2. aus-
bogen.   [*m*; 2. skalpieren.]
scalp (ŝĭălp) 1. Kopfhaut *f*; Skalp]
scaly (ŝĭēi'lĭ) schuppig; Schuppen...
scamp (ŝĭămp) 1. Taugenichts *m*;
2. pfuschen; ~er (~ᵉ) 1. (umher)
tollen; hetzen; 2. *fig.* Hetzjagd *f*.
scandal (ŝĭă'nŏl) Skanda'l *m*; Ärgernis *n*; Schmach *f*; Klatsch *m*;
~ize (ŝĭă'nŏᵉlãŝ) *j-m* Ärgernis
geben; ~ous □ (~ᵉ¹ŝ) anstößig;
schimpflich; klatschhaft.
scant, ~y (ŝĭănt, ŝĭă'ntĭ) knapp;
spärlich; kärglich, dürftig.   [*m*.]
scapegoat (ŝĭē'ᵖgoᵘt) Sündenbock]
scapegrace (~grᵉᵉŝ) Taugenichts *m*.
scar (ŝĭā) 1. Narbe; Klippe *f*; 2.
v/t. schrammen, *v/i.* vernarben.
scarc|e (ŝĭăᵉ⁵) knapp; selten; ~ely
(ŝĭăᵉ⁵lĭ) kaum; ~ity (~ĭtĭ) Mangel
m; Knappheit; Teuerung *f*.
scare (ŝĭăᵉ) 1. er-, auf-schrecken;
scheuchen; 2. Panik *f*; ~crow
Vogelscheuche *f* (*a. fig.*).
scarf (ŝĭăf) Schärpe *f*; Schal *m*;
Hals-, Kopf-tuch *n*; Krawatte *f*.
scarlet (ŝĭă'lĭt) 1. Scharlach(rot *n*)
m; 2. scharlachrot; ✸ ~fever
Scharlach *m*.
scarred (ŝĭād) narbig.   [tend.]
scathing (ŝĭē'ᵈĭậĭậⁿᵍ) *fig.* vernich-]
scatter (ŝĭă'tᵉ) (sich) zerstreuen;
aus-, ver-streuen; (sich) verbreiten.
scavenger (ŝĭă'wⁱⁿGᵉ) Straßen-
kehrer *m*.   [buch *n*.]
scenario (ŝĭnā'rᵗᵒᵘ) *Film:* Dreh-]
scene (ŝĭn) Szene; Bühne *f*; Schauplatz *m*; ~s *pl.* Kulissen *f/pl.*; ~ry
(ŝĭ'nᵉrĭ) Szenerie'; Bühnenausstattung; Landschaft *f*.
scent (ŝĭĕnt) 1. (Wohl-)Geruch *m*;
Parfü'm *n*; *hunt.* Witterung(sver-
mögen *n*); Fährte *f*; 2. wittern;
parfümieren; ~less (ŝĭĕ'ntlⁱŝ) ge-
ruchlos.   [□ (~ᵗⁱᵉl) skeptisch.]
sceptic (ŝĭĕ'ptⁱk) Skeptiker(in); ~al]
scept|re, ~er (ŝĭĕ'ptᵉ) Zepter *n*.
schedule (ŝĭĕ'ᵈjūl, *Am.* ŝĭĕ'ᵈjūl)
1. Verzeichnis *n*; Tabelle *f*; *Am.*
Fahrplan *m*; 2. auf-, ver-zeichnen;
festsetzen.
scheme (ŝĭīm) 1. Schema *n*; Zs.-
stellung *f*; Plan *m*; 2. *v/t.* planen;
v/i. Pläne m.; Ränke schmieden.
schism (ŝĭ'ĭm) (Kirchen-)Spaltung *f*.
scholar (ŝĭŏ'lᵉ) Schüler(in); Ge-
lehrte(r) *m*; ~ly (~lĭ) *adj.* gelehrt;

~ship (~ŝhĭp) Gelehrsamkeit *f*;
univ. Stipe'ndium *n*.
scholastic (ŝĭᵉlă'ŝtĭk) (~ally) scho-
lastisch; schulmäßig; Schul... *m*.
school (ŝĭūl) 1. Schwarm *m*; Schule
f; *at* ~ in der Schule; *primary* ~
Volksschule *f*; *secondary* ~ Ober-
schule *f*; 2. schulen, erziehen;
~boy Schüler *m*; ~fellow, ~mate
Mitschüler(in); ~girl Schülerin *f*;
(ŝĭū'lĭậⁿᵍ) Schulunterricht *m*; ~
master Schulmeister, (Schul-)
Lehrer *m*; ~mistress (Schul-)
Lehrerin *f*; ~room Klassen-
zimmer *n*.
science (ŝĭā'ᵉnŝ) Wissenschaft; Na-
turwissenschaft(en *pl.*); Kenntnis *f*.   [natu'r)wissenschaftlich.]
scientific (ŝĭā'ĭntⁱ'fĭk) (~ally) (*eng S.*)]
scientist (ŝĭā'ĭntⁱŝt) (Natur-)Wis-
senschaftler *m*.
scintillate (ŝĭ'ĭntⁱlᵉᵗ) funkeln.
scion (ŝĭā'ᵉn) Sproß, Sprößling *m*.
scissors (ŝĭ'ᵉ⁵) *pl.* (*a pair of* ~
eine) Schere *f*.
scoff (ŝĭŏf) 1. Spott *m*; 2. spotten.
scold (ŝĭŏᵘld) 1. zänkisches Weib;
2. (aus)schelten.
scone (ŝĭŏᵘn) Mürbekuchen *m*.
scoop (ŝĭūp) 1. Schaufel, Schippe *f*;
Schöpfeimer; Erstmeldung *f* *e-r*
Zeitung; 2 schaufeln; einscheffeln.
scooter (ŝĭū'tᵉ) *Kinder-*Roller *m*.
scope (ŝĭŏᵘp) Bereich *m*; *geistiger*
Gesichtskreis; Spielraum *m*.
scorch (ŝĭŏtŝh) *v/t.* ver-sengen,
-brennen; *v/i.* F (dahin)sausen.
score (ŝĭŏ) 1. Kerbe; Zeche, Rechnung *f*; 20 Stück; *Sport:* Punkt-
zahl *f*; Grund *m*; ♩ Partitu'r;
Menge *f*; *run up* ~s *pl.* Schulden m.;
on the ~*of* wegen; *what's the* ~? wie
steht das Spiel?; 2. (ein)kerben;
anschreiben; *Sport:* (Punkte) m.;
Fußball: ein Tor schießen; gewinnen; instrumentieren; *Am.* schelten.
scorn (ŝĭŏn) 1. Verachtung *f*; Spott
m; 2. verachten; verschmähen;
~ful □ (ŝĭŏ'nᶠᵘl) verächtlich.
Scotch (ŝĭŏtŝh) 1. schottisch; 2.
Schottisch *n*; *the* ~ die Schotten
pl.; ~man (ŝĭŏ'tŝhmᵉn) Schotte *m*.
scot-free (ŝĭŏ'tfrĭ') straflos.
scoundrel (ŝĭăᵘ'nŏrᵉl) Schurke *m*.
scour (ŝĭăᵘᵉ) *v/t.* scheuern; reinigen; durchstrei'fen, absuchen; *v/i.*
eilen.   [2. geißeln.]
scourge (ŝĭŏᵈậⱨ) 1. Geißel *f*;]

scout (ßkáut) 1. Späher, Kundschafter; ✕ Aufklärer *m*; *Boy* ♀s *pl.* Pfadfinder *m/pl.*; ✕ ~ *party* Spähtrupp *m*; 2. (aus)kundschaften, spähen; verächtlich zurückweisen.

scowl (ßkául) 1. finsteres Gesicht; 2. finster blicken.

scrabble (ßkrä'bl) (be)kritzeln; scharren; krabbeln.

scramble (ßkrä'mbl) 1. klettern; sich balgen (*for* um); ~d *eggs pl.* Rührei *n*; 2. Kletterei; Balgerei *f*.

scrap (ßkräp) 1. Stückchen *n*; *Zeitungs*-Ausschnitt *m*, *Sammel*-Bild *n*; ~s *pl.* Reste *m/pl.*; 2. ausrangieren; verschrotten; ~-**book** Sammelalbum *n*.

scrap|e (ßkre¹p) 1. Kratzen, Scharren *n*; Kratzfuß *m*; Not, Klemme *f*; 2. schrap(p)en; (ab)schaben; (ab-)kratzen; scharren; (entlang)streifen; ~**er** (ßkre¹'pᵉ) Kratzeisen *n*.

scrap...: ~-**heap** Abfall-, Schrotthaufen *m*; ~-**iron** Alteisen *n*.

scratch (ßkrätſch) 1. Schramme *f*; *Sport:* Ablaufmal *n*; 2. zs.-gewürfelt; Zufalls...; *Sport:* ohne Vorgabe; 3. (zer-)kratzen; (zer-) schrammen; *Sport:* streichen; ~ *out* ausstreichen. [kritzel *n*.]

scrawl (ßkrôl) 1. kritzeln; 2. Ge-

scream (ßkrïm) 1. Gekreisch *n*; 2. kreischen; ~**y** (~mi) schrill, grell.

screech (ßkrïtſch) kreischen.

screen (ßkrïn) 1. *Ofen- usw.* Schirm *m*; *Film:* Leinwand *f*; (*Sand-, Korn- usw.*) Sieb *n*; ✕ Schützenschleier *m*; *the* ~ *der Film*; 2. schirmen, (be)schützen; abschirmen; *opt.* auf die Leinwand werfen; (durch)sieben.

screw (ßkrü) 1. Schraube *f*; = *screw-propeller*; 2. (fest)schrauben; *fig.* quetschen; ver-, um-drehen; ~ *up Mund usw.* zs.-kneifen; ~-**driver** Schraubenzieher *m*; ~-**propeller** Schiffs-, Flugzeugschraube *f*. [2. kritzeln.]

scribble (ßkrï'bl) 1. Gekritzel *n*;

scrimp (ßkrïmp) *v/t.* knapp halten; *v/i.* knausern. [schein(e *pl.*) *m*.]

scrip † (ßkrïp) Interims(anleihe-)

script (ßkrïpt) Schrift; Schreibschrift *f*; Manuskri'pt; *Film:* Drehbuch *n*. [Schrift.]

Scripture (ßkrï'ptſchᵉ) Heilige

scroll (ßkro⁴l) (Schrift-)Rolle, Liste; ⚠ Schnecke *f*; Schnörkel *m*.

scrub (ßkrab) 1. Gestrüpp *n*; Zwerg *m*; 2. schrubben, scheuern.

scrubby (ßkra'bi) (st)ruppig.

scrup|le (ßkrü'pl) 1. Skrupel *m*, Bedenken *n*; 2. Bedenken tragen; ~**ulous** □ (ßkrü'pi⁴l°ß) (allzu-)bedenklich; gewissenhaft; ängstlich.

scrutin|ize (ßkrü't¹näß) (genau) prüfen; ~**y** (ßkrü'tíni) forschender Blick; genaue (*bsd.* Wahl-)Prüfung.

scud (ßkad) 1. leichtes Windgewölk; Bö *f*; 2. eilen, jagen; gleiten.

scuff (ßkaf) schlurfen, schlorren.

scuffle (ßka'fl) 1. Balgerei, Rauferei *f*; 2. sich balgen, raufen.

scullery (ßka'leri) Aufwaschküche *f*.

sculptor (ßka'lptᵉ) Bildhauer *m*.

sculptur|e (ßka'lptſchᵉ) 1. Bildhauer-kunst, -arbeit *f*; 2. meißeln, aushauen; Bildhauer *m*.

scum (ßkam) (Ab-)Schaum.

scurf (ßkᵉf) (Haut-)Schuppen *f/pl.*

scurrilous (ßka'ril°ß) gemein.

scurry (ßka'ri) hasten rennen.

scurvy (ßkᵉ'wi) hundsgemein.

scuttle (ßka'tl) 1. Kohleneimer *m*; 2. eilen; *fig.* sich drücken.

scythe (ßáîd) Sense *f*.

sea (ßï) See *f*: Meer *n* (*a. fig.*); hohe Welle; *at* ~ *fig.* ratlos; ~**board** Seeküste *f*; ~**faring** (ßï'fäᵉriⁿᵍ) seefahrend; ~**going** Hochsee...

seal (ßïl) 1. Seehund *m*, Robbe *f*; Siegel *n*, Stempel *m*; Bestätigung *f*; 2. versiegeln; *fig.* besiegeln; ~ *up* (fest) verschließen; ⊕ abdichten; ~ (*with lead*) plombieren.

sea-level (~lê'wel) Meeresspiegel *m*.

sealing-wax Siegellack *m*.

seam (ßïm) 1. Saum *m*; (*a.* ⊕) Naht; ⊕ Fuge *f*; *geol.* Flöz *n*; Narbe *f*; 2. schrammen; furchen.

seaman (ßï'mᵉn) Seemann *m*.

seamstress (ßê'mßtr¹ß) Näherin *f*.

sea-plane Wasserflugzeug *n*.

sear (ßïᵉ) austrocknen, versengen; 🌟 brennen; *fig.* verhärten.

search (ßᵉtſch) 1. Suchen, Forschen *n*; Unter-, Durch-suchung *f*; *in* ~ *of* auf der Suche nach; 2. *v/t.* durch-, unter-su'chen; sondieren; erforschen; durchdri'ngen; *v/i.* suchen, forschen (*for* nach); ~ *into* ergründen; ~**ing** (~¹ⁿᵍ) eingehend (*Prüfung usw.*); ~-**light** Scheinwerfer(licht *n*) *m*; ~-**warrant** Haussuchungsbefehl *m*.

sea|-shore Seeküste f; ~sick see-krank; ~side Strand m; ~ place, ~ resort Seebad n

season (ßï'ïn) 1. Jahreszeit; (rechte) Zeit; Saiso'n f; cherries are in ~ jetzt ist die Kirschenzeit; out of ~ zur Unzeit; with the compliments of the ~ mit den besten Wünschen zum Fest; 2. v/t. reifen (l.); würzen; abhärten (to gegen); v/i. ablagern; ~able □ (~ᵉbl) zeitgemäß; rechtzeitig; ~al □ (ßï'ïnl) Saison...; periodisch; ~ing (ßï'ïnïⁿᵍ) Würze f; ~ticket Dauerkarte f.

seat (ßït) 1. Sitz (a. fig.); Sessel, Stuhl m, Bank f; Sitz-Platz; Landsitz m; Gesäß n; Schauplatz m; 2. (hin)setzen; j. einsetzen; Sitzplätze h. für; ~ ed sitzend; be ~ed sitzen; sich setzen.

sea|-urchin See-igel m; ~ward (ßï'wᵉᵈ) adj. seewärts gerichtet; adv. (a. ~s seewärts; ~weed (See-)Tang m; ~worthy seetüchtig.

secede (ßï'ßï'ᵈ) sich trennen.

secession (ßï'ßɛ'ʃᵉⁿ) Lossagung f; Abfall m; ~ist (~ïßt) Abtrünnige(r).

seclu|de (ßï'ḱlü'ᵈ) abschließen; ~sion (ßï'ḱlü'Ǵᵉⁿ) Abgeschlossenheit f.

second (ßɛ'ĸᵉnᵈ) 1. □ zweite(r, s); nächste(r, s); geringer (to als); on ~ thoughts bei genauerer Überlegung; 2. Zweite(r, s); Sekunda'nt; Beistand m; Seku'nde f; ✝ ~s pl. zweite Sorte; 3. sekundieren (dat.); unterstü'tzen; ~ary □ (~ᵉrï) sekundä'r; untergeordnet; Neben...; ~hand aus zweiter Hand; gebraucht; antiqua'risch; ~ly (~lï) zweitens; ~rate zweiten Ranges; zweitklassig.

secre|cy (ßï'ḱrïßï) Heimlichkeit; Verschwiegenheit f; ~t (ßï'ḱrït) 1. □ geheim; Geheim...; verschwiegen; 2. Geheimnis n; in ~ insgeheim; be in the ~ eingeweiht sn.

secretary (ßɛ'ḱrᵉtrï) Schriftführer m; Sekretä'r(in).

secret|e (ßï'ḱrï't) verbergen; absondern; ~ion (~ʃᵉⁿ) Absonderung f; ~ive (~tïw) geheimtuerisch.

section (ßɛ'ḱʃᵉⁿ) ✽ Sektio'n f; (Durch-)Schnitt; Teil; Abschnitt, Paragra'ph; typ. Absatz m; Abteilung; Gruppe f.

secular □ (ßɛ'ḱïúlᵉ) weltlich.

secur|e (ßï'ḱjúᵉ) 1. □ sicher; 2. (sich et.) sichern; schützen; fest-

machen; ~ity (~rïtï) Sicherheit; Sorglosigkeit; Gewißheit f; Schutz m; Kautio'n f; ~ies pl. Wertpapiere n/pl.

sedate □ (ßï'ᵈeï't) gesetzt; ruhig.

sedative (ßɛ'ᵈᵉtïw) mst ✽ beruhigend(es Mittel).

sedentary □ (ßɛ'ᵈⁿtᵉrï) sitzend.

sidement (ßɛ'ᵈïmᵉnt) (Boden-)Satz m.

sedition (ßï'ᵈï'ʃᵉⁿ) Aufruhr m.

seditious □ (~ʃᵉß) aufrührerisch.

seduc|e (ßï'ᵈjü'ß) verführen; ~tion (ßï'ᵈα'ḱʃᵉⁿ) Verführung f; ~tive □ (~tïw) verführerisch.

sedulous □ (ßɛ'ᵈïúlᵉß) emsig.

see (ßï) [irr.] v/i. sehen; einsehen; I ~ ich verstehe; ~ about a th. sich um et. kümmern; ~ through a p. j. durchschau'en; ~ to achten auf (acc.); v/t. sehen; beobachten; einsehen; sorgen (daß et. geschieht); besuchen; ~ a p. home j. nach Hause begleiten; ~ off Besuch usw. wegbringen; ~ a th. through et. durchhalten; ~ a p. through j-m durchhelfen; (live) to ~ erleben.

seed (ßïᵈ) 1. Same(n) m, Saat f; Obst-Kern; Keim m (a. fig.); go to ~ Samen schießen; fig. herunterkommen; 2. v/t. (be)säen; entkernen; v/i. in Samen schießen; ~ling ♪ (ßï'ᵈlïⁿᵍ) Sämling m; ~y (ßï'ᵈï) schäbig; F elend.

seek (ßïḱ) [irr.] suchen (nach); begehren (nach); trachten nach.

seem (ßïm) (er)scheinen; ~ing □ (ßï'mïⁿᵍ) anscheinend; scheinbar; ~ly (~lï) schicklich.

seen (ßïn) gesehen.

seep (ßïp) durchsickern, tropfen.

seer (ßï'ᵉ) Seher(in), Prophe't(in).

seesaw (ßï'ßö') 1. Schaukeln n; Wippe, Schaukel f; 2. schaukeln.

seethe (ßïᵈ) sieden, kochen.

segment (ßɛ'ᵍmᵉnt) Abschnitt m.

segregate (ßɛ'ᵍrïᵍeï't) absondern.

seiz|e (ßïz) ergreifen, fassen; sich e-r S. bemächtigen (a. ~ upon); mit Beschlag belegen; fig. erfassen; ~ure (ßï'Ǵᵉ) Ergreifung f; ✽ Beschlagnahme f; ✽ plötzlicher Anfall.

seldom (ßɛ'lᵈᵉm) adv. selten.

select (ßï'lɛ'ḱt) 1. aus-wählen; -lesen; 2. auserwählt; exklusi'v; ~ion (ßï'lɛ'ḱʃᵉⁿ) Auswahl f.

self (ßɛlf) 1. pron. selbst; ✝ od. F = myself usw.; 2. adj. einfarbig;

3. *su.* (*pl.* **selves**, ßĕlwß) Selbst, Ich *n*; Persönlichkeit *f*; ~**-centred** egozentrisch; ~**-command** Selbstbeherrschung *f*; ~**-conceit** Eigendünkel *m*; ~**-conceited** dünkelhaft; ~**-conscious** befangen; ~**-contained** (in sich) abgeschlossen; *fig.* verschlossen; ~**-control** Selbstbeherrschung *f*; ~**-defence**: *in* ~ in (der) Notwehr; ~**-denial** Selbstverleugnung *f*; ~**-evident** selbstverständlich; ~**-interest** Eigennutz *m*; ~**ish** (ßĕ'lßißch) selbstsüchtig; ~**-possession** Selbstbeherrschung *f*; ~**-reliant** selbstsicher; ~**-seeking** eigennützig; ~**-willed** eigenwillig.

sell (ßĕl) [*irr.*] *v/t.* verkaufen (*a. fig.*); *v/i.* handeln; gehen (*Ware*); † ~ *off*, ~ *out* ausverkaufen; ~**er** (ßĕ'l^e) Verkäufer *m*; † *good etc.* ~ gut *usw.* gehende Ware.

semblance (ßĕ'mbl^enß) Anschein *m*; Gestalt *f*.

semi... (ßĕ'mi...) halb...; Halb...; ~**final** *Sport*: Vorschlußrunde *f*.

seminary (ßĕ'mⁱn^eri) *fig.* Pflanzschule *f*; (Priester-)Semina'r *n*.

sempstress (~[p]ßtrⁱß) Näherin *f*.

senate (ßĕ'nⁱt) Sena't *m*.

senator (ßĕ'nⁱt^e) Sena'tor *m*.

send (ßĕnd) [*irr.*] senden, schicken; (*mit adj. od. p. pr.*) machen; ~ *for* kommen l., holen; ~ *forth* aussenden; veröffentlichen; ~ *up* in die Höhe treiben; ~ *word* sagen l.

senile (ßi'nail) greisenhaft; ~**ity** (ßi'ni'liti) Greisenalter *n*.

senior (ßi'ni^e) **1.** älter; dienstälter; Ober...; † ~ *partner* Chef *m*; **2.** Ältere(r); Dienstältere(r); Senior *m*; *he is my* ~ *by a year* er ist ein Jahr älter als ich; ~**ity** (ßin'ö'rⁱti) höheres Alter *od.* Dienstalter.

sensation (ßĕnßeⁱ'ßch^en) Sinnes-Empfindung *f*, Gefühl *n*; Sensatio'n *f*; ~**al** (~ßchnl) Empfindungs...; sensatione'll.

sense (ßĕnß) **1.** *allg.* Sinn *m* (*of* für); Empfindung *f*, Gefühl *n*; Verstand *m*; Bedeutung; Ansicht *f*; *in* (*out of*) *one's* ~*s pl.* bei (von) Sinnen; *bring one to his* ~*s pl.* j. zur Besinnung bringen; *make* ~ Sinn haben (*S.*); **2.** spüren.

senseless (ßĕ'nßliß) sinnlos; bewußtlos; gefühllos; ~**ness** (~nⁱß) Sinnlosigkeit *f usw.*

sensibility (~ibi'lⁱti) Empfindungsvermögen *n*; Empfindlichkeit *f*

sensible □ (ßĕ'nß^ebl) fühl-, spürbar; (be)merk-bar; verständig, vernünftig; *be* ~ *of* Empfinden h. für *et.*; sich *e-r S.* bewußt sn.

sensitiv|**e** □ (ßĕ'nßⁱtiw) empfindlich (*to* für); Empfindungs...; ~**i'y** (~wⁱti) Empfindlichkeit *f* (*to* für).

sensual □ (ßĕ'nßⁱu^el) sinnlich.

sensuous □ (ßĕ'nßⁱu^eß) Sinnen...; sinnenfreudig.

sent (ßĕnt) sandte; gesandt.

sentence (ßĕ'nt^enß) **1.** *gi* Urteil *n*; *gr.* Satz *m*; *serve one's* ~ *s-e* Strafe absitzen; **2.** verurteilen.

sententious (ßĕntĕ'nßch^eß) spruchreich; bündig; salbungsvoll.

sentient (ßĕ'nßch^ent) empfindend.

sentiment (ßĕ'ntⁱm^ent) Empfindung *f*, Gefühl *n*; Gedanke *m*; Meinung, Ansicht *f*; *s.* ~*ality*; ~**al** □ (~l) empfindsam; sentimenta'l; ~**ality** (~ä'lⁱti) Sentimentalitä't *f*.

sentinel (ßĕ'ntⁱnl), **sentry** (ßĕ'ntri) ✕ Schildwache *f*, Posten *m*.

separa|**ble** □ (ßĕ'p^er^ebl) trennbar; ~**te 1.** □ (ßĕ'prⁱt) getrennt, gesondert, besonder; **2.** (ßĕ'p^ereⁱt) (sich) trennen; (sich) absondern; (sich) scheiden; ~**tion** (ßĕp^ereⁱ'-ßch^en) Trennung, Scheidung *f*. [*m.*]

September (ßĕptĕ'mb^e) September|

sepul|**chre** *rhet.* (ßĕ'p^elk^e) Grab *n*; ~**ture** (ßĕ'p^eltⁱßch^e) Begräbnis *n*.

sequel (ßi'kw^el) Folge *f*; Nachspiel *n*; Fortsetzung *f e-r Geschichte*.

sequen|**ce** (ßi'kw^enß) Reihenfolge *f*; ~**t** (~w^ent) aufeinanderfolgend.

sequestrate *gi* (ßi'twĕ'ßtreⁱt) *Eigentum* einziehen; beschlagnahmen.

serenade (ßĕri'neⁱ'd) **1.** ♪ Serenade *f*, Ständchen *n*; **2.** ein Ständchen bringen (*dat.*).

seren|**e** □ (ßi'rⁱ'n) klar, heiter; ruhig; *Your* ♀ *Highness* Ew. Durchlaucht; ~**ity** (ßi'rĕ'nⁱti) Heiterkeit; Ruhe; ♀ Durchlaucht *f*.

serf (ßöf) Leibeigene(r), Hörige(r).

sergeant ✕ (ßä'ödß^ent) Feldwebel; (*a.* Polizei-)Wachtmeister *m*.

serial □ (ßi'^erⁱe</sup>l) **1.** Reihen..., Lieferungs...; **2.** Lieferungswerk *n*.

series *pl.* (ßi'^erĩß) Reihe; Serie *f*.

serious □ (ßi'^erⁱe</sup>ß) *allg.* ernst; ernst-haft, -lich; *be* ~ es im Ernst meinen; ~**ness** (~nⁱß) Ernst(haftigkeit *f*) *m.*

sermon (ßö'm⁶n) Predigt *f.*

serpent (ßö'p⁶nt) Schlange *f*; ⁓ine
(⁓aìn) schlangen-gleich, -förmig.

servant (ßö'w⁶nt) Diener, Knecht
m; Dienerin, Magd *f.*

serve (ßöw) **1.** *v/t.* dienen (*dat.*);
Zeit abdienen; bedienen; *Speisen*
reichen; *Speisen* auftragen; behandeln; nützen, dienlich sn (*dat.*);
Zweck erfüllen; *Tennis:* aufgeben;
(*it*) ⁓s him right (das) geschieht
ihm recht; ⁓ out *et.* austeilen; *v/i.*
dienen (*a.* ✕; *as, for* als, statt);
bedienen; nützen, zweckmäßig sn;
⁓ at table servieren; **2.** *Tennis:*
Aufschlag *m.*

service (ßö'wiß) **1.** Dienst *m*; Be-
dienung; Gefälligkeit *f*; (*a. divine*
⁓) Gottesdienst; Betrieb; Verkehr;
Nutzen *m*; Servi'ce *n*; *Tennis:*
Aufschlag *m*; the (*army*) ⁓s *pl.* die
Wehrmacht; *be at a p.'s* ⁓ j-m zu
Diensten stehen; **2.** *Am.* ⊕ über-
ho'len; ⁓able □ (ßö'wiß⁶bl) dien-
lich, nützlich; benutzbar.

servil|e □ (ßö'wåil) Sklaven...;
knechtisch, sklavisch; ⁓ity (ßöwi'-
lⁱtⁱ) Sklaverei; Unterwürfigkeit *f.*

servitude (ßö'wⁱtjūd) Knechtschaft *f.*

session (ßĕ'ſch⁶n) Sitzung *f.*

set (ßĕt) **1.** [*irr.*] *v/t.* setzen, stellen;
legen; zurechtstellen, (ein)richten,
ordnen; *Aufgabe, Wecker stellen*;
schärfen; *Edelstein* fassen; festsetzen; erstarren m.; ✿ einrenken;
⁓ a p. laughing j. zum Lachen
bringen; ⁓ sail unter Segel gehen;
⁓ one's teeth die Zähne zs.-beißen;
⁓ aside beiseite-stellen, -legen;
aufheben; ⁓ store by Wert legen
auf (*acc.*); ⁓ forth dartun; ⁓ off
hervorheben; anrechnen; ⁓ up
auf-, er-, ein-richten; aufstellen;
j. etablieren; **2.** *v/i. ast.* untergehen;
gerinnen; laufen (*Flut usw.*);
sitzen (*Kleid usw.*); ⁓ about a th.
et. anfangen; ⁓ forth aufbrechen;
⁓ (up)on anfangen; angreifen; ⁓ out
aufbrechen; ⁓ to sich daran m.;
⁓ up sich niederlassen; ⁓ up for
sich aufspielen als; **3.** fest; starr;
festgesetzt, bestimmt; vorgeschrie-
ben; ⁓ (up)on versessen auf (*acc.*);
⁓ with besetzt mit; *Barometer:* ⁓
fair beständig; hard ⁓ in großer
Not; ⁓ speech wohlüberlegte Rede;
4. Reihe, Folge, Sammlung *f*;

Satz *m*; Garnitu'r *f*; Servi'ce;
Radio: Gerät *n*; ✝ Kollektio'n;
Gesellschaft *f*; *Tennis:* Satz *m*;
Neigung; Richtung *f*; Sitz *m e-s*
Kleides usw.; Bühnenausstattung *f.*

set|back (ßĕ'tbä't) *fig.* Rückschlag
m; ⁓-down *fig.* Dämpfer *m*; ⁓-off
Kontra'st; Ausgleich *m.*

setting (ßĕ'tⁱnᵍ) Setzen *n usw.* (*s.*
set); Fassung *e-s Edelsteins*; *fig.*
Umra'hmung; ♩ Kompositio'n *f.*

settle (ßĕ'tl) *v/t.* (fest)setzen; *j.*
etablieren; regeln; *Geschäft* abschließen, abmachen, erledigen;
Frage entscheiden; *Rechnung* be-
gleichen; ordnen; beruhigen;
Streit beilegen; *Rente* aussetzen;
ansiedeln; *Land* besiedeln; *v/i.*
(*oft* ⁓ down) sich niederlassen; sich
einrichten; sich setzen (*a. Haus*);
sich legen (*Wut usw.*); beständig
w. (*Wetter*); sich entschließen; ⁓d
(ßĕ'tld) fest; beständig; ⁓ment
(ßĕ'tlm⁶nt) Festsetzung *f usw.*;
(An-)Siedlung; ✝ᵗᵢ *Eigentums-*
Übertra'gung *f*; ⁓r (ßĕ'tl⁶) (An-)
Siedler *m.*

set-to Kampf *m*; Schlägerei *f.*

seven (ßĕ'wn) sieben; ⁓teen(th)
(⁓tⁱ'n[th]) siebzehn[te(r, s)]; ⁓th
(ßĕ'wnth) **1.** □ siebente(r, s);
2. Siebentel *n*; ⁓tieth (ßĕ'wntⁱth)
siebzigste(r, s); ⁓ty (ßĕ'wntⁱ)
siebzig.   [lösen; zerreißen.]

sever (ßĕ'w⁶) (sich) trennen; (auf-)]
several □ (ßĕ'wr⁶l) besonder, einzeln; verschieden; mehrere, verschiedene; ⁓ly besonders, einzeln.

severance (ßĕ'w⁶r⁶nß) Trennung *f.*

sever|e □ (ßⁱwi'⁶) streng; rauh;
hart (*Winter*); scharf; ernst (*Mühe*);
heftig (*Schmerz usw.*); schlimm,
schwer (*Unfall usw.*); ⁓ity (ßⁱwĕ'-
rⁱtⁱ) Strenge, Härte; Schwere *f*;
Ernst *m.*

sew (ßö⁴) [*irr.*] nähen; heften.

sewer (ßju'⁶) Abzugskanal *m*; ⁓age
(ßjuⁱr¹ðG) Kanalisatio'n *f.*

sew|ing (ßö⁴ⁱnᵍ) **1.** Nähen *n*; Nähe-
rei *f*; **2.** Näh...; ⁓n (ßö⁴n) genäht.

sex (ßĕtß) Geschlecht *n.* [gräber *m.*]

sexton (ßĕ'tßt⁶n) Küster, Toten-]

sexual □ (ßĕ'tßjuⁱl) geschlechtlich;
Geschlechts...; sexue'll; Sexua'l...

shabby □ (ſchä'bi) schäbig (*a. fig.*).

shack *Am.* (ſchä't) Hütte, Bude *f.*

shackle (ſchä'tl) **1.** Fessel *f* (*fig. mst*
⁓s *pl.*); **2.** fesseln.

29*

shade (schēid) 1. Schatten (*a. fig.*); (*Lampen- usw.*)Schirm *m*; Schattierung; *fig.* Spur *f*; 2. beschatten; (*a. fig.*) verdunkeln; abschirmen; schützen; schattieren; ~ *off* allmählich übergehen (lassen) (*into in acc.*).

shadow (schä'dou) 1. Schatten(bild *n*) *m* (*a. fig.*); *s.* shade; Schutz *m*; 2. beschatten; (*mst* ~ *forth*) andeuten; versinnbildlichen; *j.* überwa'chen; ~y (~i) schattig, dunkel; schattenhaft.

shady (schē'di) schattenspendend; schattig; dunkel; F zweifelhaft.

shaft (schāft) Schaft; Stiel; Pfeil *m*; ⊕ Welle; Deichsel *f*; Schacht *m*.

shaggy (schä'gi) zottig.

shake (schēik) 1. [*irr.*] *v/t.* schütteln, rütteln; erschüttern; ~ *hands* sich die Hände geben *od.* schütteln; *v/i.* zittern, beben (*with, at* vor *dat.*); ♪ trillern; 2. Schütteln *n*; Erschütterung *f*; Beben *n*; ♪ Triller *m*; ~*hands pl.* Händedruck *m*; ~*n* (schē'i'∫'n) 1. geschüttelt; gezittert; 2. *adj.* erschüttert.

shaky □ (schē'i'ki) wacklig (*a. fig.*); (sch)wankend; zitterig.

shall (schäl) [*irr.*] *v/aux.* soll; werde.

shallow (schä'lou) 1. seicht; *fig.* oberflächlich; 2. Untiefe *f*.

sham (schäm) 1. falsch; Schein...; 2. Trug *m*; Täuschung *f*; Schwindler(in); 3. *v/t.* vortäuschen; *v/i.* sich *tot usw.* stellen; sich verstellen.

shamble (schä'mbl) watscheln; ~*s* (~∫) Schlachthaus *n*.

shame (schēim) 1. Scham; Schande *f*; *for* ~! pfui!; *put to* ~ beschämen; 2. beschämen; *j-m* Schande m.; ~*faced* □ (schēi'm∫e'i∫t) schamhaft; ~*ful* □ (schēi'm∫ul) schändlich; ~*less* □ (schēi'm∫'li∫) schamlos.

shampoo (schämpū') 1. *Haar* waschen; 2. Haarwäsche *f*.

shamrock (schä'mrŏk) Kleeblatt *n*.

shank (schän∫t) (Unter-)Schenkel; Stiel; Schaft *m*.

shanty (schä'nti) Hütte, Bude *f*.

shape (schēip) 1. Gestalt; (*a. fig.*) Form *f*; 2. *v/t.* gestalten, formen, bilden; anpassen (*to dat.*); *v/i.* sich gestalten; ~*less* □ (~li∫) formlos; ~*ly* (~li) wohlgestaltet.

share (schä'e) 1. (An-)Teil; A'ktie *f*; ⚒ Kux *m*; *go* ~*s pl.* teilen; 2. *v/t.*

teilen; *v/i.* teilhaben (*in* an *dat.*); ~*holder* ✝ Aktieninhaber(in).

shark (schāk) Hai(fisch); Gauner *m*.

sharp (schāp) 1. □ *allg.* scharf (*a. fig.*); spitz; *fig.* schneidend, stechend; schrill; hitzig; pfiffig, schlau, gerissen; F ~ *Fis n*; 2. *adv.* ♪ zu hoch; pünktlich; *look* ~! (mach') schnell!; 3. ♪ Kreuz *n*; durch ein Kreuz erhöhte Note; ~*en* (schā'pn) (ver)schärfen; spitzen; ~*er* (schā'pe) Gauner; ~*ness* (schā'pni∫) Schärfe (*a. fig.*); ~*-sighted* scharfsichtig; ~*-witted* scharfsinnig.

shatter (schä'te) zer-schmettern, -schlagen; *Nerven usw.* zerrütten.

shave (schēiv) 1. [*irr.*] (sich) rasieren; (ab)schälen; knapp vorbeikommen an (*dat.*); 2. Rasu'r *f*; *have a* ~ sich rasieren (l.); *a close* ~ ein Entkommen *n* mit knapper Not; ~*en* (schē'ivn) rasiert.

shaving (schē'iwiŋ) 1. ~*s pl.* (*bsd.* Hobel-)Späne *m/pl.*; 2. Rasie'r...

shawl (schŏl) Schal *m*, Umschlagtuch *n*.   [Weibchen *n von Tieren.|*

she (schī) 1. sie; 2. Sie *f*; she-...|

sheaf (schīf) Garbe *f*; Bündel *n*.

shear (schī'e) 1. [*irr.*] scheren; *fig.* rupfen; 2. ~*s pl. große* Schere *fig.*

sheat (schīth) Scheide *f*; ~*e* (schīdh) (in die Scheide) stecken; einhüllen; ⊕ bekleiden; beschlagen.

sheaves (schīwi) *pl.* Garben *f/pl.*; Bündel *n/pl.*

shed[1] (schēd) [*irr.*] aus-, ver-gießen; verbreiten; *Blätter usw.* abwerfen.

shed[2] (~) Schuppen *m*.

sheen (schīn) Glanz *m*.

sheep (schīp) Schaf(e *pl.*) *n*; Schafleder *n*; ~*cot*, ~*fold* Schafhürde *f*; ~*-dog* Schäferhund *m*; ~*ish* □ (schī'pisch) blöd(e); ~*skin* Schaffell; Schafleder *n*.

sheer (schī'e) rein; glatt; *Am.* hauchdünn; steil; senkrecht; direkt.

sheet (schīt) Platte *f*; Bogen *m*; Blatt; Laken *n*; Fläche *f*; ✝ Schot(e) *f*; ~*iron* Eisenblech *n*; ~*lightning* Wetterleuchten *n*.

shelf (schēlf) Brett, Rega'l, Fach; Riff *n*; *on the* ~ *fig.* ausrangiert.

shell (schēl) 1. Schale; Hülse; Muschel *f*; Gehäuse; Gerippe *n e-s Hauses*; Granate *f*; 2. schälen, enthülsen; bombardieren; ~*fish* Schaltier *n*; ~*proof* bombensicher.

shelter (ſchĕ'ĭtᵉ) 1. Obdach *n*; *fig.* Schutz, Schirm *m*; 2. *v/t.* (be-)schützen; (be)schirmen; *v/i.* Schutz suchen (*a. take* ⁓).

shelve (ſchĕlw) auf ein Brett stellen; *fig.* zu den Akten legen; *fig.* beiseite lassen; sich allmählich neigen.

shelves (ſchĕlwſ) *pl.* Regale *n/pl.*

shepherd (ſchĕ'pᵉð) 1. Schäfer, Hirt *m*; 2 (be)hüten; leiten. [nade *f.*]

sherbet (ſchö'bᵉt) (Brause-)Limo-{

shield (ſchīld) 1. *Schutz*-Schild *m*; 2. (be)schirmen (*from* vor *dat.*).

shift (ſchĭft) 1. Veränderung *f*, Wechsel; Behelf *m*; List *f*, Kniff *m*; *Arbeits*-Schicht *f*; *make* ⁓ es möglich m. (*to inf.* zu); sich behelfen; 2. *v/t.* (ver-, weg-)schieben; (ab)wechseln; verändern; *Platz, Szene usw.* verlegen, verlagern; *v/i.* wechseln; sich verlagern; umziehen; sich behelfen; ⁓ *for o.s.* sich selbst helfen; ⁓*less* □ (ſchĭ'ftlᵗḃ) hilflos; faul; ⁓**y** □ (ſchĭ'ftĭ) *fig.* gerissen.

shilling (ſchĭ'lĭnᵍ) *engl.* Schilling *m*.

shin (ſchĭn) 1. (*od.* ⁓-**bone**) Schienbein *n*; 2. ⁓ *up* hinaufklimmen.

shine (ſchäĭn) 1. Schein; Glanz *m*; 2. [*irr.*] scheinen; leuchten; *fig.* glänzen, strahlen; blank putzen.

shingle (ſchĭ'nᵍgl) Schindel *f*; *Am.* Schild *n*; Strandkiesel *m/pl.*; ⁓*s pl.* ⁓ Gürtelrose *f*.

shiny □ (ſchäĭ'nĭ) blank.

ship (ſchĭp) 1. Schiff *n*; 2. an Bord nehmen *od.* bringen; verschiffen, versenden; ⚓ heuern; ⁓**board** ⚓ *on* ⁓ an Bord; ⁓**ment** (ſchĭ'pmᵉnt) Verschiffung *f*; Versand *m*; Schiffsladung *f*; ⁓**owner** Reeder *m*; ⁓**ping** (ſchĭ'pĭnᵍ) 1. Verschiffung *f*; Schiffe *n/pl.*, Flotte *f*; 2. Schiffs...; Verschiffungs..., Verlade...; ⁓**wreck** 1. Schiffbruch *m*; 2. scheitern (*l.*); ⁓**wrecked** schiffbrüchig; ⁓**yard** Schiffswerft *f*.

shire (ſchäĭᵉ, ...ſchĭᵉ) Grafschaft *f*.

shirk (ſchö̆t) sich drücken (*um et.*); ⁓**er** (ſchö̆'tᵉ) Drückeberger *m*.

shirt (ſchö̆t) *Männer*-Hemd *n*; Hemdbluse *f* (*a.* ⁓-**blouse**).

shiver (ſchĭ'wᵉ) 1. Schauer *m*; 2. schau(d)ern; (er)zittern; ⁓**y** (⁓rĭ) fröstelnd.

shoal (ſchoᵘl) 1. Schwarm *m*, Schar; Untiefe *f*; 2. flacher w.; 3. seicht.

shock (ſchŏt) 1. Garbenhaufen;

Haar-Schopf; Stoß; Anstoß *m*; Erschütterung *f*, Schlag; ⚡ Nervenschock *m*; 2. *fig.* verletzen; empören, Anstoß erregen bei; erschüttern; ⁓**ing** □ (ſchŏ'tĭnᵍ) anstößig; empörend; haarsträubend.

shod (ſchŏd) beschuht; beschlagen.

shoddy (ſchŏ'ðĭ) 1. Lumpenwolle *f*; *fig.* Schund; *Am.* Protz *m*; 2. falsch; schundmäßig; *Am.* protzig.

shoe (ſchū) 1. Schuh *m*; Hufeisen *n*; 2. [*irr.*] beschuhen; beschlagen; ⁓**black** Schuhputzer *m*; ⁓**blacking**, ⁓**polish** Schuhputz *m*; ⁓**horn** Schuhanzieher *m*; ⁓**lace**; *Am.* ⁓**string** Schnürsenkel *m*; ⁓**maker** Schuhmacher *m*.

shone (ſchŏn) schien; geschienen.

shook (ſchŭt) schüttelte.

shoot (ſchūt) 1. *fig.* Schuß; ⚘ Schößling *m*; 2. [*irr.*] *v/t.* schießen; abschießen; erschießen; *Film* aufnehmen, drehen; *fig.* unter *e-r* Brücke *usw.* hindurch-, über *et.* hinweg-schießen; ⚘ treiben; *v/i.* schießen; stechen (*Schmerz*); stürzen; (*a.* ⁓ *forth*) ⚘ ausschlagen; ⁓ *ahead* vorwärts-eilen, -schießen; ⁓**er** (ſchū'tᵉ) Schütze *m*.

shooting (ſchū'tĭnᵍ) Schießen *n*; Jagd *f*; ⁓ *star* Sternschnuppe *f*.

shop (ſchŏp) 1. Laden *m*; Werkstatt *f*, Betrieb *m*; *talk* ⁓ fachsimpeln; 2. einkaufen gehen (*mst go* ⁓*ping*); ⁓**keeper** Ladeninhaber(in); ⁓**man** Ladengehilfe *m*; ⁓**steward** Betriebsobmann *m*; ⁓**window** Schaufenster *n*.

shore (ſchō) 1. Ufer *n*; Strand *m*; (*on* ⁓ an[s]) Land *n*; Stütze *f*; 2. ⁓ *up* (unter)stützen.

shorn (ſchŏn) geschoren.

short (ſchŏt) kurz (*a. fig.*); klein; knapp; bröck(e)lig, mürbe; *in* ⁓ kurz(um); ⁓ *of* knapp an (*dat.*), ohne; abgesehen von; *come* (*od. fall*) ⁓ *of* nicht erreichen; *cut* ⁓ plötzlich unterbre'chen; *fall* (*od. run*) ⁓ *ausgehen* (*Vorräte*); *stop* ⁓ *of* innehalten vor (*dat.*); ⁓**age** (ſchŏ'tḃḑ) Fehlbetrag; Gewichtsverlust *m*; Knappheit *f*; ⁓**coming** Unzulänglichkeit; Verknappung *f*; ⁓**cut** Abkürzungs-, Richtweg *m*; ⁓**dated** ✝ auf kurze Sicht; ⁓**en** (ſchŏ'tn) *v/t.* ab-, ver-kürzen; *v/i.* kürzer w.; ⁓**ening** (⁓nᵍ) Backfett *n*; ⁓**hand** Kurzschrift *f*; ⁓**ly**

(ʃŏ'tlĭ) adv. kurz; bald; ~ness (~nĭß) Kürze f; Mangel(haftigkeit f) m; ~sighted kurzsichtig; ~term kurzfristig; ~winded kurzatmig.
shot (ʃŏt) 1. schoß; geschossen; 2. Schuß m; Geschoß n, Kugel f; Schrot(korn) n; Schußweite f; Schütze; Sport: Stoß, Schlag, Wurf m; phot., Film: Aufnahme; ✳ Spritze f; have a ~ at et. versuchen; F not by a long ~ noch lange nicht; ~gun Schrotflinte f.
should (ʃŭd) sollte, würde.
shoulder (ʃŏu'ldᵉ) 1. Schulter (v. Tieren; fig. Vorsprung); Achsel f; 2. auf die Schulter (fig. auf sich) nehmen; ⚔ schultern; drängen; ~blade Schulterblatt n.
shout (ʃăut) 1. lauter Schrei od. Ruf; Geschrei n; 2. laut schreien.
shove (ʃăw) 1. Stoß m; 2. schieben, stoßen.   [schaufeln.]
shovel (ʃă'wl) 1. Schaufel f; 2.
show (ʃŏu) 1. [irr.] v/t. zeigen; ausstellen; erweisen; beweisen; ~ in hereinführen; ~ up hinaufführen; entlarven; v/i. sich zeigen; zu sehen sn; ~ off hervorstechen; 2. Schau(-stellung); Ausstellung f; Aufzug m; Vorführung; Anschein m; ~-case Vitri'ne f.
shower (ʃău'ᵉ) 1. (Regen-)Schauer m; Dusche f; fig. Fülle f; 2. überschütten; sich ergießen; ~y (ʃău'ᵉ-rĭ) regnerisch.
show|n (ʃŏun) gezeigt; ~room Ausstellungsraum m; ~window Am. Schaufenster; ~y □ (ʃŏu'ĭ) prächtig; prunkhaft.
shrank (ʃrän̄k) schrumpfte.
shred (ʃrĕd) 1. Stückchen n; Schnitz(el n) m; Fetzen m (a. fig.); 2. [irr.] (zer)schnitzeln; zerfetzen.
shrew (ʃrū) Zankteufel m.
shrewd (ʃrūd) scharfsinnig, schlau.
shriek (ʃrīk) 1. (Angst-)Schrei m; Gekreisch n; 2. kreischen.
shrill (ʃrĭl) 1. □ schrill; 2. schrillen, gellen; herauskreischen.
shrimp (ʃrĭmp) (a. fig.) Krabbe f.
shrine (ʃräĭn) Schrein; Alta'r m.
shrink (ʃrĭn̄k) [irr.] (ein-, zs.-) schrumpfen (l.); einlaufen; sich zurückziehen; zurückschrecken; (from, at vor dat.); ~age (ʃrĭn̄'-ĭdᴳ) Einlaufen n; Schrumpfung f; fig. Verminderung f.
shrivel (ʃrĭ'wl) einschrumpfen (l.).

shroud (ʃräŭd) 1. Leichentuch; fig. Gewand n; 2. einhüllen (a. fig.).
shrub (ʃrăb) Strauch; Busch m.
shrug (ʃrăg) 1. (die Achseln) zucken; 2. Achselzucken n.
shrunk (ʃrăn̄k) schrumpfte; (ein-, zs.-)geschrumpft (a. ~en).
shudder (ʃă'dᵉ) 1. schaudern; (er)beben; 2. Schauder m.
shuffle (ʃă'fl) 1. schieben; durchea.-bringen; Kartenspiel: mischen; schlurren; Ausflüchte m.; ~ off ab-schieben, -streifen; 2. Schieben n; schleppender Gang m; Ausflucht f.
shun (ʃăn) (ver)meiden.
shunt (ʃănt) 1. 🚂 Rangieren n; 🚂 Weiche f; ⚡ Nebenschluß m; 2. 🚂 rangieren; ⚡ ableiten; fig. verschieben.
shut (ʃăt) [irr.] 1. (sich) schließen; zumachen; ~ down Betrieb schließen; ~ up ein-, verschließen; halte den Mund!; 2. schloß; geschlossen; ~ter (ʃă'tᵉ) Fensterladen; phot. Verschluß m.
shuttle (ʃă'tl) 1. ⊕ Schiffchen n; Pendelverkehr m; ⊕ pendeln.
shy (ʃäĭ) 1. □ scheu; schüchtern; 2. (zurück)scheuen (at vor dat.).
shyness (ʃäĭ'nĭß) Schüchternheit; Scheu f.   [2. Sibirier(in).]
Siberian (ßäĭbī'rĭᵉn) 1. sibirisch;
sick (ßĭk) krank (of an dat.; with vor dat.); übel; überdrüssig; be ~ for lechzen nach; ~en (ßĭ'ĭn) v/i. siechen; erkranken; ~ at sich ekeln vor (dat.); v/t. krank m.; anekeln; ~fund Krankenkasse f.
sickle (ßĭ'kl) Sichel f.
sick|-leave Krankheitsurlaub m; ~ly (ßĭ'klĭ) kränklich; siech; ungesund (Klima); ekelhaft; matt (Lächeln); ~ness (~nĭß) Krankheit; Übelkeit f.
side (ßäĭd) 1. allg. Seite f; ~ by ~ Seite an Seite; take ~ with Partei ergreifen für; 2. Seiten...; Neben...; 3. Partei' nehmen (with für); ~board Büfe'tt n; ~car mot. Beiwagen m; ~light Streiflicht n; ~long adv. seitwärts; adj. seitlich; Seiten...; ~path Bürgersteig m; ~stroke Seitenschwimmen n; ~-track 1. 🚂 Nebengleis n; 2. auf ein N. schieben; ~walk Am. Bürgersteig m; ~ward(s) (ßäĭ'dwᵉd[ß]), ~ways seitlich; seitwärts.

siding 👟 (ßaɪ'dɪnᵍ) Nebengleis *n.*

sidle (ßaɪ'dl) seitwärts gehen.

siege (ßiɔꞬ) Belagerung *f;* *lay ~ to* belagern.

sieve (ßiw) Sieb *n.*

sift (ßɪft) sieben; *fig.* sichten; prüfen.

sigh (ßaɪ) 1. Seufzer *m;* 2. seufzen.

sight (ßaɪt) 1. Gesicht *n,* Sehkraft *f; fig.* Auge *n;* Anblick *m;* Visie'r *n;* Sicht *f; ~s pl.* Sehenswürdigkeiten *f/pl.; catch ~ of* zu Gesicht bekommen; *lose ~ of* aus den Augen verlieren; 2. sichten; anvisieren; **~ly** (ßaɪ'tlɪ) ansehnlich, stattlich; **~-seeing** (ßaɪ'tßiɪnᵍ) Besuchen *n* von Sehenswürdigkeiten.

sign (ßaɪn) 1. Zeichen; Schild *n; in ~ of* zum Zeichen (*gen.*); 2. *v/i.* winken; *v/t.* (unter)zei'chnen.

signal (ßɪ'gnl) 1. Signa'l *n;* 2. □ bemerkenswert, außerordentlich; 3. signalisieren; **~ize** (ßɪ'gnᵉlaɪ) auszeichnen.

signat|ory (ßɪ'gnᵉtᵉrɪ) 1. Unterzei'chner *m;* 2. unterzei'chnend; *~ powers pl.* Signata'rmächte *f/pl.;* **~ure** (ßɪ'gnᵃtɪtʃᵉ) Signatu'r; Unterschrift *f; ~ tune* Radio: Sendezeichen *n.*

sign|board (Aushänge-)Schild *n;* **~er** (ßaɪ'nᵉ) Unterzei'chner(in).

signet (ßɪ'gnɪt) Siegel *n.*

signific|ance (ßɪgnɪ'fɪtᵉnß) Bedeutung *f;* **~ant** □ (*~tᵉnt*) bedeutsam; bezeichnend (*of* für); **~ation** (ßɪgnɪfɪtᵉɪ'ʃᵉn) Bedeutung *f.*

signify (ßɪgnɪfaɪ) bezeichnen, andeuten; bedeuten.

signpost Wegweiser *m.*

silence (ßaɪ'lᵉnß) 1. (Still-)Schweigen *n; ~!* Ruhe!; 2. zum Schweigen bringen; **~r** (*~ᵉ*) Schalldämpfer *m.*

silent □ (ßaɪ'lᵉnt) still; schweigend; schweigsam; stumm.

silk (ßɪlk) 1. Seide *f;* 2. Seiden...; **~en** □ (ßɪ'lkᵉn) seiden; **~worm** Seidenraupe *f;* **~y** □ (ßɪ'lkɪ) seidig.

sill (ßɪl) Schwelle *f;* Fensterbrett *n.*

silly □ (ßɪ'lɪ) albern, töricht.

silt (ßɪlt) 1. Schlamm *m;* 2. verschlammen (*mst ~ up*).

silver (ßɪ'lwᵉ) 1. Silber *n;* 2. silbern; Silber...; 3. versilbern; **~y** (*~rɪ*) silberglänzend; silberhell.

similar □ (ßɪ'mɪlᵉ) ähnlich, gleich; **~ity** (ßɪmɪlä'rɪtɪ) Ähnlichkeit *f.*

simile (ßɪ'mɪlɪ) Gleichnis *n.*

similitude (ßɪmɪ'lɪtjūd) Gestalt *f;* Ebenbild; Gleichnis *n.*

simmer (ßɪ'mᵉ) sieden, brodeln (l.).

simper (ßɪ'mpᵉ) 1. einfältiges Lächeln; 2. einfältig lächeln.

simple □ (ßɪ'mpl) einfach; schlicht; einfältig; arglos; **~-hearted** naï'v; **~ton** (*~tᵉn*) Tropf *m.*

simpli|city (ßɪmplɪ'ßɪtɪ) Einfachheit; Klarheit, Schlichtheit; Einfalt *f;* **~fy** (*~faɪ*) vereinfachen.

simply (ßɪ'mplɪ) einfach; bloß.

simulate (ßɪ'mᵘlᵉɪt) vortäuschen; (er)heucheln.

simultaneous □ (ßɪmᵉlteɪ'nɪᵉß) gleichzeitig.

sin (ßɪn) 1. Sünde *f;* 2. sündigen.

since (ßɪnß) 1. *prp.* seit; 2. *adv.* seitdem; 3. *cj.* seit(dem); da (ja).

sincer|e □ (ßɪnßɪᵉ') aufrichtig; **~ity** (ßɪnßeᵉrɪtɪ) Aufrichtigkeit *f.*

sinew (ßɪ'njū) Sehne *f; fig. mst ~s pl.* Nerven(kraft *f*) *m/pl.;* Seele *f;* **~y** (*~ʲū*) schnig; nervig, stark.

sinful □ (ßɪ'nfᵘl) sündig, sündhaft.

sing (ßɪnᵍ) [*irr.*] singen; besingen; *~ to a p.* j-m vorsingen; **~ing bird** Singvogel *m.*

singe (ßɪndꞬ) (ver)sengen.

singer (ßɪ'nᵍᵉ) Sänger(in).

single (ßɪ'nᵉgl) 1. □ einzig; einzeln; Einzel...; einfach; ledig; *~ entry* einfache Buchführung; *~ file* Gänsemarsch *m;* 2. *Tennis:* Einzelspiel *n;* 3. *~ out* ab-, aus-sondern; **~-breasted** einreihig (*Rock*); **~-handed** ohne Hilfe, selbständig; **~t ✝** (ßɪ'nᵉglɪt) Unterjacke *f;* **~-track** eingleisig.

singular (ßɪ'nᵉgᵘlᵉ) einzigartig; eigenartig; sonderbar; **~ity** (ßɪnᵉgiᵘlä'rɪt) Einzigartigkeit *f.*

sinister (ßɪ'nɪßtᵉ) unheilvoll; böse.

sink (ßɪnᵍt) 1. [*irr.*] *v/i.* sinken; nieder-, unter-, ver-sinken; sich senken; *v/t.* (ver)senken; *Brunnen* bohren; *Geld* festlegen; *Namen usw.* aufgeben; 2. Ausguß *m;* **~ing** (*~ɪnᵍ*) 🕭 Schwäche(gefühl *n*) *f;* *~ fund* (Schulden-)Tilgungsfonds *m.*

sinless (ßɪ'nlɪß) sünd(en)los.

sinner (ßɪ'nᵉ) Sünder(in).

sinuous □ (ßɪ'nɪᵘᵉß) gewunden.

sip (ßɪp) 1. Schlückchen *n;* 2. schlürfen; nippen.

sir (ßᵼ) Herr *n.; ~* Sir (*Titel*).

siren (ßaɪᵉ'rɪn) Sire'ne *f.*

sirloin (ßᵼ'lɔɪn) Lendenstück *n.*

sister (ßĭ'ßté) Schwester f; ~hood (~hŭd) Schwesternschaft f; ~in--law (~ĭnlŏ) Schwägerin f; ~ly (~lĭ) schwesterlich.

sit (ßĭt) [irr.] v/i. sitzen; Sitzung halten, tagen; fig. liegen; ~ down sich setzen; v/t. setzen; sitzen auf (dat.).

site (ßăĭt) Lage f; (Bau-)Platz m.

sitting (ßĭ'tĭnğ) Sitzung f; ~-room Wohnzimmer n.

situat|ed (ßĭ'tĭu⁴e⁴tĭd) gelegen; ~ion (ßĭtĭu⁴'ßⁿe⁴n) Lage; Stellung f.

six (ßĭkß) 1. sechs; 2. Sechs f; ~teen (ßĭ'kßtĭ'n) sechzehn; ~teenth (~th) sechzehnte(r, s); ~th (ßĭkßth) sechste(r, s); 2. Sechstel n; ~tieth (ßĭ'kßtĭe⁴th) sechzigste(r, s); ~ty (ßĭ'kßtĭ) 1. sechzig; 2. Sechzig f.

size (ßăĭß) 1. Größe f; Format n; 2. nach der Größe ordnen; ~ up j. abschätzen; ~d (~ß) von ... Größe.

siz(e)able (ßăĭ'ßébl) ziemlich groß.

sizzle (ßĭ'ßl) zischen; knistern.

skat|e (ßĭe⁴t) 1. Schlittschuh; (= roller-~) Rollschuh m; 2. Schlittschuh laufen; ~er (ßĭe⁴'té) Schlittschuhläufer(in).

skein (ßĭe⁴n) Strähne, Docke f.

skeleton (ßĭe⁴'ĭtn) Skele'tt; Gerippe; Gestell n; attr. ✕ Stamm...; ~ key Nachschlüssel m.

sketch (ßĭetßch) 1. Skizze f; Entwurf; 2. skizzieren, entwerfen.

ski (ßchĭ, Am. ßĭ) 1. pl. ~ Schi, Schneeschuh m; 2. Schi laufen.

skid (ßĭd) 1. Hemm-schuh m, -kette; ✕ Kufe f; Rutschen n; 2. v/t. hemmen; v/i. (aus)rutschen.

skilful ☐ (ßĭ'lfᵘl) geschickt; kundig.

skill (ßĭl) Geschicklichkeit, Fertigkeit f; ~ed geschickt; gelernt; Fach...

skim (ßĭm) 1. abschöpfen; abrahmen; dahingleiten über (acc.); Buch überflie'gen; ~ through durchblättern; 2. ~ milk Magermilch f.

skimp (ßĭmp) j. knapp halten; knausern (mit et.); ~y ☐ (ßĭ'mpĭ) knapp, dürftig.

skin (ßĭn) 1. Haut f; Fell n; Schale; Rinde f. 2. v/t. häuten; abbalgen; Baum abrinden; ~ off abstreifen; v/i. zuheilen (a. ~ over); ~-deep (nur) oberflächlich; ~flint Knicker m; ~ny (ßĭ'nĭ) mager.

skip (ßĭp) 1. Sprung m; 2. v/i. hüpfen, springen; v/t. überspri'ngen.

skipper (ßĭ'pé) Schiffer, Kapitä'n m.

skirmish ✕ (ßkö'mĭßch) 1. Scharmützel n; 2. plänkeln.

skirt (ßkŏt) 1. (Frauen-)Rock; (Rock-)Schoß; Saum m; 2. umsäu'men; (sich) entlangziehen (an dat.). [☐ (ßkĭ'tĭßch) ungebärdig.]

skit (ßkĭt) Stichelei; Sati're f; ~tish]

skittle (ßkĭ'tl) Kegel m; play (at) ~s pl. K.schieben; ~alley K.bahn f.

skulk (ßkᵘlk) schleichen; sich verstecken; lauern; sich um et. drükken; ~er (ßkᵘ'lké) Drückeberger m.

skull (ßkᵘl) Schädel m.

sky (ßkăĭ) Himmel m; ~lark 1. orn. Feldlerche f; 2. Ulk treiben; ~light Oberlicht; Dachfenster n; ~line Horizo'nt m; Silhouette f; ~scraper Wolkenkratzer m; ~ward(s) (~wéd[ß]) himmelwärts.

slab (ßläb) Platte; Scheibe; Fliese f.

slack (ßläk) 1. schlaff; locker; (nach)lässig; ✝ flau; 2. ⚓ Lose f (loses Tauende); ✝ flaue Zeit; Kohlengrus m; ~s pl. weite (Arbeits-)Hose; 3. = ~en; = slake; ~en (ßlä'kn) schlaff m. od. w.; verringern; nachlassen; (sich) lockern; (sich) entspannen; (sich) verlang-]

slag (ßläg) Schlacke f. [samen.]

slain (ßle⁴n) erschlagen. [stillen.]

slake (ßle⁴k) Kalk löschen; fig.]

slam (ßläm) 1. Zuschlagen n; Knall m; 2. Tür usw. zuschlagen, knallen; et. auf den Tisch usw. knallen.

slander (ßlä'ndé) 1. Verleumdung f; 2. verleumden; ~ous ☐ (~ré⁴ß) verleumderisch. [Umgangssprache.]

slang (ßlänğ) Zunftsprache f; lässige]

slant (ßlänt) 1. Abhang m; Neigung f; Am. Standpunkt m; 2. schräg legen (od. liegen); sich neigen; ~ing ☐ (ßlä'ntĭnğ) adj., ~wise (~wăĭß) adv. schief, schräg.

slap (ßläp) 1. Klaps, Schlag m; 2. klapsen; schlagen; klatschen.

slash (ßläßch) 1. Hieb m; Schmarre f; Schlitz m; 2. (auf-)schlitzen; (um sich) hauen (od. schlagen).

slate (ßle⁴t) 1. Schiefer m; Schiefertafel f; 2. mit Schiefer decken; abkanzeln; ~pencil Griffel m.

slattern (ßlä'tö⁴n) Schlampe f.

slaughter (ßlŏ'té) 1. Schlachten; Gemetzel n; 2. schlachten; niedermetzeln; ~house Schlachthaus n.

Slav (ßlăw) 1. Slaw|e m, -in f; 2. slawisch.

slave (ßle⁴w) 1. Sklav|e *m*, -in *f*; *attr.* Sklaven...; 2. sich placken.

slaver (ßlä'wᵉ) 1. Geifer, Sabber *m*; 2. (be)geifern, (be)sabbern.

slav|ery (ßle⁴w'rⁱ) Sklaverei; Plakkerei *f*; ⁓**ish** □ (⁓wiſch) sklavisch.

slay (ßle⁴) [*irr.*] erschlagen; (hin-)morden.

sled (ßleð), ⁓**ge**¹ (ßleðᵍ) Schlitten *m*.

sledge² (⁓) Schmiedehammer *m*.

sleek (ßlīt) 1. □ glatt, geschmeidig; 2. glätten; ⁓**ness** (ßlī'tⁿⁱß) Glätte *f*.

sleep (ßlīp) 1. [*irr.*] *v/i.* schlafen; ⁓ (up)on *et.* beschlafen; *v/t. i. f.* für die Nacht unterbringen; ⁓ *away* verschlafen; 2. Schlaf *m*; ⁓**er** (⁓ᵉ) Schläfer(in); ♐ Schwelle *f*; F Schlafwagen *m*; ⁓**ing** (⁓īⁿᵍ): ⁓ *partner* stiller Teilhaber *m*; ♐ ⁓**ing-car(riage)** Schlafwagen *m*; ⁓**less** □ (⁓lⁱß) schlaflos; ⁓**walker** Schlafwandler (-in); ⁓**y** □ (⁓ⁱ) schläfrig; verschlafen.

sleet (ßlīt) 1. Graupelregen *m*; 2. graupeln; ⁓**y** (ßlī'tⁱ) graupelig.

sleeve (ßlīw) Ärmel *m*; ⊕ Muffe *f*.

sleigh (ßle⁴) Schlitten *m*.

sleight (ßlä⁴t) (*mst* ⁓ *of hand*) Taschenspielerei *f*; Kunststück *n*.

slender □ (ßle'nðᵉ) schlank; schmächtig; schwach; dürftig.

slept (ßlēpt) schlief; geschlafen.

sleuth (ßlūⁱɥ) *fig.* Spürhund *m*.

slew (ßlū) erschlug.

slice (ßlä⁴ß) 1. Schnitte, Scheibe *f*; Teil *m*; 2. (in Scheiben) zer-, abschneiden.

slick (ßlⁱt) F glatt; *Am.* schlau; ⁓**er** *Am.* (ßlⁱ'tᵉ) Schwindler *m*.

slid (ßlⁱð) glitt; geglitten.

slide (ßlä⁴ð) 1. [*irr.*] gleiten (l.); rutschen; schlittern; ausgleiten; geraten (*into* in *acc.*); *let things* ⁓ die Dinge laufen l.; 2. Gleiten *n*; *Am.* Erd- *usw.* Rutsch *m*, Lawi'ne; Gleit-, Schlitter-bahn *f*; ⊕ Schieber *m*; Lichtbild *n*; ⁓**rule** Rechenschieber *m*.

slight (ßlä⁴t) 1. □ schmächtig; schwach; gering, unbedeutend; 2. Geringschätzung *f*; 3. geringschätzig behandeln; unbeachtet l.

slim (ßlⁱm) schlank; = slight.

slim|e (ßlä⁴m (Schlamm; Schleim *m*; ⁓**y** (ßlä⁴mⁱ) schlammig; schleimig.

sling (ßlⁱⁿᵍ) 1. Schleuder *f*; Tragriemen *m*, -seil *n*; ♉ Schlinge *f*; 2. [*irr.*] schleudern; auf-, überhängen; hissen.

slink (ßlⁱⁿᵍt) [*irr.*] schleichen.

slip (ßlⁱp) 1. [*irr.*] *v/i.* schlüpfen, gleiten, rutschen; ausgleiten; ausrutschen; entschlüpfen (*oft* ⁓ *away*); sich versehen; *v/t.* schlüpfen (*od.* gleiten) l.; loslassen; entschlüpfen, -gleiten (*dat.*); ⁓ *a p.'s memory* j-m entfallen; ⁓ *on* (off) *Kleid* über-, (ab-)streifen; 2. (Aus-)Gleiten *n*; Fehltritt *m* (*a. fig.*); Versehen *n*; Streifen; Zettel *m*; Unterkleid *n*; ♐ Helling *f*; (Kissen-)Überzug *m*; ⁓**s** *pl.* Badehose *f*; *give a p. the* ⁓ j-m entwischen; ⁓**per** (ßlⁱ'pᵉ) Pantoffel, Hausschuh *m*; ⁓**pery** □ (ßlⁱ'p'rⁱ) schlüpfrig; ⁓**shog** (ßlⁱ'p(ⁱ)shôð) latschig, lotterig; ⁓**t** (ßlⁱpt) schlüpfte; geschlüpft.

slit (ßlⁱt) 1. Schlitz *m*; Spalte *f*; 2. [*irr.*] auf-, zer-)schlitzen.

sliver (ßlⁱ'wᵉ) Splitter *m*.

slogan (ßlⁱⁿᵍe'n) Schlagwort *n*, Losung *f*.

sloop ♐ (ßlūp) Schaluppe *f*.

slop (ßlôp) 1. ⁓**s** *pl.* Spül-, Schmutzwasser; labberiges Zeug *n*; 2. *v/t.* verschütten; *v/i.* überlaufen.

slope (ßlⁿᵘp) 1. Abhang *m*; Abdachung *f*; Neigung *f*; 2. schräg legen *od.* verlaufen; abfallen; (sich) neigen. [lotterig; labberig.]

sloppy □ (ßlô'pⁱ) naß, matschig;)

slot (ßlôt) Schlitz *m*.

sloth (ßlⁿᵘɥ) Faulheit *f*.

slot-machine Verkaufs-Automa'tm.

slouch (ßlⁿᵘtſch) 1. schlaff herabhängen; krumm gehen; 2. schlaffe Haltung; ⁓ *hat* Schlapphut *m*.

slough¹ (ßlⁿᵘ) Sumpf(loch *n*) *m*.

slough² (ßlⁿf) *Haut* abwerfen.

sloven (ßlʌ'wⁿ) Liederjan *m*; Schlampe *f*; ⁓**ly** (⁓lⁱ) liederlich.

slow (ßlⁿᵘ) 1. □ langsam (*of* in *dat.*); schwerfällig; lässig; *be* ⁓ nachgehen (*Uhr*); 2. (*oft* ⁓ *down, up, off*) *v/t.* verlangsamen; *v/i.* langsam(er) w. *od.* gehen, fahren; ⁓**coach** Nölpeter *m*, -liese *f*; ⁓**motion** *Film*: ⁓ *picture* Zeitlupenaufnahme *f*; ⁓**worm** *zo.* Blindschleiche *f*. [*m.*]

sludge (ßlʌðɢ) Schlamm; Matsch)

slug (ßlʌg) 1. Wegschnecke *f*; Hackblei *n*; *Am.* F (Faust-)Schlag *m*; 2. *Am.* F hauen.

slugg|ard (ßlʌ'gᵉð) Faulenzer(in); ⁓**ish** □ (ßlʌ'gⁱſch) träg, faul.

sluice (ßlūß) 1. Schleuse *f*; 2. ausströmen; spülen; schleusen.

slum (ßlam) schmutzige Gasse; ~s pl. Elendsviertel n.

slumber (ßla'mbᵉ) 1. (a. ~s pl.) Schlummer m; 2. schlummern.

slump (ßlamp) Börse: 1. fallen, stürzen; 2. (Kurs-, Preis-)Sturz m.

slung (ßlaŋ) schlenderte; geschlendert.

slunk (ßlaŋ⁴) schlich; geschlichen.

slur (ßlᵊ) 1. Fleck; fig. Tadel m; ♪ Bindezeichen n; 2. v/t. überge'hen; ♪ Töne binden.

slush (ßlaſch) Schlamm; Matsch m.

sly □ (ßlãi) schlau, verschmitzt; on the ~ heimlich.

smack (ßmäk) 1. (Bei-)Geschmack m Prise; fig. Spur f; Schmatz; Schlag, Klatsch m; 2. schmecken (of nach); e-n Beigeschmack h.; klatschen, knallen (mit); schmatzen (mit).

small (ßmól) allg. klein; dünn (Regen); kleinlich; ~ change Kleingeld n; ~ fry das kleine Volk; anat. ~ of the back Kreuz n; ~arms pl. Handfeuerwaffen f/pl.; ~ish (ßmó'liſch) ziemlich klein; ~pox ⸾⸾ pl. Blattern f/pl.; ~talk Plauderei f.

smart (ßmát) 1. □ scharf; gewandt; gescheit; gerissen; schmuck, elega'nt, fesch; 2. Schmerz m; 3. schmerzen; leiden; ~money Schmerzensgeld n; ~ness (ßmá'tniß) Schärfe; Gewandtheit; Elega'nz f.

smash (ßmäſch) 1. v/t. zerschmettern; fig. vernichten; zerschmettern; v/i. zerschmettern, fig. zs.-brechen; (dahin)stürzen; 2. Zerschmettern n; Krach; Zs.-bruch (a. ✝); Tennis: Schmetterschlag m; ~up Zs.-stoß; Zs.-bruch m.

smattering (ßmä't⁴riŋ) oberflächliche Kenntnis f.

smear (ßmlᵉ) 1. beschmieren, schmieren; 2. Schmierfleck m.

smell (ßmél) 1. Geruch m; 2. [irr.] riechen (an dat., a. ~ at; of nach et.).

smelt¹ (ßmélt) roch; gerochen.

smelt² (~) schmelzen. [lächeln.]

smile (ßmãil) 1. Lächeln n; 2.]

smirch rhet. (ßmóᵗſch) besudeln.

smirk (ßmóᵗk) grinsen; schmunzeln.

smite (ßmãit) [irr.] schlagen; heimsuchen; schwer treffen; quälen.

smith (ßmiẞ) Schmied m.

smithereens (ßmi'dhᵉrī'nß) pl. Stücke n/pl., Splitter, Fetzen m/pl.

smithy (ßmi'dhi) Schmiede f.

smitten (ßmi'tn) 1. geschlagen; 2. ergriffen; bezaubert (with von).

smock (ßmók) 1. fälteln; 2. Arbeitskittel m (a. ~frock).

smoke (ßmouᵏf) 1. Rauch m; have a ~ rauchen; 2. rauchen; dampfen; (aus)räuchern; ~dried geräuchert; ~r (ßmouᵏtᵉ) Raucher; ⟺ F Raucher-wagen m, -abteil n; ~stack 🚂, ♣ Schornstein m.

smoking (ßmouᵏfiŋ) Rauch(er)...; ~compartment Raucherabteil n.

smoky (~fi) rauchig; verräuchert.

smooth (ßmūdh) 1. □ glatt; fig. fließend; mild; schmeichlerisch; 2. glätten; ebnen (a. fig.); plätten; fig. wegräumen (a. ~ over); ~ness (ßmū'dhniß) Glätte f.

smote (ßmouᵗ) schlug.

smother (ßmᵊ'dhᵉ) ersticken.

smoulder (ßmouᵘldᵉ) schwelen.

smudge (ßmadÓ) 1. (be)schmutzen; 2. Schmutzfleck m.

smug (ßmag) selbstzufrieden.

smuggle (ßmá'gl) schmuggeln; ~r (~ᵉ) Schmuggler(in).

smut (ßmat) 1. Schmutz; Ruß (-fleck) m; Zoten f/pl.; 2. beschmutzen.

smutty □ (ßmᵊ'ti) schmutzig.

snack (ßnäk) Imbiß m; ~bar Imbiß-f.

snaffle (ßnä'fl) Trense f. [halle f.]

snag (ßnäg) (Ast-, Zahn-)Stumpf; fig. Haken; Am. Baumstamm m.

snail (ßnélᵉ) zo. Schnecke f.

snake (ßnéᵏᵉ) zo. Schlange f.

snap (ßnäp) 1. Schnapp; Knack(s), Knall; fig. Schwung, Schmiß m; Schnappschloß n; cold ~ Kältewelle f; 2. v/i. schnappen (at nach); zuschnappen (Schloß); krachen; knacken; (zer)brechen, schnauzen Am. funkeln; v/t. (er)schnappen; (zu)schnappen l.; phot. knipsen; zerbrechen; ~ out Wort hervorstoßen; ~ up wegschnappen; ~fastener Druckknopf m; ~pish □ (ßnä'piſch) bissig; ~py F flott; ~shot Schnappschuß m, phot. Mome'ntaufnahmef.

snare (ßnéᵉ) 1. Schlinge f; 2. fangen; fig. umga'rnen.

snarl (ßnál) 1. knurren; murren; Am. verfitzen; 2. Am. Verfitzung f.

snatch (ßnätſch) 1. schneller Griff; Ruck m; Stückchen n; 2. (er-)schnappen; (an sich) reißen; ~ at greifen nach; ~ up aufraffen.

sneak (ßnīf) 1. *v/i.* schleichen; *v/t.* F stibitzen; 2. Schleicher *m*; **~ers** (ßnīˈfᵉ) *pl. Am.* Turnschuhe *m/pl.*

sneer (ßnīᵉ) 1. Hohnlächeln *n*; Spott *m*; 2. hohnlächeln; spötteln.

sneeze (ßnīf) 1. niesen; 2. Niesen *n*.

snicker (ßnīˈfᵉ) kichern; wiehern.

sniff (ßnif) schnüffeln; riechen; die Nase rümpfen.

snigger (ßnīˈgᵉ) kichern.

snip (ßnip) 1. Schnitt *m*; Schnipsel *n*; 2. schnippeln, schnipseln.

snipe (ßnāip) aus dem Hinterhalt (ab)schießen. [hochnäsig.]

snippy *Am.* F (ßnīˈpi) schnippisch;)

snivel (ßnīˈwl) schluchzen; plärren.

snob (ßnŏb) Großtuer; Streber *m*; **~bish** (ßnŏˈbißch) vornehm tuend.

snoop *Am.* (ßnūp) 1. *fig.* (umher-) schnüffeln; 2. Schnüffler(in).

snooze F (ßnūf) 1. Schläfchen *n*;) **snore** (ßnō) schnarchen. [2. dösen.]

snort (ßnōt) schnauben, schnaufen.

snout (ßnāut) Schnauze *f*.

snow (ßnōᵘ) 1. Schnee *m*; 2. (be-) schneien; *be ~ed under fig.* erdrückt w.; **~drift** Schneewehe *f*; **~y** □ (ßnōᵘˈi) schneeig; schneeweiß.

snub (ßnαb) 1. *fig.* anfahren; 2. Verweis *m*; **~nosed** stumpfnasig.

snuff (ßnαf) 1. Schnuppe *f* *e-r Kerze*; Schnupftabak *m*; 2. schnupfen (*a. take* **~**); *Licht* putzen; **~le** (ßnαˈfl) schnüffeln; näseln.

snug □ (ßnαg) geborgen; behaglich; dicht; **~gle** (ßnαˈgl) (sich) schmiegen *od.* kuscheln (*to an acc.*).

so (ßōᵘ) so; also; *I hope* **~** *will be* es; *are you tired?* **~** *I am* bist du müde? ja; *you are tired,* **~** *am I* du bist müde, ich auch; **~** *far* bisher.

soak (ßōᵘk) *v/t.* einweichen; durchnässen; ein-, auf-saugen; *v/i.* weichen; durchsickern.

soap (ßōᵘp) 1. Seife; *soft* **~** Schmierseife *f*; 2. (ein)seifen; **~box** Seifenkiste *f*; -behälter *m*; **~y** □ (ßōᵘˈpi) seifig. [schwingen;✗ segelfliegen.]

soar (ßō) sich erheben, sich auf-)

sob (ßŏb) 1. Schluchzen *n*; 2. schluchzen.

sober (ßōᵘˈbᵉ) 1. □ nüchtern; 2. (sich) ernüchtern; **~ness** (**~**nᵗß), **sobriety** (ßᵒbrāiˈᵉti) Nüchternheit *f*.

so-called (ßōᵘˈfōld) sogenannt.

sociable □ (ßōᵘˈßchᵉbl) 1. gesellig; gemütlich; 2. *Am.* gemütliches Zs.-sein *n*.

social (ßōᵘˈßchᵉl) 1. □ gesellschaftlich; gesellig; sozia'l...; Sozia'l...; **~** *service* Sozialeinrichtung *f*; 2. geselliges Zs.-sein; **~ize** (**~**āif) sozialisieren. [Verein *m*.]

society (ßᵉßāiˈᵉti) Gesellschaft *f*;)

sociology (ßōᵘßiˈŏ'lᵒdᵍi) Sozia'l-wissenschaft *f*.

sock (ßŏf) Socke; Einlegesohle *f*.

socket (ßŏˈfit) Tülle, Hülse; *Augen-* Höhle; ⊕ Muffe; ∮ Fassung *f*.

soda (ßōᵘˈdᵉ) Soda *f*; **~fountain** Siphon *m*; *Am.* Minera'lwasserausschank *m*.

sodden (ßŏˈdn) durchwei'cht; teigig.

soft □ (ßŏft) *allg.* weich; *engS.* mild; sanft; sacht, leise; weichlich; *Am.* F **~** *drink* alkoholfreies Getränk; **~en** (ßŏˈfn) weich m.; (sich) erweichen; mildern.

soggy (ßŏˈgi) durchnä'ßt; feucht.

soil (ßŏil) 1. Boden *m*, Erde *f*; Fleck; Schmutz *m*; 2. (be-) schmutzen.

sojourn (ßŏˈdᵍön) 1. Aufenthalt *m*; 2. sich aufhalten.

solace (ßŏˈlᵉß) 1. Trost *m*; 2. trösten.

sold (ßōᵘld) verkaufte; verkauft.

solder (ßŏˈldᵉ) 1. Lot *n*; 2. löten.

soldier (ßōᵘˈldᵍᵉ) Solda't *m*; **~like**, **~ly** (**~**li) soldatisch; **~y** (**~**ri) Militä'r *n*.

sole[1] □ (ßōᵘl) alleinig, einzig.

sole[2] □ 1. Sohle *f*; 2. besohlen.

solemn □ (ßŏˈlᵉm) feierlich; ernst; **~ity** (ßᵒlᵉˈmnˈiti) Feierlichkeit; Steifheit *f*; **~ize** (ßŏˈlᵉmnāif) feiern; feierlich vollziehen.

solicit (ßᵉlīˈßit) (dringend) bitten; ansprechen, belästigen; **~ation** (ßᵉlīßiˈteiˈßchᵉn) dringende Bitte *f*; **~or** (ßᵉlīˈßitᵉ) *ᵗs* Anwalt; *Am.* Werbeage'nt *m*; **~ous** □ (**~**ᵉß) besorgt; **~** *of* begierig nach; **~ude** (**~**jūd) Besorgnis; Bemühung *f*.

solid □ (ßŏˈlid) 1. fest; dicht; massi'v; ∮ körperlich, Raum...; *fig.* gediegen; soli'd; triftig; solida'risch; *a* **~** *hour* **~** *s* volle Stunde; **~** *tire* Vollgummireifen *m*; 2. (fester) Körper; **~arity** (ßŏlidāˈriti) Solidaritä't *f*; **~ify** (ßᵉlīˈdᵒfāi) (sich) verdichten; **~ity** (**~**ti) Solditä't; Gediegenheit *f*. [*n*, Monolo'g *m*.]

soliloquy (ßᵉlīˈlᵒkwi) Selbstgespräch)

solit|ary □ (ßŏˈlitᵉri) einsam; einzeln; einsiedlerisch; **~ude** (**~**tjūd) Einsamkeit; Öde *f*.

solo (ḥŏ⁰'lŏ⁰) Solo *n*; ⚔ Alleinflug *m*; ~ist (ḥŏ⁰'lŏ⁰ḃt) Soli'st(in).

solu|ble (ḥŏ'l¹ŭbl) löslich; (auf-) lösbar; ~tion (ḥ°lü'ḉ°n) (Auf-) Lösung; ⊕ Gummilösung *f*.

solv|e (ḥŏlw) lösen; ~ent (~w°nt) 1. (auf)lösend; ✝ zahlungsfähig; 2. Lösungsmittel *n*.

somb|re, ~er □ (ḥŏ'mb°) düster.

some (ḥam, ḥ°m) irgendein; etwas; einige, manche *pl.*; *20 miles* etwa 20 Meilen; *in* ~ *degree, to* ~ *extent* einigermaßen; ~body (ḥa'mb°ŏĭ), ~one (~ŭan) jemand; ~how (~ḥaŭ) irgendwie; ~ *or other* so oder so.

somer|sault (ḥa'm°ḅŏlt), ~set (~ḃĕt) Purzelbaum *m*; *turn* ~*s pl.* radschlagen.

some|thing (ḥa'mṫĥĭⁿ°) (irgend) etwas; ~ *like* so etwas wie, so ungefähr; ~time (~ṫaĭm) 1. einmal, dereinst; 2. ehemalig; ~times manchmal; ~what (~ŭŏt) etwas, ziemlich; ~where (~ŭä°) irgend-[wo(hin.)] son (ḥan) Sohn *m*.

song (ḥŏⁿ°) Gesang *m*; Lied; Gedicht *n*; F *for a* ~ für e-n Pappenstiel; ~bird Singvogel *m*; ~ster (ḥŏ'nⁿ°ḃt°) Singvogel; Sänger *m*.

son-in-law Schwiegersohn *m*.

sonorous □ (ḥ°nŏ'r°ḃ) klangvoll.

soon (ḥŭn) bald; früh; gern; *as* (*od. so*) ~ *as* sobald (als *od.* wie); ~er (ḥü'n°) eher; früher; lieber; *no* ~ ... *than* kaum ... als; *no* ~ *said than done* gesagt, getan.

soot (ḥŭt) 1. Ruß *m*; 2. verrußen.

sooth|e (ḥŭ̄ð) 1. eingeweichter Brocken; *fig.* Bestechung *f*; 2. einweichen. ~sayer (ḥü'ṫḥ̣ḃeĭ°) Wahrsager(in).

sooty □ (ḥü'ṫĭ) rußig.

sop (ḥŏp) 1. eingeweichter Brocken; *fig.* Bestechung *f*; 2. einweichen.

sophist|icate (ḥŏ'fĭ'ḃt¹ḱeĭt) verdrehen; verfälschen; ~icated (~'ĭð) aufgeklärt; kultiviert; intellektu'ell; ~ry (ḥŏ'fĭ'ḃtrĭ) Spitzfindigkeit *f*.

soporific (ḥŏ⁰p°rĭ'fĭt) (~ally) einschläfernd(es Mittel), Schlafmittel *n*.

sorcer|er (ḥŏ'ḃ°r°) Zauberer *m*; ~ess (~rĭḃ) Zauberin; Hexe *f*; ~y (~rĭ) Zauberei *f*.

sordid □ (ḥŏ'ŏĭð) schmutzig.

sore (ḥŏ̄) 1. ~ schlimm; wund; weh; empfindlich; ~ *throat* Halsweh *n*; 2. wunde Stelle *f*.

sorrel (ḥŏ'r°l) 1. rötlichbraun (*bsd. Pferd*); 2. Fuchs *m* (*Pferd*).

sorrow (ḥŏ'rŏ⁰) 1. Sorge *f*; Kummer *m*; 2. trauern; sich grämen; ~ful □ (ḥŏ'r°fᵘl) traurig; elend.

sorry □ (ḥŏ'rĭ) traurig; (*I am*) (so) ~! es tut mir (sehr) leid; Verzeihung!; *I am* ~ *for you* Sie tun mir leid.

sort (ḥŏt) 1. Sorte; Art *f*; *people of all* ~*s pl.* allerlei; Leute; F ~ *of* gewissermaßen; eigentlich; *out of* ~*s pl.* unpäßlich; verdrießlich; 2. sortieren; ~ *out* (aus)sondern.

sot (ḥŏt) Trunkenbold *m*. [schen.]

sough (ḥaŭ) 1. Sausen *n*; 2. rau-]

sought (ḥŏt) suchte; gesucht.

soul (ḥŏⁱl) Seele *f*.

sound (ḥaŭnð) 1. □ *allg.* gesund; ganz; vernünftig; gründlich; fest; ✝ sicher; ⅞ gültig; 2. Ton, Schall, Laut, Klang *m*; ⚓ Sonde; Meerenge; Fischblase *f*; (er)tönen, (er-) klingen; erschallen (l.); sich *gut usw.* anhören; sondieren; ⚓ loten; ⚓ abhorchen; ~ing ⚓ (ḥaŭ'ðnĭⁿ°) Lotung *f*; ~*s pl.* lotbare Wassertiefe; ~less □ (~l¹ḃ) lautlos; ~ness (~nⁱḃ) Gesundheit *f*; ~proof.]

soup (ḥŭp) Suppe *f*. [schalldicht.]

sour (ḥaŭ°) 1. □ sauer; *fig.* bitter; mürrisch; 2. *v/t.* säuern; *fig.* verer-bittern; *v/i.* sauer werden.

source (ḥŏ̊ḃ) Quelle *f*; Ursprung *m*.

sour|ish □ (ḥaŭ°rĭ'ḉḥ) säuerlich; ~ness (~nⁱḃ) Säure; *fig.* Bitterkeit *f*.

souse (ḥaŭḃ) (ein)pökeln; eintauchen; durchnä'ssen; gießen.

south (ḥaŭṫḥ) 1. Süd(en) *m*; 2. Süd...; südlich; ~east 1. Südost(en) *m*; 2. südöstlich (*a.* ~ -eastern).

souther|ly (ḥa'ðʰ°lĭ), ~n (ḥa'ðʰ°n) südlich; Süd...; ~ner (~°) Südländer(in), *Am.* ~staatler(in).

southernmost (~mŏⁿḃt) südlichst.

southward, ~ly (ḥaŭ'ṫʰᵘ°ĕð, ~lĭ), ~s (~l) *adv.* süd-wärts, -lich.

south|-west 1. Südwest(en) *m*; 2. südwestlich (*a.* ~-westerly, ~ -western, ~-wester Südwestwind; ⚓ Südwester *m*.

souvenir (ḥü'w°nĭ°) Andenken *n*.

sovereign (ḥŏ'wr¹n) 1. □ höchst; unübertre'fflich; unumschränkt; 2. Herrscher(in); Sovereign *m* (*20-Schilling-Stück*); ~ty (~ṫĭ) Oberherrschaft, Landeshoheit *f*.

soviet (ḥŏ⁰'wĭⁿt) Sowjet *m*.

sow¹ (ḥaŭ) *zo.* Sau (*a.* ⊕ = Massel*f*.

sow² (ßoᵘ) [irr.] (aus)säen, aus-
streuen; besäen; ~n (ßoᵘn) gesät.
spa (ßpā) Heilbad *n*; Kurort *m*.
space (ßpeⁱß) 1. Raum; Zwischen-
raum; Zeitraum *m*; 2. *typ.* sperren.
spacious □ (ßpeⁱˡˢĥⁱˡẞ) geräumig;
spade (ßpeⁱd) Spaten *m*; *Karten-*
weit, umfa²ssend. [*spiel:* Pik *n*.]
span (ßpän) 1. Spanne; Spannweite *f*; *Am.* Gespann *n*; 2. (um-,
über-)spa²nnen; (aus)messen.
spangle (ßpä²n°gl) 1. Flitter *m*;
2. beflittern; *fig.* übersä²en.
Spaniard (ßpä²nⁱⁱᵇd) Spanier(in).
Spanish (ßpä²nⁱˡßĥ) spanisch.
spank ⸋ (ßpänⁱᵏᵗ) 1. (ver)hauen; 2.
Klaps *m*; ~ing (ßpä²nⁱᵏⁱⁿᵍ) scharf.
spar (ßpā) 1. ⚓ Spiere *f*; ⚒ Holm
m; 2. boxen; *fig.* sich streiten.
spare (ßpä²ᵉ) 1. □ spärlich, sparsam; mager; überflüssig; überschüssig; Ersatz...; Reserve...; ~
time Freizeit *f*; 2. ⊕ Ersatzteil *m*;
3. sparen (mit); *j-m et.* ersparen;
entbehren; erübrigen; *j-m et.* abgeben; (ver)schonen.
sparing □ (ßpä²ᵉⁱⁿᵍ) sparsam.
spark (ßpāᵏ) 1. Funke(n); lustiger
Gesell; Gala²n *m*; 2. Funken
sprühen; ~(ing)-**plug** *mot.* Zünd-
kerze *f*.
sparkle (ßpāᵏˡ) 1. Funke(n) *m*;
Funkeln *n*; 2. funkeln; blitzen;
schäumen; *sparkling wine* Schaum-
wein *m*.
sparrow (ßpä²roᵘ) *orn.* Sperling *m*.
sparse □ (ßpāß) spärlich, dünn.
spasm (ßpä²ßm) Krampf *m*; -odic
(-al □) (ßpä²mᵒ¹dⁱᵏ, ~ᵒ¹dⁱᵏᵉˡ) krampfhaft.   [*f*; 2. spie; gespien.]
spat (ßpät) 1. (Knöchel-)Gamasche⸥
spatter (ßpä²tᵉ) (be)spritzen.
spawn (ßpŏn) 1. Laich *m*; *fig. contp.*
Brut *f*; 2. laichen; *fig.* aushecken.
speak (ßpīᵏ) [irr.] *v/i.* sprechen;
reden; ~ *out*, ~ *up* laut sprechen;
sich aussprechen; ~ *to j.* (od. *mit
j-m*) sprechen; *v/t.* (aus)sprechen;
äußern; ~**er** (ßpīˡᵏᵉ) Sprecher(in);
parl. Vorsitzende(r) *m*; ~**ing-
-trumpet** Sprachrohr *n*.
spear (ßpiᵉ) 1. Speer, Spieß *m*;
Lanze *f*; 2. (auf)spießen.
special (ßpeˡßĥᵉˡ) 1. □ besonder;
Sonder...; spezie²ll; Spezia²l...;
2. Hilfspolizist *m*; Sonderausgabe
f; Sonderzug *m*; ~**ist** (~ᵢߵᵗ) Spe-
ziali²st *m*; ~**ity** (ßpeˡßĥⁱˡä¹lⁱᵗⁱ) Be-

sonderheit *f*; Spezia²lfach *n*; ✝
Spezialitä²t *f*; ~**ize** (ßpeˡˡßĥᵉˡläⁱß)
(sich) spezialisieren; ~**ty** (ßpeˡ-
ßĥˡtⁱ) *s.* speciality.
specie (ßpīˡßĥⁱ) Meta²ll, Hartgeld *n*;
~**s** (ßpīˡßĥⁱß) Art, Gattung *f*.
speci|fic (ßpⁱ¹ßⁱˡfⁱᵗ) (~*ally*) spezi-
fisch; besonder; bestimmt; ~**fy**
(~ˡßāⁱ) spezifizieren, einzeln angeben;
~**men** (~mⁱⁿ) Probe *f*, Exempla²r *n*.
specious □ (ßpīˡßĥᵉˡß) blendend,
bestechend; trügerisch; Schein...
speck (ßpeᵏ) 1. Fleck *m*; Stückchen
n; 2. flecken; ~**le** (ßpeˡᵏˡ) 1. Fleck-
chen *n*; 2. flecken, sprenkeln.
spectacle (ßpeˡᵏᵗᵉˡ) Schauspiel *n*;
Anblick *n*; ~**s** *pl.* Brille *f*.
spectacular □ (ßpeᵏᵗäˡtⁱᵘˡᵉ) eindrucksvoll; auffallend.
spectator (ßpeᵏᵗeⁱˡtᵉ) Zuschauer *m*.
spect|ral □ (ßpeˡᵏᵗrᵉˡ) gespenstisch;
~**re**, ~**er** (ßpeˡᵏᵗᵉ) Gespenst *n*.
speculat|e (ßpeᵏᵏⁱᵘˡeⁱᵗ) (nach)sin-
nen; ✝ spekulieren; ~**ion** (ßpeᵏᵏⁱᵘ-
leⁱˡßĥᵉⁿ) theoretische Betrachtung;
Grübelei; ✝ Spekulatio²n *f*; ~**ive**
□ (ßpeˡᵏⁱᵘˡᵉⁱᵗⁱᵛ) grüblerisch; theo-
retisch; ✝ spekulierend; ~**or**
(~leⁱᵗᵉ) Denker; ✝ Spekula²nt *m*.
sped (ßpeᵈ) eilte; geeilt.
speech (ßpīᵗßĥ) Sprache; Rede *f*;
~**less** □ (ßpīˡᵗßĥˡⁱß) sprachlos.
speed (ßpīᵈ) 1. Geschwindigkeit;
Eile *f*; *mot.* Gang *m*; *good* ~*d* viel
Glück!; 2. [irr.] *v/i.* sich sputen,
eilen; Erfolg *h.*; *v/t.* fördern; *j-m*
Glück auf den Weg; ~ *up* beschleunigen; ~**limit** zulässige Höchst-
geschwindigkeit *f*; ~**ometer** (ßpī-
dŏ¹mⁱᵗᵉ) *mot.* Geschwindigkeits-
messer *m*; Auto(renn)bahn *f*; ~**y**
□ (ßpīˡdⁱ) schnell.
spell (ßpeˡl) 1. (Arbeits-)Zeit, ⊕
Schicht *f*; Weilchen *n*; Zauber
(-spruch) *m*; 2. [irr.] buchstabieren; richtig schreiben; bedeuten;
~**bound** *fig.* (fest)gebannt; ~**er** (~ˡᵉ)
bsd. Am. Fibel *f*; ~**ing** (~lⁱⁿᵍ) Recht-
schreibung *f*; ~**ing-book** Fibel *f*.
spelt (ßpeˡlᵗ) buchstabiert(e).
spend (ßpeⁿᵈ) [irr.] verwenden;
(Geld) ausgeben; verbrauchen;
verschwenden; verbringen; (~ *o.s.*
sich) erschöpfen; ~**thrift** (ßpeˡnᵈᵗ-
þrⁱfᵗ) Verschwender *m*.
spent (ßpeⁿᵗ) 1. verwendet(e); 2.
adj. erschöpft, matt.
sperm (ßpᵒⁿm) Same(n) *m*.

spher|e (ßfiᵉ) Kugel; Erd-, Himmels-kugel; *fig.* Sphäre *f*; (Wirkungs-, Denk-)Kreis; Bereich *m*; *fig.* Gebiet *n*; ~ical □ (ßfᵉ′rⁱtᵉl) kugelförmig.

spice (ßpaß) 1. Gewürz(e *pl.*) *n*; *fig.* Würze *f*; Anflug *m*; 2. würzen.

spick and span (ßpⁱ′t′ⁿßpä′n) funkelnagelneu; schmuck.

spicy □ (ßpai′ßⁱ) würzig; pika′nt.

spider (ßpai′dᵉ) *zo.* Spinne *f*.

spigot *Am.* (ßpⁱ′gᵉt) Faß-Zapfen *m*.

spike (ßpaiⁱ) 1. langer Nagel; Stachel *m*; & Ähre *f*; 2. festnageln; mit *eisernen* Stacheln versehen.

spill (ßpⁱl) 1. [*irr.*] *v/t.* verschütten; vergießen; F *Reiter usw.* abwerfen; schleudern; *v/i.* überlaufen; 2. F spilt (ßpⁱlt) verschüttet(e). [Sturz.]

spin (ßpⁱn) 1. [*irr.*] spinnen (*a. fig.*); wirbeln; sich drehen; ~ *along* dahinrollen; 2. Drehung *f*; (rasche) Fahrt.

spinach & (ßpⁱ′nⁱᵈℭ) Spina′t *m*.

spinal □ (ßpai′nl) Rückgrat...; ~ *column* Wirbelsäule *f*; ~ cord, ~ marrow Rückenmark *n*.

spindle (ßpⁱ′ndl) Spindel *f*.

spine (ßpaⁱn) Rückgrat *n*; Dorn *m*.

spinning|-mill Spinnerei *f*; ~-wheel Spinnrad *n*.

spinster (ßpⁱ′nßtᵉ) unverheiratete Frau; (alte) Jungfer *f*.

spiny (ßpai′nⁱ) dornig.

spiral (ßpai′rᵉl) 1. □ spira′lig; ~ *staircase* Wendeltreppe *f*; 2. Spira′le *fig.* Wirbel *m*. [Spitze *f.*]

spire (ßpaiᵉ) *Turm-, Berg-* usw.)

spirit (ßpⁱ′rⁱt) 1. *allg.* Geist; Sinn *m*; Temperame′nt, Leben *n*; Spiritus, Sprit; *mot.* Kraftstoff *m*; ~s *pl.* (*high* gehobene, *low* gedrückte) Stimmung *f*; Spirituo′sen *pl.*; 2. ~ *away, off* wegzaubern; ~ed □ (~ⁱd) geistvoll; temperame′ntvoll; mutig, ~less □ (~lⁱß) geistlos; temperame′ntlos; mutlos.

spiritual □ (ßpⁱ′rⁱtⁱuᵉl) geistig; geistlich; geistvoll; ~ism (~ⁱm) Spiriti′smus *m*.

sprituous (ßpⁱ′rⁱtⁱuᵉß) alkoholisch.

spirt (ßpᵉt) (hervor)spritzen.

spit (ßpⁱt) 1. Bratspieß *m*; Landzunge *f*; Speichel *m*; F Ebenbild *n*; 2. [*irr.*] (aus)speien (~)spucken; fauchen; sprühen (*fein regnen*); aufspießen.

spite (ßpait) 1. Bosheit *f*; Groll *m*; *in* ~ *of* trotz; 2. ärgern; kränken; ~ful (ßpai′tⁱᵘl) boshaft, gehässig.

spitfire (ßpⁱ′tfaiᵉ) Hitzkopf *m*.

spittle (ßpⁱ′tl) Speichel *m*, Spucke *f*.

spittoon (ßpⁱ′tūⁿ) Spucknapf *m*.

splash (ßpläᵈℭ) 1. Spritzfleck *m*; P(l)atschen *n*; 2. (be)spritzen; p(l)atschen.

splayfoot (ßplei′fūt) Spreizfuß *m*.

spleen (ßplīn) Milz *f*; üble Laune.

splend|id □ (ßplẽ′ndⁱd) glänzend, prächtig, herrlich; ~o(u)r (~ᵈᵉ) Glanz *m*, Pracht, Herrlichkeit *f*.

splice (ßpläß) (ver)spleißen.

splint & (ßplⁱnt) 1. Schiene *f*; 2. schienen; ~er (ßplⁱ′ntᵉ) 1. Splitter *m*; 2. (zer)splittern.

split (ßplⁱt) 1. Spalt, Riß *m*; *fig.* Spaltung *f*; 2. spaltete; gespalten; 3. [*irr.*] *v/t.* (zer)spalten; zerreißen; ~ *hairs* Haarspalterei treiben; ~ *one's sides with laughing* sich totlachen; *v/i.* sich spalten; platzen; ~ting (ßplⁱ′tⁱng) heftig, rasend. [deln.]

splutter (ßplᵃ′tᵉ) *s. sputter* sprudeln.

spoil (ßpⁱl) 1. (*oft* ~s *pl.*) Beute *f*, Raub *m*; *fig.* Ausbeute; *pol. bsd. Am.* ~s *pl.* Futterkrippe *f*; 2. [*irr.*] (be)rauben; plündern; verderben; verwöhnen; Kind verziehen.

spoke (ßpoᵘⁱ) 1. sprach; 2. Speiche; (Leiter-)Sprosse *f*; ~n (ßpoᵘ′ⁱⁿ) gesprochen; ~sman (ßpoᵘⁱßmᵉⁿ) Wortführer *m*.

sponge (ßpᵃndℭ) 1. Schwamm *m*; 2. *v/t.* mit e-m Sch. (ab)wischen; ~ *up* aufsaugen; *v/i.* schmarotzen; ~-cake Biskui′tkuchen *m*; ~r (ßpᵃ′ndℭᵉ) Schmarotzer(in).

spongy (ßpᵃ′ndℭⁱ) schwammig.

sponsor (ßpᵒ′nßᵉ) 1. Pate; Bürge; Förderer; *Am.* Rundfunkreklameabonnent *m*; 2. Pate stehen bei; fördern.

spontane|ity (ßpͻntᵉni′tⁱ) Freiwilligkeit; eigener Antrieb *m*; ~ous □ (ßpͻnteⁱ′nⁱ*ß*) freiwillig, von selbst (entstanden); Selbst...; unwillkürlich; unvermittelt.

spook (ßpūⁱ) Spuk *m*.

spool (ßpūl) 1. Spule *f*; 2. spulen.

spoon (ßpūn) 1. Löffel *m*; 2. löffeln; ~ful (ßpū′nfᵘl) Löffelvoll *m*.

sport (ßpͻt) 1. Sport *m*; Spiel *n*; *fig.* Spielball *m*; Scherz *m*; *sl.* feiner Kerl; 2. *v/i.* sich belustigen; spielen; *v/t.* F protzen mit; ~ive □ (ßpͻ′tⁱw) lustig; scherzhaft; ~sman (ßpͻ′tßmᵉⁿ) Sportler *m*.

spot (ßpŏt) 1. *allg.* Fleck; Makel *m*; Stelle *f*; 2. sofort liefer- *od.* zahlbar; 3. flecken; F ausfindig m.; F erkennen; **~less** □ (ßpŏ'tĭ*ß) fleckenlos; **~light** Scheinwerfer (-licht *n*) *m*; **~ty** (ßpŏ'tĭ) fleckig.

spouse (ßpặŭ) Gatte *m*; Gattin *f*.

spout (ßpặŭt) 1. Tülle *f*; Strahlrohr *n*; (Wasser-)Strahl *m*; 2. (aus-) spritzen; F salba'dern.

sprain (ßpreⁱn) 1. Verstauchung *f*; 2. verstauchen.

sprang (ßpräng) sprang.

sprawl (ßpröl) (sich) rekeln; ausgestreckt daliegen; ♀ wuchern.

spray (ßpreⁱ) 1. zerstäubte Flüssigkeit; Sprühregen; Gischt; Zerstäuber *m* (*a.* **~er**); 2. zer-, bestäuben.

spread (ßprĕd) 1. [*irr.*] *v/t.* (*a.* **~ out**) (aus)breiten; (aus)dehnen; verbreiten; belegen; *Butter usw.* aufstreichen; *Brot usw.* bestreichen; **~ the table** den Tisch decken; *v/i.* sich aus-, ver-breiten; 2. verbreitete, breitete aus; verbreitet, ausgebreitet; 3. Aus-, Ver-breitung; Spannweite; Fläche *f*; *Brot-*Aufstrich *m*.

spree F (ßprī) Spaß, Jux *m*, Bummel(zeit *f*) *m*; Zechgelage *n*.

sprig (ßprĭg) Sproß *m*, Reis *n* (*a. fig.*); ⊕ Zwecke *f*, Stift *m*.

sprightly (ßprāⁱtlĭ) lebhaft.

spring (ßprĭng) 1. Sprung; Satz *m*; Sprungfeder; Federkraft; Triebfeder; Quelle *f*; *fig.* Ursprung; Frühling *m*; 2. [*irr.*] *v/t.* springen l.; (zer)sprengen; *Wild* aufjagen; ⊕ **~ a leak** leck w.; **~ on a p.** j-m mit e-r Überraschung *usw.* ins Gesicht springen; *v/i.* springen; entspringen; ♀ sprießen; **~ up** aufkommen (*Ideen usw.*); **~-board** Sprungbrett *n*; **~-tide** Springflut; Frühling(szeit *f*) *m* (*a.* **~-time**); **~y** □ (ßprĭn'gĭ) federnd.

sprinkl|e (ßprĭn'kĭ) sprenkeln; (be-) sprengen; **~ing** (**~ĭng**) Sprühregen *m*; *a* **~** ein wenig, ein paar.

sprint (ßprĭnt) *Sport:* 1. Kurzstreckenlauf; Sprint *m*; 2. sprinten.

sprite (ßprāⁱt) Geist, Kobold *m*.

sprout (ßpặŭt) 1. sprossen, wachsen (l.); 2. ♀ Sproß *m*.

spruce F □ (ßprūß) schmuck, nett.

sprung (ßprŭng) sprang; gesprungen.

spry *bsd. Am.* (ßprāⁱ) munter, flink.

spun (ßpŭn) spann; gesponnen.

spur (ßpö) 1. Sporn; *fig.* Ansporn *m*; **act on the ~ of** the moment der Eingebung des Augenblicks folgen; 2. (an)spornen.

spurious □ (ßpjŭ⁹'rⁱ⁰ß) unecht.

spurn (ßpön) mit dem Fuße (weg-) stoßen; verächtlich zurückweisen.

spurt (ßpöt) 1. sich zs.-reißen; *Sport:* spurten; *s. spirt;* 2. plötzliche Anstrengung, Ruck; *Sport:* Spurt *m*.

sputter (ßpʌ'tⁱ⁰) 1. Gesprudel *n*; 2. (hervor)sprudeln; spritzen.

spy (ßpāⁱ) 1. Böö *f*; Spähner(in); Spio'n(in); 2. (er)spähen; spionieren; Fernglas *n*.

squabble (ßĭwŏ'bĭ) 1. Zank *m*, Kabbelei *f*; 2. (sich) zanken.

squad (ßĭwŏd) Rotte *f*, Trupp *m*; **~ron** (ßĭwŏ'drⁿn) ✕ Schwadro'n; ✕ Staffel *f*; ♆ Geschwader *n*.

squalid □ (ßĭwŏ'lĭd) schmutzig.

squall (ßĭwŏl) 1. Böö *f*; Schrei *m*; **~s** *pl.* Geschrei *n*; 2. (auf)kreischen.

squander (ßĭwŏ'ndⁱ⁰) verschwenden.

square (ßĭwä⁹⁰) 1. □ viereckig; quadra'tisch; rechtwinklig; eckig; gründlich; in Ordnung; quitt, gleich; ehrlich; offen; **~ measure** Quadra't-, Flächen-maß *n*; *2 feet* **~** zwei Fuß im Quadra't; 2. Quadra't; Viereck; *Schach*-Feld *n*; *öffentlicher* Platz; Winkelmaß *n*; 3. *v/t.* viereckig m.; einrichten (*with nach*), anpassen (*dat.*); ✝ be-, aus-gleichen; *v/i.* passen (*with zu*); überei'nstimmen, **~toes** F Peda'nt *m*.

squash (ßĭwŏ'ßĭ) 1. Brei *m*; F Gedränge *n*; 2. (zer-, zs.-)quetschen.

squat (ßĭwŏt) 1. untersetzt; 2. hocken, kauern; **~ter** (ßĭwŏ'tⁱ⁰) *Am.* Schwarzsiedler *m*.

squawk (ßĭwŏk) 1. kreischen, schreien; 2. Gekreisch, Geschrei *n*.

squeak (ßĭwīk) quieken, quietschen.

squeal (ßĭwīl) quäken; quieken.

squeamish □ (ßĭwī'mĭßĭ) empfindlich; mäkelig; ek(e)lig.

squeeze (ßĭwīß) 1. (sich) drücken; (sich) quetschen; auspressen; *fig.* (be)drängen; 2. Druck *m*; Gedränge *n*; **~r** (ßĭwī'tⁱ⁰) Presse *f*.

squelch F (ßĭwĕltßĭ) (z)erdrücken.

squint (ßĭwĭnt) schielen; blinzeln.

squire (ßĭwāⁱ⁰) 1. (Land-)Junker *m*; 2. *e-e Dame* begleiten.

squirm F (ħšwöm) sich winden.
squirrel (ħšwĭ'rĕl, *Am.* ħšwö'rĕl) Eichhörnchen *n.*
squirt (ħšwöt) 1. Spritze *f*; Strahl; F *Am.* Wichtigtuer *m*; 2. spritzen.
stab (ħštäb) 1. Stich *m*; 2. *v/t.* (er-)stechen; *v/i.* stechen (*at* nach).
stability (ħštĕbǐ'lǐtǐ) Standfestig-, Beständig-keit *f*; ~ze (ħštä'bǐlǎiʒ) stetig m., stabilisieren.
stable □ (ħštĕi'bl) stabil, fest.
stable² (ᴗ) 1. Stall *m*; 2. einstallen.
stack (ħštäk) 1. ♣ Schober *Heu usw.*; Stapel; Schornstein(reihe *f*) *m*; Rega'l *n*; *Am.* F Haufen *m*; 2. aufstapeln. [*n.*]
stadium (ħšteí'ðǐĕm) *Sport:* Stadion|
staff (ħštäf) 1. Stab (*a.* ✖), Stock *m*; ♪ Notensyste'm; Persona'l *n*; 2. mit Personal versehen.
stag (ħštäg) *zo.* Hirsch *m.*
stage (ħšteiðʒ) 1. Gerüst *n*; Bühne *f*; Schauplatz *m*; Statio'n, Haltestelle; Etappe *f*, Stadium *n*; 2. inszenieren; **~-coach** Postkutsche *f*; **~-manager** Regisseu'r *m.*
stagger (ħštä'gĕ) 1. *v/i.* (sch)wanken, taumeln; *v/t.* wankend m.; staffeln; 2. Schwanken *n*; Staffelung *f.*
stagna|nt □ (ħštä'gnĕnt) stockend; träg; ♥ still; **~te** (ᴗne¹t) stocken.
staid □ (ħšteiɨb) gesetzt, ruhig.
stain (ħšteiɨn) 1. Fleck(en) *m* (*a. fig.*); ⊕ Beize *f*; 2. fleckig m.; *fig.* beflecken; ⊕ beizen, färben; **~ed glass** buntes Glas; **~less** (ħšteiɨ'nǐɨs) ungefleckt; *fig.* fleckenlos; rostfrei.
stair (ħšteiɨ) Stufe; **~s** *pl.* Treppe *f*; **~case,** *Am.* **~way** Treppe(nhaus *n*) *f.*
stake (ħšteiɨt) 1. Pfahl; Marterpfahl; Spiel-Einsatz (*a. fig.*); *Sport:* **~s** *pl.* Preis *m*; **be at** ~ auf dem Spiele stehen; ~ (um)pfä'hlen; aufs Spiel setzen; ~ **out,** ~ **off** abstecken.
stale □ (ħšteiɨl) alt; schal, abgestanden; verbraucht (*Luft*); fad.
stalk (ħštöt) 1. Stengel, Stiel; Halm *m*; *hunt.* Pirsch *f*; 2. *v/i.* einherschleichen; einherstolzieren; pirschen; *v/t.* beschleichen.
stall (ħštöl) 1. (*Verkaufs-, Pferde-*) Stand *m*, (Markt-)Bude *f*; *thea.* Sperrsitz *m*; 2. einstallen; *mot.* aussetzen.
stallion (ħštä'lǐĕn) Hengst *m.*
stalwart (ħštö'lwĕt) stramm, stark.
stamina (ħštä'mǐnĕ) Ausdauer *f.*

stammer (ħštä'mĕ) 1. stottern, stammeln; 2. Stottern *n.*
stamp (ħštämp) 1. (Auf-)Stampfen *n*; ⊕ Stampfe(r *m*) *f*; Stempel *m* (*a. fig.*); (Brief-)Marke; Art *f*; 2. stampfen; prägen; stanzen; (ab-)stempeln (*a. fig.*); frankieren.
stampede (ħštämpǐ'ð) 1. Pa'nik, wilde Flucht *f*; 2. durchgehen (m.).
stanch (ħštänʃ) 1. hemmen; stillen; 2. fest; zuverlässig; treu.
stand (ħštänð) 1. [*irr.*] *v/i. allg.* stehen; stillstehen, stehenbleiben; bestehen (bleiben); ~ *against j-m* widerste'hen; ~ *aside* beiseite treten; ~ *back* zurücktreten; ~ *by* dabeistehen; *fig.* (fest)stehen zu; bereitstehen; ~ *for* kandidieren für; bedeuten; eintreten für; ⌐ sich *et.* gefallen l.; ~ *off* zurücktreten (von); ~ *out* hervorstehen; sich abheben (*against* gegen); ~ *over* stehen(*od.* liegen)bleiben; ~ *to bleiben* bei; ~ *up* aufstehen; sich erheben; ~ *up for* eintreten für; 2. *v/t.* (hin)stellen; aushalten, (v)ertragen; über sich ergehen l.; F spendieren (*a.* ~ *treat*); 3. Stand *m*; Stelle *f*; Stillstand; Widerstand; Ständer *m*; Tribüne *f*; *make a* ~ *against* standhalten (*dat.*).
standard (ħštä'nðĕð) 1. Standa'rte, Fahne *f*; Ständer *m*; Norm, Regel *f*; Norma'lmaß *n*; Währung *f*; Maß (-stab *m*) *n*; 2. maßgebend; Norma'l...; **~ize** (ᴗǎiʒ) norm(ier)en.
stand-by (ħštä'nðbai') Beistand *m.*
standing (ħštä'nðǐng) 1. □ stehend; fest; (be)ständig; *parl.* ~ *orders pl.* Geschäftsordnung *f*; 2. Stellung *f*, Rang; Ruf *m*; Dauer *f*; **~room** Stehplatz *m.*
stand...: **~offish** zurückhaltend; **~point** Standpunkt *m*; **~still** Stillstand *m*; **~-up:** ~ *collar* Steh-]
stank (ħštängf) stank. [kragen *m.*]
stanza (ħštä'nǐĕ) Stanze; Strophe *f.*
staple (ħšteiɨ'pl) 1. Haupterzeugnis *n*; Hauptgegenstand *m*; 2. Haupt...
star (ħštä) 1. Stern; *thea.* Star *m*; ~*s and stripes pl. Am.* Sternenbanner *n*; 2. besternen; die Hauptrolle spielen.
starboard ⚓ (ħštä'bĕð) 1. Steuerbord *n*; 2. *Ruder* steuerbord legen.
starch (ħštäʃf) 1. *Wäsche-*Stärke *f*; *fig.* Steifheit *f*; 2. stärken.
stare (ħštäĕ) 1. Starren; Staunen *n*; starrer Blick *m*; 2. starren, staunen.
stark (ħštäf) starr; völlig.

star|ry (ħtā'rĭ) gestirnt; Stern(en)...;
~-spangled (~ßpäⁿgĭð) sternenbe-
sät; Am. ~ banner Sternenbanner n.
start (ħtāt) 1. Auffahren, Stutzen n;
Ruck; Sport: Start; Aufbruch; Anfang; fig. Vorsprung m; get the ~ of
a p. j-m den Rang ablaufen; 2. v/i.
auf-springen, -fahren; stutzen;
Sport: starten; aufbrechen; mot.
anspringen; anfangen (on mit; doing
zu tun); v/t. in Gang bringen; mot.
anlassen; Sport: starten; aufjagen;
fig. anfangen; veranlassen (a p.
doing j. zu tun); Plan anregen; ~er
(ħtā'te) Sport: Starter; mot. An-
lasser m; fig. Veranlasser(in).
startl|e (ħtā'tĭl) (er)schrecken; ~ing
(ħtā'tlĭngⁱ) aufsehenerregend.
starv|ation (ħtāwe'ſchᵉn) Hunger-
tod m; ~e (ħtāw) verhungern (l.);
fig. verkümmern (l.).
state (ħte¹t) 1. Zustand; Stand m;
Staat (pol. a. 2); attr. Staats...; in ~
in Gala; 2. angeben; darlegen,
-stellen; feststellen; e-e Regel usw.
aufstellen; ~ly stattlich; würdevoll;
erhaben; ~ment Angabe; Darstellung; Feststellung; Aufstellung f,
✝ (~of account Konto-)Auszug m;
~room Staatszimmer n; ⚓ Luxus-
kajüte f; ~sman (ħte¹tßmᵉn) Staatsmann m.
static (ħtā'tĭſ) feststehend.
station (ħte¹ſchᵉn) 1. Stand(ort) m;
Stelle; Stellung; Statio'n f; Bahnhof; Rang, Stand m; 2. stellen,
postieren; ~ary □ (ħte¹ſchⁿᵉrĭ)
stillstehend; feststehend; ~ery (~)
Schreibwaren f/pl.; ~-master ⊕
Statio'nsvorsteher m.
statistics (ħtᵃtĭ'ħtĭ̷ß) Statistik f.
statu|ary (ħtā'tiuᵉrĭ) Bildhauer(kunst
f) m; ~e (~jū) Standbild n.
stature (ħtā'tĭſh) Statu'r f.
status (ħte¹'tᵉß) Zustand; Stand m.
statute (ħtā'tjūt) Statu't n, Satzung
f; (Landes-)Gesetz n.
staunch (ħtōntſch) s. stanch.
stave (ħte¹w) 1. Faßdaube; Strophe
f; 2. [irr.] (mst ~ in) den Boden ein-
schlagen (dat.); ~ off abwehren.
stay (ħte¹) 1. ⚓ Stag n; ⊕ Strebe;
Stütze; Stockung f; Aufenthalt m;
~s pl. Korse'tt n; 2. v/t. hemmen;
stützen; Hunger stillen; (ab)warten;
v/i. bleiben; sich aufhalten; warten
(for auf acc.); Sport: durchhalten;
~er (ħte¹'ᵉ) Sport: Steher m.

stead (ħtĕð) Stelle, Statt f; ~fast
(ħtĕ'ðf⁶ħt) fest, beständig; standhaft.
steady (ħtĕ'ðĭ) 1. □ stetig; sicher;
fest; ruhig; gleichmäßig; 2. stetig
od. sicher m. od. w.; (sich) festigen;
(sich) beruhigen.
steal (ħtĭl) [irr.] v/t. stehlen (a. fig.);
v/i. sich stehlen od. schleichen.
stealth (ħtĕlħ) Heimlichkeit f; by ~
heimlich; ~y □ (ħtĕ'lħĭ) verstohlen.
steam (ħtĭm) 1. Dampf; Dunst m;
2. Dampf...; 3. v/i. dampfen; v/t.
ausdünsten; dämpfen; ~er (ħtĭ'mᵉ)
⚓ Dampfer m; ~y □ (ħtĭ'mĭ)
dampfig; dampfend; dunstig.
steel (ħtĭl) 1. Stahl m; 2. stählern
(a. ~y); Stahl...; 3. (ver)stählen.
steep (ħtĭp) 1. steil; F toll; 2. einweichen; tränken; fig. versenken.
steeple (ħtĭ'pl) Kirchturm m; ~
-chase Hindernisrennen n.
steer¹ (ħtĭe) junger Ochs m.
steer² (~) steuern; ~age ⚓ (ħtĭe'-
rⁱðG) Steuerung f; Zwischendeck n;
~sman (ħtĭe'ſmᵉn) Steuermann m.
stem (ħtĕm) 1. Stamm (a. fig.); Stiel;
Stengel; ⚓ Vordersteven m; 2. sich
stemmen (od. ankämpfen) gegen.
stench (ħtĕntſch) Gestank m.
stencil (ħtĕ'nßĺ) Schablone f.
stenographer (ħtĕnŏ'grᶠfᵉ) Steno-
gra'ph(in).
step¹ (ħtĕp) 1. Schritt, Tritt m; fig.
Strecke; Fußstapfe; Stufe f; ~s pl.
Trittleiter f; 2. v/i. schreiten; treten,
gehen; ~ out ausschreiten; v/t. abschreiten (a. ~ off, out); ~ up an-
kurbeln.
step² (~) in Zssgn Stief...; z.B. ~
-father (ħtĕ'pſädᵉ) Stiefvater m.
steppe (ħtĕp) Steppe f.
stepping-stone fig. Sprungbrett n.
steril|e (ħtĕ'rāĺ) unfruchtbar; keim-
frei; ~ity (~'ĺtĭ) Unfruchtbarkeit
f; ~ize (~ĺāĩ) sterilisieren.
sterling (ħtᵉ'lĭngⁱ) vollwertig, echt;
gediegen; ✝ Sterling (Währung) m.
stern (ħtᵉn) 1. □ ernst; finster,
streng; 2. ⚓ Heck n; ~ness (ħtᵉ'n-
nⁱß) Ernst m; Strenge f; ~post ⚓
Hintersteven m.
stevedore ⚓ (ħtĭ'wᵢðŏ) Stauer m.
stew (ħtjū) 1. schmoren, dämpfen;
2. Schmorgericht n; F Aufregung f.
steward (ħtjuᵉð) Verwalter m; ⚓, ✠
Steward; Fest- usw. Ordner m; ~ess
⚓, ✠ (ħtjuᵉ'ðĭß) Aufwärterin f.

stick (ħtĭḱ) **1.** Stock (F *a. fig.*); Stab; *Besen- usw.* Stiel *m*; Stange *f*; **2.** [*irr.*] *v/i.* stecken; haften; kleben (to an *dat.*); stocken; bleiben (to bei); *~ at nothing* vor nichts zurückscheuen; *~ out*, *~ up* hervorstehen; F standhalten; *v/t.* (ab)stechen; (an)stecken, (an)heften; (an)kleben.

sticky □ (ħtĭḱĭ) kleb(e)rig; zäh.

stiff □ (ħtĭf) steif; hart; fest; mühsam; *~en* (ħtĭ'fn) (sich) (ver)steifen; *~-necked* (ħtĭ'fnĕ'ḱt) halsstarrig.

stifle (ħtāĭ'fl) ersticken (*a. fig.*).

stigma (ħtĭ'gmᵉ) (Brand-, Wund-) Mal; *~tize* (*~tāĭ*) brandmarken.

still (ħtĭl) **1.** *adj.* still; **2.** *adv.* noch (immer); **3.** *cj.* doch, dennoch; **4.** stillen; beruhigen; **5.** Destillierapparat *m*; *~-born* totgeboren; *~-life* Stilleben *n*; *~ness* (ħtĭ'lnĕ's) Stille *f*. [gespreizt, hochtrabend.|

stilt (ħtĭlt) Stelze *f*; *~ed* (ħtĭ'ltĭd)|

stimul|ant (ħtĭ'mĭᵘlᵉnt) **1.** ⚕ stimulierend; **2.** ⚕ Reizmittel *n*; *~ate* (*~lēĭt*) (an)reizen; anregen; *~ation* (ħtĭmĭᵘlēĭ'ſçᵉn) Reizung *f*, Antrieb *m*; *~us* (ħtĭ'mĭᵘlᵉ's) Antrieb *m*; Reizmittel *n*.

sting (ħtĭnᵍ) **1.** Stachel; Stich, Biß *m*; *fig.* Schärfe *f*; **2.** [*irr.*] stechen; brennen; schmerzen; *~iness* (ħtĭ'n-ᴅ̣Ǵ¹ⁿĭᵇ) Geiz *m*; *~y* (ħtĭ'nᴅ̣Ǵĭ) geizig; knapp, karg.

stink (ħtĭnᵍḱ) **1.** Gestank *m*; **2.** [*irr.*] *v/i.* stinken; *v/t.* verstänkern.

stint (ħtĭnt) **1.** Einschränkung; Arbeit *f*; **2.** knausern mit; einschränken; *j.* knapp halten.

stipend (ħtāĭ'pĕnᴅ̣) Gehalt *n*.

stipulat|e (ħtĭ'pⁱᵘlēĭt) (aus)bedingen, ausmachen, vereinbaren (*a. ~ for a th.*); *~ion* (ħtĭpⁱᵘlēĭ'ſçᵉn) Abmachung; Klausel *f*.

stir (ħtᴅ̣) **1.** Regung; Aufregung *f*; Aufsehen; *fig.* Leben *n*; **2.** (sich) rühren, bewegen; erregen (*a. ~ up*); *~ up* aufrühren; aufrütteln.

stirrup (ħtĭ'rᵖ) Steigbügel *m*.

stitch (ħtĭtĭĉ) Stich *m*; Masche *f*; **2.** nähen; heften.

stock (ħtŏḱ) **1.** Stock (*a. fig.*); Stamm (*a. fig.*); Griff; *Gewehr-*Schaft, Kolben; Vorrat *m*; ✝ Lager; Vieh (*-stand m*) *n* (*oft* live *~*); Materia'l; ✝ (Stamm-; Anleihe-)Kapita'l *n*; *~s pl.* Effe'kten *f/pl.* ;Staatspapiere *n/pl.*; ⚓ *~s pl.* Stapel *m*; ✝ take *~* of Inventu'r *m.* von; *fig.* sich klar

w. über (*acc.*); **2.** vorrätig; ständig; **3.** versorgen; füllen; ✝ vorrätig h.

stockade (ħtŏḱēĭ'ᴅ̣) Pfahlzaun *m*.

stock...: *~-breeder* Viehzüchter *m*; *~-broker* Börsenmakler *m*; ⚖ **Exchange** (Effe'kten-)Börse *f*; *~-holder Am.* Aktionä'r(in).

stockinet (ħtŏ'ḱĭnĕt) Triko't *n*.

stocking (ħtŏ'ḱĭnᵍ) Strumpf *m*.

stock...: *~-jobber* Börsenspekula'nt *m*; *~-taking* Inventu'r; (Selbst-) Besinnung *f*; *~y* (ħtŏ'ḱĭ) stämmig.

stoic (ħtŏᵘĭḱ) **1.** stoisch; **2.** Stoiker *m*.

stoker (ħtŏᵘ'ḱᵉ) Heizer *m*.

stole (ħtŏᵘl) stahl; *~n* (ħtŏᵘ'lᵉn) gestohlen. [gleichmütig; stur.|

stolid □ (ħtŏ'lĭᴅ̣) schwerfällig;|

stomach (ħtâ'mᵉḱ) **1.** Magen; Leib, Bauch *m*; *fig.* Lust *f*; **2.** verdauen.

stone (ħtŏᵘn) **1.** Stein; *Obst-*Kern *m*; **2.** steinern; Stein...; **3.** steinigen; entsteinen; *~-blind* stockblind; *~-dead* mausetot; *~ware* Steingut *n*.

stony (ħtŏᵘ'nĭ) steinig; *fig.* steinern.

stood (ħtŭᴅ̣) stand; gestanden.

stool (ħtūl) Schemel; ⚖ Stuhlgang *m*; *~-pigeon Am.* Lockspitzel *m*.

stoop (ħtūp) **1.** *v/i.* sich bücken; sich erniedrigen *od.* herablassen; krumm gehen; *v/t.* neigen; **2.** gebeugte Haltung; *Am.* Terra'sse *f*.

stop (ħtŏp) **1.** *v/t.* (ver)stopfen (*a. ~ up*); (ver)sperren; *Zahn* plombieren; (auf)halten; anhalten, abstellen; (ver)hindern; *Blut* stillen; *Zahlung usw.* einstellen; aufhören mit; *v/i.* (an)halten; (stehen)bleiben; aufhören; warten; **2.** (Ein-)Halt *m*; Pause; Hemmung *f*; ⊕ Anschlag *m*; Aufhören, Ende *n*; Haltestelle *f*; *gr.* (*a. full ~*) Punkt *m*; *~-gap* Notbehelf *m*; *~-page* (ħtŏ'-pĭᴅ̣Ǵ) Verstopfung; (Zahlungs-*usw.*) Einstellung; Sperrung *f*; *Lohn- usw.* Abzug; Aufenthalt *m*; ⊕ Hemmung; (Betriebs- *usw.*) Störung *f*; *~-per* (ħtŏ'pᵉ) Stöpsel *m*; *~-ping* (ħtŏ'pĭnᵍ) Plombe *f*.

storage (ħtŏ'rĭᴅ̣Ǵ) Lagerung, Aufspeicherung *f*; Lagergeld *n*.

store (ħtŏ) **1.** Vorrat *m*; *fig.* Fülle *f*; Magazi'n *n*, Speicher; *Am.* Laden *m*; *~s pl.* Warenhaus *n*; *in ~* vorrätig, auf Lager; **2.** aufspeichern; lagern; versorgen; *~house* Lagerhaus *n*; *fig.* Schatzkammer *f*; *~-keeper* Magazinverwalter; *Am.* Ladenbesitzer *m*.

stor(e)y (ħtō'rĭ) Stock(werk n) m.

stork (ħtôl) Storch m.

storm (ħtŏm) 1. Sturm m; 2. stürmen; toben; ~y □ stürmisch.

story (ħtō'rĭ) Geschichte; Erzählung; thea. Handlung; F Lüge f.

stout (ħtȧut) 1. □ stark: kräftig; derb; dick; tapfer; 2. Starkbier n.

stove (ħtŏᵘw) Ofen m.

stow (ħtŏᵘ) (ver)stauen, packen; ~away ⚓ blinder Passagier.

straddle (ħträ'bl) (die Beine) spreizen; überprei'zen.

stragg|le (ħträ'gl) zerstreut (od. einzeln) liegen od. gehen; umherstreifen; fig. abschweifen; ⚓ wuchern; ~ing (~ĭnᵍ) weitläufig, lose.

straight (ħtreⁱt) 1. adj. gerade (a. fig.); Am. rein; put ~ in Ordnung bringen; 2. adv. gerade(swegs); ~en (ħtreⁱ'tn) gerade m. od. w.; ~ out in Ordnung bringen; ~forward □ ~fō'w°d) gerade; ehrlich, redlich.

strain (ħtreⁱn) 1. Abstammung; Art f; ⊕ Spannung; Anstrengung (on für); starke Inanspruchnahme f (on gen.); Druck m; ⚒ Zerrung f; Ton m; ♪ mst ~s pl. Weise f; Hang m (of zu); 2. v/t. (an)spannen; (über-)anstrengen; überspa'nnen; ⊕ beanspruchen; ⚒ zerren; durchseihen; v/i. sich spannen; sich anstrengen; sich abmühen (after um); zerren (at an dat.); ~er (ħtreⁱ'n°) Durchschlag; Filter m; Sieb n.

strait (ħtreⁱt) Meerenge, Straße; ~s pl. ~ waistcoat Zwangsjacke f; ~ened (ħtreⁱ'tnd) dürftig; in Not.

strand (ħtränd) 1. Strand m; Strähne f (a. fig.); 2. auf den Strand setzen; fig. stranden (l.).

strange □ (ħtreⁱnbG) fremd (a. fig.); seltsam; ~r (ħtreⁱ'nbG°) Fremde(r).

strangle (ħträ'nᵍgl) erwürgen.

strap (ħträp) 1. Riemen; Gurt m; Schuh-Spange f; ⊕ Band n; 2. mit e-m Riemen befestigen, festschnallen; mit Riemen peitschen.

stratagem (ħträ'tbGᵉm) (Kriegs-) List f.

strateg|ic (ħtreⁱtĭ'bGĭi) (~ally) strategisch; ~y (ħträ'tbGĭ) Kriegskunst f.

strat|um (ħtreⁱ'tᵉm), pl. ~a (~tᵉ) geol. Schicht (a. fig.), Lage f.

straw (ħtrȯ) 1. Stroh(halm m) n; 2. Stroh...; ~ vote Am. Probeabstimmung f; ~berry Erdbeere f.

stray (ħtreⁱ) 1. irregehen; abirren; umherschweifen; 2. (a. ~ed) verirrt; vereinzelt; 3. verirrtes Tier n.

streak (ħtrĭi) 1. Strich, Streifen m; fig. Ader, Spur f; 2. streifen.

stream (ħtrĭim) 1. Bach; Strom m; Strömung f; 2. v/i. strömen; triefen; flattern; ~er (ħtrĭ'mᵉ) Wimpel m; (fliegendes) Band n; Lichtstrahl m; typ. Schlagzeile f.

street (ħtrĭit) Straße f; ~car Am. Straßenbahnwagen m.

strength (ħtrěnᵍꝭꝭ) Stärke, Kraft f; on the ~ of auf ... hin, auf Grund; ~en (ħtrě'nᵍꝭᵉn) v/t. stärken, kräftigen; bestärken; v/i. erstarken.

strenuous □ (ħtrě'nⁱᵘᵉꝭ) tätig, emsig; eifrig; anstrengend.

stress (ħtrěꝭ) 1. Druck; Nachdruck m; Betonung f; Ton m; 2. betonen.

stretch (ħtrěꝭꝭ) 1. v/t. strecken; (aus)dehnen; ausstrecken (mst ~ out); (an)spannen; fig. über-trei'ben, -schrei'ten; v/i. sich (er-)strecken; sich dehnen; 2. Strecken n; Dehnung; (An-)Spannung; Übertrei'bung, -schrei'tung; Strecke, Fläche f; ~er (ħtrě'tᶜꝭ°) Tragbahre f.

strew (ħtrŭ) [irr.] (be)streuen.

stricken (ħtrĭ'kⁱn) ge-, be-troffen.

strict (ħtrĭit) streng; genau; ~ness (ħtrĭi'tnĭꝭ) Genauigkeit; Strenge f.

stridden (ħtrĭ'dn) durchschri'tten.

stride (ħtrȧld) 1. [irr.] v/t. über-, durch-schrei'ten; 2. (weiter) Schritt.

strident □ (ħtrȧ'b°nt) kreischend.

strife kit. (ħträlf) Streit, Hader m.

strike (ħtrȧli) 1. Streik m; be on ~ streiken; 2. [irr.]v/t. treffen, stoßen; schlagen; gegen od. auf (acc.) schlagen od. stoßen; stoßen (od. treffen) auf (acc.); Flagge usw. streichen; Arbeit einstellen; auffallen (dat.); ergreifen; Handel abschließen; Zündhölzchen anstreichen; Licht anzünden; Wurzel schlagen; Pose annehmen; Bilanz ziehen; ~ up Bekanntschaft anknüpfen; v/i. schlagen; ⚓ auf Grund stoßen; streiken; ~ home (richtig) treffen; ~r (ħtrȧl'i°) Streikende(r) m.

striking □ (ħtrȧl'ĭnᵍ) Schlag...; auffallend; eindrucksvoll; treffend.

string (ħtrĭnᵍ) 1. Schnur; Bogen-Sehne; ⚒ Faser; ♪ Saite; Reihe, Kette f; ~s pl. ♪ Streicher m/pl.; pull the ~s der Drahtzieher sn; 2. [irr.] spannen; aufreihen; besaiten (a. fig.), bespannen; Am. (ver-, zu-)schnüren; ~-band Streichorche'ster n.

stringent (ĥtrĭ'nᵒGᵉnt) streng, scharf; bindend, zwingend; knapp.

strip (ĥtrĭp) 1. entkleiden (a. fig.), (sich) ausziehen; fig. entblößen, berauben; ⊕ auseinandernehmen; ♣ abtakeln; abziehen, abstreifen (a. ~ off); 2. Streifen m.

stripe (ĥträp) Streifen m; ✕ Tresse f.

strive (ĥträw) [irr.] streben; sich bemühen; ringen (for um).

strode (ĥtroᵘd) durchschri'tt.

stroke (ĥtroᵘt) 1. Schlag (a. ⚡); Streich; Stoß; Strich m; ~ of luck Glücksfall m; 2. streiche(l)n.

stroll (ĥtroᵘl) 1. schlendern, umherziehen; 2. Bummel; Spaziergang m.

strong □ (ĥtrönᵍ) allg. stark; kräftig; energisch, eifrig; fest; ~hold Feste f; fig. Bollwerk n; ~-room Stahlkammer f; ~-willed willensstark. [2. Messer abziehen.]

strop (ĥtröp) 1. Streichriemen m;|

strove (ĥtroᵘw) strebte; rang.

struck (ĥtraĥ) schlug; geschlagen.

structure (ĥtra'tĥᵉ) Bau m; Gefüge; Gebilde n.

struggle (ĥtra'gl) 1. sich (ab)mühen; kämpfen, ringen; sich sträuben; 2. Anstrengung f; Kampf m.

strung (ĥtranᵍ) spannte; gespannt.

strut (ĥtrat) 1. v/i. stolzieren; v/t. ⊕ absteifen; 2. Stolzieren n; ⊕ Strebe(balken m) f.

stub (ĥtab) 1. Stumpf; Stummel m; 2. (aus)roden; sich den Fuß stoßen.

stubble (ĥta'bl) Stoppel(n pl.) f.

stubborn □ (ĥta'bᵉn) eigensinnig; widerspenstig; stur; hartnäckig.

stuck (ĥtaĥ) steckte; gesteckt; ~-up F hochnäsig.

stud (ĥtad) 1. (Wand-)Pfosten; Ziernagel, Knauf; Manschetten-, Kragen-knopf m; Gestüt n; 2. beschlagen; besetzen; ~-horse Zuchthengst m.

student (ĥtjū'dᵉnt) Stude'nt(in).

studied (ĥta'dᵇd) einstudiert; gesucht; gewollt; raffiniert (Kleidung).

studio (ĥtjū'dᵇoᵘ) Atelie'r n; Radio: Senderaum m.

studious □ (ĥtjū'dᵇeㅅ) fleißig; bedacht; bemüht; geflissentlich.

study (ĥta'dᵇ) 1. Studium n; Studie'rzimmer n; paint. usw. Studie f; 2. (ein)studieren; sich bemühen um.

stuff (ĥtaf) 1. Stoff m; Zeug; fig. dummes Zeug n; 2. v/t. (voll-, aus-) stopfen; v/i. sich vollstopfen; ~ing (ĥta'fĭnᵍ) Füllung f; ~y □ (ĥta'fĭ) dumpfig, muffig.

stultify (ĥta'ltᵇfäl) lächerlich m., blamieren; et. hinfällig m.

stumble (ĥta'mbl) 1. Stolpern n; Fehltritt m; 2. stolpern; straucheln; ~ upon stoßen auf (acc.).

stump (ĥtamp) 1. Stumpf, Stummel m; 2. v/t. F verblüffen; ~ the country als Wahlredner im Land umherziehen; v/i. (daher)stapfen; ~y □ (ĥta'mpĭ) gedrungen.

stun (ĥtan) betäuben (a. fig.).

stung (ĥtanᵍ) stach; gestochen.

stunk (ĥtanᵍt) stank; gestunken.

stunning F (ĥta'nĭnᵍ) famo's.

stunt¹ Am. F (ĥtant) Kraft-, Kunststück n; Schaunummer f.

stunt² (~) im Wachstum hindern; ~ed (ĥta'ntᵇd) verkümmert.

stupefy (ĥtjū'pᵇfäl) fig. betäuben; verblüffen; verdummen; ~endous □ (ĥtjᵘpᵉ'ndᵒĥ) erstaunlich; ~id □ (ĥtjū'pĭd) dumm, stumpfsinnig; ~idity (ĥtjᵘpĭ'dᵗĭ) Dummheit f usw.; ~or (ĥtjū'pᵉ) Erstarrung, Betäubung f.

sturdy (ĥtö'dĭ) derb, kräftig; stramm; handfest.

stutter (ĥta'tᵉ) stottern.

sty (ĥtāl) Schweinestall, Koben m.

style (ĥtāl) 1. Stil m; Mode; Betitelung f; 2. (be)nennen, betiteln.

stylish □ (ĥtāl'lĭĥ) stilvoll; elega'nt; ~ness (~'nĥ) Elega'nz f.

suave (ĥoᵉ¹wᵉ) verbindlich; mild.

sub...: (ĥab) mst Unter...; unter...; Neben...; Hilfs...; fast...

subdivision (ĥa'bᵇwĭ'Gᵉn) Unterteilung; Unterabteilung f.

subdue (ĥᵉbdjū') unterwe'rfen; bezwingen; bändigen; dämpfen.

subject (ĥa'bᵈGĭᵗt) 1. unterwo'rfen; untertänig, untertan; fig. ~ to unterlie'gend (dat.); neigend zu; 2. adv. ~ to vorbehaltlich (gen.); 3. Untertan m; Subje'kt n; Perso'n f; (a. ~ matter) Thema n, Gegenstand m; 4. (ĥᵉ'bᵈGᵉᵗt) unterwe'rfen; fig. aussetzen; ~ion (ĥᵉbᵈGᵉ'tĥᵉn) Unterwe'rfung f. [jo'chen.]

subjugate (ĥa'bᵈGᵘgeᵗt) unter-|

sublease (ĥa'blĭ'ĥ), sublet (ĥa'blᵉt) [irr. (let)] untervermieten.

sublime □ (ĥᵉblāl'm) erhaben.

sub-machine (ħɑ'bmᵉ[ʃɪ'n): ~ *gun* Maschinenpistole *f.*

submarine (ħɑ'bmᵉrīn) 1. unterseeisch; 2. ⚓ Unterseeboot *n.*

submerge (ħᵉbmɔ'dG) untertauchen; überschwe'mmen.

submiss|ion (ħᵉbmɪ'ʃᵉn) Unterwe'rfung; Unterbrei'tung *f;* ~**ive** □ (ħᵉbmɪ'ħɪw) unterwürfig.

submit (ħᵉbmɪ't) (sich) unterwe'rfen; anheimstellen; unterbrei'ten; *fig.* sich fügen (*in* to *acc.*).

subordinate 1. (ħᵉbɔ'dᵢnᵢt) untergeordnet; 2. (~) Unterge'bene(r) *m;* 3. (ħᵉbɔ'dᵢnᵉᵢt) unterordnen.

suborn ♂ʒ (ħɑbɔ'n) verleiten.

subscribe (ħᵉbħʃrāᵢ'b) *v/t.* unterschrei'ben (*a. fig.*); *Summe* zeichnen; *v/i.* zeichnen (*to* für); abonnieren (*for* auf *acc.*); ~**r** (~ᵉ) (Unter-)Zeichner(in); Abonne'nt(in); *teleph.* Teilnehmer(in).

subscription (ħᵉbħʃrɪ'pʃᵉn) (Unter-)Zeichnung *f;* Abonneme'nt *n.*

subsequent □ (ħɑ'bʃɪ²ᴸwᵉnt) folgend; später; ~**ly** hinterher.

subservient (ħᵉbħʃᵊw'ᵢᵉnt) dienlich; dienstbar; unterwürfig.

subsid|e (ħᵉbħʃāᵢ'd) sinken, sich senken; *fig.* sich setzen; sich legen (*Wind*); ~**iary** (~ᵉb'dᵢᵉrɪ) 1. □ Hilfs...; Neben...; 2. Filia'le *f;* ~**ize** (ħɑ'bħʃᵢdāᵢʒ) mit Geld unterstü'tzen; ~**y** (~ɔᵢ) (Geld-)Beihilfe *f.*

subsist (ħᵉbħʃᵢ'ħt) bestehen; leben (*on, by* von); ~**ence** (~ᵉnħ) Dasein *n;* (Lebens-)Unterhalt *m.*

substance (ħɑ'bħtᵉnħ) Substa'nz *f;* Wesen *n;* Hauptsache *f;* Inhalt *m;* Wirklichkeit *f;* Vermögen *n.*

substantial □ (ħᵉbħʃtā'nʃᵉl) wesentlich; wirklich; kräftig; stark; soli'd; vermögend.

substantiate (ħᵉbħʃtā'nʃᵢeᵢt) beweisen, begründen, dartun.

substitut|e (ħɑ'bħtᵢtjūt) 1. an die Stelle setzen (*for* von); 2. Stellvertreter; Ersatz *m;* ~**ion** (ħɑbħtᵢtjū'ʃᵉn) Stellvertretung *f;* Ersatz *m.*

subterfuge(ħɑ'btᵉfjūðG)Ausflucht*f.*

subterranean □ (ħɑbtᵉreᵢ'nᵢᵉn) unterirdisch. [~**ty** (~ᵢt) Feinheit *f.*]

subtle □ (ħʌ'tl) fein; spitzfindig;]

subtract ♈ (ħᵉbträ'ħt) abziehen.

suburb (ħɑ'bɔ̄b) Vor-stadt *f*, -ort *m;* ~**an** (ħᵉbɔ'bᵉn) vorstädtisch.

subver|sion (ħɑbwɔ̄'ʃᵉn) Umsturz *m;* ~**sive** (~ħɪw) zerstörend (*of acc.*);

umstürzlerisch; ~**t** (ħɑbwɔ̄'t) (um-)stürzen; untergra'ben.

subway (ħɑ'bwᵉ¹) Unterfü'hrung; *Am.* Untergrundbahn *f.*

succeed (ħᵉħ̄ʒī'd) (nach)folgen; Erfolg h.; glücken, gelingen; ~ *to* überne'hmen; erben.

success (ħᵉħ̄ʒē'ħ) Erfolg *m;* ~**ful** □ (ħᵉħ̄ʒē'ħfᵘl) erfolgreich; ~**ion** (~ħᵉ'ʃᵉn) Nach-, Erb-, Reihen-folge *f; in* ~ nacheinander; ~**ive** □ (~ħᵉ'ħɪw) aufeinanderfolgend; ~**or** (~ħᵉ'ħᵉ) Nachfolger(in).

succo(u)r (ħɑ'ħᵉ) 1. Hilfe *f;* 2. helfen.

succulent (ħɑ'ħjᵘlᵉnt) saftig.

succumb (ħᵉħᴸɑ'm) unter-, er-lie'gen.

such (ħɑtʃ) solch(er, -e, -es); derartig; so groß; ~ *a man* ein solcher Mann; ~ *as* die, welche.

suck (ħɑħ) 1. (ein)saugen; saugen an (*dat.*); aussaugen; 2. Saugen *n;* ~**er** (ħɑ'ħᵉ) Saugorga'n *n;* ⚘ Wurzelsproß *m;* ~**le** (ħɑ'ħl) säugen, stillen; ~**ling** (ħɑ'ħlɪnɡ) Säugling *m.*

suction (ħɑ'ħʃᵉn) 1. (An-)Saugen *n;* Sog *m;* 2. Saug... [ganz plötzlich.]

sudden □(ħɑ'ħn) plötzlich; *all of a*]

suds (ħɑħʃ) *pl.* Seifenwasser *n.*

sue (ħjū) *v/t.* verklagen; ~ *out* erwirken; *v/i.* nachsuchen (*to* bei); klagen.

suède (ħweᵢb) (feines) Wildleder *n.*

suet (ħjuᵢt) *roher* Talg *m.*

suffer (ħɑ'ħᵉ) *v/i.* leiden (*from* an *dat.*); *v/t.* erleiden; dulden; ~**ance** (~ᵉ'nħ) Duldung *f;* ~**er** (~ᵉ') Dulder(in); ~**ing** (~rɪnɡ) Leiden *n.*

suffice (ħᵉfāᵢ'ħ) genügen.

sufficien|cy (ħᵉfᵢ'ʃᵉnħɪ) genügende Menge *f;* Auskommen *n;* ~**t** □ (~ᵉnt) genügend, ausreichend.

suffocate (ħɑ'ħᵉkeᵢt) ersticken.

suffrage (ħɑ'frᵊdG) (Wahl-)Stimme *f;* Stimmrecht *n.* [zie'hen.]

suffuse (ħᵉfjū'ʒ) übergie'ßen; über-]

sugar (ʃᵘ'gᵉ) 1. Zucker *m;* 2. zukkern; ~**y** (~rɪ) zuckrig; zuckersüß.

suggest (ħᵉðGē'ħt) *Gedanken* eingeben; anregen; andeuten; denken l. an (*acc.*); ~**ion** (~ʃᵉn) Anregung; Suggestio'n; Eingebung; Andeutung *f;* ~**ive** □ (~ᵢw) anregend; andeutend (*of acc.*); inhaltvoll; zweideutig. [Selbstmörder(in).]

suicide (ħjuᵢ'ħāᵢd) Selbstmord *m;*]

suit (ħjūt) 1. Reihenfolge *f;* Satz *m,* Garnitu'r *f;* (*a.* ~ *of clothes*) Anzug *m; Karten:* Farbe *f;* ♈ʒ Proze'ß *m;* 2. *v/t.* (*to, with*) anpassen (an *acc.*); passen für *et.*; *j-m* passen; *j-m* bekommen; *j.* kleiden, *j-m* stehen (*a.* with *a* p.); ~ed geeignet; *v/i.* passen; ~**able** □ (ḫjū'tᵉbl) passend, geeignet; ~-**case** Handkoffer *m*; ~e (ḫwīt) Gefolge *n*; *Reihen*-Folge; (*od.* ~ *of rooms*) Zimmerflucht; Garnitu'r *f*; ~**or** (ḫjū'tᵉ) Freier *m*; ₄ʈₓ Kläger(in).

sulk (ḫʌlk) 1. schmollen, bocken; 2. ~**s** (~ḫ) *pl.* üble Laune *f*; ~**y** □ (ḫʌ'lkɪ) verdrießlich; schmollend.

sullen (ḫʌ'lᵉn) verdrossen, mürrisch.

sully (ḫʌ'lɪ) *mst fig.* beflecken.

sulphur ⁄ₓ (ḫʌ'lfᵉ) Schwefel *m*; ~**ic** (ḫʌlfjuˈrɪk) Schwefel...

sultriness (ḫʌ'ltrɪnɪs) Schwüle *f*.

sultry □ (ḫʌ'ltrɪ) schwül.

sum (ḫʌm) 1. Summe *f*; *fig.* Inbegriff, Inhalt *m*; Rechenaufgabe *f*; 2. (*a.* ~ *up*) zs.-rechnen; zs.-fassen.

summar|ize (ḫʌ'mᵉrāɪz) (kurz) zs.-fassen; ~**y** (~rɪ) 1. □ kurz (zs.-gefaßt); ₄ʈₓ Schnell...; 2. (kurze) Inhaltsangabe *f*, Auszug *m*.

summer (ḫʌ'mᵉ) Sommer *m*; ~(l)y (~rɪ, ~lɪ) sommerlich.

summit (ḫʌ'mɪt) Gipfel *m* (*a. fig.*).

summon (ḫʌ'mᵉn) auffordern; (be-) rufen; ₄ʈₓ vorladen; *fig.* aufbieten; ~**s** (~/₄) Aufforderung; ₄ʈₓ Vorladung *f*.

sumptuous (ḫʌ'mptiᵘᵉḫ) kostbar.

sun (ḫʌn) 1. Sonne *f*; 2. Sonnen...; 3. (sich) sonnen; ~**burn** (ḫʌ'nbōn) Sonnenbrand *m*.

Sunday (ḫʌ'ndɪ) Sonntag *m*.

sun...: ~**dial** Sonnenuhr *f*; ~**down** *Am.* Sonnenuntergang *m.*

sundries (ḫʌ'ndrɪs) *pl. bsd.* ✝ Verschiedenes *n*; Extraausgaben *f/pl.*

sung (ḫʌɳ) sang; gesungen.

sun-glasses *pl.* Sonnenbrille *f*.

sunk (ḫʌɳk) sank; versenkt.

sunken (ḫʌ'ɳkᵉn) *fig.* eingefallen.

sun|ny □ (ḫʌ'nɪ) sonnig; ~**rise** Sonnenaufgang *m*; ~**set** Sonnenuntergang *m*; ~**shade** Sonnenschirm *m*; ~**shine** Sonnenschein *m*; ~**stroke** ℰℯ Sonnenstich *m*; ~**up** *Am.* (ḫʌ'nʌp) Sonnenaufgang *m.*

sup (ḫʌp) zu Abend essen.

super...: (ḫjū'pᵉ) Über...; über...; Ober..., über..., Groß...; ~**abundant** □ (ḫjūpᵉrᵉbʌ'ndᵉnt) überreichlich; überschwenglich; ~**annuate** (ḫjūpᵉrǣ'njuᵉɪt) als zu alt entfernen, pensionieren; ~**d** ausgedient; vera'ltet (*S.*).

superb (ḫjuˈpōᵈb) prächtig; herrlich.

super...: ~**charger** (ḫjū'pᵉtʃɑ̄dGᵉ) Kompressor *m*; ~**cilious** □ (ḫjū-pᵉḫɪ'lɪᵉḫ) hochmütig; ~**ficial** □ (ḫjūpᵉfɪ'ʃᵉl) oberflächlich; ~**fine** (ḫjū'pᵉfāɪ'n) extrafein; ~**fluity** (ḫjū-pᵉflu'ɪt) Überfluß *m*; ~**fluous** □ (ḫjuˈpōˈfluᵉḫ) überflüssig; ~**heat** ⊕ (ḫjūpᵉḫɪ't) überhi'tzen; ~**intend** (ḫjūprɪntᵉ'nd) die Oberaufsicht h. über (*acc.*); überwa'chen; ~**intendent** (~ᵉnt) Oberaufseher; Amtsvorsteher *m*.

superior (ḫjuᵘpɪᵉ'rɪᵉ) 1. □ ober; höher(stehend); besser; überle'gen (to *dat.*); vorzüglich; 2. Höherstehende(r), *bsd.* Vorgesetzte(r); *eccl.* Obere(r) *m*, (*mst lady* ~) Oberin *f*; ~**ity** (ḫjuᵘpɪᵉrɪˈɔ'rɪtɪ) Überle'genheit *f*.

super|lative (ḫjuˈpōˈlᵉtɪw) 1. □ höchst; überra'gend; 2. Superlati'v *m*; ~**numerary** (ḫjūpᵉnjū'mᵉrᵉrɪ) 1. überzählig; 2. Überzählige(r); *thea.* Stati'st(in); ~**scription** (ḫjū-pᵉḫtrɪ'pɪʃᵉn) Über-, Auf-schrift *f*; ~**sede** (~ḫɪ'd) ersetzen; verdrängen; absetzen; *fig.* überho'len; ~**stition** (~ḫtɪ'ʃᵉn) Aberglaube *m*; ~**stitious** □ (~ḫtɪ'ʃᵉḫ) abergläubisch; ~**vene** (ḫjūpᵉwɪ'n) noch hinzukommen; unerwartet eintreten; ~**vise** (ḫjū'pᵉ-wāɪ) beaufsichtigen; ~**vision** (ḫjū-pᵉwɪ'Gᵉn) (Ober-)Aufsicht *f*; ~**visor** (ḫjūpᵉwāɪᵉ) Aufseher *m*.

supper (ḫʌ'pᵉ) Abendessen *n*; the (Lord's) Ձ das Heilige Abendmahl.

supplant (ḫᵉplā'nt) verdrängen.

supple (ḫʌ'pl) geschmeidig (m.).

supplement 1. (ḫʌ'plɪmᵉnt) Ergänzung *f*; Nachtrag *m*; Beilage *f*; 2. (~mᵉnt) ergänzen; ~**al** □ (ḫʌplɪ-mᵉ'ntl), ~**ary** (~tᵉrɪ) Ergänzungs...; nachträglich; Nachtrags...

suppliant (ḫʌ'plɪᵉnt) Bittsteller(in).

supplicat|e (ḫʌ'plɪᵉɪt) anflehen; ~**ion** (ḫʌplɪᵉtᵉ'ɪʃᵉn) demütigeBitte *f*.

supplier (ḫᵉplāɪ'ᵉ) Liefera'nt(in).

supply (ḫᵉplāɪ') 1. ergänzen; *e-m Mangel* abhelfen; *e-e Stelle* ausfüllen, vertreten; versorgen; liefern; 2. Vertretung; Versorgung; Zufuhr *f*; Vorrat *m*; ✝ Angebot *n*; *mst supplies pl. parl.* Etat *m.*

support (ḫᵉpō't) 1. Stütze; Unterstü'tzung *f*; 2. (unter)stü'tzen; *sich*, *e-e Familie usw.* (unter-)ha'lten; (aufrecht)erhalten; (v)ertragen.

suppose (ḣᵉpoᵘ'ſ) annehmen; voraussetzen, vermuten; F ~ we do so? wie wär's, wenn wir es täten?

supposed □ (ḣᵉpoᵘ'ſd) vermeintlich; ~ly (ˌſᵈḋ) vermutlich.

supposition (ḣᴀpᵉſi'ſḣᵉn) Voraussetzung; Annahme; Vermutung *f*.

suppress (ḣᵉprᵉ'ḣ) unterdrücken; ~ion (ḣᵉprᵉ'ſḣᵉn) Unterdrückung*f*.

suppurate (ḣᴀ'pⁱᵘreⁱt) eitern.

suprem|acy (ḣⁱᵘprᵉ'mᵉḣⁱ) Obergewalt, -hoheit *f*; ~e □ (ˌḣⁱᵘprⁱ'm) höchst; oberst; Ober...; größt.

surcharge (ḣőⁱſſḣᶤᵃḋG) 1. überla'den; 2. Überla'dung *f*; (Straf-)Zuschlag *m*; & Überdruck *m*.

sure □ (ſḣuᵉ) *allg.* sicher; to be ~! *Am.* ~! sicher(lich)!; ~ly (ſḣuᵉ'lⁱ) sicherlich; ~ty (ˌtⁱ) Bürge *m*.

surf (ḣőf) Brandung *f*.

surface (ḣő'fⁱḣ) 1. (Ober-)Fläche; ⚓ supporting ~ Tragfläche *f*; 2. oberflächlich.

surfeit (ḣő'fⁱt) 1. Übersä'ttigung *f*; Ekel *m*; 2. (sich) über-la'den.

surge (ḣőḋG) 1. Woge *f*; 2. wogen.

surg|eon (ḣő'ḋGᵉn) Chiru'rg, (Wund-)Arzt *m*; ~ery (ḣő'ḋGᵉrⁱ) Chirurgie' *f*; Operatio'nszimmer *n*.

surgical □ (ḣő'ḋGⁱᵗᵉl) chiru'rgisch.

surly □ (ḣő'lⁱ) mürrisch; grob.

surmise (ḣő'maⁱſ) 1. Vermutung *f*; Argwohn *m*; 2. vermuten.

surmount (ḣőmäu'nt) überwi'nden; überra'gen.

surname (ḣő'neⁱm) Zuname *m*.

surpass (ḣő'pḁ'ḣ) *fig.* über-stei'gen, -tre'ffen; ~ing (ˌⁱnᵍ) überra'gend.

surplus (ḣő'pⁱᵉḣ) 1. Überschuß *m*, Mehr *n*; 2. überschüssig; Über...

surprise (ḣᵉprä'i'ſ) 1. Überra'schung; ✕ Überru'mp(e)lung *f*; 2. überra'schen; überru'mpeln.

surrender (ḣᵉrᵉ'nḋᵉ) 1. Übergabe, Ergebung *f*; 2. *v/t.* überge'ben; aufgeben; *v/i.* sich ergeben (*a.* ~ *o.s.*).

surround (ḣᵉräu'nd) umge'ben; ✕ umzi'ngeln; ~ing (ˌⁱnᵍ) umliegend; ~ings (ˌⁱnᵍⁱ) *pl.* Umgebung *f*.

surtax (ḣő'täḣ) Steuerzuschlag *m*.

survey 1. (ḣőweⁱ') überbli'cken; mustern; *surv.* vermessen; 2. (ḣő'weⁱ) Überblick *m* (*a. fig.*); Besichtigung; *surv.* Vermessung *f*; ~or (ḣőweⁱ'ᵉ, ḣᵉᵃˌ) Feldmesser *m*.

surviv|al (ḣᵉwäi'wᵉl) Über-, Fortleben *n*; ~e (ḣᵉwäi'w) *v/t.* über-

le'ben; *v/i.* noch leben; ~or (ˌᵉ) Überle'bende(r).

susceptible □ (ḣᵉḣᵉ'ptᵉbⁱ) empfänglich (to für); empfindlich (gegen); be ~ of zulassen (*S.*).

suspect (ḣᵉḣpᵉ'ḣt) 1. (be)argwöhnen; im Verdacht h.; vermuten; 2. Verdächtige(r); verdächtig.

suspend (ḣᵉḣpᵉ'nd) (auf)hängen; in der Schwebe l.; *Zahlung* einstellen; aussetzen; suspendieren, sperren; ~ed schwebend; ~ers (ˌᵉⁱ) *pl. Am.* Hosenträger *m/pl.*; Strumpfhalter *m/pl.*

suspens|e (ḣᵉḣpᵉ'nḣ) Ungewißheit, Unentschiedenheit; Spannung *f*; ~ion (ḣᵉḣpᵉ'nſḣᵉn) Aufhängung; Suspensio'n, Sperre *f*; ~ bridge Hängebrücke *f*.

suspici|on (ḣᵉḣpⁱ'ſḣᵉn) Verdacht; Argwohn *m*; *fig.* Spur *f*; ~ous □ (ˌᵉḣ) argwöhnisch; verdächtig.

sustain (ḣᵉḣteⁱ'n) stützen; *fig.* (auf-recht)erhalten; aushalten; durchhalten; erleiden.

sustenance (ḣᴀ'ḣtⁱnᵉnḣ) (Lebens-) Unterhalt *m*; Nahrung *f*.

svelte (ḣwᵉlt) schlank.

swab (ḣwőb) 1. Wisch(lappen); ⚓ Abstrich *m*; 2. (ab-, auf-)wischen.

swaddle (ḣwő'dl) (ein)wickeln; *swaddling clothes pl.* Windeln *f/pl.*

swagger (ḣwᴀ'gᵉ) stolzieren; prahlen, renommieren.

swallow (ḣwő'loᵘ) 1. Schwalbe *f*; Schluck *m*; 2. (hinunter-, ver-) schlucken.

swam (ḣwᴀm) schwamm.

swamp (ḣwőmp) 1. Sumpf *m*; 2. überschwe'mmen (*a. fig.*); versenken; ~y (ḣwő'mpⁱ) sumpfig.

swan (ḣwőn) Schwan *m*.

swap F (ḣwőp) Tausch *m*; tauschen.

sward (ḣwőd) Rasen *m*.

swarm (ḣwőm) 1. Schwarm; Haufe(n) *m*, Gewimmel *n*; 2. schwärmen; wimmeln (with von).

swarthy (ḣwő'ṭḣⁱ) dunkelfarbig.

swash (ḣwőſḣ) plan(t)schen.

swat *Am.* (ḣwőt) *Fliege* klatschen.

swath ⚓ (ḣwőṭḣ) Schwad(en) *m*.

swathe (ḣwᵉⁱṭḣ) (ein)wickeln.

sway (ḣwᵉⁱ) 1. Schaukeln *n*; Einfluß *m*; Herrschaft *f*; 2. schaukeln; beeinflussen; (be)herrschen.

swear (ḣwᵉᵉ) [*irr.*] (be)schwören; fluchen; vereidigen.

sweat (ßwĕt) 1. Schweiß *m*; 2. [*irr.*] *v*/*i.* schwitzen; *v*/*t.* (aus)schwitzen; in Schweiß bringen; *Arbeiter* ausbeuten; **~y** (ßwĕ'ti) schweißig.

Swede (ßwiꞮd) Schwede *m*, -in *f*.

Swedish (ßwiꞮ'diſch) schwedisch.

sweep (ßwiꞮp) 1. [*irr.*] fegen (*a. fig.*), kehren; *fig.* streifen; (*a.* ✕) bestreichen; 2. Fegen, Kehren *n*; Schwung *m*; Biegung *f*; Spielraum, Bereich; Schornsteinfeger *m*; *make a clean ~* (*of*) reinen Tisch m. (mit); **~er** (ßwiꞮ'pᵉ) (Straßen-)Feger *m*; Kehrmaschine *f*; **~ing** □ (ßwiꞮ'pinɡ) weitgehend; schwungvoll; **~ings** (~ſ) *pl.* Kehricht *m*.

sweet (ßwiꞮt) 1. □ süß; lieblich; freundlich; frisch; duftend; *have a ~ tooth* ein Leckermaul sn; 2. Süße (-r); **~s** *pl.* Süßigkeiten *f/pl.*; **~en** (ßwiꞮ'tn) (ver)süßen; **~heart** Liebchen *n*; **~ish** (ßwiꞮ'tiſch) süßlich; **~meat** Bonbo'n *m*; **~ness** (ßwiꞮ't-niß) Süßigkeit *f*.

swell (ßwĕl) 1. [*irr.*] *v*/*i.* (an-) schwellen; sich blähen; sich (aus-) bauchen; *v*/*t.* (an)schwellen l.; aufblähen; 2. F fein; 3. Anschwellen *n*; Schwellung; ♩ Dünung *f*; F feiner Herr *m*; **~ing** (ßwĕ'linɡ) Geschwulst *f*. [*men.*]

swelter (ßwĕl tᵉ) vor Hitze umkom-

swept (ßwĕpt) fegte; gefegt.

swerve (ßwöᵉw) 1. (plötzlich) abbiegen; 2. (plötzliche) Wendung *f*.

swift □ (ßwift) schnell, eilig; **~ness** (ßwi'ftniß) Schnelligkeit *f*.

swill (ßwil) 1. Spülicht *n*; Schweinetrank *m*; 2. spülen; saufen.

swim (ßwim) 1. [*irr.*] (durch)schwimmen; schweben; *my head ~s* mir schwindelt; 2. Schwimmen *n*; *be in the ~* auf dem laufenden sn.

swindle (ßwi'ndl) 1. (be)schwindeln; 2. Schwindel *m*.

swine (ßwäin) Schwein(e *pl.*) *n*.

swing (ßwinɡ) 1. [*irr.*] schwingen, schwanken, baumeln; sich schaukeln; schwenken; sich drehen; 2. Schwingen *n*; Schwung *m*; Schaukel *f*; Spielraum *m*; *in full ~* in vollem Gange; **~door** Pendeltür *f*.

swinish □ (ßwäi'niſch) schweinisch.

swipe (ßwäip) 1. aus vollem Arm schlagen; 2. starker Schlag *m*.

swirl (ßwöᵉl) 1. (herum)wirbeln; 2. Wirbel, Strudel *m*.

Swiss (ßwiß) 1. schweizerisch, Schweizer; 2. Schweizer(in); *the ~ pl.* die Schweizer *m/pl.*

switch (ßwitſch) 1. Gerte; ⚙ Weiche *f*; ⚡ Schalter *m*; falscher Zopf *m*; 2. peitschen; ⚙ rangieren; ⚡ (um-) schalten (*oft ~ over*); *fig.* umlenken; *~ on, off* ⚡ ein-, aus-schalten; **~board** ⚡ Schalt-brett *n*, -tafel *f*.

swollen (ßwooᵘln) geschwollen.

swoon (ßwuꞮn) 1. Ohnmacht *f*; 2. in Ohnmacht fallen.

swoop (ßwuꞮp) 1. (*a. ~ down*) (herab-) stoßen (*Raubvogel*); 2. Stoß *m*.

sword (ßôd) Schwert *n*, Degen *m*.

swordsman (ßô'dsmᵉn) Fechter *m*.

swore (ßwô) schwörte.

sworn (ßwôn) geschworen.

swum (ßwam) geschwommen.

swung (ßwanɡ) schwang; geschwungen.

sycophant (ßi'tᵒfᵉnt) Kriecher *m*.

syllable (ßi'lᵉbl) Silbe *f*.

symbol (ßi'mbᵉl) Symbo'l, Sinnbild *n*; **~ic(al** □) (~ik, ~ᵉl) sinnbildlich; **~ism** (ßi'mbᵉlism) Symbo'lik *f*.

symmetr|ical □ (ßimᵉtri'kᵉl) ebenmäßig; **~y** (ßi'mᵉtri) Ebenmaß *n*.

sympath|etic (ßimpᵉ'tik) (~ally) sympathisch; mitfühlen; ~ *strike* Sympathie'streik *m*; **~ize** (ßi'mpᵉtāis) sympathisieren, mitfühlen; **~y** (~thi) Sympathie' *f*, Mitgefühl *n*.

symphony (ßi'mfᵉni) Symphonie' *f*.

symptom (ßi'mptᵉm) Sympto'm *n*.

synchron|ize (ßi'nᵒtrᵉnāiſ) *v*/*i.* gleichzeitig sn; *v*/*t.* Uhren gleichgehend m.; *Tonfilm:* synchronisieren; **~ous** □ (~nᵉß) gleichzeitig.

syndicate 1. (ßi'ndikᵉit) Syndika't *n*; 2. (~ᵗᵉit) zu e-m S. verbinden.

synonym (ßi'nᵉnim) Synony'm *n*; **~ous** (ßinó'nimᵉß) sinnverwandt.

synopsis (ßinó'pßiß) Übersicht *f*.

synthe|sis (ßi'ntᵻßiß) Synthe'se, Zs.-setzung *f*; **~tic(al** □) (ßintᵻ'tik, ~tᵻᵗᵉl) synthetisch.

syringe (ßi'rinᵈG) 1. Spritze *f*; 2. (be-, ein-, aus-)spritzen.

syrup (ßi'rᵉp) Sirup *m*.

system (ßi'ßtᵉm) Syste'm *n*; **~atic** (ßißtᵻ'mä'tik) (~ally) systematisch.

tab — 473 — tall

T

tab (täb) Streifen; An-, Auf-hänger *m*; Klappe *f*; Schildchen *n*.

table (te'bl) 1. Tafel; Platte *f*; Tisch *m*; Tabe'lle; Tischgesellschaft *f*; ~ of contents Inhaltsverzeichnis *n*; 2. auf den Tisch legen; vorlegen; ~**cloth** Tischtuch *n*; ~**spoon** Eßlöffel *m*.

tablet (tä'blᵢt) Täfelchen *n*; (Schreib-usw.)Block *m*; Table'tte *f*.

taboo (tᵉbū') 1. tabu': unantastbar; verboten; 2. Verbot *n*; 3. verbieten.

tabulate (tä'bⁱᵘleⁱt) tabellarisch ordnen.

tacit ☐ (tä'ßⁱt) stillschweigend; ~**urn** ☐ (tä'ß̆'tön) schweigsam.

tack (täk) 1. Stift *m*, Zwecke *f*; Heftstich *m*; ⚓ Halse *f*; Gang beim Lavieren; *fig.* Weg *m*; 2. *v/t.* (an-)heften; *fig.* (an)hängen; *v/i.* ⚓ wenden; *fig.* lavieren.

tackle (tä'kl) 1. Gerät; ⚓ Takel *n*; ⊕ Flaschenzug *m*; 2. (an-)packen; in Angriff nehmen; fertig w. mit.

tact (täkt) Takt *m*, Feingefühl *n*; ~**ful** ☐ (tä'ktfᵘl) taktvoll.

tactics (tä'ktikß) Taktik *f*.

tactless ☐ (tä'ktliß) taktlos.

taffeta (tä'fⁱtᵉ) Taft *m*.

tag (täg) 1. loses Ende *n*; (Senkel-)Stift *m*; *fig.* Zusatz *m*; angehängter Zettel *m*, Etikette; Redensart *f*; 2. mit e-m Stift *usw.* versehen; *fig.* verbrämen; hängen (to an *acc.*).

tail (te'l) 1. Schwanz; Schweif; (Rock-)Schoß *m*; Schleppe; Rückseite *f* e-r Münze; (hinteres) Ende *n*, Schluß *m*; 2. *v/t.* mit e-m Schwanz versehen; an-setzen, -hängen; *Tier* stutzen; *v/i.* (sich) (dahin-)ziehen; ~ off abnehmen; ~**coat** Frack *m*; ~**light** Schlußlicht *n*.

tailor (te'/lᵉ) 1. Schneider *m*; 2. schneidern; ~**made** Schneider...

taint (te'nt) 1. Flecken, Makel *m*; Ansteckung; Verderbnis *f*; 2. beflecken; verderben; 𝔤ˢ anstecken.

take (te'k) 1. [irr.] *v/t.* nehmen; an-, ab-, auf-, ein-, fest-, hin-, wegnehmen; (weg)bringen; *Maßnahme*, *Gelegenheit* ergreifen; *Eid* auf sich

nehmen; *phot.* aufnehmen; *et. gut usw.* aufnehmen; *Beleidigung* hinnehmen; fassen, ergreifen; fangen; *fig.* fesseln; sich *e-e Krankheit* zuziehen; brauchen; *Zeit* dauern; auffassen; *I ~ it that* ich nehme an, daß; ~ *the air* an die Luft gehen; 𝔤ˣ aufsteigen, abfliegen; ~ *fire* Feuer fangen; ~ *in hand* unterne'hmen; ~ *pity on* Mitleid h. mit; ~ *place* stattfinden; ~ *rest* ausruhen; ~ *a seat* Platz nehmen; ~ *a view of* Stellung nehmen zu; ~ *a walk* e-n Spaziergang m.; ~ *down* notieren; ~ *for* halten für; ~ *from* j-m wegnehmen; abziehen von; ~ *in Naht* einhalten; *Zeitung* halten; einschließen; F *j.* reinlegen; ~ *off* ab-, weg-nehmen; *Kleid* ausziehen; ~ *out* heraus-, entnehmen; *Fleck* entfernen; *j.* ausführen; ~ *to pieces* auseinandernehmen; ~ *up* aufnehmen; sich *e-r S.* annehmen; *Raum, Zeit* in Anspruch nehmen; 2. *v/i.* wirken, ein-, an-schlagen, ziehen; ~ *after* nach j-m arten *od.* schlagen; ~ *off* abspringen; 𝔤ˣ aufsteigen; ~ *over* die Amtsgewalt überne'hmen; ~ *to* liebgewinnen; *fig.* sich legen auf (*acc.*); sich ergeben (*dat.*); *that won't* ~ *with me* das verfängt bei mir nicht; 3. Fang *m*; *Geld*-Einnahme *f*; ~**n** (teⁱ'kᵉn) genommen; *be* ~ *ill* krank w.; ~**off** (te'tŏ'f) Karikatu'r *f*; Absprung; 𝔤ˣ Start *m*.

taking (teⁱ'kⁱnᵍ) 1. ☐ anziehend, einnehmend; ansteckend; 2. ~s † (~ß) *pl.* Einnahmen *f/pl.*

tale (te'l) Erzählung, Geschichte *f*; Märchen *n*, Sage *f*.

talent (tä'lᵉnt) Tale'nt *n*, Anlage *f*; ~**ed** (~ᵢb) tale'ntvoll, begabt.

talk (tŏl) 1. Gespräch *n*; Untere'dung *f*; Geschwätz *n*; 2. sprechen, reden (von *et.*); plaudern; ~**ative** (tŏ'tᵉtⁱw) gesprächig; ~**er** (tŏ'tᵉ) Schwätzer(in).

tall (tŏl) groß, lang, hoch; F großspurig; ~ *order* starke Zumutung *f*; *Am.* F ~ *story* Räubergeschichte *f*.

tallow (tä'lo") *ausgelassenen* Talg *m.*

tally (tä'li) 1. Kerbholz; Gegenstück *n* (*of* zu); 2. stimmen (*with* zu).

tame (te'm) 1. □ zahm (*a. fig.*); 2. (be)zähmen, bändigen.

tamper (tä'mp⁴): ~ *with* sich (unbefugt) zu schaffen m. mit; *j.* zu bestechen suchen; Fälschungen vornehmen in *od.* an (*dat.*).

tan (tän) 1. Lohe; Lohfarbe *f;* 2. lohfarben; 3. gerben; bräunen.

tang (täng) Beigeschmack *m.*

tangent A₄ (tä'nᵈG⁴nt) Tange'nte *f; go* (*a. fly*) *off at a* ~ vom Gegenstande abspringen.

tangible (tä'nᵈG⁴bl) fühlbar, (*a. fig.*) greifbar.

tangle (tä'nᵍgl) 1. Gewirr *n;* 2. (sich) verwirren, verwickeln.

tank (tänᵍf) Wasserbehälter; ⊕, ⋇ Tank *m;* 2. tanken.

tankard (tä'nᵍt⁴d) Kanne *f,* Krug *m.*

tannery (tä'n⁴rı) Gerberei *f.*

tantalize (tä'ntⁱläſ) quälen.

tantrum F (tä'ntr⁴m) Koller *m.*

tap (täp) 1. Pochen *n;* (Zapf-)Hahn, Zapfen *m;* Schenkstube; F Sorte *f;* 2. pochen; tippen (auf, an *acc.*); an-, ab-zapfen; **~dance** Stepptanz *m.*

tape (te'p) schmales Band; *Sport:* Zielband *n; tel.* Papierstreifen *m; red* ~ Bürokratismus *m;* **~measure** (te'⁴pmēG⁴) Bandmaß *n.*

taper (te'⁴p⁴) 1. Wachsfaden *m;* 2. *adj.* spitz (zulaufend); schlank; 3. *v/i.* spitz zulaufen; *v/t.* zuspitzen.

tapestry (tä'p⁴ſtrı) Gobeli'n *m.*

tape-worm Bandwurm *m.*

tap-room (tä'prum) Schenkstube *f.*

tar (tā) 1. Teer *m;* 2. teeren.

tardy □ (tā'dı) langsam; spät.

tare (tä⁴) Tara *f.*

target (tā'g⁴t) (Schieß-)Scheibe *f; fig.* Ziel(scheibe *f*); Soll *n;* ~ *practice* Scheibenschießen *n.*

tariff (tä'rıf) (*bsd.* Zoll-)Tari'f *m.*

tarnish (tā'nıᵈ) 1. *v/t.* ⊕ trüb (*od.* blind) m.; *fig.* trüben; *v/i.* trüb w., anlaufen; 2. Trübung *f;* Belag *m.*

tarry 1. *lit.* (tä'rı) säumen, zögern; weilen; 2. (tā'rı) teerig.

tart (tāt) 1. □ sauer, herb; *fig.* scharf, schroff; 2. (Obst-)Torte *f.*

task (täſf) 1. Aufgabe; Arbeit *f; take to* ~ zur Rede stellen; 2. beschäftigen; in Anspruch nehmen.

tassel (tä'ſl) Troddel, Quaste *f.*

taste (te'ſt) 1. Geschmack *m;* (Kost-)Probe; Lust *f* (*for* zu); 2. kosten, schmecken; versuchen; genießen; **~ful** □ (te'ſtᶠl) geschmackvoll; **~less** □ (..lⁱſ) geschmacklos.

tasty □ F (te'ſtı) schmackhaft.

tatter (tä't⁴) 1. zerfetzen; 2. **~s** *pl.* Fetzen *m/pl.*

tattle (tä'tl) 1. schwatzen; tratschen; 2. Geschwätz *n;* Tratsch *m.*

tattoo (t⁴tū') 1. ⋇ Zapfenstreich *m;* Tätowierung *f;* 2. tätowieren.

taught (tōt) lehrte; gelehrt.

taunt (tōnt) 1. Stichelei *f,* Spott *m;* 2. verhöhnen, spotten.

taut (tōt) ⊕ steif, straff; schmuck. (*fig.*)

tavern (tä'w⁴n) Schenke *f.*

tawdry □ (tō'drı) kitschig.

tawny (tō'nı) lohfarben.

tax (täſᵹ) 1. Steuer, Abgabe; *fig.* Inanspruchnahme *f* ([*up*] *on gen.*); 2. besteuern; stark in Anspruch nehmen; *g⁴* *Kosten* schätzen; auf e-e harte Probe stellen; *j.* zur Rede stellen; ~ *a p. with a th. j.* e-r S. beschuldigen; **~ation** (täſᵍſ'ſⁱ⁴n) Besteuerung; Steuer(n *pl.*); *bsd.* *g⁴* Schätzung *f.*

taxi (tä'fſı) 1. = **~cab** (Auto-) Droschke, Taxe *f;* 2. mit e-r Taxe fahren; ⋇ (ab-, an-, aus-)rollen.

taxpayer (tä'ſpe'⁴) Steuerzahler *m.*

tea (tı) Tee *m.*

teach (tıtᵈ) [*irr.*] lehren, unterri'chten; **~able** □ (tı'tᵈⁱ⁴bl) gelehrig; lehrbar; **~er** (tı'tᵈⁱ⁴) Lehrer(in).

team (tım) Gespann *n;* Mannschaft *f;* **~ster** (tı'mᵇt⁴) Gespannführer *m;* **~work** Zusammen-arbeit *f,* -spiel *n.*

teapot (tı'pöt) Teekanne *f.*

tear¹ (tä⁴) 1. [*irr.*] zerren, (zer-) reißen; *mit adv. od. prep.* rasen, stürmen; 2. Riß *m.*

tear² (tı⁴) Träne *f.*

tearful □ (tı⁴ᶠl) tränenreich.

tease (tıſ) 1. necken, hänseln; quälen; 2. F Quälgeist *m.*

teat (tıt) Zitze, Brustwarze *f.*

technic|al □ (tⁱ'nⁱtⁱl) technisch; gewerblich, Gewerbe...; fachlich, Fach...; **~ality** (tⁱᵈnⁱ'ſⁱᵈtı) technische Eigentümlichkeit *od.* Einzelheit *f;* **~ian** (tⁱᵈnⁱ'ſⁱ⁴n) Techniker(in).

technique (tⁱᵈnⁱ't) Te'chnik *f.*

technology (tⁱᵈnⁱ'lᵉᵈᵍı) Gewerbekunde *f.*

tedious □ (tī'ᵈⁱᵉß) langweilig.
tedium (tī'ᵈⁱᵉm) Langweiligkeit f.
tee (tī) *Golf*: Abschlagmal n.
teem (tīm) wimmeln; strotzen (*beide*: with von). [von 13—19.\
teens (tīnß) *pl.* Lebensjahre n/pl.\
teeth (tīth) Zähne m/pl.; ~e (tīdh) zahnen. [ler(in).\
teetotal(l)er (tīto'ᵘtlᵉ) Abstine'nz-|
telegram (te'lⁱgräm) Telegra'mm n.
telegraph (te'lⁱgräf) 1. Telegra'ph m; 2. Telegraphen...; 3. telegraphieren; ~ic (te'lⁱgrä'fⁱt) (~ally) telegraphisch; ~y (tⁱle'grᵉfⁱ) Telegraphie' f.
telephon|e (te'lⁱfoᵘn) 1. Telepho'n n, Fernsprecher m; 2. telephonieren (mit *j-m*); ~ic (te'lⁱfo'nⁱt) (~ally) telephonisch; ~y (tⁱle'fᵉnⁱ) Fernsprechwesen n.
telephoto (te'lⁱfoᵘ'toᵘ) *phot.* (*od.* ~ *lens*) Teleobjekti'v n.
telescope (te'lⁱßkoᵘp) 1. Fernrohr n; 2. (sich) ineinanderschieben.
televis|ion (te'lⁱwⁱ'Ǧᵉn) Fernsehen n; ~or (~wäⁱßᵉ) Fernsehapparat m.
tell (tel) [*irr.*] *v/t.* zählen; sagen, erzählen, erkennen; ~ *a p.* to do *a th.* i-m sagen, er solle et. tun; ~ *off* f abkanzeln; *v/i.* erzählen (*about* von); plaudern; sich auswirken; sitzen (*Hieb usw.*); ~er (te'lᵉ) (Er-)Zähler m; ~ing □ (te'lⁱ⁹) wirkungsvoll; ~tale (te'lⁱteⁱl) Zuträger(in); ⊕ Anzeiger m.
temper (te'mpᵉ) 1. mäßigen, mildern; *Kalk usw.* anrühren; *Stahl* anlassen; 2. ⊕ Härte(grad m); (Gemüts-)Ruhe f; Temperame'nt, Wesen n; Stimmung; Wut f; ~ament (~rᵉmᵉnt) Temperame'nt n; ~amental □ (te'mpᵉrᵉme'ntl) temperamentvoll; ~ance (te'mpᵉrᵉnß) Mäßigkeit; Enthaltsamkeit f; ~ate □ (~rⁱt) gemäßigt; maßvoll; mäßig; ~ature (te'm'prⁱtⁱ̶dhᵉ) Temperatu'r f.
tempest (te'mpⁱßt) Sturm m; Gewitter n; ~uous □ (te'mpe'ßtⁱᵘᵉß) stürmisch; ungestüm.
temple (te'mpl) Tempel m; Schläfe f.
tempor|al □ (te'mpᵉrᵉl) zeitlich; weltlich; ~ary (~rⁱ) zeitweilig; vorläufig; vorübergehend; Not...; ~ize (~rālⁱ) Zeit zu gewinnen suchen.
tempt (tempt) *j.* versuchen; verleiten; verlocken; ~ation (temp-

te'ⁱᵈhᵉn) Versuchung f; Reiz m; ~ing □ (~tⁱn⁹) verführerisch.
ten (ten) 1. zehn; 2. Zehn f.
tenable (te'nᵉbl) haltbar.
tenaci|ous □ (tⁱne'ⁱᵈhᵉß) zäh; festhaltend (*of an dat.*); treu (*Gedächtnis*); ~ty (tⁱnä'ßⁱtⁱ) Zähigkeit f; Festhalten n; *Gedächtnis*-Treue f.
tenant (te'nᵉnt) Pächter; Mieter m.
tend (tend) *v/i.* gerichtet sn, hinstreben (zu); abzielen (to auf *acc.*); neigen (to zu); *v/t.* pflegen; hüten; ⊕ bedienen; ~ance (te'nᵈᵉnß) Pflege; Bedienung f; ~ency (~ßⁱ) Richtung; Neigung f; Zweck m.
tender (te'nᵈᵉ) 1. □ *allg.* zart; empfindlich; heikel; zärtlich; 2. Angebot n; Kostenanschlag m; 🚂, ⚓ Tender m; *legal* ~ gesetzliches Zahlungsmittel; 3. anbieten; ~foot F Neuling m; ~ness (~nⁱß) Zartheit; Zärtlichkeit f.
tendon (te'nᵈᵉn) *anat.* Sehne f.
tendril ⚓ (te'nᵈrⁱl) Ranke f.
tenement (te'nⁱmᵉnt) (Miet-)Wohnung f; ~ *house* Miethaus n.
tenor (te'nᵉ) Fortgang, Verlauf; Inhalt; ♪ Teno'r m.
tens|e (tenß) 1. *gr.* Zeitform f; 2. □ gespannt; straff; ~ion (te'nⁱᵈhᵉn) Spannung f.
tent (tent) 1. Zelt n; 2. zelten.
tentacle (te'ntᵉtl) *zo.* Fühler m.
tentative □ (te'ntᵉtⁱw) Versuchs...; ~ly versuchsweise. [tel n.\
tenth (tenth) 1. zehnte(r, s); 2. Zehn-|
tenure (te'nⁱᵘᵉ) Dauer, Frist f.
tepid □ (te'pⁱd) lau(warm).
term (tö̲m) 1. (bestimmte) Zeit, Frist f, Termi'n m; 🏫 Sitzungsperio'de f; Semester; ♂, *phls.* Glied n; (Fach-)Ausdruck m, Wort n; ~s *pl.* Bedingungen f/pl.; Beziehungen f/pl.; *be on good (bad)* ~s *with* gut (schlecht) stehen mit; *come to* ~s sich einigen; 2. (be)nennen; bezeichnen (als).
termina|l (tö̲'mⁱnl) 1. □ End...; letzt; ~ly termi'nweise; 2. Endstück n; ⚡ Pol m; *Am.* 🚂 Endstatio'n f; ~te (~neⁱt) begrenzen; be)endigen; ~tion (tö̲mⁱneⁱ'ⁱᵈhᵉn) Be-endigung f; Ende n.
terminus (tö̲'mⁱnᵉß) Endstatio'n f.
terrace (te'rᵉß) Terra'sse; Häuserreihe f; ~d (~t) terrassenförmig.
terrestrial □ (tⁱre'ßtrⁱᵉl) irdisch; Erd...; *bsd. zo.,* ⚓ Land...

terrible □ (tĕ'r∘bl) schrecklich.

terri|fic (tĕ'ri'fĭt) (~ally) fürchterlich; **~fy** (tĕ'ri'fai) v/t. erschrecken.

territor|ial (tĕr'tŏ'ri∘l) 1. □ territoria'l; Land...; Bezirks...; ♀ Army, Force Landwehr f; 2. ✕ Landwehrmann m; **~y** (tĕ'r'i∘ri) Gebiet n.

terror (tĕ'r∘) Schrecken m, Entsetzen n; **~ize** (~rai) terrorisieren.

terse □ (tŏß) bündig, markig.

test (tĕßt) 1. Probe; Untersu'chung; (Eignungs-)Prüfung f; ♀ Rea'gens n; 2. probieren, prüfen.

testify (tĕ'ßti'fai) (be)zeugen; (als Zeuge) aussagen (on über acc.).

testimon|ial (tĕßti'mou'ni∘l) Zeugnis; Ehrengeschenk n; **~y** (tĕ'ßti'm∘ni) Zeugnis n; Beweis m.

test-tube ♀ Reage'nzglas n.

testy □ (tĕ'ßti) reizbar, kribbelig.

tether (tĕ'ð∘) 1. Haltestrick; fig. Spielraum m; Kraft f; 2. anbinden.

text (tĕßt) Text m; Bibelstelle f; **~book** Leitfaden m, Lehrbuch n.

textile (tĕ'ßtail) 1. Texti'l..., Web...; 2. **~s** pl. Web-, Texti'l-waren f/pl. [füge n.)

texture (tĕ'ßtʃ∘) Gewebe; Ge-)

than (ðăn) als.

thank (ðăn⁰t) 1. danken (dat.); ~ you danke; 2. **~s** pl. Dank m; ~s to dank (dat.); **~ful** □ (ðă'n⁰ffᵘl) dankbar; **~less** □ (~li'ß) undankbar; **~sgiving** (ðăn⁰ffßgiwin⁰) Danksagung f; Dankfest n.

that (ðăt) 1. pron. jene(r, s) der, die, das(jenige); welche(r, s); 2. cj. daß; damit.

thatch (ðătʃtʃ) 1. Dachstroh; Strohdach n; 2. mit Stroh decken.

thaw (ðŏ) 1. Tauwetter n; 2. (auf-)tauen.

the (ðĭ; vor Vokalen ðĭ; vor Konsonanten ðⁱ∘) 1. Artikel: der, die, das; 2. adv. ~ ... ~ je ... desto, um so.

theatr|e (ðⁱ'tᵉ) Thea'ter n; fig. Schauplatz m; **~ic(al** □) (ðⁱ'ă'tri'ß, ~tri'tᵉl) Thea'ter...; theatra'lisch.

theft (ðĕßt) Diebstahl m.

their (ðă°) ihr(e); **~s** (ðă'°ß) der, die, das ihrige od. ihre.

them (ðĕm) sie (acc. pl.); ihnen.

theme (ðĭm) Thema n; Aufgabe f.

themselves (ðᵉmß³lwß) sie (acc. pl.) selbst; sich selbst.

then (ðĕn) 1 adv dann; damals; da; 2. cj. denn, also, folglich; 3. adj. damalig.

thence lit. (ðĕnß) daher; von da.

theolog|ian (thⁱ°lou'ᵈGⁱᵉn) Theolo'g(e) m; **~y** (thⁱ°l'ᵉᵇGⁱ) Theologie' f.

theor|etic(al □) (thⁱ°rĕ'tⁱß, ~tⁱₑl) theoretisch; **~ist** (thⁱᵉ'rⁱßt) Theoretiker m; **~y** (thⁱ°'rⁱ) Theorie' f.

there (ðă∘) da, dort; darin; dorthin; na!; ~ is, ~ are (ðă'rⁱ'ß, ðă'rⁱ) es gibt, es ist, es sind; **~about(s)** (ðă'°r°băut[ß]) da herum; so ungefähr ...; **~after** (ðă'ă°rᵃ'ftᵉ) danach; **~by** (ðă°'băi') dadurch, damit; **~fore** (ðă°'fŏ) darum, deswegen; deshalb, daher; **~upon** (ðă'°'r°pó'n) darauf(hin).

thermo|meter (thᵊrmó'mⁱtᵉ) Thermome'ter n; **~s** (thₒ'mⁱt) (od. ~ flack, ~ bottle) Thermosflasche f.

these (ðĭß) [pl. von this] diese.

thes|is (thⁱ'bⁱß), pl. **~es** (~bⁱß) Thesef.

they (ðĕⁱ) sie (pl.).

thick (thⁱß) 1. □ allg. dick: dicht; heiser; dumm; F (pred.) dick befreundet; ~ with dicht besetzt mit; 2. dickster Teil m; in the ~ of mitten in (dat.); **~en** (thⁱ'tᵉn) (sich) verdicken; (sich) verdichten; **~et** (thⁱ'fⁱt) Dickicht n; **~headed** dummköpfig; **~ness** (thⁱ'fn⁰ß) Dicke; Dichtigkeit f; **~set** (thⁱ'ßĕ't) dicht (gepflanzt); untersetzt; **~skinned** fig. dickfellig.

thie|f (thⁱf), pl. **~ves** (thⁱwß) Dieb(in)ₐ; **~ve** (thⁱw) stehlen.

thigh (thăi) (Ober-)Schenkel m.

thimble (thⁱ'mbl) Fingerhut m.

thin (thⁱn) 1. □ allg. dünn; schwach; in a ~ house vor schwach besetztem Hause; 2. verdünnen; (sich) lichten; abnehmen.

thing (thⁱn⁰) Ding n; Sache f; Geschöpf n; **~s** pl. Sachen f/pl.; die Dinge n/pl. (Umstände); the ~ das Richtige; ~s are going better es geht jetzt besser.

think (thⁱn⁰t) [irr.] v/i. denken (of an acc.); nachdenken; meinen, glauben; gedenken (to inf. zu inf.); v/t. (sich) et. denken; halten für; ~ much etc. of viel usw. halten von.

third (thₒð) 1. dritte(r, s); 2. Drittel n.

thirst (thₒ'ßt) 1. Durst m; 2. dursten; **s~y** □ (thₒ'ßtⁱ) durstig.

thirt|een (thₒ'tⁱ'n) dreizehn; **~eenth** (thₒ'tⁱ'ntht) dreizehnte(r, s); **~ieth** (thₒ'tⁱⁱth) dreißigste(r, s); **~y** (thₒ'tⁱ) dreißig. [morgen.]

this (ðⁱß) diese(r, s); ~ morning heute)

thistle ❦ (thi'sl) Distel f.

thong (thôᵑ) Riemen m.

thorn ❦ (thôn) Dorn m; ~y (thô'ni) dornig, stach(e)lig; beschwerlich.

thorough ☐ (tha'r°) vollkommen; vollständig; vollendet; gründlich; ~ly a. durchaus; ~bred 1. Vollblut-...; 2. Vollblüter m; ~fare Durchgang m, -fahrt; (Haupt-)Verkehrsstraße f; ~going gründlich; tatkräftig.

those (dhoᵘß) pl. jene; die(jenigen).

though (dhoᵘ) obgleich; wenn auch; zwar; F doch; as ~ als ob.

thought (thôt) 1. dachte; gedacht; 2. Gedanke m; (Nach-)Denken n; ~ful ☐ (thô'tf°l) gedankenvoll, nachdenklich; rücksichtsvoll (of gegen); ~less ☐ (thô'tl¹ß) gedankenlos; unbesonnen; rücksichtslos (of gegen).

thousand (thau'z°nd) 1. tausend; 2. Tausend n; ~th (thau'ß°nth) 1. tausendste(r, s); 2. Tausendstel n.

thrash (thräsch) (ver)dreschen; (hin und her) schlagen; s. thresh; ~ing (thra'sching) Dresche f.

thread (thréd) 1. Faden (a. fig.); Zwirn m; Garn; ⊕ Gewinde n; 2. einfädeln; sich durchwinden durch; ~bare (thré'bbä°) fadenscheinig.

threat (thrét) Drohung f; ~en (thré'tn) (be-, an-)drohen.

three (thri) 1. drei; 2. Drei f; ~fold (thri'foᵘld) dreifach; ~pence (thré'p°nß) Dreipence(stück n) m/pl.; ~score (thri'ßĸô') sechzig.

thresh (thrésch) ✓ (aus)dreschen; s. thrash; ~ out fig. durchdreschen.

threshold (thré'schh]oᵘld) Schwelle f.

threw (thrü) warf; geworfen.

thrice (thraiß) dreimal.

thrift (thrift) Sparsamkeit, Wirtschaftlichkeit f; ~less ☐ (thri'ftlᵉß) verschwenderisch; ~y ☐ (thri'fti) sparsam, wirtschaftlich.

thrill (thril) 1. v/t. durchschau°ern; fig. packen; v/i. (er)beben; 2. Schauer m; Beben n; ~er (thri'l°) Schauerroman m, -drama n.

thrive (thraiw) [irr.] gedeihen; fig. blühen; Glück h.; ~n (thri'wn) gediehen.

throat (throᵘt) Kehle f; Hals m; clear one's ~ sich räuspern.

throb (thrôb) 1. pochen, klopfen; 2. Pochen n; Pulsschlag m.

throes (throᵘß) pl. (Geburts-)Wehen|

throne (throᵘn) Thron m. [f/pl.]

throng (thrôᵑ) 1. Gedränge n; 2. sich drängen (in dat.).

throttle (thrô'tl) 1. erdrosseln; ⊕ (ab)drosseln; 2. ⊕ Drosselventil n.

through (thrü) 1. durch; 2. durchgehend; ~out (thrüau't) 1. prp. durch ... hindurch; 2. durchweg.

throve (throᵘw) gedieh.

throw (throᵘ) 1. [irr.] werfen; treiben, jagen; ⊕ schalten; ~ over aufgeben; ~ up in die Höhe werfen; ausbrechen; fig. hinwerfen; 2. Wurf m.

thru Am. = through durch.

thrum (thräm) klimpern (auf dat.).

thrust (thräßt) 1. Stoß; Vorstoß; ⊕ Druck m; 2. [irr.] stoßen; ~ o.s. into sich drängen in (acc.); ~ upon a p. j-m aufdrängen.

thud (thad) 1. dumpf aufschlagen; bumsen; 2. dumpfer Schlag, Bums m.

thug Am. (thag) Strolch m.

thumb (tham) 1. Daumen m; 2. Buch usw. abgreifen; ~tack Am. Reißzwecke f.

thump (thamp) 1. Bums; Puff m; 2. v/t. bumsen auf (acc.) od. gegen; knuffen, puffen; v/i. (auf)bumsen.

thunder (tha'nd°) 1. Donner m; 2. donnern; ~bolt Blitz(strahl) m; ~clap Donnerschlag m; ~ous ☐ (tha'nd°r°ß) donnernd; ~storm Gewitter n; ~struck wie vom Donner gerührt.

Thursday (thö'ßdi) Donnerstag m.

thus (dhaß) so; also, somit.

thwart (thwôt) 1. durchkreu'zen; hintertrei'ben; 2. Ruderbank f.

thyroid (thai'roid) Schilddrüse f.

tick (tik) 1. zo. Zecke f; I'nlett n; Drell m; Ticken; Häkchen n; 2. v/i. ticken; v/t. anhaken; ~ off abhaken.

ticket (ti'kit) 1. Zettel m; (Ausweisusw.)Karte; Fahrkarte f, -schein; (Pfand- usw.)Schein m; Am. (Kandida'ten-)Liste f; 2. mit e-m Zettel usw. versehen; ~office, Am. ~window Fahrkartenschalter m.

tickle (ti'kl) kitzeln (a. fig.); ~ish ☐ (ti'kisch) kitzlig; heikel.

tidal (tai'dl): ~ wave Flutwelle f.

tide (taid) 1. Gezeit(en pl.) f (a. fig.); (low ~) Ebbe und (high ~) Flut f; fig. Strom m; in Zssgn: Zeit f; 2. fig. ~ over hinwegkommen über (acc.).

tidings (tāĭ'dĭnᵍ) pl. Nachrichten f/pl.

tidy (tāĭ'dĭ) 1. ordentlich; 2. zurechtmachen; ordnen; aufräumen.

tie (tāĭ) 1. Band n (a. fig.); Krawatte; Bindung; fig. Fessel; Punkt-, Stimmen-gleichheit f; 2. v/t. (ver-)binden; v/i. Sport: punktgleich sn.

tier (tĭᵉ) Reihe f; Rang m.

tie-up (Ver-)Bindung; Am. Arbeitseinstellung; Verkehrsstörung f.

tiger (tāĭ'gᵉ) Tiger m.

tight (tāĭt) dicht; fest; eng; straff, prall; knapp; F beschwipst; F ~ place fig. Klemme f; ~en (tāĭ'tn) (sich) zs.-ziehen (a. ~ up); Gürtel enger schnallen; ~fisted knick(e)rig; ~ness (tāĭ'tnĭᵉ) Festigkeit, Dichtigkeit f usw.; ~s (tāĭtᵉ) pl. Trikot n.

tigress (tāĭ'grĭᵉ) Tigerin f.

tile (tāĭl) 1. Ziegel m; Kachel; Fliese f; 2. mit Ziegeln usw. decken.

till (tĭl) 1. Ladenkasse f; 2. bis (zu); 3. ✍ bestellen; ~age (tĭ'lᵈⱼ) (Land-)Bestellung f; Ackerbau m; Ackerland n.

tilt (tĭlt) 1. Neigung, Kippe f; Stoß m; 2. kippen; ~ against anrennen gegen.

timber (tĭ'mbᵉ) 1. (Bau-, Nutz-)Holz n; Balken; Baum(bestand) m; 2. zimmern.

time (tāĭm) 1. Zeit f; Mal n; Takt m; Tempo n; at a ~ zugleich; for the ~ being einstweilen; in (od. on) ~ zur (rechten) Zeit; 2. zeitlich festsetzen; zeitlich abpassen; die Zeitdauer messen; ~ly (tāĭ'mĭl) (recht-)zeitig; expire Uhr f; ~-sheet Anwesenheitsliste f; ~-table Fahr-, Stunden-plan m.

timid (tĭ'mĭd), timorous (tĭ'mᵉrᵉᵗ) furchtsam; schüchtern.

tin (tĭn) 1. Zinn n; (Konserven-)Büchse f; 2. verzinnen; in Büchsen einmachen.

tincture (tĭ'nᵍtĭ(tĕ)) 1. Tinktu'r f; fig. Anstrich m; 2. färben.

tinfoil (tĭ'nfŏĭl) Stanniol n.

tinge (tĭndᵍ) 1. Färbung f; fig. Anflug m, Spur f; 2. färben; fig. e-n Anstrich geben (dat.).

tingle (tĭ'nᵍgl) klingen; prickeln.

tinker (tĭ'nᵍᵗᵉ) basteln (at an dat.).

tinkle (tĭ'nᵍtl) klingeln (mit).

tin-plate (tĭ'nplᵉĭ't) Weißblech n.

tinsel (tĭ'nᵗᵉl) Flitter(werk n) m.

tinsmith (tĭ'nᵗᵐĭtʰ) Klempner m.

tint (tĭnt) 1. Farbe f; (Farb-)Ton m; 2. färben; (ab)tönen.

tiny (tāĭ'nĭ) winzig.

tip (tĭp) 1. Spitze f; Mundstück; Trinkgeld n; Wink; leichter Stoß m; 2. mit e-r Spitze versehen; (um)kippen; j-m ein Trinkgeld geben; j-m e-n Wink geben.

tipple (tĭ'pl) zechen, picheln.

tipsy (tĭ'pᵗĭ) angeheitert.

tiptoe (tĭ'ptŏᵘ) Zehenspitze f.

tire (tāĭᵉ) 1. (Rad-)Reifen m; 2. müde m. od. w.; ~d (~ᵈ) müde; ~less (tāĭᵉ'lĭᵉ) unermüdlich; ~some (~ᵗᵉm) ermüdend.

tiro (tāĭᵉ'rŏᵘ) Anfänger m.

tissue (tĭ'ᵗⱼū) Gewebe n; ~paper (~pᵉĭ'pᵉ) Seidenpapier n.

titbit (tĭ'tbĭt) Leckerbissen m.

titillate (tĭ'tĭlᵉĭt) kitzeln.

title (tāĭ'tl) 1. Titel m; ꞔᵗ Anspruch m; 2. betiteln; ~d bsd. ad(e)lig.

titter (tĭ'tᵉ) 1. kichern; 2. Kichern n.

tittle (tĭ'tl) Pünktchen; fig. Tüttelchen n; ~tattle (~tätl) Schnickschnack m.

to (tū; tᵘ) prp. zu (a. adv.); gegen, nach, an, in, auf; bis zu, bis an (acc.); um zu; für; ~ me etc. mir usw.; I weep ~ think of it ich weine, wenn ich daran denke.

toad (tŏᵘd) Kröte f; ~stool (Gift-)Pilz m; ~y (tŏᵘ'dĭ) 1. Speichellecker m; 2. fig. vor j-m kriechen.

toast (tŏᵘᵗt) 1. geröstetes Brot n; Trinkspruch m; 2. rösten; fig. wärmen; trinken auf (acc.).

tobacco (tᵉbä'kŏᵘ) Tabak m; ~nist (tᵉbä'kᵉnĭᵗt) Tabakhändler m.

toboggan (tᵉbŏ'gᵉn) 1. Rodelschlitten m; 2. rodeln.

today (tᵉdᵉĭ') heute.

toe (tŏᵘ) 1. Zehe; Spitze f; 2. mit den Zehen berühren.

together (tᵉgĕ'ðᵉ) zusammen; zugleich; nacheinander.

toil (tŏĭl) 1. mühsame Arbeit, Mühe, Plackerei f; 2. sich plagen.

toilet (tŏĭ'lĭt) Toile'tte f; ~table Frisiertoilette f.

toilsome (tŏĭ'lᵗᵉm) mühsam.

token (tŏᵘ'kᵉn) Zeichen; Andenken n; ~ money Notgeld n.

told (tŏᵘld) sagte; gesagt.

tolera|ble (tŏ'lᵉrᵉbl) erträglich; ~nce (~rᵉnᵗ) Duldsamkeit f; ~nt

□ (ˌrⁱᵉⁿt) duldsam (of gegen); ˌte (ˌreⁱt) dulden; ertragen; ˌtion (tolⁱreⁱʃⁿn) Duldung f.

toll (toᵘl) 1. Zoll m (a. fig.); Wege-, Brücken-, Markt-geld n; 2. läuten; ˌbar, ˌgate Schlagbaum m.

tom (tŏm): ˌ cat Kater m.

tomato ⚥ (tᵉmäⁱtoᵘ, Am. tᵉmeⁱⁱtoᵘ), pl. ˌes (ˌⁱ) Tomate f.

tomb (tüm) Grab(mal) n.

tomboy (tŏⁱmbŏi) Range f.

tomfool (tŏⁱmfüⁱl) Hansnarr m.

tomorrow (tᵉmŏⁱroᵘ) morgen.

ton (tŏnⁿ) Tonne f (deutsche ˌ = 2000 Pfund).

tone (toᵘn) 1. Ton m; out of ˌ verstimmt; 2. e-n Ton geben (dat.); stimmen.

tongs (tŏnⁿⁱ) pl. Zange f.

tongue (tɑnⁿⁱ) Zunge; Sprache f; hold one's ˌ den Mund halten; ˌtied (tɑⁱnⁿtäiⁱd) sprachlos; schweigsam; stumm.

tonic (tŏⁱnik) 1. (ˌally) tonisch; stärkend; 2. ♩ Grundton m; ⚙ tonisches Mittel n.

tonight (tᵉnäiⁱt) heute abend.

tonnage ⚓ (tɑⁱnⁱdⁿⁱ) Tonnengehalt m; Lastigkeit f; Tonnengeld n.

tonsil (tŏⁱnᵻl) anat. Mandel f.

too (tü) zu, allzu; auch, noch dazu.

took (tŭk) nahm.

tool (tül) Werkzeug; Gerät n.

toot (tüt) 1. blasen, tuten; 2. Tuten n.

tooth (tüth) [pl. teeth] Zahn m; ˌache Zahnschmerz m; ˌbrush Zahnbürste f; ˌless □ (tüⁱᵗ͡hⁱᵻ) zahnlos; ˌpik Zahnstocher m; ˌsome (tüⁱᵗ͡hᵻm) schmackhaft.

top (tŏp) 1. oberstes Ende n; Oberteil; Gipfel (a. fig.); Wipfel; Kopf m e-r Seite; mot. Am. Verdeck; fig. Haupt n; Stiefel-Stulpe f; Kreisel m; at the ˌ of one's voice aus voller Kehle; on ˌ obenauf; obendrein; 2. oberst; höchst; 3. oben bedecken; fig. überragen; obenan stehen in (dat.).

toper (toᵘpᵉ) Zecher m.

top-hat F Zylⁱnderhut m.

topic (tŏⁱpik) Gegenstand m, Thema n; ˌal (tŏⁱpⁱᵗⁱl) lokaⁱl; aktueⁱll.

topmost (tŏⁱpmoᵘᵗⁱt) höchst, oberst.

topple (tŏⁱpl) (um-, über-)kippen.

topsyturvy □ (tŏⁱpᵦⁱtŏⁱwⁱ) auf den Kopf gestellt; das Oberste zu unterst; drunter und drüber.

torch (tŏⁱtʃ) Fackel; electric ˌ Stab-

taschenlampe f; ˌlight Fackellicht n; ˌ procession Fackelzug m.

tore (tŏ) zerrte; (zer)riß.

torment 1. (tŏⁱmᵉnt) Qual, Marter f; 2. (tŏmĕⁱnt) martern, quälen.

torn (tŏn) gezerrt; zerrissen.

tornado (tŏneⁱⁱdoᵘ) Wirbelsturm m.

torpedo (tŏpiⁱⁱdoᵘ) Torpedo m; ⚓ torpedieren (a. fig.).

torpid □ (tŏⁱpiⁱd) starr; apaⁱthisch; träg; ˌity (tŏpiⁱⁱdⁱtⁱ).

torpor (tŏⁱpᵉ) Erstarrung, Betäubung f. [m.]

torrent (tŏⁱrᵉnt) Gießbach; Strom

torrid (tŏⁱriⁱd) (brennend) heiß.

tortoise (tŏⁱtᵉᵦ) zo. Schildkröte f.

tortuous □ (tŏⁱtiᵘⁱᵦ) gewunden.

torture (tŏⁱtʃᵉ) 1. Folter, Marter, Tortuⁱr f; 2. foltern, martern.

toss (tŏᵦ) 1. Werfen n, Wurf m; (a. ˌup) Losen n; 2. (sich) hin und her werfen; schütteln; (mit adv.) werfen; hochwerfen; ˌ (up) losen (for um).

tot F (tŏt) Knirps m (kleines Kind).

total (toᵘⁱtl) 1. □ ganz, gänzlich; 2. Gesamtbetrag m; 3. sich belaufen auf (acc.); summieren; ˌitarian (toᵘtäliⁱtäⁱrⁱⁱᵉn) totalitär; ˌity (toᵘtäⁱltⁱ) Gesamtheit f.

totter (tŏⁱtᵉ) wanken, wackeln.

touch (tɑⁱtʃ) 1. (sich) berühren; an-rühren, -fassen, stoßen an (acc.); an-, be-fühlen; fig. rühren; erreichen; ♩ anschlagen; be ˌed fig. e-n Stich h.; ˌ up auffrischen; retuschieren; ˌ at ⚓ anlegen in (dat.); 2. Berührung f; Gefühl(ssinn m) n; Anflug, Schuß m; Fertigkeit f; ♩ Anschlag; (Pinsel-)Strich m; ˌing (tɑⁱtʃiⁿⁱ) rührend; ˌstone Prüfstein m; ˌy □ (tɑⁱtʃⁱ) empfindlich; heikel.

tough (tɑf) zäh (a. fig.); schwer, hart; ˌen (tɑⁱfn) zäh(e) m. od. w.; ˌness (tɑⁱfnⁱᵦ) Zähigkeit f.

tour (tuᵉ) 1. (Rund-)Reise, Tour f; 2. (be)reisen; ˌist (tuᵉriⁱᵗ) Touriⁱst(in); ˌ agency Reisebüro n.

tournament (ˌnᵉmᵉnt) Turnieⁱr n.

tousle (täuⁱᵦl) zausen, zerren.

tow ⚓ (toᵘ) 1. Schleppen n; take in ˌ ins Schlepptau nehmen; 2. schleppen; treideln.

towards (tŏᵦ) gegen; nach ... zu, auf ... (acc.) zu; (als Beitrag) zu.

towel (täuⁱᵉl) Handtuch n.

tower (täuⁱᵉ) 1. Turm; Zwinger; fig. Hort m; 2. sich erheben.

town (taun) Stadt f; ~ council Stadt-verordnetenversammlung f; ~ hall Rathaus n; ~sfolk (tau'nſouⁿ), ~s-people (~pīpl) Städter m/pl.; ~ship (tau'nſhip) Stadtgemeinde f; Stadtgebiet n; ~sman (tau'n|m°n) (Mit-)Bürger m.

toxi|c(al □) (tŏ'kſit, ~ħit°l) giftig; Gift...; ~n (tŏ'kſin) Giftstoff m.

toy (tŏi) 1. Spielzeug n; Tand m; 2. Spiel(zeug)...; Zwerg...; 3. spielen; ~book Bilderbuch n.

trace (tre'ħ) 1. Spur f; Strang m; 2. nachspüren (dat.); fig. verfolgen; herausfinden; (auf)zeichnen; (durch)pausen.

tracing (tre'ħinə) Pauszeichnung f.

track (träk) 1. Spur f; Sport: Bahn f; Pfad m; Geleise n; 2. nachspüren (dat.); ~ down, ~ out aufspüren.

tract (träkt) Strecke; Gegend f.

tractable (trä'ꜩt°bl) lenk-, füg-sam.

tract|ion (trä'ꜩſh°n) Ziehen n, Zug m; ~ engine Zugmaschine f; ~or ⊕ (trä'ꜩt°) Trecker m.

trade (tre'd) 1. Handel m; Gewerbe; Handwerk n; 2. Handel treiben; handeln; ~ on ausnutzen; ~-mark Warenzeichen n, Handelsmarke f; ~-price Händlerpreis m; ~r (tre'd°) Händler m; ~sman (tre'd|m°n) Geschäftsmann m; ~(s)-union (tre'd[s]jjū'ni°n) Gewerkschaft f; ~wind ⚓ Passa'twind m.

tradition (tr°dî'ſh°n) Traditio'n f; ~al □ traditione'll.

traffic (trä'fit) 1. Handel; Verkehr m; ~ jam Verkehrsstockung f; 2. handeln.

traged|ian (tr°dʒī'di°n) Tra'giker (-in); Tragö'd|e, -in; ~y (trä'dʒ°di) Tragö'die f.　　[gisch.]

tragic(al □) (trä'dʒit, ~dʒit°l) tra-]

trail (tre'l) 1. fig. Schweif m; Schleppe; Spur f; Pfad m; 2. v/t. (nach)schleppen; verfolgen; v/i. (sich) schleppen; ⚘ hängen; ~er (tre'l°) mot. Anhänger m.

train (tre'n) 1. Reihe, Kette f; Zug m; Gefolge n (a. fig.); Schleppe f; by ~ mit der Bahn; in ~ im Gang; 2. (auf-, er-)ziehen; abrichten; ausbilden; trainieren.

trait (tre't) (Chara'kter-)Zug m.

traitor (tre't°) Verräter m.

tram (träm) s. ~car, ~way; ~car (trä'mlā) Straßenbahnwagen m.

tramp (trämp) 1. Getrampel n; Wanderung f; Wanderbursche; Landstreicher m; 2. trampeln, treten; (durch)wandern; ~le (trä'mpl) trampeln.

tramway (trä'mœⁱ) Straßenbahn f.

trance (tränß) Traumzustand m.

tranquil □ (trä'nᵗfoil) ruhig; ~lity (tränᵗfoʷl'iᵗl) Ruhe f; ~lize (trä'nᵗ-læ'lāl) beruhigen.

transact (tränßä'ᵗt) ab-wickeln; -machen; ~ion (~ä'ſh°n) Verrich-tung f; Geschäft n; ~s pl. (Tätig-keits-)Bericht(e pl.) m.

transatlantic (trä'nᵗtlä'nᵗf) trans-atlantisch; überseeisch; Übersee...

transcend (tränßě'nd) über-schrei-ten, -tre'ffen, -ra'gen.

transcribe (tränßträ'b) abschrei-ben; Kurzschrift umschreiben.

transcript (trä'nßtript), ~ion (trän-ßtrî'pſh°n) Abschrift; Umschrift f.

transfer 1. (tränßfö') v/t. über-tra'gen; versetzen, verlegen; v/i. Am. umsteigen; 2. (trä'nßfö') Über-tra'gung; Versetzung, Verlegung f; Am. Umsteigefahrschein m; ~able (tränßfö'r°bl) übertra'gbar.

transfigure (tränßfi'g°) umgestal-ten; verklären.

transfix (~fi'ꜩß) durchste'chen; ~ed fig. versteinert, starr (with vor dat.).

transform (~fô'm) umformen; um-, ver-wandeln; ~ation (~fô'me'ſh°n) Umformung; Um-, Ver-wandlung f.

transfuse (~ffū'l) umgießen; Blut usw. übertra'gen; fig. einflößen; durchträ'nken.

transgress (~grě'ß) v/t. überschrei-ten; übertre'ten, verletzen; v/i. sich vergehen; ~ion (~grě'ſh°n) Über-schrei'tung f usw.; Vergehen n; ~or (~grě'ß°) Übertre'ter m.

transient (trä'nſi°nt) 1. = transi-tory; 2. Am. Durchreisende(r).

transition (tränßi'ſh°n) Übergang m.

transitory □ (trä'nſit°r) vorüber-gehend; vergänglich, flüchtig.

translate (tränßle'ᵗt) überse'tzen, -tra'gen; überfü'hren; fig. um-setzen; ~ion (tränßle'ᵗſh°n) Über-se'tzung f usw.

translucent (tränßlū'ßnt) durch-scheinend; fig. hell.

transmigration (tränßmälgre'ⁱſh°n) Seelenwanderung f.

transmission (tränßmi'ſh°n) Über-mi'ttlung, -tra'gung; phys. Leitung; ⊕ Triebwelle; Radio: Sendung f.

transmit (tränsmi't) über-mi'tteln, -se'nden, -tra'gen; senden; *phys.* leiten; ~ter (~ᵉ) Übermi'ttler(in); *tel. usw.* Sender *m.*

transmute (tränsmju't) um-, verwandeln.

transparent □ (tränspä'rᵉnt) durchsichtig (*a. fig.*).

transpire (~pāi'ᵉ') ausdünsten, -schwitzen; *fig.* durchsickern.

transplant (~plä'nt) verpflanzen.

transport 1. (tränspo't) befördern, transportieren; *fig.* hinreißen; 2. (trä'nspōt) Beförderung *f*; Transpo'rt *m*; Transpo'rtschiff *n*; Verzückung *f*; be in ~s außer sich sn; ~ation (tränspoᵉtei'ʃdʒᵉn) Beförderung *f.*

transpose (tränspouᵘf) versetzen, (*a. ♪*) umstellen.

transverse □ (trä'nfwöß) quer laufend; Quer...

trap (träp) 1. Falle (*a. fig.*); Klappe *f*; 2. (in e-r Falle) fangen; ertappen; ~door (trä'pöö) Falltür *f.*

trapeze (trᵉpī'ſ) *Zirkus:* Trape'z *n.*

trapper (trä'pᵉ) Fallensteller *m.*

trappings (trä'piŋⁿf) *pl.* Schmuck, Putz *m.*

traps F (träpß) *pl.* Siebensachen *pl.*

trash (träʃdʒ) Abfall; *fig.* Plunder; Unsinn *m*, Blech *n*; Kitsch *m*; ~y □ (trä'ʃdʒi) wertlos, kitschig.

travel (trä'wl) 1. *v/i.* reisen; sich bewegen; wandern; *v/t.* bereisen; 2. Reise; Wanderung *f*; ⊕ Lauf *m*; ~(l)er (~ᵉ) Reisende(r) *m.*

traverse (trä'wöß) 1. Durchque'rung *f*; 2. (über)que'ren; durchque'ren; *fig.* durchgehen.

travesty (trä'wⁱßti) 1. Travestie' *f*; 2. travestieren; verulken.

trawler (trö'lᵉ) Schleppnetzfischer *m.*

tray (treⁱ) (Servier-)Brett, Table'tt *n*; *flache* Schale *f*; *Koffer*-Einsatz *m.*

treacher|ous □ (trᵉ'tʃdʒrᵉß) verräterisch; tückisch; trügerisch; ~y (~ri) Verräterei; Tücke *f.*

treacle (trī'fl) Sirup *m.*

tread (trèö) 1. [*irr.*] treten; schreiten; 2. Tritt *m*; LaufflAche *f*; ~le (trè'öl) Peda'l *n*, Tritt *m.*

treason (trī'ſn) Verrat *m*; ~able □ (~öl) verräterisch.

treasure (trè'Gᵉ) 1. Schatz *m*; 2. sammeln, aufhäufen; ~r (~rᵉ) Schatzmeister, Kassenwart *m.*

treasury (trè'Gᵉri)Schatzkammer *f*; (*bsd.* Staats-)Schatz *m.*

treat (trīt) 1. *v/t.* behandeln; freihalten (to mit); *v/i.* ~ of handeln von; ~ with unterha'ndeln mit; 2. Vergnügen; (Schul-)Fest *n*; ~ise (trī'tiſ, ~ß) Abhandlung *f*; ~ment (trī'tmᵉnt) Behandlung *f*; ~y (trī'ti) Vertrag *m.*

treble (trè'bl) 1. □ dreifach; 2. ♪ Diska'nt *m*; 3. (sich) verdreifachen.

tree (trī) Baum; *Stiefel*-Leisten *m.*

trefoil (trè'föil) Klee *m.*

trellis (trè'liß) 1. ♪ Spalie'r *n*; 2. vergittern; ♪ʾ am Spalier ziehen.

tremble (trè'mbl) zittern.

tremendous □ (triᵐe'ndᵉß)schrecklich, furchtbar; F kolossa'l, riesig.

tremor (trè'mᵉ) Zittern, Beben *n.*

tremulous □ (trè'miuⁱᵉß) zitternd, bebend.

trench (trèntʃdʒ) 1. (Schützen-)Graben *m*; 2. *v/t.* mit Gräben durchzie'hen; umgraben; ~ (up)on eingreifen in (*acc.*); ~ant □ (trè'ntʃdʒᵉnt) scharf.

trend (trènd) 1. Richtung *f*; *fig.* Lauf *m*; *fig.* Strömung *f*; 2. laufen.

trespass (trè'ßpᵉß) 1. Übertre'tung *f*; 2. unbefugt eindringen ([up]on) in (*acc.*); über Gebühr in Anspruch nehmen; ~er (~ᵉ) Rechtsverletzer *m*; unbefugter Eindringling.

tress (trèß) Haar-locke, -flechte *f.*

trestle (trè'ßl) Gestell *n*, Bock *m.*

trial (trāi'ᵉl) Versuch *m*; Probe, (*a. fig.*) Prüfung; Plage *f*; ♯ᵗ Verhandlung *f*; on ~ auf Probe; vor Gericht; give a p. a ~ es versuchen mit; ~-trip ♠, ♣ Probefahrt *f.*

triang|le (trāi'äŋgl) Dreieck *n*; ~ular □ (trälä'nᵍiuⁱᵉ) dreieckig.

tribe (trāib) Stamm *m*; Geschlecht*n*; *contp.* Sippe *f.*

tribun|al (trⁱbju'nl) Richterstuhl *m*; ~e (trⁱbjūn) Tribu'n *m.*

tribut|ary (trⁱ'biuⁱᵗri) 1. □ zinspflichtig; *fig.* helfend; Neben...; 2. Nebenfluß *m*; ~e (trⁱ'bjūt) Tribu't (*a. fig.*), Zins *m*; Anerkennung*f.*

trice (trāiß): in a ~ im Nu.

trick (trit) 1. Kniff *m*, List *f*; Streich *m*; Eigenheit*f*; 2. betrügen; herausputzen; ~ery (trⁱ'tᵉri) Betrügerei *f.*

trickle (trⁱ'tl) tröpfeln, rieseln.

trick|ster (trⁱ'tßtᵉ) Gauner *m*; ~y □ (trⁱ'ti) verschmitzt; heikel, verzwickt.

tricycle (trāï'ßïfl) Dreirad n.

trifl|e (trāï'fl) 1. Kleinigkeit; Lappalie f; fig. Bißchen n; 2. v/i spielen, tändeln; v/t. ~ away vertändeln; „ing (trāï'flïnᵍ) geringfügig; unbedeutend.

trig (trïg) 1. hemmen; 2. schmuck.

trigger (trï'gᵉ) Feder-Abzug; Gewehr: Drücker; phot. Auslöser m.

trill (trïl) 1. Triller m; gerolltes R; 2. trillern; bsd. das R rollen.

trim (trïm) 1. ◻ ordnungsmäßig; schmuck; gepflegt; 2. (richtiger) Zustand; Ordnung f; 3. zurechtmachen; (~ up aus)putzen, schmükken; garnieren; stutzen; beschneiden; ⚓ trimmen; „ming (trï'mïnᵍ) mst ~ pl. Garnierung f.

trinket (trï'nᵍᵏⁱt) Schmuckstück n; ~s pl. contp. Kinkerlitzchen pl.

trip (trïp) 1. Straucheln n; fig. Fehler; Ausflug m, (Spritz-)Fahrt f; ~ ticket Fahrbefehl m; 2. v/i. trippeln; straucheln (a. fig.); v/t. j-m ein Bein stellen.

tripartite (trāï'pā'tāït) dreiteilig.

tripe (trāïp) Kaldaunen f/pl.

triple (trï'pl) dreifach; „ts (trï'plⁱtß) pl. Drillinge m/pl.

tripper F (trï'pᵉ) Ausflügler(in).

trite ◻ (trāït) abgedroschen, platt.

triturate (trï'tⁱᵉreⁱt) zerreiben.

triumph (trāï'ᵉmf) 1. Triu'mph m; 2. triumphieren; „al (trāïᵃ'mfᵉl) Sieges..., Triu'mph...; „ant ◻ („fᵉnt) triumphierend.

trivial ◻ (trï'wⁱᵉl) bedeutungslos; unbedeutend; alltäglich.

trod (trŏd) trat; „den (trŏ'dn) getreten.

troll (trŏᵘl) (vor sich hin)trällern.

troll(e)y (trŏ'lⁱ) 🚋 Draisi'ne f; (Gepäck- usw.) Karren m; Am. Straßenbahn(wagen m) f.

trollop (trŏ'lᵉp) contp. Schlampe f.

trombone ♩ (trŏmbōᵘ'n) Posaune f.

troop (trūp) 1. Truppe; Schar f; ✕ (Reiter-)Zug m; 2. sich scharen, sich sammeln; ~ away, ~ off abziehen; „er (trū'pᵉ) Kavalleri'st m.

trophy (trōᵘ'fⁱ) Trophä'e f.

tropic (trŏ'pⁱᵏ) Wendekreis m; ~s pl. Tropen pl.; „(al◻) (~, „pⁱᵏᵉl) tropisch.					[ben (lassen).]

trot (trŏt) 1. Trott, Trab m; 2. tra-|

trouble (trₐ'bl) 1. Unruhe; Störung f; Kummer m, Not; Mühe; Plage f; Unannehmlichkeiten f/pl.; take ~

sich Mühe m.; 2. stören, beunruhigen, belästigen; quälen, plagen; (sich) bemühen; „some (~ßᵉm) beschwerlich, lästig.

trough (trŏf) Trog m; Mulde f.

trounce F (trāᵘnß) j. verhauen.

troupe (trūp) thea. Truppe f.

trousers (trāᵘ'ᶻᵉ) pl. (lange) Hose f.

trout (trāᵘt) ichth. Forelle f.

trowel (trāᵘ'ᵉl) Maurerkelle f.

truant (trū'ᵉnt) 1. müßig; 2. Schulschwänzer; fig. Bummler m.

truce (trūß) Waffenstillstand m.

truck (trₐᵏ) 1. Handkarren; Rollwagen; Am. Lastkraftwagen m; 🚋 Lore f, (offener) Güterwagen m; Tausch(handel); Verkehr; Kram (-waren f/pl.) m; 2. (ver)tauschen; ~farm Am. Gemüsegärtnerei f.

truckle (trₐ'ᵏl) zu Kreuze kriechen.

truculent (trₐ'ᵏⁱᵘˡᵉnt) wild, roh.

trudge (trₐdG) wandern; sich (dahin)schleppen.

true (trū) wahr; echt, wirklich; treu; genau; richtig; it is ~ gewiß, zwar; come ~ sich bewahrheiten; ~ to nature natu'rgetreu.

truism (trū'ïᶻm) Binsenwahrheit f.

truly (trū'lⁱ) wirklich; wahrhaft; aufrichtig; genau; treu; Yours ~ Ihr ergebener, Ihre ergebene.

trump (trₐmp) 1. Trumpf m; 2. (über)tru'mpfen; ~ up erdichten; „ery (trₐ'mpᵉrⁱ) Plunder m.

trumpet (trₐ'mpⁱt) 1. Trompe'te f; 2. trompe'ten; fig. ausposaunen.

truncheon (trₐ'nᵗ͏ᶴᵉn) (Polizei-) Knüppel; Kommandostab m.

trundle (trₐ'ndl) rollen.

trunk (trₐnᵏt) Baum-Stamm; Rumpf; Rüssel; Koffer m; ~-call teleph. Ferngespräch n; ~-line 🚋 Hauptlinie; teleph. Fernleitung f.

truss (trₐß) 1. Bündel, Bund; ⚕ Bruchband n; ⚖ Binder m; 2. (zs.-) binden; ⚖ stützen.

trust (trₐßt) 1. Vertrauen n; Glaube; Kredi't m; Pfand n; Verwahrung f; ✝ Ring m; ~ company Treuhandgesellschaft f; in ~ zu treuen Händen; 2. v/t. (ver)trauen (dat.); anvertrauen; zuversichtlich hoffen; v/i. vertrauen (in, to auf acc.); „ee (trₐßtī') Sach-, Ver-walter; ☌⚖ Treuhänder m; „ful ◻ (trₐ'ßtⁱˢᵘˡ), „ing ◻ (trₐ'ßtⁱnᵍ) vertrauensvoll; ~worthy (~wᵒ͏dʱⁱ) vertrauenswürdig; zuverlässig.

truth (truͤᵗħ) Wahrheit; Wirklichkeit; Wahrhaftigkeit; Genauigkeit *f*; **~ful** □ (truˈᵗħfᵘl) wahrhaft(ig).

try (traͥ) **1.** versuchen; probieren; prüfen; ᵷᵗᵹ verhandeln über *et.*, gegen *j.*; *j.* verhören; *Metall* reinigen; *die Augen usw.* angreifen; sich bemühen; **~** *on* anprobieren; **2.** Versuch *m*; **~ing** □ (traͥˈinᵍ) anstrengend; kritisch.

tub (taᴃ) **1.** Faß *n*, Zuber; Kübel *m*; Badewanne *f*; F (Wannen-)Bad *n*.

tube (tjub) Rohr *n*; *(Am. bsd.* Radio-) Röhre; Tube *f*; (Luft-)Schlauch; Tunnel *m*; F Untergrundbahn *f*.

tuber ⚤ (tjuˈbᵉ) Knolle *f*; **~culous** ⚤ (tiᵘħᴀˈᵗiᵘlᵉᵹ) tuberkuloˈs.

tubular □ (tjuˈbiᵘlᵉ) röhrenförmig.

tuck (taᴋ) **1.** Falte *f*; Abnäher *m*; **2.** falten; ab-, auf-nähen; packen, stecken; **~** *up* auf-schürzen, -krempeln.

Tuesday (tjuˈsᴅì) Dienstag *m.*

tuft (taᶠt) Büschel *(n),* Busch; *Haar*-Schopf *m.*

tug (taᵷ) **1.** Zug, Ruck; ⚓ Schlepper *m*; **2.** ziehen, zerren; ⚓ schleppen; sich mühen.

tuition (tiᵘˈⁱᶜħᵉn) Unterricht *m.*

tulip ⚤ (tjuˈlip) Tulpe *f.*

tumble (taˈmbᴅ) **1.** *v/i.* fallen, purzeln; sich wälzen; *v/t.* werfen; zerknüllen; **2.** Sturz; Wirrwarr *m*; **~-down** (~ᴅaᵘn) baufällig; **~r** (~ᵉ) Akrobaˈt; Becher(glas *n*) *m.*

tumid □ (tjuˈmìᴅ) geschwollen.

tumo(u)r (tjuˈmᵉ) Geschwulst *f.*

tumult (tjuˈmaᴅt) Tumulˈt *m*; **~uous** (tiᵘmaˈᴸtiᵘᵉᵹ) stürmisch.

tun (taᴎ) Tonne *f*, Faß *n.*

tuna (tjuˈnᴀ) Thunfisch *m.*

tune (tˈun) **1.** Melodieˈ, Weise; ♪ Stimmung *f (a. fig.);* in ~ (gut-)gestimmt; *out of* ~ verstimmt; **2.** stimmen *(a.fig.);* **~** *in Radio:* einstellen; ~ *out Radio:* ausschalten; **~ful** □ (tjuˈnfᵘl) melodisch; **~less** □ (tjuˈnlⁱᵹ) unmelodisch.

tunnel (taˈnⁱ) **1.** Tunnel; ⚒ Stollen *m*; **2.** e-n Tunnel bohren (durch).

turbid (tᵹˈbìᴅ) trüb; dick.

turbulent (tᵹˈbiᵘlᵉnt) unruhig; ungestüm; stürmisch.

tureen (tᵉrìˈn) Terrine *f.*

turf (tᵹf) **1.** Rasen; Torf *m*; Rennbahn *f*; Rennsport *m*; **2.** mit Rasen belegen; **~y** (tᵹˈfì) rasenbedeckt.

turgid □ (tᵹˈᴅꞬìᴅ) geschwollen.

Turk (tᵹf) Türk|e *m*, -in *f.*

turkey (tᵹˈfì) Truthahn, Puter *m.*

Turkish (tᵹˈfìᶜħ) türkisch.

turmoil (tᵹˈmoͥl) Aufruhr *m*, Durcheinander *n.*

turn (tᵹn) **1.** *v/t.* drehen; (um-) wenden, umkehren; lenken; verwandeln; abwehren; übertraˈgen; bilden; drechseln; ~ *a corner* um eine Ecke biegen; ~ *down* umkniffen; *Decke usw.* zurückschlagen; ablehnen; ~ *off* ableiten *(a. fig.);* hinauswerfen; wegjagen; ~ *off, on* ab-, andrehen; ~ *out* hinauswerfen; *Fabrikat* herausbringen; ~ *over* umwenden; *fig.* übertraˈgen; ✝ umsetzen; überleˈgen; ~ *up* nach oben richten; umwenden; *Hose usw.* auf-, um-schlagen; **2.** *v/i.* sich (um-) drehen, sich wenden; sich verwandeln; umschlagen *(Wetter, Milch usw.);* *Christ, grau usw.* werden; ~ *about* kehrt m.; ~ *back* zurückkehren; ~ *in* einkehren; F zu Bett gehen; ~*on* sich drehen um; ~ *out* ausfallen, -gehen; sich herausstellen als ...; ~ *to* sich wenden zu, nach *od.* an *(acc.);* werden zu; ~ *up* auftauchen; ~ *upon* sich wenden gegen; **3.** *su.* (Um-)Drehung; Biegung; Wendung; Neigung *f*; Wechsel *m*; Gestalt, Form *f*; Spaziergang *m*; Reihe(nfolge) *f*; Dienst (-leistung *f*); F Schreck *m*; *at every* ~ auf Schritt und Tritt; *by od. in* ~ der Reihe nach; *it is my* ~ ich bin an der Reihe; *take* ~s mit-ea. abwechseln; *does it serve your* ~? entspricht das Ihren Zwecken?; **~coat** Mantelträger *m*; **~er** (tᵹˈnᵉ) Drechsler *m*; **~ery** (~ri) Drechslerei; Drechslerarbeit *f.*

turning (tᵹˈnìnᵍ) Drechseln *n*; Wendung; (Weg-)Abzweigung *f*; **~-point** *fig.* Wendepunkt *m.*

turnip ⚤ (tᵹˈnip) *(bsd.* weiße) Rübe *f.*

turn|key (tᵹˈnⁱ) Schließer *m*; **~out** (tᵹˈnaᵘˈt) ✝ Gesamtproduktion *f*; **~over** (tᵹˈnoᵘwᵉ) ✝ Umsatz *m*; **~pike** Schlagbaum *m*; **~stile** Drehkreuz *n.*

turpentine (tᵹˈpᵉntaͥn) Terpentiˈn *m.* [keit *f.]*

turpitude (tᵹˈpⁱtjuᴅ) Schändlich-

turret (taˈrⁱt) Türmchen *n*; ⚓, ⚓ Panzerturm *m*; ⚔ Kanzel *f.*

turtle[1] (tᵹˈtⁱ) *zo.* Schildkröte *f.*

tusk (taᴣt) Fangzahn; Stoßzahn *m.*

tussle (ta´ßl) 1. Rauferei, Balgerei f;
2. raufen, sich balgen.

tussock (ta´ß°t) Büschel m u. n.

tutelage (tjü´t¹ⁱbᴳ) Vormundschaft; Bevormundung f.

tutor (tjü´t°) 1. (Priva´t-, Haus-)
Lehrer; Studienleiter m; 2. unterri´chten; schulen, erziehen.

tuxedo Am. (taßß´bo") Smoking m.

twaddle (twö´bl) 1. Geschwätz, Gequaddel n; 2. schwatzen, quaddeln.

twang (twän⁹) 1. Schwirren n; (mst
nasal ~) näselnde Aussprache;
2. schwirren (l.); klimpern; näseln.

tweak (twît) zwicken.

tweezers (twoⁱ´f°ⁱ) pl. Pinze´tte f.

twelfth (twölftß) zwölfte(r, s).

twelve (twölw) zwölf.

twentieth (twö´nt¹ⁱtß) zwanzigste(r,
s); ~y (twö´ntⁱß) zwanzig.

twice (twaßß) zweimal.

twiddle (twoⁱ´bl) (sich) drehen; mit
et. spielen.

twig (twig) Zweig m, Rute f.

twilight (twoⁱ´laⁱt) Zwielicht n; (a.
fig.) Dämmerung f.

twin (twoⁱn) 1. Zwillings...; doppelt;
2. Zwilling m.

twine (twaⁱn) 1. Bindfaden m,
Schnur f; Zwirn m; 2. zs.-drehen;
verflechten; (sich) schlingen od.
winden; umschli´ngen, -ra´nken.

twinge (twoⁱnbᴳ) Zwicken n; Stich;
bohrender Schmerz m.

twinkle (twoⁱ´n⁹tl) 1. funkeln, blitzen;
huschen; 2. Funkeln n usw.

twirl (twoöl) Wirbel m; wirbeln.

twist (twoⁱßt) 1. Drehung; Windung;
Verdrehung; Verdrehtheit f; Garn
n; 2. zs.-drehen; ver-drehen, -ziehen, -zerren; (sich) winden.

twit (twoⁱt): ~ a p. with a th. j-m et.
vorwerfen.

twitch (twoⁱtßß) 1. zupfen (an dat.);
zucken; 2. Zupfen n; Zuckung f.

twitter (twoⁱ´t°) 1. zwitschern; 2. Gezwitscher n; be in a ~ zittern.

two (tü) 1. zwei; in ~ entzwei; 2.
Zwei f; in ~s zu zweien; ~fold
(tü´fo"lb) zweifach; ~pence (ta´
p°nß) zwei Pence; ~storey zweistöckig; ~way adapter Doppelstecker m.

tyke (taⁱt) Köter; Tölpel m.

type (taⁱp) Typ m; Urbild; Vorbild; Muster n; Art f; Sinnbild n;
typ. Type, Schrift f; true to ~
artecht; typ. set in ~ setzen; ~write
[irr. (write)] (mit der) Schreibmaschine schreiben; ~writer
Schreibmaschine f; Maschinenschreiber(in).

typhoid ~ʳ (taⁱ´foⁱb) typhö´s; ~
fever Unterleibstyphus m.

typhoon (taⁱfü´n) meteor. Taifun m.

typhus ~ʳ (taⁱ´f°ß) Flecktyphus m.

typi|cal □ (tⁱ´p¹t°ⁱ) typisch; ~fy
(~faⁱ) typisch sn für; versinnbildlichen; ~st (taⁱ´plßt) Maschinenschreiber(in); shorthand ~ Stenotypi´st(in).

tyrann|ic(al □) (tⁱrä´nⁱt, ~¹t°ⁱ)
tyrannisch; ~ize (tⁱ´r°naⁱt) tyrannisieren; ~y (~nⁱ) Tyranneí f.

tyrant (taⁱ´r°nt) Tyra´nn(in).

tyro (taⁱ´ro") s. tiro Anfänger.

U

ubiquitous □ (ıᵘᵬı'ᵗᶜⱳıᵗᵉᵬ) allgegenwärtig, überall zu finden(d).

udder (ᴀ'ᵭᵉ) Euter *n*.

ugly □ (ᴀ'ǥlı) häßlich; schlimm.

ulcer ᵾᴊ (ᴀ'lᵬᵉ) Geschwür *n*; ~**ate** (ᴧᵣeⁱᵗ) schwären (m.); ~**ous** (ᴧᵣᵉᵬ) geschwürig.

ulterior □ (ᴀlᵗıᵉ'ʳᵗᵉ) jenseitig; *fig.* weiter; tiefer liegend, versteckt.

ultimate □ (ᴀ'lᵗⁱmᵗ) letzt; endlich; End...; ~**ly** (ᴧlı) zu guter Letzt.

ultimo (ᴀ'lᵗⁱmoᵘ) vorigen Monats.

ultra (ᴀ'lᵗrᵉ) übermäßig; ultra....

umbel ♀ (ᴀ'mᵬᵉl) Dolde *f*.

umbrage (ᴀ'mᵬrⁱᵭG) Anstoß (*Ärger*); Schatten *m*.

umbrella (ᴀmᵬrĕ'lᵉ) (Regen-) Schirm *m*.

umpire (ᴀ'mᵖãⁱ) **1.** Schiedsrichter *m*; **2.** Schiedsrichter sn.

un... (ᴀn...) un...; Un...; ent...; nicht...

unable (ᴀ'neⁱᵇl) unfähig, außerstande.

unaccountable □ (ᴀ'nᵉᵗãᴜ'nᵗᵉᵬl) unverantwortlich; unerklärlich.

unaccustomed (ᴀ'nᵉᵗᴀ'ᵬᵗmᵭ) ungewohnt; ungewöhnlich.

unacquainted (ᴧᵗⱳeⁱ'nᵗⁱᵭ): ~ *with* unbekannt mit, unkundig *e-r S*.

unadvised □ (ᴀ'nᵉᵭⱳãⁱ'ᵗᵭ) unbedacht; unberaten.

unaffected □ (ᴀ'nᵉᵮĕ'ᵗᵗⁱᵭ) unberührt; ungerührt; ungekünstelt.

unaided (ᴀ'neⁱ'ᵭⁱᵭ) ohne Unterstü'tzung; (ganz) allein.

unalterable □ (ᴀnȱ'lᵗᵉrᵉᵬl) unveränderlich.

unanim|ity (jᴜnᵉnⁱ'mⁱᵗⁱ) Einmütigkeit *f*; ~**ous** □ (ıᵘnã'nⁱmᵉᵬ) einmütig, -stimmig.

unanswerable □ (ᴀnã'nᵬᵉrᵉᵬl) unwiderleglich.

unapproachable □ (ᴀ'nᵉproᵘ'ᵗⁱᶜɥᵉᵬl) unzugänglich.

unapt □ (ᴀ'nã'pᵗ) ungeeignet.

unasked (ᴀ'nã'ᵬᵗⁱ) unverlangt; ungebeten.

unassisted (ᴀ'nᵉᵬᵗⁱ'ᵬᵗⁱᵭ) ohne Hilfe.

unassuming (ᴀ'nᵉᵬıᶨᴜ'mⁱnᵍ) anspruchslos, bescheiden.

unattractive □ (ᴀ'nᵉᵗrã'ᵗᵗⁱⱳ) nicht anziehend, reizlos.

unauthorized (ᴀ'nȱ'ᵗᵬᵉrãⁱᵭ) unberechtigt.

unavail|able (ᴀ'nᵉⱳeⁱ'lᵉᵬl) nicht verfügbar; ~**ing** (ᴧlinᵍ) vergeblich.

unavoidable □ (ᴀ'nᵉⱳȱⁱ'ᵭᵉᵬl) unvermeidlich.

unaware (ᴀ'nᵉⱳãᵉ') ohne Kenntnis; *be* ~ *of et.* nicht merken; ~**s** (ᴧᶴ) unversehens.

unbacked (ᴀ'nᵬã'ᵗⁱ) *fig.* ungestützt, ungedeckt (*a.* ♥).

unbalanced (ᴀ'nᵬã'lᵉnᵬᵗ) nicht im Gleichgewicht befindlich; unausgeglichen. [träglich.]

unbearable □ (ᴀnᵬãᵉ'rᵉᵬl) uner-/

unbecoming □ (ᴀ'nᵬⁱᵗᵉ'mⁱnᵍ) unkleidsam; unziemlich, unschicklich.

unbelie|f (ᴀ'nᵬⁱⁱⁱ'f) Unglaube *m*; ~**vable** (ᴀ'nᵬⁱⁱⁱ'wᵉᵬl) □ unglaublich; ~**ving** □ (ᴧlinᵍ) ungläubig.

unbend (ᴀ'nᵬĕ'nᵭ) [*irr.* (bend)] (sich) entspannen; freundlich w., auftauen; ~**ing** □ (ᴧlinᵍ) unbiegsam; *fig.* unbeugsam.

unbias(s)ed □ (ᴀ'nᵬãⁱ'ᵉᵬᵗ) vorurteilsfrei, unbefangen, unbeeinflußt.

unbind (ᴀ'nᵬãⁱ'nᵭ) [*irr.* (bind)] losauf-binden; *fig.* lösen.

unblushing (ᴀnᵬlᴧ'ᶴⁱnᵍ) schamlos.

unbosom (ᴀnᵬᴜ'ᶴᵉm) offenbaren.

unbounded □ (ᴀnᵬãᴜ'nᵭⁱᵭ) unbegrenzt; schrankenlos.

unbroken (ᴀ'nᵬroᵘ'ᵏᵉn) unge-, unzer-brochen; ununterbrochen.

unbutton (ᴀ'nᵬã'ᵗn) aufknöpfen.

uncalled (ᴀnȱ'lᵭ): ~**for** ungerufen; unverlangt (*S.*); unerwünscht.

uncanny (ᴀnᵬã'nı) unheimlich.

uncared (ᴀ'nᵏãᵉ'ᵭ): ~**for** ungepflegt, verwahrlost.

unceasing □ (ᴀnᵬıⁱ'ᵬⁱnᵍ) unaufhörlich.

unceremonious □ (ᴀ'nᵬĕrⁱmoᵘ'nⁱᵉᵬ) ungezwungen; formlos.

uncertain □ (ᴀ'nᵬĕ'ᵗn) unsicher; ungewiß; unbestimmt; unzuverlässig; ~**ty** (ᴧᵗı) Unsicherheit *f*.

unchallenged (ᴀ'nᵗıᶜɥã'lⁱnᵭGᵭ) unangefochten.

unchang|eable (ᴀntᶴe̯iˈnᴐG͡ᵉbl)□, **~ing** (ˌᵢn9) □ unveränderlich.

uncharitable □ (ᴀntᶴäˈrⁱᵗᵉbl) lieblos; unbarmherzig.

unchecked (ᴀˈntᶴḛˈtt) ungehindert.

uncivil □ (ᴀˈnᵷiˈwl) unhöflich; **~ized** (ᴀˈnᵷiˈwⁱlᴀiᴅ) unzivilisiert.

uncle (ᴀˈn9ᵗl) Onkel, Oheim *m*.

unclean □ (ᴀˈntᶴiˈn) unrein.

unclose (ᴀˈnᵗloͧwⁱf) (sich) öffnen.

uncomfortable □ (ᴀntᴀˈmᶠᵗᵉbl) unbehaglich; unbequem.

uncommon □ (ᴀntⁿoˈmᵉn) ungewöhnlich.

uncommunicative (ᴀˈnⁱᵗᵉmjuˈnⁱ-te̯iˈtiw) wortkarg, schweigsam.

uncomplaining □ (ᴀˈntᵉmple̯iˈnⁱn9) klaglos.

uncompromising □ (ᴀˈntᴐˈmprᵉmᴀiᶴⁱn9) kompromiˈßlos.

unconcern ᴀˈntⁿᴇᶴᴐˈn) Unbekümmertheit *f*; **~ed** □ (ˌᴐᴅ) unbekümmert; unbeteiligt.

unconditional □ (ᴀˈntᵉnᴅⁱˈᶴnl) unbedingt; bedingungslos.

unconquerable □ (ᴀntᴐˈn9ᵗᵉʳᵉbl) unüberwiˈndlich.

unconscionable □ (ᴀntᴐˈnᶴᶜ͡ᵉnᵉbl) gewissenlos; unverschämt.

unconscious □ (ᴀntᴐˈnᶴ(ᶜ͡ᵉᶴ) 1. unbewußt; bewußtlos; **~ness** (ˌnⁱᵷ) Bewußtlosigkeit *f*.

unconstitutional □ (ᴀˈnᵗᴐnᵷᵗⁱ-tjuˈᶴnl) verfassungswidrig.

uncontrollable □ (ᴀntᵉntroͧuˈlᵉbl) unkontrollierbar; unbändig.

unconventional □ (ᴀˈntᵉnwḛˈn-ᶴnl) ungezwungen.

uncork (ᴀˈntᴐˈt) entkorken.

uncount|able (ᴀˈntᴀuˈntᵉbl) unzählbar; **~ed** (ˌᵢᵗᴅ) ungezählt.

uncouple (ᴀˈnᵗᴀˈpl) loskoppeln.

uncouth (ᴀntⁱuˈᵗᶣ) ungeschlacht.

uncover (ᴀntᴀˈwᵉ) aufdecken; (sich) entblößen.

unct|ion (ᴀˈnᶴⁱᶜ͡ᵉn) Salbung (*a. fig.*); Salbe *f*; **~uous** □ (ᴀˈn9ᵗi̯ueᶳ) fettig, ölig; *fig.* salbungsvoll.

uncult|ivated (ᴀˈntᴀˈlᵗⁱwe̯iᵗⁱᴅ), **~ured** (ˌᵗᶴᵉᴅ) unkultiviert.

undamaged (ᴀˈnᴅᴀˈmⁱᴅᴊᴅ) unbeschädigt. [schrocken.|

undaunted □ (ᴀnᴅᴐˈnᵗⁱᴅ) uner-|

undeceive (ᴀˈnᴅⁱᵷⁱˈw) *j*. aufklären.

undecided □ (ᴀˈnᴅⁱᶳᴀiˈᴅⁱᴅ) unentschieden; unentschlossen.

undefined □ (ᴀˈnᴅⁱfᴀiˈnᴅ) unbestimmt.

undeniable □ (ᴀˈnᴅⁱnäiˈᵉbl) unleugbar.

under (ᴀˈnᴅᵉ) 1. *adv.* unten; darunter; 2. *prp.* unter; 3. *in Zssgn*: unter...; Unter...; mangelhaft ...; **~bid** (ᴀˈnᴅᵉbⁱˈᴅ) [*irr.* (*bid*)] unterbieˈten; **~brush** (ˌbraᶴᶜ͡) Unterholz *n*; **~carriage** (ˌt͡ärⁱᴅᴊ) Fahrgestell *n*; **~clothing** (ˌtloͧuᴅᴋⁱn9) Unterkleidung *f*; **~cut** (ˌᴀˈt) *Preise* unterbieˈten; **~done** (ˌᴅᴀˈn) nicht gar; **~estimate** (ˌrḛˈᵷtⁱme̯iᵗ) unterschäˈtzen; **~fed** (ˌᶴḛˈᴅ) unterernährt; **~go** (ˌgoͧuˈ) [*irr.* (*go*)] erdulden; sich unterzieˈhen (*dat.*); **~graduate** (ˌgräˈᴅi̯uⁱᵗ) Stude'nt(in); **~ground** (ᴀˈnᴅᵉgräunᴅ) 1. unterirdisch; Untergrund...; 2. Untergrundbahn *f*; **~hand** (ˌhänᴅ) unter der Hand; heimlich; (ᴀˈnᴅᵉhäˈnᴅ) *fig.* untergraˈben (*dat.*); **~line** (ˌläiˈn) unterstrei'chen; **~ling** (ˌᴵin9) Untergeordnete(r) *m*; **~mine** (ᴀnᴅᵉmäiˈn) unterminieˈren; *fig.* untergraˈben, **~most** (ᴀˈnᴅᵉmoͧuᵷt) unterst; **~neath** (ᴀnᴅᵉnⁱˈᵗᶣ) 1. *prp.* unter; 2. *adv.* unten; darunter; **~privileged** (ˌprⁱˈwⁱlⁱᴅᴊᴅ) schlechtgestellt; **~rate** (ᴀnᴅᵉre̯iˈᵗ) unterschäˈtzen; **~secretary** (ᴀˈnᴅᵉᵷᵉˈᵗrᵉᵗᵉrⁱ) Unterstaatssekretär *m*; **~sell** ✝ (ˌᵷḛˈl) [*irr.* (*sell*)] *j*. unterbieˈten; *Ware* verschleudern; **~signed** (ˌᶴäinᴅ) Unterzeichnete(r); **~stand** (ᴀnᴅᵉᵷᵗäˈnᴅ) [*irr.* (*stand*)] *allg.* verstehen; sich verstehen auf (*acc.*); (als sicher) annehmen; auffassen; (sinngemäß) ergänzen; *make o.s. understood* sich verständlich m.; *an understood thing* e-e abgemachte Sache; **~standable** (ˌᵉbl) verständlich; **~standing** (ˌᴵin9) Verstand *m*; Einverständnis *n*; Verständigung; Voraussetzung *f*; **~state** (ᴀˈnᴅᵉᵷᵗe̯iˈᵗ) zu gering angeben; abschwächen; **~take** (ᴀˈnᴅᵉᵗe̯iˈᵗ) [*irr.* (*take*)] unterneˈhmen; überneˈhmen; sich verpflichten; **~taker** (ᴀˈnᴅᵉᵗe̯iᵗᵉ) Leichenbestatter *m*; **~taking** (ᴀnᴅᵉᵗe̯iˈᵗⁱn9) Unterneˈhmung; Verpflichtung; (ᴀˈnᴅᵉᵗe̯iᵗⁱn9) Leichenbestattung *f*; **~tone** (ˌᵗoͧun) leiser Ton *m*; **~value** (ˌwäˈlju) unterschäˈtzen; **~wear** (ˌwäᵉ) Unterkleidung *f*; **~wood** (ˌwüᴅ) Unterholz *n*; **~write** (ˌräiᵗ) [*irr.* (*write*)] *Versicherung* abschließen; **~writer** (ˌräiᵗᵉ) Versicherer *m*.

undeserved □ (ʌndɪˈzɜːˈwd) unverdient.

undesirable □ (ʌsaɪˈzeˈrᵉbl) unerwünscht.

undisciplined (ʌndɪˈʃɪˈplɪnd) zuchtlos; ungeschult.

undisguised □ (ʌndɪˈzɡaɪˈsd) unverkleidet; unverhohlen.

undisputed □ (ʌndɪˈzpjuˈtᵗd) unbestritten.

undo (ʌnˈduː) [irr. (do)] aufmachen; (auf)lösen; ungeschehen m., aufheben; vernichten; ~ing (ˌɪnɡ) Aufhebung f; Verderben n.

undoubted □ (ʌndaʊˈtᵗd) unzweifelhaft, zweifellos.

undreamt (ʌndrɛˈmt): ~of ungeahnt.

undress (ʌˈndrɛˈβ) 1. (sich) ausent-kleiden; 2. Hauskleid n; ~ed (ʌˈndrɛˈβt) unangezogen; nicht zurechtgemacht.

undue □ (ʌˈndjuː) noch nicht fällig; ungebührlich; übermäßig.

undulat|e (ʌˈndjuˈleɪt) Wellen schlagen; wallen; wellig sn; ~ion (ʌndiuˈleɪˈʃᵉn) well(enförm)ige Bewegung f.

unearth (ʌˈnɜːˈθ) ausgraben; fig. aufstöbern; ~ly (ʌnɜːˈθlɪ) unirdisch.

uneas|iness (ʌnɪˈʃɪˈnɪˈβ) Unruhe f; Unbehagen n; ~y (ʌnɪˈʃɪ) unbehaglich; unruhig; unsicher.

uneducated (ʌnɛˈdiuˈteˈɪtᵗd) unerzogen; ungebildet.

unemotional □ (ʌˈnɪˈmoʊˈʃᵊnl) leidenschaftslos; passiv; nüchtern.

unemploy|ed (ʌˈnɪˈmplɔɪˈd) unbeschäftigt; arbeitslos; ~ment (ˌplɔɪˈmᵉnt) Arbeitslosigkeit f.

unending □ (ʌˈnɛˈndɪŋ) endlos.

unendurable (ʌˈnɪˈndjuˈrᵉbl) unerträglich.

unengaged (ʌˈnɪˈngeˈɪˈɡᵊd) frei.

unequal □ (ʌˈnɪˈkwᵉl) ungleich; nicht gewachsen (to dat.); ~led (ˌd) unvergleichlich, unerreicht.

unerring □ (ʌˈnɜːˈrɪŋ) unfehlbar.

unessential □ (ʌˈnɪˈβɛˈnʃᵉl) unwesentlich, -wichtig (to für).

uneven □ (ʌˈnɪˈwn) uneben; ungleichmäßig; ungerade (Zahl).

uneventful □ (ʌˈnɪˈwɛˈntfᵘl) ereignislos; ohne Zwischenfälle.

unexampled (ʌˈnɪˈɡzaˈmpld) beispiellos.

unexpected □ (ʌˈnɪˈkzpɛˈtᵗd) unerwartet.

unfailing □ (ʌnfeˈɪˈlɪŋ) unfehlbar; nie versagend; unerschöpflich.

unfair □ (ʌˈnfaˈ) unehrlich; ungerecht.

unfaithful □ (ʌˈnfeˈɪˈθfᵘl) un(ge)treu, treulos; nicht wortgetreu.

unfamiliar (ʌˈnfᵉmɪˈlie) unbekannt; ungewohnt.

unfasten (ʌˈnfaˈβn) aufmachen; lösen; ~ed (ˌd) unbefestigt.

unfavo(u)rable □ (ʌˈnfeˈɪˈwᵉrᵇl) ungünstig.

unfeeling □ (ʌnfiˈlɪŋ) gefühllos.

unfinished (ʌˈnfɪˈnɪˈʃt) unvollendet; unfertig.

unfit 1. (ʌˈnfɪˈt) □ ungeeignet, unpassend; 2. (ʌnfɪˈt) untauglich m.

unfix (ʌˈnfɪˈβ) losmachen, lösen.

unfledged (ʌˈnfleˈdʒd) unbefiedert; unflügge; fig. unreif.

unflinching □ (ʌnflɪˈntʃɪŋ) fest entschlossen, unnachgiebig.

unfold (ʌˈnfoʊˈld) (sich) entfalten od. öffnen; (ʌnfoʊˈld) enthüllen.

unforced □ (ʌˈnfɔːˈβt) ungezwungen.

unforgettable (ʌˈnfᵉɡɛˈtᵉbl) □ unvergeßlich.

unfortunate (ʌnfɔːˈtʃᵉnᵗt) 1. unglücklich; 2. Unglückliche(r); ~ly (ˌlɪ) unglücklicherweise, leider.

unfounded □ (ʌˈnfaʊˈndᵗd) unbegründet; grundlos.

unfriendly (ʌˈnfrɛˈndlɪ) unfreundlich.

unfurl (ʌˈnfɜːˈl) entfalten.

unfurnished (ʌˈnfɜːˈnɪˈʃt) un(aus)gerüstet; unmöbliert.

ungainly (ʌngeˈɪˈnlɪ) unbeholfen.

ungenerous □ (ʌˈnɡ̌ɛˈnᵉrᵉβ) unedelmütig; nicht freigebig.

ungentle □ (ʌˈnɡ̌ɛˈntl) unsanft.

ungodly □ (ʌngɔˈdlɪ) gottlos.

ungovern|able (ʌngʌˈwᵉnᵉbl) unlenksam; unbändig.

ungraceful □ (ʌˈngreˈɪˈβfᵘl) ungraziös, unbeholfen.

ungracious □ (ʌˈngreˈɪˈʃᵉβ) ungnädig.

ungrateful □ (ʌngreˈɪˈtfᵘl) undankbar.

unguarded □ (ʌˈngaːˈdᵗd) unbewacht; unvorsichtig; ungeschützt.

unguent (ʌˈnɡ̌uᵒᵉnt) Salbe f.

unhampered (ʌˈnhaˈmpᵉd) ungehindert.

unhandsome □ (ʌnhaˈnβᵉm) unschön.

unhandy □ (anhä'nd˙t) ungeschickt.

unhappy □ (anhä'pi) unglücklich.

unharmed (a'nhä'md) unversehrt.

unhealthy □ (anhĕ'lꞔꞔ) ungesund.

unheard-of (anhȫ'ŏow) unerhört.

unhesitating □ (anhĕ'ꞩitĕ'tiŋ) ohne Zögern.

unholy (anhoᵘ'lĭ) unheilig; gottlos.

unhonoured (a'nŏ'nᵉd) ungeehrt; uneingelöst (*Pfand, Scheck*).

unhope|d-for (anhoᵘ'ptꞩŏ) unverhofft; ~ful (~fᵘl) hoffnungslos.

unhurt (a'nhȫ't) unverletzt.

uniform (jū'nꞽfȫm) 1. □ gleich-förmig, -mäßig; einheitlich; 2. Dienstkleidung; Unifo'rm *f*; 3. uniformieren; ~ity (jūnꞽfȫ'mꞽtꞽ) Gleichförmigkeit, -mäßigkeit *f*.

unify (jū'nꞽfai) verein(ig)en; vereinheitlichen.

unilateral (jū'nꞽlä'tᵉrᵉl) einseitig.

unimaginable □ (a'nꞽmä'ꝺGꞽnᵉbl) undenkbar.

unimportant □ (a'nꞽmpȫ't⸱nt) unwichtig.

uninformed (a'nꞽnfȫ'md) ununterrichtet.

uninhabit|able (a'nꞽnhä'bꞽtᵉbl) unbewohnbar; ~ed (~tᵈ) unbewohnt.

uninjured (a'nꞽ'nꝺGᵉd) unbeschädigt, unverletzt.

unintelligible □ (a'nꞽntĕ'lꞽꝺGᵉbl) unverständlich.

unintentional □ (a'nꞽntĕ'nꞩnl) unabsichtlich.

uninteresting □ (a'nꞽ'ntrꞽꞩtiŋ) uninteressa'nt.

uninterrupted □ (a'nꞽntᵉra'ptꞽꝺ) ununterbrochen.

union (jū'nꞽᵉn) Vereinigung; Verbindung; Unio'n; Einigung *f*; Verein *m*; Gewerkschaft *f*; ⚥ *Jack* britische Nationalflagge *f*; ~ist (~ꞽꞩt) Gewerkschaftler *m*.

unique (jūnꞽ't) ein-zigartig, -malig.

unison (jū'nꞽn) ♪ *u. fig.* Einklang *m*.

unit (jū'nꞽt) Einheit *f*; A⃝ Einer *m*; ~e (jūnai't) (sich) vereinigen, verbinden; ~y (jū'nꞽtꞽ) Einheit; Einigkeit *f*.

univers|al □ (jūnꞽwȫ'ꞩᵉl) allgemein; allumfassend; Universa'l..., Welt...; ~ality (jūnꞽwȫꞩä'lꞽtꞽ) Allgemeinheit; umfassende Bildung, Vielseitigkeit *f*; ~e (jū'nꞽwȫꞩ) Weltall *n*; ~ity (jūnꞽwȫ'ꞩꞽtꞽ) Universitä't *f*.

unjust □ (a'nꝺGa'ꞩt) ungerecht;

~ifiable (anꝺGa'ꞩtꞽfaꞽᵉbl) nicht zu rechtfertigen(d), unverantwortlich.

unkempt (a'nꞟĕmpt) ungepflegt.

unkind □ (anꞟai'nd) unfreundlich.

unknown (a'nnoᵘ'n) 1. unbekannt; unbewußt; *adv.* ~ *to me* ohne mein Wissen; 2. Unbekannte(r).

unlace (a'nleꞽ'ꞩ) aufschnüren.

unlawful □ (a'nlȫ'fᵘl) ungesetzlich.

unlearn (a'nlȫ'n) verlernen.

unless (ᵉnlĕ'ꞩ, anlĕ'ꞩ) wenn nicht, außer wenn; es sei denn, daß.

unlike (a'nlaꞽ't) ungleich, anders als; ~ly (anlaꞽ'lꞽ) unwahrscheinlich.

unlimited (anlꞽ'mꞽtꞽd) unbegrenzt.

unload (a'nloᵃᵈ) ent-, ab-laden.

unlock (a'nlŏ't) aufschließen; *Waffe* entsichern; ~ed (~t) unverschlossen.

unlooked-for (anlū'ꞟtfŏ) unerwartet.

unlovely (a'nlʌ'wlꞽ) reizlos, unschön.

unlucky □ (anlʌ'fꞽ) unglücklich.

unman (a'nmä'n) entmannen.

unmanageable □ (anmä'nꞽꝺGᵉbl) unlenksam, widerspenstig.

unmarried (a'nmä'rꞽd) unverheiratet.

unmask (a'nmä'ꞩt) (sich) demaskieren; *fig.* entlarven.

unmatched (a'nmä'tꞩt) unerreicht; unvergleichlich.

unmeaning □ (anmꞽ'nꞽnᵍ) nichtssagend.

unmeasured (anmĕ'ꝺGᵉd) ungemessen; unermeßlich.

unmeet (a'nmꞽ't) ungeeignet.

unmentionable (anmĕ'nꞩnᵉbl) nicht zu erwähnen(d), unnennbar.

unmerited (a'nmĕ'rꞽtꞽd) unverdient.

unmindful □ (anmä'ndfᵘl) unbedacht; sorglos; ohne Rücksicht.

unmistakable □ (a'nmꞽꞩtĕꞽ'tᵉbl) unverkennbar; unmißverständlich.

unmitigated (anmꞽ'tꞽgeꞽtꞽd) ungemildert; richtig; *fig.* Erz...

unmounted (a'nmaᵘ'ntᵈ) unberitten; nicht gefaßt (*Stein*); unaufgezogen (*Bild*).

unmoved (a'nmū'wd) unbewegt.

unnamed (a'nneꞽ'md) ungenannt.

unnatural (annä'tꞩᵃrᵉl) unnatürlich.

unnecessary □ (annĕ'ꞩꞽꞩᵉrꞽ) unnötig.

unnerve (a'nnȫ'w) entnerven.

unnoticed (a'nnoᵘ'tꞽꞩt) unbemerkt.

unobjectionable □ (a'n^ebɔdǧě'-ʃ(ŋ^ebl) einwandfrei.

unobserved □ (a'n^ebʃö'wd) unbemerkt.

unobtainable (a'n^ebte'n^ebl) unerreichbar.

unoccupied (a'nɔ'ʈ^{iu}paid) unbesetzt: unbewohnt; unbeschäftigt.

unoffending (a'n^efě'ndiŋ⁹) harmlos.

unofficial □ (a'n^efi'ʃ(ɥ^el) nicht-amtlich.   [dert.]

unopposed (a'n^epo^u'ʃd) ungehin-]

unostentatious □ (a'nɔ̈st^ente'-ʃ(ɥ^eʂ) anspruchslos; ohne Prunk.

unpack (a'npä't) auspacken.

unpaid (a'npe'd) unbezahlt.

unparalleled (anpä'r^elěld) beispiellos, ohnegleichen.

unpeople (a'npi'pl) entvölkern.

unperceived □ (a'np^eʂi'wd) unbemerkt.

unpleasant □ (anplě'ʃnt) unangenehm; unerfreulich; ~ness (∧nⁱʂ) Unannehmlichkeit f.

unpolished (a'npö'lišt) unpoliert; fig. ungebildet.

unpolluted (a'np^elü't'd) unbefleckt.

unpopular □ (a'npɔ'p^{iu}[^e) unpopulä'r, unbeliebt f.

unpracti|cal □ (a'nprä'ʈi^te'l) unpraktisch; ~sed (∧těʂt) ungeübt.

unprecedented □ (anprě'b^en^td) beispiellos; noch nie dagewesen.

unprejudiced □ (anprě'ʣ^uʋ'ʂt) unbefangen, unvoreingenommen.

unprepared □ (a'npri'pä'r'd) unvorbereitet.

unpreten|ding □ (a'npri'tě'ndiŋ⁹), ~tious □ (∧ʃ(ɥ^eʂ) anspruchslos.

unprincipled (a'npri'nʂ^epld) ohne Grundsätze; gewissenlos.

unprofitable (a'nprö'fi't^ebl) unnütz.

unproved (a'nprü'wd) unerwiesen.

unprovided (a'npr^ewai'dⁱd) nicht versehen; ~for unvorhergesehen.

unprovoked □ (a'npr^ewo^u'ƚt) ohne Grund.

unqualified □ (anƚwɔ'lⁱfaid) ungeeignet; unberechtigt; unbeschränkt.

unquestionable □ (anƚwě'ʂtiʃ(ɥ^e-n^ebl) unfraglich, fraglos.

unravel (anrä'w^el) (sich) entwirren; (sich) aufräufeln; enträtseln.

unready (a'nrě'di) nicht bereit od. fertig; unlustig, zögernd.

unreal □ (a'nri^el) unwirklich.

unreasonable □ (a'nri'ʂn^ebl) unvernünftig; grundlos; unmäßig.

unrecognizable □ (a'nrě'ƚ^egnai-[^ebl) nicht wiederzuerkennen(d).

unredeemed □ (a'nri·bi'md) unerlöst; uneingelöst; ungemildert.

unrefined (a'nri·fai'nd) ungeläutert.

unreflecting □ (a'nri·flě'ttiŋ⁹) gedankenlos.

unregarded (a'nri·gā'dⁱd) unbeachtet; unberücksichtigt.

unrelenting □ (a'nri·lě'ntiŋ⁹) erbarmungslos; unerbittlich.

unreliable (a'nri·lai'^ebl) unzuverlässig.

unrelieved □ (a'nri·li'wd) ungelindert; ohne Hilfe.

unremitting (a'nri·mi'tiŋ⁹) unablässig; unermüdlich.

unreserved (a'nri·ʂö'wd) rückhaltlos; unbeschränkt.

unresisting (a'nri·ʂi'ʂtiŋ⁹) widerstandslos.

unrest (a'nrě'ʂt) Unruhe f.

unrestrained □ (a'nri·ʂtre'nd) ungehemmt; unbeschränkt.

unrestricted □ (a'nri·ʂtri'ƚi'd) uneingeschränkt.

unriddle (a'nri'dl) enträtseln.

unrighteous □ (anrāi'tʃ(ɥ^eʂ) ungerecht; unredlich.

unripe (a'nrāi'p) unreif.

unrival(l)ed (anrāi'w^eld) ohne Nebenbuhler; unvergleichlich.

unroll (a'nro^ul) ent-, auf-rollen.

unruffled (a'nrʌ'fld) glatt; ruhig.

unruly (anrū'li) ungebärdig.

unsafe □ (a'nʂe'f) unsicher.

unsal(e)able (a'nʂe'l^ebl) unverkäuflich.

unsanitary (a'nʂä'nⁱt^eri) unhygienisch.

unsatisfactory □ (a'nʂätiʂfä'ƚt^eri) unbefriedigend; unzulänglich.

unsavoury □ (a'nʂe'w^eri) unschmackhaft; widerwärtig.

unsay (a'nʂe') [irr. (say)] zurücknehmen, widerru'fen.

unscathed (a'nʂke'ðd) unversehrt.

unschooled (a'nʂkū'ld) ungeschult; unverbildet.

unscrew (a'nʂkrū') (sich) ab-, los-, auf-schrauben.

unscrupulous □ (anʂkrū'p^{iu}[^eʂ) bedenkenlos; gewissenlos.

unsearchable □ (anʂö'tʃ(ɥ^ebl) unerforschlich; unergründlich.

unseasonable □ (anʂi'ʂn^ebl) unzeitig; fig. ungelegen.

unseemly (anʂi'mii) unziemlich.

unseen (ʌˈsiˈn) ungesehen; unsichtbar.

unselfish □ (ʌˈnsěˈlfiʃ) selbstlos.

unsettle (ʌˈnsěˈtl) in Unordnung bringen; verwirren; erschüttern; ~d (~d) nicht festgesetzt; unbeständig; unerledigt; unbesiedelt.

unshaken (ʌˈnʃeiˈkˑn) unerschüttert; unerschütterlich.

unshaven (ʌˈnʃeiˈvn) unrasiert.

unship (ʌˈnʃiˈp) ausschiffen.

unshrink|able (ʌˈnʃriˈnkˑbl) nicht einlaufend (Stoff); ~ing □ (~iŋ) unverzagt.

unsightly (ʌnsaiˈtli) häßlich.

unskil|ful □ (ʌˈnskiˈlfᵘl) ungeschickt; ~led (ʌˈnskiˈld) ungelernt.

unsoci|able (ʌnsouˈʃˑbl) ungesellig; ~al (~ʃˑl) unsozial.

unsolder (ʌˈnsoˈldˑ) los-, ab-löten.

unsolicited (ʌˈnsˑliˈsiˈtid) unverlangt (S.); unaufgefordert (P.).

unsophisticated (ʌˈnsˑfiˈstikˑtid) unverfälscht; ungekünstelt; unverdorben, unverbildet.

unsound □ (ʌˈnsauˈnd) ungesund; verdorben; wurmstichig; morsch; nicht stichhaltig (Beweis); verkehrt.

unsparing □ (ʌˈnspäˈriŋ) freigebig; schonungslos, unbarmherzig.

unspeakable □ (ʌnspiˈkˑbl) unsagbar; unsäglich.

unspent (ʌˈnspěˈnt) unverbraucht; unerschöpft.

unstable □ (ʌˈnsteiˈbl) nicht (stand)fest; unbeständig; unstet(ig); labil.

unsteady □ (ʌˈnstěˈdi) unstet(ig), unsicher; schwankend; unbeständig; u'nsoli'd; unregelmäßig.

unstring (ʌˈnstriˈŋ) [irr. (string)] Saite entspannen; f. abspannen.

unstudied (ʌˈnstʌˈdid) ungesucht, ungekünstelt.

unsubstantial □ (ʌˈnsˑbstæˈnʃˑl) wesenlos; gegenstandslos; u'nsoli'd; gehaltlos; dürftig.

unsuccessful □ (ʌˈnsˑksěˈsfᵘl) erfolglos.

unsuitable □ (ʌˈnsjuˈtˑbl) unpassend; unangemessen.

unsurpassable □ (ʌˈnsˑpäˈbl) unübertre'fflich.

unsuspect|ed □ (ʌˈnsˑspěˈktid) unverdächtig; unvermutet; ~ing (~fiŋ) nichts ahnend; arglos.

unsuspicious □ (ʌˈnsˑspiˈʃˑs) nicht argwöhnisch, arglos.

unswerving □ (ʌnswˑˈwiŋ) unentwegt.

untangle (ʌˈntæˈŋgl) entwirren.

untarnished (ʌˈntäˈniʃt) unbefleckt; ungetrübt.

unteachable (ʌˈntiˈtʃˑbl) unbelehrbar (P.); unlehrbar (S.).

unthink|able (ʌnθiˈnˑbl) undenkbar; ~ing □ (~fiŋ) gedankenlos.

unthought (ʌˈnθɔˈt) unbedacht; (od. ~-of) unvermutet.

untidy □ (ʌntaiˈdi) unordentlich.

untie (ʌˈntai) aufbinden, aufknüpfen; Knoten usw. lösen; f. losbinden.

until (ˑntiˈl, ʌntiˈl) 1. prp. bis 2. cj. bis (daß).

untimely (ʌntaiˈmli) unzeitig; vorzeitig; ungelegen.

untiring □ (ʌntaiˈriŋ) unermüdlich.

untold (ʌˈntouˈld) unerzählt; ungezählt; unermeßlich, unsäglich.

untouched (ʌˈntʌˈtʃt) unberührt; fig. ungerührt; phot. unretuschiert.

untried (ʌˈntraiˈd) unversucht; unerprobt; f₁ noch nicht verhört.

untroubled (ʌˈntrʌˈbld) ungestört.

untrue (ʌˈntruˈ) unwahr; untreu.

untrustworthy □ (ʌˈntrʌˈtwˑˈdˑi) unzuverlässig.

unus|ed (ʌˈnjuˈd) ungebraucht; (ʌˈnjuˈst) nicht gewöhnt (to an acc.; zu inf.); ~ual □ (ʌnjuˈGᵘˑl) ungewöhnlich; ungewohnt.

unutterable □ (ʌnʌˈtˑrˑbl) unaussprechlich.

unvarnished (ʌˈnväˈniʃt) fig. ungeschminkt.

unvarying □ (ʌnväˈriŋ) unveränderlich.

unveil (ʌˈnweiˈl) entschleiern, enthüllen.

unwanted (ʌˈnwɔˈntˑd) unerwünscht.

unwarrant|able □ (ʌnwɔˈrˑntˑbl) unverantwortlich; ~ed (~tˑd) unberechtigt; unverbürgt.

unwary □ (ʌˈnwäˈri) unbedachtsam.

unwholesome (ʌˈnhouˈlsˑm) ungesund; schädlich.

unwieldy □ (ʌnwiˈldi) unhandlich; ungefüge; & sperrig.

unwilling □ (ʌˈnwiˈliŋ) widerwillig; abgeneigt.

unwise □ (ʌnˈwaiˈl) unklug.

unwitting □ (ʌnwiˈtiŋ) unwissentlich.

unworkable (α'nωð'ᵗᵉbl) unaus-, undurch-führbar.

unworthy □ (αnωð'ð͡m) unwürdig.

unwrap (α'nrä'p) aus-, auf-wickeln.

unyielding □ (αnjı̄'ldiⁿᵍ) unnachgiebig.

up (αp) 1. *adv.* (her-, hin-)auf; aufwärts, empor; oben; *fig.* auf der Höhe; auf(gestanden); hoch; abgelaufen, um (*Zeit*); ~ *against a task* e-r Aufgabe gegenüber; ~ *to* bis (zu); *it is* ~ *to me to do es ist an mir, zu tun*; *sl. what's* ~? was ist los?; 2. *prp.* hinauf; ~ *the river* flußaufwärts; 3. *adj.* ~ *train* Zug m nach der Stadt; 4. *su.*: *the* ~*s and downs das Auf und Ab*; 5. F *vb.* (sich) erheben; hochtreiben.

up|braid (αpbreⁱ'ð) schelten; ~**bringing** (α'pbriⁿᵍiⁿᵍ) Erziehung *f*; ~**heaval** (αpʰı̄'wᵉl) Umbruch *m*; ~**hill** (α'pʰı̄'l) bergan; mühsam; ~**hold** (αpʰoᵘ'lb) [*irr.* (*hold*)] aufrecht(er)halten; stützen; ~**holster** (αpʰoᵘˡs̄tᵉ) Möbel (auf-)polstern), *Zimmer* dekorieren; ~**holsterer** (~rᵉ) Tapezier(er), Dekorateu'r m; ~**holstery** (~rı̄) Polstermöbel *n*/*pl.*; Möbel-, Dekorationsstoffe *m*/*pl.*

up|keep (α'pı̄p) Instandhaltung(skosten *pl.*) *f*; Unterhalt m; ~**land** (α'plᵉnð) Oberland n; ~**lift** 1. (αplı̄'ft) (empor-, er-)heben; 2. (α'plı̄ft) (Er-)Hebung *f*.

upon (ᵉpᴐn) = *on* auf *usw.*

upper (α'pᵉ) ober; Ober...; ~**most** (~moᵘᵗst) oberst, höchst.

up|raise (αpreⁱ'ß) erheben; ~**rear** (αprⁱᵉ') aufrichten; ~**right** (α'präⁱt) 1. □ aufrecht; 2. Pfosten; Ständer m; Klavier n; ~**rising** (αprᴧ'ı̄iⁿᵍ) Erhebung *f*.

uproar (α'prõ) Aufruhr m; ~**ious** □ (αprõ'rⁱᵉß) tobend; tosend.

up|root (αprū't) entwurzeln; (her-)ausreißen; ~**set** (αpß̌ᵉ't) [*irr.* (*set*)] umwerfen; (um)stürzen; außer Fassung (*od.* in Unordnung) bringen; ~**shot** (α'pß̌ᴐt) Ausgang m; ~**side** (α'pß̌äld) *adv.*: ~ *down das Oberste zu unterst*; verkehrt; ~**stairs** (α'pß̌t̄ä'ᶠ) die Treppe hinauf, (nach) oben; ~**start** (α'pß̌tät) Emporkömmling m; ~**stream** (α'pß̌trı̄'m) stromaufwärts; ~**turn** (αptõ'n) nach oben kehren;

~**ward(s)** (α'pωᵉð[ß]) aufwärts (gerichtet).

urban (ð̄'bᵉn) städtisch; Stadt...; ~**e** □ (ðbeⁱ'n) höflich; gebildet.

urchin (ð̄'tsᴄhⁱn) Bengel m.

urge (ð̄ðG) 1. *j.* drängen, (an)treiben (*oft* ~ *on*); dringen in *j.*; dringen auf *e-e S.*; geltend m.; 2. Drang m; ~**ncy** (ð̄'ðGᵉnß̌ı̄) Dringlichkeit *f*; Drängen *n*; ~**nt** □ (ð̄'ðGᵉnt) dringend.

urin|al (juᵉrⁱnl) Bedürfnisanstalt *f*; ~**ate** (~rⁱneⁱt) urinieren; ~**e** (~rⁱn) Uri'n, Harn m.

urn (ð̄n) Urne; Teemaschine *f*.

us (αß, *im Satz*: ᵉß) uns; *of* ~ unser.

usage (jū'ᵗbG) Brauch; Sprachgebrauch m; Behandlung *f*.

usance † (jū'ᶠᵉnß̌) Wechselfrist *f*.

use 1. (jūß̌) Gebrauch m; Benutzung; Verwendung; Gewohnheit, Übung *f*; Brauch; Nutzen m; (*of*) *no* ~ unnütz, zwecklos; 2. (jūß̌) gebrauchen; benutzen, verwenden; behandeln; *I* ~*d* (jūß̌t) *to do ich pflegte zu tun, früher tat ich*; ~**d** (jūß̌t) *to gewöhnt an* (*acc.*); ~**ful** □ (jū'ß̌ᶠᵘl) brauchbar; nützlich; Nutz...; ~**less** □ (jū'ß̌lⁱß̌) nutzlos, unnütz.

usher (α'sᴄhᵉ) 1. Türhüter, Gerichtsdiener; Platzanweiser m; 2. (hin)einführen, anmelden.

usual □ (jū'Gᵘᵉl) gewöhnlich; üblich.

usurer (jū'Gᵉrᵉ) Wucherer m.

usurp (jūß̌ð̄'p) sich *et.* widerrechtlich aneignen, an sich reißen; ~**er** (jūß̌ð̄'pᵉ) Usurpa'tor m.

usury (jū'Gᵘrı̄) Wucher(zinsen *pl.*) m.

utensil (jūtᵉ'nß̌l) Gerät; Geschirr n.

utility (jūtı̄'lⁱtⁱ) 1. Nützlichkeit *f*, Nutzen m; *public* ~ öffentlicher Versorgungsbetrieb; 2. Gebrauchs..., Einheits...

utiliz|ation (jūtⁱlȧⁱß̌eⁱ'ᴄhᵉn) Nutzbarmachung, Nutzanwendung *f*; ~**e** (jū'tⁱläⁱß̌) sich *et.* zunutze m.

utmost (α'tmoᵘß̌t) äußerst.

utter (α'tᵉ) 1. □ *fig.* äußerst; völlig; 2. äußern; *Seufzer usw.* von sich geben; in Umlauf setzen; ~**ance** (~rᵉnß̌) Äußerung *f*, Ausdruck(sweise *f*) m; ~**most** (~moᵘß̌t) äußerst.

V

vacan|cy (weˈkᵉnßi) Leere; Lücke; freie Stelle *f*; **~t** □ (weˈkᵉnt) leer (*a. fig.*); frei, erledigt (*Amt*).
vacat|e (wᵉkeˈt, *Am.* weˈkeit) räumen; *Amt usw.* aufgeben, aus *e-m Amt* scheiden; **~ion** (wᵉkeˈschᵉn, *Am.* weikeˈschᵉn) Ferien *pl.*
vaccin|ate (wäˈkßineit) impfen; **~ation** (wäkßineˈschᵉn) Impfung *f*; **~e** (wäˈkßin) Impfstoff *m.*
vacillate (wäˈßileit) schwanken.
vacuum (wäˈkiuᵉm) *phys.* Vakuum *n*; **~ cleaner** Staubsauger *m*; **~ flask, ~ bottle** Thermosflasche *f.*
vagabond (wäˈgᵉbᵉnd) 1. vagabundierend; 2. Landstreicher *m.*
vagrant (weˈgrᵉnt) 1. wandernd; *fig.* unstet; 2. Landstreicher; Strolch *m.*
vague (weig) unbestimmt; unklar.
vain □ (wein) eitel; leer; nichtig; vergeblich; *in* ~ vergebens, umsonst; **~glorious** (weinglōˈriᵉß) ruhmredig.
valediction (wälidiˈkschᵉn) Abschied *m.*
valentine (wäˈlᵉntain) Valentinsschatz, -gruß *m* (*am Valentinstag, 14. Februar, erwählt, gesandt*).
valet (wäˈlit) 1. (Kammer-)Diener *m*; 2. Diener sn bei *j-m*; *j.* bedienen.
valiant □ *rhet.* (wäˈliᵉnt) tapfer.
valid (wäˈlid) gültig; triftig, richtig; **~ity** (wᵉliˈditi) Gültigkeit *f usw.*
valley (wäˈli) Tal *n.*
valo(u)r *rhet.* (wäˈlᵉ) Tapferkeit *f.*
valuable (wäˈliuᵉbl) 1. □ wertvoll; 2. **~s** *pl.* Wertsachen *f/pl.*
valuation (wäliuᵉˈschᵉn) Abschätzung *f*; Taxwert *m.*
value (wäˈljū) 1. Wert *m*; Währung *f*; 2. schätzen; **~less** (wäˈliuliß) wertlos.
valve (wälw) Klappe *f*; Ventiˈl *n*; *Radio*: Röhre *f.*
van (wän) Möbelwagen; 🚂 Pack-, Güter-wagen *m*; ⚔ Vorhut *f.*
vane (wein) Wetterfahne *f*; *Propeller usw.* Flügel *m.*
vanguard ⚔ (wäˈngād) Vorhut *f.*
vanish (wäˈnisch) (ver)schwinden.
vanity (wäˈniti) Eitelkeit; Nichtigkeit *f*; ~ *bag* Handtäschchen *n.*
vanquish (wäˈnᵍkwisch) besiegen.
vantage (wāˈntidsch) Vorteil *m.*
vapid □ (wäˈpid) schal; fad(e).
vapor|ize (weˈpᵉrais) verdampfen (l.); **~ous** (~rᵉß) dunstig; nebelhaft.
vapo(u)r (weˈpᵉ) 1. Dunst; Dampf *m*; 2. schwadronieren.
varia|ble □ (wäᵉˈriᵉbl) veränderlich; **~nce** (~riᵉnß) Uneinigkeit *f*; *be at* ~ uneinig sn; (sich) widerspreˈchen; **~nt** (~riᵉnt) 1. abweichend; 2. Variaˈnte *f*; **~tion** (wäᵉrieˈschᵉn) Abänderung; Schwankung; Abweichung; ♪ Variatioˈn *f.*
varie|d □ (wäᵉˈrid) *s.* various; **~gate** (wäᵉˈrigeit) bunt gestalten; **~ty** (wᵉraiˈᵉti) Mannigfaltigkeit; Abart; ✝ Auswahl; Menge *f*; ~ *show* Varietévorstellung *f.*
various (wäᵉˈriᵉß) verschieden(artig).
varnish (wāˈnisch) 1. Firnis, Lack; *fig.* Anstrich *m*; 2. firnissen, lackieren; *fig.* überlackieren.
vary (wäᵉˈri) (sich) (ver)ändern; wechseln (mit *et.*); abweichen.
vase (wās) Vase *f.*
vast □ (wāßt) ungeheuer, riesig.
vat (wät) Faß *n*; Bottich *m*; Kufe *f.*
vault (wōlt) 1. Gewölbe *n*; Wölbung; Stahlkammer; Gruft *f*; *Wein*-Keller; Sprung *m*; 2. (über-) wöˈlben; springen (über *acc.*).
vaunt (wōnt) (sich) rühmen.
veal (wīl) Kalbfleisch *n.*
veer (wiᵉ) (sich) drehen.
vegeta|ble (wĕˈdschitᵉbl) 1. Pflanzen...; 2. Pflanze *f*; Gemüse *n* (*a.* **~s** *pl.*); **~rian** (wĕdschitäᵉˈriᵉn) 1. Vegetarier(in); 2. vegetarisch; **~te** (wĕˈdschiteit) vegetieren.
vehemen|ce (wīˈimᵉnß) Heftigkeit; Gewalt *f*; **~t** (~t) heftig; ungestüm.
vehicle (wīˈikl) Fuhrwerk, Fahrzeug *n*; *fig.* Vermittler, Träger *m*; Ausdrucksmittel *n.*
veil (weil) 1. Schleier *m*; Hülle *f*; 2. (sich) verschleiern (*a. fig.*).

vein (we¹n) Ader (*a. fig.*); Anlage; Neigung, Stimmung *f*.

velocity (wⁱló'b̥ⁱtⁱ) Geschwindigkeit *f*.

velvet (wĕ'lwⁱt) Samt; ~y (~ⁱ) samtig.

venal (wī'nl) käuflich, feil.

vend (wĕnḍ) verkaufen; ~er, ~or (wĕ'nḍᵉ) Verkäufer, Händler *m*.

veneer (wⁱnⁱᵉ') 1. Furnier *n*; 2. furnieren; *fig.* umklei'den.

venera|ble ☐ (wĕ'nᵉrᵉbl) ehrwürdig; ~te (~rᵉⁱt) (ver)ehren; ~tion (wĕnᵉrᵉⁱ'ʃᵉn) Verehrung *f*.

venereal (wⁱnⁱᵉ'rⁱᵉl) Geschlechts...

Venetian (wⁱnⁱ'ʃᵉn) venetia'nisch; ~ blind (Stab-)Jalousie' *f*.

vengeance (wĕ'nḍG̥ᵉnß) Rache *f*.

venison (wĕ'nⁱn) Wildbret *n*.

venom (wĕ'nᵉm) *bsd. Schlangen-*Gift *n* (*a. fig.*); ~ous ☐ (~ᵉß) giftig.

vent (wĕnt) 1. Öffnung *f*; Luft-, Zünd-loch *n*; Ausweg *m*; give ~ to *s-m Zorn usw.* Luft m.; 2. *fig.* Luft m. (*dat.*).

ventilat|e (wĕ'ntⁱleⁱt) ventilieren; (ent)lüften; *fig.* erörtern; ~ion (wĕntⁱleⁱ'ʃᵉn) Lüftung; *fig.* Erörterung *f*.

venture (wĕ'ntʃᵉ) 1. Wagnis; Risiko *n*; Spekulatio'n *f*; *ot a* ~ auf gut Glück; 2. (sich) wagen, riskieren; ~some ☐ (~ß̥ᵉm), **venturous** ☐ (~rᵉß) verwegen, kühn.

veracous (wᵉreⁱ'ʃᵉß) wahrhaft.

verb|al ☐ (wᵉ'bᵉl) wörtlich; mündlich; ~iage (wᵉ'bⁱᵉḍG̥) Wortschwall *m*; ~ose ☐ (~oⁿß) wortreich.

verdant ☐ (wᵉ'ḍᵉnt) grün.

verdict (wᵉ'ḍⁱtt) g̥ᵗ Wahrspruch *m* *der Geschworenen; fig.* Urteil *n*.

verdigris (wᵉ'ḍⁱgrⁱß) Grünspan *m*.

verdure (wᵉ'ḍᵉG̥ᵉ) Grün *n*.

verge (wᵉ̈ḍG̥) 1. Rand *m*, Grenze *f*; on the ~ of am Rande (*gen.*); dicht vor (*dat.*); 2. sich (hin)neigen; ~ (*up*)on grenzen an (*acc.*).

veri|fy (wᵉ'rⁱfãl) (nach)prüfen; beweisen; bestätigen; ~table ☐ (wᵉ'rⁱᵗᵉbl) wahr(haftig).

vermin (wᵉ'mⁱn) Ungeziefer *n*; ~ous (wᵉ'mⁱnᵉß) voller Ungeziefer.

vernacular ☐ (wᵉnä'tⁱ\u2c1u|ᵉ) 1. einheimisch; volks...; 2. Landes-, Mutter-sprache *f*; Jargo'n *m*.

versatile ☐ (wᵉ'ß̥ᵗãl) wendig.

verse (wᵉ̈ß) Vers(e *pl.*) *m*; Dichtung *f*; ~d (wᵉ̈ß̥t) bewandert.

versify (wᵉ'ß̥ⁱfãl) *v/t.* in Verse bringen; *v/i.* Verse machen.

version (wᵉ'ʃᵉn) Überse'tzung; Fassung, Darstellung; Lesart *f*.

vertebral (wᵉ'tⁱbrᵉl) Wirbel...

vertical ☐ (wᵉ'tⁱtᵉl) senkrecht.

vertig|inous ☐ (wᵉtⁱ'ḍⁱnᵉß) schwindlig; schwindelnd (*Höhe*).

verve (wŏw, wäᵉw) Schwung *m*.

very (wĕ'rⁱ) 1. *adv.* sehr; the ~ *best* das allerbeste; 2. *adj.* wirklich; eben; bloß; the ~ *same* eben derselbe; the ~ *thing* gerade das; the ~ *thought* der bloße Gedanke; the ~ *stones* sogar die Steine; the *veriest rascal* der größte Schuft.

vesicle (wĕ'ß̥ⁱkl) Bläs-chen *n*.

vessel (wĕ'ß̥l) Gefäß; Fahrzeug *n*.

vest (wĕß̥t) 1. Unterhemd *n*; Weste *f*; *Kleid-*Einsatz *m*; 2. *v/t.* bekleiden (with mit); *j.* einsetzen (in in *acc.*); *et.* übertra'gen (in *dat.*); *v/i.* verliehen werden.

vestibule (wĕ'ß̥ⁱbⁱul) Vorhalle *f*.

vestige (wĕ'ß̥ⁱdG̥) Spur *f*.

vestment (wĕ'ß̥tmᵉnt) Gewand *n*.

vestry (wĕ'ß̥trⁱ) Sakristei' *f*; ~man (~mᵉn) Gemeindevertreter *m*.

veteran (wĕ'tᵉrᵉn) 1. ausgedient; erfahren; 2. Vetera'n *m*.

veterinary (wĕ'tⁿrⁱ) 1. tierärztlich; 2. Tierarzt *m* (*mst* ~ *surgeon*).

veto (wī'toⁿ) 1. Veto *n*; 2. sein Veto einlegen gegen.

vex (wĕß̥) ärgern; bekümmern; ~ation (wĕß̥eⁱ'ʃᵉn) Ärger(nis *n*) *m*; ~atious (~ʃᵉß) ärgerlich.

via (wãⁱ'ᵉ) *auf Briefen usw.*: über.

vial (wãⁱ'ᵉl) Fläschchen *n*.

viands (wãⁱ'nḍ) *pl.* Speisen *f/pl.*

vibrat|e (wãⁱbreⁱ't) vibrieren; zittern; ~ion (~ʃᵉn) Schwingung *f*.

vice (wãⁱß) 1. Laster *n*; Fehler *m*; Unart *f*; ⊕ Schraubstock *m*; 2. Vize-...; stellvertretend; Unter...; ~roy (wãⁱ'broⁱ) Vizekönig *m*.

vice versa (wãⁱ'ß̥ⁱwᵒ'ß̥ᵉ) umgekehrt.

vicinity (wⁱß̥ⁱ'nⁱtⁱ) Nachbarschaft; Nähe *f*.

vicious ☐ (wⁱ'ʃᵉß) lasterhaft; bösartig; boshaft; fehlerhaft.

vicissitude (wⁱß̥ⁱ'ß̥ⁱtⁱuḍ): *mst* ~s *pl.* Wechselfälle *m/pl.*

victim (wⁱ'ttⁱm) Opfer *n*; ~ize (~ⁱmãl) (in)opfern.

victor (wⁱ'ttᵉ) Sieger *m*; ~ious ☐ (wⁱttó'rⁱᵉß) siegreich; Sieges...; ~y (wⁱ'ttᵉrⁱ) Sieg *m*.

victual (wi'tl) 1. (sich) mit Lebens-
mitteln versehen; 2. mst ~s pl. Lebensmittel n/pl.; ~ler (wi'tlᵉ) Le-
bensmittellieferant m.

video (wi'dⁱoᵘ) Radio: Fernseh...

vie (wåi) wetteifern.

view (wju) 1. Sicht f, Blick m; Besichtigung; Aussicht f (of auf acc.);
Anblick m; Ansicht (a. fig.); Absicht f; in ~ of im Hinblick auf (acc.);
on ~ zu besichtigen; with a ~ to od.
of ger. in der Absicht zu...; have in
~ im Auge haben; 2. ansehen, besichtigen; fig. betrachten; ~point
Gesichts-, Stand-punkt m.

vigil|ance (wi'dᵍⁱlᵉnß) Wachsam-
keit f; ~ant □ (~lᵉnt) wachsam.

vigo|rous (wi'gᵉrᵉß) kräftig;
nachdrücklich; ~(u)r (wi'gᵉ) Kraft
f; Nachdruck m.

vile □ (wåil) gemein; nichtswürdig.

vilify (wi'lⁱfåi) verunglimpfen.

village (wi'lⁱdQ) Dorf n; ~r (~ᵉ)
Dorfbewohner(in).

villain (wi'lᵉn) Schuft m; ~ous (~ᵉß)
schuftig; ~y (~i) Schurkerei f.

vim F (wim) Schwung, Schneid m.

vindic|ate (wi'ndⁱkeⁱt) rechtfertigen
(from gegen); verteidigen; ~tive
(wⁱndⁱ'tiw) rachsüchtig.

vine (wåin) Wein(stock) m, Rebe f;
~gar (wi'nⁱgᵉ) (Wein-)Essig m;
~growing Weinbau m; ~yard
(wi'nⁱᵉd) Weinberg m.

vintage (wi'ntⁱdQ) Weinlese f;
Wein-Jahrgang m.

violat|e (wåi'ᵉleⁱt) verletzen; Eid
usw. brechen; vergewaltigen; schänden; ~ion (wåi'ᵉleⁱ'ſᶜhᵉn)Verletzung
f usw.; Eides- usw. Bruch m.

violen|ce (wåi'ᵉlᵉnß) Gewalt(sam-
keit, -tätigkeit); Heftigkeit f; ~t □
(~t) gewaltsam; heftig.

violet (wåi'ᵉlⁱt) Veilchen n.

violin ♪ (wåi'ᵉli'n) Violi'ne, Geige f.

viper (wåi'pᵉ) Viper, Natter f.

virago (wⁱreⁱ'goᵘ) Zänkerin f.

virgin (wö'dQⁱn) 1. Jungfrau f; 2. □
jungfräulich (a. ~al); Jungfern...;
~ity (wödQⁱ'nⁱti) Jungfräulichkeit f.

viril|e (wi'råil) männlich; Mannes...;
~ity (wⁱri'lⁱti) Männlichkeit f.

virtu (wötü') Kunstliebhaberei f;
article of ~ Kunstgegenstand m;
~al □ (wö'tjuᵉl) eigentlich; ~e
(wö'tjuᵉ) Tugend; Wirksamkeit f;
Vorzug m; in ~ of kraft; ~ous □
(wö'tjuᵉß) tugendhaft.

virulent (wi'rᵘlᵉnt) giftig; fig. bösartig.

visa (wi'ſᵉ) s. visé.

viscount (wåi'kåunt) Vico'mte m.

viscous □ (wi'ßkᵉß) zähflüssig.

visé (wi'ſeⁱ) 1. Paß-Visum n, Sicht-
vermerk m; 2. Paß visieren.

visible □ (wi'ſⁱbl) sichtbar; fig.
(er)sichtlich; pred. zu sehen.

vision (wi'Qᵉn) Sehvermögen n;
fig. (Seher-)Blick m; Visio'n, Erscheinung f; ~ary f; ~ary (wi'Qᵉri)
1. phantastisch; 2. Geisterseher(in);
Phantast(in).

visit (wi'ſit) 1. v/t. besuchen; fig.
heimsuchen; et. ahnden; v/i. Be-
suche m.; 2. Besuch m; ~ation (wiſi-
teⁱ'ſᶜhᵉn) Besuch m; fig. Heimsu-
chung f; ~or (wi'ſitᵉ) Besuch(er);
Inspektor m.

vista (wi'ßtᵉ) Durch-, Aus-blick m.

visual □ (wi'ſjuᵉl) Seh...; Gesichts-
...; ~ize (~åiz) (sich) vor Augen
stellen, sich ein Bild machen von.

vital □ (wåi'tl) Lebens...; lebens-
wichtig, wesentlich; lebensgefähr-
lich; ~s, ~ parts pl. edle Teile m/pl.;
~ity (wåitä'lⁱti) Lebenskraft f; Leben n; ~ize (wåi'tᵉlåiz) beleben.

vitamin (wi'tᵉmⁱn, wåi'tᵉmⁱn), ~e
(~mⁱn) Vitami'n n.

vitiate (wi'ſieⁱt) verderben; beeinträchtigen; hinfällig (ſᵍᵉ ungültig) m.

vivaci|ous □ (wiweⁱ'ſᶜhᵉß) lebhaft;
~ty (~wä'ßⁱti) Lebhaftigkeit f.

vivid □ (wi'wid) lebhaftig, lebendig.

vivify (wi'wⁱfåi) (sich) beleben.

vixen (wi'kßn) Füchsin; Zänkerin f.

vocabulary (wᵉkä'bⁱulᵉri) Wörter-
verzeichnis n; Wortschatz m.

vocal □ (woᵘ'kl) stimmlich; Stimm-
...; gesprochen; laut; ♪ Voka'l...;
Gesang...; klingend.

vocation (woᵘkeⁱ'ſᶜhᵉn) Berufung f;
Beruf m; ~al □ (~l) beruflich.

vociferate (woᵘßi'fᵉreⁱt) schreien.

vogue (woᵍ) Beliebtheit; Mode f.

voice (wöiß) 1. Stimme f; give ~ to
Ausdruck geben (dat.); 2. äußern,
ausdrücken.

void (wöid) 1. leer; ungültig; 2.
Leere; Lücke f; 3. entleeren; ungültig m.; aufheben.

volatile (wö'lᵉtåil) ♫ flüchtig (a.
fig.); flatterhaft.

volcano (wölkeⁱ'noᵘ) Vulka'n m.

volition (woᵘli'ſᶜhᵉn) Wollen n;
Willenskraft f.

volley (wǒ'lǐ) 1. Salve *f*; *fig.* Hagel; Schwall; *Tennis*: Flugball *m*; 2. e-e Salve (von …) abfeuern.

voltage ⚡ (woᵘ'lᵗᵗòG) Spannung *f*.

voluble (wǒ'lǐᵘbl) (rede)gewandt.

volum|e (wǒ'ljŭm) Band *m e-s Buches*; Volu'men *n*; *fig.* Masse *f*; *bsd. Stimm-*Umfang *m*; ⸰inous ☐ (wᵉljŭ'mᶦnᵉß) umfangreich.

volunt|ary ☐ (wǒ'lᵉntᵉrǐ) freiwillig; willkürlich; ⸰eer (wǒlᵉntᶦeᵉ) 1. Freiwillige(r); 2. *v/i.* freiwillig dienen; sich erbieten; *v/t.* anbieten.

voluptu|ary (wᵉlɑ'ptᶦᵘᵉrǐ) Wollüstling *m*; ⸰ous (⸰ß) wollüstig; üppig.

vomit (wǒ'mǐt) 1. (sich) erbrechen; *fig.* (aus)speien, ausstoßen; 2. Erbrochene(s) *n*; Auswurf *m*.

voraci|ous ☐ (wᵒreᶦ'ʃǐʃᵉß) gefräßig; gierig; ⸰ty (wᵒrǎ'ßᶦtǐ) Gier *f*.

vortex (wǒ'tĕḵß) Strudel *m*.

vote (woᵘt) 1. *Wahl-*Stimme; Abstimmung *f*; Stimmrecht *n*; Beschluß *m*, Votum *n*; *cast a ⸰ (s)eine Stimme abgeben; 2. *v/t.* stimmen für; *v/i.* (ab)stimmen; wählen; ⸰r (woᵘ'tᵉ) Wähler(in).

voting… (woᵘ'tǐngᵍ) Wahl…

vouch (wǎutʃ): ⸰ for bürgen für; ⸰er (wǎu'tʃᵉ) Beleg; Zeuge *m*; ⸰safe (wǎutʃßeᶦ'f) gewähren.

vow (wǎu) 1. Gelübde *n*; *Treu-*Schwur *m*; 2. *v/t.* geloben.

vowel (wǎu'ᵉl) Voka'l *m*.

voyage (wǒ̄iòG) 1. *längere* (See-, Luft-)Reise *f*; 2. reisen, fahren.

vulgar ☐ (wɑ'lgᵉ) gewöhnlich, gemein, pöbelhaft; ⸰ tongue Volkssprache *f*; ⸰ize (⸰rǎĭ) gemein m., erniedrigen; populä'r m.

vulnerable ☐ (wɑ'lnᵉrᵉbl) verwundbar; *fig.* angreifbar.

vulture (wɑ'ltʃᵉ) Geier *m*.

W

wad (wŏd) 1. *Watte- usw.* Bausch *m*; Polster *n*; Pfropf(en) *m*; 2. wattieren; polstern; zs.-pressen; zustopfen; **~ding** (wŏ'ḋiŋ) Wattierung; Watte *f*.
waddle (wŏ'ḋl) watscheln, wackeln.
wade (we¹ḋ) *v/i.* waten; *fig.* sich hindurcharbeiten; *v/t.* durchwa'ten.
wafer (we¹'fᵉ) Waffel; Obla'te *f*.
waffle *bsd. Am.* (wŏ'fl) Waffel *f*.
waft (wȧft) 1. tragen; 2. Hauch *m*.
wag (wȧg) 1. wackeln (mit); wedeln (mit); 2. Spaßvogel *m*.
wage (we¹ḋG) 1. *Krieg* führen; 2. *mst* **~s** (we¹ḋG¹ᶻ) *pl.* Lohn *m*; **~earner** (we¹'ḋGȱnᵉ) Lohnempfänger *m*.
waggish □ (wȧ'g¹ʃ) schelmisch.
waggle F (wȧ'gl) wackeln (mit).
wag(g)on (wȧ'gᵉn) (Last-, Güter-) Wagen *m*; **~er** (~ᵉ) Fuhrmann *m*.
waif (we¹f) herrenloses Gut *n*; Heimatlose(r).
wail (we¹l) 1. Klage *f*; 2. (be)klagen.
waist (we¹ṣt) Taille; schmalste Stelle *f*; ✠ Mitteldeck *n*; **~coat** (we¹'ṣ-ko̅u̅t) Weste *f*.
wait (we¹t) *v/i.* warten (*for* auf *acc.*); (*oft* ~ *at table*) bedienen; ~ (*up*)on *j-m* aufwarten; ~ *and see* abwarten; *v/t.* abwarten; *mit dem Essen* warten (*for* auf *j.*); **~er** (we¹'tᵉ) Kellner; Präsentierteller *m*.
waiting (we¹'t¹ŋ): *in* ~ diensttuend; **~room** Warte-zimmer *n*, -saal *m*.
waitress (we¹'tr¹ṣ) Kellnerin *f*.
waive (we¹w) verzichten auf (*acc.*); **~r** ᵻⁱ-ᵃ (we¹'wᵉ) Verzicht *m*.
wake (we¹k) 1. Kielwasser *n* (*a. fig.*); 2. [*irr.*] *v/i.* wachen (*mst* ~ *up*) auf-, er-wachen; *v/t.* (auf-, er-) wecken; **~ful** □ (we¹'kfu̅l) wachsam; schlaflos; **~n** (we¹'kᵉn) *s.* wake 2.
wale (we¹l) Strieme *f*.
walk (wŏk) 1. *v/i.* (zu Fuß) gehen; spazierengehen; wandern, Schritt gehen; *v/t.* führen; *Pferd* Schritt gehen l.; (durch)wa'ndern; umhergehen auf *od.* in (*dat.*); 2. Gang; Spazier-gang, -weg *m*; ~ *of life* Lebensstellung *f*.
walking (wŏ'k¹ŋ) Spazier...; Wan-

der...; ~ *tour* Fußtour *f*; **~stick** Spazierstock *m*.
walk...: **~out** *Am.* (wŏ'kȧu̅'t) Ausstand *m*; **~over** leichter Sieg *m*.
wall (wŏl) 1. Wand; Mauer *f*; 2. mit e-r Mauer umge'ben; ~ *up* zumauern. [sche *f.*]
wallet (wŏ'l¹t) Ränzel *n*; Briefta-)
wallflower *fig.* Mauerblümchen *n*.
wallop F (wŏ'lᵉp) *j.* verdreschen.
wallow (wŏ'lo̅u) sich wälzen.
wall...: **~paper** (wŏ'lpe¹pᵉ) Tape'te *f*; **~socket** ⚡ Steckdose *f*.
walnut ⚘ (~nȧt) Walnuß(baum *m*) *f*.
walrus (wŏ'lrᵉṣ) *zo.* Walroß *n*.
waltz (wŏlṣ) 1. Walzer *m*; 2. walzen.
wan □ (wŏn) blaß, bleich, fahl.
wand (wŏnd) (Zauber-)Stab *m*.
wander (wŏ'ndᵉ) wandern; umherschweifen; *fig.* abschweifen; irregehen; phantasieren.
wane (we¹n) 1. abnehmen (*Mond*); *fig.* schwinden; 2. Abnehmen *n*.
wangle *sl.* (wȧ'nᵍgl) schieben.
want (wŏnt) 1. Mangel *m* (*of an dat.*); Bedürfnis *n*; Not *f*; 2. *v/i.* ~ *ing* fehlen; es fehlen l. (*in an dat.*); unzulänglich sn; ~ *for* Not leiden an (*dat.*); *it* ~*s of* es fehlt an (*dat.*); *v/t.* bedürfen (*gen.*), brauchen; nicht haben; wünschen, (haben) wollen; *he* ~*s energy* es fehlt ihm an Energie'; ~*ed* gesucht (*in Annoncen*).
wanton (wŏ'nt∘n) 1. □ geil; mutwillig; 2. umhertollen.
war (wŏ) 1. Krieg *m*; *attr.* Kriegs...; *make* ~ K. führen ([*up*]on *gegen*); 2. (*ea.* wider)strei'ten.
warble (wŏ'bl) trillern.
ward (wŏd) 1. Mündel *n*; (Gefängnis-)Zelle; Abteilung *f*; Bezirk *m*; ~*s pl. Schlüssel-*Bart *m*; 2. ~ (*off*) abwehren; **~er** (wŏ'dᵉ) (Gefangenen-)Wärter *m*; **~robe** (wŏ'dro̅u̅b) Garde'ro'be *f*; Kleiderschrank *m*; ~ *trunk* Schrankkoffer *m*.
ware (wȧ̆ᵉ) Ware *f*; Geschirr *n*.
warehouse 1. (wȧ̆'hȧu̅ṣ) (Waren-) Lager *n*; Speicher *m*; 2. (~hȧu̅ṣ) auf den Speicher bringen, einlagern.
warfare (wŏ'fȧ̆ᵉ)Krieg(führung *f*)*m*.

wariness (wä'r'nĭß) Vorsicht f.
warlike (wö'läĭ) kriegerisch.
warm (wöm) 1. □ warm (a. fig.);
heiß; fig. hitzig; 2. Erwärmung f;
3. (sich) (er)wärmen (a. ~ up); ~th
(~ĭh) Wärme f.
warn (wön) warnen (of, against vor
dat.); verwarnen; (er)mahnen; ver-
ständigen; ~ing (wö'nĭng) Warnung; Mahnung; Kündigung f.
warp (wöp) (sich verziehen (Holz));
fig. verdrehen, verzerren.
warrant (wö'r'nt) 1. Vollmacht;
Berechtigung; Bürgschaft f; 2.
(Vollziehungs-)Befehl; Berechti-
gungs-Schein m; ~ of arrest Haft-
befehl m; 2. bevollmächtigen; j.
berechtigen; et. rechtfertigen; ver-
bürgen; † garantieren; ~y (~ĭ) Garantie'; Berechtigung f.
warrior (wö'rĭe) Krieger m.
wart (wöt) Warze f; Auswuchs m.
wary □ (wä'rĭ) vorsichtig, behut-,
(bed)acht-sam.
was (wöß, wöß) war; wurde.
wash (wößh) 1. v/t. waschen; (be-)
spülen; v/i. sich waschen (l.);
waschecht sn (a. fig.); 2. Waschen n;
Wäsche f; Wellenschlag m; Spül-
wasser; contp. Gewäsch; pharm.
Haar- usw. Wasser n; ~able (~ö'-
ßh'bl) waschbar; ~basin (wö'ßh-
beĭßn) Waschbecken n; ~cloth
Waschlappen m; ~er (wö'ßhe)
Wäscher(in); Waschmaschine; ⊕
Unterlagscheibe f; ~(er)woman
Waschfrau f; ~ing (wö'ßhĭng)
1. Waschen n; Wäsche f; 2. Wasch...;
~y (wö'ßhĭ) wässerig.
wasp (wöß p) Wespe f.
wastage (weĭ'ß tĭdᴳ) Abgang m.
waste (weĭß t) 1. wüst, öde; Abfall...; lay ~ verwüsten; 2. Ver-
schwendung; Abnutzung f; Abfall
m; Einöde, Wüste f; 3. v/t. verwüsten; verschwenden; (auf)zeh-
ren; v/i. abnehmen, schwinden;
~ful □ (weĭ'ß tful) verschwende-
risch; ~paper basket Papierkorb m.
watch (wö'tĭßh) 1. Wache; Taschen-
uhr f; 2. v/i. wachen; ~ for warten
auf (acc.); v/t. bewachen; beobachten; achtgeben auf (acc.); Gelegenheit abwarten; ~dog Wach-
hund m; ~ful □ (wö'tĭßhful) wachsam; achtsam; ~maker Uhrmacher
m; ~man (~m'n) (Nacht-)Wächter
m; ~word Losung f.

water (wö't e) 1. Wasser; Gewässer
n; drink the ~s Brunnen trinken;
2. v/t. bewässern; besprengen; begießen; mit Wasser versorgen;
tränken; verwässern (a. fig.); v/i.
wässern (Mund); tränen (Augen);
Wasser einnehmen; ~course W.-
lauf m; ~fall W.-fall m; ~gauge
W.-standszeiger; Pegel m.
watering (wö't erĭng): ~can, ~
-pot Gießkanne f; ~place Tränke
f; Bad(eort m); Seebad n.
water-level W.-spiegel; W.-stand
(-slinie f) m; ⊕ W.-waage f; ~man
(wö't em en) Fährmann; Bootsfüh-
rer; Ruderer m; ~proof 1. wasserdicht; 2. Gummimantel m; 3. imprägnieren; ~shed W.-scheide f;
Stromgebiet n; ~side am W. (gelegen); ~tight wasserdicht; fig. zuverlässig; ~way W.-straße f;
~works pl., a. sg. W.-werk n; ~y
(wö't erĭ) wässerig.
wattle (wö'tl) 1. Flechtwerk n;
2. aus Flechtwerk herstellen.
wave (weĭw) 1. Welle; Woge f;
Wink(en n) m; 2. v/t. wellig m.,
wellen; schwingen; schwenken;
~ a p. aside, etc. j. beiseite usw.
winken; v/i. wogen; wehen, flattern;
winken; ~length Wellenlänge f.
waver (weĭ'we) (sch)wanken; flak-
kern.
wavy (weĭ'wĭ) wellig; wogend.
wax¹ (wäĭß) 1. Wachs n; Siegellack
m; Ohrenschmalz n; 2. wachsen;
bohnern.
wax² (~) [irr.] zunehmen (Mond).
wax|en (wä'ĭßn) fig. wächsern; ~y □
(wä'ĭßĭ) wachsartig; weich.
way (weĭ) mst Weg m; engS. Strecke;
Richtung f; Gang, Lauf m; Mittel
n; Art und Weise; (a. ~s pl.) eigene
Art f; Beruf(szweig) m, Fach n;
Hinsicht f; Zustand m; ~ in, out
Ein-, Aus-gang m; this ~ hierher,
hier entlang; by the ~ beiläufig; by
~ of anstatt; on the ~ unterwegs;
out of the ~ ungewöhnlich; under
~ in Fahrt; give ~ aus dem
Wege gehen; nachgeben, weichen;
have one's ~ s-n Willen h.;
lead the ~ vorangehen; ~bill
Frachtbrief m; ~farer Wanderer
m; ~lay (weĭ e¹) [irr. (lay)] auflauern (dat.); ~side 1. Weg(es)rand
m; 2. am Wege; ~ward □ (weĭ'we ᵈ)
launenhaft; eigensinnig.

we (wĭ) wir.

weak □ (wĭt) schwach; ~en (wĭ'ĭ°n) v/t. schwächen; v/i. schwach w.; ~ly (~lĭ) schwächlich; ~minded (wĭ'mai'ndĭb) schwachsinnig; ~ness (~nĭß) Schwäche f.

weal (wĭl) 1. Wohl n; 2. Strieme f.

wealth (wĕlþ) Wohlstand; Reichtum m; ~y □ (wĕ'lþĭ) reich.

wean (wĭn) ent-, abge-wöhnen.

weapon (wĕ'p°n) Waffe; Wehr f.

wear (wä°) 1. [irr.] v/t. am Körper tragen; zur Schau tragen; (a. ~ away, down, off, out) abnutzen, abtragen, verbrauchen; erschöpfen; ermüden; zermürben; ausnagen; v/i. sich tragen od. halten; (a. ~ off, out) sich abnutzen od. abtragen; ~ on vergehen; 2. Tragen n, Gebrauch m; Kleidung; Abnutzung f (a. ~ and tear); be the ~ Mode sn.

wear|iness (wĭ'rĭnĭß) Müdigkeit f; ~isome □ (~ß°m) ermüdend; ~y (wĭ'rĭ) 1. □ müde; ermüdend; 2. ermüden.

weasel (wĭ'ßl) zo. Wiesel n.

weather (wĕ'ðä°) 1. Wetter n; Witterung f; 2. v/t. dem Wetter aussetzen; Sturm abwettern, überstehen (a. fig.); v/i. verwittern; ~-beaten, ~worn vom Wetter mitgenommen; verwittert.

weav|e (wĭw) [irr.] weben, wirken, flechten; fig. ersinnen; ~er (wĭ'w°) Weber m.

web (wĕb) Gewebe n; Schwimmhaut f; ~bing (wĕ'bĭnₒ) Gurtband n.

wed (wĕb) (sich) verheiraten, fig. verbinden (to mit); ~ding (wĕ'bĭnₒ) 1. Hochzeit f; 2. Hochzeits...; Braut...; Trau...

wedge (wĕbჯ) 1. Keil m; 2. (ver)keilen, (a. ~ in) (hin)einzwängen.

wedlock (wĕ'blŏk) Ehe f.

Wednesday (wĕ'nῐbĭ) Mittwoch m.

wee (wĭ) klein, winzig.

weed (wĭb) 1. Unkraut n; 2. jäten; ausrotten; ~s (~ß) pl. Witwenkleidung f; ~y (wĭ'bĭ) verkrautet; F fig. lang aufgeschossen.

week (wĭt) Woche f; by the ~ wochenweise; this day a ~ heute in (od. vor) e-r Woche; ~day Wochentag m; ~end Wochenende n; ~ly (wĭ'klĭ) 1. wöchentlich; 2. Wochenblatt n.

weep (wĭp) [irr.] weinen; tropfen; ~ing (wĭ'pĭnₒ) Trauer...

weigh (wĕⁱ) v/t. (ab)wiegen, fig. ab-, er-wägen; ~ anchor den Anker lichten; ~ed down niedergebeugt; v/i. wiegen (a. fig.); fig. ausschlaggebend sn; ~ (up)on lasten auf (dat.).

weight (wĕⁱt) 1. Gewicht n (a. fig. Bedeutung); Last (a. fig.); Wucht f; 2. beschweren; fig. belasten; ~y □ (wĕⁱtĭ) gewichtig; wuchtig.

weird (wĭ°b) Schicksals...; unheimlich; F sonderbar, seltsam.

welcome (wĕ'lk°m) 1. willkommen; you are ~ to inf. es steht Ihnen frei, zu ...; (you are) ~! gern geschehen!, bitte sehr!; 2. Willkomm(en n) m; 3. bewillkommnen; fig. begrüßen.

weld ⊕ (wĕlb) (zs.-)schweißen.

welfare (wĕ'lßä°) Wohlfahrt f; ~ work Wohlfahrtspflege f.

well¹ (wĕl) 1. Brunnen m; fig. Quelle f; ⊕ Bohrloch n; (Wasser- usw.) Behälter m; Treppenhaus n; Licht-, Luft-schacht m; 2. quellen.

well² (~) 1. wohl; gut; ~ off in guten Verhältnissen; I am not ~ mir ist nicht wohl; 2. int. nun!; ~being Wohl(sein) n; ~bred wohlerzogen; ~favo(u)red gut aussehend; ~intentioned wohl-meinend, ~gemeint; ~mannered mit guten Manieren; ~timed rechtzeitig; ~to-do (~t°bū') wohlhabend; ~worn abgetragen; fig. abgedroschen.

Welsh (wĕlʃ) 1. wali'sisch; 2. Walisisch n; the ~ die Waliser m/pl.

welt (wĕlt) ⊕ Rahmen, Schuh-Rand m; Einfassung; Strieme f.

welter (wĕ'lt°) 1. rollen, sich wälzen; 2. Wirrwarr m.

wench (wĕntʃ) Mädel n, Dirne f.

went (wĕnt) ging.

wept (wĕpt) weinte; geweint.

were (wŏ, wŏ°) waren; wurden; wäre(n); würde(n).

west (wĕßt) 1. West(en) m; 2. West-...; westlich; ~erly (wĕ'ßt°lĭ), ~ern (wĕ'ßt°n) westlich; ~ward(s) (wĕ'ßtw°b[ß]) westwärts.

wet (wĕt) 1. naß, feucht; 2. Nässe; Feuchtigkeit f; 3. [irr.] nässen; anfeuchten.

wether (wĕ'ðä°) Hammel m.

wet-nurse (wĕ'tnöß) Amme f. [m.\

whack F (wäk) 1. verhauen; 2. Hieb\

whale (wĕⁱl) Walfisch m; ~bone (wĕⁱlbo°n) Fischbein n; ~r (wĕⁱl°) Walfischfänger m.

whaling (ŵeˡˡiŋ) Walfischfang m.
wharf (ŵôf) Kai m.
what (ŵôt) 1. was; das, was; 2. was?;
wie?; wieviel?; welch(er, e, es)?;
was für ein(e)?; ~ about ...? wie
steht's mit ...?; ~ for? wozu?; ~ a
blessing! was für ein Segen!; 3. ~
with ... ~ with ... teils durch ... teils
durch ...; ~(so)ever (ŵôt[ʃo]ˌě'wě)
was (od. welcher) auch (immer).
wheat ᚗ (ŵit) Weizen m.
wheel (ŵil) 1. Rad n; ⊕ Scheibe;
Drehung f; ✕ Schwenkung f;
2. rollen, fahren, schieben; sich
drehen; sich umwenden; ✕ schwenken; radeln; ~barrow Schub-
karren m; ~chair Rollstuhl m;
~ed (ŵild) mit Rädern.
wheeze (ŵiz) schnaufen, keuchen.
when (ŵĕn) 1. wann?; 2. wenn;
als; während (od. da) doch; und da.
whence (ŵĕns) woher, von wo.
when(so)ever (ŵĕn[ʃo]ě'wě) immer
wenn; sooft (als).
where (ŵäě) wo; wohin; ~about(s)
1. (ŵäˈˑˈˈ) wo herum; 2.
(ŵäˈˑˈbaut̪s) Aufenthalt m; ~as
(ŵäˑräˈ'l) wohingegen, während
(doch); ~by (ŵäˈbäˈ') wodurch,
~fore (ŵäˈˑfô) weshalb; ~in (ŵäˈ-
rˈn) worin; ~of (ŵäˈrôˈw) wovon;
~upon (ŵäˈrˌpôˈn) worauf(hin);
~ver (ŵäˈrěˈwě) wo(hin) (auch)
immer; ~withal (~wˈðô'l) Erfor-
derliche(s) n; Mittel n/pl.
whet (ŵĕt) wetzen, schärfen.
whether (ŵěˈðě) ob; ~ or no so
oder so.   [m.]
whetstone (ŵěˈtʃtoⁿn) Schleifstein]
whey (ŵeˡ) Molke f, Molken m.
which (ŵitʃ) 1. welche(r, s)?;
2. der, die, das; was; ~ever (~ě'wě)
welche(r, s) (auch) immer.
whiff (ŵif) 1. Hauch; Zug beim
Rauchen; Zigarillo m; 2. paffen.
while (ŵäl) 1. Weile; Zeit f; for a ~
e-e Zeitlang; F worth ~ der Mühe
wert; 2. ~ away Zeit verbringen;
3. (a. whilst [ŵälʃt]) während.
whim (ŵim) Schrulle, Laune f.
whimper (ŵiˈmpě) wimmern.
whim|sical ☐ (ŵiˈmʃiˈtěl) wunder-
lich; ~sy (ŵiˈmʃi) Grille, Laune f.
whine (ŵäln) winseln; wimmern.
whip (ŵip) 1. v/t. peitschen; geißeln
(a. fig.); j. verprügeln; j. schlagen
(a. fig.); umsäu'men; werfen; reißen;
parl. ~ in zs.-trommeln; ~ up an-

treiben; aufraffen; v/i. springen,
flitzen; 2. Peitsche; Geißel f;
Kutscher m.
whippet (ŵiˈpˈt) zo. Windspiel n.
whipping (ŵiˈpiŋ) Prügel pl.; ~-top
Kreisel m.
whirl (ŵôl) 1. wirbeln; (sich) drehen; 2. Wirbel, Strudel m; ~pool
Strudel m; ~wind Wirbelwind m.
whir(r) (ŵô) schwirren.
whisk (ŵiʃt) 1. Wisch; Staubwedel;
Küche: Schneebesen; Schwung m;
2. v/t. (ab-, weg-)wischen, (-)fegen;
wirbeln (mit); schlagen; v/i. huschen; ~er (ŵiˈʃˈt) zo. Barthaar n;
mst ~s pl. Backenbart m.
whisper (ŵiˈʃpě) 1. flüstern; 2. Geflüster n.   [Pfiff m; F Kehle f.]
whistle (ŵiˈʃtl) 1. pfeifen; 2. Pfeife f;]
white (ŵält) 1. allg. weiß; rein; F
anständig; Weiß...; ~ heat Weiß-
glut f; ~ lie Notlüge f; 2. Weiß(e) n;
Weiße(r) m (Rasse); ~n (ŵäˈtn)
weiß m. od. w.; bleichen; ~ness
(ŵäˈtnˈs) Weiße; Blässe f; ~wash
1. Tünche f; 2. weißen; fig. rein
waschen.
whither lit. (ŵiˈðˈě) wohin.
whitish (ŵäˈtliʃ) weißlich.
Whitsun (ŵiˈtsˈn) Pfingst...
whittle (ŵiˈtl) schnitze(l)n; fig. ~
away verkleinern, schwächen.
whiz(z) (ŵiʃ) zischen, sausen.
who (hū) 1. welche(r, s); der, die,
das; 2. wer?
whoever (hůě'wě) wer auch immer.
whole (hoⁿl) 1. ☐ ganz; heil; ~ milk
Vollmilch f; 2. Ganze(s) n; (up)on
the ~ im ganzen; ~hearted ☐ aufrichtig; ~sale 1. (mst ~ trade)
Großhandel m; 2. Großhandels...;
Engros...; fig. Massen...; ~ dealer
Großhändler m; ~some ☐ (hoⁿl-
ʃˈm) gesund.
wholly (hoⁿli) adv. ganz, gänzlich.
whom (hūm) acc. von who.
whoop (hūp) 1. (Kriegs-)Geschrei n;
2. laut schreien; ~ing-cough ✗
(hūˈpiŋˈtôf) Keuchhusten m.
whose (hūʃ) gen. von who.
why (ŵäl) 1. warum, weshalb; ~ so?
wieso?; 2. ei!, ja!; (je) nun.
wick (ŵiʃ) Docht m.
wicked ☐ (ŵiˈtˈd) moralisch böse,
schlimm; ~ness (~nˈs) Bosheit f.
wicker (wiˈtˈ) aus Weide geflochten;
Weiden...; Korb...; ~ basket Wei-
denkorb m; ~ chair Korbstuhl m.

wicket (wĭ'ĭt) Pförtchen; Tor n.

wide (wāĭd) a. □ u. adv. weit; weit-verbreitet; weitgehend; großzügig; breit; weitab; ~ awake völlig wach; aufgeweckt (schlau); 3 feet ~ 3 Fuß breit; ~n (wā'dn) (sich) erweitern; ~spread weitverbreitet.

widow (wĭ'do͞u) Witwe f; attr. Witwen...; ~er (~ᵉ) Witwer m.

width (wĭdᵗħ) Breite, Weite f.

wield lit. (wĭld) handhaben.

wife (wāĭf) (Ehe-)Weib n, Frau; Gattin f; ~ly (wā'flĭ) fraulich.

wig (wĭg) Perücke; Schelte f.

wild (wāĭld) 1. □ wild; run ~ wild (auf)wachsen; talk ~ (wild) daraus-los reden; 2. ~, ~s (~) Wildnis f; ~cat 1. zo. Wildkatze f; Am. Schwindelunterne'hmen n; 2. fig. wild; Schwindel...; ~erness (wĭ'd^nĭß) Wildnis, Wüste f; ~fire: like ~ wie ein Lauffeuer.

wile (wāĭl) List; mst ~s pl. Tücke f.

wil(l)ful □ (wĭ'lfᵘl) eigensinnig; vorsätzlich.

will (wĭl) 1. Wille; Wunsch m; Testame'nt n; with a ~ mit Lust und Liebe; 2. [irr.] v/aux.: he ~ come er wird kommen; er kommt gewöhnlich; I ~ do it ich will es tun; 3. v/t. u. v/i. wollen; durch Willenskraft zwingen.

willing □ (wĭ'lĭnᵍ) willig, bereit (-willig); pred. gewillt (to inf. zu); ~ness (~nⁱß) (Bereit-)Willigkeit f.

will-o'-the-wisp (wĭ'lᵃδðᵉwĭßp) Irrlicht n.

willow (wĭ'lo͞u) ♀ Weide f.

wily □ (wā'lĭ) schlau, verschmitzt.

win (wĭn) [irr.] v/t. gewinnen; erringen; erlangen; f. vermögen (to do dazu, zu tun); ~ a p. over j. für sich gewinnen; v/i. gewinnen; siegen.

wince (wĭnß) (zs.-)zucken.

winch (wĭntʃ) Winde; Kurbel f.

wind¹ (wĭnd) 1. Wind; Atem m, Luft; ♣ Blähung f; ♪ Blasinstrume'nte n/pl.; 2. wittern; außer Atem bringen; verschnaufen l.

wind² (wāĭnd) [irr.] v/t. winden; wickeln; Horn blasen; ~ up Uhr aufziehen; Geschäft abwickeln; ♣ liquidieren; v/i. sich winden; sich schlängeln.

wind|bag (wĭ'ndbăg) Schwätzer m; ~fall Fallobst n; Glücksfall m.

winding (wāĭ'ndĭnᵍ) 1. Windung f;

2. sich windend; ~ stairs pl. Wendeltreppe f; □ ~sheet Leichentuch n.

wind-instrument ♪ (wĭ'ndĭnßtrᵘ-mᵉnt) Blasinstrume'nt n.

windlass ⊕ (wĭ'ndlᵉß) Winde f.

windmill (~mĭl) Windmühle f.

window (wĭ'ndo͞u) Fenster n; ~-dressing Aufmachung, Mache f; ~shade Am. Rouleau n.

wind|pipe (wĭ'ndpāĭp) Luftröhre f; ~screen mot. Windschutzscheibe f.

windy □ (wĭ'ndĭ) windig (a. fig. inhaltlos); geschwätzig.

wine (wāĭn) Wein m; ~press Kelter f.

wing (wĭnᵍ) 1. Flügel m; co. Arm m; ℀, ⚔ Geschwader n; ~s pl. Kulissen f/pl.; take ~ weg-, auffliegen; on the ~ im Fluge; 2. fig. beflügeln; fliegen.

wink (wĭnᵏ) 1. Blinzeln, Zwinkern n; f not get a ~ of sleep kein Auge zutun; 2. blinzeln, zwinkern (mit et.); ~ at ein Auge zudrücken bei et.

win|ner (wĭ'nᵉ) Gewinner(in); Sieger(in); ~ning (wĭ'nĭnᵍ) 1. einnehmend (a. ~ some [~ß^m]); 2. ~s pl. Gewinn m.

wint|er (wĭ'ntᵉ) 1. Winter m; 2. über-wi'ntern; ~ry (wĭ'ntrĭ) winterlich; fig. frostig.

wipe (wāĭp) (ab-, auf-)wischen; ~ out fig. vernichten; Schande tilgen.

wire (wāĭ'ᵉ) 1. Draht m; Drahtnachricht f; 2. (ver)drahten; ~draw (wā'ᵉ'drŏn) spitzfindig; ~less □ (wā'ᵉ'lĭß) 1. □ drahtlos; Funk...; on the ~ im Rundfunk; ~ (message) Funkspruch m; ~ (telegraphy) drahtlose Telegraphie'; ~ operator Funker m; ~ pirate Radio: Schwarzhörer m; ~ (set) Radioapparat m; 2. funken; ~netting Drahtgeflecht n.

wiry □ (wāĭ'ᵉrĭ) drahtig (fig. sehnig).

wisdom (wĭ'ßd^m) Weisheit; Klugheit f; ~ tooth Weisheitszahn m.

wise (wāĭz) 1. weise, verständig; klug; ~ crack Am. Witzelei f; 2. Weise f.

wish (wĭʃ) 1. wünschen; wollen; ~ for (sich) et. wünschen; ~ well (ill) wohl-(übel-)wollen; 2. Wunsch m; ~ful □ (wĭ'ʃfᵘl) sehnsüchtig.

wisp (wĭßp) Bündel n; Strähne f.

wistful □ (wĭ'ßtfᵘl) sehnsüchtig.

wit (wĭt) 1. Witz m; (a. ~s pl.) Verstand; witziger Kopf m; be at one's ~'s end mit s-r Weisheit zu Ende sn; 2. to ~ nämlich, das heißt.

witch (ωĭtʃch) Hexe, Zauberin *f*; **~craft** (ωĭ'tʃchkrāft) Hexerei *f*.
with (ωĭdh) mit; nebst; bei; von; durch; vor (*dat.*).
withdraw (ωĭdhdrō') [*irr.* (*draw*)] *v/t.* ent-, zurück-ziehen; zurücknehmen; *Geld* abheben; *v/i.* sich zurückziehen; abtreten; **~al** (~ᵉl) Zurückziehung *f*; Rückzug *m*.
wither (ωĭ'dhᵉ) *v/i.* (ver)welken; verdorren; austrocknen; *v/t.* welk m.
with|hold (ωĭdhhoᵘ'ld) [*irr.* (*hold*)] zurückhalten; *et.* vorenthalten; **~in** (~ĭ'n) 1. *lit. adv.* im Innern, drin (-nen); zu Hause; 2. *prp.* in(nerhalb); ~ *doors* im Hause; ~ *call* in Rufweite; **~out** (~au't) 1. *lit. adv.* (dr)außen; äußerlich; 2. *prp.* ohne; *lit.* außerhalb; **~stand** (~ßtä'nd) [*irr.* (*stand*)] widerste'hen (*dat.*).
witness (ωĭ'tnⁱß) 1. Zeug|e *m*, -in *f*; *bear* ~ Zeugnis ablegen (*to* für; *of* von); *in* ~ *of* zum Zeugnis (*gen.*); 2. (be)zeugen; Zeuge sn von *et.*
wit|ticism (ωĭ'tⁱßĭʃm) Witz *m*; **~ty** □ (ωĭ'tĭ) witzig; geistreich.
wives (ωaiwʃ) *pl.* Frauen *f/pl.*.
wizard (ωĭ'ʃᵉd) Zauberer *m*.
wizen(ed) (ωĭ'ʃn[d]) schrump(e)lig.
wobble (ωŏ'bl) schwanken; wackeln.
woe (ωoᵘ) Weh, Leid *n*; ~ *is me!* wehe mir!; **~begone** (ωoᵘ'bⁱgŏn) jammervoll; **~ful** □ (ωoᵘ'fᵘl) jammervoll; traurig, elend.
woke (ωoᵘk) wachte; gewacht.
wolf (ωŭlf) Wolf *m*; 2. verschlingen; **~ish** (ωŭ'lfĭʃch) wölfisch; Wolfs...
wolves (ωŭlwʃ) *pl.* Wölfe *m/pl.*
woman (ωŭ'mᵉn) 1. Weib *n*, Frau *f*; 2. weiblich; ~ *doctor* Ärztin, ~ *student* Stude'ntin *f*; **~hood** (~hŭd) Weiblichkeit *f*; **~ish** □ (~ĭʃch) weibisch; **~kind** (~kai'nd) Frauen(welt *f*) *f/pl.*; **~like** (~laik) frauenhaft; **~ly** (~lĭ) weiblich. [Schoß *m*.]
womb (ωūm) Mutterleib; *fig.*
women (ωĭ'mⁱn) *pl.* Frauen *f/pl.*; **~folk** (~foᵘk) *die* Frauen *f/pl.*
won (ωαn) gewann; gewonnen.
wonder (ωα'ndᵉ) 1. Wunder *n*; Verwunderung *f*; 2. sich wundern; (gern) wissen mögen; **~ful** □ (~fᵘl) wunder-bar, -voll.
won't (ωoᵘnt) will nicht, wird nicht.
wont (ωoᵘnt) 1. *be* ~ pflegen; 2. Gewohnheit *f*; **~ed** gewohnt.
woo (ωū) werben um; locken.
wood (ωŭd) Wald *m*, Gehölz; Holz; Faß *n*; ♪ Holzinstrume'nte *n/pl.*; **~cut** Holzschnitt *m*; **~-cutter** Holzfäller; *Kunst*: Holzschneider *m*; **~ed** (ωŭ'dⁱd) bewaldet; **~en** (ωŭ'dn) hölzern (*a. fig.*); Holz...; **~man** (~mᵉn) Förster; Holzfäller *m*; **~pecker** (~pĕkᵉ) Specht *m*; **~-winds** (~ωĭndʃ) Holzblasinstrume'nte *n/pl.*; **~work** Holzwerk *n*; **~y** (ωŭ'dĭ) waldig; holzig.
wool (ωŭl) Wolle *f*; **~-gathering** (ωŭ'lgädhᵉrĭnᵍ) Spintisieren *n*; **~(l)en** (ωŭ'lⁱn) 1. wollen; Woll(en)...; 2. Wollstoff *m*; **~ly** (ωŭ'lĭ) 1. wollig; Woll...; belegt (*Stimme*); verschwommen; 2. *woollies pl.* Wollsachen *f/pl.*
word (ωōd) 1. *mst* Wort *n*; *engS.*: Vokabel; Nachricht; ⚔ Losung(swort *n*) *f*; Versprechen *n*; Befehl; Spruch *m*; **~s** *pl.*: Wörter; Worte *n/pl.*; *fig.* Wortwechsel; Text *m e-s Liedes*; 2. (in Worten) ausdrücken, (ab)fassen; **~ing** (ωō'dĭnᵍ) Wortlaut *m*, Fassung *f*; **~-splitting** Wortklauberei *f*.
wordy □ (ωō'dĭ) wortreich; Wort...
wore (ωō) trug.
work (ωōk) 1. Arbeit *f*; Werk *n*; *attr.* Arbeits...; **~s** *pl.* Werk *n* (*Fabri'k*; *Hütte*; *Getriebe*); *be in* (*out of*) ~ (keine) Arbeit h.; *set to* ~ an die Arbeit gehen; **~s** *council* Betriebsrat *m*; 2. [*irr.*] *v/i.* arbeiten (*a. fig.*); wirken; gären; sich *hindurch- usw.* arbeiten; ~ *out* herauskommen (*Summe*); *v/t.* (be)arbeiten; arbeiten l.; betreiben; *Maschine usw.* bedienen; (be)wirken; ausrechnen, *Aufgabe* lösen; ~ *one's way* sich durcharbeiten; ~ *off* abarbeiten, *Gefühl* abreagieren; ✝ abstoßen; ~ *out* ausarbeiten; ausrechnen; ~ *up* hochbringen; aufregen; verarbeiten (*into* zu); sich einarbeiten in (*acc.*).
work|able □ (ωō'kᵉbl) bearbeitungs-, betriebs-fähig; ausführbar; **~aday** (ωō'kᵉdeⁱ) Alltags...; **~day** Werktag *m*; **~er** (ωō'kᵉ) Arbeiter (-in); **~house** Armen-, *Am.* Arbeits-haus *n*; **~ing** (ωō'kĭnᵍ) 1. Arbeiten *n usw.*; 2. arbeitend; Arbeits...; Betriebs...
workman (ωō'kmᵉn) Arbeiter; Handwerker *m*; **~like** (~laik) kunstgerecht; **~ship** Kunstfertigkeit *f*.
work|shop (ωō'kʃchŏp) Werkstatt *f*; **~woman** Arbeitsfrau, Arbeiterin *f*.

world (wöld) *allg.* Welt; *fig.* Unmenge *f*; *bring* (come) *into* ~ zur W. bringen (kommen); *champion of the* ~ Weltmeister *m*; ~ling (wö'ld-liŋ) Weltkind *n*.

worldly (wö'ldli) weltlich; Welt...; ~wise (wö'ldl-wāl's) weltklug.

world|-power Weltmacht *f*; ~-wide weltumspannend; Welt...

worm (wöm) 1. Wurm *m* (a. fig.); 2. *e. Geheimnis* entlocken (*out of dat.*); ~ *o.s.* sich schlängeln; ~eaten wurmstichig.

worn (wön) getragen; ~out (wö'naü't) abgenutzt; abgetragen; verbraucht (a. fig.); müde.

worry (wa'ri) 1. zerren; (ab)würgen; *fig.* (sich) quälen; (sich) beunruhigen; (sich) ärgern; 2. Quälerei; Qual; Unruhe; Sorge *f*; Ärger *m*.

worse (wös) schlechter; schlimmer; *from bad to* ~ vom Regen in die Traufe; ~n (wö'sn) (sich) verschlechtern.

worship (wö'schip) 1. Verehrung *f*; Gottesdienst; Kult *m*; 2. verehren; anbeten; (p)er (~ᵉ) Verehrer(in).

worst (wöst) 1. schlechtest, ärgst; schlimmst; 2. überwä'ltigen.

worsted (wu'stid) Kammgarn *n*.

worth (wöth) 1. wert; ~ *reading* lesenswert; 2. Wert *m*; ~less (wö'thlös) wertlos; unwürdig; ~-while F (wö'thwāl') der Mühe wert; ~y □ (wö'dhi) würdig.

would (wůd) [*pret. von will*] wollte; würde, möchte, pflegte; ~-be (wů'dbi) angeblich, sogenannt; ~ *worker* Arbeitswillige(r).

wound¹ (wünd) 1. Wunde *f*; 2. verwunden, verletzen (a. fig.).

wound² (wáůnd) wand; gewunden.

wove(n) (wouᵂw[n]) webte; gewebt.

wrangle (rä'ŋgl) 1. streiten, (sich) zanken; 2. Streit, Zank *m*.

wrap (räp) 1. *v/t.* (ein)wickeln; *fig.* einhüllen; *be* ~*ped up in* ganz aufgehen in (*dat.*); *v/i.* ~ *up* sich einhüllen; 2. Hülle; *engS.:* Decke *f*, Schal *m*; ~per (rä'pᵉ) Hülle *f*, Umschlag; Morgenrock *m*; (*postal*) ~ Kreuz-, Streif-band *n*; ~ping (rä'piŋ) Verpackung *f*.

wreath (rīth), *pl.* ~s (rīdhs) Kranz *m*, Girla'nde *f*; *fig.* Ring(el) *m*; ~e (rīdh) [*irr.*] *v/t.* (um)winden; *v/i.* sich ringeln.

wreck (rëk) 1. ♣ Wrack *n*; Trümmer *pl.*; Schiffbruch *m*; 2. zum Scheitern (♠ Entgleisen) bringen; zertrümmern; vernichten; *be* ~ed scheitern; ~age (rë'td'Q) (Schiffs-) Trümmer *pl.*; Schiffbruch *m*; ~er (rë'ᵉ) Strandräuber; Bergungsarbeiter *m*.

wrench (rëntsch) 1. drehen; entwinden (*from a p.* j-m); verdrehen (a. fig.); verrenken; ~ *open* aufreißen; 2. Ruck *m*; Verrenkung *f*, *fig.* Schmerz; ⊕ Schraubenschlüssel *m*.

wrest (rëst) reißen; zerren; entreißen; ~le (rë'sl) ringen (mit); ~ling (~liŋ) Ringkampf *m*.

wretch (rëtsch) Elende(r); Kerl *m*.

wretched □ (rë'tschd) elend.

wriggle (ri'gl) sich winden; ~ *out of* sich drücken von *et.*

wright (rāt) ...macher, ...bauer *m*.

wring (riŋ) [*irr.*] *Hände* ringen; (aus)wringen; pressen; *Herz* quälen; *Hals* ab-, um-drehen; abringen (*from a p.* j-m).

wrinkle (ri'ŋkl) 1. Runzel, Falte *f*; Wink; Trick *m*; 2. (sich) runzeln.

wrist (rist) Handgelenk *n*; ~ *watch* Armbanduhr *f*.

writ (rit) Erlaß; (gerichtlicher) Befehl *m*; *Holy* ♀ Heilige Schrift *f*.

write (rāt) [*irr.*] schreiben; ~ *up* ausführlich niederschreiben; ausarbeiten; hervorheben; ~r (rā'tᵉ) Schreiber(in); Verfasser(in); Schriftsteller(in).

writhe (rādh) sich krümmen.

writing (rā'tiŋ) Schreiben *n*; Aufsatz *m*; Werk *n*; Schrift *f*; Schriftstück *n*; Schreibart *f*; *attr.* Schreib-...; *in* ~ schriftlich; ~case Schreibmappe *f*; ~paper Schreibpapie'r *n*.

written (ri'tn) geschrieben; schriftlich.

wrong (röŋ) 1. □ unrecht; verkehrt, falsch; *be* ~ unrecht h.; in Unordnung sn; falsch gehen (*Uhr*); *go* ~ schiefgehen; 2. Unrecht *n*; Beleidigung *f*; 3. unrecht tun (*dat.*); ungerecht behandeln; ~doer Übeltäter(in); ~ful □ (rö'ŋful) ungerecht.

wrote (routf) schrieb.

wrought (rôt) arbeitete; gearbeitet; ~ *goods* Fertigwaren *f/pl.*; ⊕ ~ *iron* Schmiedeeisen *n*.

wrung (raŋ) (w)rang; ge(w)rungen.

wry □ (rāl) schief, krumm, verzerrt.

X

x-ray (ĕ´t͡h̷reǐ´) 1. ~s *pl.* X- od. Röntgen-strahlen *m/pl.*; 2. Röntgen...; 3. durchleu´chten, röntgen.

xylophone ♪ (saǐ´lėfoᵘn) Xylopho´n *n.*

Y

yacht ⚓ (jŏt) 1. Jacht *f*; Segelboot *n*; 2. auf e-r J. fahren; segeln; ~ing (jŏ´tiñɡ) Segelsport *m.*

yankee F (jä´nɡǐ) Yankee *m* (*Nordamerikaner*).

yap (jäp) kläffen; *Am. sl.* quasseln.

yard (jād) Yard *n* (*englische Elle* = 0,914 m); Hof; *Bau- usw.* Platz *m*; ~stick Ellenmaß *n.*

yarn (jān) 1. Garn *n*; F *fig. Abenteuer-*Geschichte *f*; 2. F erzählen.

yawn (jōn) 1. gähnen; 2. Gähnen *n.*

year (jō, jǐᵉ) Jahr *n*; ~ly jährlich.

yearn (jōn) sich sehnen, verlangen.

yeast (jǐst) Hefe *f*; Schaum *m.*

yell (jĕl) 1. (gellend) schreien; aufschreien; 2. (gellender) Schrei *m.*

yellow (jĕ´loᵘ) 1. gelb; F hasenfüßig (*feig*); *Am.* Sensatio´ns...; Hetz...; 2. (sich) gelb färben; ~ed vergilbt; ~ish (jĕ´lᵒǐʃch) gelblich.

yelp (jĕlp) 1. Gekläff *n*; 2. kläffen.

yes (jĕs̷) 1. ja; 2. Ja *n.*

yesterday (jĕ´s̷tᵉdǐ) gestern.

yet (jĕt) 1. *adv.* noch; bis jetzt; sogar; *as* ~ bis jetzt; *not* ~ noch nicht; 2. *cj.* (je)doch, dennoch.

yield (jǐld) 1. *v/t.* hervorbringen, liefern; ergeben; *Gewinn* (ein)bringen; gewähren; überge´ben; zugestehen; *v/i.* ⚔ tragen; sich fügen; nachgeben; 2. Ertrag *m*; ~ing □ (jǐ´ldiñɡ) *fig.* nachgiebig.

yodel (joᵘ´dᵊl) 1. Jodler *m*; 2. jodeln.

yoke (joᵘk) 1. Joch (*a. fig.*); Paar *n* (Ochsen); *Schulter*-Trage *f*; 2. an-, zs.-spannen; *fig.* paaren (to mit).

yolk (joᵘk) Dotter *m*, Eigelb *n.*

yonder *lit.* (jŏ´ndᵉ) 1. jene(r, s); jenseitig; 2. dort drüben.

you (jū) ihr; du, Sie; man.

young (jaŋɡ) 1. □ jung; *von Kindern a.* klein; 2. Junge(n) *pl.*; *with* ~ trächtig; ~ster F (ja´ŋɡs̷tᵉ) Junge *m.*

your (jō, juᵉ) euer(e); dein(e); Ihre; ~s (jōǐ, juᵉǐ) der (die, das) eurige, deinige, Ihrige; euer; dein, Ihr; ~self (jō-, juᵉs̷ĕ´lf), *pl.* ~selves (~s̷ĕ´lws̷) (ihr, du, Sie) selbst; euch, dich, Sie (selbst); sich (selbst).

youth (jūt͡h) Jugend *f*; Jüngling *m*; ~ful □ (jū´t͡hfᵘl) jugendlich.

yule *lit.* (jūl) Weihnacht *f.*

Z

zeal (s̷ǐl) Eifer *m*; ~ot (s̷ĕ´lᵉt) Eiferer *m*; ~ous □ (s̷ĕ´lᵉs̷) eifrig bedacht (*for auf acc.*); innig.

zenith (s̷ĕ´niᵗh) Zeni´t *n*; *fig.* Höhepunkt *m.*

zero (s̷ǐ´roᵘ) Null *f*; Nullpunkt *m.*

zest (s̷ĕs̷t) 1. Würze (*a. fig.*); Lust, Freude *f*; Genuß *m*; 2. würzen.

zigzag (s̷ǐ´ɡsäɡ) Zickzack *m.*

zinc (s̷iñk) 1. Zink *n*; 2. verzinken.

zip (s̷ip) Zischen *n*; F Schwung *m*; ~ fastener = ~per (s̷i´pᵉ) Reißverschluß *m.*

zone (s̷oᵘn) Zone *f*; *fig.* Gebiet *n.*

zoolog|ical □ (s̷oᵘᵉlŏ´dᷮɡǐtᵉl) zoologisch; ~y (s̷oᵘŏ´lᵉdᷮɡǐ) Zoologie´ *f.*

ALPHABETICAL LIST
OF THE GERMAN IRREGULAR VERBS
INFINITIVE — PRETERITE — PAST PARTICIPLE

befehlen - befahl - befohlen.
beginnen - begann - begonnen.
beißen - biß - gebissen.
bergen - barg - geborgen.
bersten - barst - geborsten.
biegen - bog - gebogen.
bieten - bot - geboten.
binden - band - gebunden.
bitten - bat - gebeten.
blasen - blies - geblasen.
bleiben - blieb - geblieben.
braten - briet - gebraten.
brechen - brach - gebrochen.
brennen - brannte - gebrannt.
bringen - brachte - gebracht.
denken - dachte - gedacht.
dreschen - drosch - gedroschen.
dringen - drang - gedrungen.
dürfen - durfte - gedurft.
empfehlen - empfahl - empfohlen.
erlöschen - erlosch - erloschen.
erschrecken - erschrak - er-
    schrocken.
erwägen - erwog - erwogen.
essen - aß - gegessen.
fahren - fuhr - gefahren.
fallen - fiel - gefallen.
fangen - fing - gefangen.
fechten - focht - gefochten.
finden - fand - gefunden.
flechten - flocht - geflochten.
fliegen - flog - geflogen.
fliehen - floh - geflohen.
fließen - floß - geflossen.
fressen - fraß - gefressen.
frieren - fror - gefroren.
gebären - gebar - geboren.
geben - gab - gegeben.
gedeihen - gedieh - gediehen.
gehen - ging - gegangen.
gelingen - gelang - gelungen.
gelten - galt - gegolten.
genesen - genas - genesen.
genießen - genoß - genossen.
geschehen - geschah - geschehen.
gewinnen - gewann - gewonnen.
gießen - goß - gegossen.

gleichen - glich - geglichen.
gleiten - glitt - geglitten.
graben - grub - gegraben.
greifen - griff - gegriffen.
haben - hatte - gehabt.
halten - hielt - gehalten.
hängen - hing - gehangen.
heben - hob - gehoben.
heißen - hieß - geheißen.
helfen - half - geholfen.
kennen - kannte - gekannt.
klingen - klang - geklungen.
kneifen - kniff - gekniffen.
kommen - kam - gekommen.
können - konnte - gekonnt.
kriechen - kroch - gekrochen.
laden - lud - geladen.
lassen - ließ - gelassen.
laufen - lief - gelaufen.
leiden - litt - gelitten.
leihen - lieh - geliehen.
lesen - las - gelesen.
liegen - lag - gelegen.
lügen - log - gelogen.
meiden - mied - gemieden.
messen - maß - gemessen.
mögen - mochte - gemocht.
müssen - mußte - gemußt.
nehmen - nahm - genommen.
nennen - nannte - genannt.
pfeifen - pfiff - gepfiffen.
preisen - pries - gepriesen.
quellen - quoll - gequollen.
raten - riet - geraten.
reiben - rieb - gerieben.
reißen - riß - gerissen.
reiten - ritt - geritten.
rennen - rannte - gerannt.
riechen - roch - gerochen.
ringen - rang - gerungen.
rinnen - rann - geronnen.
rufen - rief - gerufen.
saufen - soff - gesoffen
saugen - sog - gesogen.
schaffen - schuf - geschaffen.
scheiden - schied - geschieden.
scheinen - schien - geschienen.

schelten - schalt - gescholten.
scheren - schor - geschoren.
schieben - schob - geschoben.
schießen - schoß - geschossen.
schlafen - schlief - geschlafen.
schlagen - schlug - geschlagen.
schleichen - schlich - geschlichen.
schleifen - schliff - geschliffen.
schließen - schloß - geschlossen.
schlingen - schlang - geschlungen.
schmeißen - schmiß - geschmissen.
schmelzen - schmolz - geschmolzen.
schneiden - schnitt - geschnitten.
schreiben - schrieb - geschrieben.
schreien - schrie - geschrien.
schreiten - schritt - geschritten.
schweigen - schwieg - geschwiegen.
schwellen - schwoll - geschwollen.
schwimmen - schwamm - geschwommen.
schwinden - schwand - geschwunden.
schwingen - schwang - geschwungen.
schwören - schwur - geschworen.
sehen - sah - gesehen.
sein - war - gewesen.
senden - sandte - gesandt.
singen - sang - gesungen.
sinken - sank - gesunken.
sinnen - sann - gesonnen.
sitzen - saß - gesessen.
spinnen - spann - gesponnen.
sprechen - sprach - gesprochen.

springen - sprang - gesprungen.
stechen - stach - gestochen.
stehen - stand - gestanden.
stehlen - stahl - gestohlen.
steigen - stieg - gestiegen.
sterben - starb - gestorben.
stinken - stank - gestunken.
stoßen - stieß - gestoßen.
streichen - strich - gestrichen.
streiten - stritt - gestritten.
tragen - trug - getragen.
treffen - traf - getroffen.
treiben - trieb - getrieben.
treten - trat - getreten.
trinken - trank - getrunken.
trügen - trog - getrogen.
tun - tat - getan.
verderben - verdarb - verdorben.
verdrießen - verdroß - verdrossen.
vergessen - vergaß - vergessen.
verlieren - verlor - verloren.
verzeihen - verzieh - verziehen.
wachsen - wuchs - gewachsen.
waschen - wusch - gewaschen.
weichen - wich - gewichen.
weisen - wies - gewiesen.
wenden - wandte - gewandt.
werben - warb - geworben.
werden - wurde - geworden.
werfen - warf - geworfen.
wiegen - wog - gewogen.
winden - wand - gewunden.
wissen - wußte - gewußt.
ziehen - zog - gezogen.
zwingen - zwang - gezwungen.

ALPHABETICAL LIST
OF THE ENGLISH IRREGULAR VERBS
PRESENT — PRETERITE — PAST PARTICIPLE

abide - abode - abode
arise - arose - arisen
awake - awoke - awoke, awaked
be (am, is, are) - was (were) - been
bear - bore - borne *getragen*, born *geboren*
beat - beat - beaten, beat
become - became - become
beget - begot - begotten
begin - began - begun
bend - bent - bent
bereave - bereaved, bereft - bereaved, bereft
beseech - besought - besought
bet - bet, betted - bet, betted
bid - bade, bid - bidden, bid
bind - bound - bound
bite - bit - bitten
bleed - bled - bled
blow - blew - blown
break - broke - broken
breed - bred - bred
bring - brought - brought
build - built - built
burn - burnt, burned - burnt, burned
burst - burst - burst
buy - bought - bought
can - could
cast - cast - cast
catch - caught - caught
choose - chose - chosen
cleave - clove, cleft - cloven, cleft
cling - clung - clung
clothe - clothed, *lit.* clad - clothed, *lit.* clad
come - came - come
cost - cost - cost
creep - crept - crept
cut - cut - cut
dare - dared, durst - dared
deal - dealt - dealt
dig - dug - dug
do - did - done
draw - drew - drawn
dream - dreamt, dreamed - dreamt, dreamed

drink - drank - drunk
drive - drove - driven
dwell - dwelt - dwelt
eat - ate, eat - eaten
fall - fell - fallen
feed - fed - fed
feel - felt - felt
fight - fought - fought
find - found - found
flee - fled - fled
fling - flung - flung
fly - flew - flown
forbear - forbore - forborne
forbid - forbad(e) - forbidden
forget - forgot - forgotten
forgive - forgave - forgiven
forsake - forsook - forsaken
freeze - froze - frozen
get - got - got
gild - gilded, gilt - gilded, gilt
gird - girded, girt - girded, girt
give - gave - given
go - went - gone
grave - graved - graved, graven
grind - ground - ground
grow - grew - grown
hang - hung - hung
have (has) - had - had
hear - heard - heard
heave - heaved, ♣ hove - heaved, ♣ hove
hew - hewed - hewed, hewn
hide - hid - hidden, hid
hit - hit - hit
hold - held - held
hurt - hurt - hurt
keep - kept - kept
kneel - knelt, kneeled - knelt, kneeled
knit - knitted, knit - knitted, knit
know - knew - known
lay - laid - laid
lead - led - led
lean - leaned, leant - leaned, leant
leap - leaped, leapt - leaped, leapt
learn - learned, learnt - learned, learnt
leave - left - left

lend - lent - lent
let - let - let
lie - lay - lain
light - lighted, lit - lighted, lit
lose - lost - lost
make - made - made
may - might
mean - meant - meant
meet - met - met
mow - mowed - mowed, mown
must - must
ought (*nur pret.*)
pay - paid - paid
pen - penned, pent - penned, pent
put - put - put
read - read - read
rend - rent - rent
rid - rid - rid
ride - rode - ridden
ring - rang - rung
rise - rose - risen
rive - rived - riven
run - ran - run
saw - sawed - sawn, sawed
say - said - said
see - saw - seen
seek - sought - sought
sell - sold - sold
send - sent - sent
set - set - set
sew - sewed - sewed, sewn
shake - shook - shaken
shall - should
shave - shaved - shaved, (*mst adj.*) shaven
shear - sheared - shorn
shed - shed - shed
shine - shone - shone
shoe - shod - shod
shoot - shot - shot
show - showed - shown
shred - shredded - shredded, shred
shrink - shrank - shrunk
shut - shut - shut
sing - sang - sung
sink - sank - sunk
sit - sat - sat
slay - slew - slain
sleep - slept - slept
slide - slid - slid
sling - slung - slung
slink - slunk - slunk
slit - slit - slit

smell - smelt, smelled - smelt, smelled
smite - smote - smitten
sow - sowed - sown, sowed
speak - spoke - spoken
speed - sped, ⊕ speeded - sped, ⊕ speeded
spell - spelt, spelled - spelt, spelled
spend - spent - spent
spill - spilt, spilled - spilt, spilled
spin - spun, span - spun
spit - spat - spat
split - split - split
spoil - spoiled, spoilt - spoiled, spoilt
spread - spread - spread
spring - sprang - sprung
stand - stood - stood
stave - staved, stove - staved, stove
steal - stole - stolen
stick - stuck - stuck
sting - stung - stung
stink - stunk, stank - stunk
strew - strewed - (have) strewed, (be) strewn
stride - strode - stridden
strike - struck - struck
string - strung - strung
strive - strove - striven
swear - swore - sworn
sweep - swept - swept
swell - swelled - swollen
swim - swam - swum
swing - swung - swung
take - took - taken
teach - taught - taught
tear - tore - torn
tell - told - told
think - thought - thought
thrive - throve - thriven
throw - threw - thrown
thrust - thrust - thrust
tread - trod - trodden
wake - woke, waked - waked, woke
wear - wore - worn
weave - wove - woven
weep - wept - wept
wet - wetted, wet - wetted, wet
will - would
win - won - won
wind - wound - wound
work - worked, *bsd.* ⊕ wrought - worked, *bsd.* ⊕ wrought
wring - wrung - wrung
write - wrote - written

GERMAN PROPER NAMES
WITH PRONUNCIATION AND EXPLANATIONS

A

Aa'chen (ähκ'n) n Aix-la-Chapelle, town in the Northwest of Germany.

ABC'-Staaten (ähbétsé shtäht'n) m/pl. Argentine, Brazil and Chili.

A'denauer (ähd'now'r), Chancellor of the West German Confederation.

A'dria (ähdriäh) f Adriatic (Sea).

A'frika (ähfrīkäh) n Africa.

Ägy'pten (ĕgʰïpt'n) n Egypt.

Alba'nien (ählbähn¹'n) n Albania.

Alge'rien (ählgʰér¹'n) n Algeria.

A'lgier (ählǦeer) n country: Algeria; town: Algiers.

A'l(l)gäu (ählgöi) n Algau, part of South Germany.

A'lpen (ählp'n) pl. Alps, mountains in South Germany.

Ame'rika (ähmérikäh) n America.

A'nden (ähnd'n) pl. Andes, mountain-chain in South America.

Anti'llen (ähntil'n) f/pl. Antilles pl., islands in the Mexican Golf.

Antwe'rpen (ähntvĕrp'n) n Antwerp, Belgian province and town.

Ara'bien (ähräb¹'n) n Arabia.

Argenti'nien (ährgʰĕnteen¹'n) n Argentina. [English Channel.]

Ä'rmelkanal (ĕrm'lkähnähl) m|

A'sien (ähz¹'n) n Asia. [Greece.]

Athe'n (ähtén) n Athens, capital of|

Atla'ntik (ähtlähntīk) m Atlantic.

Austra'lien (owsträhl¹'n) n Australia.

Bach (bähκ), German composer.

Ba'den (bähd'n) n, country and town in Southwestern Germany.

Ba'lkan (bählkähn) m der ~ the Balkans pl., mountain-chain on the ~ peninsula in Southeastern Europe.

Ba'sel (bähz'l) n Basle, Bale, Swiss town.

Bay'ern (bī'rn) n Bavaria, country in South Germany. [Germany.]

Bay'reuth (bīröit) town in South|

Bee'thoven (bét[h]öf'n), German composer.

Be'lgien (bĕlgʰ¹'n) n Belgium.

Be'lgrad (bĕlgräht) n Belgrade, capital of Yugo-Slavia. [capital.]

Berli'n (bĕrleen) n Berlin, German|

Bern (bĕrn) n Bern(e), Swiss capital.

Bi'smarck (bismährk), Chancellor of the German Reich 1871—1890.

Bo'densee (böd'nzé) m Lake of Constance, Constance Lake.

Bonn (bòn) capital of the West German Confederation. [poser.]

Brahms (brähms), German com-|

Bra'ndenburg (brähnd'nböörk) n Brandenburg, German province.

Brasi'lien (brähzeel¹'n) n Brazil.

Brau'nschweig (brownshvik) n Brunswick, hist. German free state and its capital.

Bre'men (brém'n) n Bremen, German seaport.

Brita'nnien (brïtähn¹'n) n Britain.

Bro'cken (brók'n) m Mount Brocken in the Harz Mountains.

Brü'ssel (brüs'l) n Brussels, capital of Belgium.

Bu'karest (bööкährĕst) n Bucharest, capital of Roumania. [garia.]

Bulga'rien (böölgähr¹'n) n Bul-|

C

Chi'le (çeelé) n Chili, Chile.

Chi'na (çeenäh) n China.

Chri'stus (krïstoōs) m [inv.; a. gen. -sti (-stee), dat. -sto (-stö), acc. -stum (-öōm)] Christ.

D

Dä'nemark (dän'mährk) n Denmark.

Da'nzig (dähntsïç) n Dantzig, Dantzic, former Free town at the Baltic Sea.

Dardane'llen (dährdähnĕl'n) pl. (Straits of the) Dardanells.

Deu'tschland (döitshlähnt) n Germany.

Do'nau (dönow) f Danube.

Dü'rer (dür'r), German painter.

Dü'sseldorf (düs'ldörf) n, industrial town in Western Germany.

E

Ei'smeer (īsmér) *n* Polar Sea; Nördliches ~ Arctic Ocean; Südliches ~ Antarctic Ocean.

E'lbe (ĕlbᵉ) *f inv.* Elbe, *German river.* [*frontier-country.*]

E'lsaß (ĕlzähs) *n* Alsace, *French*

E'ngland (ĕŋlähnt) *n* England.

E'rzgebirge (ĕrtsgʰᵉbĭrgʰᵉ) *n frontier mountains between Saxony and Czecho-Slovakia.*

E'ssen (ĕsᵉn) *n* Essen, *industrial town in Western Germany.*

E'stland (éstlähnt) *n* Esthonia.

Etsch (ĕtsh) (**die**) *f* Adige, *river in North Italy.*

Euro'pa (ôirōpäh) *n* Europe.

F

Fi'chtelgebirge (fĭçtᵉlgʰᵉbĭrgʰᵉ) *n* [7] Fir Mountains *in Bavaria, South Germany.*

Fi'nnland (fĭnlähnt) *n* Finland.

Fla'ndern (flähndᵉrn) *n* Flanders, *province at the North Sea, partly belonging to France, Belgium, and Holland.*

Fra'nken (frähŋkᵉn) *n* Franconia, *district in South-Germany.*

Fra'nkfurt (frähŋhfŏŏrt) *n* Frankfort (*on-the-Main, on-the-Oder*).

Fra'nkreich (frähŋkriç) *n* France.

Frie'sland (freeslähnt) *n* Friesland, Frisia, *Dutch province; district of the German coast of the North Sea.*

Fu'rtwängler (fŏŏrtvĕŋlᵉr), *German conductor.*

G

Ga'rmisch (gährmĭsh) *n* Garmisch, *health resort in South Germany.*

Genf (gʰĕnf) *n* Geneva, *Swiss town;* ~'er See *m* Lake of Geneva.

Gibra'ltar (gʰĭbrähltähr) *n*: Straße von ~ Straits of Gibraltar.

Goe'the (gōtᵉ), *greatest German poet.*

Graubü'nden (growbŭndᵉn) *n* the Grisons, *Swiss canton.* [Greece.]

Grie'chenland (greeçᵉnlähnt) *n*

Grö'nland (grönlähnt) *n* Greenland.

Großbrita'nnien *n* Great Britain.

H

Haag (hähk) *m* The Hague, *Dutch town.*

Ha'mburg (hähmbŏŏrk) *n* Hamburg, *German seaport.*

Ha'meln (hähmᵉln) *n* Hamelin, *town in Western Germany.*

Hä'ndel (hĕndᵉl) Handel, *German composer.*

Hanno'ver (hähnōfᵉr) *n* Hanover: *province and town in Western Germany.*

Harz (hährts) *m* Harz Mountains *in Middle Germany.* [*man poet.*]

Hau'ptmann (howptmähn), *Ger-*

Hei'delberg (hĭdᵉlbĕrk) *n* Heidelberg, *German university town in South-Western Germany.*

He'lgoland (hĕlgōlähnt) *n* Heligoland, *German island in the North Sea.*

He'ssen (hĕsᵉn) *n* Hesse, *country in Western Germany.*

Heuß (hôis), *president of the West German Confederation.*

Hinter-i'ndien (hĭntᵉr-ĭndⁱᵉn) *n* Farther India, Indo-China.

Hohenzo'llern (hōᵉntsölᵉrn) *n country in South Germany.*

Ho'lland (hōlähnt) *n* Holland.

Ho'lstein (hōlshtin) *n, country in North Germany.*

I

I'ndien (ĭndⁱᵉn) *n* India; the Indies *pl.* [*capital of Tyrol.*]

I'nnsbruck (ĭnsbrŏŏk) *n* Innsbruck

I'rak (eerähk) *m* Irak, Iraq.

I'rland (ĭrlähnt) *n* Ireland.

I'sland (ĭslähnt) *n* Iceland.

I'srael (ĭsrähĕl) *n* Israel.

Ita'lien (ĭtählⁱᵉn) *n* Italy.

J

Ja'pan (yähpähn) *n* Japan.

Je'sus (yezōōs) [*inv.; a. gen. u. dat.* Jesu, *acc.* Jesum] *m* Jesus.

Jugosla'wien (yōōgōslähvⁱᵉn) *n* Yugo-Slavia. [*Danish peninsula.*]

Jü'tland (yütlähnt) *n* Jutland.

K

Ka'nada (kähnähdäh) *n* Canada.

Kant (kähnt), *German philosopher.*

Ka'pstadt (kähpshtäht) *n inv.* Cape Town, *town of the South African Union.*

Kä'rnten (kĕrntᵉn) *n* Carinthia; *part of Austria.*

Karpa'then (kährpähtᵉn) *f/pl.* Carpathian Mountains, *chain of mountains in Southeast Europe.*

Kiel (keel) *n* Kiel, *German seaport.*

Klei'n-a'sien (klin-ähzⁱᵉn) *n* Asia Minor.

Ko'blenz (kōblĕnts) *n* Coblenz, *town in Western Germany.*

Köln (köln) n Cologne. [lumbia.]

Kolu'mbien (kŏlŏŏmb'en) n Co-

Kolu'mbus (kŏlŏŏmbōōs) m Columbus *discoverer of America.*

Kordille'ren (kŏrdīlyér^en): (die) f/pl. the Cordilleras.

Kreml (krĕml) m the Kremlin, *residence of the Soviet Government in Moscow.*

Kre'ta (krétāh) n Crete, Candia; *island in the Mediterranean.*

Krim (krim) f: die ~ the Crimea, *peninsula in the Black Sea.*

L

La'ppland (lähplähnt) n Lapland.

Lau'sitz (lowzits) f Lusatia, *district in Central Germany.*

Lei'pzig (liptsiç) n Leipzig, Leipsic, *German town in Saxony.*

Le'ttland (lĕtlähnt) n Latvia.

Li'banon (leebähnŏn) m Lebanon, *Republic at the Eastern end of the Mediterranean.*

Li'ssabon (lĭsähbŏn) n Lisbon, *capital of Portugal.*

Liszt (lĭst) *German composer.*

Li'tauen (lītow^en) n Lithuania.

Lo'ndon (lŏndŏn) n London.

Lo'thringen (lōtriŋ^en) n Lorraine, *French frontier-country.*

Lü'beck (lūbĕk) n Lubeck, *town in North Germany.*

Lü'bke (lūpke) *President of the German Federal Republic.*

Lu'ther (lōŏt^er) *German religious reformer.* [Swiss canton and town.]

Luze'rn (lōōtsĕrn) n Lucerne,

M

Maas (māhs) f *inv.* Meuse, *river at the eastern frontier of France.*

Main(mīn)m*river in WesternGermany.*

Mainz (mĭnts) n *inv.* Mayence, Mainz.

Mandschurei' (mähntshŏŏrī) f Manchuria, *northern part of China.*

Maro'kko (mährŏkō) n Morocco, *country in Northwest Africa.*

Me'mel (mém^l) f *frontier river and town in former East Prussia.*

Me'xiko (mĕksikō) n Mexico.

Mi'ttelame'rika (mĭt^l-) n Central America.

Mi'tteleuro'pa n Central Europe.

Mi'ttelmeer (mĭt^lmér) n Mediterranean (Sea).

Mo'hammed (mōhähmĕt) m Mahomet, Mohammed, *founder of the Islamitic religion.*

Mo'sel (mōz^l) f *inv.* Moselle, *river in Western Germany.*

Mo'skau (mŏskow) n Moscow.

Mo'zart (mōtsährt), *Austrian composer.*

Mü'nchen (mŭnç^n) n Munich, *capital of Bavaria in South Germany.*

N

Nei'ße (nīs^e) f *inv.* frontier river *between Germany and the Polish occupied provinces.*

Neufu'ndland (nŏifōŏntlähnt) n Newfoundland. [Netherlands.]

Nie'derlande (need^rlähnd^e) n/pl.

Nil (neel) m the Nile.

Nord-ame'rika (nŏrt-ähmérikäh) n North America.

No'rddeutschland (nŏrtdŏitshlähnt) n North Germany.

No'rdkap (nŏrtkä//p) n North Cape.

No'rdpol (nŏrtpŏl)m [3^1] NorthPole.

No'rdsee (nŏrtzé) f North Sea.

No'rwegen (nŏrvég^en) n Norway.

Nü'rnberg (nŭrnbĕrk) n Nuremberg, *town in South Germany.*

O

Obera'mmergau (ōb^erähm^ergow) n, *town in South Germany.*

O'der (ōd^er) f *inv.,* German River.

O'rient (ōr'ĕnt) m Orient; East; Eastern countries pl. [Asia.]

Ost-a'sien (ŏst-ähzi^en) n Eastern

O'sterreich (ōst^eriç) n Austria.

Ost-i'ndien (ŏst-ĭndi^en) n the East Indies pl.

O'stsee (ŏstzé) f Baltic (Sea).

Ozea'nien (ŏtsĕähn^i^en) n Oceania, Australasia.

P

Pa'kistan (pähkistähn) *Republic in Hither India.*

Palästi'na(pählĕsteenäh)n*Palestine.*

Pari's (pährees) n *inv.* Paris.

Pe'rsien (pĕrz^i^en) n Persia.

Pfalz (pfählts) f Palatinate, *district in Western Germany.*

Philippi'nen (filipeen^en) f/pl. *inv.* Philippine Islands.

Po'len (pōl^en) n Poland.

Po'rtugal (pŏrtōōgähl) n Portugal.

Prag (prähk) n Prague, *capital of Czecho-Slovakia.*

Preu'ßen (prŏis^en) n Prussia, *former state in Germany.*

Pyrenä'en (pŭr^enä^en) pl. the Pyrenees, *chain of mountains at the frontier of France and Spain.*

— 511 —

R

Re'gensburg (rĕg^hĕnsbŏŏrk) *n* Ratisbon, Regensburg, *town in South* Germany.

Rhein (rīn) *m* Rhine. [*Germany.*]

Rhei'npfalz (rīnpfä⁄lts) *f* Palatinate of the Rhine.

Rom (rōm) *n* Rome.

Ruhr (rŏŏr) *f* River Ruhr.

Ru'hrgebiet (rŏŏrg^hĕbeet) *industrial centre of Western Germany.*

Rumä'nien (rŏŏmän'ⁱĕn) *n* R(o)umania.

Ru'ßland (rŏŏslä⁄hnt) *n* Russia.

S

Saa'le (zä⁄hl^e) *f river in Central Germany.* [*man country.*]

Sa'chsen (zä⁄hks^en) *n* Saxony *Ger-*]

Sa'lzburg (zä⁄hlsbŏŏrk) *n town in Austria.*

Schi'ller (shĭl^er) *German poet.*

Schle'swig (shlĕsvĭç) *n* Sleswick, *country in North Germany.*

Scho'ttland (shŏtlä⁄hnt) *n* Scotland.

Schu'bert (shŏŏb^ert) *Austrian composer.* [*composer.*]

Schu'mann (shŏŏmä⁄hn) *German*]

Schwa'rzes Meer (shvä⁄hrts^es mér) *n* Black Sea, Euxine.

Schwa'rzwald (shvä⁄hrtsvä⁄hlt) *m* Black Forest, *mountains in Southwest Germany.*

Schwe'den (shvéd^en) *n* Sweden.

Schweiz (shvīts) *f* Switzerland.

Sizi'lien (zĭtseel'ⁱĕn) *n* Sicily, *Italian island.* [*Scandinavia.*]

Skandina'vien (skä⁄hndīnä⁄hv'ⁱĕn) *n*]

So'wjetrußland (sŏv'ĕt-) *n* Soviet Russia.

Spa'nien (shpä⁄hn'ⁱĕn) *n* Spain.

Stei'ermark (shtī^ermä⁄hrk) *f* Styria, *part of Austria.* [*Pacific (Ocean).*]

Sti'ller O'zean (shtĭl^er-ōtsĕä⁄hn) *m*]

Strauß (shtrows): *Johann ~ Austrian composer of waltzes; Richard ~ German composer of operas.*

Stu'ttgart (shtŏŏtgä⁄hrt) *capital of Wurtemberg in Southwest Germany.*

Süd-a'frika (zŭt-ä⁄hfrĭkä⁄h) *n* South Africa. [*South America.*]

Süd-ame'rika (zŭt-ä⁄hmérĭkä⁄h) *n*]

Su'dan (zŏŏdä⁄hn) *m* S(o)udan, *district in Interior Africa.*

Sude'ten (zŏŏdét^en) *pl. inv.* **die ~** the Sudetic Mountains *pl.*, *extending along the Northern boundary of Czecho-Slovakia.*

Sü'dpol (zŭtpōl) *m* South Pole.

Sü'dsee (sŭtzé) *f* South Pacific.

Sü'dseeländer (zŭtzélĕnd^er) *n*/*pl.* Australasia. [*Western Asia.*]

Sy'rien (zŭr'ⁱĕn) *n* Syria, *part of*]

T

The'mse (tĕmz^e) *f inv.* Thames.

Thü'ringen (tŭrĭη^en) *n* Thuringia, *district in Central Germany.*

Tiro'l (tīrōl) *n* the Tyrol, *country in the Austrian Alps.*

Tsche'choslowakei' (tshĕçōslōvä⁄hkī) *f* Czecho-Slovakia.

Türkei' (tŭrkī) *f* Turkey.

U

U'ngarn (ŏŏrηgä⁄hrn) *n* Hungary.

Ura'l (ŏŏrä⁄hl) *m river in Russia:* Ural River; *mountains:* Ural Mountains *pl.*, the Urals *pl.*

V

Verei'nigte Staa'ten (fĕr-inĭçt^e shtä⁄ht^en) *m*/*pl.* United States (of America), *abbr.* U.S.A.

Vierwa'ldstätter See (feervä⁄hltshtĕt^er zé) *m* Lake of Lucerne *in the Swiss Alps.*

Vo'rder-asien (fŏrd^er-ähz'ⁱĕn) *n* Hither Asia.

Vo'rder-indien (fŏrd^er-ĭnd'ⁱĕn) *n* Hither India, *a.* Hindustan.

W

Wa'gner (vä⁄hgn^er) *German composer.* [*canton.*]

Wa'llis (vä⁄hlĭs) *n* le Valais, *Swiss*]

Wa'rschau (vä⁄hrshow) *n* Warsaw, *capital of Poland.*

Wei'chsel (vĭks^el) *f inv.* Vistula, *river falling into the Baltic Sea.*

We'ser (véz^er) *f inv. river in Western Germany.*

Westfa'len (vĕstfä⁄hl^en) *n* Westphalia, *province in Western Germany.* [*West Indies pl.*]

West-i'ndien (vĕst-ĭnd'ⁱĕn) *n* the]

Wien (veen) *n* Vienna.

Wü'rttemberg (vŭrt^embĕrk) *n* Württemberg, Wurtemberg, *country in Southwest Germany.*

Y

Y'pern (eep^ern) *n* Ypres, *Belgian town.*

Z

Zü'rich (tsŭrĭç) *n* Zurich, *Swiss town.*

Zy'pern (tsŭp^ern) *n* Cyprus, *island in the Mediterranean.*

CURRENT GERMAN ABBREVIATIONS

A

a. a. O. *am angegebenen Ort* in the place quoted.

Abb. *Abbildung* illustration.

Abg. *Abgeordneter* member of Parliament, etc.

Abk. *Abkürzung* abbreviation.

Abs. *Absatz* paragraph; *Absender* sender. [d/pt.]

Abt. *Abteilung* department, *abbr.*

a. D. *außer Dienst* retired.

ADN *Allgemeiner Deutscher Nachrichtendienst* General German News Service *in the DDR.*

AG. *Aktiengesellschaft* joint-stock company.

allg. *allgemein* general.

a. M. *am Main* on the Main.

Anm. *Anmerkung* note.

a. O. *an der Oder* on the Oder.

a. Rh. *am Rhein* on the Rhine.

Art. *Artikel* article.

B

Bd. *Band* volume; **Bde.** *Bände* volumes.

betr. *betreffend, betrifft, betreffs* concerning, respective, respecting, regarding.

bez. *bezahlt* paid; *bezüglich* with reference to.

Bez. *Bezirk* district.

BGB *n Bürgerliches Gesetzbuch* code of civil law, Civil Code.

BIZ *Bank für internationalen Zahlungsausgleich* Bank for International Settlements.

Bln. *Berlin* Berlin. [register tons.]

BRT *Brutto-Register-Tonnen* gross

b. w. *bitte wenden* please turn over *abbr.* P.T.O.

bzw. *beziehungsweise* respectively.

C

ca. *circa, ungefähr, etwa* about, approximately, *abbr.* c(irc.).

CDU *Christlich-demokratische Union* Christian Democratic Union.

Co. *Kompagnon, Kompanie* partner, Company.

D

DB *Deutsche Bundesbahn* German Federal Railway.

DDR *Deutsche Demokratische Republik* German Democratic Republic.

DGB *Deutscher Gewerkschaftsbund* Federation of German Trade Unions.

dgl. *dergleichen, desgleichen* the like.

d. h. *das heißt* i. e. (that is).

Din *Deutsche Industrie-Norm* German Industrial Standards.

Dipl. *Diplom* diploma.

d. J. *dieses Jahres* of this year.

DM *Deutsche Mark* German Mark.

d. M. *dieses Monats* inst.

do. *dito* ditto, *abbr.* do. [tioned.]

d. O. *der Obige* the above-men-

dpa, DPA *Deutsche Presse-Agentur* German Press Agency.

Dr. jur. *Doktor der Rechte* Doctor of Laws (L.L.D.); ~ **med.** *Doktor der Medizin* D. of Medicine (M. D.); ~ **phil.** *Doktor der Philosophie* D. of Philosophy, *in England*: Master of Arts (M.A.), *Am.* Ph. D.; ~ **theol.** (*evangelisch* D.) *Doktor der Theologie* Doctor of Divinity (D.D.); preceding names: (Dr(.).

Dtz., Dtzd. *Dutzend* dozen.

dz *Doppelzentner* 100 kilogrammes.

E

einschl. *einschließlich* inclusive.

entspr. *entsprechend* corresponding.

erg. *ergänze* supply, add.

Erl. *Erläuterung* explanation, (explanatory) note.

ev. *evangelisch* Protestant.

e.V. *eingetragener Verein* registered association (incorporated).

evtl. *eventuell* perhaps, possibly.

exkl. *exklusive* except(ed), not included.

F

Fa. *Firma* firm, Messrs. (as address).

FDP *Freie Demokratische Partei* Liberal Democratic Party.

FD(-Zug) *Fernschnellzug* long-distance express.

ff. *fein-fein; und das Folgende, folgende Seiten* extra fine; and the following, following pages.

Forts. *Fortsetzung* continuation.

frdl. *freundlich* kind.

Frl. *Fräulein* Miss.

FU *Freie Universität (Berlin)* Free University.

G

geb. *geboren(e)* born; nee.

Gebr. *Gebrüder* Brothers.

gef. *gefällig(st)* kind(ly).

gegr. *gegründet* founded.

Ges. *Gesellschaft* association, company. [registered.]

ges. gesch. *gesetzlich geschützt|*

gest. *gestorben* deceased.

Gew. *Gewicht* weight.

gez. *gezeichnet (vor Unterschriften)* signed, *abbr.* sgd.

G.m.b.H. *Gesellschaft mit beschränkter Haftpflicht od. Haftung* limited liability company; *abbr.* Limited (Ltd).

H

Hbf. *Hauptbahnhof* central (*od.* main) station.

h. c. *honoris causa* honorary (of degree). [cial law code.|

HGB *Handelsgesetzbuch* commer-|

hrsg. *herausgegeben* edited.

I

i. allg. *im allgemeinen* in general, generally speaking.

i. A. *im Auftrage* for, by order, under instruction.

I. G. *Interessengemeinschaft* pool, trust. [sive.|

inkl. *inklusive, einschließlich* inclu-|

i. J. *im Jahre* in the year.

Ing. *Ingenieur* engineer.

Inh. *Inhaber* proprietor.

Interpol *Internationale Kriminalpolizeiliche Kommission* International Criminal Police Commission, *abbr.* ICPC.

i. V. *in Vertretung* on behalf of, by order; by proxy, as a substitute.

J

jr., jun. *junior, der Jüngere* junior.

K

Kap. *Kapitel* chapter.

kath. *katholisch* Catholic.

Kfm. *Kaufmann* merchant.

kfm. *kaufmännisch* commercial.

Kfz. *Kraftfahrzeug* motor vehicle.

KG. *Kommanditgesellschaft* limited company, company (of shareholders) with limited liability.

Kl. *Klasse* class; form.

KP *Kommunistische Partei* Communist Party.

kW *Kilowatt* kilowatt.

kWh *Kilowattstunde* kilowatt hour.

L

lfd. *laufend* current, running.

lfde. Nr. *laufende Nummer* current number. [stalment, part.|

Lfg., Lfrg. *Lieferung* delivery; in-|

L.K.W., Lkw. *Lastkraftwagen* truck, lorry.

lt. *laut* according to.

M

m *Meter* metre, *Am.* meter.

M.d.B. *Mitglied des Bundestages* Member of the Federal Diet.

m. E. *meines Erachtens* in my opinion.

M.E.Z. *mitteleuropäische Zeit* Central European Time.

Mitro'pa *Mitteleuropäische Schlaf- und Speisewagen-Aktiengesellschaft* Middle-European Society for dining- and sleeping-cars.

mm *Millimeter* millimetre.

M.P. *Militärpolizei* Military Police.

möbl. *möbliert* furnished.

Ms. *Manuskript* manuscript.

mtl. *monatlich* monthly.

N

N *Norden* north.

Nachf. *Nachfolger* successor.

nachm. *nachmittags* in the afternoon, *abbr.* p. m.

NATO *Nordatlantikpakt-Organisation* North Atlantic Treaty Organization.

n. Chr. *nach Christus* after Christ; *abbr.* A. D. [so-and-so.|

N.N. *nescio nomen* name unknown,|

NO *Nordosten* northeast.

No., Nr. *Numero, Nummer* number.

NW *Nordwesten* northwest.

O

O *Osten* east.

od. *oder* or.

OHG *Offene Handelsgesellschaft* ordinary partnership.

o. J. *ohne Jahr* no date.

P

p. Adr. *per Adresse* care of, *abbr.* c/o.

Pf. *Pfennig* (German coin).

P.K.W., Pkw. *Personenkraftwagen* (motor) car.

P.P. *praemissis praemittendis* omitting titles, to whom it may concern.

p.p., p.pa., ppa. *per Prokura* per proxy, per procuration.

Prof. *Professor* professor; **o.** ~ *ordentlicher Professor* (ordinary) professor.

Prov. *Provinz* province.

PS *Pferdestärke(n)* horse-power, *abbr.* H.P.

P.S. *postscriptum, Nachschrift* postscript, *abbr.* P.S.

R

Reg. Bez. *Regierungsbezirk* administrative district.

resp. *respektive* respectively, otherwise.

S

S *Süden* south.

S. *Seite* page.

s. *siehe* see.

Sa. *summa, Summe* sum, total.

SED *Sozialistische Einheitspartei* United Socialist Party.

sen. *Senior, der Ältere* senior.

SO *Südosten* southeast.

s. o. *siehe oben* see above.

sog. *sogenannt* so-called.

SPD *Sozialdemokratische Partei Deutschlands* Social Democratic Party of Germany.

spez. *speziell, besonders, spezial* special.

St. *Stück* piece.

StGB *Strafgesetzbuch* Penal Code.

StPO *Strafprozeßordnung* Code of Criminal Procedure.

Str. *Straße* street.

s.u. *siehe unten* see below.

SW *Südwesten* southwest.

s. Zt. *seinerzeit* (= *damals*) at the *or* that time.

T

tägl. *täglich* daily. per day.

teilw. *teilweise* partly.

T. H. *Technische Hochschule* technical university *or* college.

U

u. *und* and.

u. a. *und anderes; unter anderem od. anderen* and others; amongst other things, inter alia.

u. ä. *und ähnliche(s)* and the like.

U.A.w.g. *Um Antwort wird gebeten;* répondez s'il vous plaît *(fr.), abbr.* R.S.V.P.

u. dgl. (m.) *und dergleichen (mehr)* and more of the (same) kind.

u. d. M., ü. d. M. *unter, über dem Meeresspiegel* below, above sea-level.

UKW *Ultrakurzwelle* ultra-short wave, very high frequency, *abbr.* VHF.

U/min. *Umdrehungen in der Minute* revolutions per minute, *abbr.* r.p.m.

usw. *und so weiter* and so on, etc.

V

v. *von, vom* of.

V. *Volt* volt. [*abbr.* B. C.]

v. Chr. *vor Christus* before Christ, *vgl.* *vergleiche* cf. *od.* cp.

v. H. *vom Hundert*, %, per cent.

vorm. *vormittags* in the morning, *abbr.* a. m.

vorm. *vormals* formerly.

Vors. *Vorsitzender* chairman.

W

W *Westen* west.

WEZ. *westeuropäische Zeit* time of West European zone (Greenwich time).

Wwe. *Witwe* widow.

Z

z. B. *zum Beispiel* for instance, *abbr.* e. g.

z. H(d). *zu Händen* attention of, to be delivered to, care of, *abbr.* c/o.

ZPO *Zivilprozeßordnung* Civil Procedure Code.

z. S. *zur See* of the navy.

z. T. *zum Teil* partly.

z. Z(t). *zur Zeit* at the (present) time, for the time being.

zus. *zusammen* together.

AMERICAN AND BRITISH
PROPER NAMES
WITH PRONUNCIATION AND EXPLANATIONS

A

Aberdeen (ăbᵉðĭ'n) *schottische Stadt.*

Acheson (ă'tĭchᵢᵗᵵn) *amerikanischer Politiker.*

Addison (ă'ðᵗᵵn) *englischer Schriftsteller.*

Adelaide (ă'ðᵉleᵗð) *Stadt in Australien.*

Aden (eⁱðⁿ) *südarabische Hafenstadt.*

Africa (ă'frᵗᵗᵉ) Afrika *n.*

Aix-la-Chapelle (eⁱᵗᵵläᶜchăpĕ'l) Aachen *n.*

Alberta (ălbŏ'tᵉ) *Provinz in Kanada.*

America (ᵉmĕ'rᵗᵗᵉ) Amerika *n.*

Antilles (ăntĭ'lĭᵴ) *pl.* Antillen *pl.* *(mittelamerikanische Inselgruppe).*

Antwerp (ă'ntuŏp) Antwerpen *n.*

Arabia (ᵉreⁱ'bĭᵉ) Arabien *n.*

Ascot (ă'ᵵᵗᵉt) *englischer Ort mit berühmter Rennbahn.*

Asia (eⁱ'ᵗchᵉ) Asien; ∼ Minor *Kleinasien n.*

Astor (ă'ᵵᵗᵉ, ă'ᵵᵗŏ) *deutsch-amerikanischer Unternehmer.*

Attlee (ă'tlĭ) *britischer Politiker.*

Auckland (ŏ'tlᵉnð) *neuseeländische Hafenstadt.*

Australia (ŏᵴtreⁱ'lĭᵉ) Australien *n.*

Austria (ŏ'ᵴtrᵗᵉ) Österreich *n.*

Azores (ᵉïŏ'ï) *pl.* Azoren *pl.* *(Inselgruppe im Atlantischen Ozean).*

B

Bacon (beⁱ'ᵗᵉn) *englischer Staatsmann und Gelehrter.*

Bahamas (bᵉhä'mᵉï) *pl.* Bahamainseln *f/pl.* *(britische Inselgruppe in Westindien).*

Balkans (bŏ'ᵗᵗᵉn): the ∼ der Balkan.

Balmoral (bălmŏ'rᵉl) *englisches Königsschloß in Schottland.*

Bavaria (bᵉwăᵉ'rᵗᵉ) Bayern *n.*

Belfast (bĕ'ïᶠäᵴt) *Hauptstadt von Nordirland.*

Bengal (bĕⁿᵉgŏ'l) Bengalen *n.*

Ben Nevis (bĕnnĭ'wĭᵴ) *höchster Berg Großbritanniens.* [soph.]

Berkeley (bă'tlĭ) *englischer Philo-]*

Berlin (bŏïĭ'n) Berlin *n.*

Bermudas (bᵉ-, bŏmĭ̈ũ'ðᵉ|) *pl.* Bermudasinseln *f/pl.*

Bevin (bĕ'wĭn) *britischer Politiker.*

Birmingham (bŏ'mĭnᵘᵉm) *größte Fabrikstadt Englands.*

Biscay (bĭ'ᵴᵵeⁱ): Bay of ∼ Meerbusen *m von Biska'ya.*

Brighton (brăⁱ'tn) *größtes Seebad in Südengland).*

Bristol (brĭ'ᵵtĭ) *Hafen- und Handelsstadt in Südengland.*

Britain (brĭ'tᵉn) (Great ∼ Groß-) *Britannien n;* Greater ∼ Großbritannien und seine Dominien und Kolonien.

Bulwer (bŭ'lcᵴᵉ) *englischer Erzähler.*

Burma (bŏ'mᵉ) Birma *n.*

Burns (bŏⁿᵴ) *schottischer Dichter.*

Byron (bäⁱᵉ'rᵉn) *englischer Dichter.*

C

Calcutta (tălïa'tᵉ) Kalkutta *n* *(Hauptstadt von Bengalen).*

Cambridge (teⁱ'mbrĭðG) *englische Universitätsstadt.*

Canada (tă'nᵉðᵉ) Kanada *n.*

Canary (tᵉnăᵉ'rᵗ): ∼ Islands *pl.* Kanarische Inseln *f/pl.*

Canterbury (tă'ntᵉbᵉrᵗ) *Stadt in Südengland, Erzbischofssitz.*

Capetown (teⁱ'ptäũ'n) Kapstadt *n* *(Hauptstadt des Kaplandes, Südafrika).*

Cardiff (tă'ðĭf) *Hafenstadt in Westengland.*

Carlyle (tălăï'l) *englischer Schriftsteller.*

Carnegie (tănĕ'gĭ) *amerikanischer Stahlindustrieller.*

Ceylon (ᵵĭïŏ'n) Cey'lon *n.*

Chamberlain (tᵗchᵉ'mbᵉlĭn) *Name mehrerer britischer Staatsmänner.*

33*

Chaucer (tʃɔ̄'ßᵉ) *englischer Dichter, Verfasser der Canterbury Tales.*
Chesterfield (tʃᵉßt⁰fīld) *Industriestadt in Mittelengland.*
Cheviot (tʃᵉß'wⁱᵉt): ~ *Hills pl. Grenzgebirge zwischen England und Schottland.*
Chrysler (trāi'ßlᵉ) *bekannte amerikanische Autofirma.*
Churchill (tʃɔ̄'tʃⁱl) *britischer Staatsmann.*
Clay (flᵉi) *amerikanischer General im 2. Weltkrieg und ehem. Militärgouverneur der amerikanischen Besatzungszone in Deutschland.*
Clyde (flāid) *Fluß in Schottland.*
Coleridge (to⁰lridǥ) *englischer Dichter.*
Cologne (flo⁰n) *Köln n.*
Colorado (fôlᵉrā'do⁰) *Name zweier Flüsse und Staat der U.S.A.*
Constance (fô'nßtᵉnß) *Ko'nstanz n; Lake of ~ Bodensee m.*
Cooper (fü'pᵉ) *amerikanischer Erzähler, Verfasser der Lederstrumpfgeschichten.*
Cordilleras (fôdīljā'rᵉŋ) *pl. die Kordilleren f/pl. (amerikanischer Gebirgszug).*
Coventry (fô'wᵉntri) *englische Industriestadt.*
Cromwell (frô'mwᵉl) *englischer Staatsmann.*
Croydon (frâi'dn) *Hauptflugplatz von London.*
Crusoe (frü'ßo⁰): Robinson ~ *Romanheld.*
Cyprus (ßāi'prᵉß) *geogr. Zypern n.*

D

Danube (dä'njūb) *Donau f.*
Darwin (dā'win) *englischer Naturforscher.*
Defoe (dᵉfo⁰) *englischer Erzähler (Robinson Crusoe).*
Delhi (dᵉ'li) *Stadt in Vorderindien.*
Derby (dā'bi) *Pferderennen in Epsom.*
Dewey (djü'i) *republikanischer Politiker in U.S.A.*
Dickens (dī'fᵏnß) *englischer Erzähler.*
Disraeli (dißrē'li) *englischer Staatsmann.*
Donnelly (dô'nᵉli) *amerikanischer Oberkommissar für Deutschland.*
Dover (do⁰'wᵉ) *Hafenstadt in Südengland.*
Downing (dāu'ning): ~ *Street Straße in London mit der Amtswohnung des*

Prime Minister; fig. Großbritannische Regierung.
Dryden (drāi'dn) *englischer Dichter.*
Dublin (dā'blin) *irische Hauptstadt.*
Dulles (dä'liß) *nordamerikanischer Staatsmann.*
Dunkirk (dänßô'f) *Dünkirchen n.*

E

Eden (ī'dn) *britischer Politiker.*
Edinburgh (ë'dⁱnbᵉrᵉ) *Edinburg n (Hauptstadt Schottlands).*
Edison (ë'dⁱßn) *amerikanischer Erfinder.*
Egypt (ī'dʒipt) *Ägypten n.*
Eire irisch (ä'rᵉ) *Irland n.*
Eisenhower (āi'ßnhäu⁰) *Präsident der U.S.A.*
Eliot (ë'liᵉt) 1. *englische Schriftstellerin;* 2. *amerikanischer Schriftsteller.*
Emerson (ë'mᵉßn) *amerikanischer Denker und Dichter.*
England (ĭ'nglᵉnd) *England n.*
Epsom (ë'pßᵘm) *englische Stadt mit Rennplatz (s. Derby).*
Erie (iᵉ'ri): Lake ~ *Eriesee m (einer der fünf Großen Seen Nordamerikas).*
Eton (ī'tn) *englische Schulstadt.*
Europe (jü⁰'rᵉp) *Euro'pa n.*

F

Falkland (fô'ßlᵉnd): ~ *Islands pl. Falklandinseln f/pl. im Atlantischen Ozean.* [speare.]
Falstaff (fô'ßtäf) *Gestalt bei Shake-|*
Flushing (fla'ʃing⁰) *geogr. Vlissingen n.* [Südengland.]
Folkestone (fo⁰'ßtⁿn) *Seebad in|*
France (fränß) *Frankreich n.*
Franklin (frä'nglin) 1. *nordamerikanischer Staatsmann und Physiker;* 2. *britischer Nordpolfahrer.*
Fulton (fü'ltⁿn) *amerikanischer Ingenieur, Erbauer des ersten Dampfschiffes.*

G

Gainsborough (geⁱnßbᵉrᵉ) *englischer Kunstmaler.*
Galsworthy (gô'lßwôdhi) *englischer Dichter.*
Geneva (dʒᵉni'wᵉ) *Genf n.*
Germany (dʒö'mᵉni) *Deutschland n.*
Gladstone (glä'dßtⁿn) *britischer Staatsmann.*
Glasgow (glä'ßgo⁰) *Hafen und größte Stadt Schottlands.*

Gloucester (glŏ'ßtᵉ) *Stadt in West-england.* [*Dichter.*]

Goldsmith (goᵘ'ldßmĭtħ) *englischer*

Gollancz (gol'nᵵß) *englischer Verleger, Schriftsteller und Sozialist.*

Greenwich (grĭ'nᵗ*d*G) *Vorort von London.*

Guernsey (gŏ'nß*ĭ*) *britische Insel im Kanal.*

Guiana (gĭä'nᵉ) *Guayana n (Teil der nordöstlichen Küste Südamerikas).*

Guinea (gĭ'nĭ) *geogr.* Guine'a *n.*

H

Halifax (hä'l*ĭ*fäᵵß) **1.** *Name zweier Städte in Nordengland und Kanada;* **2.** *britischer Staatsmann.*

Harvard (hā'wᵉd): ~ *University berühmte Universität in U.S.A.*

Harwich (hä'r*ĭ*dG) *Hafenstadt in Südost-England.*

Hawaii (hᾱwᾱ'ĭ, hᾱwᾱ'ĭ) *Inselgruppe im Stillen Ozean; Territorium der U.S.A.*

Hebrides (hĕ'br*ĭ*dĭß) Hebri'den *pl.* (*schottische Inselgruppe*).

Heligoland (hĕ'l*ĭ*goᵘländ) Helgoland *n.*

Hemingway (hĕ'm*ĭ*nϑwᵉᵗ) *amerikanischer Schriftsteller.*

Herter (hŏ'tᵉ) *U.S. Außenminister.*

Hindustan (hĭnd*ᵘ*ßtä'n) *geogr.* Hindostan *n.*

Hogarth (hoᵘ'gätħ) *englischer Kunstmaler.*

Hollywood (hŏ'l*ĭ*w*ŭ*d) *Filmstadt in Kalifornien, U.S.A.*

Hudson (h*a*'dß*n*) **1.** *englischer Familienname;* **2.** *geogr. bsd. Fluß im Osten der U.S.A., an seiner Mündung New York.*

Hull (h*a*l) *Hafen und Handelsstadt in Nordost-England.*

Hume (hjūm) *englischer Philosoph.*

Hungary h*a*'nᵍᵉɾ*ĭ*) Ungarn.

Huron (hjuᵉr*ᵉ*n): Lake ~ Huronsee *m* (*einer der fünf Großen Seen Nordamerikas*).

Huxley (h*a*'ᵏßl*ĭ*) **1.** *englischer Erzähler;* **2.** *englischer Zoologe.*

I

Iceland (ᾱ'ᵵl*ᵉ*nd) Island *n.*

India (ĭ'ndĭᵉ) Indien *n.*

Indies (ĭ'ndĭ*ĭ*) *pl.;* the (East, West) ~ (Ost-, West-)Indien *n.*

Irak, Iraq (irā'ᵏ) *geogr.* Irak *m.*

Iran (iᵉrā'n) *geogr.* Iran *m.*

Ireland (ᾱᵉ'lᵉnd) Irland *n.*

Irving (ŏ'wĭnϑ) *nordamerikanischer Schriftsteller.*

J

Jefferson (dGĕ'fᵉᵦn) *nordamerikanischer Staatsmann, Verfasser der Unabhängigkeitserklärung von 1776.*

Jersey (dGŏ'ßĭ) *britische Kanalinsel.*

Job (dG*o*b) Hiob *m.*

K

Karachi (ᵏᵉrā'tß*ĭ*) *Hauptstadt von Pakistan.*

Kashmir (ᵏäß*ĭ*mĭᵉ) Kaschmir *n* (*Staat in Vorderindien*).

Kenya (ᵏ*ĭ*'nĭᵉ, ᵏĕ'nĭᵉ) *Berg und britische Kolonie in Ostafrika.*

Kipling (ᵏĭ'plĭnϑ) *englisch-indischer Dichter.*

Klondike (ᵏl*o*'ndᾱᵗᵏ) *Fluß und Landschaft in Kanada (Goldfelder).*

Korea (ᵏ*o*riᵉ) *geogr.* Korea *n.*

L

Labrador (lä'brᵉd*o*) *größte Halbinsel Nordamerikas.*

Lancaster (lä'nᵉᵵᵉᵵᵉ) *Städtename in England und U.S.A.*

Leeds (lĭdß) *Industriestadt in Ostengland.*

Leicester (lĕ'ᵵᵉ) *Hauptstadt der englischen Grafschaft* ~shire (¸ß*ĭ*ᵉ).

Leith (lĭtħ) *Seehafen von Edinburg.*

Leman (lĕ'mᵉn): Lake ~ Genfer See *m.*

Lincoln (lĭ'nᵏᵉn) *Präsident der U.S.A.*

Liverpool (lĭ'wᵉpūl) *englische Hafen- und Industriestadt.*

Locke (l*o*ᵏ) *englischer Philosoph.*

London (l*a*'ndᵉn) London *n.*

M

Macaulay (mᵉᵏ*o*'lĭ) **1.** *englischer Politiker und Geschichtsschreiber;* **2.** *englische Erzählerin.*

MacDonald (mᵉᵏd*o*'nᵉld) *britischer Staatsmann.*

Mackenzie (mᵉᵏĕ'nßĭ) *Strom in Nordamerika.*

Macmillan (mäᵏmĭ'lᵉn) *britischer Premierminister.*

Madras (mᵉdrä'ß) *Hafenstadt in Vorderindien.*

Malta (mŏ'lte) geogr. Malta n.

Manchester (mä'ntʃiᵗʃtᵉ) Industriestadt in Nordwest-England.

Manitoba (mäniᵗouᵇᵉ) Provinz in Kanada.

Marlborough (mŏ'lbᵉrᵉ, mä'lbᵉrᵉ) englischer Feldherr und Staatsmann.

Marshall (mä'ʃᵉl) nordamerikanischer General und Staatsmann, Urheber des Marshall-Planes.

Maugham (mŏm) englischer Erzähler und Dramatiker.

McCloy (mᵉklŏi') nordamerikanischer Politiker.

Melbourne (mĕ'lbᵉn) Großstadt in Südaustralien. [Dichter.]

Meredith (mĕ'rᵗoitʰ) englischer

Michigan (mi'ʃigᵉn): Lake ~ Michigansee m (einer der fünf Großen Seen Nordamerikas).

Monroe (mᵉnrouᵘ) nordamerikanischer Staatsmann.

Montgomery (mᵉntgɑ'mᵉri) britischer Feldmarschall.

Montreal (mŏntrᵗŏ'l) Stadt in Kanada.

Morgan (mŏ'gᵉn) amerikanischer Finanzmann.

Morgenthau (mŏ'gᵉntʰŏ) nordamerikanischer Politiker.

Moscow (mŏ'ʃkouᵘ) Moskau n.

Moselle (mᵉʃĕ'l) Mosel f.

Munich (mjunᵗtʰ) München n.

Murray (mɑ'rᵗ) größter Fluß Australiens.

N

Natal (nᵉtä'l) Provinz der Südafrikanischen Union.

Nelson (nĕ'lʃn) englischer Admiral und Seeheld.

New Brunswick (njubrɑ'nʃwiᵗ) Provinz in Kanada.

Newcastle (njutʰäʃl) englischer Kohlenhafen an der Nordsee.

Newfoundland (njufäuᵘndlᵉnd, bsd. ⚓ njufᵉndlä'nd) Neufundland n.

Newton (njutn) englischer Physiker.

New Zealand (njuʃᵗlᵉnd) Neuseeland n.

Niagara (nāiä'gᵉrᵉ) Niagara m (Wasserfall des Sankt-Lorenz-Stromes).

Nigeria (nāidGiᵉrᵗiᵉ) britische Kolonie in Westafrika.

Northampton (nŏtʰä'mptᵉn) Stadt und Grafschaft (a. ~shire, ~ʃiᵉ) in England.

Norway (nŏ'wei) Norwegen n.

Nottingham (nŏ'tiŋᵍm) Stadt und Grafschaft (a. ~shire, ~ʃiᵉ) in England.

Nova Scotia (nouᵘwᵉɛtouᵘʃᵉ) Provinz in Kanada.

O

Oak Ridge (ouᵘtʰridG) Atomforschungszentrum in Tennessee (USA).

Oceania (ouᵘʃieᵗiⁿiᵉ) Ozeanien n (die Inseln des südlichen Stillen Ozeans).

O'Neill (ouᵘniᵗl) amerikanischer Dramatiker und Nobelpreisträger.

Ontario (ŏntäᵉrᵗouᵘ) Provinz in Kanada; Lake ~ Ontariosee m (einer der fünf Großen Seen Nordamerikas).

Orkney (ŏ'tni): ~ Islands die Orkneyinseln pl. (nördlich von Schottland).

Ottawa (ŏ'tᵗwᵉ) Hauptstadt Kanadas.

Oxford (ŏ'tᵗfᵉd) englische Universitätsstadt.

P

Pakistan (pä'tᵗtä'n) Pakistan n.

Philippines (fi'lᵗpinᵗ) die Philippinen pl. (Inselgruppe im Stillen Ozean).

Plymouth (pli'mᵉtʰ) Hafenstadt in Süd-England.

Poe (pouᵘ) nordamerikanischer Dichter.

Polynesia (pŏlᵗniᵗʃiᵉ) Polynesien n (die östlichen Südseeinseln).

Portsmouth (pŏ'tʃmᵉtʰ) Hauptkriegshafen Englands an der Kanalküste.

Pullman (pu'lmᵉn) nordamerikanischer Eisenbahnunternehmer.

Punjab (pᴧndGä'b) Pandschab n (Landschaft im nordwestlichen Vorderindien).

Q

Quebec (tᴧtbĕ't) Provinz und Stadt in Kanada.

R

Raleigh (rŏ'lᵗ, rä'lᵗ, rä'lᵗ) englischer Seefahrer.

Rhine (räin) Rhein m.

Rhodes (rouᵘdᵗ) Rhodus n (Mittelmeerinsel).

Rhodesia (rouᵘdiᵗʃᵉ) Rhodesien n (britisches Gebiet in Südafrika).

Rockefeller (rŏ'ṭfĕlᵉ) *nordamerikanischer Großunternehmer.*

Roosevelt (*Am.* roᵘ'ſᵉwĕlt, *englisch mst* rū'ᵇwĕlt) *Name zweier Präsidenten der U.S.A.*

Russia (rɑ'ſchᵉ) *Rußland n.*

S

Sam (ḃ̌ăm) *Samuel m; Uncle ~ der Nordamerikaner.*

Scandinavia (ḃ̌ăndı̇̆nᵉı̇̆'wı̇̆ᵉ) *geogr. Skandinavien n.*

Scotland (ḃ̌ŏ'tlᵉnd) *Schottland n; ~ Yard Polizeipräsidium in London; Kriminalpolizei.*

Seoul (ḃ̌ŏᵘl) *Sŏul* (ı̇̆chaūl) *n (Hauptstadt von Korea).*

Shakespeare (ſchĕı̇̆'ṭ̌pı̇̆ᵉ) *englischer Dichter.*

Shaw (ſchŏ) *englischer Dramatiker.*

Sheffield (ſchĕ'fı̇̆ld) *Industriestadt in Mittelengland.*

Shetland (ſchĕtlᵉnd): *the ~s pl. die Shetlandinseln pl. (nordöstlich von Schottland).*

Sinclair (ḃ̌ı̇̆'nᵃtlă̆ᵉ, ḃ̌ı̇̆'nᵃtlᵉ) *nordamerikanischer Erzähler.*

Singapore (ḃ̌ı̇̆nᵃgᵉpŏ') *Singapur n (Hauptstadt von Britisch-Malakka).*

Snowdon (ḃ̌noᵘ'dn) *Berg in Wales (Großbritannien).*

S(o)udan (ḃ̌ūdă'n) *Su'dan m (mittelafrikanisches Gebiet).*

Southampton (ḃ̌aū⁴hă'mptᵉn) *Hafenstadt an der Südküste Englands.*

Stevenson (ḃ̌tı̇̆'wᵉnḃ̌ᵉn) *nordamerikanischer Politiker.*

Stratford (ḃ̌trä'tſᵉd) *englischer und amerikanischer Ortsname; ~ on Avon Geburtsort Shakespeares.*

Switzerland (ḃ̌wı̇̆'ṭ̌ᵉlᵉnd) *die Schweiz f.*

Sydney (ḃ̌ı̇̆'dnı̇̆) *Hafen- und Industriestadt in Australien.*

T

Tennyson (tĕ'nı̇̆ḃ̌n) *englischer Dichter.*

Thames (tĕmſ) *geogr. Themse f.*

Tom(my) (tŏm, tŏ'mı̇̆) *Koseform für Thomas; ~ Atkins der britische Soldat.*

Toronto (tᵉrŏ'ntoᵘ) *Stadt in Kanada.*

Trafalgar (trᵉſä'lgᵉ) *Vorgebirge bei Gibraltar (Seesieg und Tod Nelsons 1805).*

Transvaal (trä'nſwål) *Transvaa'l n*

(Provinz der Südafrikanischen Union).

Truman (trū'mᵉn) *amerikanischer Politiker.*

Turkey (tŏ'tı̇̆) *die Türkei.*

V

Vancouver (wänḃ̌ū'wᵉ) *Insel und Stadt an der Westküste Kanadas.*

Vanderbilt (wä'ndᵉbı̇̆lt) *nordamerikanischer Unternehmer.*

Vatican (wä'tı̇̆tᵉn) *Vatika'n m (Papstpalast in Rom; fig. päpstliche Regierung).*

Vienna (wı̇̆ĕ'nᵉ) *geogr. Wien n.*

W

Wales (ωeı̇̆lſ) *Wales n (Teil Großbritanniens).*

Wallace (ωŏ'lᵉḃ̌) *1. englischer Erzähler; 2. nordamerikanischer Politiker und Staatsmann; 3. nordamerikanischer Erzähler.*

Wall Street (ωŏ'lḃ̌trı̇̆t) *Straße und Finanzzentrum in New York.*

Washington (ωŏ'ſchı̇̆ngtᵉn) *1. erster Präsident der U.S.A.; 2. Staat der U.S.A.; 3. Bundeshauptstadt und Regierungssitz der U.S.A.*

Watt (ωŏt) *englischer Erfinder.*

Wellington (ωĕ'lı̇̆ngtᵉn) *1. englischer Feldherr und Staatsmann; 2. Hauptstadt und Haupthafen Neuseelands.*

Wells (ωĕlſ) *englischer Schriftsteller.*

Wight (ωält): *isle of ~ Insel vor der Südküste Englands.*

Wilde (ωäld) *englischer Dichter.*

Wilson (ωı̇̆'lḃ̌n) *Präsident der U.S.A.*

Wimbledon (ωı̇̆'mbldᵉn) *Vorort von London (Tennisturniere).*

Winnipeg (ωı̇̆'nı̇̆pĕg) *See und Stadt in Kanada.*

Worcester (ωū'ḃ̌tᵉ) *Industriestadt in England und in U.S.A.*

Wordsworth (ωŏ'dſωᵉt) *englischer Dichter.*

Y

Yale (jeı̇̆l) *Stifter der ~ University, U.S.A.*

Yellowstone (jĕ'lŏḃ̌toᵘn) *Fluß und Naturschutzgebiet in U.S.A.*

York (jŏt) *Stadt und Erzbischofssitz in Nordengland.*

Yosemite (joᵘḃ̌ĕ'mı̇̆tı̇̆) *Tal und Naturschutzgebiet in Kalifornien, U.S.A.*

Yugo-Slavia (jū'goᵘḃ̌lă'wı̇̆ᵉ) *Jugoslawien n.*

AMERICAN AND BRITISH ABBREVIATIONS

A

A.B.C. American Broadcasting Company Amerikanische Rundfunkgesellschaft f. [bombe f.]
A-bomb atomic bomb Atom-]
A.C. alternating current Wechselstrom m.
A/C account (current) Kontokorrent n, Rechnung f.
acc(t). account Konto n, Rechnung f.
A.E.C. Atomic Energy Commission Ato'menergie-Ausschuß m.
A.F.L. American Federation of Labor Einer der beiden großen Gewerkschaftsverbände der U.S.A.
A.F.N. American Forces Network Amerikanischer Soldatensender m.
Ala. Alabama (Staat der U.S.A.).
Alas. Alaska (Territorium der U.S.A.).
a.m. ante meridiem (lateinisch = before noon) vormittags.
A.P. Associated Press Nordamerikanisches Nachrichtenbüro n.
A.R.C. American Red Cross Amerikanisches Rotes Kreuz n.
Ariz. Arizona (Staat der U.S.A.).
Ark. Arkansas (Staat der U.S.A.).
A.R.P. Air-Raid Precautions Luftschutz m.

B

B.A. Bachelor of Arts Bakkalau'reus m der Philosophie (unterster akademischer Grad).
B.B.C. British Broadcasting Corporation Britische Rundfunkgesellschaft f.
B/E Bill of Exchange Wechsel m.
B.E.A.C. British European Airways Corporation Britische Europa-Luftfahrtgesellschaft f.
Benelux Belgium, Netherlands, Luxemburg (Zollunion dieser Staaten).
B.F.N. British Forces Network Britischer Soldatensender m.

B.L. Bachelor of Law Bakkalau'reus m des Rechts (unterster akademischer Grad).
B/L bill of lading (See-) Frachtbrief m.
B.M. Bachelor of Medicine Bakkalau'reus m der Medizi'n (unterster akademischer Grad).
B.O.A.C. British Overseas Airways Corporation Britische Übersee-Luftverkehrsgesellschaft f.
B.O.T. Board of Trade Handelsministe'rium n (in Großbritannien).
B.R. British Railways Eisenbahn f in Großbritannien.
Br(it). Britain Großbritannien n; British britisch.
Bros. brothers Gebrüder pl. (in Firmenbezeichnungen).
B.S.A. British South Africa Britisch-Südafrika.
B.T.U. British Thermal Unit(s) Britische Wärmeeinheit f.
B.U.P. British United Press Britisches Nachrichtenbüro n.

C

c. 1. cent(s) Cent m (amerikanische Münze); 2. circa ungefähr, zirka; 3. cubic Kubi'k... [Konto n.]
C/A current account laufendes]
Cal(if). California (Staat der U.S.A.).
Can. Canada Kanada n; Canadian kanadisch.
C.C. continuous current Gleichstrom m.
C.I.C. Counter Intelligence Corps Spionageabwehrdienst m der U.S.A.
C.I.D. Criminal Investigation Division Kriminalpolizei f.
c.i.f. cost, insurance, freight Kosten, Versicherung und Fracht einbegriffen.
C.I.O. Congress of Industrial Organizations Einer der beiden großen Gewerkschaftsverbände der U.S.A.
c/o care of p. A. (per Adresse), bei.
Co. company Gesellschaft f; in

U.S.A. *und* Irland *auch* County Kreis *m.*

C.O.D. *cash (Am. collect) on delivery* Zahlung bei Empfang, gegen Nachnahme.

Col. Colorado *(Staat der U.S.A.).*

Conn. Connecticut *(Staat der U.S.A.).*

c.w.o. *cash with order* Barzahlung bei Bestellung.

cwt. *hundredweight* Zentner *m.*

D

d. *penny, pence (britische Münze).*

D.C. 1. *direct current* Gleichstrom *m;* 2. *District of Columbia (mit der amerikanischen Hauptstadt).*

Del. Delaware *(Staat der U.S.A.).*

Dept. Department Abteilung *f.*

disc(t). *discount* Diskont, Abzug *m.*

div. *dividend* Divide'nde *f.*

dol. *dollar* Dollar *m.*

doz. *dozen(s)* Dutzend *n.*

D.P. Displaced Person Verschleppte(r).

Dpt. Department Abteilung *f.*

E

E. 1. East Ost(en) *m;* Eastern östlich; 2. English englisch.

E. & O.E. *errors and omissions excepted* Irrtümer und Auslassungen vorbehalten.

E.C.A. Economic Co-operation Administration Verwaltung *f* für wirtschaftliche Zusammenarbeit.

E.C.E. Economic Commission for Europe Wirtschaftskommissio'n *f* für Europa *(des Wirtschafts- und Sozialrates der UN).*

ECOSOC Economic and Social Council Wirtschafts- und Sozialrat *m der UN.* [vorbehalten.]

EE., E./E. *errors excepted* Irrtümer]

e.g. *exempli gratia (lateinisch =* for instance) z. B. (zum Beispiel).

Enc. *enclosure(s)* Anlage(n) *f.*

E.R.P. European Recovery Program(me) Marshall-Plan *m,* Europa-Hilfe-Programm *der U.S.A.*

Esq. Esquire Wohlgeboren *(in Briefadressen).*

F

f. 1. farthing *(brit. Münze);* 2. fathom(s) Faden *m,* Klafter *f;* 3. feminine weiblich; 4. foot, *(pl.)* feet Fuß *m;* 5. following folgend.

FBI Federal Bureau of Investigation US-Staatssicherheitsbehörde und Geheimpolizei *f.*

FIFA Fédération Internationale de Football Association Internationaler Fußballverband *m.*

Fla. Florida *(Staat der U.S.A.).*

F.O. Foreign Office Auswärtiges Amt *n.*

fo(l). *folio* Folio *n,* Seite *f.*

f.o.b. *free on board* Lieferung frei Schiff.

f.o.q. *free on quay* frei Kai.

f.o.r. *free on rail* frei Bahn.

f.o.t. *free on truck* frei Waggo'n.

f.o.w. *free on waggon* frei Waggo'n.

fr. *franc(s)* Frank(en *pl.) m.*

ft. *foot, feet* Fuß *m (pl.).*

G

g. 1. *gramme* g (Gramm); 2. *guinea* Guinee *f (21 Schilling).*

Ga. Georgia *(Staat der U.S.A.).*

G.A.T.T. General Agreement on Tariffs and Trade Allgemeines Zoll- und Handelsabkommen *n.*

G.I. *government issue* von der Regierung ausgegeben, Staatseigentum *n; fig. der* amerikanische Soldat.

G.M.T. Greenwich Mean Time Westeuropäische Zeit *f.*

gns. *guineas* Guineen *pl. (s. g. 2).*

gr. *gross* brutto.

gr.wt. *gross weight* Bruttogewicht *n.*

Gt.Br. Great Britain Großbritannien *n.*

H

h. *hour(s)* Stunde, Uhr *f.*

H.B.M. His (Her) Britannic Majesty Seine (Ihre) Britannische Majestä't *f.*

H-bomb *hydrogen bomb* Wasserstoffbombe *f.*

H.C. House of Commons Unterhaus *n.*

hf. *half* halb.

H.L. House of Lords Oberhaus *n.*

H.M. His (Her) Majesty Seine (Ihre) Majestä't *f.*

H.M.S. 1. His (Her) Majesty's Service Dienst *m,* & Dienstsache *f;* 2. His (Her) Majesty's Ship (Steamer) Seiner (Ihrer) Majestät Schiff *n* (Dampfer *m).*

H.O. Home Office Innenministerium *n.*

H.P., h.p. *horse-power* PS, Pferdestärke *f.*

H.Q., Hq. Headquarters Stab(s-quartier *n) m,* Hauptquartier *n.*

— 522 —

H.R. *House of Representatives* Repräsentantenhaus *n der U.S.A.*
H.R.H. *His (Her) Royal Highness* Seine (Ihre) Königliche Hoheit *f.*
hrs. *hours* Stunden *pl.*

I

Ia. *Iowa (Staat der U.S.A.).*
Id. *Idaho (Staat der U.S.A.).*
I.D. *Intelligence Department* Nachrichtenamt *n.*
i.e. *id est (lateinisch = that is to say)* d. h. *(das heißt).*
Ill. *Illinois (Staat der U.S.A.).*
I.M.F. *International Monetary Fund* Weltwährungsfonds *m.*
in. *inch(es)* Zoll *m.*
Inc. 1. *Incorporated* mit den Rechten einer juristischen Person versehen; **2.** *Including* einschließlich; **3.** *Inclosure* Anlage *f.*
Ind. *Indiana (Staat der U.S.A.).*
I.N.S. *International News Service* Internationaler Nachrichtendienst *m.*
inst. *instant* d. M. (dieses Monats).
Ir. *Ireland* Irland *n*; *Irish* irisch.

J

J.P. *Justice of the Peace* Friedensrichter *m.*
Jr. *junior* jr. *(junior = der Jüngere).*

K

Kan(s). *Kansas (Staat der U.S.A.).*
k.o., **KO** *knock(ed) out* Boxen: durch Niederschlag kampfunfähig (machen); *fig.* erledigen (erledigt).
Ky. *Kentucky (Staat der U.S.A.).*

L

l. *litre* Liter *n (m).*
£ *pound sterling* Pfund *n* Sterling *(Währung).*
La. *Louisiana (Staat der U.S.A.).*
£A *Australian pound* australisches Pfund *n (Währung).*
lb. *pound* Pfund *n (Gewicht).*
L.C. *letter of credit* Kredit'brief *m.*
£E *Egyptian pound* ägyptisches Pfund *n (Währung).*
L.P. *Labour Party* Arbeiterpartei *f.*
LP *long play* Langspiel...; *record* Langspielplatte *f.*
Ltd. *limited* mit beschränkter Haftpflicht.

M

m. 1. *male* männlich; **2.** *metre* m Meter *n, m*; **3.** *mile* Meile *f*; **4.** *minute* Min., Minute *f.*
M.A. *Master of Arts* Magister *m* der Philosophie *(höherer akademischer Grad).*
Man. *Manitoba (Provinz in Kanada).*
Mass. *Massachusetts (Staat der U.S.A.).*
M.D. *medicinæ doctor (lateinisch = Doctor of Medicine)* Dr. med.
Md *Maryland (Staat der U.S.A.).*
Me. *Maine (Staat der U.S.A.).*
mg. *milligramme* mg (Milligramm *n).*
Mich. *Michigan (Staat der U.S.A.).*
Minn. *Minnesota (Staat der U.S.A.).*
Miss. *Mississippi (Staat der U.S.A.).*
mm. *millimetre* mm (Millimeter *n).*
Mo. *Missouri (Staat der U.S.A.).*
M.O. *money order* Postanweisung *f.*
Mont. *Montana (Staat der U.S.A.).*
MP, M.P. 1. *Member of Parliament* Parlamentsmitglied *n*; **2.** *Military Police* Feldgendarmerie' *f.*
m.p.h. *miles per hour* Stundenmeilen *pl.*
Mr. *Mister* Herr *m.*
Mrs. *Mistress* Frau *f.*
MS. *manuscript* Manuskript *n.*
M.S. *motorship* Motorschiff *n.*

N

N. *North* Nord(en) *m*; *Northern* nördlich.
N.A.A.F.I. *Navy, Army and Air Force Institutes* Truppenbetreuungsinstitut *n* der britischen Wehrmacht.
NATO *North Atlantic Treaty Organization* Organisation *f* der Mächte des Nordatlantikpakts.
N.C. *North Carolina (Staat der U.S.A.).*
N.Dak. *North Dakota (Staat der U.S.A.).*
N.E. *North East* Nordost(en) *m.*
Neb. *Nebraska (Staat der U.S.A.).*
Nev. *Nevada (Staat der U.S.A.).*
N.H. *New Hampshire (Staat der U.S.A.).*
N.J. *New Jersey (Staat der U.S.A.).*
N.Mex. *New Mexico (Staat der U.S.A.).*
nt.wt. *net weight* Nettogewicht *n.*
N.W. *North Western* nordwestlich.
N.Y. *New York (Staat der U.S.A.).*

N.Y.C. New York City Stadt f New York.

O

O. 1. Ohio (Staat der U.S.A.); 2. order Auftrag m.

o/a on account of für Rechnung von.

O.E.E.C. Organization of European Economic Co-operation Organisation f für europäische wirtschaftliche Zusammenarbeit.

O.H.M.S. On His Majesty's Service im Dienste Seiner Majestät; & Dienstsache.

O.K. (möglicherweise aus:) all correct in Ordnung.

Okla. Oklahoma (Staat der U.S.A.).

O.N.A. Overseas News Agency Überseenachrichtenagentur f.

O.N.S. Overseas News Service Überseenachrichtendienst m.

Ore(g). Oregon (Staat der U.S.A.).

P

p.a. per annum (lateinisch) jährlich.

Pa. Pennsylvania (Staat der U.S.A.).

P.A.A. Pan-American Airways Pan-amerikanische Luftlinien pl.

P.C. 1. post-card Postkarte f; 2. police constable Schutzmann m.

p.c. per cent p.c. (Prozent n [pl.]).

pd. paid bezahlt.

P.E.N., mst **PEN Club** Poets, Playwrights, Editors, Essayists and Novelists Internationale Vereinigung f von Dichtern, Dramatikern, Redakteuren, Essayisten und Romanschriftstellern.

Penn(a). Pennsylvania (Staat der U.S.A.).

per pro(c). per procurationem (lateinisch = by proxy) ppa. (per Prokura).

p.m. post meridiem (lateinisch = after noon) zwischen Mittag und Mitternacht.

P.O. 1. Post Office Postamt n; 2. postal order Postanweisung f.

P.O.B. Post Office Box Postschließfach n.

p.o.d. pay on delivery Nachnahme f.

P.O.S.B. Post Office Savings Bank Postsparkasse f.

P.S. Postscript Nachschrift f; P.S.

P.T.O., **p.t.o.** please turn over b.w. (bitte wenden).

PX Post Exchange Verkaufsläden m/pl. der amerikanischen Wehrmacht.

Q

quot. quotation Preisnotierung f.

R

R.A.F. Royal Air Force Königlich Britische Luftwaffe f.

ref(c). (ln) reference (to) (in) Bezug m (auf); Empfehlung f.

regd. registered eingetragen; & eingeschrieben. [tonne f).\

reg. ton register ton RT (Register-f

ret. retired i.R. (im Ruhestand).

Rev. Reverend Ehrwürden.

R.I. Rhode Island (Staat der U.S.A.).

R.N. Royal Navy Königlich Britische Flotte f.

R.P. reply paid Rückantwort bezahlt (bei Telegrammen).

R.R. Railroad Am. Eisenbahn f.

S

S. South Süd(en) m; Southern südlich.

s. 1. second(s) Sekunde(n) f; 2. shilling(s) Schilling m.

S.A. 1. South Africa Südafrika n; 2. South America Südamerika n; 3. Salvation Army Heilsarmee f.

S.C. 1. South Carolina (Staat der U.S.A.); 2. Security Council Sicherheitsrat m der U.N. [U.S.A.).\

S.Dak. South Dakota (Staat der)

S.E. 1. South East Südost(en) m; South Eastern südöstlich; 2. Stock Exchange Börse f.

sh. shilling(s) Schilling m.

Soc. society Gesellschaft f; Verein m.

sov. sovereign Sovereign m.

Sq. Square Platz m.

sq. square ... Quadrat't...

S.S. steamship Dampfer m.

St. Station Bahnhof m.

St.Ex. Stock Exchange Börse f.

stg. sterling Sterling m (britische Münzeinheit).

suppl. supplement Nachtrag m.

S.W. South West Südwest(en) m; South Western südwestlich.

T

t. ton(s) Tonne(n) f.

T.D. Treasury Department Finanzministerium n der U.S.A.

Tenn. Tennessee (Staat der U.S.A.).

Tex. Texas (Staat der U.S.A.).

T.M.O. telegraph money order telegraphische Geldanweisung f.

T.O. *Telegraph (Telephone) Office*
Telegra'phen- (Telepho'n-)amt *n.*
T.U. *Trade Union* Gewerkschaft *f.*
T.U.C. *Trade Unions Congress*
(britischer) Gewerkschaftsverband
m.

U

U.K. *United Kingdom* Vereinigtes
Königreich *n (England, Schottland,
Wales und Nordirland).*
U.N. *United Nations* Vereinte Natio-
nen *pl.*
UNESCO *United Nations Education-
al, Scientific, and Cultural Organi-
zation* Organisatio'n *f* der Vereinten
Nationen für Wissenschaft, Erzie-
hung und Kultu'r.
U.N.S.C. *United Nations Security
Council* Sicherheitsrat *m* der Ver-
einten Nationen.
U.P. *United Press* Amerikanische
Nachrichtenagentur *f.*
U.S.(A.) *United States (of Ame-
rica)* Vereinigte Staaten *pl.* (von
Amerika).
Ut. *Utah (Staat der U.S.A.).*

V

Va. *Virginia (Staat der U.S.A.).*
VE-day *Victory in Europe-day Tag
der deutschen Kapitulation 1945.*
viz. *videlicet (lateinisch)* nämlich.
vol. *volume* Band *m.*

vols. *volumes* Bände *pl.*
Vt. *Vermont (Staat der U.S.A.).*

W

W. *West* Westen *m;* Western west-
lich.   [*U.S.A.).*\
Wash. *Washington (Staat der*\
W.D. *War Department* Kriegsmini-
sterium *n* der *U.S.A.*
W.F.T.U. *World Federation of Trade
Unions* Weltgewerkschaftsbund *m.*
W.H.O. *World Health Organization*
Weltgesundheitsorganisation *f* der
U.N.
W.I. *West Indies* Westindien *n.*
Wis. *Wisconsin (Staat der U.S.A.).*
W.O. *War Office britisches* Kriegs-
ministerium *n.*
wt. *weight* Gewicht *n.*   [*U.S.A.).*\
W.Va. *West Virginia (Staat der*\
Wyo. *Wyoming (Staat der U.S.A.).*

X

Xmas *Christmas* Weihnachten *n.*

Y

yd. *yard(s)* Elle(n *pl.) f.*
Y.M.C.A. *Young Men's Christian
Association* CVJM. Christlicher
Verein *m* Junger Männer.
Y.W.C.A. *Young Women's Christian
Association* Christlicher Verein *m*
Junger Mädchen.

GERMAN MEASURES AND WEIGHTS

I. Lineal Measures

1 mm *Millimeter* millimetre = $^1/_{1000}$ metre = 0.001 093 6 yard = 0.003 280 9 foot

1 cm *Zentimeter* centimetre = $^1/_{100}$ metre

1 m *Meter* metre = 1.0936 yard = 3.2809 feet

1 km *Kilometer* kilometre = 1000 metres = 1,093.637 yards = 3,280.8693 feet

1 sm *Seemeile* nautical mile = 1,852 metres

II. Surface or Square Measures

1 qmm *Quadratmillimeter* square millimetre = $^1/_{1000}$ square metre = 0.001 196 square yard = 0.010 764 1 square foot

1 qcm *Quadratzentimeter* square centimetre = $^1/_{100}$ square metre

1 qm *Quadratmeter* square metre = 1 × 1 metre = 1.1960 square yard = 10.7641 square feet

1 a *Ar* are = 100 square metres = 119.6011 square yards = 1,076.4103 square feet

1 ha *Hektar* hectare = 100 ares = 10 000 square metres = 11,960.11 square yards = 107,641.00 square feet = 2.4711 acres

1 qkm *Quadratkilometer* square kilometre = 100 hectares = 1,000,000 squares metres = 247.11 acres = 0.3861 square mile

III. Cubic or Solid Measures

1 cmm *Kubikmillimeter* cubic millimetre = 0.061 cubic line

1 ccm *Kubikzentimeter* cubic centimetre = 1,000 cubic millimetres = 61.0253 cubic lines

1 cbm *Kubikmeter*
1 rm *Raummeter* } cubic metre
1 fm *Festmeter*
= 1.3079 cubic yards = 35.3156 cubic feet

1 RT *Registertonne* register ton = 2,832 cbm = 100 cubic feet

IV. Measures of Capacity

1 l *Liter* litre = 1.7607 pint = 0.2201 gallon

1 hl *Hektoliter* hectolitre = 100 litres = 22.009 gallons

V. Weights

1 g *Gramm* gramme = $^1/_{1000}$ kilogramme = 1.6931 scruple

1 Pfd. *Pfund* pound (German) = 500 grammes = 1.1023 pound Avdp.

1 kg *Kilogramm* kilogramme, *Kilo* = 1000 grammes = 2.2046 pounds Avdp.

1 Ztr. *Zentner* centner (German) = 50 kilogrammes = 110.23 pounds Avdp. = 0.9842 British hundredweight = 1.1023 U.S. hundredweight

1 dz *Doppelzentner* = 100 kilogrammes = 1.9684 British hundredweight = 2.2046 U.S. hundredweights

1 t *Tonne* ton = 1000 kilogrammes = 0.984 British ton = 1.1023 U.S. ton

AMERICAN AND
BRITISH MEASURES AND WEIGHTS

1. Längenmaße

1 **line (l.)** = $^1/_{12}$ inch = 2.12 mm
1 **inch (in.)** = 12 lines = 2.54 cm
1 **foot (ft.)** = 12 inches = 30.48 cm
1 **yard (yd.)** = 3 feet = 91.44 cm

2. Nautische Maße

1 **fathom (f., fm.)**
  = 6 feet = 1.83 m
1 **cable('s) length** = 100 fathoms
  = 183 m (*U.S.A.* 120 fathoms =
  219 m)
1 **nautical mile** (*od.* 1 knot)
  = 6,080 feet = 1 853.18 m

3. Flächenmaße

1 **square inch (sq. in.)** = 6.45 qcm
1 **square foot (sq. ft.)** = 144 square
  inches = 929.03 qcm
1 **square yard (sq. yd.)**
  = 9 square feet = 8 361.26 qcm
1 **square rod**
  = 30.25 square yards = 25.29 qm
1 **rood** = 40 square rods = 10.12 a
1 **acre (a.)** = 4 roods = 40.47 a
1 **square mile** = 640 acres = 259 ha

4. Raummaße

1 **cubic inch (cu. in.)** = 16.387 ccm
1 **cubic foot (cu. ft.)** = 1,728 cubic
  inches = 28 316.75 ccm
1 **cubic yard (cu. yd.)**
  = 27 cubic feet = 0.765 cbm
1 **register ton (reg. ton)**
  = 100 cubic feet = 2.832 cbm

5. Hohlmaße
Trocken- und Flüssigkeitsmaße

1 **British** *od.* **Imperial gill (gl.,gi.)**
  = 0.142 l
1 **British** *od.* **Imperial pint (pt.)**
  = 4 gills = 0.568 l
1 **British** *od.* **Imperial quart (qt.)**
  = 2 pints = 1.136 l
1 **British** *od.* **Imp. gallon (Imp.
  gal.)** = 4 Imp. quarts = 4.546 l

6. Trockenmaße

1 **British** *od.* **Imperial peck (pk.)**
  = 2 Imp. gallons = 9.086 l

1 **Brit.** *od.* **Imp. bushel (bu., bus.)**
  = 8 Imp. gallons = 36.35 l
1 **Brit.** *od.* **Imperial quarter (qr.)**
  8 Imp. bushels = 290.8 l

7. Flüssigkeitsmaße

1 **Brit.** *od.* **Imperial barrel (bbl.,
  bl.)** = 36 Imp. gallons = 1.636 hl

*

1 **U.S. dry pint** = 0.551 l
1 **U.S. dry quart**
  = 2 dry pints = 1.1 l
1 **U.S. dry gallon**
  = 4 dry quarts = 4.4 l
1 **U.S. peck**
  = 2 dry gallons = 8.81 l
1 **U.S. bushel (Getreidemaß)**
  = 8 dry gallons = 35.24 l
1 **U.S. liquid gill** = 0.118 l
1 **U.S. liquid pint** = 4 gills =
  16 fluid ounces = 0.473 l
1 **U.S. liquid quart**
  = 2 pints = 0.946 l
1 **U.S. liquid gallon**
  = 8 pints = 3.785 l
1 **U.S. barrel**
  = 31½ gallons = 119 l
1 **U.S. barrel petroleum**
  = 42 gallons = 158.97 l

8. Handelsgewichte

1 **grain (gr.)** = 0.0648 g
1 **dram (dr.)** = 27.34 grains = 1.77 g
1 **ounce (oz.)** = 16 drams = 28.35 g
1 **pound (lb.)**
  = 16 ounces = 453.59 g
1 **quarter (qr.)**
  = 28 pounds = 12.7 kg
  (*U.S.A.* 25 pounds = 11.34 kg)
1 **hundredweight (cwt.)** = 4 quarters (*od.* 112 pounds) = 50.8 kg
  (*U.S.A.* 100 pounds = 45.36 kg)
1 **ton (t.)** (*a.* long ton) = 20 hundredweight (*od.* 2,240 pounds) =
  1,016 kg (*U.S.A.*, *a.* short ton, =
  2,000 pounds = 907.18 kg)
1 **stone (st.)** = 14 pounds = 6.35 kg
1 **butcher's stone**
  = 8 pounds = 3.63 kg
1 **cental** *od.* **quintal**
  = 100 pounds = 45.36 kg